PSYCHIATRIE CLINIQUE: APPROCHE CONTEMPORAINE

sous la direction de
Pierre Lalonde et
Frédéric Grunberg

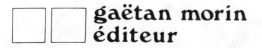

gaëtan morin
éditeur

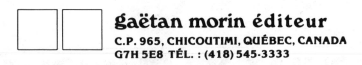

gaëtan morin éditeur
C.P. 965, CHICOUTIMI, QUÉBEC, CANADA
G7H 5E8 TÉL. : (418) 545-3333

ISBN 2-89105-030-4

Dépôt légal 1e trimestre 1980
Bibliothèque nationale du Québec
Bibliothèque nationale du Canada

TOUS DROITS RÉSERVÉS
© 1980, Gaëtan Morin éditeur ltée
6e impression, septembre 1987.

REMERCIEMENTS

Dans la réalisation de cet ouvrage nous remercions Diane Cloutier, Francine Lévesque, Louise Trudel, secrétaires à la Cité de la santé à Laval.

Nous remercions tout particulièrement Diane Archambault, secrétaire du Service de l'enseignement à l'hôpital Louis-H. Lafontaine, dont l'esprit d'initiative et d'organisation a grandement contribué à la réalisation de ce projet.

PRÉFACE

de
Yvon Gauthier, m.d.

Ce manuel de psychiatrie, le premier à voir le jour en français au Québec, constitue le signe le plus évident d'une discipline en plein développement et qui est déjà en voie de parvenir à la maturité.

Les dernières décades ont vu la psychiatrie connaître une évolution absolument radicale en Amérique et dans la plupart des pays occidentaux. Plusieurs courants de pensée s'y sont développés et ont conduit non seulement à une compréhension meilleure des grands problèmes psychiatriques, mais aussi à une véritable prise en charge thérapeutique de patients de tous âges. La psycho-pharmacologie, depuis la découverte des neuroleptiques, a complètement transformé les hôpitaux psychiatriques; sous leur influence, les "asiles" où l'on entassait sans espoir de plus en plus de malades, ne sont plus dominés par l'agitation et l'angoisse, et permettent maintenant un "minimum acceptable" de vie aussi bien à des patients moins nombreux qu'au personnel soignant. La théorie psychanalytique a joué de son côté, au coeur même de la psychiatrie, un rôle essentiel, apportant une perspective à la fois historique et dynamique, un regard en profondeur qui tient compte de toutes les composantes d'un patient, et une approche de plus en plus individualisée. Enfin, la psychiatrie communautaire est venue ajouter au cours des récentes années une dimension nouvelle où l'on étudie le malade dans le contexte de sa famille et de la société qui est la sienne, et où l'on tente d'en utiliser toutes les ressources pour le ramener à la santé.

Au cours des vingt dernières années, on peut dire que ces trois grands courants de pensée ont animé la psychiatrie au Québec, et ont contribué à créer un esprit de recherche où tous les facteurs en jeu dans l'apparition d'une maladie sont étudiés à leur juste valeur et contribuent à sa compréhension et à son traitement. Cette **approche bio-psycho-sociale** ne se retrouve pas seulement au Québec sans doute, mais elle est de plus en plus caractéristique du type de psychiatrie qui s'y pratique. Et c'est cette approche que l'on retrouvera tout au long de ce manuel, à travers ses nombreux chapitres - car c'est cette approche qui est commune à un si grand nombre de psychiatres et qui leur permet de travailler en collaboration.

D'autre part, la psychiatrie de notre milieu, depuis la réforme mise en train à la suite du rapport de la Commission Bédard en 1963, n'a pas voulu se développer en dehors de la médecine moderne. Malgré les résistances toujours présentes chez nos collègues à voir les psychiatres et leurs malades si proches d'eux, les hôpitaux généraux ont accepté que la psychiatrie s'intègre à l'intérieur de leurs murs et y prenne de plus en plus racine. C'est là un développement de la psychiatrie moderne qui s'est épanouie au Québec comme aux Etats-Unis et dans plusieurs pays européens. Plusieurs chapitres de ce manuel illustrent bien cette tendance absolument essentielle à la psychiatrie actuelle qui refuse de plus en plus le ghetto où l'on est trop souvent tenté de la confiner.

Et c'est ce même esprit qui a conduit les auteurs à s'adresser en priorité aux médecins dits de première ligne, et à ceux qui le seront bientôt, les étudiants en médecine. Car ce sont eux qui sont les premiers à voir les malades, aussi bien ceux dont l'angoisse se manifeste directement que ceux qui ont besoin de la masquer sous diverses formes somatiques. Et ce sont eux qui ont besoin de connaissances fondamentales, précises, exprimées dans un langage clair, qui leur permettront de poser un diagnostic juste et d'atteindre à cette compréhension nécessaire à la mise en train d'une thérapeutique appropriée, qu'ils pourront conduire seuls ou en collaboration avec le spécialiste.

L'on dit souvent que la psychiatrie au Québec se situe à la jonction de la psychiatrie américaine et de la psychiatrie française. Il est certain que les collègues qui ont fait ce manuel sont de ceux qui, au cours des deux dernières décades, ont participé activement à cette tentative d'intégration constante des connaissances de ces deux mondes complémentaires et qui trop souvent se connaissent bien peu. Il faut remercier tous les auteurs d'un effort considérable, très symbolique de cet esprit d'ouverture qui anime la psychiatrie au Québec, et qui contribuera sans doute à réaliser encore mieux au cours des années à venir cet idéal difficile d'une psychiatrie à la fois scientifique et humaine.

Yvon Gauthier, m.d.
Doyen de la
Faculté de médecine
Université de Montréal

PRÉFACE
de
Cyrille Koupernik, m.d.

Je me dois de commencer par un aveu dont je mesure mal les retombées: c'est la première fois que je préface un ouvrage. Non seulement n'en ai-je jamais préfacé, mais j'ai toujours, étant moi-même lecteur, négligé ces pages de présentation, pressé d'arriver à l'essentiel. L'âge venant, on me confère ce grand honneur de préfacer une oeuvre collective.

Me permettra-t-on, compte tenu de mon inexpérience, de dire pour commencer ce que je n'ai pas trouvé dans ce Traité? En premier lieu: nulle trace de jargon. Il y aurait beaucoup à dire sur l'étrange aventure de la langue psychiatrique française qui, en partant des pesants néologismes du siècle dernier, a ramassé au passage de jeunes pousses freudiennes pour aboutir à un sabir imité d'une certaine école américaine d'inspiration sociale. Rien de tel ici: le profane n'a pas à se battre contre d'étranges mots; quand leur usage est justifié, on lui en explique le sens.

L'autre grand absent est le dogmatisme. Pendant des décades à lire des ouvrages de tendances opposées, on pourrait à bon droit se demander s'il s'agissait du même sujet, du même champ de questionnement: je présume que durant les Conciles, qui avaient pour charge de décider où était la vraie foi, les factions rivales se jetaient ainsi à la face des vérités sans recul. Rien de tel ici, mais le choix qui a présidé à l'élaboration de cette oeuvre me paraît très symptomatique. Je ne cacherai pas que j'ai lu avec émotion cette citation de Henry Ey (1945) par laquelle commence pratiquement le Traité. Tout y est dit de l'ambiguïté même de la psychiatrie.

Ey était un homme généreux, un esprit universel, ouvert à toutes les formes de pensée. Il n'en demeure pas moins que ce Traité ne s'est pas contenté de faire revivre une structure organo-dynamique, hospitalière mais rigoureuse, et qui avait pour vocation de tout soumettre à une certaine conception du monde et de l'homme. Cet ouvrage est tout à la fois un bilan honnête et lucide, une réflexion, un point de départ. J'en suis sans doute, du fait même de la proposition qui m'a été faite de le préfacer, le premier lecteur français. Je suis frappé par l'effort mutuel d'information et de compréhension, par l'esprit de tolérance que j'ai trouvés au fil des pages. En France, les uns honnissent le modèle médical, cependant que d'autres n'ont pour les approches psychologiques et sociales que mépris et irritation.

Bien plus, le monde change et dans nos pays il est normal que les ayants droit aient voix au chapitre. Si l'Anti-psychiatrie a contribué à mettre en garde ce que Henry Ey appelait une ''chosification de la situation psychiatrique'', grâces lui soient rendues. Si au contraire elle prétend remplacer par un modèle politique (quel qu'il soit) l'originalité du fait psychiatrique, on ne peut que marquer sa désapprobation.

J'ai souvent trouvé sous les meilleures plumes une attitude résolument utopique face aux mutations et aux espérances de la psychiatrie nouvelle, de cette psychiatrie extra-murale dont la prise de la Bastille demeure l'image d'Épinal. Non que quelqu'un souhaite revenir aux hôpitaux-prisons, aux asiles-garderies, mais enfin la réalité est là: les conflits, l'injustice ne sont pas la cause des handicaps des corps et de l'esprit, des fausses routes de la raison. Il y a du mythe dans l'affirmation selon laquelle on rendra à tout un chacun, par l'adversité accablée, sa place à part entière dans la société.

J'ai tenu à montrer jusqu'à ce point précis de ma réflexion, qu'une certaine idée générale de la condition humaine, pourquoi ne pas dire une certaine philosophie, était présente dans ce Traité, sous une forme moins redoutable que celle qui fleurit dans nos ouvrages, mais enfin, l'homme fait problème et il est bon que celui qui a choisi d'être psychiatre en prenne au moins conscience. Mais j'ai trouvé aussi, dans ce Traité québécois, une dimension autre, dirais-je: une ouverture sur les activités du prodigieux creuset nord-américain. Il y a toujours eu chez nos voisins un inlassable optimisme, un refus de ce fatalisme qui au fil des siècles, a rendu sceptique la Vieille Europe. Les Américains du Nord ont, en demeurant dans la foulée d'un Suisse-Allemand, Adolf Meyer, pulvérisé une nosologie statique et inadaptée. Ils ont adopté avec un immense espoir les idées de Freud, et maintenant, à l'occasion du DSM III, ils reviennent à l'idée d'une classification; toutefois, celle-ci n'est plus botanique, elle est comme ce Traité, bio-psycho-sociale, multi-axiale, rigoureuse, n'avançant rien qui ne put être prouvé, et c'est ainsi que disparaissent en tant que classes, les névroses, parce que les admettre serait avaliser la notion d'un conflit intrapsychique ayant valeur de dénominateur commun. Consternation dans la Vieille Europe. J'en fais part à des amis belges et je suis pris à partie comme jadis étaient décapités les porteurs de mauvaises nouvelles.

Je ne saurais rendre compte de tout ce que j'ai lu et ma vocation n'est pas de me substituer à une table des matières entrelardée de ronronnements louangeurs; je crois très sincèrement que ce Traité est, depuis la dernière édition de celui de H. Ey, P. Bernard et Ch. Brisset, le plus important des ouvrages de cette classe et je crois avoir montré que, loin d'être la réplique de ce dernier Traité, il apporte une vue nouvelle, vivifiante, n'hésitant pas, pour citer un exemple, à aborder les problèmes sexologiques, expliquant avec une belle franchise que l'exclusion du terme "homosexualité" du DSM III est en partie d'essence politique et liée à l'action des groupements homophiles.

Il me reste à rendre hommage à P. Lalonde et F. Grunberg d'avoir conçu cette oeuvre collective et d'avoir réussi à la rendre homogène sans aliéner la liberté d'opinion et d'expression des collaborateurs.

Cyrille Koupernik, m.d.
Professeur associé au Collège
de médecine
des Hôpitaux de Paris

LISTE DES COLLABORATEURS

LALONDE, Pierre

M.D., L.C.M.C., C.S.P.Q., F.R.C.P. (C)
Psychiatre à la Cité de la santé de Laval et au Pavillon Albert-Prévost
Professeur agrégé de clinique - Université de Montréal

GRUNBERG, Frédéric

M.D., C.S.P.Q., F.R.C.P. (C), D.P.M., M.R.C. Psych.
Psychiatre, coordonnateur de l'Enseignement à l'hôpital Louis-H. Lafontaine
Professeur agrégé - Université de Montréal
Chargé de cours à la Faculté de pharmacie - Université de Montréal

AIRD, Georges

M.D., C.S.P.Q.
Psychiatre, chef du Département de psychiatrie de l'hôpital Saint-Luc
Professeur adjoint - Université de Montréal

AMYOT, Arthur

M.D., C.S.P.Q., F.R.C.P. (C)
Psychiatre, psychanalyste
Professeur agrégé
Directeur du Département de psychiatrie - Université de Montréal

AUBUT, Jocelyn

M.D., C.S.P.Q., F.R.C.P. (C)
Psychiatre à l'Institut Philippe-Pinel
Professeur adjoint de clinique - Université de Montréal

BELTRAMI, Edouard

M.D., C.S.P.Q., F.R.C.P. (C)
Psychiatre à la Polyclinique médicale Concorde
Professeur à l'Université du Québec à Montréal
Chargé de cours à l'Université de Montréal

BEXTON, Brian

M.D., L.C.M.C., C.S.P.Q., F.R.C.P. (C), B. Sc.
Psychiatre au Pavillon Albert-Prévost

BLANCHET, André

M.D., C.S.P.Q., C.R.C.P. (C)
Chef du Département de psychiatrie au Centre hospitalier de Granby
Directeur de la Section pour adultes à l'hôpital Rivière-des-Prairies

BORGEAT, François

M.D., C.S.P.Q., F.R.C.P. (C), M. Sc.
Psychiatre au Pavillon Albert-Prévost
Professeur adjoint - Université de Montréal

BOULET, Roland

M.D., C.S.P.Q., F.R.C.P. (C)
Psychiatre à l'hôpital Louis-H. Lafontaine
Professeur adjoint de clinique - Université de Montréal

BOURQUE, Jean-Jacques

M.D., L.C.M.C., C.S.P.Q., F.R.C.P. (C)
Psychiatre - chef du service de l'enfance et de l'adolescence à l'hôpital Charles-LeMoyne
Chargé de clinique - Université de Montréal

BROCHU, Lise

M.D., L.C.M.C., C.S.P.Q.
Psychiatre à l'hôpital Rivières-des-Prairies
Chargé de clinique - Université de Montréal

BURUIANA, Nicolaï

L. Ph. (psy), DPs
Psychologue à l'hôpital Maisonneuve - Rosemont
Professeur au Département de psychologie - Université du Québec à Montréal

CHOUINARD, Guy

M.D., C.S.P.Q., F.R.C.P. (C), M. Sc. (pharmacol.)
Psychiatre à l'hôpital Louis-H. Lafontaine
Agrégé de recherche - Université de Montréal
Professeur agrégé de psychiatrie - Université McGill

COUTURE, Normande

BA, sexologie et pédagogie
Sexothérapeute au Centre de psychiatrie Concorde

DEMONTIGNY, Claude

M.D., C.S.P.Q., F.R.C.P. (C), Ph. D.
Psychiatre à l'hôpital Louis-H. Lafontaine et membre du Centre de recherche
en sciences neurologiques de l'Université de Montréal
Professeur agrégé - Université de Montréal

DENIS, Jean-François

M.D., L.C.M.C., F.R.C.P.(C)
Psychiatre à la Cité de la Santé-Laval

DESCHESNES, Jean-Pierre

M.D., C.S.P.Q.
Interniste à l'hôpital Louis-H. Lafontaine

FRECHETTE, Michel

M.D., C.S.P.Q., F.R.C.P. (C)
Psychiatre au Centre hospitalier de l'Université Laval et Robert-Giffard
Chargé d'enseignement à l'Université Laval

GAGNON, Jacques

M.D., C.S.P.Q., F.R.C.P. (C)
Psychiatre à l'hôpital Maisonneuve-Rosemont
Professeur adjoint de clinique - Université de Montréal

GAGNON, Pierre

M.D., L.C.M.C., C.S.P.Q., F.R.C.P. (C)
Psychiatre, psychanalyste
"Lecturer" - Université McGill

GAUTHIER, Bernard

> M.D., L.C.M.C., C.S.P.Q., F.R.C.P. (C)
> Psychiatre au Pavillon Albert-Prévost
> Professeur adjoint de clinique - Université de Montréal

GRAVEL, Gaston-B

> M.D., C.S.P.Q., F.R.C.P. (C)
> Psychiatre, directeur des Services professionnels à l'hôpital Louis-H. Lafontaine
> Professeur adjoint de clinique - Université de Montréal

HILLEL, Jean

> M.D., C.S.P.Q., F.R.C.P. (C)
> Psychiatre à l'hôpital Louis-H. Lafontaine
> Professeur adjoint de clinique - Université de Montréal

HOUDE, Laurent

> M.D., C.S.P.Q., C.R.C.P. (C)
> Psychiatre à l'hôpital du Haut-Richelieu
> Coordonnateur de l'enseignement à l'hôpital Rivière-des-Prairies
> Professeur titulaire - Université de Montréal
> Chargé de cours - Ecole de psycho-éducation

KEKHWA, Georges

> M.D., C.S.P.Q., F.R.C.P. (C)
> Psychiatre à l'hôpital Louis-H. Lafontaine
> Professeur agrégé - Université de Montréal

LAMBERT, Jules

> M.D., C.S.P.Q., F.R.C.P. (C)
> Psychiatre adjoint au chef de Département d'alcoologie et toxicologie à l'hôpital
> Saint-François-d'Assise (Québec)
> Chargé de cours à l'Université Laval

LAROUCHE, Léon-Maurice

> M.D., C.S.P.Q., F.R.C.P. (C), A.B.P.N.
> Psychiatre au Pavillon Albert-Prévost
> Professeur adjoint de clinique - Université de Montréal

LEFEBVRE, Pierre

> M.D., C.S.P.Q.
> Psychiatre au Pavillon Albert-Prévost
> Professeur agrégé de clinique - Université de Montréal

LEPAGE, Denis

> M.D., C.S.P.Q., F.R.C.P. (C)
> Psychiatre au Centre Hospitalier Universitaire de Sherbrooke
> Professeur agrégé - Université de Sherbrooke

MARQUIS, Paul-André

> M.D., C.S.P.Q., F.R.C.P. (C)
> Psychiatre, chef du Département d'alcoologie et toxicologie à l'hôpital
> Saint-François-d'Assise (Québec)
> Chargé de cours en pharmacologie - Universités Laval et Sherbrooke

MONDAY, Jacques

M.D., C.S.P.Q., F.R.C.P. (C)
Psychiatre au Service de psychosomatique à l'hôpital du Sacré-Coeur
et Cité de la santé de Laval
Professeur adjoint - Université de Montréal

MONTPLAISIR, Jacques

M.D., F.R.C.P. (C), PhD.
Psychiatre, chercheur, boursier du Conseil de la recherche en santé au Québec
à l'hôpital du Sacré-Coeur
Professeur agrégé - Université de Montréal

MORIN, Lorenzo

M.D., C.S.P.Q., F.R.C.P. (C), C.S.C.R.
Psychiatre à l'hôpital Louis-H. Lafontaine
Professeur agrégé - Université de Montréal

MORIN, Pierre

M.D., C.S.P.Q., F.R.C.P. (C)
Psychiatre au Service de psychosomatique - Hôpital du Sacré-Coeur et
Institut de cardiologie
Professeur adjoint de clinique - Université de Montréal

MORISSETTE, Raymond

M.D., L.C.M.C., C.S.P.Q., F.R.C.P. (C)
Psychiatre, chef du Département de psychiatrie à l'hôpital Louis-H. Lafontaine
Professeur adjoint de clinique - Université de Montréal

PINARD, Gilbert

M.D., C.S.P.Q., F.R.C.P. (C)
Psychiatre, directeur du Département de psychiatrie au Centre hospitalier
universitaire de Sherbrooke
Professeur titulaire - Université de Sherbrooke

VILLARD, Henri-Paul

M.D., C.S.P.Q., F.R.C.P. (C)
Psychiatre, chef du Service de psychosomatique à l'hôpital du Sacré-Coeur
Professeur adjoint de clinique - Université de Montréal

TABLE DES MATIÈRES

I- INTRODUCTION À LA PSYCHIATRIE

---

*   AMERICAN PSYCHIATRIC ASSOCIATION. *Diagnostic and Statistical Manual of Mental Disorders, third edition.* Washington DC, 1980.

II- LES SYNDROMES CLINIQUES PSYCHIATRIQUES

B. Gauthier

III- LES TROUBLES DE LA SEXUALITÉ

IV- LES ASPECTS SPÉCIAUX DE LA PSYCHIATRIE

V· LES TRAITEMENTS PSYCHIATRIQUES

A· LES TRAITEMENTS BIOLOGIQUES

B. LES PSYCHOTHÉRAPIES

C· LES THÉRAPIES PSYCHOPHYSIOLOGIQUES

VI· LES ASPECTS ADMINISTRATIFS ET LÉGAUX EN PSYCHIATRIE

CHAPITRE 1

ÉTAT ACTUEL DE LA PSYCHIATRIE

Frédéric Grunberg

Il est de bon aloi d'affirmer aujourd'hui dans beaucoup de milieux que la psychiatrie est en crise, qu'elle se cherche une identité et un modèle au sein des sciences médicales et des sciences humaines aussi bien qu'une fonction pratique et morale au sein de la société contemporaine.

Ces préoccupations et ces incertitudes ne sont certes pas nouvelles puisque, déjà en 1945, bien avant la révolution psychopharmacologique, la psychiatrie communautaire et toutes les contestations de l'antipsychiatrie, Henri Ey parlait de la crise de la psychiatrie et affirmait dans une allocution prononcée à la Faculté de médecine de Paris à la séance inaugurale des ''Journées psychiatriques'' de mars 1945:

''Il existe parmi les médecins de graves malentendus au sujet de la position de la psychiatrie dans le cadre des sciences médicales. La psychiatrie est tantôt considérée comme une sorte de science annexe ''paramédicale'' — bientôt envisagée comme une simple spécialité à peine différenciée de la pathologie générale.

Parfois même, on lui reproche de n'être pas assez une science médicale en même temps qu'on la répudie comme telle. De pareils malentendus risquent de durer longtemps car ils proviennent en effet de raisons profondes et notamment de positions doctrinales d'autant plus indéracinables qu'elles sont le plus souvent inconscientes'' (3).

En fait, la psychiatrie, comme le reste de la médecine, a toujours eu à faire face à des problèmes épistémologiques, organisationnels et éthiques et c'est dans ces contextes que nous envisagerons l'état actuel de la psychiatrie.

1.1 PROBLÈMES ÉPISTÉMOLOGIQUES DE LA PSYCHIATRIE

La psychiatrie, en tant que branche de la médecine, s'est développée dans la problématique du dualisme cartésien; problématique auquel le reste de la médecine n'a pas eu à faire face avec autant d'acuité.

1.1.1 Concept de la maladie mentale

La notion même de santé ou de maladie mentale est empreinte de ce dualisme et, si aujourd'hui on ne se querelle plus ouvertement autour des notions d'organo-génèse ou de psychogénèse des troubles mentaux, on se querelle autour du modèle biomédical opposé au modèle psychosocial pour expliquer la maladie mentale. On se querelle aussi en corollaire autour de la différenciation des déviations psychopathologiques qui sont du ressort de la psychiatrie à l'opposé des problèmes existentiels qui font partie de la vie courante et qui n'appartiennent ni à la médecine ni à la psychiatrie.

C'est donc sur le plan des modèles que les problèmes épistémologiques de la psychiatrie sont actuellement débattus; débat que nous esquissons sommairement.

Le modèle biomédical

Le modèle biomédical est le modèle dominant de la médecine contemporaine et se base essentiellement sur la biologie moléculaire, sa science fondamentale.

Sur le plan épistémologique, une des caractéristiques principales de ce modèle explicatif de la maladie est son adaptation à la vérification scientifique.

Il faut se rappeler en effet que tout modèle explicatif de la pathologie n'est pas nécessairement scientifique car, dans son sens le plus large, un modèle explicatif n'est rien d'autre qu'un système de croyances pour expliquer un phénomène naturel tel que la maladie. Ce n'est d'ailleurs qu'au XXe siècle que la médecine a rejeté les modèles explicatifs qui ne peuvent pas se soumettre à la vérification scientifique (modèles qui, par ailleurs, sont adoptés par la chiropraxie, la naturopathie et tout un spectre de guérisseurs qui jouent un rôle non négligeable dans la dispensation des soins à la population).

Il n'en demeure pas moins que le modèle scientifique de la maladie, comme nous le faisait remarquer H. Fabrega (4), demeure le modèle explicatif privilégié de la santé ou de la maladie des sociétés industrielles contemporaines à l'encontre d'autres sociétés et cultures qui adoptent des systèmes explicatifs surnaturels pour expliquer la maladie.

Quoi qu'il en soit, le modèle biomédical de la maladie adhère au dualisme cartésien et se conforme à une position réductionniste dont le seul langage valable pour expliquer les troubles biologiques qui sous-tendent la maladie est le langage de la chimie et de la physique.

Les psychiatres qui adhèrent à ce modèle biomédical pour expliquer la maladie mentale se divisent d'après Engel (2) en réductionnistes et exclusionnistes.

Les réductionnistes n'envisagent la maladie mentale qu'en termes de modifications neurochimiques qui altèrent le vécu et le comportement du malade. En ce moment, pour beaucoup de ces psychiatres, l'étude des neurotransmetteurs, spécialement les amines biogènes, est à la base des modèles explicatifs des psychoses et la psychopharmacologie est à la base de la thérapeutique, tous les deux objets privilégiés de la psychiatrie dite biologique.

Les exclusionnistes, représentés par les tenants des idées de Thomas Szasz, vont beaucoup plus loin que les réductionnistes puisqu'ils nient la notion même de maladie mentale. Si, d'une part, ce que nous appelons les troubles psychiques peuvent se réduire à des altérations neurochimiques, ils sont du ressort de la médecine en général et de la neurologie en particulier. Si, d'autre part, ils ne peuvent s'expliquer par des altérations neurobiologiques, ils sont alors le résultat de problèmes existentiels qui ne sont pas du ressort de la médecine. Dans ce contexte, la maladie mentale n'est qu'un mythe, la psychiatrie est inutile et n'a pas de raison d'être.

Il est évident que le modèle biomédical qui, malgré sa rigueur scientifique, ignore tout de la composante psychologique et sociale de la maladie, laisse beaucoup à désirer non seulement pour la psychiatrie mais pour la médecine. Nous y reviendrons plus loin.

Le modèle psychanalytique

Il a jusqu'à très récemment dominé la psychiatrie nord-américaine tant sur le plan théorique que pratique. C'est un modèle explicatif psychogénétique de la maladie mentale très logique et très cohérent mais très mal adapté à la vérification scientifique.

Freud et ses disciples, surtout Karl Abraham, ont développé un modèle explicatif de la maladie mentale basé sur les différents stades du développement de la libido. Quoique, comme nous le faisait remarquer R.J. Stoller (11), ce modèle est aujourd'hui tout à fait dépassé ne représentant "qu'une pièce de musée", nous le décrivons très succinctement ne serait-ce que pour son intérêt historique: durant les premiers six mois de la vie dominée par la phase orale où la succion est l'activité majeure, l'enfant est submergé par des gratifications narcissiques sans conscience précise du monde et des objets extérieurs. Cet "autisme préverbal" constitue le soubassement de la schizophrénie. Durant la deuxième partie du stade oral caractérisée par les activités cannibalistiques de l'enfant qui mord et dévore l'objet extérieur qu'il ne reconnaît pas dans un état d'omnipotence ou de soumission, nous retrouvons le noyau de la manie et de la mélancolie.

Au cours de la phase anale, on retrouve dans l'érotisation de l'expulsion des produits fécaux qui symbolisent l'ambivalence vis-à-vis de l'objet en même temps aimé et haï, le noyau de la psychose paranoïde non schizophrénique. Quant à l'érotisation de la rétention des produits fécaux, on retrouve une autre ambivalence — une capacité de compassion opposée à un sentiment de dégoût qui aboutit à la névrose obsessive-compulsive. Durant la phase phallique, l'anxiété de castration chez le petit garçon et l'envie du pénis chez la fillette, tous les deux résultant du conflit d'Oedipe, constituent le noyau de la future hystérie.

Finalement pour les quelques privilégiés qui ont réussi à liquider leur complexe d'Oedipe, nous retrouvons ce qu'on pourrait appeler la santé mentale.

Ce modèle psychanalytique présenté peut-être d'une manière quelque peu simpliste et caricaturale peut, aujourd'hui, faire sourire. Il conviendrait cependant de faire remarquer que le vice fondamental de ce modèle explicatif des maladies mentales réside dans le fait que leur étiologie est préconçue non seulement sans aucune vérification scientifique mais sans même offrir la possibilité de formuler des hypothèses qui pourraient confirmer ou infirmer leur validité. Il faut toutefois se souvenir, qu'à l'époque où ce modèle avait été formulé, bien des modèles qui postulaient une causalité mécaniste ou organique des maladies mentales, n'étaient pas moins spéculatifs ou plus avancés sur le plan scientifique.

En tout cas, la valeur du modèle psychanalytique en psychiatrie ne réside pas dans son mode explicatif étiologique mais plutôt dans le fait qu'il nous aide à donner un sens à la maladie mentale dans ses recoins les plus obscurs sans nécessairement présumer sa causalité. Le postulat des motivations inconscientes du comportement humain normal ou pathologique demeure aussi indispensable aujourd'hui que par le passé.

Le modèle bio-psycho-social

C'est le modèle le plus courant de la psychiatrie contemporaine qui se traduit en pratique par ce qu'Alan Stone (12), le nouveau président de l'American Psychiatric Association, qualifie sous le terme d''''éclectisme pragmatique''.

Ce modèle comprend trois paradigmes: le biologique, le psychologique et le social et ne présuppose aucune **causalité linéaire ou unidimensionnelle**. George L. Engel, déjà cité, propose le modèle bio-psycho-social comme le nouveau modèle médical qui ne s'appliquerait pas seulement à la psychiatrie mais à toute la médecine contemporaine pour les raisons suivantes:

1.   Même si un désordre biochimique spécifique était démontré pour une maladie donnée, telle que la schizophrénie ou le diabète, il ne s'ensuit pas que cette maladie se manifesterait ipso facto sur le plan clinique. Il ne n'ensuit pas non plus que ce désordre biochimique explique tous les aspects de la maladie. Le plus que l'on puisse dire est que le désordre biochimique constitue la condition nécessaire mais non suffisante pour expliquer la maladie à laquelle se grefferont des facteurs psychosociaux qui influenceront sa forme et son évolution.

2.   Toute maladie mentale, par son essence même, se manifestera sur le plan comportemental qui a une composante psychologique dans le vécu du malade et une composante sociale dans ses intéractions avec son milieu. Même si on pouvait réduire la maladie mentale à un désordre biochimique, on ne peut pas ignorer sa composante psychosociale car on ignorerait l'existence même de la maladie puisque c'est sur ce plan qu'elle se manifeste.

3.   Il existe de nombreuses preuves en éthologie et en épidémiologie

que les expériences existentielles précoces, récentes et courantes affectent la forme et l'évolution de beaucoup de maladies mentales et physiques. Il est indéniable, comme nous le verrons avec plus de détails plus loin dans cet ouvrage, que de nombreuses recherches, dont la rigueur scientifique ne peut être contestée, que le type de personnalité, le style de vie et les problèmes existentiels de l'homme contemporain vivant dans une société nord-américaine contemporaine non seulement affecte sa santé mentale (chapitre 6) mais aussi bien sa santé physique (chapitre 15).

En tout cas, malgré les progrès indiscutables de la psychopharmacologie (chapitres 26, 27, 28, 29) et les découvertes toujours plus nombreuses dans la neurobiologie des grandes psychoses fonctionnelles telles que les psychoses affectives (chapitre 12) et schizophréniques (chapitre 10), le modèle biomédical, par lui seul, demeure nettement insuffisant en psychiatrie aussi bien sur le plan de la compréhension que de l'explication des maladies mentales.

Examinons maintenant de plus près les trois paradigmes du modèle bio-psycho-social tel qu'il s'applique à la psychiatrie.

1. Le paradigme biologique

Sur le plan de la clinique, nous ne possédons que très peu d'indices biologiques qui pourraient nous orienter sur l'étiologie, le diagnostic, l'évolution et le pronostic de la maladie mentale. Naturellement nous devons faire exception des désordres cérébraux organiques ou des désordres psychiatriques secondaires dus à des désordres physiologiques bien établis tels que certains désordres endocriniens, métaboliques, etc. (chapitres 13-15). Mais là encore, bien souvent la maladie se manifestera dans la sphère psychosociale avant qu'on ne puisse identifier objectivement les indices biologiques. Par exemple, au tout début d'une démence d'Alzheimer, les seuls indices qui nous orienteront vers le diagnostic seront une modification de la personnalité avec un changement dans le mode de fonctionnement social et des signes très discrets de déficit cognitif. A ce stade, très souvent l'examen neurologique et le bilan complémentaire (radiologie, EEG, CT Scan, etc.) seront négatifs.

Quant aux désordres psychiatriques fonctionnels, malgré tous les progrès actuels dans l'étude des amines biogènes, de la psycho-endocrinologie, des endorphines, etc., nous ne possédons pas encore d'indices biologiques rigoureux qui puissent orienter le diagnostic et le traitement. En fait, l'épreuve thérapeutique psychopharmacologique dans un contexte très pragmatique demeure en pratique le seul indice biologique.

Malgré toutes ces limitations, le paradigme biologique est des plus importants et la recherche dans ce domaine est extrêmement prometteuse.

2. Le paradigme psychologique

Sous ce paradigme nous pouvons inclure l'approche psychodynamique et l'approche comportementale sans pour autant postuler une causalité psychogénétique des troubles mentaux.

a) l'approche psychodynamique

Elle envisage la personnalité humaine comme l'expression d'un jeu de force intrapsychique qui se manifeste sous forme de besoins, de pulsions, de traits et d'aptitudes. La santé mentale est perçue comme l'expression acceptable pour l'individu et son entourage de ce jeu de force tandis que le trouble mental est vu comme l'expression d'un désordre de l'appareil psychique. La dynamique freudienne des pulsions participe à une telle démarche mais elle n'est pas le seul modèle théorique. Toutes les autres écoles psychanalytiques telles que Mélanie Klein, Jacques Lacan, Carl Jung, Alfred Adler, les écoles de psychologie du moi telles que Heinz Hartmann, de nouvelles thérapies telles que la Gestalt de Fritz Perls, l'analyse transactionnelle de Éric Berne peuvent s'inscrire dans ce modèle à condition de ne pas postuler une causalité qui ne peut être prouvée. En fait, nous ne possédons aucun indice psychodynamique objectif qui puisse expliquer sur un plan unidimensionnel les troubles mentaux. Par contre, comme nous l'affirmions ci-dessus, l'approche psychodynamique est indispensable dans la compréhension de désordre mental quelle que soit sa cause. Nous reviendrons sur cette approche tout au long de cet ouvrage, particulièrement aux chapitres 5, 6 et 8.

b) l'approche comportementale

Elle se réclame du béhaviorisme et postule que les comportements humains normaux ou pathologiques ne se différencient pas d'une manière intrinsèque. Tous les deux sont acquis et maintenus par des mécanismes identiques selon **les lois générales de l'apprentissage**. L'approche comportementale par elle-même ne se préoccupe pas d'identifier la maladie mentale reconnaissant que l'identification d'une conduite anormale est une perception subjective. L'approche comportementale s'en tient à l'analyse fonctionnelle de la conduite anormale ou du symptôme et ne se préoccupe pas d'expliquer les entités cliniques psychiatriques telles que névrose, psychose, trouble de la personnalité ou arriération mentale. Cette approche sera élaborée avec beaucoup plus de détails au chapitre 35 de cet ouvrage.

3. Le paradigme social

Sous ce paradigme, l'être humain est envisagé comme un être social en interaction constante avec son entourage.

Il est certain que dans le contexte des interactions sociales, la maladie mentale est influencée non seulement dans sa forme mais aussi dans son évolution, comme ont pu le démontrer de nombreuses recherches anthropologiques et sociologiques. D'ailleurs, une certaine pensée "antipsychiatrique" ne voit dans la maladie mentale qu'un épiphénomène d'une société qui est "malade" . Naturellement, les tenants de ces idées se rattachent beaucoup plus à l'idéologie qu'à la science.

En fait, comme pour les autres paradigmes, il n'existe pas d'indices sociologiques qui pourraient expliquer les maladies mentales sur le plan de la causalité linéaire ou unidimensionnelle. S'il est vrai qu'on retrouve une plus haute incidence et prévalence de troubles psychiatriques graves dans les milieux sociaux défavorisés, il n'en demeure pas moins que la pauvreté et la désorganisation sociale ne peuvent, par elles-mêmes, expliquer la maladie mentale. De même la "famille biaisée" ou la "famille à pseudo-mutualité" (chapitres 10 et 21) ne peuvent pas expliquer davantage l'éclosion d'une schizophrénie que l'hypothèse de la dopamine.

Il est évident que dans l'état actuel de la psychiatrie, nous n'avons pas d'autres choix que de nous rabattre sur le modèle bio-psycho-social tant sur le plan du diagnostic que du traitement.

1.1.2 Considérations nosologiques

Jusqu'à récemment, la psychiatrie moderne, surtout en Amérique du Nord, est restée assez indifférente à la nosologie. Le diagnostic et la classification des différentes entités cliniques psychiatriques étaient presque considérées comme gênants. Par exemple, Karl Menninger et ses collaborateurs, qui ont beaucoup influencé la psychiatrie américaine, avaient émis une notion unitaire de la maladie mentale dans un ouvrage publié aussi tard qu'en 1963: "The vital balance" (9). Pour Menninger, les différences entre les entités cliniques traditionnelles de la nosographie psychiatrique avaient très peu d'intérêt. Par contre, il mettait beaucoup l'accent sur le degré de désorganisation de la personnalité causée par la maladie mentale.

Ce sont les grands progrès de la génétique, de l'épidémiologie et de la biologie des maladies mentales ainsi que de la psychopharmacologie qui ont donné un regain sans pareil à la nosologie, non seulement en Amérique du Nord mais partout ailleurs. On se rend de plus en plus compte que si les psychiatres doivent être en mesure de communiquer, ils devraient être en mesure de s'entendre sur des critères fiables qui caractérisent le diagnostic psychiatrique, car à l'heure actuelle on ne possède que très peu d'indices biologiques qui pourraient objectiver les troubles mentaux. D'ailleurs, comme l'a démontré **l'étude pilote internationale sur la schizophrénie de l'OMS** (chapitre 10), si les psychiatres peuvent s'entendre sur les critères d'une entité clinique, la fiabilité du diagnostic psychiatrique devient très respectable malgré les différences culturelles et nationales à travers les différents pays.

Il ne nous appartient pas dans ce chapitre d'examiner les nombreux systèmes nosologiques de la psychiatrie qui remontent au XVIIIe siècle. Nous nous contenterons d'examiner la classification internationale qui est la classification officielle en cours au Canada. Nous examinerons aussi le DSM III (Diagnostic and Statistical Manual) qui vient d'être adopté par l'American Psychiatric Association et devient la classification officielle aux Etats-Unis depuis janvier 1980.

1. Classification internationale

La classification internationale des maladies est à sa neuvième révision depuis le mois d'avril 1979 et constitue le répertoire des diagnostics pour la Régie de l'assurance-maladie du Québec.

La classification internationale des maladies trouve ses origines dans la classification internationale des causes de décès (classification de Bertillon) adoptée en 1893 à Paris par l'Institut international de la statistique. Ce n'est qu'en 1938, lorsque cette classification internationale a combiné une classification de mortalité et morbidité, qu'on retrouve la première mention des troubles mentaux qui, d'ailleurs, étaient inclus sous la rubrique des maladies du système nerveux et des organes de sens.

CIM 5 — Section VI — Maladies du système nerveux et des organes des sens

84. **Troubles mentaux et déficiences mentales** (excluant la paralysie générale)

    a) déficience mentale;
    b) schizophrénie (démence précoce);
    c) psychose maniaco-dépressive;
    d) autre désordre mental.

Par la suite, il aura fallu attendre la fin de la deuxième guerre mondiale pour que l'Organisation mondiale de la santé entreprenne la sixième révision.

CIM 6 (1948) et CIM 7 (1955) — Section V — Troubles mentaux, désordres psychonévrotiques et troubles de la personnalité

Psychoses (300-309)

300 Désordres schizophréniques (démence précoce);
301 Réaction maniaco-dépressive;
302 Mélancolie d'involution;
303 Paranoïa et états paranoïdes;
304 Psychoses séniles;
305 Psychoses préséniles;
306 Psychose avec artériosclérose cérébrale;
307 Psychose alcoolique;
308 Psychose avec une autre étiologie démontrable;
309 Autre psychose non spécifiée.

Troubles psychonévrotiques (310-318)

310 Réaction d'anxiété sans symptôme somatique;
311 Réaction hystérique sans réaction d'anxiété;
312 Réaction phobique;
313 Réaction obsessive-compulsive;
314 Réaction dépressive névrotique;
315 Psychonévrose avec symptômes somatiques (réaction de somati-

sation) affectant le système circulatoire;

316 Psychonévrose avec symptômes somatiques (réaction de somatisation) affectant le système digestif;

317 Psychonévrose avec symptômes somatiques (réaction de somatisation) affectant d'autres systèmes;

318 Troubles psychonévrotiques, autres, mixtes et types non spécifiques.

Troubles du caractère du comportement et de l'intelligence (320-326)

320 Personnalité pathologique;
321 Personnalité immature;
322 Alcoolisme;
323 Toxicomanie;
324 Troubles primaires du comportement de l'enfant;
325 Déficience mentale;
326 Autres troubles non spécifiés du caractère du comportement et de l'intelligence.

Il est intéressant de noter que, de 1938 à 1948, la nomenclature des troubles mentaux non seulement s'est considérablement étendue mais s'est émancipée sous une rubrique autonome des maladies du système nerveux et des organes des sens. Ce développement illustre la place grandissante de la psychiatrie au sein de la médecine après la deuxième guerre mondiale.

Toutefois, à partir de 1959, sous l'impulsion de E. Stengel (10) qui a examiné l'état des classifications des troubles mentaux à travers le monde, l'Organisation mondiale de la santé est arrivée à la conclusion que CIM 6 était loin de faire l'unanimité parmi les psychiatres de la communauté internationale. D'ailleurs cette classification avait été totalement rejetée par la psychiatrie américaine qui, sous l'impulsion de William Menninger, développait sous les auspices de l'American Psychiatric Association en 1952 DSM I (Diagnostic Statistical Manual I). Cette classification américaine bien différente de CIM 6 s'inspirait de la psychobiologie d'Adolph Meyer en faisant appel au terme de réaction tel que réaction schizophrénique, réaction psychonévrotique, etc.

En 1964, le premier groupe scientifique de recherche sur la santé mentale organisée par l'OMS recommandait à cet organisme de développer une classification des troubles mentaux qui serait acceptable sur le plan international et qui a abouti à CIM 8 en 1965 dont les principales rubriques sont présentées dans le tableau suivant.

CIM 8 (1965) — Section V — Troubles mentaux

Psychoses (290-299)

290 Démence sénile et présénile;
291 Psychose alcoolique;
292 Psychose associée à une infection intracrânienne;

293 Psychose associée à une autre condition cérébrale;
294 Psychose associée à une autre condition physique;
295 Schizophrénie;
296 Psychoses affectives;
297 Etats paranoïdes;
298 Autres psychoses;
299 Psychose non précisée.

Troubles névrotiques, troubles de la personnalité et autres troubles mentaux non psychotiques (300-309)

300 Troubles névrotiques;
301 Troubles de la personnalité;
302 Déviation sexuelle;
303 Alcoolisme;
304 Pharmaco-dépendance;
305 Troubles physiques présumés d'origine psychogène;
306 Symptômes spéciaux non classés ailleurs;
307 Troubles transitoires situationnels;
308 Troubles du comportement de l'enfance;
309 Troubles mentaux non précisés en tant que psychoses associées à des conditions physiques.

Retard mental (310-315)

310 Retard mental limite;
311 Retard mental léger;
312 Retard mental modéré;
313 Retard mental sévère;
314 Retard mental profond;
315 Retard mental non précisé.

En même temps que CIM 8, un groupe d'experts internationaux de l'OMS ont développé un glossaire définissant le contenu des différentes rubriques de la nomenclature. Il est aussi intéressant de noter que l'American Psychiatric Association adoptait en 1968 DSM II, une nouvelle classification qui s'était beaucoup rapprochée de la nomenclature internationale.

CIM 9 (1979) — Section V — Troubles mentaux

Cette nouvelle révision de la classification internationale des maladies (CIM 9) est entrée en vigueur en janvier 1979. Elle a récemment été distribuée à tous les médecins du Québec par la Régie de l'assurance-maladie du Québec sous le titre de "Répertoire des diagnostics", dans une première édition en date d'avril 1979. Une des innovations très importante de CIM 9 est qu'un glossaire définissant le contenu des différentes rubriques a été inclus dans la classification.

Psychoses (290-299)

Etats psychotiques organiques (290-294)

290 Etats psychotiques organiques séniles et préséniles

290.0 Démence sénile, forme simple;
290.1 Démence présénile;
290.2 Démence sénile, forme dépressive ou délirante;
290.3 Démence sénile avec état confusionnel aigu;
290.4 Démence artériopathique;
290.8 Autres
290.9 Sans précision.

291 Psychoses alcooliques

291.0 Delirium tremens;
291.1 Psychose de Korsakov alcoolique;
291.2 Autres démences alcooliques;
291.3 Autres états hallucinatoires alcooliques;
291.4 Ivresse pathologique;
291.5 Délire alcoolique de jalousie;
291.8 Autres;
291.9 Sans précision.

292 Psychoses dues aux drogues

292.0 Syndrome de sevrage de drogue;
292.1 Etats délirants et hallucinatoires dus aux drogues;
292.2 Forme pathologique d'intoxication par les drogues;
292.8 Autres;
292.9 Sans précision.

293 Etats psychotiques organiques transitoires

293.0 Etats confusionnels aigus;
293.1 Etats confusionnels subaigus;
293.8 Autres;
293.9 Sans précision.

294 Autres états psychotiques organiques (chroniques)

294.0 Psychose ou syndrome de Korsakov (non alcoolique);
294.1 Démence associée à des affections classées ailleurs;
294.8 Autres;
294.9 Sans précision.

Autres psychoses (295-299)

295 Psychoses schizophréniques

295.0 Forme simple;
295.1 Forme hébéphrénique;
295.2 Forme catatonique;
295.4 Episode schizophrénique aigu;

295.5   Schizophrénie latente;
295.6   Schizophrénie résiduelle;
295.7   Forme schizo-affective;
295.8   Autres;
295.9   Forme non précisée.

296   Psychoses affectives

296.0   Psychose maniaque dépressive, forme maniaque;
296.1   Psychose maniaque dépressive, forme dépressive;
296.2   Psychose maniaque dépressive, forme circulaire, en période maniaque;
296.4   Psychose maniaque dépressive, forme circulaire, mixte;
296.5   Psychose maniaque dépressive, forme circulaire, état actuel non indiqué;
296.6   Psychose maniaque dépressive, autre et sans précision;
296.8   Autres psychoses affectives;
296.9   Sans précision.

297   Etats délirants

297.0   Etat délirant, forme simple;
297.1   Paranoïa;
297.2   Paraphrénie;
297.3   Psychose induite;
297.8   Autres;
297.9   Sans précision.

298   Autres psychoses non organiques

298.0   Forme dépressive;
298.1   Etat d'excitation;
298.2   Confusion réactionnelle;
298.3   Bouffée délirante;
298.4   Psychose délirante psychogène;
298.8   Psychose réactionnelle autre et non précisée;
298.9   Psychose non précisée.

299   Psychoses spécifiques de l'enfance

299.0   Autisme infantile;
299.1   Psychose désintégrative;
299.8   Autres;
299.9   Sans précision.

Troubles névrotiques, de la personnalité et autres non psychotiques (300-316)

300   Troubles névrotiques

300.0   Etats anxieux;
300.1   Hystérie;
300.2   Etats phobiques;
300.3   Troubles obsessionnels et compulsifs;

300.4 Dépression névrotique;
300.5 Neurasthénie;
300.6 Syndrome de dépersonnalisation;
300.7 Hypocondrie;
300.8 Autres troubles névrotiques;
300.9 Sans précision.

301 Troubles de la personnalité

301.0 Personnalité paranoïaque;
301.1 Personnalité dysthymique (affective);
301.2 Personnalité schizoïde;
301.3 Personnalité épileptoïde (explosive);
301.4 Personnalité obsessionnelle;
301.5 Personnalité hystérique;
301.6 Personnalité asthénique;
301.7 Trouble de la personnalité avec prédominance de manifestations sociopathiques ou asociales;
301.8 Autres;
301.9 Sans précision.

302 Déviations et troubles sexuels

302.0 Homosexualité;
302.1 Bestialité;
302.2 Pédophilie;
302.3 Transvestisme;
302.4 Exhibitionnisme;
302.5 Transsexualisme;
302.6 Troubles de l'identité psychosexuelle;
302.7 Frigidité et impuissance;
302.8 Autres;
302.9 Sans précision.

303 Syndrome de dépendance alcoolique

304 Pharmaco-dépendance

304.0 Type morphinique;
304.1 Type barbiturique;
304.2 Type cocaïnique;
304.3 Cannabisme;
304.4 Type amphétaminique et autres psychostimulants;
304.5 Hallucinogènes;
304.6 Autres;
304.7 Association de drogue de type morphinique avec autre substance;
304.8 Association ne comprenant pas de drogue de type morphinique;
304.9 Sans précision.

305 Abus de drogues chez une personne non dépendante

305.0 Alcool;
305.1 Tabac;
305.2 Cannabis;
305.3 Hallucinogènes;
305.4 Barbituriques et tranquillisants;
305.5 Type morphinique;
305.6 Type cocaïnique;
305.7 Type amphétaminique;
305.8 Antidépressifs;
305.9 Autres, associés et sans précision.

306 Troubles du fonctionnement physiologique d'origine psychique

306.0 Ostéo-musculaires;
306.1 Respiratoires;
306.2 Cardio-vasculaires;
306.3 Cutanés;
306.4 Gastro-intestinaux;
306.5 Génito-urinaires;
306.6 Endocriniens;
306.7 Sensoriels;
306.8 Autres;
306.9 Sans précision.

307 Symptômes ou troubles spéciaux non classés ailleurs

307.0 Bégaiement;
307.1 Anorexie mentale;
307.2 Tics;
307.3 Mouvements stéréotypés;
307.4 Troubles du sommeil d'origine non organique;
307.5 Troubles de l'alimentation, autres et non précisés;
307.6 Enurésie;
307.7 Encoprésie;
307.8 Psychalgies;
307.9 Autres et sans précision.

308 Etats réactionnels aigus à une situation très éprouvante

308.0 Avec troubles prédominants de l'affectivité;
308.1 Avec troubles prédominants de la conscience;
308.2 Avec troubles prédominants de la psychomotricité;
308.3 Autres;
308.4 Mixtes;
308.9 Sans précision.

309 Troubles de l'adaptation

309.0 Réaction dépressive brève;
309.1 Réaction dépressive prolongée;

309.2 Avec troubles prédominants de l'affectivité autres que dépressifs;

309.3 Avec troubles prédominants de la conduite;

309.4 Avec troubles mixtes de l'affectivité et de la conduite;

309.8 Autres;

309.9 Sans précision.

310 Troubles mentaux spécifiques non psychotiques consécutifs à une atteinte cérébrale organique

310.0 Syndrome frontal;

310.1 Modifications intellectuelles ou de la personnalité d'un autre type;

310.2 Syndrome post-traumatique (commotionnel ou contusionnel);

310.8 Autres;

310.9 Sans précision.

311 Troubles dépressifs non classés ailleurs

312 Troubles de la conduite non classés ailleurs

312.0 Troubles de la conduite en solitaire;

312.1 Troubles de la conduite en groupe;

312.2 Troubles de la conduite de nature compulsionnelle;

312.3 Troubles mixtes de la conduite et de l'affectivité;

312.8 Autres;

312.9 Sans précision.

313 Troubles de l'affectivité spécifique de l'enfance et de l'adolescence

313.0 A forme d'inquiétude et de crainte;

313.1 A forme de tristesse et de détresse morale;

313.2 Avec hypersensibilité, timidité et retrait social;

313.3 A forme de difficultés relationnelles;

313.8 Autres ou mixtes;

313.9 Sans précision.

314 Instabilité de l'enfance

314.0 Perturbation simple de l'activité et de l'attention;

314.1 Instabilité avec retard du développement;

314.2 Troubles de la conduite liés à l'instabilité;

314.8 Autres;

314.9 Sans précision.

315 Retards spécifiques du développement

315.0 Retard spécifique de la lecture;

315.1 Retard spécifique en calcul;

315.2 Autres difficultés spécifiques de l'apprentissage et du langage;

315.4   Retard spécifique de la motricité;

315.5   Troubles mixtes du développement;

315.8   Autres;

315.9   Sans précision.

316   Facteurs psychiques associés à des affections classées ailleurs

Retard mental (317-319)

317   Retard mental léger;

318   Autre retard mental de niveau précisé;

318.0   Retard mental moyen;

318.1   Retard mental grave;

318.2   Retard mental profond.

319   Retard mental de niveau non précisé.

De plus, CIM-9 a adopté une classification supplémentaire (code V) destinée à l'enregistrement des motifs de recours au service de santé autres que "maladie-traumatisme". Ces recours au service de santé n'ont pas nécessairement une influence sur l'état de santé.

Cette nouvelle rubrique sous V 40 — **problèmes mentaux et du comportement** permet d'enregistrer les conditions non pathologiques qui poussent un individu à consulter son médecin pour un problème existentiel associé aux vicissitudes ordinaires de la vie ou qui se présente devant un psychiatre pour comportements antisociaux qui ne sont pas motivés par une maladie mentale ou trouble psychiatrique. Cette classification prend donc conscience des limites de la psychiatrie.

2.   **Classification américaine** — DSM III (Diagnostic and Statistical Manual of mental disorders)*

Depuis septembre 1973, un groupe de travail de l'American Psychiatric Association, sous la présidence de Robert L. Spitzer, s'est attaché à développer une nouvelle nosographie psychiatrique reflétant l'état actuel de nos connaissances compatibles autant que possible avec la neuvième révision de la classification internationale des maladies (CIM 9) déjà décrite.

DSM III a été adopté par l'American Psychiatric Association et devint la classification officielle des troubles mentaux aux États-Unis depuis le 1er janvier 1980.

L'objectif majeur du DSM III est d'offrir aux cliniciens un instrument de diagnostic basé sur la description aussi claire que possible d'entités cliniques psychiatriques sans présumer sur leurs étiologies ou pathogénies à moins que ces dernières fassent partie de la définition même de l'entité clinique e.g. les

---

*AMERICAIN PSYCHIATRIC ASSOCIATION. *Diagnostic and Statistical Manual of Mental Disorders*. 3ᵉ édition. Washington D.C., 1980.

troubles mentaux organiques ou les troubles de l'adaptation. La plupart des critères diagnostics énoncés dans le DSM III se basent essentiellement sur le jugement clinique et n'ont pas encore été validés en termes du pronostic ou de la réponse au traitement.

Toutefois, avant son adoption, DSM III a été vérifié dans plusieurs centres psychiatriques américains en vue d'identifier des problèmes d'application de cette nouvelle nomenclature. Certaines catégories telles que les troubles schizophréniques, paranoïdes, affectifs et anxieux ont été examinées dans des centres hospitaliers psychiatriques et les troubles mentaux organiques dans les hôpitaux généraux et les services de gériatrie. D'autres catégories touchant à la pédo-psychiatrie, aux troubles sexuels et aux abus de drogues ont été soumises dans les cliniques spécialisées. Quant aux troubles de la personnalité, ils ont été évalués dans des services de consultations externes ainsi que dans des cabinets privés de psychiatrie.

DSM III contient deux innovations majeures: l'adoption d'une classification multi-axiale et l'établissement de critères opérationnels pour poser le diagnostic.

1. La classification multi-axiale

Une approche multi-axiale a été adoptée pour s'assurer que l'évaluation diagnostique du malade soit aussi complète que possible dans un cadre bio-psycho-social. Cinq (5) axes ont été identifiés.

a) Axes I et II

Sous ces deux axes, toutes les entités cliniques de la nosographie sont incluses. L'axe II est réservé à l'identification des troubles de la personnalité (code 301) qui s'appliquent chez l'adulte et les troubles du développement spécifique (code 315) qui s'appliquent surtout aux enfants et aux adolescents. Toutes les autres catégories cliniques contenues dans DSM III s'identifient sous l'axe I.

Cette distinction a été rendue nécessaire pour ne pas négliger la présence de troubles à long terme lorsque l'attention du clinicien se concentre sur un épisode aigu. Par exemple, un individu avec une personnalité compulsive, qui sera noté sur l'axe II, pourra faire une dépression majeure qui sera notée sous l'axe I.

b) Axe III

Sous cet axe, le clinicien notera les troubles physiques associés aux troubles mentaux en utilisant la terminologie de la classification internationale CIM 9.

c) Axe IV

Dans cet axe, le clinicien notera les stress psychosociaux qui, dans son jugement, ont précipité un syndrome psychiatrique noté sur l'axe I ou ont exacerbé un trouble de la personnalité noté sur l'axe II. DSM III permet de coder l'intensité du stress que nous illustrerons par les exemples suivants tirés de la troisième édition du DSM III publiée par l'Americain Psychiatric Association.

CODE	TERME	EXEMPLE CHEZ L'ADULTE	EXEMPLE CHEZ L'ENFANT
1	Néant	Pas de stress psychosocial	Pas de stress psychosocial
2	Minime	Contravention - petit emprunt bancaire	Vacances avec la famille
3	Léger	Dispute avec un voisin. Changement des heures de travail.	Changement de professeur. Nouvelle année scolaire.
4	Modéré	Nouvel emploi. Décès d'un ami intime. Grossesse.	Dispute des parents. Changement d'école. Maladie d'un parent. Naissance d'un frère ou d'une soeur.
5	Grave	Maladie grave de la personne ou d'un membre de la famille. Faillite. Séparation du conjoint. Naissance d'un enfant.	Décès d'un camarade. Divorce des parents. Arrestation.
6	Extrême	Décès d'un proche dans la famille. Peine de prison.	Décès d'un parent ou d'un frère ou d'une soeur.
7	Catastrophique	Internement dans un camp de concentration. Sinistre.	Décès multiple dans la famille.

d)   Axe V

Sur cet axe, le clinicien notera le niveau optimum de fonctionnement de son malade durant l'année en cours précédant l'éclosion ou l'exacerbation de la maladie mentale. Cette évaluation se fait au niveau des relations interpersonnelles, de l'emploi et des loisirs que nous illustrerons par des exemples qui sont aussi tirés de la troisième édition publiée par l'American Psychiatric Association.

Niveaux de fonctionnement	Exemples chez l'adulte	Exemples chez l'enfant
1. **Supérieur:** fonctionnement exceptionnel au niveau des relations inter-personnelles de l'emploi et des loisirs.	Parent célibataire vivant dans un quartier marginal et détérioré réussit à s'occuper de ses enfants d'une manière exceptionnelle, a d'excellentes relations avec ses amis	Jeune fille de 12 ans qui obtient des notes supérieures à l'école, est extrêmement appréciée par ses camarades et excelle dans de nombreuses activités sportives.

Niveaux de fonctionnement	Exemples chez l'adulte	Exemples chez l'enfant
	et arrive à trouver du temps pour s'engager dans des cours qui l'intéressent.	
2. **Très bon:** fonctionnement au-dessus de la moyenne au niveau des relations interpersonnelles, de l'emploi et des loisirs.	Retraité et veuf de 68 ans qui fait du bénévolat, qui fréquente souvent ses anciens amis et s'engage dans ses loisirs habituels.	Jeune adolescent qui obtient des notes moyennes à l'école. A beaucoup de bons camarades et joue du banjo dans une formation de jazz.
3. **Bon:** légère détérioration au niveau des relations interpersonnelles et de l'emploi.	Un homme a beaucoup d'amis, remplit exceptionnellement bien un poste entraînant des responsabilités, mais avoue que: "La tension est trop grande".	Un jeune garçon de 8 ans suit facilement ses cours à l'école. Est entouré d'amis mais persécute les plus petits.
4. **Moyen:** détérioration soit au niveau des relations interpersonnelles, soit de l'emploi ou dans les deux cas.	Un avocat remplit difficilement ses fonctions, a plusieurs connaissances mais peu d'amis.	Une fillette de 10 ans a de piètres résultats scolaires, mais ses relations avec sa famille et ses amis sont satisfaisantes.
5. **Faible:** détérioration manifeste soit au niveau des relations interpersonnelles soit au niveau de l'emploi **ou** détérioration modérée dans les deux cas.	Un homme a un ou deux amis, mais ne peut conserver un emploi plus de quelques semaines.	Un jeune garçon de 14 ans à la limite de l'échec scolaire se fait difficilement des amis.
6. **Très faible:** détérioration	Une femme est incapable de s'occuper de son	Une fillette de 6 ans a besoin d'aide dans presque

Niveaux de fonctionnement	Exemples chez l'adulte	Exemples chez l'enfant
manifeste au niveau des relations interpersonnelles ainsi que de l'emploi.	intérieur et a de violentes querelles avec famille et voisine.	toutes les activités de la vie quotidienne. N'a pour ainsi dire pas d'amis.
7. **Grave détérioration:** grave détérioration à presque tous les niveaux du fonctionnement.	Un vieillard a besoin d'aide pour maintenir un minimum de propreté personnelle, il est aussi souvent incohérent.	Un garçonnet de 4 ans sous contention continuelle pour éviter qu'il ne se blesse. La parole, pour ainsi dire, inexistante.
8. **Non spécifié.**	Sans information.	Sans information.

2.   Les critères opérationnels du diagnostic dans DSM III

Sur ce point, DSM III s'est inspiré de l'école de Saint-Louis qui a développé surtout pour la recherche des critères opérationnels de diagnostic connus sous le nom de ''critères de Freighner'' (5) qui s'appliquent à un bon nombre d'entités cliniques et qui seront décrits dans plusieurs chapitres de cet ouvrage.

En développant des critères opérationnels pour poser le diagnostic, le groupe de travail (Task force) du DSM III ne s'est pas uniquement limité à décrire un tableau clinique qui n'est rien d'autre qu'une coupe transversale à un moment donné de l'évolution de la maladie. DSM III cerne le diagnostic d'une manière beaucoup plus précise en développant des critères temporels de durée du désordre, d'âge et d'un nombre minimum de symptômes et de déficits de fonctionnement avant de faire un diagnostic. Fait encore plus important, DSM III introduit des critères d'exclusion qui délimitent l'entité clinique sous considération par rapport à d'autres entités cliniques.

Nous illustrerons les critères opérationnels de diagnostic du DSM III en les comparant au CIM 9 pour deux entités cliniques: troubles schizophréniques enregistrés sur l'axe I et troubles de la personnalité antisociale enregistrés sur l'axe II.

DSM III — troubles schizophréniques - critères du diagnostic (voir section 10.11.3)

A)   Au moins un des symptômes suivants doit être observé pendant une phase de la maladie:

1.   délires bizarres (à contenu définitivement absurde, sans réalité possible) tels que délires d'influence, écho de la pensée, automatisme de la pensée ou vol de la pensée;

2. délires somatiques, de grandeur, religieux, nihilistes ou tout autre délire dont le contenu ne serait pas à thème de persécution ou de jalousie;

3. délires de persécution ou de jalousie qui s'accompagnent de toutes formes d'hallucinations;

4. hallucinations auditives caractérisées par une voix faisant des commentaires sur le comportement ou la pensée de l'individu ou bien de deux ou plusieurs voix qui conversent entre elles;

5. hallucinations auditives fréquentes dont le contenu n'a aucune relation avec l'humeur soit dépressive, soit euphorique et qui ne se limite pas à un ou deux mots;

6. incohérence, laxité marquée de la pensée, discours illogique et pauvre, associés avec une des symptomatologies suivantes:

      a)   affect plat, émoussé ou discordant;

      b)   délires ou hallucinations;

      c)   comportement catatonique ou très désorganisé.

B) Pendant la phase active de la maladie, les symptômes énumérés dans A ont affecté le fonctionnement habituel du malade dans sa vie quotidienne dans deux ou plusieurs sphères, par exemple au niveau de l'emploi, des relations interpersonnelles et de l'hygiène personnelle.

C) Chronicité. Les symptômes de la maladie se sont manifestés continuellement pendant au moins six mois au cours de la vie de la personne, chez qui se manifestent actuellement quelques symptômes de la maladie. Cette période de six mois doit inclure une phase active de la maladie où se sont manifestés des symptômes décrits dans A avec ou sans phase prodromale ou résiduelle décrite ci-dessous:

Phase prodomale: une détérioration évidente du fonctionnement qui n'est pas due à un trouble primaire de l'affect ou à l'absorption de drogues et comprenant au moins deux des symptômes décrits ci-dessous sous symptômes prodromaux ou résiduels.

Phase résiduelle: faisant suite à une phase active de la maladie au moins deux des symptômes décrits ci-dessous qui ne seraient pas dus à un trouble primaire de l'humeur ou à l'absorption de drogues.

Symptômes prodromaux ou résiduels:

a) retrait social ou tendance à s'isoler;

b) détérioration nette du comportement de l'individu affecté dans son rôle de gagne-pain, d'étudiant ou de ménagère;

c) comportement sensiblement excentrique, étrange ou singulier (par exemple: ramasser des ordures, du bric-à-brac ou de la nourriture, se parler à soi-même, seul, dans la nature ou dans une foule comme dans une station de métro);

d)   détérioration de la tenue vestimentaire et de l'hygiène personnelle;

e)   tonalité affective émoussée, plate ou discordante;

f)   discours digressif, tangentiel, vague, précieux, circonstanciel ou métaphorique.

g)   idéation bizarre ou étrange ou pensée magique, par exemple: superstition, clairvoyance, télépathie, "sixième sens", idées surévaluées, interprétation prédélirante;

h)   expériences perceptuelles inusitées, par exemple: illusions, sensation d'une force ou d'une personne qui n'est pas actuellement présente.

Pour arriver à un diagnostic de schizophrénie, les possibilités suivantes s'offrent:

a)   six mois de symptômes prodromaux avec une semaine de symptômes décrits dans A;

b)   pas de symptômes prodromaux avec deux semaines de symptômes décrits dans A et six mois de symptômes résiduels;

c)   six mois de symptômes décrits dans A suivis apparemment d'une rémission complète de plusieurs années, avec une semaine de symptomatologie (A) dans l'épisode courant.

D)   Le syndrome dépressif ou maniaque complet (critères A et B des épisodes dépressifs ou maniaques) ne sont pas présents ou, s'ils sont présents, ils ont fait suite aux manifestations psychotiques.

E)   Début de la maladie avant 45 ans.

F)   La symptomatologie n'est pas due à un trouble mental organique ou à une arriération mentale.

CIM 9 — psychoses schizophréniques

Groupe de psychoses caractérisées par un trouble fondamental de la personnalité, une altération typique de la pensée, un sentiment fréquent d'être commandé par des forces étrangères, des idées délirantes qui peuvent être bizarres, des troubles de la perception, une affectivité anormale sans rapport avec la situation réelle, de l'autisme. La conscience et les facultés intellectuelles sont habituellement conservées. Le trouble de la personnalité intéresse les fonctions essentielles qui donnent à l'individu normal le sentiment de son individualité, de son unicité, de son autonomie. Le malade a souvent l'impression que ses pensées, ses sentiments, ses actes les plus intimes sont connus ou partagés par autrui, et des explications délirantes se développent sur le thème de forces naturelles ou surnaturelles influençant ses pensées et ses actes de façon souvent bizarre. Il peut se voir comme le pivot de tout ce qui arrive. Les hallucinations, surtout auditives, sont fréquentes et se traduisent par des commentaires ou des ordres concernant le patient. La perception est souvent troublée d'autres façons: des faits insignifiants peuvent prendre une importance capitale et, venant s'ajouter à des sentiments de passivité, ils peuvent mener le patient à croire que des objets et des situations de tous les jours revêtent pour lui une signification particulière, généralement sinistre. Dans l'altération de la pensée, caractéristique de la schizophrénie, des éléments accessoires et inappropriés d'un concept global, inhibés dans une activité mentale normale, occupent le premier rang et sont utilisés à la place des éléments appropriés à la situation. De ce fait, la pensée devient vague, elliptique, obscure et son expression orale souvent incompréhensible. Des ruptures et des interpolations dans le cours normal de la pensée sont fréquentes et le patient peut avoir la conviction que ses pensées lui sont enlevées par une force extérieure. Son humeur peut être superficielle, capricieuse ou incongrue. L'ambivalence et des troubles de la volonté peuvent apparaître sous forme d'inertie, de négativisme ou de stupeur. Une catatonie peut exister. Le diagnostic de schizophrénie ne sera fait que si l'on observe, ou l'on a observé au cours de la même maladie, des troubles caractéristiques de la pensée, de la perception, de l'humeur, de la conduite ou de la personnalité — de préférence au moins deux de ces types de troubles. Le diagnostic ne sera pas limité aux affections à évolution prolongée, détériorante ou chronique. En plus de l'établissement du diagnostic sur les critères ci-dessus mentionnés, on doit s'efforcer de préciser, en fonction des principaux symptômes, la forme de schizophrénie à laquelle on a affaire sur la base des subdivisions suivantes: (cette rubrique comprend toutes les formes de schizophrénie classables de 295.0 à 295.9 survenant chez les enfants à l'exclusion de: autisme infantile (299.0), schizophrénie et forme de l'enfance (299.9).

DSM III — 301.7 — Troubles de la personnalité antisociale — Critères du diagnostic (voir section 8.1.11)

A) Age courant (au moins 18 ans);

B) Début des troubles du comportement avant l'âge de 15 ans caractérisés par au moins 4 ou plus des comportements suivants:

1. école buissonnière (au moins cinq jours par année scolaire pour au moins deux ans sans inclure l'année scolaire courante);

2. renvoi ou suspension d'un établissement scolaire pour mauvaise conduite;

3. délinquance (arrestation ou comparution devant les tribunaux pour enfants);

4. fugue de 24 heures du domicile familial;

5. mensonges continuels;

6. coït dans le contexte d'une rencontre passagère et superficielle;

7. ivrognerie ou abus de drogue;

8. vols;

9. vandalisme;

10. notes scolaires sensiblement inférieures au potentiel intellec-

tuel basé sur le quotient intellectuel connu ou estimé (aurait pu doubler plusieurs classes);

    11.   effractions chroniques de la discipline dans le milieu familial et scolaire (école buissonnière exceptée);

    12.   provoque des bagarres.

    C)   Au moins quatre des manifestations suivantes sont présentes depuis l'âge de 18 ans:

    1.   Difficultés à maintenir un emploi dû à un ou des comportements suivants:

    a)   changement fréquent d'emploi (par exemple trois emplois ou plus en cinq ans qui ne s'expliquent pas par la nature de l'emploi ou les fluctuations saisonnières ou économiques);

    b)   chômage prolongé (six mois ou plus en cinq ans lorsque le marché du travail le permet);

    c)   absentéisme sérieux (3 jours ou plus par mois — retardataire ou absence sans raison);

    d)   abandon de l'emploi sans avoir un autre emploi en vue.

    2.   Difficultés à assumer le rôle parental illustré par un des comportements suivants:

    a)   malnutrition des enfants;

    b)   maladies chez les enfants par manque total d'hygiène;

    c)   négligence à obtenir des soins médicaux pour un enfant atteint de maladie sérieuse;

    d)   les enfants dépendent des voisins ou d'autres membres de la famille qui ne vivent pas sous le même toit pour le gîte et la nourriture;

    e)   pendant une absence prolongée, négligence à arranger la garde et la prise en charge d'un enfant de moins de six ans;

    f)   gaspillage pour fins personnelles de l'argent nécessaire à assumer les besoins de la famille;

    3.   Comportements délictuels caractérisés par un des délits suivants:

    a)   vols répétés;

    b)   activités illégales (proxénétisme, prostitution, recel, vente de drogues);

    c)   arrestations multiples;

    d)   délits graves.

    4.   Difficultés à maintenir une liaison durable avec un conjoint indiquées par au moins deux divorces ou séparations (indépendant de la légalité du mariage), désertion du conjoint, promiscuité sexuelle (au moins dix partenaires sexuels différents en un an).

5. Irritabilité et agressivité illustrés par des bagarres répétées ou des voies de faits y compris celles dirigées contre le conjoint et les enfants.

6. Manquement à assumer ses obligations financières telles que manquement à payer ses dettes, à assumer ses responsabilités financières vis-à-vis des enfants ou d'autres personnes à charge sur une base régulière.

7. Difficultés à planifier ou impulsivité indiquée par un abandon soudain du conjoint ou des enfants, vagabondage pour une durée de plus d'un mois.

8. Mensonges répétés, impostures, manipulations des autres à des fins personnelles.

9. ''Casse-cou au volant'' tel que vitesse dangereuse ou conduite en état d'ivresse.

D) Comportement antisocial continu depuis l'âge de 15 ans, sans période de cinq ans où le comportement antisocial n'est pas manifesté (à moins que l'individu soit alité, hospitalisé ou incarcéré dans un établissement pénal).

E) Le comportement antisocial n'est pas symptomatique d'une arriération mentale grave ni de schizophrénie.

CIM 9 — Troubles de la personnalité avec prédominance de manifestations sociopathiques ou asociales (301.7)

Troubles de la personnalité caractérisés par l'inobservation des obligations sociales, l'indifférence pour autrui, une violence impulsive ou une froide insensibilité. Il y a un grand écart entre le comportement et les normes sociales établies. Le comportement est peu modifiable par l'expérience, y compris les sanctions. Les sujets de ce type sont souvent inaffectifs et peuvent être anormalement agressifs ou irréfléchis. Ils supportent mal les frustrations, accusent les autres ou fournissent des explications spécieuses pour les actes qui les mettent en conflit avec la société.

Personnalité: amorale, antisociale et personnalité asociale.

A l'exclusion de: personnalité épileptoïde (301.3), troubles de la conduite sans troubles spécifiés de la personnalité (312).

Sur la base de ces deux exemples, il est évident que si l'on compare ces deux systèmes de nomenclature, DSM III est beaucoup plus laborieux et donne moins de latitude aux cliniciens que CIM 9.

On pourrait même objecter que DSM III est trop rigide et que ses critères opérationnels de diagnostic sont arbitraires. Cependant, en l'absence d'indices objectifs de diagnostic précis en psychiatrie, biologique ou autres, DSM III supplée à cette insuffisance d'une manière bien plus fiable que CIM 9. D'ailleurs, comme le fait remarquer R. Spitzer (13), à l'encontre des critères de

Feighner où le chercheur doit appliquer les critères opérationnels du diagnostic d'une manière rigide pour constituer des groupes homogènes, le clinicien peut appliquer les critères opérationnels du DSM III d'une manière plus souple.

DSM III — Problème des névroses et de l'homosexualité

Le DSM III, juste avant sa ratification toute récente par l'American Psychiatric Association, avait exclu le terme de névrose de la nomenclature.

Comme le faisait remarquer R. Spitzer (14) qui défendait DSM III auprès du conseil d'administration de l'American Psychiatric Association en avril 1979, le terme de névrose avait été exclu de cette nomenclature parce que cette dernière voulait s'établir dans un contexte étiologique "athéorique" pour ne pas avoir à réconcilier tous les aspects doctrinaux de la psychiatrie. Or, le terme de névrose, empreint par la doctrine psychanalytique, implique une étiologie de conflits intrapsychiques inconscients et une pathogénie basée sur des mécanismes de défense inconscients, les seules justifications pour grouper sous une rubrique de névrose des conditions dont la symptomatologie est aussi disparate que la névrose d'angoisse, la dépression névrotique, les névroses hystériques de conversion ou de dissociation. Comme on pouvait s'y attendre, beaucoup de psychiatres, surtout ceux d'orientation psychanalytique, se sont vigoureusement opposés à l'exclusion du terme névrose, surtout l'American Psychoanalytical Association et l'American Academy of Psychoanalysis. Éventuellement, un compromis présenté par John Talbott a permis de réintroduire la névrose sous la rubrique de troubles névrotiques sans changer la structure du DSM III en enregistrant entre parenthèses les différentes névroses incluses dans DSM III. Cet amendement est connu sous le "Modified Talbott plan" que nous reproduisons in extenso (16).

Troubles névrotiques:

Ils sont inclus sous les rubriques de troubles affectifs, anxieux, somatoformes, dissociatifs et psychosexuels. En vue de faciliter l'identification de ces catégories qui dans DSM II étaient groupées dans la classe des névroses, les termes du DSM II sont inclus séparément entre parenthèses dans les catégories correspondant au DSM III.

Troubles affectifs:

— **trouble bipolaire:**
296.6 X mixte -
296.4 X maniaque -
296.5 X dépressif -

— **dépression majeure:**
296.2 X épisode unique -
296.3 X récurrent -

— **autres troubles affectifs spécifiques:**
301.13 trouble cyclothymique

300.40 trouble dysthymique (dépression névrotique)

— **trouble affectif atypique:**

296.70 trouble bipolaire atypique

296.82 dépression atypique

Troubles anxieux:

— **trouble phobique (névrose phobique):**

300.21 agoraphobie avec attaque de panique

300.22 agoraphobie sans attaque de panique

300.23 phobie sociale

300.29 phobie simple

— **états anxieux (névroses d'angoisse);**

300.01 trouble de panique

300.02 trouble d'anxiété généralisé

300.30 trouble obsessif-compulsif (névrose obsessive compulsive)

— **trouble de stress post-traumatique:**

308.30 aigu

309.01 chronique ou retardé

300.00 trouble anxieux atypique (névrose d'angoisse atypique)

Troubles somatoformes:

300.81 trouble de somatisation

300.11 trouble de conversion (névrose hystérique de conversion)

307.80 psychalgie

300.70 hypocondrie

300.71 trouble somatoforme atypique

Troubles dissociatifs (névrose hystérique dissociative):

300.12 amnésie psychogène

300.13 fugue psychogène

300.14 personnalité multiple

300.60 trouble de dépersonnalisation (névrose de dépersonnalisation)

300.15 trouble dissociatif atypique.

L'homosexualité et DSM III

L'homosexualité n'est pas incluse dans DSM III au chapitre des troubles psychosexuels sous la rubrique de paraphilie qui a pris la relève de la rubrique déviations sexuelles du DSM II et CIM 9.

Le fait de ne pas inclure l'homosexualité dans une nomenclature psychiatrique n'est pas inhérent à DSM III mais à une décision de l'American Psychiatric Association d'exclure cette entité en tant que désordre psychiatrique. C'est une décision que l'on pourrait qualifier de "politique" plutôt qu'épistémologique qui a été prise sous la pression de groupements d'homosexuels qui ont cherché à démédicaliser ou dépsychiatriser leur style de vie et leur orientation sexuelle.

En tout cas, il est trop tôt pour évaluer l'avenir du DSM III surtout ses applications sur le plan pratique. Cette démarche demeure cependant un des faits les plus saillants de la psychiatrie contemporaine qui reconnaît ses limites et qui est prête à sacrifier sa créativité au niveau du discours et de la spéculation pour une certaine rigueur de la pensée avec objectif beaucoup plus concret et modeste.

1.2 PROBLÈMES ORGANISATIONNELS DE LA PSYCHIATRIE

Sur le plan organisationnel, la psychiatrie au Québec a suivi depuis plus de vingt ans, comme partout ailleurs en Amérique du Nord et dans la plupart des pays occidentaux, le courant de la psychiatrie dite communautaire. Essentiellement, ce courant, qui sera traité avec plus de détails dans le chapitre 38 de cet ouvrage, s'est manifesté par:

1. Le processus de "désinstitutionnalisation" qui s'est traduit par une régression des services de santé mentale axée sur l'hôpital psychiatrique ou asilaire organisé lui-même sur un mode totalitaire pour employer l'expression du sociologue Erving Goffman (6).

2. Le développement d'un réseau de services de santé mentale partiels (dispensaires, centres de jour, centres de nuit, foyers de transition, pavillons, etc.) plus ou moins intégrés aux services de santé et aux services sociaux généraux offerts à la communauté.

3. L'émergence de toute une gamme de nouveaux professionnels de la santé mentale oeuvrant au sein de l'équipe multidisciplinaire.

1.2.1 La "désinstitutionnalisation" des malades mentaux

Aujourd'hui au Québec, comme partout ailleurs au Canada et aux Etats-Unis, les services psychiatriques ne sont plus axés sur les hôpitaux psychiatriques. Nous assistons en fait, depuis le début des années soixante, à un déclin massif du nombre des malades hospitalisés dans ces établissements psychiatriques. Dans certaines instances, comme dans la province de la Saskatchewan (8) au Canada ou dans l'Etat de la Californie aux Etats-Unis, nous avons pu assister à la fermeture et à l'abandon de certains hôpitaux psychiatriques traditionnels.

Parallèlement au déclin de l'hôpital psychiatrique, le centre de gravité des services hospitaliers de santé mentale s'est déplacé dans les services de psychiatrie des hôpitaux généraux. Ce développement est un des faits les plus saillants de la psychiatrie contemporaine au Québec comme ailleurs au Canada et aux Etats-Unis.

Il est évident que la prise en charge intra-muros du malade mental par le service de psychiatrie de l'hôpital général ne se fait qu'à court terme pour la phase aiguë de la maladie et que la prise en charge à long terme se fait dans la communauté.

1.2.2 Le développement du réseau des services psychiatriques communautaires

Depuis vingt ans, nous assistons à une expansion considérable de services psychiatriques au niveau des dispensaires ou des cliniques externes pour la plupart situés dans les hôpitaux généraux. Nous assistons aussi à une expansion des services offerts par les psychiatres dont le nombre s'est considérablement accru au niveau du cabinet privé. Il faut noter qu'au Québec, comme dans le reste du Canada, à l'encontre des Etats-Unis, toute la population est couverte par un système d'assurance-maladie obligatoire et universelle couvrant tous les services psychiatriques sans limitation dans le temps ou dans le nombre des services.

Nous avons aussi assisté à l'expansion des services d'assistance psychiatrique dans la communauté pour remplacer la prise en charge hospitalière à long terme. Tout un réseau de services partiels tels que: centres de jour, centres de nuit, foyers de transition, pavillons, ateliers protégés, etc. ont été développés pour remplir cette fonction qui avait été assurée auparavant par l'hôpital psychiatrique totalitaire.

1.2.3 L'émergence des nouveaux professionnels de la santé mentale

Il faut se souvenir que, traditionnellement, la prise en charge thérapeutique des malades (aujourd'hui appelés "bénéficiaires") dans les hôpitaux psychiatriques étaient du ressort d'un tandem de deux professions: le médecin psychiatre et l'infirmier.

Depuis 20 ans, sur cet axe médecin-infirmier, se sont greffées de nouvelles professions de la santé mentale telles que: psychologue, travailleur social, ergothérapeute, conseiller en orientation, etc. pour former l'équipe multidisciplinaire qui aujourd'hui offre aux malades psychiatriques toute une gamme de compétences thérapeutiques.

Tous ces changements ont non seulement modifié la pratique de la psychiatrie dans un sens indiscutablement positif, mais ont créé certains "nouveaux" problèmes.

1.2.4 L'insertion sociale du malade psychiatrique

Au tout début du mouvement de la psychiatrie communautaire, lorsqu'on avait commencé à humaniser l'hôpital psychiatrique "asilaire", on avait espéré que beaucoup des comportements des malades dits chroniques n'étaient que des comportements acquis dans l'hôpital psychiatrique; conséquence de la "névrose institutionnelle" telle que décrite par R. Barton (1). On avait donc espéré qu'en supprimant ces milieux pathogènes et qu'en adoptant des mesures de réhabilitation sociale un bon nombre de malades, qui végétaient dans l'hôpital psychiatrique, pourraient s'insérer dans la communauté. Aujourd'hui on se rend de plus en plus compte que le succès de cette démarche n'a été que partiel et que l'insertion sociale de beaucoup de malades psychiatriques chroniques ne s'est pas faite. On pourrait dire avec raison quelquefois, qu'en ce qui concerne les services communautaires, l'assistance psychiatrique a été insuffisante aussi bien sur le plan de la gestion que du financement. Il n'en demeure pas moins que le problème de l'insertion sociale du malade mental chronique dans une société industrielle ou post-industrielle telle que la nôtre demeure entière et constitue un défi considérable pour la psychiatrie contemporaine. Dans un bon nombre d'instances, le processus de désinstitutionnalisation du malade psychiatrique ne s'est soldé que par le transfert du malade de l'hôpital à un ''ghetto psychiatrique'' implanté dans la communauté sans plus de liens réels avec la société ambiante que les ''salles de l'arrière'' de l'asile.

1.2.5 Le "leadership" du psychiatre

Sur le plan organisationnel, un des problèmes les plus débattus à l'heure actuelle se situe dans l'effritement du ''pouvoir'' du psychiatre en tant que gestionnaire des services de santé mentale. Il ne fait aucun doute qu'au sein de l'hôpital psychiatrique traditionnel, le psychiatre exerçait un pouvoir incontesté non seulement au niveau des soins aux malades mais au niveau de la gestion générale de l'établissement. Dans de nombreuses instances, la loi exigeait que le directeur général d'un établissement psychiatrique soit psychiatre.

Il est évident, aujourd'hui, que le pouvoir psychiatrique au niveau de la gestion s'est considérablement réduit et nous assistons à son transfert partiel entre les mains de nouveaux gestionnaires formés en administration publique. Nous assistons aussi à un partage du pouvoir de gestion avec d'autres professionnels de la santé. Cette perte du pouvoir de gestion est vécue par certains psychiatres avec alarme sinon amertume. A notre avis, ces développements n'ont rien d'alarmants et sont peut-être salutaires (tant que l'indépendance et l'intégrité de l'acte psychiatrique seront respectées). En effet, le psychiatre conserve toujours beaucoup de pouvoir vis-à-vis de son malade, en fait plus que n'importe quel autre professionnel de la santé. Ce pouvoir en tant que soignant ne lui a jamais été contesté et l'indépendance professionnelle du psychiatre jusqu'à présent n'a jamais été mise en question dans ces nouveaux schémas organisationnels. C'est sur le plan de l'éthique et peut-être de la jurisprudence que le pouvoir psychiatrique a été le plus contesté.

1.3 PROBLÈMES ÉTHIQUES DE LA PSYCHIATRIE

De toutes les spécialités médicales, c'est la psychiatrie qui donne le plus de pouvoir au médecin sur l'individu et c'est ce pouvoir qui depuis le début des années soixante a été contesté par le mouvement de l'antipsychiatrie.

Il est évident, comme nous le verrons dans le chapitre qui traite des aspects médico-légaux de la psychiatrie, que l'appareil judiciaire de l'Etat compte beaucoup sur les psychiatres pour maintenir l'ordre public et faire acte de justice (voir chapitre 39).

L'antipsychiatrie n'est certainement pas un mouvement homogène et s'est manifesté spontanément dans plusieurs pays avec diverses orientations philosophiques et politiques.

Tous les antipsychiatres convergent néanmoins à contester le rôle de la psychiatrie et du psychiatre comme agent de maintien de l'ordre public.

Il est certain, comme nous le faisait remarquer Michel Foucault, que la "folie" ne s'est vraiment médicalisée qu'au XVIIIe siècle. Ce n'est qu'au XIXe siècle que s'est organisée, sous l'autorité de l'Etat qui a passé des lois, l'assistance psychiatrique dans la plupart des pays industrialisés.

En fait, le psychiatre plus que tout autre médecin doit faire face au dilemme moral d'avoir aussi bien à préserver l'intérêt de son malade que celui de la société; deux intérêts qui ne sont pas toujours convergents. C'est ce dilemme moral qui a rendu la psychiatrie particulièrement vulnérable aux attaques de l'antipsychiatrie.

Par ailleurs, ce problème moral de la psychiatrie a pris une dimension internationale par les révélations des abus de la psychiatrie en URSS où des dissidents politiques se font interner dans des établissements psychiatriques plutôt que dans les "goulags" sibériens.

En Amérique du Nord, les manifestations de l'antipsychiatrie se sont cristallisées surtout autour des écrits de Thomas Szasz (15) qui s'est attaqué avec virulence à la "psychiatrie institutionnelle". Pour Szasz, la psychiatrie dans la société moderne est devenue un instrument d'agression et de contrôle social pour imposer le conformisme tout comme l'Inquisition imposait le conformisme à partir du XIIe siècle.

Il est heureux que la pensée de Szasz définitivement démagogique a eu très peu d'effet sur le plan pratique au Québec et au Canada. Toutefois, aux Etats-Unis l'antipsychiatrie s'est manifestée par des contestations juridiques (7) qui ont influencé la pratique psychiatrique.

Il ne fait aucun doute que l'antipsychiatrie, malgré ses écarts de langage et sa démagogie, a permis une prise de conscience salutaire de la psychiatrie, des limites de son pouvoir et de ses applications. Il en résulte certainement à l'état actuel une psychiatrie plus modeste, moins flamboyante, moins spéculative, plus prudente qui, malgré toutes ces incertitudes, est en voie de devenir plus efficace et surtout plus humaine.

BIBLIOGRAPHIE

1 - BARTON, R. *La névrose institutionnelle*. CEMLA. Paris: Editions du Scarabée, 1969.

2 - ENGEL, G.L. "The Need for a New Medical Model: A challenge for biomedecine". *Science.* 1977, 196-4286.

3 - EY, II. *Etudes psychiatriques. Historique, méthodologie, psychopathologie.* Paris: Desclée de Brouwer & Cie, 1948.

4 - FABREGA, H. JR. "Disease Viewed as a Symbolic Category". *Mental Health Philosophical Perspectives.* Ed. H. Trestam Engelhardt, Jr and Stuard F, Spicker. Dreidel Publishing Company Dordrecht Holland.

5 - FEIGHNER, J.P., ROBLINS, E., GAZE, S.B. et collab. "Diagnostic criteria for use in psychiatric research". *Arch. of Gen. Psych.* 1972, 26, 57-63.

6 - GOFFMANN, E. *Asiles.* Les Editions de Minuit. 1968.

7 - GRUNBERG, F. "Les grandes contestations juridiques de l'antipsychiatrie aux Etats-Unis". *Union méd. du Canada.* 1976, (105), 935-961.

8 - LAFAVE, H. et GRUNBERG, F. "La fin de l'asile". *L'information psychiatrique.* Mai 1974, vol. 5 (5).

9 - MENNINGER, K., HAYMAN, M. et PRUYSER, P. "The Vital Balance". *The life process in mental health and illness.* New York: Viking, 1963.

10 - STENGEL, E. "Classification of Mental Disorders". *Bull. Wld Health Org.* 1959, 21, 601-663.

11 - STOLLER, R.J. "Psychoanalytic Diagnosis". *Psychiatric Diagnosis.* New York: Ed. Vivian M. Rakof, Harvey C. Stancer and Henry B. Kedward, Brunner/Mazel Inc., 1977.

12 - STONE, A. *Psychiatric News.* Juin 1979, vol. XIV (12).

13 - SPITZER, R. et coll. "DSM III Guiding Principles". *Psychiatric Diagnosis.* New York: Ed. V.M. Rakof, Brunner/Mazel Inc., 1977.

14 - SPITZER, R. *Psychiatric News.* Mai 1979, vol. XIV (10).

15 - SZASZ, T. *Le mythe de la maladie mentale.* Paris: Payot, 1975.

16 - "The Modified Talbott Plan". *Psychiatric News.* Juin 1979, vol. XIV (12).

CHAPITRE 2

PSYCHOLOGIE MÉDICALE

Jacques Gagnon

2.1 INTRODUCTION

Le médecin de famille est fréquemment confronté avec des phénomènes psychologiques intervenant entre lui et son malade, dans le déroulement de l'entretien. Certains phénomènes ont pour effet de faciliter la compréhension de la maladie alors que d'autres l'entravent. La psychologie médicale est une nouvelle discipline qui s'intéresse particulièrement à l'apprentissage des connaissances spécifiques dans ce domaine et au développement des aptitudes permettant à la personne du médecin de devenir un meilleur instrument psychothérapeutique.

Michael Balint, un des pionniers dans ce domaine, écrivait en 1957 que "le médicament de beaucoup le plus fréquemment utilisé en médecine générale était le médecin lui-même". Ainsi, la manière de prescrire et le climat de confiance entourant ce geste peut déterminer la fidélité du malade à suivre l'ordonnance. Cette influence psychologique est également importante dans la démarche qui mène au diagnostic. Le dialogue médecin-malade n'emprunte pas le langage froid de l'ordinateur. Au-delà des mots, il s'établit entre les deux personnes un échange émotionnel qui reflète leurs préjugés, leurs besoins affectifs et leurs émotions.

Dans certains cas, le dialogue se heurte à des incompréhensions, à des affrontements ou même à des réactions émotionnelles vives. L'art du médecin lui permettra d'identifier la nature de ces obstacles et de les surmonter pour parvenir à une meilleure connaissance du malade et de sa souffrance.

Dans ce chapitre, nous traiterons de cette relation humaine entre le médecin, le malade et l'objet qui les relie: la maladie.

2.2 LE MOTIF DE LA CONSULTATION

Le motif de la consultation est parfois bien identifié: plaie, douleur localisée, malaise bien défini. Le médecin questionne, palpe, investigue et il établit un plan de soins découlant du diagnostic médical. Ainsi, le mal demeure une chose distincte du malade, extérieure à lui-même et causée par des agents qui lui sont étrangers. C'est ainsi que l'on comprend les maladies infectieuses, traumatiques, toxiques et environnementales. L'instrument thérapeutique demeure également extérieur à la personne du médecin, qu'il s'agisse de chirurgie, de pharmacologie ou d'autres traitements biologiques.

La démarche médicale est plus complexe lorsque l'investigation rigoureuse ne démontre aucun appui biologique aux symptômes qui sont offerts. C'est le cas de la fatigue, des troubles digestifs dits fonctionnels, de certaines douleurs, de paresthésie, ainsi que d'une foule de malaises généraux qui se retrouvent dans tous les systèmes. Ils n'obéissent pas à la logique scientifique, et toute tentative d'explication est vouée à l'échec.

Certains de ces malades deviennent d'avides consommateurs de soins médicaux et de services sociaux. Ils ne semblent pas chercher à guérir leur maladie, mais ils semblent plutôt utiliser leur maladie pour obtenir quelque chose d'autre. Leur maladie joue donc une fonction dans l'économie de leur personne; elle devient une monnaie d'échange, un symptôme-leurre.

Ces maladies offensent la compétence du médecin. Ils remettent en cause sa science, sa volonté de guérir et en quelque sorte, sa toute puissance. Le médecin n'est plus un agent soignant, il devient un agent aidant. On comprend dès lors l'irritation des médecins qui se manifeste dans leurs attitudes face à de tels malades, dans leur aveu d'impuissance, dans leur demande de consultation et dans la nature des diagnostics qu'ils posent. Avant de dire: "je ne puis rien faire pour vous", le médecin devrait se poser deux questions:

1) **"Pourquoi le malade consulte-t-il?"**

2) **"Que signifient ces symptômes dans le contexte d'une relation médecin-malade?"**

2.3   LE MALADE

Bon nombre de consultations comportent un double motif: le symptôme physique méritant une investigation appropriée, et une demande psychologique implicite ou explicite. Pour illustrer cette dualité, examinons trois situations où nous tenterons d'identifier la nature de la demande psychologique.

2.3.1   Les réactions à la maladie

Certaines maladies provoquent une angoisse profonde parce qu'elles évoquent un danger de mort imminent. C'est le cas des pathologies cardiovasculaires qui s'accompagnent d'une détresse respiratoire ou circulatoire. Les douleurs profondes et les atteintes sérieuses de l'état général déclenchent également les réactions de peur intense alors que la douleur chronique soulève l'agressivité et l'irritabilité.

Dans l'imagerie populaire, des mots et des concepts sont reliés à l'idée de la mort. C'est le cas du cancer, de l'angine de poitrine et autrefois de la tuberculose et de la peste. L'hystérectomie s'appelle "la grande opération" et les maladies mentales sont toutes regroupées sous le vocable fort préjudiciable de "folie".

La chirurgie mutilante et l'amputation d'organes fortement investis sur le plan symbolique peuvent entraîner une réaction de deuil équivalente à la perte d'un être cher en plus de soulever une angoisse reliée au fantasme de castration. On retrouve ces réactions dans l'ablation d'organes génitaux, des seins, des yeux et des membres mais aussi d'organes internes. Les conséquences de la chirurgie ne se mesurent pas seulement par l'importance du déficit fonctionnel ou esthétique mais aussi par la perte symbolique d'une partie de sa personne.

La honte et la culpabilité accompagnent d'autres affections, particulièrement dans la sphère génitale et dans les maladies mentales. Ces malades ne consultent qu'en dernier ressort lorsque leur inquiétude surpasse la honte et les préjugés. Au niveau de l'inconscient, la maladie est une punition méritée par ce corps perpétuellement en conflit avec les interdits. "Pourquoi cela m'arrive-t-il, je n'ai rien fait au Bon Dieu?" Comme si la vertu était un gage de santé.

Les réactions à la maladie sont accentuées lorsque le malade est privé de son milieu familial. Il essaie de combler les éléments affectifs en créant des liens affectifs avec les membres du personnel et avec ses compagnons d'infortune. Cet isolement affectif est toutefois accentué lorsque le patient se retrouve dans un état physique de grande dépendance, qu'il est immobilisé ou qu'il est incapable d'entrer en contact au moyen de la parole, du toucher ou de la vue. Les conséquences peuvent être dramatiques et entraîner des régressions massives avec des symptômes psychotiques et des troubles du comportement.

2.3.2 L'émotion en tant que facteur causal de la maladie

La vie émotionnelle est un des facteurs importants qui intervient dans le déclenchement des réactions psychophysiologiques et des maladies psychosomatiques. Ces notions sont développées dans le chapitre 15 traitant de la psychosomatique.

2.3.3 Le symptôme-leurre

Il existe des circonstances où le symptôme ne s'appuie sur aucune base somatique. Ainsi, l'hypchondriaque traîne avec lui une plainte somatique, incapable qu'il est de reconnaître la nature psychologique de son mal. L'hystérique agit sa maladie et mobilise l'entourage par le caractère dramatique de ses attitudes et de ses comportements, obligeant les soignants à répondre promptement à sa demande. Dans ces deux conditions, le langage des gestes ou des mots traduit une détresse humaine dans un vocabulaire accepté par la médecine et la maladie devient une monnaie d'échange pour entrer en relation avec un médecin thérapeute dans le but plus ou moins conscient d'obtenir une aide de nature psychologique. Comme l'écrit Balint, "les patients ne consultent leur médecin que lorsqu'ils ont pour ainsi dire transformé la lutte avec leurs problèmes en une maladie".

2.3.4 L'adaptation à la maladie

La maladie est une réaction de l'organisme cherchant à retrouver son homéostasie mise en péril par une agression quelconque. Dans la sphère psychologique, la maladie est vécue comme une agression d'autant plus sérieuse qu'elle s'attaque à des fonctions ou à des organes investis symboliquement. L'homéostasie psychologique est mise en péril et le malade utilise des mécanismes du moi pour retrouver un équilibre. Les principaux mécanismes de défense décrits par les psychanalystes se retrouvent dans la lutte contre l'anxiété soulevée par la maladie. Schneider en décrit quelques-uns.

La **régression** se rencontre fréquemment aussi bien au cours d'une grippe que d'une maladie grave. Il s'agit d'un repli vers des comportements plus infantiles et plus archaïques. Le malade abandonne temporairement son rôle d'adulte et devient plus dépendant. Il s'adonne aux bons soins d'une figure maternelle et fuit dans la passivité et dans le sommeil. L'infirmière ou l'épouse "bonne mère" renforce parfois ce comportement par sa complaisance à donner. A d'autres moments, l'attitude régressée soulève l'hostilité ou l'évitement chez l'entourage qui attend plus du malade.

La régression est souvent utile dans l'établissement des soins. Elle devient nuisible si elle empêche le malade de participer activement à certaines phases de son traitement ou si elle le maintient invalide au moment où les symptômes ne le justifient plus.

La **négation** est un mécanisme par lequel le malade élimine du champ de sa conscience l'existence de sa maladie ou de certaines réalités qui y sont reliées. Freud écrivait: "La seule façon de parler de la mort, c'est de la nier". Aussi, la négation massive se voit davantage dans les maladies terminales alors que des mécanismes complémentaires comme l'**isolation**, la **formation réactionnelle**, la **rationalisation** et la **sublimation** suffisent à contrôler une angoisse moins envahissante.

La négation peut être utile et servir de rempart contre une décompensation psychosomatique ou psychotique. Elle risque parfois d'empêcher un malade d'accepter un traitement ou de se préparer à la mort. Ainsi, la veille de sa mort, un cancéreux refusait de rédiger son testament comme s'il tentait de se convaincre qu'il était sur la voie de la guérison.

Les malades n'ont pas tous un moi bien développé et risquent de réagir à la maladie en laissant paraître davantage leurs mécanismes primaires. Ainsi, ce patient récemment greffé rénal camouflait son besoin de sécurité et de dépendance dans un comportement revendicateur, agressif et méfiant. Pseudo-indépendant, il coopérait si on lui laissait l'illusion qu'il décidait lui-même du mode de traitement. Il fonctionnait à la frontière de la psychose paranoïde et ses mécanismes de défense prédominants étaient la **formation réactionnelle** et la **projection**.

D'autres malades ne peuvent juguler l'angoisse liée à la maladie ou à un stress; ils décompensent en dépression, en psychose ou en maladie psychosomatique. Les mécanismes primaires (**négation, introjection** et **pro-**

jection) y sont prédominants. Voir chapitre 3 pour une définition des mécanismes de défense.

Il est utile de comprendre les réactions psychologiques ou les états affectifs du malade puisqu'ils ont une influence importante sur le déroulement d'une entrevue et sur la poursuite d'un traitement à long terme. Examinons certains traits psychologiques du médecin pouvant également influencer la relation médecin-malade.

2.4 LE MÉDECIN

2.4.1 "La fonction apostolique"

On a beaucoup écrit sur le rôle social du médecin, allant jusqu'à l'accuser de créer la maladie par le service qu'il offre. On ne peut nier l'existence de la maladie ni le problème de surconsommation de services médicaux; néanmoins, malgré toutes les critiques, les sondages populaires montrent que le médecin demeure une personne des plus respectées et des plus dignes de confiance.

On prête généralement au médecin une image idéalisée se rapprochant d'une figure parentale: paternelle par son côté conseiller, homme de science et de raison; maternelle par son rôle de dispensateur de vie et d'affection. Le médecin y répond souvent par une attitude conforme à cet idéal, attitude que Balint appelle **"la fonction apostolique"**. ''Tout se passe comme si tout médecin possédait la connaissance révélée de ce que les patients sont en droit d'espérer: de ce qu'ils doivent pouvoir supporter...''

Un malade souffrant d'angoisse et d'alcoolisme a vite fait d'éveiller chez son médecin une attitude réprobatrice au sujet de ses abus d'alcool. Une fois de plus il se fait sermonner et il demeure seul à supporter son angoisse. Cette attitude ''surmoïque'' ou paternaliste s'observe particulièrement dans les situations impliquant des interdits sociaux: la sexualité, l'alcool, la nourriture, les comportements déviants. Le médecin a donc tendance à imposer son échelle de valeur et néglige parfois de connaître et de respecter celle du malade.

Le deuxième aspect de cette fonction apostolique concerne son image vis-à-vis de lui-même et des autres. Le médecin est gratifié si le malade lui exprime qu'il est satisfait; en somme, il est un bon médecin. Par contre, certains malades éprouvent un besoin pathologique de s'opposer ou de critiquer leur médecin. C'est une atteinte à l'estime de soi bien difficile à supporter.

La fonction apostolique n'est pas une attitude à éviter ou à condamner. Nous l'évoquons pour permettre la compréhension des phénomènes psychologiques afin de mieux prévenir les écueils survenant dans l'établissement d'une relation médecin-malade.

2.4.2 Le guérisseur

Derrière le médecin se cache un guérisseur. On lui prête facilement des pouvoirs chamaniques qu'il ne possède pas. Le malade a besoin de nier sa mort en espérant une guérison miraculeuse; pas de guérisseur, pas d'espoir. Cette lourde responsabilité de celui qui est investi du pouvoir de vie ou de mort entraîne une double réaction: un doute sur son pouvoir et sur lui-même et un sentiment d'accéder à cette toute-puissance. Comme l'écrit Bensaid: "toute pratique médicale apparaît comme un compromis plus ou moins heureux entre "vouloir guérir" et "pouvoir guérir".

On retrouve cette recherche d'omnipotence dans l'engouement que connaissent les techniques spectaculaires qui guérissent rapidement et dans la fuite des maladies au long cours ou à issue fatale. Ces échecs thérapeutiques rappellent trop la réalité de notre impuissance.

2.4.3 L'éducateur

Le médecin est aussi un homme de sciences qui tente d'objectiver ses connaissances dans le domaine de la santé en les épurant des mythes populaires et en gardant un doute scientifique raisonnable. Il devient un éducateur lorsqu'il enseigne à ses malades les moyens de prévenir et de soigner la maladie. Cette tâche est inhérente à la pratique de la médecine et elle complète avantageusement l'action de prescrire et de soigner. Elle permet un rapport d'adulte à adulte, de raison à raison.

2.4.4 L'être asexué

L'investigation de la maladie oblige le médecin à questionner, à examiner et à palper des régions du corps qui font habituellement l'objet d'un tabou. La relation de confiance qui s'établit entre médecin et malade est basée sur une convention implicite de respect et de désexualisation des rapports, comme s'ils ne pouvaient ni l'un ni l'autre éprouver ou agir des désirs sexuels. La transgression de cette règle est honnie au même titre que l'inceste puisque dans la vie phantasmatique le rapport médecin-malade est analogue au rapport parent-enfant. Aussi faut-il que le médecin évite de déplacer sa problématique sexuelle dans sa pratique médicale.

2.5 LA RELATION MÉDECIN-MALADE

Analysons quelques situations courantes où la relation médecin-malade est entravée.

2.5.1 Les écueils

1) Les **réactions émotives** perturbent souvent le déroulement de l'entrevue. Un malade pleure, se montre anxieux, revendique une attention immédiate. Un membre de la famille critique, juge ou interpelle le médecin. Toutes ces réactions provoquent une colère sourde ou manifeste qui risque d'enlever au médecin son objectivité.

Il n'est pas toujours facile de métaboliser ces réactions émotives. Pour cela, il est bon d'essayer de comprendre pourquoi le malade réagit ainsi; quelle est la nature de son anxiété et qui attaque-t-il, la personne du médecin ou ce qu'il représente?

L'objet de cette analyse n'est plus surtout le malade, mais la relation entre un soigné et un soignant, c'est-à-dire le transfert et le contre-transfert médical analogue au phénomène qui est à la base de la cure psychanalytique. Hesnard décrit le transfert comme un "report de sentiments que le patient éprouvait jadis à l'égard de ses parents, sur la personne actuelle de l'analyste". D'une façon analogue, le malade peut éprouver de l'amour ou de la haine non pas envers la personne du médecin mais envers ce qu'il représente; il est comme un écran sur lequel le malade projette un vécu ancien chargé d'émotion et refoulé dans l'inconscient. Exemple: une patiente hystérique consulte à répétition parce qu'elle a développé un amour démesuré pour son médecin. Celui-ci représente le père idéalisé qu'elle n'a jamais pu approcher dans son enfance.

Au phénomène de transfert correspond un phénomène semblable dans le sens opposé (médecin-malade); c'est le contre-transfert. Ainsi, les expériences vécues, l'éducation, les règles morales et les désirs du médecin peuvent biaiser la relation médecin-malade et en diminuer son efficacité. Exemple: le médecin qui entretient avec complaisance une telle situation ambiguë à cause du plaisir que lui procure cette relation d'aspect incestueux.

2)   On observe souvent des réactions d'**évitement** ou de **fuite** tant chez le malade que chez le médecin. C'est la visite plus rapide ou moins fréquente au mourant; c'est le rendez-vous manqué; c'est le dialogue orienté vers des sujets moins personnels. Ces comportements d'évitement empêchent les décharges émotionnelles trop violentes au profit d'une diffusion de l'anxiété.

Après Valabrega, soulignons que la mort circule entre le médecin et le malade. La maladie est en quelque sorte une punition qui vient confirmer la culpabilité pour avoir transgressé des interdits. Aussi, on dit d'un malade: "pourquoi lui? il ne le méritait pas." Comme si la bonne conduite était un gage de bonne santé. Ainsi, la mort peut être vécue comme l'ultime punition et tous ceux qui y sont confrontés réagissent en mettant en oeuvre des mécanismes de défense cités plus haut. Il en résulte des comportements de fuite ou d'abandon alors que le besoin du malade en réconfort est encore plus grand.

3)   Il arrive que la **communication** soit parsemée d'ambiguïtés et que le médecin discerne mal le but ou la démarche. Les malades ne peuvent pas tous exprimer clairement leurs idées à cause de leur niveau intellectuel, de leur structure de pensée ou plus souvent à cause de leurs blocages affectifs. L'anxiété coupe la parole à certains. D'autres parlent trop et trop vite, livrant leurs idées pêle-mêle. Et certains sont incapables de traduire en mots leur vécu émotionnel. Ils adoptent un langage factuel et circonstanciel, laissant au médecin le soin de deviner l'importance émotionnelle de leur maladie et de la traduire pour eux en mots et en émotions.

4)   Des médecins se sentent mal à l'aise d'explorer la sphère psychologique du malade. De fait, les **connaissances** dans ce domaine relèvent plus souvent de l'intuition et du gros bon sens que d'un apprentissage systématique tel qu'on enseigne les autres disciplines. Ce défaut de connaissance favorise une attention

plus sélective de la maladie physique au dépens de son aspect psychologique. La collecte des données ne prévoit pas d'ouverture dans le vécu émotionnel. Si l'investigation médicale est négative, on dit au malade: "Vous n'avez rien". Comme si l'absence de pathologie physique éliminait la souffrance et rendait inutile la visite médicale.

Avec une formation adéquate et un intérêt pour l'humain caché derrière son symptôme, le médecin peut, comme le souligne Labrie, transformer: "Vous n'avez rien" en "ce qui m'intéresse c'est que vous n'avez rien". Autrement dit, "je m'intéresse à vous et pas seulement à votre maladie."

5) La différence de classe est un autre facteur d'incompréhension pouvant nuire à l'établissement de la relation médecin-malade. La différence de culture, de richesse, de style de vie et de statut créent un fossé dans la nature des incertitudes, des attentes et des réactions face à la maladie. Un problème peut être considéré mineur pour un homme instruit mais il peut créer une inquiétude considérable chez un plus démuni.

Cette incompréhension est encore plus manifeste lorsque le malade est d'une origine raciale et culturelle très différente du médecin. Au problème de la langue s'ajoutent ceux des moeurs, des croyances, de la structure familiale et sociale et de l'échelle des valeurs; en découvrant l'autre, le médecin acquiert une expérience inestimable.

Tous connaissent également la difficulté pour un adulte de discuter des problèmes d'abus de drogue avec un adolescent. La différence de génération ou de sexe reflète des conflits qu'on retrouve dans le cadre familial et peut soulever des réactions contre-transférentielles inopportunes. Ainsi, Karasu démontre dans une étude que l'âge du thérapeute et l'âge du patient interviennent pour modifier la gravité du diagnostic et du pronostic. La meilleure corrélation s'établissait entre des patients et des thérapeutes du même âge. Après Stéphenson, nous reconnaissons également que les femmes reçoivent deux à trois fois plus de prescriptions que les hommes. Elle en conclut que le médecin homme a tendance à médicaliser les problèmes qui relèvent de la condition sociale de la femme. Finalement, rapportons ici les conclusions de l'étude de Korsch et Negrete qui ont mené une enquête sur le degré de satisfaction des patients à la suite d'une première consultation et sur leur fidélité à suivre la prescription. Les principales conclusions sont les suivantes:

1) les médecins ont tendance à utiliser un langage trop technique qui est souvent incompris par le patient;

2) la durée de l'entrevue n'a pas de corrélation significative avec le degré de satisfaction;

3) le degré de satisfaction augmente lorsque le médecin délaisse le langage scientifique pour s'intéresser davantage aux craintes et angoisses du patient;

4) la fidélité au traitement est en relation directe avec le degré de

satisfaction.

2.5.2 Les remèdes

L'art de soigner s'apprend à l'usage et on ne doit pas sous-estimer l'importance de l'expérience développée au cours des années. On décrit la sagesse comme étant la somme des bêtises que l'on a commises; c'est vrai en autant qu'on en prenne conscience et qu'on y apporte des correctifs. Malheureusement, la nature humaine a tendance à répéter compulsivement les mêmes erreurs et à s'y adapter en leur trouvant même une utilité. Aussi, il est indéniable qu'une formation appropriée peut développer l'aptitude du médecin à comprendre ce qui se passe chez le malade.

Dans les universités, on a repensé le programme d'enseignement prégradué pour y introduire des notions de sciences du comportement et une exposition à la relation d'aide. Au stage clinique en psychiatrie, on a ajouté un enseignement en psychologie médicale intégré à la pratique médicale et comprenant deux aspects:

1) l'acquisition de connaissances au sujet de la réalité psychique du malade dans le cadre de la consultation courante en médecine générale;

   cet enseignement est organisé sous forme de cours, de séminaires, d'évaluations supervisées et discutées en groupe, de recherche bibliographique, etc;

2) l'acquisition d'une habileté à utiliser la relation médecin-malade à des fins thérapeutiques.

   Comme l'écrit Balint, ''l'acquisition de l'aptitude psychothérapeutique ne consiste pas seulement à apprendre quelque chose de nouveau, mais implique aussi inévitablement un changement limité, bien que considérable, de la personnalité du médecin.''

Soulignons les principales caractéristiques de sa méthode:

1) Le séminaire ou groupe Balint

Il s'agit d'un séminaire réunissant un groupe d'omnipraticiens régulièrement; il est animé par un modérateur qui a une formation pertinente: psychiatre ou psychanalyste. A chaque rencontre, un médecin raconte le plus fidèlement possible une entrevue et tout ce qu'elle a comporté d'hypothèses et d'incertitudes. Le groupe centre la discussion non pas sur le malade mais sur la relation médecin-malade.

Ce séminaire hebdomadaire peut durer plus d'une année et permet aux participants de mieux connaître les réactions transférentielles du malade et le contre-transfert du médecin. Bien qu'on emploie des termes psychanalytiques, le groupe ne tente pas d'analyser chacun des participants, mais plutôt l'interaction entre le médecin et le malade.

On ne forme pas des analystes mais des médecins plus sensibles au vécu psychique.

2) le double diagnostic

Avec cette nouvelle ouverture, les médecins ne peuvent être satisfaits du diagnostic classique. C'est en effet une étiquette de la maladie, répondant à une approche technique et laissant pour compte la personnalité du malade et tout ce qui le distingue des autres. Les membres du séminaire de Balint ont alors commencé à apposer un deuxième diagnostic centré sur le malade, c'est-à-dire décrivant les faits pertinents et ses traits de personnalité qui ont une importance dans l'évolution de la maladie.

Exemple de diagnostic classique: tachycardie paroxystique.

Exemple de diagnostic global: jeune homme de 25 ans célibataire, bien adapté à son travail, se montre très anxieux à l'idée de quitter sa mère et souffre de tachycardie lorsque son anxiété augmente.

3) Le double objectif et le double pronostic

Le premier exemple catégorise la maladie et comporte un plan de traitement et un pronostic en soi. Le diagnostic global ajoute à la connaissance du malade en spécifiant ses aptitudes à l'adaptation, sa situation familiale ou sociale et ses principaux problèmes. Il en découle un deuxième plan de traitement et un deuxième pronostic.

Ainsi chez ce jeune homme, il est possible mais incertain que le traitement pharmacologique guérisse la tachycardie à court terme. A plus long terme, on risque les rechutes ou le déplacement vers d'autres pathologies fonctionnelles si on n'apporte pas de correctif aux difficultés psychologiques. Ce jeune homme souffrait d'une dépendance ambivalente, qui s'était développée entre sa mère et lui. La discussion de ce phénomène lui a permis une nouvelle liberté et son anxiété a diminué par la suite de même que la fréquence de ses épisodes de tachycardie.

Le fait d'écrire un diagnostic global, un deuxième plan de traitement et un deuxième pronostic aide le médecin à mieux planifier un traitement espacé mais à long terme. Il devient moins frustrant de revoir des malades fonctionnels chroniques si l'on sait qu'ils cherchent avant tout un contact avec le médecin-thérapeute. Ainsi l'absence de maladie physique ne prive pas le médecin de son pouvoir de guérisseur.

4) Méthodes des entrevues thérapeutiques

Pour répondre à cette vocation de thérapeute, les médecins du séminaire dirigé par Balint entreprenaient des entrevues prolongées calquées sur l'entrevue psychiatrique. Ils durent y renoncer et chercher une autre voie parce que le médecin de famille ne peut se permettre de voir la moitié de ses clients durant 30 ou 45 minutes. Utilisée à l'occasion, l'entrevue prolongée permet tout de même d'approfondir des cas problèmes qui autrement, demeureraient longtemps en suspens.

L'entrevue brève peut apporter beaucoup de renseignements sur le malade en autant que le médecin soit ouvert à cette double polarisation. Ces entrevues se répètent au cours des années, complétant peu à peu l'image du malade et parfois de sa famille. Il est permis de penser que le facteur temps évoqué si souvent est plus une résistance qu'une réalité.

Aussi, cette habileté à identifier le contenu de la relation médecin-malade orientait les membres vers une nouvelle évidence: on ne cherchait plus comment le médecin devrait guérir le malade, mais comment le malade pourrait utiliser le médecin. Ce modèle se rapproche davantage des rapports entre adultes que des rapports de dépendance ou de style maître-élève généralement rencontrés dans la consultation médicale.

C'est peut-être là le "changement limité bien que considérable de la personnalité du médecin" dont parlait Michael Balint.

BIBLIOGRAPHIE

BALINT, M. et BALINT, F. *Techniques psychothérapeutiques en médecine.* Payot, 1966.

BALINT, E. et NORELL, J.S. *Six minutes par patient.* Payot, 1976.

BALINT, M. *Le médecin, son malade et la maladie.* Payot, 1960.

BENSAID, M. "L'idée de guérison". *Nouvelle Revue de psychanalyse.* 1978, (XVIII).

KARASU, T.B. et al. "Age factors in Patient-Therapist Relationship". *The Journal of Nervous & Mental Disease.* Février 1979, vol. 167 (2).

KORSCH & NEGRETE. "Doctor Patient Communication". *Scientific American.* Sept. 1972, 66-74.

LAGACHE, D. *La psychanalyse.* P.U.F., 1966, (Coll. Que sais-je?).

POROT, M. *La psychologie médicale du praticien.* P.U.F., 1976.

SAVOIE, B. "La relation médecin-malade...son évolution au Québec depuis 1970". *Le médecin du Québec.* Avril 1978.

SCHNEIDER, P.B. *Psychologie médicale.* Payot, 1976.

STEPHENSON, P.S. et WALKER, G.A. "The psychiatrist-woman patient relationship". *Canadian Journal of Psychiatry.* Février 1979, vol. 24 (1).

VALABREGA, J.P. *La relation thérapeutique malade et médecin.* Flammarion, 1962.

CHAPITRE 3

LE DÉVELOPPEMENT DE LA

PERSONNALITÉ

Raymond Morissette

3.1 INTRODUCTION

L'étude du comportement humain a favorisé l'éclosion de plusieurs modèles théoriques du développement de la personnalité. La multiplicité des modèles proposés rend bien compte de la complexité du sujet et de l'impossibilité devant laquelle nous sommes placés pour formuler un modèle unique. Actuellement, aucun modèle ne peut représenter l'ensemble des facteurs en cause dans le développement de la personnalité, pas plus que leurs effets sur le comportement individuel. Il nous est donc impossible dans un chapitre abrégé de décrire chacune des théories proposées.

Le sujet sera présenté sous un angle dynamique, c'est-à-dire sous l'angle de l'interaction entre un certain nombre d'éléments constituant un jeu de forces concordantes ou en opposition. Ces éléments sont évidemment très nombreux. Nous rapportons ici ceux que nous considérons essentiels et bien sûr, il s'agit d'un choix. Ce qui n'est pas mentionné ici, donc, peut tout aussi bien être considéré essentiel par d'autres. Les facteurs que nous avons choisis de définir sont d'ordre biologique ou reliés à la réalité environnante. Nous considérons aussi dans la première partie de ce chapitre, le pouvoir d'apprentissage de l'humain, ses réactions émotionnelles, ses motivations et son développement intellectuel.

Par après seront exposées de façon synthétique trois théories structurées concernant le développement de la personnalité: la théorie freudienne, la théorie d'Erikson et la théorie de Levinson.

Pour terminer, nous dégagerons les principales idées de ce chapitre nous permettant de formuler une définition de la personnalité.

3.2 STRUCTURATION DES RAPPORTS DE L'INDIVIDU AVEC LE MILIEU

Le développement de la personnalité considéré sous un angle dynamique apparaît comme le résultat de forces en interaction continuelle. Un pôle de ces forces a une base biologique. L'homme est prédisposé héréditairement à atteindre un certain nombre de fins, à se développer selon un ordre prédéterminé dans son corps, dans ses motivations, dans ses apprentissages, dans son évolution intellectuelle. L'autre pôle de ces forces est constitué des exigences du milieu, ce milieu façonnant l'individu à partir de ses valeurs culturelles, de ses lois, de ses moeurs, de ses normes de comportement.

3.2.1 Développement biologique et moteur

Biologiquement, le zygote possède déjà les gènes qui marqueront l'individu. Nous parlons ici d'hérédité d'espèce comme d'hérédité individuelle. L'hérédité d'espèce caractérise de la même façon tous les membres d'une même espèce. Pour l'homme, citons en exemple son schéma corporel, la station verticale, la différenciation fonctionnelle des mains et des pieds, le langage articulé, ses facultés d'abstraction et de généralisation. L'hérédité individuelle par contre est responsable des différences individuelles au sein de la même espèce. Les tailles différentes sont des exemples de ce type d'hérédité, de même que les empreintes digitales. Signalons enfin que le développement biologique et les habiletés génétiques transmises se font selon le même ordre et apparaissent à peu près aux mêmes périodes chez tous les individus normaux de la même espèce. La position assise, par exemple, devenant possible dans les premiers six mois, précède la position debout et la marche survenant dans la première année. Cette maturation biologique et les différentes habiletés humaines en découlant placent la personne dans des situations relationnelles bien différentes avec son entourage suivant les différentes étapes atteintes. C'est un fait d'importance capitale quand on connaît l'impact du renforcement de l'entourage dans l'apprentissage, dans le développement des divers comportements, comme nous le verrons un peu plus loin.

Il est déjà bien différent du nouveau-né, l'enfant dont le développement neurologique permet le contrôle de fonctions automatiques comme l'équilibre, la marche, la synchronisation des mouvements corporels. Considérons aussi le développement du circuit sensitif, sensation tactile, sensation cénesthésique, sensation de pression, sensation de douleur. Toutes les sensations jouent un grand rôle dans la reconnaissance du corps et de l'entourage immédiat. Il y a aussi le développement sensoriel tel le goût, l'odorat, l'ouïe, le toucher, la vue. La maturation du système locomoteur place l'enfant dans des modalités d'exploration de plus en plus évoluées lorsqu'il peut se servir de ses mains et de ses jambes, lorsqu'il peut saisir et relâcher, lorsqu'il peut caresser et frapper, lorsqu'il peut s'échapper, s'éloigner, revenir. Grandir, grossir, devenir de plus en plus habile, voir se développer son intelligence, se savoir en capacité d'exercer ses fonctions de reproduction, ce sont-là autant de facteurs biologiques à considérer pour bien comprendre le développement de la personnalité.

Certes, tout ce que nous venons de citer en exemple obéit à des lois physiologiques pour progresser. Le degré d'épanouissement de ces diverses fonctions est fortement tributaire cependant du milieu environnant, tant pour la quantité des stimulations, que pour la variété et la qualité de ces dernières.

Nous savons tous qu'il y a des milieux riches en stimulations de toutes sortes et d'autres très pauvres. L'enfant, alors, n'est pas toujours placé devant les mêmes possibilités de développement, de quelque développement qu'il s'agisse.

En même temps donc, que nous considérons les diverses possibilités d'une personne à travers son développement biologique, il faut considérer, de façon concomitante, de quelle façon il vit les divers apprentissages que lui impose son milieu environnant.

3.2.2 L'apprentissage

Définissons l'apprentissage comme l'acquisition ou la modification relativement permanente d'un comportement à partir de l'expérience vécue et de la pratique. L'apprentissage est la conséquence à la fois (1) d'un stimulus, (2) d'un type de réponse apprise face à ce stimulus, et (3) de la relation entre la réponse donnée et le renforcement qu'elle reçoit, ce dernier étant dit positif ou négatif suivant qu'il favorise ou décourage un type de réponse.

Dans la littérature, l'apprentissage est décrit comme étant de deux types: l'apprentissage classique (conditionnement classique ou répondant) et l'apprentissage instrumental (conditionnement instrumental ou opérant).

L'apprentissage classique ou répondant comporte un stimulus spécifique, une réponse spécifique. Le renforcement dans ce cas suit la situation d'apprentissage. La nourriture, par exemple, (stimulus spécifique) provoque la salivation (réponse spécifique). La réponse spécifique (la salivation) sera toujours provoquée dans ce type d'apprentissage par le stimulus spécifique (la nourriture). L'événement donc, précède toujours la réponse et la provoque.

L'apprentissage instrumental ou opérant, par contre, n'obéit pas à un stimulus spécifique. La réponse donnée, dans ce cas-ci, n'est pas spécifique au stimulus. La réponse donnée dépend du renforcement, c'est-à-dire des conséquences immédiates de la réponse et non de ce qui la précède. Le comportement est un instrument pour obtenir une récompense; alors il est déterminé par ses effets, par les événements le suivant. Exemple: l'enfant qui fait une "bonne" action est récompensé par sa mère.

Les précisions données ici n'ont pour but que d'aider à mieux comprendre le rôle joué par les figures significatives comme par les événements significatifs en tant qu'agents de renforcement dans le développement de la personnalité.

Bien sûr, le phénomène n'est pas aussi froid que peut le laisser croire la rigueur des distinctions faites auparavant. Le tout n'est pas décharné au point qu'il suffise d'additionner une somme de stimuli, une somme de réponses et une somme de renforcements pour aboutir à définir la personnalité et la conduite humaine.

Dans le déterminisme qui se dégage du behaviorisme, il y a toujours une situation affective favorisant l'apprentissage et la rétention mnésique. Cette dernière peut être nulle, de courte durée ou à long terme suivant l'état d'éveil du sujet et les significations affectives dont sont investies les diverses situations. En somme, la vie fantasmatique, comme la réalité de tout individu, provoque continuellement des réactions émotionnelles. Ces dernières sont la manifestation de ce qui vient de se produire, de ce qui est en train de se produire et devient par le fait même un stimulus pour ce qui va se produire.

3.2.3   L'émotion

Pour mieux comprendre l'émotion, nous devons la considérer à partir de deux composantes: une manifestation affective et une manifestation neurophysiologique. L'affect se définit comme le vécu psychique face aux diverses situations de la vie. La psychologie en a reconnu trois variétés fondamentales desquelles peuvent découler une multitude de nuances. Ce sont le plaisir, la colère, la peur. Le plaisir est une sensation agréable liée à la satisfaction d'un besoin. La colère est une sensation violente de mécontentement liée à la frustration, à la privation d'une satisfaction recherchée. La peur est une sensation d'être menacé, soit de l'extérieur, soit de l'intérieur, et qui peut porter à des comportements de panique, de sidération, de fuite ou d'attaque, pour ne citer que ces exemples.

Quant aux manifestations neurophysiologiques de l'émotion, elles sont pour beaucoup reliées au système nerveux autonome, le sympathique et le parasympathique. Toutes les réactions découlant de l'action ou du blocage de ce système sont possibles. S'il s'agit du sympathique, citons la transpiration abondante, l'accélération du rythme cardiaque, la diminution du péristaltisme intestinal; s'il s'agit du para sympathique, mentionnons la diminution du rythme cardiaque, l'hypersécrétion d'acide chlorhydrique, l'hyperpéristaltisme. Il y a aussi le contrôle du système nerveux autonome par les centres nerveux cérébraux, comme la substance réticulaire du bulbe, de la protubérance et du mésencéphale. Bien sûr, il y a aussi l'action de l'hypothalamus et de bien d'autres formations nerveuses finalement dont il sera question dans d'autres chapitres.

3.2.4   La motivation

Avant qu'une émotion apparaisse cependant, un stimulus quelconque a dû déclencher une action. Comment peut-on qualifier le moteur de chacune de nos activités? Ne sommes-nous pas à la recherche continuelle du motif qui déclenche ou bloque une action? La motivation en somme, constitue cette force que nous ne pouvons jamais apercevoir mais que nous retrouvons toujours à la source de nos actions. Nous la définissions comme représentant un ensemble de facteurs et de besoins déterminant une action vers une finalité. La relation d'une activité aux motifs qui la détermine est un processus cyclique comprenant un besoin qui motive un comportement, lequel met en jeu une série de moyens pour atteindre un but.

Les motivations peuvent être innées ou acquises. Tous les besoins biologiques, dont la satisfaction est nécessaire pour la survie de l'individu, sont évidemment innés et ont un substratum anatomo-physiologique: la faim et la soif, par exemple.

Il semble que plus on s'élève dans l'échelle animale, plus il devient difficile de distinguer ce qui est inné de ce qui est acquis. On peut citer comme exemple de motivations acquises: le besoin de réussir, d'être aimé des gens qui nous entourent, d'avoir l'approbation sociale.

La proportion des motivations acquises augmenterait à mesure que l'on se rapproche de l'homme. Une grande proportion des motivations serait acquise chez l'humain. Elle le serait la plupart du temps en fonction d'autrui et de leur estime, ce que nous appelons les motivations sociales.

3.2.5   Le développement intellectuel

L'évolution de la personnalité et des comportements individuels sont aussi tributaires du développement intellectuel. Nous redisons ici ce que nous avons déjà affirmé: l'individu est placé dans des situations relationnelles bien différentes avec son environnement et avec des capacités bien différentes aussi suivant son évolution intellectuelle.

Cette évolution découle d'une nécessaire recherche d'un équilibre entre l'égocentrisme du nouveau-né et l'environnement. Tout ce qui est assimilé par l'individu doit aussi finir par s'accomoder à l'entourage: le sujet doit passer d'un état où il ramène tout à lui-même pour en arriver à se situer comme un élément de l'univers et non pas comme l'univers. Du stade des réflexes à la possibilité d'abstraction, l'intelligence, telle qu'étudiée par Jean Piaget, se développerait selon un ordre représenté par les quatre étapes suivantes:

- — l'étape de la pensée sensori-motrice (0 à 2 ans);
- — l'étape de la pensée intuitive (2 à 7 ans);
- — l'étape de la pensée concrète (7 à 12 ans);
- — l'étape de la pensée formelle et logique (12 ans et plus).

Nous allons succinctement définir chacune de ces étapes.

L'étape de la pensée sensori-motrice (0 à 2 ans)

L'intelligence au tout début de la vie semble se limiter aux activités réflexes, comme la succion pour se nourrir, par exemple. Assez rapidement, cependant, elle évolue vers une organisation des perceptions et des habitudes acquises qui permettent à l'enfant de se reconnaître comme distinct de son entourage, comme une partie du monde. A la fin de cette étape, il perçoit les choses comme en dehors de lui et cherche à les ramener à lui: c'est la pensée sensorio-motrice. Un exemple illustrant cette idée est le suivant: suivre un objet en mouvement et chercher à l'attirer à soi au moyen d'un autre objet. Il y a la perception sensorielle de l'objet comme extérieur et la pensée de le ramener à soi par un geste moteur réfléchi.

L'étape de la pensée intuitive (2 à 7 ans)

L'intelligence passe de la coordination sensorio-motrice, signalée antérieurement, à une pensée constituée d'un ensemble d'idées découlant de l'acquisition du langage. Du simple cri constituant un appel à l'entourage jusqu'à l'expression de la pensée par un système de symboles verbaux ou de signes non verbaux, il y a "une véritable révolution intellectuelle". Elle dépend à la fois du développement des possibilités biologiques d'apprentissage et de mémorisation de même que de l'interaction avec le milieu environnant (stimulation). La symbolisation ainsi née va permettre alors la représentation mentale de tout événement, de même que leur rappel par le récit. Cependant, note Piaget, les images représentatives intériorisées durant cette période ne peuvent encore être ni généralisées, ni comparées.

L'enfant de cet âge affirme mais ne démontre jamais; bien que sa pensée devienne de plus en plus réaliste, elle est sans raisonnement. C'est la pensée intuitive, forme de connaissance immédiate ne recourant pas au raisonnement.

C'est une étape où l'égocentrisme est encore très fort. De ceci résulte le fait que l'enfant peut avoir de la difficulté à séparer son point de vue de celui des autres.

L'étape de la pensée concrète (7 à 12 ans)

Durant cette période, l'enfant commence à se libérer de son égocentrisme et devient graduellement capable de distinguer son opinion de celle d'autrui. Il peut, par exemple, comprendre les règles d'un jeu et les respecter. C'est durant cette étape que commence à se développer le raisonnement. Ses premières manifestations portent sur des choses contrètes, donc manipulables et mesurables. C'est la pensée concrète comme l'a nommée Piaget. Si, par exemple, l'enfant est placé en présence de trois objets de grandeur différente, l'objet 1 étant plus petit que l'objet 2 et l'objet 2 plus petit que l'objet 3, il pourra faire le raisonnement que l'objet 1 est plus petit que l'objet 3.

Autre caractéristique importante de cette étape: l'enfant commence à faire preuve d'un système de valeurs relativement fixe. C'est l'âge de raison, disons-nous.

L'étape de la pensée formelle et logique (12 ans et plus)

Durant l'étape précédente s'était développée une forme de raisonnement portant sur le domaine du réel. Graduellement se développe maintenant une forme de pensée portant un peu plus sur le domaine du possible. Le raisonnement hypothético-déductif prend forme. La possibilité de l'abstraction et de l'opération logique est acquise. L'intelligence est alors parvenue au niveau de performance que nous lui reconnaissons habituellement: facultés de connaître, de comprendre, de concevoir, de discerner, de réfléchir, de juger, pour ne nommer que celles-ci.

Dans une théorie génétique telle que développée par Jean Piaget, l'intelligence est conçue comme le résultat des activités d'assimilation et d'accomodation nécessaires à l'établissement d'un équilibre, d'une adaptation. C'est ici que s'établit le rapport entre l'affectivité et l'intelligence chez Piaget: besoins (motivations) et tendance à la satisfaction représentent d'un côté la démarche affective qui s'organise et se structure intellectuellement, de l'autre la démarche de l'accommodation.

Le développement intellectuel, le développement affectif, la capacité d'apprentissage, le développement biologique, autant de points à considérer quand on cherche à comprendre la structuration des rapports d'un individu avec le milieu. D'une part, spécifiquement marqué par l'hérédité, chacun des points énumérés auparavant portent d'autre part la marque de la qualité de l'interaction établie avec le groupe socio-culturel qui reçoit le nouvel individu.

Tout groupe véhicule son système de valeurs, ses moeurs, ses normes de comportement, ses interdits. Ainsi chaque communauté porte en elle-même les rôles qu'elle veut faire jouer à chacun de ses nouveaux-nés. Dans ce sens, le patrimoine culturel sert à l'endoctrinement et la qualité du rapport entre une personne significative (un parent) et une autre personne (l'enfant) constitue la base de cet endoctrinement.

3.3 THÉORIES PSYCHODYNAMIQUES

La première partie de ce chapitre a servi à présenter le développement de la personnalité comme découlant du développement bien agencé d'une multitude de composantes dont seulement quelques-unes ont pu être nommées. Tout en gardant bien à l'esprit que tout ce qui fait partie de notre entité biologique et de notre entourage a servi au développement de nos comportements et continue à les influencer, nous allons dans cette deuxième partie présenter trois modèles théoriques détaillant des points de vue plus spécifiques: le modèle freudien, le modèle d'Erikson et le modèle de Levinson.

Les deux premières théories sont structurées de façon génétique, c'est-à-dire qu'elles montrent une croissance, une évolution dans la formation de la personnalité à partir des éléments considérés les plus importants par les auteurs.

La première théorie tient davantage compte de ce qui se passe à l'intérieur de l'individu alors que la deuxième théorie donne une grande importance aux éléments culturels. En plus, Freud a surtout insisté sur les premières années de la vie alors qu'Erikson y est allé d'une étude de la petite enfance à la vieillesse.

Enfin, Levinson a porté jusqu'à maintenant son attention sur les aspirations de l'homme au cours de la "saison" du jeune adulte et de la "saison" d'adulte d'âge mûr.

3.3.1 Théorie freudienne

Nous allons dans un premier temps présenter la structure de l'appareil psychique tel que conçu par Freud. En deuxième lieu, nous étudierons la genèse de la personnalité, c'est-à-dire son évolution dans le temps à travers les divers stades successifs que doit traverser l'enfant.

Coordonnées de l'appareil psychique

Trois coordonnées sont à définir: une coordonnée économique, une coordonnée topique et une coordonnée dynamique.

La coordonnée économique se réfère au fait que l'appareil psychique ne peut fonctionner que grâce à une certaine quantité d'énergie. Cette dernière émane des motivations de l'individu lui faisant alors employer différents moyens pour atteindre différents buts. Le résultat est l'élimination des tensions nées des diverses excitations, permettant ainsi à l'organisme de revenir à un état de quiétude.

Si la personne, par son comportement, exécute toujours immédiatement l'action commandée par les différentes poussées ressenties, la motivation de base étant la satisfaction immédiate des besoins, on dit que l'action est posée selon **le principe du plaisir**.

Le mode de fonctionnement de l'appareil psychique est alors qualifié de fonctionnement selon **le processus primaire**: la quantité d'excitations, la charge énergétique en somme se libère d'une façon immédiate et totale sans tenir compte d'aucune exigence de la réalité.

Lorsque la satisfaction est atteinte, la tension née du besoin disparaît et l'expression émotionnelle du plaisir apparaît. Par contre, si la satisfaction ne peut être atteinte, la tension monte et l'on voit apparaître les expressions émotionnelles d'anxiété, d'angoisse, de crainte, de peur, d'hostilité, de haine, de colère et bien d'autres encore.

Ou bien la personne agit immédiatement selon les émotions ressenties et alors tous les comportements sont possibles, de la fuite à la violence, ou bien une adaptation quelconque se fait. L'énergie libérée est alors liée à des adaptations autres que celle du plaisir seulement: c'est l'action posée selon **le principe de la réalité** et l'on dit que l'appareil psychique fonctionne selon **le processus secondaire**.

La coordonnée topique se réfère de son côté à un certain nombre de systèmes de l'appareil psychique ayant des caractères différents ou des fonctions différentes. Freud a élaboré deux modèles topiques de l'appareil psychique. Dans un premier modèle, il a situé l'inconscient, le préconscient et le conscient. Dans un deuxième temps, il a différencié l'appareil psychique de la façon suivante: le ça, le moi et le surmoi que nous définissons plus loin.

L'inconscient au sens descriptif est constitué par tout ce qui échappe au champ de la connaissance, même si la personne s'efforce de trouver en y mettant toute son attention. Il est constitué de tous les contenus refoulés.

Le préconscient qualifie ce qui n'est pas immédiatement présent dans le champ actuel de la connaissance, mais y demeure accessible si la personne cherche en y portant toute son attention.

Par conscient nous désignons évidemment ce qui est immédiatement présent dans le champ de la connaissance.

Le deuxième modèle topique de l'appareil psychique est celui où Freud a défini ce qu'il a appelé le ça, le moi et le surmoi.

Le ça constitue le pôle pulsionnel de l'individu. Le contenu a, soit une base biologique marquée par l'hérédité, ou bien, il est acquis mais pour toutes sortes de raisons, a été refoulé. Les pulsions du ça sont refoulées en grande partie par l'instance nommée le surmoi.

Du point de vue de la coordonnée économique, le ça constitue la principale réserve de l'énergie psychique. C'est un centre important de motivation. Sur le plan dynamique, comme nous l'avons expliqué au début du chapitre, il constitue un pôle de force qui est une interaction continuelle avec un autre pôle de force représenté par le surmoi et le moi. Cette instance pulsionnelle obéit au seul principe du plaisir. Le mode de fonctionnement psychique au niveau du ça se fait donc selon le processus primaire.

Le surmoi représente le pôle de forces opposées: c'est le juge, le censeur, l'interdicteur. Evidemment, cette instance transporte les valeurs du milieu où l'enfant grandit. Ces valeurs jouent un grand rôle dans le façonnement de l'individu. Il se constitue par l'assimilation des exigences et des interdits de la société qui sont transmis d'abord par les parents, première figure d'identification et par la suite, par toutes les autres personnes pouvant avoir une influence quelconque sur la personne.

Le moi, par contre, représente l'instance médiatrice, chargée des intérêts de la totalité de la personne. De ce fait, le moi est en relation autant avec les besoins du ça (principe du plaisir) que des exigences du surmoi et de la réalité (principe de la réalité).

En résumé, il y a d'un côté, les poussées pulsionnelles en provenance du **ça** et d'un autre côté, la censure du **surmoi**, le **moi** devant trouver un compromis valable entre les impératifs du ça et du surmoi.

Du même coup, nous venons de définir la troisième coordonnée de l'appareil psychique qui est la **coordonnée dynamique**, résultant des forces en interaction dans l'individu. On comprend alors qu'une personne puisse se trouver plus ou moins fréquemment en situation de **conflit**, terme employé lorsqu'en un individu s'opposent des exigences internes contraires. Le moi, alors, pour assurer une protection du sujet contre une trop forte tension émotionnelle, une trop forte anxiété ou une trop forte angoisse découlant d'un conflit, développe des **mécanismes de défense ou d'adaptation** qui donnent à la personnalité et au comportement d'un individu une allure caractéristique.

Tous les mécanismes de défense que nous allons maintenant décrire se situent aux confins du normal et du pathologique. Ils peuvent permettre à une personne de maintenir un équilibre émotionnel stable et satisfaisant. Ils peuvent aussi être utilisés de façon excessive et prédominante. Il en découle alors des distorsions de plus en plus importantes de la vie émotionnelle de l'individu et de la réalité. Les relations avec autrui deviennent alors plus ou moins perturbées, de même que le vécu interne du sujet. Nous en arrivons alors au domaine de la souffrance et de la maladie explicitées dans d'autres chapitres de ce livre.

Les mécanismes de défense *

Le refoulement: mécanisme par lequel sont repoussées et maintenues dans l'inconscient toutes représentations (pensées, images, souvenirs) qui risquent de provoquer de l'angoisse. Le refoulement se produit, par exemple, dans le cas où la satisfaction d'un désir, susceptible de provoquer du plaisir, risquerait par contre de provoquer un conflit par rapport à d'autres exigences.

La négation: mécanisme par lequel l'individu se défend de certains désirs, pensées ou sentiments en niant qu'ils lui appartiennent. (''Je n'ai pas voulu dire cela'', par exemple. ''Ce n'est pas ce à quoi je pensais''.)

La conversion: mécanisme à partir duquel un conflit psychique est transposé en symptômes somatiques moteurs (paralysie) ou sensitifs (anesthésie localisée).

Le déplacement: mécanisme à partir duquel l'accent, l'intérêt, l'intensité d'une représentation sont susceptibles de se détacher de l'objet initial pour s'attacher à d'autres représentations moins anxiogènes, se rattachant à un objet moins menaçant par exemple. (Pensons à l'agressivité que les gens peuvent déplacer à partir d'un patron vers d'autres personnes dont ils sont le patron ou devant lesquelles ils se sentent en position d'autorité.)

La projection: mécanisme par lequel sont attribués à autrui des désirs ou des sentiments que la personne refuse de reconnaître comme les siens. (L'agressivité d'un individu, par exemple, est perçue comme venant d'une autre personne considérée comme persécutrice.)

---

* La définition des mécanismes de défense est tirée, pour la plupart d'entre eux, du vocabulaire de la psychanalyse de J. Laplanche et J.-B. Pontalis.

L'identification: mécanisme par lequel un sujet assimile un aspect, une propriété, un attribut d'une autre personne et se transforme totalement ou en partie sur le modèle de celui-ci. (L'idole qu'imite l'adolescent.)

L'introjection: par ce mécanisme, le sujet fait passer, sur un mode fantasmatique, du "dehors" en "dedans", des objets et des qualités inhérentes à ces objets. C'est un mécanisme au fond bien près de l'identification.

L'isolation: mécanisme qui consiste à détacher une pensée ou une image ou un comportement de son contexte soit temporel, soit spatial et soit surtout émotionnel. On se protège de l'affect en s'empêchant de le lier au contenu.

L'annulation rétroactive: mécanisme par lequel on défait ce qu'on a fait, en réalisant l'inverse de l'acte ou de la pensée précédente. (Dans une conduite d'expiation, par exemple, une personne utilise une pensée ou un comportement ayant une signification opposée à la pensée ou au comportement antérieur.)

La formation réactionnelle: mécanisme consistant en une attitude ou habitude de sens opposé à un désir refoulé et constitué en réaction contre celui-ci. (La pudeur, par exemple, qui pourrait être une réaction à des tendances exhibitionnistes.)

L'intellectualisation: mécanisme par lequel le sujet cherche à donner une formulation rationnelle à ses conflits et à ses émotions de façon à les maîtriser. (Tous les prétextes que l'on peut invoquer pour rendre acceptables un geste, une pensée, une émotion dont la motivation de base est ressentie comme inacceptable).

La sublimation: mécanisme par lequel des tendances désavouées par le moi sont déplacées vers d'autres tendances pouvant être utilisées pour des fins valables, utiles et appréciées. (L'agressivité sublimée dans une activité professionnelle.)

Stades de développement psychosexuel

Après avoir exposé les éléments constituants de l'appareil psychique selon Freud, nous allons maintenant étudier la genèse de la personnalité selon son évolution dans le temps. Cette ontogénèse psychoaffective, nous choisissons de l'analyser en réunissant deux formulations théoriques, celle de Freud et celle d'Erikson dont l'apport aide grandement à compléter la compréhension de la première.

Pour l'École freudienne, le développement psychoaffectif est caractérisé par un enchaînement dans le temps des stades successifs que doit traverser l'enfant. Chaque stade est associé à un certain nombre de conflits spécifiques se rapportant à la tension des différentes forces en interaction. Par l'entremise de différents compromis, chaque stade peut atteindre son plein épanouissement quant aux buts visés et aux objets nécessaires tout en tenant compte de certains interdits de la réalité. Par contre, certains avatars peuvent survenir en cours de route dont deux des principales conséquences peuvent être les fixations et les régressions. Dans les deux cas, les suites peuvent jouer un grand rôle dans les troubles d'ordre caractériel et dans les diverses pathologies psychiatriques.

La fixation peut se définir comme un attachement intense à une personne, un objet, une image, un mode de satisfaction à un stade donné du développement.

La régression désigne de son côté un retour à un stade antérieur du développement affectif et mental.

Les différents stades du développement psychoaffectif, selon l'École freudienne, sont le stade oral, le stade anal, le stade phallique ou oedipien, la phase de latence et la puberté.

Ces différents stades seront définis plus tard en concomitance avec certaines étapes du développement de la personnalité selon Erikson, quand nous aurons présenté certaines généralités concernant la théorie d'Erikson.

3.3.2 Théorie d'Erikson

Pour Erikson, dont l'étude du développement de la personnalité se prolonge au-delà de la puberté, le développement de la personnalité est le résultat du franchissement plus ou moins réussi de huit étapes. Chacune de ces étapes est vécue comme une crise de croissance. De chacune de ces étapes, la personne ressort avec une différenciation augmentée et un sentiment renforcé de son unité, dans l'évolution normale des choses.

"Tout être qui grandit, écrit Erikson, le fait en vertu d'un plan fondamental d'où émergent diverses parties, chacune à son moment, jusqu'à ce qu'elles puissent fonctionner comme un tout". Ces diverses parties, dont il est ici question, constituent les composantes propres de chaque **étape, de chaque crise de** croissance. La personne ressort de chaque étape avec un **degré de sécurité** ou de vulnérabilité bien relatif, compte tenu des solutions **plus ou moins adéquates** découlant de chacune des étapes précédentes.

Les huit étapes du développement de la personnalité

La composante de chacune des huit étapes du **développement de la personnalité est:**

1- La confiance fondamentale (ou la méfiance fondamentale).
2- L'autonomie (ou la honte et le doute).
3- L'initiative (ou la culpabilité).
4- L'activité (ou l'infériorité).
5- L'identité (ou la diffusion de rôle).
6- L'intimité (ou l'isolement).
7- La créativité (ou la stagnation).
8- L'intégrité personnelle (ou le désespoir).

Intégration de la théorie de Freud et d'Erikson

Nous allons maintenant procéder en définissant les stades décrits par l'École freudienne en même temps que les étapes correspondantes du développement de la personnalité selon Erikson.

Le stade oral (1 à 14 mois): on qualifie ainsi ce stade parce que les diverses motivations de l'enfant de cet âge s'organisent surtout sous le primat de la sensibilité buccale.

Le mode de relation avec les parents en est un où dominent les soins alimentaires. La relation en est une de dépendance totale de l'enfant envers ses parents, surtout envers sa mère. À ce stade, l'enfant n'a pas encore appris à contrôler ses besoins et il exige une satisfaction immédiate. Il fonctionne selon le principe du plaisir. La réponse de l'entourage, cependant, ne peut pas être toujours immédiate, compte tenu d'un certain nombre de facteurs de la réalité (principe de la réalité).

C'est ainsi que, dès le début de la vie, s'établissent déjà différents modèles relationnels: la demande de satisfaction d'un besoin constitue une force, une motivation rencontrant d'un autre côté un certain nombre d'exigences (autre pôle de force) et toute bonne solution à ce conflit permet la maturation.

C'est aussi l'étape de l'acquisition de la **confiance fondamentale,** *ou de son inverse, la* **méfiance.**

L'acquisition d'un état de confiance envers les autres, comme envers soi-même, constitue la pierre angulaire du développement de la personnalité, la première composante de la vie relationnelle de toute personne.

L'enjeu de la qualité des rapports humains établis avec le bébé est grand. Les besoins individuels doivent être satisfaits certes, mais il y a toute la façon d'être avec l'enfant qui garantit ou non la fidélité et la sûreté de l'entourage immédiat comme de la communauté où est né l'enfant.

Les modèles d'approche de l'enfant, dès la première année déjà, dépendent de ce que sa communauté, par son entourage immédiat, juge utile et nécessaire pour le devenir idéal d'un humain. C'est dès ses premiers contacts avec les autres donc, que l'enfant commence à apprendre les principales modalités de sa culture. Ce qui est considéré comme utile ou nécessaire peut varier beaucoup d'une culture à l'autre et même d'un quartier à l'autre.

Si l'étape n'est pas réussie, c'est-à-dire si l'enfant n'a pas pu être rassuré dans ses besoins oraux comme dans la protection qu'il doit recevoir, alors se développera un sentiment de méfiance très profondément ancré à l'égard des autres et de lui-même.

Du point de vue structural, le début de la vie est dominé par les besoins du ça, l'enfant fonctionnant selon le processus primaire, l'action étant commandée par le principe du plaisir. À la fin de cette première année de vie, cependant, il a déjà appris à attendre et il commence à pouvoir soumettre ses besoins aux exigences de la réalité. Il commence à fonctionner selon le processus secondaire, l'action devenant de plus en plus soumise au principe de la réalité.

Les traits de caractère marquants de la personne, suite à ce stade ou cette étape, sont des traits d'optimisme et de confiance pour les uns, d'avidité et de méfiance pour les autres. Dans le premier cas, le sujet se sent toujours assuré d'une aide quelconque. La personne elle-même se montre généreuse. Ces traits reflètent une fixation à une image parentale de toute-puissance et de grande protection, comme de grande générosité. Par contre, les traits d'avidité sont marqués par les mêmes besoins de dépendance. Sur le plan relationnel, cependant, des sentiments d'insatisfaction et de méfiance se sont installés. Il en ressort des marques d'envie, de jalousie, d'avidité, de tendances fortement possessives, des marques d'impatience et d'impulsivité.

Le stade anal (14 mois à 3 ans): par ce terme, on définit une phase du développement de la personnalité où l'enfant apprend à contrôler les fonctions sphinctériennes, pouvant se permettre de laisser aller ou retenir suivant son bon plaisir. Erikson décrit bien le mode relationnel rattaché à ce stade. C'est pour lui **la deuxième étape du développement de la personnalité** d'où l'enfant émerge en ayant acquis **les bases de l'autonomie ou dans la négative un profond sentiment de honte et de doute.**

Tout en étant toujours très dépendant, tout en ayant toujours besoin d'un climat de confiance, l'enfant, à ce moment, va commencer à expérimenter sa volonté. Il s'agit d'un pouvoir nouveau découlant de ces nouvelles possibilités de contrôler ses fonctions sphinctériennes. Dans sa relation avec ses parents il y a véritable pouvoir de négociation, soit de s'obstiner ou de se soumettre à la demande parentale.

En plus, l'accroissement de sa maturité locomotrice, de son langage, de même que l'apparition d'un certain pouvoir de discrimination, élargissent beaucoup le champ d'action de ce dernier, ce qui favorise l'acquisition de son autonomie. L'enfant est arrivé au moment où il veut posséder ou rejeter selon son vouloir. Parce qu'il apprend progressivement à se distinguer de l'autre dans ses désirs, il fait évidemment ses premières démarches vers l'émancipation. Cette étape contribue donc à l'acquisition d'un début d'identité, jetant déjà les bases de la capacité de choisir et de diriger son avenir.

C'est par une saine fermeté des parents dans leur relation avec l'enfant qu'ils apprendront à ce dernier le discernement et la prudence dans l'exercice de ses volontés. Ils éviteront aussi les contrôles exagérés favorisant la tendance au doute, tout en épargnant à l'enfant la perte du contrôle de soi par l'absence de direction, le résultat pouvant en être un sentiment progressif de honte.

Considérant le fonctionnement de l'appareil psychique, on voit progressivement le principe de la réalité remplacer le principe du plaisir et le fonctionnement s'établir selon le processus secondaire. Le moi se structure davantage sous la pression des diverses réalités que rencontrent les diverses motivations de l'enfant.

Les traits de personnalité pouvant être reliés à ce stade ou à cette étape découlant certes du mode relationnel établi entre l'enfant et l'entourage immédiat 1° par rapport à l'éducation sphinctérienne, mais aussi 2° par rapport au fait nouveau de l'opposition que peut représenter ce dernier et 3° par rapport à sa démarche vers son autonomie.

S'il reste imprégné par les traits directs de la tendance au plaisir, nous retrouverons des marques de caractère comme l'obstination (ténacité, persévérance, autoritarisme), la difficulté d'abandonner les objets (mesquinerie, avarice), la tendance à collectionner, la tendance au désordre, au rejet, à la lutte contre l'autorité. Si par contre, la formation réactionnelle s'est développée comme mécanisme d'adaptation (s'opposant à la tendance au plaisir), nous retrouverons des personnes soumises, résignées, ayant tendance à la prodigalité, à la surpropreté et l'ordre (méticulosité, ponctualité, perfectionnisme, fidélité aux engagements, scrupule, doute, sens du devoir très développé). Nous retrouvons aussi, comme traits de caractère, la grande politesse, l'obséquiosité, le souci de la justice et le respect de toute autorité.

Le stade phallique ou oedipien (3 à 6 ans): c'est le stade du développement de la personnalité, selon l'École freudienne, au cours duquel les pulsions de l'enfant, comme les modalités relationnelles avec son entourage, se vivent autour de la différence des sexes. Pendant cette période, il appert que l'enfant choisit pour la première fois un objet sexuel bien délimité. Nous allons définir dans les lignes qui suivent ce qui fut appelé par Freud, le complexe d'Oedipe. Le garçon ou la fille aime alors le parent de sexe opposé. Il rencontre donc un premier compétiteur à sa séduction dans le parent de même sexe. L'enfant éprouve des sentiments de jalousie et des sentiments agressifs face à ce compétiteur. Mais sa faiblesse devant cette situation, les craintes qu'il développe face à son compétiteur (crainte de perdre l'amour de la mère pour la fille, du père pour le garçon, en plus de sa crainte de castration) et la culpabilité ressentie à cause des interdits qui lui sont transmis, toutes ces raisons feront que l'enfant finira plutôt par abandonner son projet initial et procédera alors par identification au parent du même sexe. Ceci pour apprendre à obtenir des personnes du sexe opposé les mêmes faveurs que celles désirées au début du stade phallique.

C'est l'étape de l'initiative ou de la culpabilité pour Erikson

L'autonomie acquise, l'enfant doit maintenant découvrir ce qu'il peut devenir. En plus d'être porté à l'initiative, grâce à l'identification aux parents, il sera grandement aidé par trois niveaux importants de maturation: le perfectionnement du développement locomoteur, du langage et de l'imagination. L'enfant peut maintenant se déplacer à volonté, s'éloigner, disparaître, revenir, son rayon d'action étant devenu très large. Grâce au langage, il peut communiquer sur un grand nombre de sujets avec un grand nombre de personnes, interroger surtout, comprendre souvent mais se méprendre souvent aussi. Finalement, le développement loco-moteur et le perfectionnement du langage fournissent à l'imagination de ce dernier des possibilités incalculables: entreprendre, proposer, organiser, agir. L'enfant en découvrant l'action fait suivre **l'initiative**, base de la réalisation de ses ambitions et de ses projets rêvés.

L'initiative comporte elle aussi des sentiments de rivalité avec ceux qui occupent déjà le domaine vers lequel il veut diriger son action (pensez au vécu oedipien, par exemple). Le danger de cette troisième étape est le développement d'un trop fort sentiment de culpabilité si les interdits sont trop nombreux et trop culpabilisants face à l'exubérance manifestée.

Du point de vue structural, le principe de la réalité a vraiment pris le dessus sur le principe du plaisir et d'autres mécanismes d'adaptation viennent s'attacher au moi dont l'identification.

De plus, c'est à cette période que naît vraiment le surmoi par introjection des interdits parentaux et de leurs exigences. Il faut noter, cependant, que dès le stade oral et aussi durant l'éducation sphinctérienne, il y a déjà des préceptes d'éducation transmis à l'enfant et que déjà ces exigences et ces interdits peuvent avoir favorisé le début de la formation du surmoi.

Les traits de personnalité marquant ce stade sont la naissance de l'initiative comme le souligne Erikson si la solution de l'étape est bonne. D'autres traits de caractère, plus ou moins exagérés, plus ou moins normaux, peuvent marquer l'enfant suite aux modes relationnels de cette période. C'est ainsi que l'on peut retrouver le comportement de séduction, le besoin de plaire et d'attirer l'attention, les besoins affectifs plus ou moins fortement égocentriques. De ces besoins affectifs pourront découler des décharges émotionnelles très fortes sous forme de crise nerveuse, de colère, de crise de larmes et des comportements de chantage, de même que des comportements à but manipulateur. De ces besoins affectifs découlent aussi la suggestibilité, laissant voir le caractère influençable et inconstant de la personne; la mythomanie aussi, c'est-à-dire la comédie, le mensonge et la fabulation laissant voir le caractère imaginaire de la relation avec autrui. Enfin, signalons tous les troubles d'ordre sexuel qui peuvent subvenir plus tard si l'enfant n'arrive pas à vivre des solutions satisfaisantes aux sentiments vécus durant le stade oedipien.

La phase de latence (6 ans à la puberté): l'enfant sortant du stade oedipien (ou de l'étape de l'initiative) marque un temps d'arrêt dans l'évolution libidinale (recherche instinctive du plaisir, selon la théorie freudienne). Cette période située entre l'âge de 6 ans et la naissance de la puberté est qualifiée de phase de latence uniquement par rapport à l'évolution de la libido, car dans bien d'autres domaines le développement de la personnalité se continue d'une façon très active.

C'est l'étape de l'activité ou de l'infériorité selon Erikson

C'est l'âge scolaire, l'âge de l'identification aux tâches. ''A la fin de sa période d'imagination expansive, l'enfant est disposé à apprendre rapidement et avidement, à devenir grand dans le sens de la participation aux diverses obligations, à la discipline et à l'exécution des tâches'', écrit Erikson. Son champ d'intérêt et d'attachement s'agrandit. Il admire d'autres personnes: ses professeurs, les parents des autres enfants, ses amis, autant d'individus qu'il va regarder agir et qu'il va essayer d'imiter.

Cette étape est tournée vers l'activité, le développement de diverses habiletés, l'étude de différentes techniques. Il apprend ainsi à maîtriser pour mieux agir et construire. Il apprend aussi à maîtriser son environnement par l'expérimentation, la planification, la participation.

L'enfant durant cette période vit sa première expérience sociale totale hors du milieu familial à partir de sa participation à l'école. Il apprend à fonctionner en groupe, à rencontrer ses semblables, à organiser des jeux et des travaux avec eux. Il gagne en plus la reconnaissance des autres à partir de ce qu'il produit.

On comprendra bien que le succès de cette étape dépendra pour beaucoup de la résolution des étapes précédentes. En effet, si l'enfant a des problèmes importants du côté de la confiance, de l'autonomie et de l'initiative, il tombera carrément dans un sentiment d'infériorité. A ce propos, rappelons un principe important énoncé par Erikson: "on ne place jamais une personne devant un écueil majeur quand on est assuré qu'il va placer la personne devant un échec certain".

Durant cette quatrième étape du développement de la personnalité, l'appareil psychique voit se renforcer le moi. Il développera des mécanismes d'adaptation permettant une meilleure coexistence des exigences du ça et du surmoi. Cette dernière instance d'ailleurs s'enrichit de tout ce qu'a appris l'enfant à partir des nouveaux contacts qu'il a pu avoir.

Parmi les mécanismes de défense (ou d'adaptation) se développant durant cette période, signalons le refoulement, l'identification et la sublimation.

En plus de voir se développer chez l'individu les tendances à l'activité, on voit durant cette période se préciser davantage les différents traits de personnalité reliés aux stades et aux étapes antérieurs. Ces mêmes traits de personnalité signalés antérieurement peuvent aussi se modifier compte tenu des nouvelles relations qu'établit l'enfant et des différents modes d'apprentissage pouvant le marquer.

La puberté et l'adolescence: c'est dans la théorie freudienne, la phase où réapparaissent les pulsions agressives et libidinales de l'enfant, réactivant des tendances infantiles, ramenant le problème du choix. C'est au fond, **l'étape de la crise d'identité** si bien décrite par Erikson dans son livre: "Adolescence et crise".

L'identité de l'adolescent va se retrouver autour d'un certain nombre de caractéristiques: ses goûts, ses affinités, sa reconnaissance corporelle, son image de lui-même, son choix sexuel, son identité sociale, politique, professionnelle. "Dans l'histoire d'un humain, écrit Erikson, c'est probablement à l'adolescence qu'il dispose des moments les plus excitants à cause du carrefour où il se trouve, carrefour prometteur de tout ce que représente la vitalité de cet âge".

Bien sûr, si l'adolescent a pu acquérir plus tôt un plein sentiment de confiance en soi et en les autres, il pourra croire pleinement en des hommes et en des idées. Il pourra démontrer qu'il est aussi digne de confiance.

Un sentiment d'autonomie bien installé le place sur le chemin de choix différents en plein accord avec lui-même et en pleine sécurité quant aux avenues qu'il désire explorer. S'il a bien traversé l'étape de l'initiative, il demeure avec une imagination forte qu'il pourra mettre à profit dans sa rencontre avec les autres et dans la réalisation de ses aspirations et de ses plans d'action.

Enfin, lorsqu'il aura produit par sa propre activité, il aura acquis le goût de la création. C'est ce sentiment qui le mènera vers le choix d'un métier, l'exercice d'une fonction.

Le danger de cette étape est une confusion d'identité, une diffusion des rôles. L'échec dans les tentatives faites pour établir des relations personnelles, les difficultés à établir un choix sexuel, l'incapacité de se trouver une identité professionnelle, voilà autant de manifestations marquant une confusion d'identité possible. Sur le plan théorique, à compter de l'adolescence, nous avons rapporté l'essentiel de la théorie freudienne concernant le développement de la personnalité. Erikson, cependant, présente trois autres étapes du développement de la personnalité, tenant aussi compte des évolutions survenant durant la vie adulte jusqu'à la vieillesse.

Le jeune adulte — l'intimité (ou l'isolement): après l'identité, vient l'intimité définie par rapport à notre possibilité de nous abandonner dans nos relations avec autrui sans crainte de perdre notre identité. Bien sûr, il peut s'agir d'intimité sur le plan social, d'amitié, de rencontre érotique, d'aspiration partagée en commun ou de rapport intime avec sa propre vie intérieure. Lorsque cette intimité existe, existe nécessairement la mutualité, c'est-à-dire un rapport double et simultané, un échange d'actes ou de sentiments. L'absence de pareils échanges, par contre, rend les relations interpersonnelles à peu près impossibles ou stéréotypées. Un profond sentiment d'isolement suit nécessairement une semblable incapacité.

L'âge mûr — la créativité (ou la stagnation): la créativité ne se décrit pas seulement dans le fait de se reproduire. Créer et procréer font partie de l'essence même de toute personne saine, d'âge mûr. A cette période de la vie, correspondant à l'âge mûr, une personne éprouve un grand besoin de sentir que l'entourage la réclame. A cet âge, une personne est aussi préoccupée par les liens à établir avec la génération montante. Cette personne cherche à guider la nouvelle génération ou bien à agir dans tout champ "d'action ou de création altruiste pouvant absorber la force toute particulière liée à l'énergie parentale".

Si un tel enrichissement fait défaut, l'ennui et la stagnation peuvent s'installer. Il y aura alors appauvrissement des relations interpersonnelles, un manque de projets significatifs, un désintéressement progressif et la démission. La nouvelle génération dépend des gens d'âge mûr, dit Erikson, et les gens d'âge mûr, de la nouvelle génération.

Le troisième âge — l'intégrité personnelle (ou le désespoir): "chez la personne qui avance en âge et qui a pris soin des gens et des choses, qui s'est adaptée aux succès et aux déceptions rattachés au fait d'être générateur de personne, promoteur d'idées et de choses, c'est chez cette personne seulement que le fruit des sept étapes précédentes mûrit progressivement". Le terme employé par Erikson pour qualifier cet état est celui d'intégrité. Seule cette personne est prête à défendre son style de vie contre toute menace physique ou économique et est capable de le faire. Son intégrité se mesure à la somme de ses participations, de ses réalisations, de son vécu à travers les diverses étapes significatives de la vie.

S'il y a absence ou perte de cette intégrité, le dégoût et le désespoir apparaissent. Ce dernier sentiment exprime que le temps est maintenant trop court pour recommencer une autre vie et expérimenter d'autres voies pouvant mener à l'intégrité. Un pareil désespoir se cache souvent derrière un étalage de dégoût et de misanthropie. L'insatisfaction a un caractère chronique et le plus souvent est mêlée de mépris envers les personnes et les choses.

Ce qui est dit auparavant représente l'essentiel des deux premières théories concernant le développement de la personnalité que nous voulions résumer dans ce chapitre, soit la théorie freudienne et la théorie d'Erikson.

3.3.3 Théorie de Levinson

Pour terminer, nous présentons une troisième théorie se rapportant aux cycles de vie. Nous choisissons d'exposer la théorie de Daniel J. Levinson, tirée de son livre: "The Seasons of a Man's Life". Levinson et son équipe de chercheurs qui se sont intéressés au développement de la personnalité chez l'homme adulte divisent la vie de l'homme en quatre grands cycles.

Chaque cycle comporte des caractéristiques qui lui sont propres. Chaque cycle évolue sur une période d'une vingtaine d'années toujours accompagné d'une phase de transition vers le cycle suivant. Nous reproduisons dans le tableau qui suit les quatre saisons de la vie de l'homme. L'essentiel des études de Levinson, pour le moment, se situe entre la période de transition de l'adolescence à la période de vie du jeune adulte et l'apogée de l'âge mûr dans la cinquantaine.

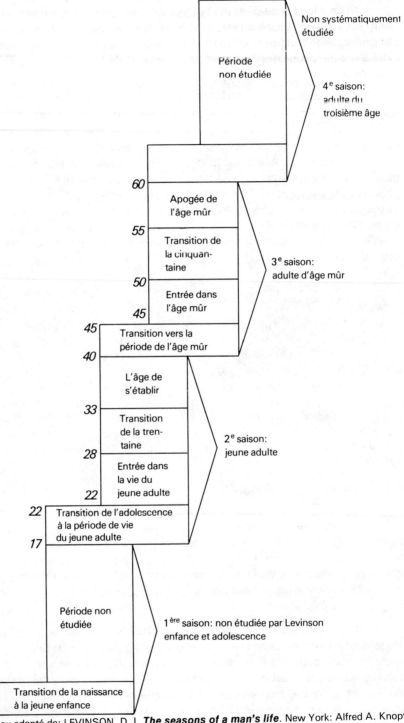

Non systématiquement
étudiée

4e saison:
adulte du
troisième âge

Période
non étudiée

60

Apogée de
l'âge mûr

55

Transition de
la cinquan-
taine

3e saison:
adulte d'âge mûr

50

Entrée dans
l'âge mûr

45

45

Transition vers la
période de l'âge mûr

40

L'âge de
s'établir

33

Transition
de la tren-
taine

2e saison:
jeune adulte

28

Entrée dans
la vie du
jeune adulte

22

22

Transition de l'adolescence
à la période de vie
du jeune adulte

17

Période non
étudiée

1ère saison: non étudiée par Levinson
enfance et adolescence

Transition de la naissance
à la jeune enfance

Tableau adapté de: LEVINSON, D.J. *The seasons of a man's life*. New York: Alfred A. Knopf,
1978.

Nous allons passer en revue l'essentiel de ce qui est dit concernant la "deuxième saison" (jeune adulte) et la "troisième saison" (adulte d'âge mûr) du développement de la personnalité chez l'homme adulte. Nous reprendrons à l'intérieur de chacune des "saisons" les diverses étapes qui y sont vécues.

Il faut dire dès maintenant, cependant, que les recherches de Levinson et de ses collaborateurs concernent l'homme seulement et non la femme.

2e saison: jeune adulte

22 ans
Transition de l'adolescence
à la période de vie du
jeune adulte
17 ans

Cette période de transition comprend deux phases. Dans un premier temps, il s'agit de se sortir de l'adolescence. Carrefour de la vie, dit Erikson, mais il faut parvenir à y trouver sa place. Les questions posées sur la nature de la vie et surtout ce qui entoure l'individu, de même que les réponses trouvées, tout cela fait que des relations jusque-là très importantes pour parachever son identité, sont modifiées ou se terminent tout simplement.

La deuxième phase de cette transition est représentée par les premiers pas dans la vie adulte, vie adulte marquée par toutes les exigences de la société. Après avoir examiné ses diverses possibilités, la personne doit maintenant faire des choix, chacun d'eux devant être vérifié dans leur application.

28 ans
Entrée dans la vie du
jeune adulte
22 ans

Il n'y a pas si longtemps encore, le sujet était un enfant, un adolescent qui, tout en marquant des pas vers l'autonomie, demeurait quand même fortement dépendant d'un milieu familial.

Maintenant, la personne doit s'établir, créer son propre milieu. Le centre de gravité de sa vie est alors grandement changé. C'est un temps de la vie où il y a encore beaucoup de choix à faire, mais tout en explorant le plus d'avenues possible, il devient urgent de créer des structures stables de vie. D'un côté donc, l'individu doit explorer toutes ses possibilités comme adulte, garder le plus d'options libres, éviter de s'engager trop profondément dans une seule voie et cela tout en explorant le plus à fond possible les diverses options. D'un autre côté, comme nous l'avons signalé, sur le plan du style de vie, il doit établir des structures de plus en plus stables afin de parvenir à un niveau de créativité satisfaisant.

Si la première thèse prédomine, tout est vécu d'une façon transitoire et rien ne prend racine. Par contre, s'il y a prédominance de la seconde thèse, la personne risque de s'emprisonner prématurément dans des structures trop rigides sans qu'elle n'ait jamais pu explorer suffisamment les diverses alternatives

33 ans
La transition de la trentaine
28 ans

A ce moment, l'aspect transitoire, dont il a été question auparavant, fait place à des structures plus permanentes, sans nécessairement être définitives. En effet, si un changement s'avère nécessaire, mieux vaut le faire immédiatement sinon il risque d'être trop tard pour agir. Un homme peut alors réaffirmer ses choix antérieurs ou bien être placé devant l'impératif de modifier ses choix d'une façon importante. Pour certains, le tout peut être vécu comme un temps de réforme, non de révolution. Pour d'autres, par contre, il pourra s'agir d'une période comportant des états de crises sévères. Dans ce cas, les choix faits antérieurement et les structures établies deviennent intolérables. Par contre, le sujet est incapable de formuler de meilleurs choix, de bâtir une meilleure structure. Il y a ici un danger modéré et même sévère d'expérimenter le chaos, la dissolution, la perte d'espoir dans l'avenir.

40 ans
L'âge de s'établir
33 ans

Deux tâches importantes attendent l'homme durant cette période. En premier, il doit établir sa place dans sa communauté en y solidifiant sa position et en développant au maximum ses compétences afin d'être reconnu comme un homme de valeur parmi les siens. En deuxième lieu, il doit lutter pour continuellement avancer et progresser.

Les composantes majeures de cette période peuvent être énumérées comme suit: a) réaliser ses aspirations de jeunesse dans sa famille, dans ses relations d'amitié, dans la place qu'il occupe dans la société, dans son travail et dans ses loisirs; b) il doit ressentir une progression continuelle par ses réalisations, son renom et sa puissance accrue. A la fin de cette période, l'homme a besoin de ressentir qu'il est un membre à part entière de sa communauté et qu'il attire le respect de ses concitoyens.

Nous terminons ainsi l'analyse des quatre étapes de la deuxième saison (jeune adulte) et parvenons à la troisième saison (adulte d'âge mûr).

3ᵉ saison: adulte d'âge mûr

45 ans
Transition vers la période
de l'âge mûr
40 ans

Nouvelles transitions, dirons-nous? D'après le travail de Levinson et de ses collaborateurs, le développement de l'homme adulte est parsemé de périodes de transition, parce qu'il n'y a aucune structure assez parfaite pour vivre à fond chaque aspect de soi-même. En effet, quand le choix d'un individu s'est arrêté sur un certain nombre de priorités, cela signifie que d'autres possibilités ont dû être reléguées au second rang. Le potentiel relié à ces possibilités cherche quand même un mode quelconque d'expression, surtout si les réalisations antérieures ne sont pas particulièrement valorisantes. Ce besoin de mettre de plus en plus en valeur ses diverses possibilités explique les nombreuses périodes de transition que doit traverser l'homme.

Si nous revenons à la transition vers la période de l'âge mûr, les composantes en sont les suivantes: l'homme se pose des questions sur sa vie passée, des questions sur ses relations avec son épouse, avec ses enfants et avec ses amis. Il se pose aussi des questions sur sa place dans la communauté, sur ses réalisations, sur son travail et sur le développement possible de nouvelles tâches. Il continue toujours d'aspirer à une vie où tous ses désirs, toutes ses aspirations et tous ses talents pourraient s'exprimer.

D'après les résultats obtenus, à partir des recherches de Levinson, un petit groupe traverserait cette période sans trop se questionner, sans trop rechercher ailleurs et n'apparaîtrait pas trop troublé. Un autre petit groupe modifierait certaines composantes de leur vie sans rencontrer de difficultés majeures. Pour la majorité, cependant, il s'agit d'une période de grande lutte. Chaque aspect de leur vie est alors examiné et ils éprouvent un sentiment profond de ne plus pouvoir fonctionner comme auparavant. Plusieurs années peuvent alors être nécessaires pour réussir des modifications en profondeur ou pour s'orienter vers une toute nouvelle vie.

50 ans
Entrée dans la période de
l'âge mûr
45 ans

La fin de la période de transition dont nous venons de parler est marquée par des changements à peine perceptibles pour les uns et très importants pour d'autres. Ces changements peuvent viser autant les diverses modalités d'une façon de vivre comme les satisfactions qu'on peut retirer de la vie ou bien les deux à la fois.

Les changements visant les diverses modalités d'une façon do vivro: ou bien l'homme s'était emprisonné dans des structures qui, de toute évidence, l'étouffaient et le forçaient à d'autres choix, ou bien les changements sont précipités par la venue d'un événement marquant. Citons, par exemple, la mort d'une personne significative, un divorce, une maladie sérieuse, un changement de travail, un changement de région. Même des changements à peine perceptibles pour l'entourage peuvent représenter des différences considérables pour les individus en cause.

Les changements visant les satisfactions qu'on peut retirer de la vie: certains hommes ont pu essuyer des défaites irréparables durant les années antérieures. Ils sont alors peu capables de modifier quoi que ce soit pour en arriver à un degré de satisfaction le moindrement adéquat. Les ressources intérieures comme les ressources extérieures faisant alors défaut, ces hommes font face à un étranglement les amenant progressivement à leur déclin. D'autres vont tenter d'organiser leur vie en fonction de la communauté environnante, mais sans que cette organisation soit reliée à des besoins intérieurs de la personne. Ils vivent alors une vie complètement vide en pensées, en fantaisies ou en excitations de quelqu'ordre qu'elles soient. D'autres, par contre, vivent cette période comme la plus complète et la plus créatrice de leur vie. Ils parviennent à se sentir moins tyrannisés par leurs ambitions, par leurs diverses passions et par leurs illusions de jeunesse. Ils peuvent établir des relations interpersonnelles multiples et très satisfaisantes, tout en demeurant capables d'indépendance et de détachement.

55 ans
La transition de la cinquantaine
50 ans

L'homme peut travailler à améliorer ce qu'il a pu acquérir durant la période précédente ou bien il peut modifier une autre fois les nouvelles structures de vie qu'il s'était donné. Un épisode important de crise peut alors survenir pour les hommes ayant trop peu changé certains aspects de leur vie à la transition vers la période de l'âge mûr. La structure de vie alors constituée devient insatisfaisante. Selon Levinson, il est impossible de traverser la période de l'âge mûr sans avoir à subir un épisode modéré de crise, soit à la période de transition vers l'âge mûr, soit à la période de transition de la cinquantaine, si rien n'est survenu auparavant.

60 ans

Apogée de l'âge mûr

55 ans

C'est une période qui apparaît généralement stable. Se solidifie alors tout ce qui a pu prendre racine durant la troisième saison de l'homme, entre 40 et 60 ans. Pour les hommes capables de se garder jeunes et de continuer d'enrichir leur vie, la période de la cinquantaine peut être une période de grands accomplissements.

60 ans et plus
Transition de la période de
l'âge mûr vers la période
du troisième âge

C'est la quatrième saison de l'homme, la saison du vieillissement, celle qu'Erikson a qualifiée d'étape d'un sentiment d'intégrité personnelle ou d'un sentiment de désespoir. Cette période, Levinson ne l'a pas encore systématiquement étudiée. C'est donc dans le chapitre traitant de la gérontologie que le lecteur pourra parfaire ses connaissances sur les spécificités dévolues au vieillissement normal (chapitre 24).

3.4 CONCLUSION

Evidemment, tout ce que nous avons exprimé dans ce chapitre n'est pas toujours aussi clairement défini, ni aussi bien structuré dans la réalité. La multitude des éléments influençant le développement d'un individu pendant toute une vie empêche que nous puissions arriver à rendre parfaitement compte, dans tous les détails, d'un tel développement.

En résumé, nous affirmons que l'humain, génétiquement marqué dans son espèce et son individualité, est aussi orienté et façonné par son environnement. Le chapitre rapporte une quantité importante de phénomènes pour clarifier cette affirmation. Tous ces phénomènes ayant une dimension bio-psycho-sociale commencent à influencer le développement de la personnalité dès la conception et se poursuivent durant toute la vie.

En terminant, nous voulons mettre le lecteur en garde contre de fausses impressions d'évidence concernant des notions que des oeuvres entières ont tenté d'éclaircir et souvent avec des succès mitigés. Nous voulons aussi inviter le lecteur à éviter l'écueil du dogmatisme en matière de théories sur le développement de la personnalité. Ce qui est présenté ici constitue un choix d'idées, mais il y a beaucoup d'autres travaux concernant le développement de la personnalité. Si seulement nous avons réussi à faire comprendre la complexité du sujet et aussi de quelle prudence nous devons faire preuve en étudiant la personnalité d'un individu, de même qu'en interprétant son comportement, nous aurons alors atteint notre objectif.

3.5 DÉFINITION DE LA PERSONNALITÉ

Si nous tentons de ramener à une définition la somme des éléments rapportés dans ce chapitre, nous empruntons la définition de Freedman et Kaplan: "la personnalité est l'expression des façons qu'a une personne de vivre et de se comporter. Ces façons se reflètent dans ses activités mentales et physiques, ses réactions émotionnelles, ses intérêts, ses attitudes, le tout correspondant à son ajustement à la réalité environnante".

BIBLIOGRAPHIE

BOUVERESS, R. "Jean Piaget". **Psychologie.** 1976, (83), 45-55.

ERIKSON, E.H. **Adolescence et crise.** Paris: Flammarion, 1972.

ERIKSON, E.H. **Enfance et société.** Neuchâtel: Delachaux et Niesté, 1974.

EY, H., BERNARD, P., BRISSET, C.H. **Manuel de psychiatrie.** Paris: Masson, 1978.

FREEDMAN, A.M., KAPLAN, H.J., SADOCK, B. **Comprehensive Textbook of Psychiatry.** Baltimore: Williams & Wilkins Company, 1975, 1-11.

FREUD, A. **Le moi et les mécanismes de défense.** Paris: Presses Universitaires de France, 1972.

FREUD, S. **Abrégé de psychanalyse.** Paris: Presses Universitaires de France, 1970.

GRATIOT-ALPHADERY,H., ZAZZO, R. **Traité de psychologie de l'enfant, 5e: La formation de la personnalité.** Paris: Presses Universitaires de France, 1970.

KRAFT, A.M. **Psychiatry: A Concise Textbook for Primary care Practice.** New York: Arco, 1977.

LAPLANCHE, J., PONTALIS, J.B. **Vocabulaire de la psychanalyse.** Paris: Presses Universitaires de France, 1978.

LEMPERIERE, TH., FELINE, A. **Abrégé de psychiatrie de l'adulte.** Paris: Masson, 1977.

LEVINSON, D.J. **The seasons of Man's Life.** New York: Alfred A. Knopf inc., 1978.

MALCUIT, G., GRANGER, L., LAROCQUE, A. **Les thérapies behavoriales.** Québec: Les Presses de l'Université Laval, 1972.

MORGAN, C.T. **Introduction à la psychologie.** Montréal: McGraw-Hill, 1976.

NEUGARTEN, BERNICE, L. "Time, Age and the Life Cycle". **Psychiatry.** Juillet 1979, 136 (7), 887-894.

NOYES & KOLB. **Modern Clinical Psychiatry.** Philadelphia: W.B. Saunders Company, 1977.

POROT, A. **Manuel alphabétique de psychiatrie.** Paris: Presses Universitaires de France, 1969.

SHEEHY, G. **Passages.** Ed. Select, 1978.

CHAPITRE 4

L'EXAMEN PSYCHIATRIQUE

Jacques Gagnon

4.1 INTRODUCTION

Il existe de multiples conditions où le médecin de famille a besoin d'évaluer la fonction psychiatrique du patient qui le consulte. Qu'il travaille en cabinet privé, dans le cadre hospitalier ou dans une urgence, diverses circonstances l'amènent à s'intéresser à la personne psychologique de son malade ou bien à évaluer la nature ou le degré de sa maladie mentale. Mentionnons trois conditions pour lesquelles l'approche sera différente.

1) **Une maladie psychiatrique**: que ce soit une psychose, une dépression, une névrose ou un trouble de la personnalité, le patient ou l'entourage se plaint de symptômes touchant la fonction mentale. Le médecin complète alors son anamnèse et son examen par un questionnaire psychiatrique systématique dont il sera question plus loin.

2) **Une maladie somato-psychique**: le malade se présente avec des symptômes physiques associés ou secondaires à des phénomènes psychologiques sous-jacents. Le médecin aura besoin de connaître à la fois la composante somatique de la maladie et la personnalité du malade. L'anamnèse devra donc comporter une ouverture dans les deux sphères (voir chapitre 15).

3) **Une maladie somatique entraînant des conséquences psychologiques**: le malade souffre d'une maladie aiguë, chronique ou en phase terminale et il réagit à cette maladie par des phénomènes psychologiques qui ont à leur tour une grande importance dans l'évolution du traitement. Le médecin aura besoin de connaître à la fois la maladie physique du malade, les réactions qu'il a manifestées par la suite ainsi que la force du moi qui lui permettra de surmonter le handicap causé par sa maladie.

Dans certains cas, l'examen psychiatrique sera donc une anamnèse complète d'une maladie mentale alors que dans un autre cas, il s'agira plutôt d'une prise de contact humain permettant de mieux connaître la force psychologique du patient et d'utiliser la relation médecin-malade comme un outil thérapeutique. L'examen psychiatrique sera également fort variable s'il s'agit d'une situation d'urgence médicale comme une pathologie cardiaque sévère ou un trouble accentué du comportement, ou bien s'il s'agit d'une consultation ordinaire chez un malade qui collabore bien. Dans le premier cas, on cherchera à poser un diagnostic plus rapidement et plus sommairement, alors que dans le deuxième cas, on pourra davantage connaître la personnalité du malade et établir avec lui une alliance thérapeutique.

Soulignons également le fait qu'on pratique générale, l'évaluation psychiatrique est plus complexe parce qu'il ne faut pas négliger deux autres éléments, soit la disponibilité de temps et l'obligation de traiter en même temps la maladie physique. A ce propos, Lisansky écrivait: "il doit obtenir une histoire complète (médicale et psychologique) tout en épargnant son temps et sans pour autant négliger le traitement immédiat de la maladie physique".

4.2   BUT DE L'ENTREVUE

1) *Recueil des données*

La principale raison d'être d'un examen psychiatrique est de recueillir les données pertinentes conduisant à un diagnostic précis ainsi qu'à un traitement approprié. Dans la pratique du médecin de famille, une assez grande proportion de malades se présentent avec une pathologie chevauchant sur la sphère physique et la sphère psychologique. Aussi le recueil des données devra conclure à un double diagnostic, c'est-à-dire à un diagnostic de la condition physique et à un diagnostic de l'état psychologique. Cette dualité se retrouve dans une double orientation du traitement et dans un double pronostic. La maladie physique pourrait en effet avoir une évolution différente de la condition psychologique. Cet aspect est développé dans le chapitre 2 de la psychologie médicale.

2) *L'amorce d'une relation médecin-malade*

Le médecin doit prendre conscience qu'il est lui-même un agent thérapeutique fort valable et efficace; il peut apprendre à utiliser sa personne pour amorcer une alliance thérapeutique et pour entreprendre le traitement psychologique du malade. A cette fin, il doit être capable d'écouter et de **dialoguer** avec le malade et non pas seulement de lui **parler** ("to talk with" au lieu de "to talk at").

4.3   L'ENTREVUE D'ÉVALUATION

Le style d'une entrevue peut varier beaucoup selon les circonstances où elle a lieu et selon la personnalité de ceux qui y participent. On y décrit généralement un certain nombre de phases.

4.3.1   L'ouverture de l'entrevue

Il s'agit de la prise de contact où l'un et l'autre se présentent; une communication verbale et non verbale commence à s'établir entre les deux. Dès l'ouverture de l'entrevue, le médecin peut manifester son intérêt en se montrant attentif; quelques mots d'introduction et une attitude accueillante vont créer un climat où le malade se sentira confiant.

4.3.2 Le corps de l'entrevue

Vient ensuite le corps de l'entrevue où les échanges sont centrés sur la transmission d'une perception ou d'une inquiétude du malade au médecin et d'un retour de cette information analysée et interprétée du médecin au malade. Ce dialogue est comme une négociation où le malade livre une partie de lui-même en autant qu'il accepte la personne et l'interprétation du médecin. Vient ensuite l'examen physique au cours duquel les échanges verbaux peuvent continuer et finalement l'entrevue se termine après que le médecin eut donné certaines conclusions au malade et qu'il ait élaboré un plan d'investigation et de traitement s'il y a lieu.

Plusieurs méthodes d'entrevue ont été décrites et la meilleure méthode est sans doute celle qui est la plus adaptée aux circonstances de l'examen et aux problèmes que l'on essaie d'évaluer.

4.3.3 Méthodes d'entrevue

4.3.3.1 Anamnèse méthodique

Cette méthode d'entrevue correspond au modèle médical d'évaluation d'une maladie physique. Il s'agit d'une recherche systématique des éléments pathologiques à l'aide d'un questionnaire programmé, précis et orienté vers l'élimination des symptômes. Les questions sont fermées et se répondent par oui ou non. Ce type d'évaluation est orienté vers la maladie et non vers le malade.

Avantages: cette évaluation est universelle, standardisée et elle apporte rapidement les données permettant un diagnostic basé sur les symptômes.

Inconvénients: ce questionnaire laisse peu d'ouverture à l'association libre; il renseigne peu sur la personnalité du malade et il ne permet qu'une faible amorce de la relation thérapeutique.

Application: ce type d'anamnèse trouve son utilité entre autres dans toute pathologie organique cérébrale, dans les situations d'urgence médicale, chirurgicale ou psychiatrique ainsi que dans les cas où le malade a une pensée tellement désorganisée qu'il est incapable d'établir une communication claire.

4.3.3.2 Anamnèse associative

Cette méthode qui fut décrite par Félix Deutsch est héritée du courant psychanalytique. Elle procède davantage par associations libres et par des questions ouvertes. Il s'agit plus d'un processus permettant au malade d'exprimer un vécu trahissant ses processus inconscients. Cette méthode est donc orientée vers la connaissance du malade et non pas de la maladie.

Avantages: elle permet l'établissement rapide d'une thérapie verbale et une meilleure connaissance du malade, de ses défenses, de ses inquiétudes et de ses évitements.

Inconvénients: cette méthode n'apporte pas un recueil complet des données, particulièrement s'il s'agit d'une maladie comportant des symptômes physiques.

Application: cette méthode est indiquée chez les patients névrotiques capables de structurer leur pensée.

4.3.3.3 Modèle semi-directif

Lisansky a décrit une méthode plus souple ralliant les deux méthodes précédentes. Il suggère l'ouverture d'entrevue dans un modèle non directif, avec des questions ouvertes; cette phase peut durer 5 à 10 minutes ou parfois moins. Par la suite, l'anamnèse devient plus systématique en gardant toutefois une possibilité d'élaborer le matériel psychologique lorsque la situation s'y prête. Lisansky suggère que le médecin oriente d'abord son questionnaire vers les symptômes somatiques et qu'il utilise la zone neutre des habitudes de vie comme le manger, le boire, et la routine de tous les jours, comme une transition vers le domaine du psyché en se gardant bien de repousser trop brutalement les défenses.

Avantages: cette méthode peut s'adapter à la plupart des circonstances et se montre particulièrement intéressante dans l'évaluation de malades ayant une dualité somatique et psychique dans leur maladie. Elle conduit plus facilement au double diagnostic et elle permet au malade de mieux utiliser son médecin en ayant une double ouverture.

Chaque praticien développe son propre style qu'il adapte à sa personnalité. Nous avons souligné les grandes lignes des méthodes d'entrevue pour faciliter leur utilisation.

4.3.4 Technique d'entrevue

Pour établir un dialogue véritable, le médecin doit permettre au malade de répondre par autre chose que par oui ou non. Les **questions ouvertes** ou générales offrent un plus grand choix de réponses, permettant au malade de choisir le niveau de l'échange et de filtrer ce matériel qu'il est prêt à confier.

Exemples de questions ouvertes:
- ''que puis-je faire pour vous?''
- ''parlez-moi de vos maux de tête?''
- ''à quoi attribuez-vous ces symptômes?''

Le malade peut y répondre aussi bien en décrivant des symptômes physiques qu'en déclarant les circonstances psychologiques associées.

Les **questions fermées** permettent au contraire d'éliminer les symptômes et de faire une revue des systèmes plus systématique et plus rapide.

Exemples de questions fermées:
- ''avez-vous mal à l'estomac avant ou après les repas?''
- ''votre mal de tête est-il pulsatil?''

L'attitude généralement éprouvée et adoptée depuis longtemps par les médecins est celle de l'empathie et de la compréhension; à cela s'ajoutent la réassurance, le soutien ou la déculpabilisation. Le médecin facilite le dialogue en encourageant le malade à continuer dans un domaine donné par des phrases telles que:

- ''j'aimerais en savoir plus au sujet de vos malaises!''

L'utilisation judicieuse du silence et l'attitude de respect et d'écoute favorisent l'établissement du climat de confiance. Il arrive qu'on soit obligé de confronter le malade à une réalité ou qu'on doive lui faire une interprétation des faits mais dans ces conditions, il faut éviter ce qu'on appelle l'analyse sauvage. En effet, il faut permettre au malade d'absorber peu à peu le matériel inconscient qu'il met à jour par ses attitudes, ses gestes ou son discours. Il s'agit là d'un long processus; une intrusion trop rapide dans ce domaine entraîne généralement une augmentation des défenses.

Finalement, le médecin devrait éviter de se montrer moralisateur ou critique face au comportement du malade, à moins qu'il ne mette en évidence un besoin du malade d'avoir recours à son jugement. Cette tendance à porter un jugement moral s'observe surtout dans les habitudes de vie impliquant une échelle de valeur morale ou sociale: le sexe, la consommation d'alcool, l'alimentation, etc. Lorsqu'on demande à l'obèse ou à l'alcoolique de changer ses habitudes de vie, on ne peut s'attendre à une obéissance aveugle. Il s'établit habituellement une longue transaction entraînant de petites victoires mais rarement un changement radical.

4.3.5 Quoi évaluer?

Bien que l'on recommande une anamnèse complète des fonctions mentales, il est certain qu'elle consomme beaucoup de temps et d'attention de sorte qu'il faut parfois se contenter d'une évaluation rapide éclairant un problème déterminé. Aussi, nous suggérons qu'une attention spéciale et prioritaire soit portée tout d'abord au **degré de dangerosité**. Dans les conditions psychiatriques aiguës, il y a parfois un risque de passage à l'acte autodestructeur ou contre l'environnement. Le tableau général plus que le diagnostic permettra d'évaluer le risque de passage à l'acte. Les indices à découvrir sont notamment: la désorganisation du fonctionnement mental, les troubles du comportement manifestés à date, la détresse sociale ou individuelle ainsi que les craintes exprimées par le malade ou par l'entourage.

A la suite de cette évaluation, le médecin pourra décider si une consultation en psychiatrie est nécessaire afin d'établir s'il y a lieu d'hospitaliser ou non, si la ''cure fermée'' * est indiquée, et si le malade est capable d'administrer ses biens et sa personne.

---

* ou internement d'office.

Le deuxième point méritant une attention particulière consiste à bien évaluer les **facteurs organiques** pouvant contribuer à l'éclosion des symptômes mentaux tels que la dépression, la manie, ou la psychose. On connaît l'importance des facteurs pharmacologiques, métaboliques ou cérébraux à l'origine de symptômes d'allure fonctionnelle. Aussi, il est toujours décevant de traiter en psychothérapie un problème qui relève de la neuropathologie.

Finalement, il convient d'établir l'importance relative de chacune des pathologies concourantes et de prévoir les interactions entre elles et entre les différentes formes de traitement. Ainsi, les médicaments, l'isolement, l'immobilisation et les techniques d'investigation peuvent provoquer des interactions sérieuses dans le traitement de la sphère psychique.

4.4 SÉMÉIOLOGIE PSYCHIATRIQUE

L'évaluation psychiatrique procède habituellement par une étude phénoménologique des signes et des symptômes morbides suivant un modèle logique et extensif; c'est **l'anamnèse méthodique.**

La pensée psychanalytique nous a appris une autre méthode d'évaluation, **l'anamnèse associative** basée sur l'analyse des phénomènes inconscients (rêves, associations libres et actes manqués) se manifestant dans la relation privilégiée entre le client et son thérapeute. Ce modèle relationnel trouve son utilité dans le champ des névroses mais il demeure impropre à évaluer la composante biologique de la maladie.

Finalement, les équipes de recherche et les psychologues utilisent des épreuves standardisées qui évaluent un secteur déterminé des fonctions psychiques telles que l'état affectif, (échelles de Beck ou de Hamilton), la pensée (Brief Psychiatric Rating Scales), la motricité (Bender Gestalt), l'intelligence (Wechsler Intelligence Scale), ou la personnalité (Minnesota Multiphasic Personnality Inventory), etc. On utilise ces tests soit en recherche, soit pour compléter l'évaluation psychiatrique de base.

4.4.1 Anamnèse méthodique

4.4.1.1 Identification

Nom, âge, sexe, statut civil et occupation; langage et religion si pertinent.

4.4.1.2 But de la consultation

On identifie le ou les principaux symptômes qui motivent la consultation. Le malade n'a pas toujours une appréciation juste de son comportement ou de ses symptômes. Ainsi, le paranoïde tend à nier ses symptômes ou à projeter la faute sur l'entourage; l'hypocondriaque insiste pour garder son mal dans le champ somatique. L'art du médecin consiste à clarifier le motif réel de la consultation en dépit des leurres ou des demi-vérités.

4.4.1.3   Histoire de la maladie

On décrit les circonstances ayant entouré l'apparition des symptômes principaux, leur évolution et leur durée ainsi que les facteurs aggravants. On élabore l'histoire des symptômes satellites qui accompagnent la pathologie principale.

4.4.1.4   Antécédents personnels et familiaux

On décrit les épisodes antérieurs, leur traitement (médicament, psycho-thérapie, hospitalisation) et leur évolution. On essaie de préciser la personnalité prémorbide ainsi que le fonctionnement psychosocial entre les crises. Cette histoire nous apporte des indications précieuses sur la nature et le pronostic de la maladie. En règle générale, une apparition récente et un fonctionnement psychosocial antérieur bien adapté sont des signes de bon pronostic.

On relève également les antécédents médicaux en portant une attention particulière à la sphère psychosomatique, au domaine neurologique et aux maladies systémiques comme le diabète et les maladies endocriniennes.

Les antécédents familiaux offrent des renseignements utiles sur la vulné-rabilité biologique et sur des "patterns" appris dans le milieu familial.

On recherche en particulier les histoires de maladies mentales, d'abus d'alcool, de suicide ou de comportements pathologiques.

4.4.1.5   Histoire personnelle

Les premières années de vie sont cruciales dans le développement de la personnalité. Aussi, dans la mesure du possible on retrace les retards du déve-loppement psychomoteur, les troubles alimentaires précoces, les difficultés d'apprentissage du contrôle sphinctérien et des retards dans l'acquisition du langage. A l'âge scolaire on recherche les difficultés d'intégration à l'école et à la vie de groupe, les échecs scolaires et les écarts de comportement. On décrit l'atmosphère et les conflits du milieu familial. Il faut porter beaucoup d'atten-tions aux relations avec les parents, les satisfactions et les carences affectives, les attitudes éducatrices. Il faut également prendre en considération les relations du patient avec ses frères et soeurs, sa position dans la fratrie.

L'histoire de l'adolescence révèle souvent des épisodes de révolte envers les figures d'autorité et les premiers drames de la vie sentimentale. C'est aussi l'époque du grand idéal où les déceptions entraînent des réactions violentes. Le questionnaire devrait renseigner sur l'usage des drogues et de l'alcool et sur les conséquences des premières expériences sexuelles.

On évalue l'adaptation à l'âge adulte dans les sphères du travail, de l'amour et de la famille.

L'histoire antérieure du malade nous fait connaître sa capacité d'adaptation aux événements de la vie et nous aidera à fixer un but réaliste à notre approche thérapeutique.

4.4.1.6 Habitudes

On questionne le malade sur ses habitudes alimentaires, sur la consommation d'alcool, de médicaments et de drogues majeures ou mineures. A ce chapitre, il est souvent utile de confirmer les renseignements auprès de la famille si l'on entretient des doutes sur la véracité des renseignements.

4.4.1.7 Examen physique

Le médecin évalue attentivement l'état général recherchant une étiologie somatique aux symptômes neuropsychiatriques. Ainsi, les tumeurs cérébrales sont souvent des métastases du poumon ou du sein. Les atteintes hépatiques ou rénales provoquent des encéphalopathies. L'hypertension artérielle, l'athérosclérose ou l'anémie ont des effets centraux. Les maladies endocriniennes et les déficiences vitaminiques provoquent également des désordres affectifs.

L'examen neurologique est particulièrement important dans toute maladie comportant une atteinte des fonctions mentales supérieures: attention, mémoire, orientation et intellection. Il est bon de signaler la présence ou l'absence de dyskinésie mandibulofaciale, de parkinsonnisme (tremblements, rigidité et akinésie) et d'akathisie (incapacité de rester assis ou sur place). L'examen neurologique est complété par des analyses appropriées: électro-encéphalographie, cartographie cérébrale, rayon X du crâne et si nécessaire tomographie axiale, pneumo-encéphalogramme, ponction lombaire ou artériographie.

4.4.1.8 Examen mental

A — Description générale

A la façon d'un reportage, l'examinateur essaie de reproduire une image vivante du malade, ralliant les fruits de son observation et les impressions subjectives qui s'en dégagent. La description porte sur l'apparence générale, l'activité et les attitudes.

1) **Apparence générale**: La posture, la démarche, l'activité gestuelle, le maquillage et l'habillement mettent en évidence des traits de personnalité: la rigidité obsessionnelle, l'excentricité, la virilité ou la féminité, l'air sain ou maladif, l'apparence jeune ou vieillie, la pauvreté ou les nuances affectives ou la normalité. Le ton de la voix, le rythme respiratoire, la diaphorèse, les tremblements et la mimique révèlent les états d'âme par lesquels passe le malade au cours de l'entretien.

2) **Comportement ou activité psychomotrice**: Alors que certaines actions sont automatiques, d'autres sont le résultat d'un apprentissage et deviennent une façon d'être personnelle impliquant toute la personnalité. On notera l'excès

ou la pauvreté des mouvements, de l'activité gestuelle et du langage et leur vitesse d'exécution. Ainsi, l'hyperactivité se retrouvera chez l'enfant hyperkinétique, chez l'anxieux, l'hypomaniaque ou l'hyperthyroïdien; l'état d'agitation sera le signe de l'accès maniaque, de la psychose aiguë ou de certains états toxiques.

Le ralentissement psychomoteur est un signe de dépression, d'arriération mentale ou d'intoxication aux substances psychotropes à propriétés sédatives, mais se voit aussi dans les désordres métaboliques, endocriniens et neurologiques. A l'extrême, l'activité est suspendue dans les états de stupeur catatonique, de catalepsie ou de mélancolie aiguë. A cela s'ajoutent les comportements d'opposition: mutisme (refus de parler), négativisme (refus d'agir), anorexie (refus de manger) qu'il faut distinguer des syndromes d'incapacité neurologique: aphasie, apraxie ou paralysie.

Parmi les comportements pathologiques, le maniérisme de l'hébéphrène est constitué de grimaces, de tics et de mouvements stéréotypés et bizarres; l'écholalie (répétition des paroles entendues), l'échopraxie (mimétisme du geste) et les stéréotypies (séquence répétitive des mêmes mots ou gestes) sont des signes de schizophrénie ou de démence.

Les comportements antisociaux, pervers ou toxicomaniaques sont le fait des désordres de la personnalité mais se rencontrent aussi chez le schizophrène ou le maniaque.

Enfin, un comportement compulsif, c'est-à-dire un besoin irrésistible d'accomplir un geste ridicule pour conjurer le sort est un symptôme de névrose obsessionnelle; par exemple, se laver les mains continuellement, vérifier dix fois si la porte est bien fermée, etc.

3) **Attitude envers l'examinateur**: Cette attitude du malade est tributaire de son état affectif mais aussi des circonstances de l'examen et de la personnalité de l'examinateur. L'attitude peut être coopérante, sympathique, attentive, intéressée ou séductrice; ou bien elle est plutôt indifférente, réservée, distante, évasive, méfiante, voire même hostile ou agressive.

La description des attitudes renseigne sur la gamme des émotions que vit le malade et sera complétée par l'évaluation de l'affectivité.

B — La pensée

I Le fonctionnement de la pensée

La pensée est l'ensemble des fonctions intégratives capables d'associer des connaissances anciennes et nouvelles, d'intégrer des stimuli externes et internes, d'analyser, d'abstraire, de juger, de synthétiser et aussi de créer. Pour que la pensée puisse opérer entièrement, plusieurs fonctions ou facultés sont requises: la conscience (ou orientation), l'attention, la mémoire, le jugement, la compréhension et la perception. Toute atteinte de l'une de ces fonctions a des conséquences sur le fonctionnement global de la pensée.

1) La conscience

Il ne s'agit pas ici de la conscience morale, faculté de juger en fonction des valeurs intégrées; mais de la **conscience vigile** que l'on définit comme un état d'éveil où l'on reconnaît le monde environnant, la vie intérieure et le rapport existant entre les deux. La conscience peut discerner les notions de continuité dans le temps et l'espace par rapport à des points de repère internes.

La maladie altère la conscience à divers degrés allant de l'obnubilation au coma profond.

a) l'obnubilation

Dans certains états de grande fatigue, lors d'une intoxication alcoolique ou médicamenteuse ou dans les atteintes organiques cérébrales modérées, il y a un ralentissement de la pensée avec pauvreté de l'attention et de la concentration. Les réponses sont floues et on doit augmenter les stimuli pour soutenir l'attention.

b)   La confusion

Il s'agit d'une atteinte plus sévère de la conscience avec perte du sens de l'orientation dans le temps, l'espace et la personne. On le décrit comme ''un égaré hagard''. C'est le cas de la démence, de l'état postictal ou des syndromes organiques cérébraux étendus (v.g. psychose de Korsakov).

c)   L'état confuso-onirique, l'état crépusculaire oniroïde, la dépersonnalisation:

Le premier se définit comme un état confusionnel avec hallucination, délire et automatisme psychomoteur. Le second est un état altéré de la conscience où la vie phantasmatique envahit le champ de la conscience. La dépersonnalisation se caractérise par des impressions d'étrangeté, de déformation du corps ou de la pensée.

Ces trois états se manifestent dans la schizophrénie, dans les intoxications aux dysleptiques, dans l'épilepsie temporale et dans la névrose (hystérie ou névrose d'angoisse). L'état confuso-oniroïde est souvent secondaire à des troubles métaboliques (insuffisance hépatique ou rénale) ou toxiques.

d)   Le délirium aigu:

Il s'agit d'un état aigu d'agitation avec confusion, délire et hallucinations visuelles. Cela s'observe dans le délirium tremens et dans certaines psychoses toxiques ou postopératoires.

e)   Le coma:

Le malade est en état de sommeil et selon le stade du coma, il répond ou non aux stimuli douloureux; aux derniers stades, il y a abolition des réflexes et perte des activités bulbaires autonomes. Le coma se retrouve dans les intoxications aiguës et dans toute atteinte cérébrale grave. Il faut les distinguer du simulateur, du pseudo coma hystérique et de la catatonie du schizophrène.

2) L'attention et la concentration

L'attention est la faculté de sélectionner les stimuli en fonction de leur utilité. Elle varie selon la motivation du sujet, selon son état affectif et selon ses expériences passées. Il y a diminution de l'attention dans les syndromes organiques cérébraux subaigus, dans la manie et chez l'enfant hyperkinétique. La concentration est fixe chez l'obsessionnel, le mélancolique ou le paranoïde.

3) La mémoire

La mémoire est la faculté d'enregistrer les stimuli et de pouvoir les évoquer. Elle nécessite un minimum de clarté de la conscience et peut fluctuer selon l'état affectif et l'intérêt de la personne. On classifie la mémoire d'après les étapes d'opération:

- **mémoire de réception** ou immédiate: enregistrement des stimuli.

- **mémoire de fixation**: conservation des souvenirs.
  L'amnésie antérograde est un défaut de fixation des souvenirs survenant après un syndrome cérébral organique aigu.

- **mémoire d'évocation**: rappel des souvenirs.
  L'amnésie rétrograde est un défaut de rappel des souvenirs précédant un syndrome cérébral aigu.

Par contre, on utilise plus couramment une classification selon la durée:

- **mémoire ancienne**: les souvenirs d'enfance et des années passées.

- **mémoire récente**: les derniers mois et derniers jours.

- **mémoire immédiate**: répéter immédiatement une série de chiffres.

Pour évaluer la mémoire immédiate on demande de retenir six ou sept chiffres et de les répéter dans l'ordre, puis à reculons. Une personne d'intelligence moyenne peut récapituler six ou sept chiffres dans l'ordre et quatre ou cinq à reculons.

La mémoire récente se vérifie en questionnant le malade sur les événements récents: ce qu'il a fait ou mangé depuis 24 heures, les dernières nouvelles, ses lectures, etc.

La mémoire ancienne s'évalue en lui demandant les dates importantes de sa vie (naissance, mariage, naissance des enfants), les noms de la fratrie ou des enfants, les anciennes adresses, etc.

Les **amnésies** peuvent être fonctionnelles et répondre à des mécanismes névrotiques (refoulement). C'est le cas des événements traumatisants qui rejaillissent en psychothérapie accompagnés d'une charge émotionnelle importante. Les amnésies organiques touchent surtout la mémoire récente dans la psychose de Korsakov ou chez le vieillard, libérant la mémoire ancienne. L'amnésie antérograde ou de fixation s'observe à la suite des traumatismes crâniens ou des épisodes confusionnels. Dans la démence, il y a perte progressive de la mémoire récente puis ancienne.

L'hypermnésie se rencontre dans la manie, dans certains états d'intoxication et dans la crise d'épilepsie.

La paramnésie est l'évocation falsifiée d'un souvenir. Mentionnons la confabulation du Korsakov, les phénomènes du "déjà vu" ou "jamais vu" et les fausses reconnaissances.

4)   Le jugement et la compréhension

Le jugement est la faculté qui saisit les rapports entre les idées et qui apprécie sainement les choses. La compréhension est une activité synthétique permettant d'assimiler des nouvelles notions; elle diminue avec le vieillissement cérébral.

Ces deux facultés s'évaluent tout au long de l'entrevue; on s'assure du jugement pratique ou sens commun en demandant au malade ce qu'il ferait dans une situation donnée; par exemple s'il trouve une lettre timbrée et cachetée, s'il est perdu dans la forêt, etc.

L'intelligence ou capacité de compréhension s'évalue sommairement par les connaissances courantes, par les tests de calcul et par les proverbes.

Les connaissances varient considérablement selon le milieu culturel et le niveau de scolarité de la personne. Ainsi, un sportif intelligent pourra nommer beaucoup de joueurs et saisira la stratégie. Un déficient est habituellement peu informé sur les pays, les continents, les capitales, les hommes politiques ou les événements internationaux.

Les tests de calcul peuvent aller du plus simple: 4 x 8, 2 x 12 au plus complexe: 100 - 7, - 7, en série. Combien coûte une maison, une voiture, un pantalon ou un paquet de cigarettes. Avec $20.00 combien de paquets de cigarettes peut-on acheter?

Les proverbes servent à évaluer la capacité de compréhension et la pensée abstraite. Il est important de choisir un proverbe qui soit compris dans la culture du malade.

exemples: "Pierre qui roule n'amasse pas mousse" "Si vous vivez dans une maison de verre ne jetez pas la pierre".

Des réponses comme: "La mousse ne colle pas". "La vitre risque de casser" sont des signes de pensée concrète. Une réponse abstraite serait: "Reste actif et tu demeureras jeune"; ou "si ton équilibre est fragile, ne te places pas dans une situation conflictuelle". Ces réponses exigent une capacité de comprendre la signification abstraite des situations. Un schizophrène pourrait répondre par des idées inappropriées: "Pierre, tu es pierre et sur cette pierre..."

En général, un déficient mental profond (idiot) n'a pas l'usage du langage, ne réussit que des tâches élémentaires (manger, se vêtir) mais ne contrôle pas toujours ses sphincters et ne peut apprendre des tâches ordinaires. Le déficient semi-éducable peut apprendre l'hygiène personnelle, peut se raser, s'habiller et apprendre des tâches routinières (travail en atelier protégé); il accède à un vocabulaire limité et à des éléments de calcul (additions simples). Le déficient éducable (intelligence lente) est capable d'une plus grande autonomie. Il pourra apprendre un travail simple, ou acheter les objets de la vie courante et son vocabulaire est plus étendu; mais sa pensée demeure concrète et lente. Il sera capable de tests de calcul assez simples mais pourra difficilement soustraire 100 - 7. A l'école, il pourra compléter le cycle élémentaire. Celui qui a une intelligence moyenne (Q.I. de 100) peut compléter des études secondaires, apprendre un métier avec facilité et se montre capable d'un minimum d'abstraction. Il n'est toutefois pas à l'aise dans les sciences abstraites et aurait peu de chance de compléter des études universitaires. L'intelligence supérieure (Q.I. au-dessus de 120) se manifeste par des aptitudes scolaires supérieures, une grande rapidité d'association et une bonne capacité d'abstraction, Il est capable de compléter des études universitaires et trouvera les tests un peu ridicules.

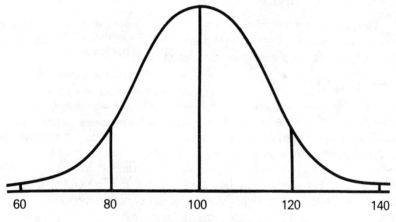

| 60 | 80 | 100 | 120 | 140 |

Courbe de distribution de l'intelligence

Q.I. = Quotient Intellectuel

5) La perception

Les perturbations de la perception peuvent survenir au niveau des récepteurs sensoriels (oeil, oreille, peau), des fibres conductrices, des aires sensorielles primaires ou des aires associatives. Bien que la psychiatrie s'intéresse surtout aux phénomènes d'origine centrale, il ne faut pas oublier l'interrelation entre les récepteurs périphériques et l'intégrateur central. Ainsi, le silence des récepteurs périphériques dans la déprivation sensorielle entraîne une activation centrale de la mémoire sensorielle qui produit des hallucinations physiologiques.

L'illusion est une erreur des sens n'ayant pas toujours un caractère pathologique; il s'agit d'une fausse interprétation d'un stimulus existant. Exemple: si on fixe une tache, on la voit bouger comme un insecte. — Un son continu donnera l'impression d'une voix lointaine ou d'un chant.

L'hallucination est une perception sans objet, vécue par le sujet comme venant de l'extérieur de la personne. Il ne peut s'y soustraire et y croit réellement. Les hallucinations auditives se retrouvent le plus souvent dans les psychoses fonctionnelles et alcooliques. Les bruits ou les voix sont accusatrices, commandent la pensée, ordonnent l'action ou simplement supportent le délire.

Les hallucinations visuelles se manifestent dans les syndromes de sevrage (zoopsies), l'intoxication aux dysleptiques (LSD, mescaline) ou à des médicaments (analgésiques, anticholinergiques) et moins souvent dans les psychoses fonctionnelles. Dans l'hystérie, les visions ont un caractère oniroïde et n'entraînent pas la même croyance.

Les hallucinations olfactives, gustatives, tactiles et cénesthésiques prennent la forme de mauvaises odeurs, de sensations curieuses à l'extérieur ou à l'intérieur du corps. Chez le schizophrène, elles accompagnent le délire; par exemple, les hallucinations génitales stimulent le malade jusqu'à l'orgasme alors qu'il accuse quelqu'un d'en être responsable.

Les phénomènes d'écho de la pensée (on répète ses mots), les voix intérieures, la transmission ou le vol de la pensée et les gestes télécommandés sont plutôt des interprétations délirantes que des hallucinations.

II   Le cours de la pensée

Les psychoses délirantes, des troubles affectifs et les atteintes organiques cérébrales altèrent le rythme, la syntaxe, la sémantique et la logique. Ainsi, les états maniaques manifestent une accélération du discours ou tachyphémie jusqu'à la logorrhée avec fuite des idées et associations par consonnance. La démence produit également des accélérations du discours avec illogisme et incohérence: c'est la verbigération. Le ralentissement du débit verbal et des associations (bradyphémie et bradypsychie) se voient dans la dépression mais aussi dans les intoxications aux sédatifs, dans l'hypothyroïdie et chez le retardé mental.

Dans la schizophrénie on rencontre particulièrement une altération du sens des mots avec néologismes, métaphores hermétiques et incohérence verbale. Ces altérations du discours se retrouvent dans le langage écrit; on remarque la surabondance du maniaque qui n'a pas assez d'espace; il écrit dans tous les sens et remplit plusieurs pages.

III   Le contenu de la pensée

La pensée a pour fonction de connaître, d'abstraire et d'intégrer à la fois le monde extérieur et le milieu interne pour conserver une certaine homéostase nécessaire à la vie psychique tout en permettant une adaptation au changement. Dans certaines pathologies, une idée prend une dimension exagérée et parasite l'ensemble de la pensée. Il s'agit principalement des obsessions, des phobies et des idées délirantes.

1) L'obsession

L'obsession est l'intrusion non désirée d'une pensée, d'une image, d'une idée ou d'un sentiment qui persiste, gênante ou odieuse, malgré la lutte pour l'éliminer. Elle est perçue comme égoétrangère et n'empêche pas la conservation de lucidité. L'idée obsédante est habituellement liée à un interdit social ou moral. Elle soulève l'angoisse et l'ambivalence.

Parmi les exemples les plus fréquents, on retrouve la manie de la propreté (ou peur des microbes, de la saleté), la manie de vérifier, celle de la perfection, des présages ou du doute. Des idées obsédantes sont agressives et s'expriment sous forme de phobies d'impulsion: peur de tuer par la pensée, peur de frapper ou d'attaquer quelqu'un, etc.

Les obsessions s'accompagnent habituellement de compulsions ou de rituels pour conjurer ces idées parasites (voir au chapitre des névroses).

2) La phobie

La phobie est une peur exagérée d'un objet ou d'une situation entraînant une lutte contraphobique ou un processus d'évitement. Comme dans l'obsession, le malade reconnaît le ridicule de cette idée mais ne peut surmonter sa crainte.

Certaines phobies sont liées à la pensée obsessionnelle: phobie des objets tranchants, phobie d'impulsion (frapper quelqu'un), phobie des araignées, de la saleté ou des microbes.

D'autres phobies sont tributaires d'une dynamique oedipienne (la peur des chevaux du petit Hans). Certaines phobies d'objet s'expliquent par la théorie de l'apprentissage (phobie d'animaux, des transports, des orages). Finalement des phobies étendues (agoraphobie, claustrophobie) peuvent être un symptôme de la névrose d'angoisse ou d'une pensée paranoïde.

3) Le délire

A l'encontre de l'obsession, l'idée délirante est une fausse croyance, irréductible par la logique, envahissant la personnalité et entraînant une aliénation de la personne qui devient étrangère au monde.

L'idée délirante se manifeste sous forme d'intuition morbide, d'interprétation délirante, de fabulation et de perception hallucinatoire. Elle peut être sectorielle, sans continuité ou au contraire être systématique et logique (paranoïa).

Les principaux thèmes sont d'expansion du moi (mégalomanie, érotomanie, délire de toute puissance, etc.) ou de rétraction du moi (négation du monde, idée d'indignité morale ou de culpabilité, délire hypocondriaque ou de jalousie, idée d'influence, etc.).

Dans les états maniaques ou dépressifs, le délire est une manifestation secondaire au trouble affectif. Dans les états confusionnels, il demeure d'une importance secondaire. Chez le schizophrène, le tableau envahit le champ de la conscience et aliène les fonctions du moi.

On classe les délires selon leur évolution:

- l'épisode aigu (psychose toxique ou postopératoire) peut disparaître en quelques heures ou quelques jours;

- le délire chronique (schizophrène, état paranoïde, paranoïa) peut être stable ou fluctuant, envahissant plus ou moins la personnalité.

IV   *L'affectivité*

L'affectivité serait le tonus émotionnel dominant la vie de l'esprit. Elle peut varier en intensité ou en qualité. Elle peut être appropriée ou non à la situation et dissociée ou non de la pensée.

La dépression

Il s'agit d'une baisse du tonus affectif qui s'exprime par la douleur morale, la tristesse et l'angoisse. On lui connaît toutes les gammes, allant de l'humeur triste à l'abattement et du désespoir à la souffrance morale extrême. Les sentiments qui voisinent la dépression sont ceux du déplaisir: anxiété, angoisse, chagrin, dégoût, inquiétude, honte, peur, colère, rage, désespoir, etc. Ils entraînent des comportements de méfiance, d'agressivité ou d'évitement. Les états pathologiques où on les retrouve sont les formes de dépression primaires, secondaires ou réactionnelles.

Les affects expansifs

Ils expriment la satisfaction des besoins primaires ou libidinaux par la joie, le bonheur, le plaisir, la gaité, l'espoir, la confiance et l'enthousiasme. L'humeur devient pathologique lorsqu'elle atteint le niveau de l'euphorie ou de l'exaltation, altérant considérablement le jugement et la pensée.

On rencontre ces états dans les psychoses affectives primaires (manie) ou secondaires (cortisone, amphétamines) et dans certaines atteintes organiques cérébrales.

L'absence d'affect

Dans certaines situations, l'absence d'expression affective est une façade défensive comme c'est le cas dans l'hystérie ("la belle indifférence"). L'apathie ou l'absence d'intérêt se manifeste aussi dans la schizophrénie ou la dépression. On a également décrit le syndrome amotivationnel des usagers du cannabis.

V   *Attitude envers sa maladie*

L'introspection est la capacité du malade de comprendre son état morbide; toute une gamme de réponses est possible. L'introspection est nulle s'il nie toute pathologie. Elle est pauvre s'il reconnaît avoir quelque chose tout en niant l'essentiel. Il peut aussi admettre son état tout en blâmant l'entourage. L'introspection est bonne s'il reconnaît intellectuellement sa maladie sans pour autant prendre les mesures pour assurer son traitement. L'introspection est excellente s'il y a adhésion émotionnelle à cette reconnaissance et si le malade désire prendre les moyens pour changer les attitudes pathologiques.

4.5 RÉSUMÉ ET FORMULATION DYNAMIQUE

A cette étape, l'évaluateur résume l'histoire de la maladie en mettant en évidence les principaux symptômes et les facteurs précipitants. Il décrit la dynamique sous-jacente et les mécanismes d'adaptation du malade à cette rupture d'équilibre.

4.6 LE DIAGNOSTIC

Le ou les diagnostics selon la classification internationale ou le DSM III.

4.7 LE PRONOSTIC

C'est une opinion sur l'évolution probable à court et à moyen terme.

4.8 RECOMMANDATIONS

Le médecin évaluateur inscrit ses recommandations quant au plan de soins à établir: hospitalisation ou traitement extra-hospitalier, médication ou autre mesure thérapeutique, psychothérapie (nature et modalités).

Le plan de traitement devrait inclure les aspects:

- biologiques: médication, électro-choc, etc.
- psychologiques: psychothérapie, support, ventilation, etc.
- sociaux: loisir, sensibilisation de la famille, milieu thérapie, etc.

BIBLIOGRAPHIE

DETRE, I, KUPFER, J. "Psychiatric History and Mental Status Examination". *Comprehensive Textbook of Psychiatry.* (III), Williams & Wilkins, 1975.

DEUTSCH, F., MURPHY, W.F. *The Clinical Interview.* Vol. 1, New-York: International Universities Press, 1955.

EY, H., BERNARD, P., BRISSET, C. "Sémiologie et méthodes d'investigation". *Manuel de psychiatrie* (deuxième partie). Masson & Cie, 1974.

KAPLAN, H., SADOCK, B. "Psychiatric Report". *Comprehensive Textbook of Psychiatry.* (III), Williams & Wilkins, 1975.

KOLB, L.C. "Examination of the patient". *Modern Clinical Psychiatry.* Saunders, 1973, Ch. 8.

KRAFT, A.M. "The Evaluation". *Psychiatry: a Concise Textbook for Primary care practice.* Arco, 1977.

LAZARE, A., SHERMAN, E. and WASSERMAN, L. "The customer Approach to Patienthood". *Arch. Gen. Psychiatry.* 1975, (32), 553-558.

LALONDE, P., DENIS, J.F., CARRIERE, M. "La psychiatrie de consommation: une nouvelle compréhension de la demande du patient". *Un. méd. Canada.* Tome 105. 1976, 1843-1849.

LISANSKI, E. "History Taking and Interviewing". *Practice of Medicine.* Harper & Row.

MACKINNON, R., MICHELS, R. "The psychiatric interview". *Clinical Practice.* Saunders, 1971.

CHAPITRE 5

LES NÉVROSES

Georges Kekhwa et Lorenzo Morin

5.1   CONSIDÉRATIONS THÉORIQUES

Les névroses en tant qu'entités nosographiques sont des affections ou maladies mentales difficiles à identifier et à classer.

Cette difficulté s'atténue, semble-t-il, si on accepte la réalité de l'appareil psychique comme distincte mais indissociable de la réalité somatique.

Les névroses définies d'abord comme affections mineures où prédominent l'anxiété, certains états dépressifs et certains comportements plus ou moins anormaux, occupent un vaste champ de la psychopathologie. Leur diversité peut alors laisser le clinicien assez perplexe et désemparé face à des sujets dont la logique apparente du comportement suppose un bon état de santé, mais dont les malaises ressentis aussi graves que durables requièrent à bon droit un examen diagnostique précis et des soins spécifiques.

Le terme même de névrose, depuis son introduction dans la littérature médicale par W. Cullen, à la fin du dix-huitième siècle, a conservé jusqu'à maintenant une place et une signification que les auteurs continuent d'employer pour désigner des comportements, des caractères, des actes et des attitudes qui sortent du normal ou de l'ordinaire sans entrer dans le cadre véritable des psychoses. Ces névrosés ou déviants maintiennent avec la réalité un contact objectif. Ils ont une perception adéquate de leur vécu propre et de leur historicité individuelle.

Il fut un temps, faisait remarquer Roy R. Grinker, où "toute personne qui ne se sentait pas à l'aise dans sa peau" était présumée souffrir de névrose.

5.1.1   Définitions et conceptions les plus connues des névroses

5.1.1.1   DSM III

Il est intéressant de noter que dans la nouvelle nomenclature des troubles mentaux proposée par l'American Psychiatric Association (DSM III), le terme NÉVROSE a été éliminé en tant que rubrique nosologique pour regrouper la séméiologie des névroses dans les différents syndromes psychiatriques. Le DSM

III les inclut dans les troubles affectifs, anxieux, somatoformes, dissociatifs et psychosexuels, les syndromes hystériques, phobiques, obsessionnels, hypocondriaques et dépressifs.

5.1.1.2   CIM 9

Par contre, le manuel de classification internationale des maladies mentales (CIM 9) a conservé les névroses sous la rubrique des "troubles névrotiques". On remarque aussi que le terme névrose a été remplacé par celui de troubles ou états. Le CIM 9 propose ce qui suit: "Bien que la distinction entre névrose et psychose soit difficile et donne lieu à controverse, elle a été maintenue en raison des habitudes. Les troubles névrotiques sont des troubles mentaux sans aucune base organique démontrable vis-à-vis desquels le malade peut garder une parfaite lucidité, qui ne s'accompagnent d'aucune altération du sens de la réalité et dans lesquels, habituellement, le sujet ne confond pas ses expériences subjectives et ses fantasmes morbides avec la réalité extérieure. Le comportement peut être très perturbé bien que restant généralement dans des limites socialement acceptables, mais la personnalité n'est pas désorganisée. Les principales manifestations sont une anxiété excessive, des symptômes hystériques, des phobies, des symptômes obsessionnels et compulsifs, la dépression."

Le "Dictionnaire de psychologie" Larousse définit ainsi le terme névrose: "Trouble mental qui n'atteint pas les fonctions essentielles de la personnalité et dont le sujet est douloureusement conscient. L'angoisse, l'obsession, les phobies et l'hystérie sont les principales névroses. Le névrosé se sent mal à l'aise; hyper-émotif, agressif avec les autres. Ses symptômes sont symboliques d'un drame intérieur dont l'élément essentiel échappe à sa claire conscience. La notion de conflit fondamental se retrouve dans toutes les théories des névroses, sauf celle de P. Janet."

5.1.2   Modèles explicatifs des névroses

5.1.2.1   Modèle psychanalytique

Selon Laplanche et Pontalis, "les névroses sont des affections psychogènes où les symptômes sont l'expression symbolique d'un conflit psychique, trouvant leurs racines dans l'histoire infantile du sujet et constituant des compromis entre le désir et la défense". Cette définition nous paraît utile pour comprendre la psychodynamique des névroses. Elle implique donc un psychisme spécifiquement propre à l'être humain. Ce psychisme serait composé de trois parties ou instances, soit: le "ça" ou les pulsions, les désirs; le "surmoi" ou les exigences morales et le "moi" de la personne qui serait l'arbitre entre le ça et le surmoi face aux exigences de la réalité. Le problème névrotique se passe donc entre le ça et le moi à cause de la présence prohibitive du surmoi.

Le conflit névrotique

La théorie psychanalytique explique l'émergence du conflit névrotique à la phase phallique du développement psychosexuel selon S. Freud. C'est vers l'âge de 3 à 5 ans que se situe cette phase où on retrouve le complexe d'Oedipe. Les enfants développent un amour très sexualisé vers le parent du sexe opposé et en même temps désirent se débarrasser du parent du même sexe. C'est de ce complexe que dérive la "crainte de la castration" chez le garçon et "l'envie du pénis" chez la petite fille.

Si la relation entre le père, la mère et l'enfant a été souple, l'enfant s'identifiera au parent du même sexe, et ainsi se formera son surmoi. On dira alors que le moi de l'enfant est arrivé à un compromis entre son désir (ça) et l'interdit (surmoi) en utilisant un mécanisme de défense soit: le refoulement. Si la relation familiale a été traumatisante, il y aura alors une fixation à ce stade phallique; mais l'enfant passera habituellement par une période de latence, jusqu'à la puberté sans trop de problèmes émotionnels, caractérisée par une accalmie des pulsions. Mais à la puberté, à cause de la poussée hormonale, le mécanisme névrotique du complexe d'Oedipe, émerge de nouveau avec un retour du "refoulé". C'est bien pourquoi beaucoup de névroses commencent habituellement vers l'adolescence.

Le moi névrotique et les mécanismes de défense

S'il y a fixation au stade phallique, le moi aura de la difficulté à trouver un compromis entre les pulsions du ça et l'interdit du surmoi, lorsqu'il aura à faire face à une réalité réactivant son problème oedipien.

En conséquence, le moi névrotique entre en conflit avec le ça sous l'influence du surmoi. La personne vivra ce conflit avec beaucoup d'anxiété caractérisée par l'attente d'un danger indéfini, s'accompagnant presque toujours de troubles physiques qui ne sont alors que des équivalents somatiques de l'anxiété; le tout étant vécu comme l'angoisse. Le moi tentera alors de recourir à des mécanismes de défense du refoulement pour ne pas endurer cette anxiété. Cependant, devant l'échec du refoulement, le sujet aura à vivre le tableau clinique de la névrose. Il tentera alors d'utiliser d'autres mécanismes de défense pour combattre cette anxiété qui déterminera alors la forme clinique de la névrose telle qu'énumérée dans le tableau ci-dessous.

TABLEAU 5.1

Névroses	Mécanismes de défense
d'angoisse	refoulement
phobique	déplacement, symbolisation, évitement
hystérique de conversion	conversion
hystérique de dissociation	dissociation
obsessive-compulsive	isolation, annulation, rétroactive formation réactionnelle

La personne normale est censée être passée par tous les stades du développement psychosexuel d'une façon harmonieuse, souple, sans fixation. Ainsi elle a un grand répertoire de mécanismes de défense à son service qu'elle utilise selon la situation. C'est pour cela qu'elle ne présente pas un tableau franc de névrose. Les mécanismes de défense ont été décrits d'une façon plus détaillée dans le chapitre 3 sur le développement de la personnalité.

5.1.2.2 Modèle behavioriste

Cette façon d'expliquer les névroses ne met pas l'accent sur le conflit intrapsychique. Selon cette théorie, tout comportement névrotique ou normal se développe et se maintient selon les lois de l'apprentissage. Toutefois, comme en psychanalyse, l'anxiété est centrale dans le déterminisme des comportements névrotiques. L'anxiété névrotique est conçue comme une réponse émotionnelle conditionnée sur le mode *pavlovien*, où un stimulus neutre est mis de pair avec un stimulus aversif inconditionné.

L'anxiété toujours accompagnée d'angoisse constitue pour le sujet un état aversif. Comme dans l'approche psychanalytique, la réduction et l'évitement de cette angoisse sous-tendent tous les comportements névrotiques.

L'aspect théorique et pratique de l'approche behavioriste des névroses est traité avec plus de détails dans le chapitre 35 (les thérapies comportementales).

5.1.3 Considérations nosographiques

— Les névroses forment un groupe défini de syndromes et sont les compromis défensifs contre les conflits anxiogènes.

— Le DSM III inclut les névroses dans diverses rubriques:

troubles affectifs: dépression névrotique;

troubles anxieux: névrose phobique, névrose d'angoisse, névrose obsessive-compulsive, névrose d'angoisse atypique;

troubles somatoformes: névrose hystérique de conversion;

troubles dissociatifs: névrose hystérique dissociative, névrose de dépersonnalisation.

— Le CIM 9 inclut toutes les névroses sous une seule rubrique: **troubles névrotiques**: états anxieux, hystérie, états phobiques, troubles obsessionnels et compulsifs, dépression névrotique, neurasthénie, syndrome de dépersonnalisation, hypocondrie, autres troubles névrotiques.

En général, il est relativement aisé de distinguer les névrosés des psychosés, car les premiers sont conscients de leur psychopathologie tout en ignorant les causes et gardent un bon contact avec la réalité. Par contre, les psychotiques nient la réalité pour la confondre assez souvent avec leurs besoins et désirs tout en rejetant les aspects qui ne les intéressent pas ou les angoissent.

5.2 CONSIDÉRATIONS CLINIQUES

5.2.1 Les névroses d'angoisse

5.2.1.1 Définition

Le manuel de classification internationale des maladies mentales (CIM 9) définit les états anxieux comme suit: "Les états anxieux présentent des combinaisons variées de manifestations physiques et mentales d'anxiété non attribuables à un danger réel et survenant soit par accès, soit sous forme d'un état permanent. L'anxiété est habituellement diffuse et peut atteindre la panique. D'autres signes névrotiques tels que symptômes obsessionnels ou hystériques peuvent être présents mais ne dominent pas le tableau clinique".

Cette classification définit aussi deux tableaux cliniques de cette névrose d'angoisse soit: 1 - l'état anxieux névrotique, 2 - la crise d'angoisse.

Ce qu'il faut retenir dans cette définition, c'est que dans la névrose d'angoisse, l'anxiété est flottante et ne s'explique pas par les problèmes sociaux, économiques ou émotionnels réels et conscients chez le sujet.

Il nous faut aussi reconnaître que l'anxiété, même si elle est angoissante, n'est pas nécessairement pathologique, et qu'il faut se garder de médicaliser ce qui n'est qu'une réaction normale face aux difficultés de la vie.

Les différentes formes d'angoisse

Etymologie: le mot angoisse provient du latin *angustia* qui signifie resserrement, au sens strict et gêne, au sens figuré. En langue anglaise, seul le mot *anxiety* est employé.

L'angoisse (anxiété pour les Anglais) est un affect ressenti au cours des mises en défense du sujet contre tout ce qui menace son équilibre interne.

L'angoisse est un affect. Ceci veut dire qu'elle est le fait d'une réponse à une excitation, consistant dans le déplacement d'une poussée d'énergie qui se déplace par voie neuronale, qui peut s'accumuler et atteindre une charge telle que le sujet en devienne conscient (en soit affecté et le ressente subjectivement).

Cette poussée énergétique se fraye une voie à travers les neurones pour atteindre les couches sous-corticales et corticales du système nerveux central, ou se décharger dans certaines zones du corps (équivalents somatiques).

La peur

Lorsque le sujet réagit à une menace réelle, il est sujet à la peur. Si la peur est subite et vive, on parle de frayeur.

La panique

Si l'angoisse devient trop intense pour être maîtrisée et donc désorganisante, on parle de "panique".

On peut aussi décrire l'angoisse comme une inquiétude ou une attente inquiète, étouffante ou oppressante de quelque chose qui pourrait arriver, cette attente étant généralement vécue ou ressentie comme effrayante et menaçante pour l'intégrité et l'équilibre du sujet.

On pourrait distinguer, par rapport aux pulsions et à l'objet des pulsions, deux formes principales d'angoisse:

— angoisse concernant la fusion du sujet à l'objet: symbiose, amour, panique des fiancés, perte d'identité, de liberté, claustrophobie, etc.

— angoisse de séparation: angoisse d'abandon, de castration, de mort, de dissociation et de morcellement.

L'angoisse peut aussi être considérée comme une réaction d'alerte et d'avertissement contre toute menace pouvant atteindre le sujet, une forme de réponse au danger qui peut provenir soit de la réalité extérieure, soit des exigences du surmoi, du moi ou de l'idéal du moi.

5.2.1.2 Symptomatologie

La névrose d'angoisse apparaît le plus souvent chez des sujets qui présentent un terrain de fond caractérisé par une attente anxieuse sur le plan psychologique relié à des conflits oedipiens mal résolus. Sur le plan physiologique, ils présentent souvent une instabilité neuro-végétative particulièrement au niveau du système adrénergique où des agents médicamenteux tels que les bêta-bloqueurs comme le propranolol (Indéral ®) pourront diminuer considérablement les effets physiologiques de l'angoisse. Ces sujets présentent souvent une production excessive de lactate après un exercice physique.

L'état anxieux névrotique

Le début est très insidieux et l'attente anxieuse est un symptôme essentiel et toujours présent. Le sujet est constamment sous l'effet d'une anxiété flottante qui imprègne d'appréhension et d'insécurité son existence et toutes ses opérations psychiques. L'arrivée d'un télégramme, la sonnerie du téléphone, les faits extérieurs ou physiologiques inhabituels, ou même les plus ordinaires, sont autant de cibles sur lesquels se jette, sans jamais s'y fixer, l'anxiété toujours libre de ces malades sans cesse inquiets de tout et de rien. Ils disent souvent: "C'est plus fort que moi, il faut que j'imagine le pire". On remarque chez eux une limitation des mouvements respiratoires et l'impossibilité ou la difficulté de respirer à fond.

Ils présentent aussi une incapacité à se détendre, ils ont souvent des réactions de sursaut et d'irritabilité accompagnées parfois de crises de larmes ou de colère. Le sommeil est presque toujours perturbé, long à obtenir, agité, peu reposant, entrecoupé de cauchemars.

La crise d'angoisse caractérisée par "les manifestations paroxystiques" de cet état

C'est la crise d'angoisse aiguë qui est aussi l'aspect le plus typique de la névrose d'angoisse. Elle peut succéder à une phase d'attente anxieuse plus ou moins longue. Le sujet est alors submergé par une peur intense de mourir, de devenir fou ou de perdre contrôle. Il devient soudainement pâle et couvert de sueur. Il suffoque, supplie qu'on le secoure et crie quand sa voix n'est pas étranglée. Un étau serre son thorax, il étouffe, son coeur bat très fort et une vague de froid monte le long de son corps. Tantôt le malade, blanc et crispé, reste sidéré par l'anxiété comme si le moindre mouvement précipiterait sa mort; tantôt il agit d'une façon désordonnée en tremblant de tout son corps. Le sujet et l'entourage peuvent facilement croire qu'il s'agit ici d'une crise cardiaque. Cette réaction de panique ou d'angoisse se résout spontanément après quelques minutes ou après quelques heures. Elle est souvent suivie d'une débâcle urinaire, sudorale ou diarrhéique et le malade s'endort, épuisé, pour retrouver au réveil son angoisse latente névrotique, à présent aggravée par la crainte d'un nouveau paroxysme.

Il est bon de noter que lors de la crise aiguë d'angoisse, la présence et le contact rassurant d'un être protecteur peuvent apaiser sinon avorter cette crise.

Les manifestations somatiques

Malaise insupportable pouvant aller jusqu'à l'agitation, entraînant des troubles respiratoires: suffocation, dyspnée, hyperpnée, apnée...; cardio-vasculaires: augmentation ou chute du pouls, palpitations, douleurs angineuses, vaso-constriction, pâleur, vaso-dilatation, rougeur...; troubles digestifs: spasmes, dysphagies, nausées, vomissements, coliques, diarrhée, algies, douleurs en barre, etc.; troubles génito-urinaire: débâcle urinaire, mictions impérieuses, rétention, impuissance et inhibition sexuelle, etc. Troubles de la motricité et de la sensibilité: tremblements, hypertonie, rigidité, etc. (anesthésies, paralysie, etc.); troubles de la conscience: obnubilation, pertes de conscience, augmentation ou baisse de la vigilance, insomnie, etc.; troubles sensoriels: sensibilité exagérée aux stimuli sonores ou lumineux.

Exemple d'un cas clinique:

Il s'agit d'une dame âgée de 30 ans, mariée, sans enfant. Elle consulte son médecin pour la symptomatologie suivante: irritabilité, anxiété, douleurs abdominales basses, fourmillements et parasthésies des extrémités, et une grande peur centrée principalement sur sa santé. Malgré qu'elle soit depuis longtemps une personne "nerveuse", ses symptômes actuels ne sont apparus que depuis trois mois et toujours sous forme de "crises". Après quelques entrevues, il nous est apparu que le début des symptômes coïncidait avec le départ d'une nièce dont elle s'était occupée dans sa propre maison durant l'absence de sa mère hospitalisée pour un accouchement.

Chez cette patiente, il y a dans son histoire passée, deux faits d'importance psychodynamique:

1- elle est l'aînée de sa famille et s'est toujours occupée de sa fratrie, surtout lorsque sa mère se faisait hospitaliser pour accoucher;

2- elle est stérile et n'a pu avoir d'enfants après 10 ans de mariage.

Ainsi, une névrose d'angoisse apparaît chez cette femme désireuse d'avoir des enfants et qui, dans le passé, a dû "remettre" les enfants à sa mère lorsque celle-ci revenait à la maison et récemment, il y a trois mois, elle a encore dû "remettre" un autre enfant.

Les symptômes sont ici des manifestations de conflit chez une patiente prise entre son désir d'avoir des enfants et son incapacité de conception. Le fait d'avoir dû "remettre" un enfant il y a trois mois réactiva son conflit et précipita les symptômes. Il est à noter dans ce cas, que les symptômes étaient à la fois d'ordre somatique et psychique et se manifestaient par crises. Ils sont donc typiques de la névrose d'angoisse.

5.2.1.3   Evolution et pronostic

Nous n'avons pas une idée précise sur l'évolution de la névrose d'angoisse puisqu'il n'y a pas eu d'études sérieuses faites sur le sujet. Quelques études ont démontré que près d'un tiers des patients s'améliorent beaucoup ou guérissent spontanément. Ceux qui souffrent d'un état d'anxiété névrotique chronique semblent s'améliorer avec l'âge surtout si le sujet a réussi dans la vie. Ainsi le pronostic dépendra de la maturité du moi, de la stabilité de l'environnement, du style de vie sans trop de stress et de la qualité des relations avec les autres membres du milieu social.

5.2.1.4   Diagnostic différentiel

L'anxiété et l'angoisse font partie de presque tous les troubles psychiques. Les équivalents physiques de l'anxiété peuvent être confondus avec plusieurs maladies physiques, de sorte que le diagnostic différentiel de la névrose d'angoisse doit se faire très soigneusement avant d'envisager une intervention thérapeutique.

a)   *maladies physiques*

La maladie coronarienne

Chez un sujet d'âge mûr présentant de l'anxiété, des douleurs précordiales et des difficultés respiratoires, il faut d'abord penser à une maladie coronarienne. Il peut s'agir d'équivalent d'angoisse lorsque les douleurs précordiales ne durent que quelques secondes malgré qu'elles peuvent se répéter souvent. Elles ne disparaissent pas et peuvent même apparaître au repos.

L'hyperthyroïdie

C'est l'examen physique particulier et surtout les analyses de laboratoire qui préciseront ce diagnostic. Il faut retenir que certains patients devenus **euthyroïdiens** après traitement, souffrent parfois d'une anxiété persistante qui est alors clairement de nature psychogénique.

Le phéochromocytome

Il s'agit ici d'une décharge d'épinéphrine et de norépinéphrine qui provoque des attaques aiguës ressemblant fortement à une crise d'angoisse aiguë. Cette maladie est rare, elle ne représente que 0.1% des patients souffrant d'hypertension artérielle. On pourra palper la tumeur de la glande surrénale et même provoquer une crise aiguë en pressant cette tumeur. Une pyélographie montrera le déplacement du rein par la tumeur.

La maladie de Ménière

Cette maladie peut parfois être confondue avec une crise d'angoisse aiguë. C'est la sensation de vertige où "tout tourne", associée au nystagmus, à la surdité et à d'autres signes d'atteinte de l'oreille moyenne qui marqueront cette pathologie.

b) maladies psychiatriques

Schizophrénie - état limite

Chez les jeunes, l'angoisse peut colorer le tableau clinique d'une psychose schizophrénique surtout à ses débuts ou d'un état limite (borderline) avec anxiété diffuse et généralisée (pananxiété). Dans cette éventualité, l'anamnèse et l'examen psychiatrique révèlent une fragilité du moi qui se manifeste par une perception défectueuse de la réalité ainsi que des symptômes psychotiques discrets. Quelquefois, une schizophrénie paranoïde se manifestera par un épisode d'angoisse aigu paroxystique qui ne sera autre qu'un état de panique homosexuelle. Parfois, la schizophrénie s'accompagne d'une "angoisse de morcellement" où le patient éprouve une peur de désintégration.

Dépression

L'angoisse peut dominer le tableau clinique d'une dépression unipolaire ou bipolaire. Dans cette éventualité, l'humeur est triste et le sujet a tendance à se dévaloriser. Un tableau d'anxiété chronique ou aiguë chez un sujet d'âge mûr sans passé névrotique doit toujours faire penser à un début de maladie physique ou à une **dépression** plutôt qu'à une névrose d'angoisse.

Psychose toxique - réaction de sevrage

L'angoisse et l'anxiété peuvent s'observer dans certaines psychoses toxiques (LSD - amphétamine) et certainement dans des réactions de sevrage (alcool, barbituriques, opiacés).

Psychose organique

L'angoisse et l'anxiété dominent souvent le tableau clinique d'une psychose organique (maladie d'Alzheimer, artériosclérose cérébrale) surtout à ses débuts où l'on observe des "réactions catastrophiques" chez le sujet qui commence à perdre des facultés cognitives.

5.2.1.5 Traitement

Conduite à tenir devant une crise d'angoisse aiguë paroxystique

Il s'agit d'un traitement d'urgence car le malade se présente d'une façon inattendue à n'importe quelle heure. Il faut d'abord calmer le malade et son entourage avec des suggestions rassurantes de détente. Parfois ce support psychique, avec beaucoup d'empathie, peut suffire à calmer la crise. Sinon, et même si un diagnostic clair n'a pas été établi, on peut administrer *stat* par voie orale une benzodiazépine (Valium® 10 à 20 mg ou Librium® 25 à 50 mg) à répéter toutes les heures jusqu'à ce que le malade se soit calmé. Il n'est pas recommandé d'administrer les benzodiazépines par voie intramusculaire car leur absorption est erratique et elles peuvent causer des nécroses musculaires. Il faut éviter l'administration des neuroleptiques ou des barbituriques pour ne pas brouiller le diagnostic qui reste à faire. Tout en calmant le malade, il faut mettre en marche rapidement tous les examens nécessaires pour éliminer une maladie physique. Aussi, en interrogeant les membres de l'entourage qui accompagnent le malade, il faut essayer d'établir si la crise d'angoisse n'est pas le prélude d'une psychose. Si le bilan diagnostic est négatif tant sur le plan d'une maladie physique que d'une psychose, il faut éviter autant que possible d'hospitaliser le malade, surtout si son réseau de soutien social est adéquat. Il faudrait plutôt le renvoyer chez lui après l'avoir calmé, tout en lui donnant un rendez-vous en externe afin d'évaluer, avec plus de détails et dans une atmosphère plus détendue, son état psychique et les moyens thérapeutiques les plus bénéfiques. Il n'est pas indiqué de se lancer dans des explorations psychologiques élaborées immédiatement après une crise d'angoisse aiguë paroxystique.

Conduite à tenir durant un état anxieux névrotique

Lorsque le malade vient consulter pour la première fois, une des règles les plus importantes est de prendre son temps avant d'établir un diagnostic de névrose d'angoisse afin de ne pas passer à côté d'une maladie physique ou d'une psychose. D'autre part, il ne faut pas considérer comme pathologique une réaction anxieuse d'intensité modérée chez un sujet qui se sent dépassé par les problèmes de sa vie.

5.2.1.6 Les psychothérapies

Elles sont décrites avec plus de détails dans les chapitres 31, 32 et 33.

La psychanalyse

C'est le traitement de choix mais il faut bien sélectionner les sujets. Ceux-ci doivent être relativement jeunes, d'une intelligence vive, introspectifs, motivés à s'actualiser, autonomes et capables de se relier émotionnellement à autrui. Il faut s'assurer que le sujet soit en mesure d'assumer ce traitement de longue durée (plusieurs années) et très coûteux. La plupart des services publics de santé mentale et même des assurances privées ne défraient pas le coût d'une psychanalyse classique.

Les psychothérapies analytiques ou d'exploration

Elles peuvent être longues ou brèves. Cette dernière forme semble donner de très bons résultats car le sujet s'engage par contrat psychothérapeutique à terminer à une date prédéterminée et fait tout son possible pour se rétablir à temps.

Les psychothérapies de soutien

Lorsque le patient est trop anxieux, ou lorsque les critères de la psychanalyse ne sont pas remplis, on peut offrir une psychothérapie de soutien. Il faut éviter les prises en charge paternalistes car elles risquent d'infantiliser le sujet en le rendant trop dépendant du thérapeute.

5.2.1.7 Les traitements de relaxation

Ceux-ci sont décrits avec plus de détails dans le chapitre 34. Rien n'empêche d'utiliser une psychothérapie de soutien avec une méthode de relaxation. Les sujets qui se prêtent bien à la suggestion voient habituellement leurs symptômes disparaître ou s'atténuer, et on évite souvent ainsi une médication anxiolytique.

5.2.1.8 Le traitement pharmacologique

Le traitement pharmacologique est traité avec plus de détails dans le chapitre 26. Il ne faudrait pas recourir rapidement aux médicaments car les malades qui souffrent d'anxiété chronique auront tendance à s'y habituer, à en augmenter la dose jusqu'à la pharmaco-dépendance. Il est bon de savoir aussi que les anxiolytiques ne sont efficaces qu'à court terme. Les anxiolytiques ne guérissent pas la névrose d'angoisse. Ils ne libèrent pas les sources du conflit névrotique.

Les benzodiazépines

Ces substances sont les plus efficaces et les moins dangereuses parmi tous les anxiolytiques. Elles ont déplacé les bromures, les barbituriques, le méprobamate, etc. Dans le traitement de l'anxiété accompagnée d'angoisse, elles sont administrées per os dans les posologies suivantes:

chlordiazépoxide (Librium®): 5 à 25 mg jusqu'à quatre fois par jour;

diazépam (Valium®): 2 à 10 mg jusqu'à quatre fois par jour: le diazépam est aussi un bon relaxant musculaire;

oxazépam (Serax®): 15 à 30 mg jusqu'à quatre fois par jour: sa demi-vie est la plus courte de toutes les benzodiazépines, il est recommandé chez les personnes âgées;

lorazépam (Ativan®): 1 à 2 mg jusqu'à trois fois par jour;

flurazépam (Dalmane®): 15 à 30 mg au coucher. Bien qu'il soit recommandé pour son effet hypnotique, ce n'est qu'une benzodiazépine à plus forte concentration.

Le propranolol (Indéral ®) et les autres Bêta-bloqueurs

Ceux-ci peuvent être efficaces dans le traitement de la névrose d'angoisse présentant des symptômes cardiaques comme la tachycardie et les palpitations. Toutefois, avant de les utiliser, il faut se souvenir des contre-indications habituelles de ces médicaments telles que l'asthme où les cardiopathies qui peuvent être aggravées par un ralentissement du rythme cardiaque.

Les neuroleptiques

Ceux-ci ne sont indiqués que si l'anxiété et l'angoisse font partie du tableau clinique d'une psychose.

5.2.2 Les états phobiques

5.2.2.1 Définition

Le manuel de classification internationale des maladies psychiatriques (CIM-9) définit les états phobiques comme suit: "Etats névrotiques caractérisés par une peur anormalement intense de certains objets ou de situations particulières qui, normalement, ne provoquent pas cet effet. Si l'anxiété tend à se propager à partir d'une situation ou d'un objet déterminé, à un ensemble plus vaste de circonstances, l'état s'apparente ou s'identifie à l'état anxieux et sera classé comme tel".

Cette peur peut prendre la forme de faiblesse, de fatigue, de palpitations, de transpiration, de nausées, de tremblements et même de panique. On attribue généralement les phobies à des craintes inexplicables rapportées sur un objet ou une situation. On a défini un grand nombre de phobies, par exemple: l'agoraphobie, la claustrophobie, l'érythrophobie, etc.

Il est bon de noter que dans le tout récent manuel de classification des diagnostics psychiatriques (DSM III), la névrose phobique est classifiée sous la rubrique des "troubles d'anxiété", avec différentes appellations, selon la phobie principale présentée, par exemple: "agoraphobie accompagnée de crises de paniques".

5.2.2.2 Epidémiologie

On remarque assez souvent des manifestations phobiques légères chez les jeunes enfants vers l'âge de 3 à 5 ans correspondant à la phase du complexe d'Oedipe. La plupart des jeunes enfants souffrent à cette période de cauchemars sporadiques et de craintes irrationnelles de certains animaux ou de certains objets. Plusieurs adultes souffrent aussi de quelques phobies bien définies mais ils arrivent à s'en accomoder sans recourir aux soins psychiatriques. Si ces phobies deviennent très embarrassantes, la majorité des adultes vont chercher secours au bureau du médecin. Les statistiques faites au niveau des cliniques externes d'hôpitaux démontrent que la névrose phobique ne forme que 5% de toutes les névroses adultes. Elle se présente un peu plus souvent chez l'homme que chez la femme.

5.2.2.3 Symptomatologie

Le début

Les états phobiques se présentent habituellement vers la fin de l'adolescence ou au début de l'âge adulte, mis à part les phobies scolaires qui commencent dans l'enfance. Le début est généralement soudain avec l'émergence d'une grande anxiété accompagnée d'une forte angoisse, lorsque la personne est en face de ce qui deviendra son objet ou sa situation phobique. Apparemment le sujet ne sait pas pourquoi il a peur, quoiqu'il soit reconnu que la névrose phobique survient, lorsque le sujet est stimulé dans sa vie sociale par des situations qui réactivent les conflits oedipiens.

Les symptômes

C'est la phobie qui forme le symptôme central des états phobiques. Les phobies provoquent chez le sujet beaucoup d'anxiété allant jusqu'à la panique. Le sujet admet la morbidité de ses phobies mais c'est plus fort que lui. L'anxiété est parfois si sévère qu'elle peut causer une sensation de dépersonnalisation. Afin d'éviter de souffrir ainsi, le sujet fera tout son possible pour fuir l'objet ou la situation phobique.

Les phobies sont innombrables mais il y en a qui se présentent plus souvent et qui probablement sont les plus importantes (car elles nécessitent des soins):

L'agoraphobie: c'est la peur d'être seul dans les rues et les places publiques.

La claustrophobie: c'est la peur des espaces clos qui peuvent aussi contenir ou non une foule, comme les églises, les ascenseurs, les théâtres, les moyens de transport public et spécialement les avions.

Ces phobies sont les plus courantes et elles deviennent très embarrassantes pour le sujet surtout s'il est obligé de faire face à ces phobies pour gagner sa vie.

L'érythrophobie: peur de rougir devant autrui, est une phobie très difficile à guérir. Malgré que la couleur des joues n'a pas changé, la personne qui en souffre a la conviction qu'elle rougit. Cette condition peut amener la personne à réduire considérablement sa vie sociale.

Phobie des animaux (zoophobie), phobie des hauteurs et du vide, phobie des objets (couteaux, aiguilles, plumes, tissus de velours, etc.), phobie des transports (train, avion, bateau, mal de mer, de l'air), phobie d'impulsion: homicidaire (à la vue d'une arme, à l'idée d'une rencontre), suicidaire (devant une voiture, le métro, le train, devant une fenêtre, un précipice, la mer, etc.), phobie des maladies (nosophobie) (cancérophobie, peur de la syphilis, des migraines, etc;) dysmorphophobies (portant sur les cheveux, le nez, les oreilles, les pieds, le visage, les seins, etc.).

5.2.2.4 Mécanismes d'évitement contre phobiques

Les phobies sont souvent associées à des modes d'évitement de l'objet phobique, v.g. dans l'agoraphobie, le sujet peut emprunter des trajets familiers, avoir des points de repère, des relais, des abris, des feux de circulation. Le sujet choisira rituellement le trajet usuel connu, ne voyagera qu'en voiture, s'accompagnera de personnes, de chiens, d'objets de protection, de talisman, etc.

Les états phobiques peuvent parfois se présenter sous forme d'un tableau ''contre-phobique''. Le sujet, pour camoufler sa phobie, l'affrontera d'une façon téméraire prenant presque la forme d'une compulsion à rechercher les situations ou les objets phobiques.

5.2.2.5 Mécanisme de formation des états phobiques

C'est en 1926, dans la publication: ''Inhibitions, symptômes et angoisse'' que Freud a finalisé ses idées sur la névrose phobique. Il explique que les phobiques sont des personnes qui ont mal résolu leur complexe d'Oedipe. A l'âge adulte, leurs pulsions ont une coloration fortement incestueuse et lorsqu'ils sont stimulés sexuellement ils ressentent une grande anxiété. Le moi essaye de refouler ces pulsions sexuelles, mais si le refoulement comme mécanisme de défense échoue, le moi utilisera d'autres mécanismes de défense, tels que le déplacement: le conflit sexuel est déplacé de la personne qui évoque le conflit vers un objet ou une situation qui, en apparence, ne peut pas évoquer le conflit, évitant ainsi l'anxiété flottante et constante observée dans la névrose d'angoisse. Ainsi chez le Petit Hans, la crainte du père rival sera détournée et investie sur les craintes du cheval; crainte moins pénible et plus économique.

Il semble que l'objet ou la situation phobique ont habituellement une relation directe avec les sources du conflit. Ainsi, habituellement, la phobie est une représentation symbolique de la pulsion ou du désir sous-jacent. Par exemple, la mère qui a peur de blesser son enfant éprouve inconsciemment le désir de le faire; c'est la phobie d'impulsion. La crainte des endroits publics s'explique souvent par la crainte (et le désir) d'être stimulé sexuellement par des inconnus.

Dans les états phobiques, on remarque aussi d'autres formes d'anxiété ou d'angoisse. Par exemple: l'anxiété ou l'angoisse de séparation peut exister dans l'agoraphobie et les phobies scolaires. Il s'agit alors d'une angoisse primitive qui se rapporte au stade oral du développement psychosexuel, période où l'enfant avait très peur d'être séparé de sa mère. S'il y a une fixation à ce stade, le phobique éprouvera ce genre d'angoisse lorsqu'il s'éloignera de chez lui, comme dans la phobie scolaire ou l'agoraphobie.

Une pulsion agressive pourrait exister inconsciemment chez une personne ayant la phobie des couteaux ou la peur qu'il puisse arriver malheur à un membre de sa famille. Dans les cas de phobie d'impulsion suicidaire, il peut s'agir d'un sentiment de culpabilité inconscient.

L'attitude d'évitement de l'objet ou de la situation phobique provoque chez le sujet un soulagement de l'anxiété qui ne fait que renforcer le comportement phobique. Cette attitude d'évitement devient un symptôme stable et caractéristique de la névrose phobique.

Exemple d'un cas clinique:

Il s'agit d'une dame mariée âgée de 35 ans qui consulte un médecin car elle a peur de blesser ses enfants ou qu'un accident arrive à son mari lorsqu'il va travailler loin de la maison. Après plusieurs entrevues de psychothérapie analytique, on voit que très tôt dans sa vie, cette patiente avait l'impression d'être rejetée par ses parents et qu'elle espérait avoir, par l'entremise de son mari, l'amour et l'attention qu'elle n'avait pas reçus de ses parents. Ainsi, elle entrevoyait ses enfants comme une menace à sa relation avec son mari et se sentait agressive et hostile vis-à-vis d'eux. Elle était aussi hostile face à son mari puisqu'elle le voyait rejetant comme ses parents. Cette hostilité était refoulée mais exprimée de façon déguisée par les phobies de blesser ses enfants et la crainte qu'il arrive un malheur à son mari s'il s'éloignait d'elle et l'abandonnait... Lorsque ces conflits furent amenés à la conscience, il lui fut possible de les résoudre d'une façon moins pénible et ainsi les phobies disparurent.

5.2.2.6   Evolution et pronostic

Les études cliniques rapportent que la névrose phobique est une maladie chronique. Les symptômes phobiques deviennent de plus en plus pénibles et résistent à la plupart des moyens thérapeutiques. Certaines formes de phobies, spécialement l'agoraphobie, sont très difficiles à traiter de sorte que la participation de l'individu à sa vie sociale devient très précaire. Il en est de même lorsqu'il y a plusieurs phobies chez le même sujet, de sorte que son champ d'action diminue considérablement.

Le pronostic est bon lorsqu'en psychothérapie on constate que le conflit névrotique est proche de la conscience et ne s'accompagne pas d'autres symptômes. Par contre, la présence de symptômes compulsifs ritualisés associés à la phobie, comme le besoin de se laver souvent par crainte des microbes, rend le pronostic plus grave.

5.2.2.7   Diagnostic différentiel

Une phobie bien définie est facile à reconnaître et lorsqu'elle domine le tableau clinique, on peut porter le diagnostic de névrose phobique. Il arrive parfois que les psychoses schizophréniques ou dépressives s'accompagnent de quelques phobies ou peuvent même commencer par des symptômes phobiques ou obsessionnels. Jusqu'à récemment on donnait le diagnostic de schizophrénie pseudo-névrotique lorsque la schizophrénie comprenait plusieurs phobies.

5.2.2.8 Traitement

Les psychothérapies psychanalytiques

Elles sont très longues et malgré la neutralité bienveillante de base du thérapeute, Freud recommandait à ses malades d'affronter leur phobie pour ne pas persister dans l'évitement. En effet, si on entreprend une thérapie psychanalytique, il faut à un moment donné devenir supportif et donner des conseils directs au patient en l'encourageant à affronter sa phobie. Il faudrait constamment exhorter le patient à abandonner son comportement d'évitement de la phobie, même s'il échoue dans ses premières tentatives, car s'il perd courage ou confiance en ses capacités, il abandonnera la lutte et restera phobique pour longtemps.

L'hypnose (voir chapitre 37)

Elle est utile, non seulement pour renforcer l'encouragement qui fait partie des mesures supportives du thérapeute, mais aussi pour combattre directement l'anxiété due à l'objet ou à la situation phobique. Le thérapeute pourra enseigner l'autohypnose à son client pour l'amener à se relaxer suffisamment afin d'être capable d'affronter sa phobie.

Les traitements de relaxation (voir chapitre 34)

Pour ceux qui ne peuvent pas utiliser l'autohypnose, on peut plus facilement leur enseigner une méthode de relaxation. Additionnée quelquefois à une médication anxiolytique, cette méthode peut aider le phobique à mieux contrôler son anxiété pour l'amener tout doucement à affronter sa phobie.

Les traitements behavioristes (voir chapitre 35)

Ces méthodes inspirées des théories de l'apprentissage ont donné la preuve de leur supériorité thérapeutique dans la névrose phobique. Les méthodes les plus employées sont la désensibilisation progressive, l'inhibition réciproque et l'immersion *(flooding)* décrites au chapitre 35. Toutes ces méthodes s'attaquent directement au symptôme phobique sans nécessairement prendre en considération la psychodynamique sous-jacente. Les craintes formulées par certains psychanalystes, que la disparition du symptôme phobique entraînerait l'apparition d'autres symptômes névrotiques ou psychotiques, ne se sont pas réalisées. Objectivement, le traitement des névroses phobiques par les méthodes de la thérapie comportementale est le plus efficace.

5.2.3 L'hystérie

5.2.3.1 Définition

Le manuel de classification internationale des maladies (CIM-9) définit l'hystérie comme suit: ''troubles mentaux dont les motifs, que le malade semble ignorer, produisent soit un rétrécissement du champ de la conscience, soit un trouble des fonctions motrices ou sensorielles qui peuvent sembler avoir un avantage psychologique ou une valeur symbolique. L'hystérie peut se caractériser par des phénomènes de conversion ou de dissociation. Dans le premier cas, le principal ou unique symptôme est un trouble fonctionnel psychogène d'une partie du corps, par exemple: paralysie, tremblement, cécité, surdité, crises. Dans la forme dissociative, le symptôme dominant est un rétrécissement du champ de la conscience qui paraît servir un but inconscient et est habituellement accompagné ou suivi d'une amnésie sélective. Il peut y avoir des changements spectaculaires mais essentiellement superficiels de la personnalité, prenant parfois la forme d'une fugue (état d'errance). Le comportement peut simuler la psychose ou, plus exactement, l'idée que le malade s'en fait.''

Il est bon de noter que, dans la toute récente classification américaine (DSM III), les phénomènes de conversion hystérique s'appellent ''troubles de conversion''. Ils sont classifiés sous la rubrique des ''troubles somatoformes''.

5.2.3.2   La conversion hystérique (voir section 15.3.2)

Epidémiologie

La névrose hystérique de conversion avec ses grands symptômes de paralysie, d'anesthésie et de convulsion était très fréquente vers les débuts du XXe siècle. Sa fréquence ne semble pas diminuer, mais de toute évidence, sa forme clinique a changé. De nos jours, elle se présente plus souvent sous la forme de douleurs et de plaintes physiques simulant assez bien n'importe quelle maladie physique, et il est bien rare de voir la grande crise d'hystérie telle que décrite par Charcot. Maintenant, on considère que le phénomène de conversion ne se retrouve pas que dans l'hystérie; la conversion peut être un symptôme associé à n'importe quel trouble névrotique, psychosomatique, psychotique ou de personnalité.

Pathologie

Il n'y a aucune atteinte tissulaire neurologique rattachée au symptôme de conversion. Cependant, si une paralysie hystérique devient chronique, elle pourra produire secondairement de l'atrophie musculaire avec une limitation des mouvements du membre atteint, suite à l'abandon de son usage.

Mécanisme de formation du symptôme de conversion hystérique

Selon Freud, il s'agit d'une fixation au stade du complexe d'Oedipe produisant un conflit chez l'adulte, concernant ses pulsions sexuelles, parce qu'il n'a pas pu se libérer de son penchant incestueux interdit. Le moi de l'hystérique utilisera différents mécanismes de défense contre l'anxiété produite par le conflit: d'abord le refoulement, mais devant l'échec de ce mécanisme il utilisera la conversion. L'énergie libidinale émergeant des pulsions oedipiennes sera convertie en symptômes hystériques affectant les sphères sensori-motrices. Ces symptômes ont une double fonction: d'une part, ils empêchent l'accès à la conscience des pulsions libidinales angoissantes, d'autre part, ils permettent leur expression symbolique.

Les hystériques n'abandonnent pas facilement leurs symptômes car ce faisant, ils prendraient conscience de leurs pulsions incestueuses, ce qui leur est insupportable à cause de la peur de la castration chez l'homme et de l'envie du pénis chez la femme. C'est le bénéfice primaire obtenu par le symptôme. En même temps, se présentant comme malade, ils attirent l'attention, la sympathie et la compassion de leur entourage, ce qui les déculpabilise et leur permet de ne pas avoir à se prendre en charge dans la vie quotidienne. Ils bénéficient ainsi de gains secondaires assez importants pour combler leurs besoins de dépendance. Théoriquement, l'hystérique pourrait garder à vie son symptôme de conversion si ses besoins de dépendance pouvaient être ainsi satisfaits.

Les symptômes hystériques ne se présentent pas seulement dans la névrose hystérique de conversion, mais ils peuvent faire partie d'un tableau de névrose mixte formé de phobies, d'obsessions, de compulsions et de dépression névrotique. D'après la théorie psychanalytique, dans un tableau de névrose mixte, les facteurs psychogènes sont principalement préoedipiens i.e. prégénitaux. Il est intéressant de savoir qu'on peut rencontrer des symptômes hystériques dans certaines psychoses telles que la schizophrénie, les états limites et dans plusieurs types de troubles de la personnalité.

Les symptômes de conversion peuvent parfois apparaître après un accident plus ou moins grave formant le noyau symptomatique de la sinistrose. Le besoin primaire de protection, plutôt que la conversion des conflits d'origine oedipienne, explique ces symptômes qui permettent à la victime d'échapper à une situation qui pourrait devenir dangereuse. Les besoins inconscients de dépendance entrent en conflit avec l'image que le patient se fait de lui-même d'être une personne forte, capable et autonome. Cette image, il doit la préserver pour garder son estime de soi et il ne peut le faire qu'en expliquant consciemment son invalidité et sa régression, par un accident indépendant de sa volonté, lui accordant alors le droit de devenir un invalide méritant le secours, l'attention et la dépendance.

D'après les behavioristes, les symptômes psychiatriques, en général, ne sont pas seulement des adaptations pathologiques à la vie mais plutôt des réponses apprises. L'apprentissage est renforcé et encouragé par la réduction de l'intensité d'une douleur pulsionnelle psychologique qui suit la réponse. Si on prend l'exemple d'une paralysie hystérique, celle-ci fera disparaître l'anxiété rattachée au conflit, d'où la "belle indifférence". Le soulagement psychologique de l'anxiété va renforcer la paralysie. Ainsi se répétera ce soulagement palliatif devant l'anxiété. Cette façon de réagir amènera à la longue un comportement qui deviendra chronique.

On peut expliquer aussi le symptôme de conversion, d'après les études de la communication interpersonnelle. Le symptôme de conversion serait une communication non verbale dans le but d'obliger une autre personne à apporter au malade un secours, une attention spéciale ou même une prise en charge.

5.2.3.3 Description clinique

La conversion est un trouble qui est rapporté plus couramment chez la femme, quoique le sexe féminin n'a certainement pas l'exclusivité de ce trouble surtout si on inclut les sinistroses qui sont beaucoup plus fréquentes chez l'homme. L'hystérie de conversion apparaît souvent pendant l'adolescence ou au début de l'âge adulte, mais on peut aussi la rencontrer à tout âge. Il est cependant très rare qu'un symptôme de conversion hystérique apparaisse **pour la première fois** chez une personne d'âge mûr ou au troisième âge. Toute manifestation d'allure hystérique observée pour la première fois chez une personne d'âge avancé, doit faire penser à une pathologie organique. La symptomatologie peut apparaître d'une façon sporadique et épisodique, surtout suite à des crises émotionnelles provoquées par le stress de la vie courante. Le site et la nature du symptôme peuvent varier d'un épisode à l'autre chez le même sujet. Parfois, un seul symptôme se fixe et devient immuable pour plusieurs années.

A) *Les manifestations physiques*

Les troubles moteurs

Ils sont de deux sortes soit: les mouvements anormaux et les paralysies.

1 — Les mouvements anormaux se présentent sous plusieurs formes. On peut observer des tremblements rythmiques et grossiers de la tête, des bras et des jambes. Une variété de tics choréiformes et de mouvements brusques peuvent apparaître mais ils sont habituellement plus organisés et stéréotypés que les mouvements de la vraie chorée neurogène. On rencontre parfois des mouvements convulsifs englobant tout le corps. Ces crises hystériques qui ressemblent à la grande hystérie de Charcot, bien rare de nos jours dans nos sociétés occidentales, ont les caractéristiques suivantes: contorsions désordonnées assez brusques pendant la crise avec mouvements coïtaux.

On rencontre aussi parfois de l'astasie-abasie où le malade ne peut pas maintenir son équilibre dans la station debout.

2 — Les paralysies et les parésies s'installent habituellement dans les membres et se présentent sous la forme d'une monoplégie, une hémiplégie ou une paraplégie. Les membres affectés sont flasques avec une contracture des muscles antagonistes. A l'examen du membre on remarquera que la paralysie ne se conforme pas à l'anatomie et à la physiologie du système nerveux central ou périphérique. La paralysie prend la forme de la fonction conventionnelle du membre atteint, par exemple: la main est paralysée du poignet jusqu'aux doigts. Si le malade se présente avec une parésie, la faiblesse est plus accentuée à la partie proximale du membre à l'encontre de ce qui se passe dans une maladie du système nerveux central. Si la paralysie atteint les muscles des cordes vocales, il y aura alors ''l'aphonie hystérique''. Dans ce tableau clinique, le malade est capable de siffler, mais ne peut produire aucun autre son de sa voix.

Les troubles sensoriels

L'anesthésie peut passer inaperçue parce que les patients ne s'en plaignent pas. Habituellement, les troubles sensitifs de la peau peuvent atteindre n'importe quelle forme, dimension ou région. Ils atteignent plus souvent les membres périphériques et accompagnent presque toujours les troubles moteurs. Comme dans ces derniers, la distribution des troubles sensoriels ne se conforme pas à l'anatomie du système nerveux, telle que l'anesthésie en gant.

Les organes des cinq sens peuvent perdre leur fonction. Habituellement, ce sont les sens de la vue et de l'ouïe qui sont les plus atteints. La cécité et la surdité peuvent se manifester unilatéralement ou bilatéralement. Un trouble visuel bien particulier se manifeste sous forme d'une diminution concentrique du champ visuel allant jusqu'à ne préserver que sa partie centrale.

Nous pouvons quelquefois observer des hallucinations dans la névrose hystérique. Ce sont surtout des hallucinations visuelles qui apparaissent et qui se répètent d'une façon stéréotypée, représentant des situations de la vie passée du sujet très chargées émotionnellement.

Les symptômes hystériques simulant une maladie physique

L'hystérique peut mimer et effectivement vivre tous les malaises de la maladie physique d'une personne avec qui une relation émotionnelle très étroite s'est établie. Parfois, ce n'est qu'après la mort de cette personne importante que la symptomatologie apparaît telle que: les douleurs précordiales d'une maladie coronarienne après la mort d'un parent ou d'un conjoint par infarctus du myocarde.

On peut parfois observer des douleurs rythmiques abdominales assez fortes chez un homme dont la femme est en train d'accoucher.

Les symptômes variés qui s'ajoutent à ceux d'une maladie physique

Il s'agit surtout du symptôme de la douleur hystérique qui se prolonge impunément après la guérison complète d'une lésion. Des symptômes douloureux, interminables, avec même une perte de fonction démesurée par rapport à la lésion, peuvent survenir chez les accidentés au travail. Ils sont de nature hystérique à cause des gains secondaires de compensation dans les cas de sinistrose.

La question devient encore plus épineuse lorsqu'après une vraie crise épileptique, le sujet continue à présenter des crises hystériques mimant parfaitement la première crise. C'est tout le problème de l'hystéro-épilepsie que nous ne pouvons pas traiter ici.

B)   *Les manifestations du comportement hystérique*

La personne atteinte de conversion hystérique ne démontre aucun signe de psychose ni de trouble physiologique majeur de la fonction cérébrale. Le comportement le plus frappant est la "belle indifférence" face à l'invalidité parfois très marquée, causé par la symptomatologie.

Ces patients présentent souvent un comportement particulier qui se rattache à la personnalité hystérique et qui comprend: la dramatisation, l'exhibitionnisme, le narcissisme, la séduction, la dépendance, la manipulation et l'expression exagérée des émotions.

C) *Diagnostic*

Les phénomènes de mouvements anormaux, les paralysies et les anesthésies sont habituellement faciles à diagnostiquer. C'est lorsqu'il s'agit de douleurs ou de symptômes simulant des maladies physiques que le diagnostic devient difficile à poser.

Il s'agit d'une conversion lorsqu'on rencontre quelques-uns des facteurs additionnels suivants:

1.- des symptômes de paralysies et d'anesthésies ne se conformant pas à l'anatomie et physiologie du SNC ou

2.- des symptômes névrotiques tels: l'anxiété, la dépression, les obsessions et les phobies;

3.- des maladies multiples nécessitant parfois une chirurgie; même après l'intervention, on ne démontre pas de causes physiques à ces maladies;

4.- des troubles sexuels prenant la forme d'une frigidité et surtout d'un dégoût général de la sexualité;

5.- les caractéristiques du comportement de la personnalité hystérique;

6.- la belle indifférence;

7.- la mort récente d'une personne importante pour le patient ou tout autre stress affectant la vie relationnelle tel que séparation, divorce, etc.

Les tests psychologiques projectifs tels que le test de Rorschach peuvent renforcer la clinique. Ils montreront des personnes d'imagination riche avec un affect assez labile et une tendance à l'impulsivité.

5.2.3.4 Diagnostic différentiel

La sclérose en plaques

C'est le diagnostic le plus difficile à différencier car, à ses débuts, cette maladie présente des troubles passagers tels qu'une monoparésie d'un membre ou une amaurose transitoire. Il faudrait suivre le malade pour voir si des troubles neurologiques se précisent plus tard. C'est en identifiant les facteurs psychologiques et psychodynamiques qui accompagnent la conversion hystérique qu'on pourra définir le diagnostic. En règle générale, il est dangereux de porter un diagnostic d'hystérie de conversion par exclusion.

La schizophrénie

Le fait que les hystériques présentent parfois des hallucinations visuelles pourrait nous faire penser à la schizophrénie. Il est bon de retenir que dans la schizophrénie on rencontre surtout des hallucinations auditives. Les hallucinations visuelles hystériques se composent de scènes complexes qui se répètent de façon stéréotypée. L'hystérique ne présente pas les troubles majeurs des émotions et de la pensée qu'on rencontre chez le schizophrène. Il peut cependant parfois arriver qu'un schizophrène manifeste un symptôme de conversion.

La simulation

Le fait que l'hystérique présente une conversion qui l'amène à avoir des gains secondaires pourrait faire penser qu'il simule une maladie. Les critères de Davidson peuvent nous aider à dépister la simulation:

— une incapacité à travailler mais une capacité à s'amuser;

— utilisation de certaines fonctions apparemment perdues quand le sujet ne se croit pas observé;

— le patient est porté à mimer les symptômes des autres patients hospitalisés;

— refus d'un emploi qui pourrait être réalisé;

— refus de subir une intervention chirurgicale, un traitement ou une hospitalisation en milieu spécialisé (psychiatrique).

5.2.3.5   Pronostic

Les symptômes de conversion peuvent d'une part disparaître sans aucun traitement et d'autre part se fixer et devenir chroniques malgré tous les traitements. Les quelques études faites sur le sujet démontrent que 50% des cas guérissent au cours d'une année de traitement, 30% gardent leur symptôme jusqu'à cinq ans, et 20% vont garder leur symptôme pour quinze ans et plus. Il est généralement établi que les symptômes hystériques ont tendance à réapparaître en réponse au stress environnant.

Le pronostic est bon lorsqu'une psychothérapie adéquate est instaurée et que les critères suivants existent:

— un conflit psychologique centré autour du complexe d'Oedipe;

— des relations interpersonnelles stables;

— la capacité de se relier au thérapeute et d'établir une alliance thérapeutique;

— la capacité d'éprouver des émotions sans causer une anxiété ou une dépression trop grande;

— la capacité de garder une certaine distance psychologique face à des émotions;

— la capacité d'introspection;

— lorsqu'il s'agit de symptômes bien circonscrits et qui sont apparemment reliés à un stress environnant.

5.2.3.6   Traitement

Le choix du traitement ne dépend ni de l'ampleur, ni de la nature des symptômes, mais plutôt de la structure de la personnalité du patient. Les facteurs d'un bon pronostic vont favoriser une psychothérapie d'orientation psychanalytique. Il est clair que la psychanalyse ne sera indiquée que pour une petite partie des malades hystériques. La psychanalyse apportera des changements profonds et durables dans la structure de la personnalité chez les patients qui se prêtent à une thérapie d'exploration; les symptômes de conversion guériront en cours de route.

Les hystériques qui ont de grands besoins de dépendance se prêtent mieux à une thérapie de support, soit individuelle, soit en groupe. Chez ce genre de patient, on aura recours à des rencontres familiales afin d'aménager leur environnement pour le rendre moins anxiogène.

Plusieurs méthodes ont été utilisées pour traiter un symptôme de conversion avec parfois des guérisons dites "miraculeuses". Parmi ces méthodes citons: l'inhalation du gaz dioxyde de carbone, l'application de l'électricité statique, les massages du chiropraticien, la foi au pouvoir du "guérisseur" et à d'autres charlatans.

Le traitement pharmacologique n'est jamais utilisé pour le symptôme de la conversion, mais on peut recourir aux anxiolytiques s'il y a de l'anxiété qui s'installe suite à l'invalidité persistante, après avoir essayé au préalable une méthode de relaxation.

5.2.3.7 Prévention

Cet aspect prend toute son importance lorsqu'il s'agit de soigner des accidentés du travail où des patients souffrant de maladie physique conduisant à l'invalidité sans forme de conversion hystérique, à cause des bénéfices secondaires obtenus par leurs symptômes (prestation d'invalidité). Il faudrait encourager le malade à devenir actif et autonome le plus vite possible car, si on le surprotège, il finira par régresser dans un invalidisme chronique et sa guérison deviendra de plus en plus difficile.

5.2.4 La dissociation hystérique

5.2.4.1 Définition

Dans la classification américaine du DSM III, les phénomènes de dissociation hystérique avec toutes leurs formes cliniques sont traités sous la rubrique des "troubles dissociatifs" tandis que le somnambulisme est traité sous le chapitre des "troubles du sommeil".

5.2.4.2 Epidémiologie

Il n'y a pas de preuve évidente pour conclure à une diminution de l'incidence de l'hystérie de dissociation, mise à part la forme clinique se présentant sous l'appellation de personnalités multiples. Cette entité devient relativement rare comparativement avec la situation qui prévalait vers la fin du XIXe siècle.

5.2.4.3   Description clinique

Le début

Toutes les formes cliniques de l'hystérie dissociative commencent et se terminent d'une façon soudaine. Nous pouvons cependant presque toujours identifier la présence d'un traumatisme émotionnel ou d'un conflit psychologique précédant la dissociation.

Les symptômes

Les manifestations cliniques de la dissociation hystérique sont très variées et souvent assez complexes. Il est parfois difficile de les différencier l'une de l'autre. Elles ont une caractéristique commune à savoir l'amnésie totale de tout ce que la personne a vécu lorsqu'elle était sous l'effet de cette dissociation.

Les formes cliniques

1. Le somnambulisme

Ce tableau est caractérisé par une altération de la conscience du patient concernant son entourage, accompagné d'un vécu d'événements traumatiques émotionnels sous forme d'hallucinations, que le malade ne se rappelle pas du tout lorsqu'il revient dans son état de conscience normal. Ce tableau peut survenir durant le sommeil ou même à l'état d'éveil. Il ne faudrait pas le confondre avec le somnambulisme nocturne des enfants. Le malade, dans un état de somnambulisme hystérique, n'est pas en contact avec son entourage, il paraît préoccupé par un monde qui lui est propre, avec un regard hagard et dans un état de transe. Il peut paraître troublé émotionnellement en parlant tout seul d'une façon incohérente, avec des bribes de phrases souvent incompréhensibles. Il peut cependant s'engager parfois dans des activités normales, qu'il répétera chaque fois qu'il fait une crise de somnambulisme. Cette crise peut durer de quelques minutes à quelques heures et puis s'arrêter soudainement. L'épisode est suivi d'une amnésie totale de tout ce qui s'est passé. Il s'agit probablement d'un refoulement d'événements traumatisants qui apparaissent sous une forme hallucinatoire et symbolique.

2.   L'amnésie

Dans cette forme d'hystérie de dissociation, le patient remarque, à un moment donné, qu'il a complètement oublié tout ce qu'il faisait depuis quelques heures passées. Il peut arriver, mais rarement, qu'il prenne conscience que c'est toute sa vie qu'il a oubliée y compris son identité, nom, adresse, etc. Durant sa période amnésique le patient paraît très normal et ne montre pas qu'il a perdu contact avec la réalité. Le malade présente parfois une amnésie sélective de certains épisodes de sa vie où il a subi des traumatismes émotionnels.

3. La fugue

Le patient déambule habituellement loin de son domicile, pendant des jours, sinon des mois. Durant toute la période de fugue, il a complètement oublié sa vie antérieure, même sa parenté. Contrairement à l'amnésie hystérique le patient n'est pas conscient qu'il a oublié quoi que ce soit. Lorsque soudainement il revient à lui, il se rappellera bien du déroulement de sa vie jusqu'au début de la fugue mais il aura une amnésie complète de toute la période de la fugue. Durant la fugue, son comportement ne démontre rien d'anormal, au contraire, il est calme, s'occupe à des travaux simples et mène une vie modeste qui n'attire pas la curiosité de son entourage.

4. Les personnalités multiples

Le patient est dominé ici par les caractéristiques du comportement de deux ou plusieurs personnalités, toutes différentes l'une de l'autre. La transition d'un type de personnalité à l'autre se fait d'une façon très soudaine et, chaque fois, cette nouvelle personnalité n'est pas consciente de la personnalité antérieure, ayant une amnésie complète de tout ce qui s'est passé. Si le patient prend un rôle particulier dans un certain type de personnalité, il reprend ce même rôle après avoir passé par d'autres personnalités; il se rappelle très bien de ce rôle particulier et continuera à vivre selon les relations et les activités qu'il avait contractées dans ce temps-là. Le patient ne démontre aucune anomalie mentale sous toutes les formes de personnalité qu'il assume.

5. Le syndrome de Ganser

Il s'agit d'un tableau de dissociation apparaissant parfois chez certaines personnes détenues dans les pénitenciers. Le tableau est caractérisé par un comportement bizarre tellement inhabituel qu'on penserait que le détenu est en train de "jouer au fou". Par exemple, il donnera des réponses à côté ou inappropriées aux questions qu'on lui pose. Il semble dans ce cas, que le malade, malgré qu'il soit conscient de ses réponses stupides, le fait d'une façon automatique, suite à une dissociation d'une partie de son appareil psychique.

5.2.4.4 Mécanisme de formation

L'explication psychanalytique de la dissociation hystérique

Dans l'hystérie de dissociation, on retrouve les éléments oedipiens et préoedipiens de l'hystérie de conversion. La différence entre ces deux formes d'hystérie s'explique par le mécanisme de défense utilisé contre l'angoisse provenant du conflit oedipien. Le refoulement utilisé habituellement, pour ne pas être conscient des pulsions incestueuses, ne suffit pas. Ces pulsions émergent alors à la conscience, modifiées cependant par la censure du sur-moi comme dans le rêve. Le patient dissocié vit donc comme dans un rêve.

Ces différents tableaux cliniques de dissociation apparaissent habituellement en réponse à une situation qui évoque le conflit névrotique de base. Le somnambule revit des événements émotionnels traumatisants. Dans la fugue, le patient vit selon ses désirs pulsionnels. Dans les tableaux de personnalités multiples, la personnalité primaire et habituelle est réservée et inhibée et c'est plutôt dans la personnalité seconde que le sujet se permet tout ce que ses pulsions désirent, souvent même se moquant de sa première personnalité. Lorsqu'il revient à lui, il n'est pas du tout conscient de sa seconde personnalité.

5.2.4.5   Le pronostic

Le pronostic concernant une amnésie ou une fugue dissociative est bon si un traitement énergique est instauré. Mais si la personne tend facilement vers la dissociation, chaque fois qu'elle sera sous l'influence d'un stress évocateur du conflit oedipien, le pronostic sera réservé. Les rares cas de personnalités multiples sont probablement des phénomènes très sérieux car ils causent des changements très significatifs dans la vie du malade. La littérature ne rapporte que très peu de succès thérapeutiques dans ces cas malgré tous les traitements disponibles de nos jours.

5.2.4.6   Diagnostic différentiel

La schizophrénie

Un trouble dissociatif hystérique pourrait ressembler à une stupeur catatonique schizophrénique, surtout si le sujet est négativiste et refuse de communiquer pendant l'épisode de dissociation. Cependant, contrairement à la catatonie, la dissociation est de courte durée. En plus, lorsque le contact peut être rétabli avec l'hystérique, on ne trouvera pas les troubles de la pensée et de l'affect caractéristiques de la schizophrénie.

Le somnambulisme ou déambulation nocturne

Ce phénomène est plus fréquent chez l'enfant que chez l'adulte. Le comportement n'est pas nécessairement pathologique. Il se produit seulement au cours de la nuit, dans le sommeil profond (stade IV) et n'est pas associé à un rêve (sommeil REM). Le patient déambule, sans but précis, présente des comportements désordonnés et maladroits et il est en même temps très difficile à réveiller. Dans le somnambulisme hystérique, qui peut aussi se produire la nuit, on remarque que le comportement du malade est beaucoup plus intégré et son discours évoque des souvenirs traumatisants.

L'amnésie faisant suite à une commotion cérébrale

L'amnésie dissociative peut parfois survenir suite à un traumatisme crânien; nous aurons alors une combinaison d'amnésie hystérique et posttraumatique.

En général, l'amnésie rétrograde post-traumatique s'efface graduellement mais une difficulté à se rappeler les événements qui se sont passés lors du traumatisme persiste. Dans l'amnésie hystérique, la conscience claire se maintient tandis que l'amnésie de la période dissociative persiste.

L'épilepsie temporale

L'épilepsie temporale peut parfois ressembler à une fugue dissociative. Le patient déambule, se comportant d'une manière plus ou moins bizarre. Sous l'effet d'une crise psychomotrice du lobe temporal, il peut présenter un comportement qui se réfère à des événements marquants de sa vie passée comme le ferait un patient somnambule hystérique. A l'aide d'un tracé électro-encéphalographique caractéristique, on pourra attribuer ce tableau à une lésion du lobe temporal.

5.2.4.7 Traitement

L'amnésie est de loin le tableau clinique le plus fréquent de la dissociation hystérique. La fugue est plus rare. Lorsqu'on doit traiter ces deux entités cliniques, il est très important de ramener à la conscience du malade les événements traumatisants de sa vie passée. Sinon, le contenu psychique demeurant inconscient formera le moteur de nouveaux épisodes dissociatifs. Le moyen de parvenir à la remémoration des événements conflictuels est la "psychothérapie analytique", en utilisant les associations libres et les rêves des malades. Parfois, en l'espace d'une ou deux séances de psychothérapie, on peut dévoiler le contenu conflictuel qui a causé la dissociation. Une psychothérapie analytique d'exploration sera plus indiquée si on remarque clairement que la dissociation est en relation directe avec un conflit intrapsychique. Le but sera de permettre au névrotique d'alléger un peu son surmoi contrôlant, et qui l'amène à se dissocier, pour permettre à ses pulsions de se satisfaire d'une façon mal adaptée. Si on n'y arrive pas rapidement, on pourra se servir de "l'hypnose" ou de la "narco-analyse" en utilisant du pentothal intraveineux. Pendant la transe, il faudrait suggérer au malade de garder en mémoire, lorsqu'il se réveillera, tout ce qui avait été refoulé.

Si le malade obtient des bénéfices secondaires de dissociation, il sera très difficile de le guérir. Il se peut parfois qu'il y ait des éléments de simulation chez le malade qui continue d'utiliser sa dissociation; il est très délicat de les mettre à jour, à moins d'en être certain.

Le traitement définitif de la dissociation dépend certainement des causes déclenchantes. Si les facteurs déclenchants se situent dans l'entourage du patient, il est recommandé d'entreprendre une "thérapie de support" accompagnée parfois d'une "thérapie familiale" pour alléger le stress environnant, ou de faire quelques manipulations du milieu pour atténuer ces pressions sur le malade.

5.2.5 Syndrome de dépersonnalisation

5.2.5.1 Définition

Le manuel de classification internationale des maladies mentales (CIM 9) définit le syndrome de dépersonnalisation comme suit: troubles névrotiques caractérisés par un état désagréable de perception perturbée dans lequel le sujet ressent les objets extérieurs ou des parties de son propre corps comme modifiés dans leur qualité, irréels, lointains ou automatisés. Il est toutefois conscient du caractère subjectif du changement qu'il éprouve. La dépersonnalisation peut se présenter comme un symptôme de divers troubles mentaux, parmi lesquels la dépression, la névrose obsessionnelle, l'anxiété et la schizophrénie. Dans ces cas, l'état ne sera pas classé dans la présente catégorie mais dans la catégorie principale correspondante. Synonyme: déréalisation.

Dans la classification américaine du DSM III, le syndrome de dépersonnalisation est classé sous la rubrique des "troubles dissociatifs" et s'appelle "trouble de dépersonnalisation".

5.2.5.2   Epidémiologie

On trouve la dépersonnalisation comme seul symptôme, chez 30 à 70% des jeunes adultes normaux. Dans ces cas, la dépersonnalisation n'est pas nécessairement pathologique si elle ne se répète pas. La dépersonnalisation se voit assez souvent chez les enfants lorsqu'ils commencent à percevoir leur schéma corporel.

Bien des personnes normales présentent parfois de courtes périodes d'étrangeté lorsqu'ils voyagent dans des endroits non familiers.

Les informations sur l'incidence de la dépersonnalisation pathologique sont précaires. Habituellement, elle fait partie d'autres tableaux psychiatriques. On peut la rencontrer dans la névrose d'angoisse, la dépression et surtout la schizophrénie. Le syndrome de dépersonnalisation névrotique pur est apparemment rare.

Quelques études récentes ont démontré que ce phénomène se retrouve deux fois plus chez la femme que chez l'homme; il atteint habituellement les jeunes et rarement ceux qui ont dépassé la quarantaine.

5.2.5.3   Tableau clinique

Début et évolution

Les symptômes apparaissent d'une façon soudaine dans la majorité des cas. Le syndrome débute le plus souvent entre 15 et 30 ans. Il continue d'une façon chronique intermittente et son intensité demeure stable dans la majorité des cas. Parfois le syndrome apparaît sous forme d'une série d'attaques intercalées de périodes asymptomatiques. Les facteurs prédisposants et parfois précipitants sont: la fatigue, une maladie toxique, la guérison d'une intoxication, l'hypnose, la médication, la douleur physique, l'anxiété, la dépression et un stress marqué dû à un accident ou au combat.

5.2.5.4   Symptomatologie

Le patient est conscient d'être envahi d'un sentiment d'étrangeté et de vivre une situation d'irréalité. Les processus mentaux et l'entourage fonctionnent comme d'habitude mais n'ont aucune relation ou aucun sens pour le sujet qui reste pourtant bien conscient. La sensation d'étrangeté se rapporte au corps, au psychisme et à l'entourage. Le patient peut sentir qu'une partie ou tout son corps ne lui appartient plus. Il peut rapporter que sa pensée et son comportement lui sont étrangers. Il se plaint d'être incapable de sentir les émotions appropriées malgré qu'il les exprime bien.

L'étourdissement et l'anxiété accompagnent habituellement ce trouble. Plusieurs patients se plaignent d'un sentiment subjectif de désorientation dans le temps et l'espace. Ils sentiront parfois que leurs membres s'allongent ou se raccourcissent.

L'anxiété secondaire à ce phénomène est très intense, amenant le sujet à craindre la folie. Le sujet est conscient que sa perception de la réalité est perturbée; c'est le symptôme le plus caractéristique. Il cherche donc secours pour son impression d'étrangeté et son sentiment de perturbation émotive. Il demeure en bon contact avec l'examinateur et ne présente pas les troubles majeurs de l'affect et de la pensée que l'on observe dans les psychoses.

5.2.5.5 Les facteurs en cause

Théories physiologiques

Les hallucinogènes comme la mescaline, le LSD et le cannabis peuvent causer des altérations de la perception de la réalité. Certaines maladies organiques cérébrales peuvent causer le même trouble. La déprivation sensorielle ainsi que la stimulation électrique des lobes temporaux du cortex peuvent occasionner des phénomènes de dépersonnalisation.

Théories psychologiques

Vers le début de la psychanalyse, l'expérience d'étrangeté a été interprétée comme étant un mécanisme de défense. Par la suite, l'emphase a été mise sur un trouble concernant la force du moi. Actuellement la majorité des auteurs pensent que la dépersonnalisation est un mécanisme de défense très primitif assez pathologique et très proche du déni psychotique. La dépersonnalisation est utilisée d'urgence lorsque les autres mécanismes de défense ne réussissent pas à contrôler des pulsions inacceptables.

5.2.5.6 Diagnostic différentiel

La dépersonnalisation peut constituer un symptôme dans plusieurs maladies psychiatriques. Il faut retenir sa plus grande incidence dans la dépression et la schizophrénie.

Il faut envisager la possibilité d'une prise de drogues hallucinogènes qui peuvent causer un état assez prolongé de perturbation de la perception de la réalité intérieure et extérieure du sujet.

Un examen neurologique approfondi est toujours nécessaire pour éviter de passer à côté d'une tumeur cérébrale ou d'une épilepsie pouvant causer un syndrome de dépersonnalisation, surtout si le syndrome n'est pas accompagné d'autres troubles psychiatriques.

5.2.5.7 Traitement

Il n'y a pas de traitement pharmacologique spécifique. Les anxiolytiques peuvent être utilisés pour calmer l'anxiété, après avoir essayé une méthode de relaxation. La psychothérapie analytique semble être contre-indiquée par certains auteurs proposant l'hypothèse d'un trouble avec une régression prégénitale marquée. La majorité des auteurs suggèrent plutôt une psychothérapie de support.

5.2.6   Les troubles obsessionnels et compulsifs

5.2.6.1   Introduction

Freud a créé ses premières formulations psychodynamiques afin d'expliquer les phénomènes de l'hystérie de conversion. Il disait: "Lorsqu'une idée est inacceptable par le moi de la personne, l'affect associé à cette idée devient inconscient grâce au mécanisme du refoulement et se convertit en des troubles sensori-moteurs qui symboliquement représentent l'idée inacceptée". Cette formulation n'était pas adéquate pour expliquer les phobies et les obsessions. Dans ces deux derniers tableaux, il n'y a pas de symptômes somatiques comme tels mais plutôt des symptômes d'ordre psychique sous forme d'idées affligeantes de honte et d'anxiété. L'obsession est un travail de dissociation entre l'affect (état émotif) et l'idée ou la représentation. La conversion en symptômes somatiques hystériques ne se produit pas; les éléments du conflit (représentation et affect) se dissocient et se manifestent sous forme de symptômes purement psychiques. La pensée est désexualisée. L'agressivité s'empare de la scène, prend un aspect de toute puissance de la mort par diffusion des composantes agressives et libidinales de la pulsion et par régression sadique anale.

5.2.6.2   Définition

Le mot "obsession" signifie une idée qui envahit la pensée d'un individu malgré lui. Le mot "compulsion" signifie un besoin ou une impulsion vers l'action qui, si elle se réalise, devient un acte compulsif.

Les obsessions et les compulsions ont en commun certaines caractéristiques:

1.- elles envahissent d'une façon répétitive et intrusive la pensée consciente de l'individu;

2.- elles ne sont pas syntones au moi de l'individu qui les considère comme étrangères à lui, inacceptables;

3.- l'individu reconnaît qu'elles sont absurdes; il conserve malgré tout un bon contact avec la réalité et une bonne autocritique;

4.- l'individu ressent une anxiété menaçante qui le pousse à prendre des moyens pour contrer l'idée ou l'impulsion;

5.- l'individu démontre une forte tendance à leur résister.

On trouve la plupart de ces caractéristiques dans la définition des troubles obsessionnels et compulsifs dans le manuel de classification internationale des maladies mentales (CIM 9) qui les définit comme suit: "Ce sont des états dont le symptôme principal est un sentiment subjectif de compulsion (à laquelle on doit résister) à commettre une action, se fixer sur une idée, se remémorer une expérience ou ruminer un sujet abstrait. L'intrusion de pensées indésirables, l'obsession par des mots et des idées, les ruminations ou les successions de pensées sont ressenties par le malade comme inadéquates et absurdes. Les impulsions ou idées obsédantes ne sont pas reconnues comme étrangères à la personnalité mais comme venant de soi. Les actes obsessionnels peuvent prendre la forme de gestes quasi rituels destinés à soulager l'anxiété, par exemple: se laver les mains pour éviter la contamination. Les tentatives faites pour écarter les pensées ou les impulsions indésirables peuvent aboutir à un conflit interne grave, s'accompagnant d'une grave anxiété.''

Dans la classification américaine du DSM III, la névrose obsessive-compulsive s'appelle ''trouble obsessif-compulsif'', elle est traitée sous la rubrique ''troubles anxieux''.

5.2.6.3 Epidémiologie

Les troubles obsessionnels et compulsifs ne forment pas plus de 5% de tous les troubles névrotiques. La distribution semble être à peu près égale entre les deux sexes. Un grand nombre de ces patients demeurent célibataires; certaines études proposent que 50% des obsessifs-compulsifs ne se marient pas. D'autres études récentes ont démontré que cette névrose affecte beaucoup plus les sujets intelligents situés dans les couches sociales privilégiées.

5.2.6.4 Description clinique

Le début

Les troubles obsessifs-compulsifs apparaissent habituellement au cours de l'adolescence ou au début de l'âge adulte. Les deux tiers des cas se manifestent avant l'âge de 25 ans et souvent même avant l'âge de 10 ans. Il est rare que les premiers symptômes apparaissent après la quarantaine (moins de 5%). On trouve souvent un facteur précipitant qui désorganise l'environnement méthodique de ces malades et les amène en consultation.

La symptomatologie

Les troubles obsessifs-compulsifs se manifestent soit par des problèmes psychiques, soit par des problèmes de comportement. Les symptômes sont vécus sous forme d'idées ou d'impulsions. Ils peuvent référer à des événements futurs ou à des actions déjà passées. Ils peuvent exprimer soit des désirs, soit des moyens pris pour combattre ces désirs. Les idées et les actions peuvent être simples ou parfois très compliquées et très élaborées dans des rituels de pensées et de comportements. Leur explication peut être claire, ou parfois si obscure à cause de distorsions et de condensations psychologiques, qu'elle ne peut être comprise qu'à travers une psychanalyse.

A)   Les troubles psychiques

Les pensées obsédantes

Les pensées, les mots ou les images sont peut être les formes les plus simples qui envahissent la pensée du malade, toujours contre sa volonté. Une forme particulière de pensées intrusives s'appelle "la rumination obsessionnelle". Il s'agit d'une rumination incessante sur un sujet ou un problème donné, souvent de nature religieuse ou psychologique. Le pour et le contre se répètent sans cesse sous forme de dialectique dans l'esprit de l'individu envahi par le doute et le désespoir.

Les impulsions

Il s'agit d'une autre forme de manifestation psychique où le problème central est une impulsion irrationnelle vers une action interdite ou absurde. L'impulsion se concrétise rarement dans l'action malgré la grande frayeur du patient qui craint toujours de passer à l'acte. Le patient peut sentir l'impulsion de se lancer par la fenêtre du haut d'un édifice ou de se jeter devant une voiture en marche. Il arrive parfois que cette agressivité, sous forme d'impulsion, soit dirigée vers autrui. L'impulsion peut prendre la forme d'un défi choquant le système social, par exemple, l'envie très forte de crier des obscénités dans une église. Malgré que ces impulsions ne soient pas mises en exécution, elles provoquent beaucoup d'anxiété chez le patient et le poussent à éviter l'objet ou la situation qui évoque en lui l'impulsion. Ce symptôme est à mi-chemin entre la phobie et l'obsession.

B)   Les troubles de comportement

Lorsque le patient a uniquement des troubles psychiques, on ne peut s'en apercevoir à moins qu'il ne les divulgue. Cependant, les troubles du comportement sont plus facilement observables. Le patient n'entreprendra ses comportements compulsifs que lorsqu'il sera complètement seul, par crainte du ridicule. Il y a deux types principaux de comportements compulsifs: ceux qui permettent l'expression des pulsions ou désirs sous-jacents et ceux qui sont en formation réactionnelle contre leur expression et qui forment des moyens de contrôle de ces impulsions primaires.

L'acte compulsif qui exprime clairement les besoins sous-jacents est rare. La compulsion à exprimer ces besoins demeure généralement dans la sphère psychique. On ne peut la percevoir que lorsqu'elle contamine un acte compulsif qui avait débuté plutôt comme un moyen de contrôle des besoins. Généralement, les comportements compulsifs sont des moyens défensifs que l'individu utilise afin de contrôler ou de modifier une obsession ou une compulsion. Le comportement compulsif peut parfois prendre la forme d'un rituel stéréotypé. Par exemple, avant de s'endormir, le malade compulsif doit passer par une série d'actes bien précis pour se déshabiller et disposer ses vêtements sinon il développera une grande anxiété et ne pourra pas dormir.

Le doute se trouve souvent au coeur du comportement compulsif et indique la crainte vécue par le malade qu'une partie de ses impulsions interdites puisse se glisser dans son comportement. Il n'est jamais certain d'être capable de bien contrôler ses impulsions. D'ailleurs sa crainte est souvent justifiée, car malgré toutes ses précautions, l'impulsion sous-jacente peut parfois se manifester à travers des comportements compulsifs destinés à contrôler cette impulsion Le comportement du malade sera ainsi transformé pour permettre à l'impulsion de s'exprimer. Par exemple: Freud rapporte l'histoire d'un de ses malades qui avait des idées obsédantes; il croyait qu'un de ses proches était en danger. Le patient combattait ses idées par des prières. Mais, lorsqu'il arrivait à la phrase "Que Dieu le protège", les mots qui sortaient de sa bouche disaient: "Que Dieu ne le protège pas".

Les traits du caractère obsessif-compulsif (voir chapitre 8)

On l'appelle le "caractère obsessionnel", on dit qu'il a une personnalité du type anal ou une personnalité anancastique. Tous ces termes décrivent un groupe de personnes dont la caractéristique comportementale majeure est le "contrôle", en contraste avec la personnalité hystérique qui est caractérisée par une facilité d'expression flamboyante des fantaisies, désirs et émotions.

Ces individus sont très réservés, prudents, calculateurs, parcimonieux, toujours portés à la rationalisation et à la logique. Ils ne tiennent compte ni de l'intuition ni des sentiments, ce qui les rend, en surface, émotionnellement distants. Par ailleurs, ils sont tenaces, fiables et très consciencieux. Ce qui leur manque en flexibilité, en imagination et en invention, ils le comblent par une attitude de prudence et de conformisme.

Ils aiment sentir qu'ils sont capables de contrôler leur entourage. Ils sont très ordonnés, propres et ponctuels. Ils sont têtus lorsqu'on les contredit. Ils ont un grand respect pour la justice et l'honnêteté.

La personne qui présente certains traits de caractère obsessionnels n'est pas anormale, au contraire la société tend à la valoriser pour sa stabilité et son efficacité. Lorsque ces traits deviennent prédominants ou lorsque l'équilibre, entre l'expression de l'impulsion et son contrôle devient paralysant, c'est à ce moment que l'individu sollicite des soins. Cependant, la personnalité obsessionnelle se voit plus fréquemment que les troubles obsessifs-compulsifs.

5.2.6.5   Evolution et pronostic

Deux tiers des patients qui souffrent de cette maladie ont déjà vécu des épisodes semblables antérieurement avant de consulter un médecin. Environ 10 à 15% de ces sujets ont accusé des symptômes obsessifs-compulsifs dès l'âge de 10 ans. Les périodes symptomatiques avaient persisté moins d'un an pour la majorité des cas, mais parfois elles s'étaient étendues sur une période de 4 à 5 ans.

Le traitement psychothérapeutique se prolonge jusqu'à 10 ans ou plus.

Le résultat final montrera que 15% des patients se sentent rétablis, 45% se sentent améliorés et 40% s'aggravent ou ne montrent aucune amélioration. Les patients sont considérés améliorés lorsqu'ils deviennent capables de reprendre leur travail et leurs relations sociales, malgré que des rechutes soient toujours possibles après de longues périodes de rémission.

Les troubles obsessifs-compulsifs sont habituellement des troubles chroniques parsemés de périodes de rémission. Le pronostic est meilleur dans les conditions suivantes:

1.- le recours rapide au traitement;

2.- le facteur précipitant environnant est plus sérieux;

3.- amélioration significative de l'environnement social qui recevra le patient après traitement;

4.- lorsque le patient réussit à établir des bonnes relations individuelles et sociales.

Dans les névroses obsessives-compulsives de l'adolescence et de l'enfance, les mécanismes de défense du moi contre l'anxiété peuvent céder et faire place à un état évoluant vers la psychose.

5.2.6.6   Mécanisme de formation

A)   *Selon la théorie psychanalytique*

Les facteurs psychogéniques

Il est remarquable de voir à quel point les névrosés obsessifs-compulsifs sont préoccupés par les thèmes de l'agressivité et de la saleté. Cette observation amena Freud à déduire que ces patients avaient dû avoir des troubles à la phase anale sadique du développement psychosexuel. Habituellement, les désirs de saleté et d'agressivité propres à cette phase sont modifiés par l'Oedipe et les phases ultérieures du développement psychosexuel, s'il y a eu fixation au stade anal. Dans cette éventualité, la personnalité du sujet sera marquée par les désirs ou les pulsions de cette phase sadique anale.

La régression

Elle se trouve être le mécanisme principal pour la formation de la névrose obsessive-compulsive. Selon la théorie psychanalytique, le patient devant un conflit oedipien ne refoule pas comme dans les autres types de névrose; il abandonne la pulsion génitale et régresse plutôt vers le stade sadique anal où il se trouvait en fixation antérieure. La régression à ce stade sadique anal provoquera d'autres anxiétés à cause de l'émergence de pulsions sadiques. Le sujet devra alors faire appel à des mécanismes de défense pour neutraliser l'anxiété provoquée par des affects ou des impulsions inacceptables.

Les mécanismes de défense

Le plus fréquent est "l'isolation". Il s'agit d'un mécanisme de défense par lequel le patient sépare l'affect du contenu de ses pensées, au point de refouler l'affect en dehors de sa conscience, tout en maintenant la thématique de sa pensée. Si l'isolation ne réussit pas, le patient demeure conscient de ses affects et de ses impulsions sans trop savoir ce qui les sous-tend. Par exemple: il pourrait avoir des impulsions agressives contre des individus sans signification affective tout en ignorant les raisons de cet état de chose. Ici, on comprendra, qu'au fond, la pulsion agressive est déplacée sur d'autres pour ne pas voir l'objet réel de cette impulsion. En plus, l'isolation amènera le patient à ne pas reconnaître l'affect associé à son hostilité contre l'objet relationnel de base. Il demeurera ainsi, étonné, troublé et mystifié par ses compulsions.

"L'annulation rétroactive": lorsque l'isolation ne réussit pas à contrôler l'impulsion, l'annulation rétroactive est utilisée. Il s'agit d'une action compulsive dans le but d'empêcher ou de défaire les conséquences fâcheuses irrationnelles anticipées par le malade souffrant d'une idée obsédante ou d'une impulsion.

La "formation réactionnelle" est un mécanisme de défense qui paraît plutôt dans les traits du caractère que dans la symptomatologie. Elle représente donc un comportement ou une attitude consciente diamétralement opposé aux désirs ou impulsions refoulées. Par exemple: les gens qui ont une attitude obséquieuse devant un personnage autoritaire détesté. Ce comportement paraît donc souvent exagéré et parfois même inapproprié.

La pensée magique

La régression fera apparaître un mode de pensées primaires coloré par la pensée magique. Celle-ci est caractérisée par l'omnipotence de la pensée. Le patient a le sentiment qu'il est capable de provoquer des événements dans son entourage par le seul fait de sa pensée. Rites et rituels constituent le sens des relations magiques de l'obsédé avec le monde objectal. Rites religieux, conjurations parfois grotesques sous forme de signes, de gestes, de tics, de mots, de toux, de pas en avant et en arrière compliquent les contacts avec les gens et les choses.

L'ambivalence

C'est un sentiment d'amour et de haine que l'individu éprouve face à l'objet et qui prend racine dans la phase sadique anale du développement normal de l'enfant. L'amour et la haine n'existent pas en même temps, mais un sentiment remplace l'autre rapidement. Dans la schizophrénie, par comparaison, on trouve plutôt la haine et l'amour intriqués ensemble dans une grande confusion affective; dans le développement normal, l'agressivité est transformée en un besoin de compétition face aux autres, au lieu de les détruire par la haine et l'agressivité. Pendant la régression névrotique, l'ambivalence anale réapparaît. Le conflit traduisant des sentiments opposés peut être observé dans le besoin de faire et de défaire que l'on trouve dans le comportement de la névrose obsessive-compulsive. Cette ambivalence se manifeste aussi dans le "doute" qui domine toujours la pensée de ces sujets.

Le surmoi

Le surmoi de l'obsessionnel comporte les caractéristiques de l'interdit sévère de la période anale. Il s'agit d'un surmoi très rigide, culpabilisant et tyrannique.

B)   Selon la théorie de l'apprentissage

Dans certaines circonstances, l'anxiété peut produire une réponse conditionnée: l'obsession. La pensée obsédante, originellement neutre, provoque à son tour de l'anxiété agissant ainsi comme un stimulus non conditionné; c'est ainsi qu'émerge un nouveau comportement.

La compulsion s'établit lorsque le sujet découvre qu'une certaine action peut réduire l'anxiété rattachée à la pensée obsédante. Le soulagement de cette anxiété renforce la formation de la compulsion. C'est ainsi que ce mécanisme se fixe et se répète.

La théorie de l'apprentissage laisse plusieurs questions sans réponse dans son explication de la névrose obsessive-compulsive: pourquoi le sujet est-il obligé de subir des idées obsédantes qui lui causent de l'anxiété? (On devrait plutôt s'attendre à ce que la personne soit capable de les supprimer.) Comment expliquer la pensée magique et les préoccupations majeures concernant l'agressivité et la saleté? Tous ces aspects de la névrose obsessive-compulsive restent problématiques dans l'explication comportementale de cette psychopathologie.

5.2.6.7   Diagnostic différentiel

La névrose phobique

Celle-ci est caractérisée par l'émergence de l'anxiété lorsque la personne est en face de l'objet ou de la situation phobique. La personne arrive à contrôler son anxiété en évitant les circonstances phobiques. Les mécanismes de défense employés sont surtout le déplacement et l'évitement. Les conflits de base sont de nature oedipienne. Dans la névrose obsessive-compulsive, et dans les cas d'une impulsion homicidaire par exemple, le patient a peur de faire du mal à quelqu'un et contrôle son anxiété par des actes compulsifs et des mécanismes de défense tels que l'isolation et l'annulation rétroactive. Les conflits sous-jacents sont principalement de nature préoedipienne. Il est parfois difficile de faire la distinction entre ces deux névroses lorsqu'il s'agit de certaines phobies d'impulsion ou de certaines phobies de la saleté telles que la peur des microbes.

La dépression

L'espoir d'être pardonné existe toujours chez le névrosé obsessif-compulsif malgré que son surmoi soit très sévère à l'égard de ses pulsions agressives. Par contre dans la dépression, le sujet a perdu l'espoir du pardon. Il reconnaît sa culpabilité face à ses pulsions agressives et s'attend désespérément à la punition. Il tend alors à se retirer du monde et coupe ses relations sociales. L'obsédé par contre conserve ses relations sociales qui sont cependant teintées par l'ambivalence.

La schizophrénie

Contrairement au schizophrène, l'obsédé, malgré la bizarrerie de ses idées et l'étrangeté de ses compulsions, maintient toujours un bon contact avec la réalité ainsi qu'une bonne autocritique de ses symptômes qu'il reconnaît comme absurdes. En plus, il maintient un bon contact social et son affect demeure toujours approprié.

5.2.6.8 Traitement

La psychanalyse ou la psychothérapie exploratrice

Celles-ci demeurent les traitements de choix lorsqu'on peut les utiliser. Les indications nécessitent cependant certaines exigences chez le patient comme nous l'avons indiqué antérieurement dans les autres névroses. Ce traitement est long et ardu. Le transfert est pris dans toute la problématique de l'ambivalence relationnelle; l'opiniâtreté, la tendance à rationnaliser, les défenses exacerbées contre toute émotion à travers l'isolation, sont des obstacles au jeu des libres associations nécessaires à la thérapie psychanalytique. Même si les bénéfices d'une psychanalyse ne sont que partiels, consistant par exemple en un assouplissement des positions névrotiques, ils sont encore valables devant la carence de tous les autres procédés.

L'hospitalisation devient occasionnellement nécessaire lorsque l'anxiété atteint un degré intolérable. Elle permet à l'obsédé une bonne couverture contre le stress social environnant, jusqu'à l'accalmie relative de l'anxiété. Il ne faudrait pas oublier de rencontrer la famille du malade pour leur donner des explications, obtenir plus d'information afin qu'elle puisse devenir une source de support et de compréhension pour le névrosé.

La thérapie behaviorale

Cette forme de traitement met de côté les complexités du conflit névrotique, elle vise directement à soulager les symptômes. Elle a été utilisée à ses débuts pour soulager les phobies. Par la suite, certains cas de névrose obsessionnelle ont bien répondu à la technique de l'immersion. On oblige le patient à subir ses obsessions tout en l'empêchant de faire son rituel compulsif défensif (voir le chapitre 35 sur les thérapies béhaviorales).

Une méthode de relaxation peut apporter un soulagement (voir chapitre 34).

Les traitements physiques

Il n'y a pas une médication connue actuellement qui soit capable d'enrayer les obsessions et les compulsions. On peut avoir recours aux médicaments anxiolytiques, comme les benzodiazépines, pour alléger l'anxiété lorsqu'elle devient très pénible. Les antidépresseurs et les traitements de sismothérapies n'ont aucun effet direct sur les obsessions et les compulsions à moins que ces symptômes ne soient secondaires à un trouble affectif primaire. Dans ces derniers cas, lorsque le trouble affectif s'améliore, les obsessions et les compulsions s'améliorent aussi. Quant à la lobotomie, elle a déjà été utilisée dans le passé lorsque la névrose obsessive-compulsive était sévère, très accablante, chronique, et après l'échec de toutes les formes de traitements possibles. Selon certains auteurs, la lobotomie a pu diminuer l'intensité des obsessions, des compulsions et des souffrances engendrées. Il est évident que ce traitement ne se justifie qu'''in extremis''.

5.2.7 L'hypocondrie (voir section 15.3.2)

5.2.7.1 Définition

Le manuel de classification internationale des maladies mentales (CIM-9) définit l'hypocondrie comme ''un trouble névrotique caractérisé par une préoccupation excessive du sujet pour sa santé en général, pour l'intégrité et le fonctionnement d'une partie de son corps ou, plus rarement, de son esprit. Il s'accompagne habituellement d'anxiété et de dépression. Il peut être le symptôme d'un trouble mental grave et, dans ce cas, il ne doit pas être classé ici mais dans la catégorie principale appropriée''.

Dans la classification américaine du DSM-III, l'hypocondrie est classée sous la rubrique des ''troubles somatoformes''.

5.2.7.2 Epidémiologie

Kenyon a étudié les malades hypocondriaques de l'hôpital Maudsley de 1951 à 1960. Il a trouvé que 60% de ces 500 malades présentaient de façon prédominante leurs symptômes hypocondriaques. Tous ces hypocondriaques ne formaient que 1% de tous les cas qui furent traités à la clinique externe ou qui se sont faits hospitaliser. L'incidence de l'hypocondrie dans la population générale n'est pas connue mais on présume qu'elle est plus grande que dans la population psychiatrique. Dans l'étude de Kenyon, il n'y avait pas de différence d'incidence pour les sexes: plus de 60% des patients étaient mariés, un quart étaient célibataires, et les divorcés et les veufs formaient le reste du groupe.

5.2.7.3 Tableau clinique

Le début

Les symptômes hypocondriaques peuvent commencer à n'importe quel âge depuis la première enfance. L'étude de Kenyon a démontré que l'incidence est plus forte chez l'homme dans la quarantaine et chez la femme dans la cinquantaine.

On n'a pu déceler de facteur précipitant dans plus de la moitié des cas. Il y avait une épine de maladie physique sur laquelle venait s'incruster les préoccupations hypocondriaques, pour près d'un tiers des patients. On a trouvé une variété de facteurs précipitants psychologiques pour le reste du groupe.

5.2.7.4 Symptomatologie

Les symptômes sont diffus, très variés, affectant une ou plusieurs parties du corps. L'abdomen, la poitrine, la tête et le cou sont les régions les plus affectées. Les symptômes apparaissent souvent parce que le patient devient très conscient du fonctionnement de ses organes ou suite à une symptomatologie physique légère. En général, les symptômes n'ont presque pas d'importance pathologique.

Le patient rapporte ses plaintes avec emphase et menus détails, insistant pour montrer au médecin la région affectée qui est la source de tout son malheur. Le patient ne parle que de ses souffrances physiques, soutenant n'avoir trouvé aucun soulagement malgré qu'il ait consulté plusieurs médecins. Il a aussi lu plusieurs livres ou articles médicaux, lui permettant d'employer parfois du jargon médical.

Le patient hypocondriaque paraît très préoccupé et anxieux en rapport avec ses symptômes, contrairement au patient hystérique qui démontre un affect et un état d'esprit détachés de ses symptômes: "la belle indifférence". Parfois, certains malades sont tellement fixés dans leurs idées concernant leur maladie, que la préoccupation anxieuse devient difficile à différencier de la conviction délirante.

Ce genre de malade est très frustrant pour un médecin puisqu'il ne guérit jamais. C'est un grand consommateur de consultations médicales que l'on voit faire le tour de plusieurs bureaux de médecins avec analyses, radiographies et toute la panoplie d'investigations médicales.

Un bon nombre de ces malades présentent certains traits du caractère obsessif-compulsif, particulièrement l'obstination, la méfiance, la parcimonie. En plus, ils sont très consciencieux et narcissiques. Les patients hypocondriaques se préoccupent tellement du fonctionnement de leur corps qu'ils oublient presque entièrement leur entourage.

5.2.7.5 Evolution et pronostic

L'hypocondrie est une maladie chronique avec un pronostic très réservé. Si un patient déprimé présente en même temps des symptômes hypocondriaques, le pronostic devient plus grave.

5.2.7.6 L'explication psychanalytique de l'hypocondrie

C'est en 1916 que Freud publia son "concept sur la libido narcissique" dans lequel il tentait d'expliquer les symptômes hypocondriaques. Il propose alors que la libido ou l'énergie sexuelle se retire des objets extérieurs pour être investie dans le corps du sujet sous forme de libido narcissique. La libido narcissique primaire se trouvera alors augmentée et pourra être neutralisée par des processus mentaux prenant la forme de fantaisies mégalomanes. Si ce mécanisme neutralisant fait défaut ou que la libido narcissique prend des proportions démesurées, elle se déchargera dans le corps provoquant des symptômes hypocondriaques.

Quelques psychanalystes, après Freud, pensent que les symptômes hypocondriaques ont un rôle dépressif dans le but de conserver l'économie psychique.

5.2.7.7 Diagnostic différentiel

Les symptômes hypocondriaques peuvent parfois accompagner d'autres troubles psychiatriques. C'est surtout la dépression et la schizophrénie qui doivent être envisagées lorsqu'un patient se présente avec des symptômes hypocondriaques. Si le patient présente des symptômes sensori-moteurs, on penchera plutôt vers un diagnostic de conversion hystérique, tandis que si l'hystérique présente des symptômes somatiques viscéraux ou autres, il sera difficile de le différencier de l'hypocondriaque. Il faudra alors examiner les conflits psychologiques sous-jacents, la structure de la personnalité ainsi que les relations sociales du patient pour pouvoir poser un bon diagnostic.

5.2.7.8 Traitement

Il est reconnu que l'hypocondriaque est très difficile à soigner. L'expérience clinique a déjà prouvé que si les symptômes hypocondriaques ne font pas partie d'un tableau dépressif, ni les médicaments, ni les traitements électroconvulsifs ne sont efficaces.

La meilleure façon de soigner un hypocondriaque est d'établir avec lui une relation de support et de compréhension. Il faut éviter de répéter inutilement des examens intempestifs. D'ailleurs l'attitude de l'hypocondriaque est typique devant les tests de laboratoire; ou bien il accuse ses médecins d'incompétence pour ne pas lui avoir prescrit les tests qui détecteraient enfin sa maladie, ou bien il les soupçonne de ne pas lui révéler la vérité à propos des tests présumés anormaux. Le médecin ne doit surtout pas entrer en compétition avec le malade en niant les symptômes qui lui servent à passer pour un invalide. Il est nécessaire de rencontrer la famille du patient pour la mettre au courant des problèmes de ce dernier afin de lui apporter le support indispensable pour éviter si possible l'aggravation en réduisant les bénéfices secondaires.

La psychothérapie analytique n'est pas indiquée dans l'hypocondrie car la structure caractérielle chez ces patients ne se prête pas à ce genre de traitement. Parfois, dans certains cas moins pénibles, lorsqu'on arrive à percer la barrière impénétrable des symptômes somatiques, on amènera les affects sous-jacents, habituellement de colère et de tristesse, vers leur expression consciente. Dans ces derniers cas, les symptômes somatiques vont diminuer, améliorant ainsi l'état général.

5.2.8   La neurasthénie

Il s'agit d'un terme ancien, peu utilisé maintenant, mais qui perdure à cause de la tradition psychanalytique.

5.2.8.1   Définition

Le manuel de classification internationale des maladies mentales (CIM 9), définit la neurasthénie comme suit: "Troubles névrotiques caractérisés par la fatigue, l'irritabilité, la céphalée, la dépression, l'insomnie, la difficulté de concentration et l'absence de capacité de plaisir (anhédonie). Ce trouble peut accompagner ou faire suite à une infection ou un surmenage ou résulter d'une tension émotionnelle permanente."

Ce trouble est classé sous la rubrique des "troubles d'adaptation" dans la récente classification américaine des maladies mentales (DSM III).

5.2.8.2   Tableau clinique

Le facteur précipitant semble être un surmenage physique ou mental dans des situations conduisant à une tension émotionnelle. Parmi les exemples les plus souvent remarqués, on dénote le décès d'un être cher, l'usage excessif de narcotiques ou de stimulants, des maladies infectieuses ou débilitantes chroniques.

Le début de la neurasthénie peut se produire d'une façon soudaine ou insidieuse et la maladie se présente sous forme épisodique ou chronique. La chronicité de cette maladie semble être, habituellement, la caractéristique principale poussant le sujet vers l'invalidité. La fatigue générale, d'une intensité marquée, est le symptôme prédominant d'où le nom de cette maladie.

Il n'y a pas de trouble majeur de la pensée ni du comportement. Ce qui est remarquable: une perte du plaisir de vivre (anhédonie), une apparence apathique et un sentiment de vide interne. Tout effort apparaît comme une montagne.

5.2.8.3   L'explication psychanalytique de la neurasthénie

A l'époque victorienne puritaine, Freud prétendait que la neurasthénie était le résultat d'une masturbation excessive! La libido étant ainsi éparpillée, il ne restait pas assez d'énergie pour les autres fonctions psychiques. Fenichel et d'autres psychanalystes après Freud ont introduit une explication plutôt psychodynamique. Il s'agirait d'un refoulement de pulsions érotiques puissantes, ne laissant pas assez d'énergie pour les autres fonctions psychiques parce que la majorité de l'énergie libidinale a été utilisée pour contrôler les pulsions. Plus tard, on a mis en cause les pulsions agressives dans l'éclosion de cette maladie et non les pulsions érotiques.

5.2.8.4   Diagnostic différentiel

La dépression

La perte de vigueur et d'entrain, ainsi que la fatigue générale font partie des symptômes de la dépression. C'est l'affect triste qui caractérise le plus la dépression; dans la neurasthénie l'affect est plutôt morose.

Les maladies infectieuses

Certaines maladies infectieuses comme la mononucléose et la brucellose peuvent amener une fatigue générale. Le diagnostic sera prouvé par les examens spécifiques de laboratoire.

Les troubles endocriniens

La fatigue générale se retrouve dans l'hypothyroïdie, la maladie d'Addison et la maladie de Simmond. C'est le tableau clinique et les examens spécifiques de laboratoires qui établiront le diagnostic dans chaque maladie.

Les troubles métaboliques

Lorsqu'il y a un trouble du métabolisme du potassium, il s'agit habituellement d'une maladie familiale. Elle se présente avec un tableau périodique de grande faiblesse allant jusqu'à la paralysie. L'atteinte de plusieurs membres de la famille, confirmée par les analyses de laboratoire, établiront le diagnostic.

Il ne faut pas oublier que certains hypotenseurs-diurétiques, comme le chlorothiazide, diminuent le potassium sérique, donnant un tableau de grande lassitude et de grande fatigue dû à l'hypokaliémie. La réserpine peut également induire un syndrome neurasthénique.

5.2.8.5 Traitement

Les psychothérapies

Le choix de la thérapie exploratrice par rapport à la thérapie de support, de groupe, ou familiale dépendra certainement de la force du moi du sujet et de son entourage (voir chapitre 31).

La médication

Lorsque les symptômes de la neurasthénie font partie d'un tableau dépressif, il faut alors soigner la dépression comme telle avec des antidépresseurs tricycliques.

5.2.9   Dépression névrotique

5.2.9.1 Définition

Le manuel de classification internationale des maladies mentales la définit comme suit: ''Troubles névrotiques caractérisés par une dépression disproportionnée, habituellement consécutive à une expérience pénible reconnue; il n'y a pas d'idées délirantes ni d'hallucinations, mais les préoccupations sont souvent centrées sur le traumatisme psychique qui a précédé la maladie, par exemple la perte d'un être cher ou d'un bien. L'anxiété est fréquente et les états dépressifs anxieux doivent être classés ici. La distinction entre psychose et névrose dépressive peut être faite non seulement par le degré de dépression mais aussi par la présence ou l'absence d'autres caractères névrotiques et psychotiques et par le degré de troubles du comportement.''

La toute récente classification américaine (DSM III) classe ce genre de troubles sous la rubrique des ''troubles affectifs'' et ne différencie la dépression névrotique que sur l'intensité de la dépression (voir chapitre 12).

5.2.9.2 Epidémiologie

Les personnes qui souffrent de ce trouble se font soigner habituellement en dehors des hôpitaux, soit chez leur médecin de famille ou chez les psychothérapeutes privés. C'est pourquoi des statistiques valables ne sont pas disponibles. Il est indéniable que ce genre de trouble est très fréquent. Ces maladies nécessitent parfois une hospitalisation brève, soit que leur état général s'aggrave, soit que leurs idées suicidaires deviennent sérieuses. Les statistiques faites à travers les cliniques externes des hôpitaux démontrent que la névrose dépressive comprend 5 à 10% de toutes les pathologies psychiatriques.

5.2.9.3 Description clinique

Le début

On découvre presque toujours un facteur précipitant qui met en branle le processus conduisant à la névrose dépressive. La perte d'un objet, d'une personne chère ou d'une situation qui pourrait diminuer l'estime de soi, sont habituellement les facteurs précipitants. Plus la personne est sensible à ces facteurs, plus vite apparaissent les symptômes de la dépression. Les personnes actives, vigoureuses et indépendantes, deviennent la proie facile de la dépression lorsqu'elles sont diminuées par des maladies physiques invalidantes. La dépression s'installant, la maladie physique deviendra plus compliquée formant alors un cercle vicieux. Parfois, le début est insidieux, surtout lorsqu'il s'agit d'une situation chronique stressante que l'on rencontre dans les troubles conjugaux, les conditions pénibles de travail ou les tracas financiers. Dans ces cas, la capacité psychologique de l'individu diminue graduellement favorisant ainsi l'installation de la dépression.

La symptomatologie

Le symptôme le plus caractéristique de la névrose dépressive est la tristesse. D'autres symptômes s'ajoutent; le patient se sent seul, désolé, apathique; il n'a plus le goût de répondre au monde qui l'entoure, il perd intérêt dans ses relations sociales et se sent isolé émotionnellement face à ses amis et à sa famille. Il peut parfois devenir irritable en exprimant son hostilité vers son entourage. Il broie constamment du noir, ne voit que le mauvais côté des choses et perçoit le présent et le futur avec pessimisme. Cependant, il maintient un bon contact avec la réalité. Il a tendance à se juger sévèrement et devient ainsi une proie facile de l'autodépréciation et de l'autoculpabilisation. Les symptômes physiques sont parfois les seules plaintes apparentes du malade.

TABLEAU 5.2:   Tableau de Kielholz

Troubles fonctionnels et symptômes organiques chez les malades souffrant de dépression par épuisement

1. Troubles du sommeil, 66% (endormissement difficile, sommeil discontinu).

2. Céphalées, 40% (pression céphalique, maux de tête irradiant dans la nuque, vertiges).

3. Troubles digestifs, 36% (perte d'appétit, nausées, douleurs épigastriques, spasmes intestinaux de localisation diverse, constipation avec météorisme, diarrhée).

4. Troubles cardiaques, 32% (sensation de pression et élancements dans la région cardiaque, crises de tachycardie, symptômes pseudo-angineux, extrasystoles).

5. Troubles respiratoires, 14% (oppression, soif d'air, impression de constriction, boule pharyngée).

6. Douleurs et sensations désagréables des extrémités, 12% (parasthésies, tremblements, fasciculations, vibrations).

7. Hyperhydrose, impression de froid, 10%.

8. Douleurs de la colonne vertébrale, 8% (douleurs lombaires, troubles cervico-scapulaires, surtout chez la femme).

Au cours de l'examen, le déprimé paraît généralement pâle et fatigué. Il peut facilement pleurer lorsqu'il parle de ses problèmes mais il demeure toujours en bon contact avec l'examinateur. Au cours de l'entrevue, son humeur est variable, elle devient de plus en plus triste à mesure que l'on touche à ses problèmes mais le patient est capable de sourire si le sujet de discussion est drôle.

La plupart de ces malades ont une attitude passive et dépendante face à leur médecin. Cependant, il arrive qu'une minorité de ces patients se présentent avec de l'irritabilité, de l'agressivité verbale et un discours sarcastique masquant leur symptomatologie dépressive.

Les traits de la personnalité dépressive

Le pessimisme, l'attente que tout va mal tourner, le manque de confiance en soi, une tendance facile à être blessé sentimentalement, un penchant vers la solitude et la tristesse, un certain degré d'irritabilité chronique ajouté à une attitude passive dépendante forment les traits du caractère dépressif. Cette constellation est une manière de vivre qui ne conduit pas nécessairement à la maladie dépressive.

Dû à son émotivité, son exhibitionnisme et sa propension à la dramatisation, la personnalité hystérique qui se déprime aura tendance à exagérer. Elle pleure facilement, exprimant avec force l'insolubilité de ses problèmes tout en insistant vigoureusement pour avoir de l'attention et des traitements. Elle est portée à faire quelquefois des tentatives suicidaires qui, habituellement, ne sont pas faites dans le but de mourir mais plutôt dans le sens d'un cri au secours, d'une demande d'aide. Le geste suicidaire peut parfois avoir des conséquences physiques très graves, si ce n'est la mort.

La personne au caractère obsessionnel, lorsqu'elle se déprime, cache très bien ses troubles et n'en parle pas. L'affect dépressif, comme la tristesse, est presque totalement absent en apparence et le patient paraît simplement apathique. Si le malade a plusieurs problèmes insurmontables, le danger suicidaire peut devenir très sérieux parce que ces patients n'en parlent pas.

5.2.9.4 Les facteurs en cause dans la dépression névrotique

Il semble y avoir quatre (4) facteurs importants dans la genèse de la dépression névrotique:

1. une susceptibilité de l'humeur très marquée en réponse à une perte d'objet aimé;

2. une perte de l'estime de soi;

3. un conflit concernant la pulsion agressive;

4. une structure de personnalité prémorbide caractérisée par une exagération du narcissisme, de la dépendance et de l'ambivalence.

Ces traits de personnalité vont déterminer la qualité et la quantité des trois premiers facteurs et la gravité de la dépression.

La susceptibilité de l'humeur

Il est normal de vivre un deuil suite à la perte d'une personne chère ou d'un objet d'amour. Les symptômes du deuil normal sont: la tristesse, la solitude et le désespoir. Ces symptômes peuvent être accompagnés d'une multitude de symptômes physiques. Tous ces symptômes du deuil normal ressemblent beaucoup aux symptômes de la dépression névrotique. Mais il y a quand même une différence: la dépendance, la culpabilité et l'agressivité qui sont des facteurs importants dans l'éclosion des réactions dépressives pathologiques.

L'estime de soi et la structure de la personnalité

L'autodépréciation est si intimement associée à la dépression qu'elle devient un symptôme presque sine qua non de cette maladie. Une personne normale conserve habituellement un certain degré d'autonomie et de confiance en soi lorsqu'elle est affligée d'une perte. Elle arrive quand même à trouver un certain équilibre émotionnel qui la protège contre la dépression, alors que la personne qui dépend trop de l'appréciation des autres est beaucoup plus affectée si jamais elle se trouve dans des situations qui diminuent son estime personnelle. Son autocritique deviendra très sévère et même culpabilisante. C'est à cause de cette dépendance qu'elle criera au secours autour d'elle, par manque de ressource personnelle. Si sa fierté est diminuée suite à un échec, elle pourra en déduire qu'elle est fortement critiquée et rejetée par des personnages significatifs pour elle. Le désespoir et la dépression qui en découlent viendront confirmer son autodépréciation. Si la dépression suit la perte d'un être cher dont elle était émotivement dépendante, elle perd alors le support émotif fondamental, ce qui donne à la dépression une dimension très grave.

L'agressivité

Les relations fortement dépendantes sont habituellement de nature ambivalente. La rage, faisant partie de l'agressivité, est un sentiment potentiellement présent. Cette agressivité apparaît lorsque les besoins de satisfaire la dépendance émotive sont frustrés. Chez le déprimé, cette agressivité est habituellement introjectée.

5.2.9.5 Evolution et pronostic

L'expérience clinique démontre que le cours de la maladie est moins long et le pronostic meilleur lorsqu'il y a un facteur déclenchant important et lorsque les troubles de personnalité tels que les conflits concernant l'agressivité sont minimes.

Une personne normale psychologiquement peut se sentir invalide momentanément, suite à un facteur précipitant d'allure catastrophique. Elle retrouve rapidement son équilibre émotionnel et psychologique avec un peu de support. Par contre, une personne qui a des troubles de personnalité découlant de son agressivité et sa dépendance développera facilement une dépression au moindre facteur précipitant et sa maladie sera plus pénible et de longue durée.

Diagnostic

Une dépression est considérée pathologique lorsque la réaction au facteur précipitant est exagérée ou lorsque la réaction de deuil, devant une perte importante, se prolonge dans le temps. Une réaction de deuil est considérée normale jusqu'à une période de six mois. Si elle persiste au-delà de cette période, il faudra suspecter des mécanismes pathologiques sous-jacents. Il faudrait aussi retenir que l'absence de réaction de deuil, suite à la perte d'un être cher, pourrait cacher des problèmes intrapsychiques qui se manifesteront plus tard.

Le diagnostic d'une névrose dépressive est retenu lorsqu'on détecte un affect triste et une autodépréciation chez des personnes ayant une histoire antérieure de troubles névrotiques ou des troubles de personnalité comprenant des conflits dans la sphère de l'agressivité et de la dépendance.

5.2.9.6 Diagnostic différentiel

Les autres troubles névrotiques

Un affect triste peut faire partie de plusieurs tableaux névrotiques, mais ce sont les symptômes spécifiques de chaque tableau qui détermineront le diagnostic approprié. L'anxiété et la dépression peuvent coexister chez le même patient; c'est au clinicien que revient la tâche de reconnaître le tableau le plus important.

Les dépressions psychotiques

La variation diurne de la dépression et la présence de symptômes physiques très importants (une anorexie grave menant à une perte de poids substantielle, l'insomnie rebelle et le ralentissement psychomoteur) ainsi que les délires dépressifs (d'indignité, de culpabilité, d'autodévalorisation) avec des idées sérieuses de suicide placent la dépression dans les catégories de "dépressions psychotiques". S'il n'y a pas de délire, il est parfois difficile de distinguer une dépression névrotique d'une dépression psychotique.

La schizophrénie

Le patient schizophrène peut parfois présenter un affect dépressif ou un affect apathique qui, superficiellement, ressemblerait à une dépression. Mais, si on examine plus attentivement cette apathie, on remarquera qu'il s'agit plutôt d'un vide ou d'un aplatissement affectif qui n'est pas "souffrant" comme l'affect triste du vrai déprimé. La présence de troubles du cours et du contenu de la pensée feront la distinction définitive.

Les maladies physiques

L'irritabilité et la fatigue générale qui accompagnent les maladies infectieuses subaiguës comme la mononucléose peuvent être confondues avec la névrose dépressive. L'hypothyroïdie avec son ralentissement psychomoteur et son apathie peut aussi prêter à confusion. L'absence claire d'un facteur émotionnel précipitant et les résultats des examens de laboratoire feront la distinction.

Chez les vieillards, la dépression est souvent associée à des maladies dégénératives du cerveau. Il faut donc chercher ces maladies lorsqu'un vieillard présente un tableau dépressif qui peut se manifester par un syndrome pseudo-démentiel.

5.2.9.7 Traitement

La psychothérapie de support

Lorsqu'un patient présente un tableau de dépression névrotique, il est parfois surprenant de voir comment une relation thérapeutique supportive établie avec son médecin empathique peut suffire pour l'aider à passer cette période difficile. Comme on découvre habituellement un facteur déclenchant environnant, il est important que le thérapeute discute avec son patient des moyens à prendre pour trouver une solution convenable à ses problèmes. Il serait indiqué aussi que le médecin rencontre les parents du malade, non seulement pour clarifier la situation, mais pour les aider si nécessaire et les amener à transiger avec les besoins de dépendance du malade.

La psychothérapie psychanalytique

L'indication d'une psychothérapie d'orientation psychanalytique ne dépend pas des symptômes dépressifs mais plutôt de la force du moi du malade. Il faut admettre que souvent elle n'est pas nécessaire, surtout si la dépression a été déclenchée par un facteur extérieur dramatique. L'expérience clinique nous confirme que les personnes très sensibles, dépendantes et ambivalentes n'ont pas la capacité de bénéficier d'une thérapie analytique, mais profitent davantage d'une psychothérapie de support.

Les déprimés qui se présentent, suite à un deuil mal résolu provenant de conflits à propos de l'agressivité face à l'être cher introjecté, peuvent être aidés à travers une thérapie psychanalytique ou supportive. Tout doucement, ils découvriront leur "agressivité" contre l'objet aimé et finiront par "casser la glace" en exprimant tant leur agressivité que leur deuil sans se déculpabiliser (voir chapitre 6).

La thérapie conjugale

Elle devient nécessaire lorsque la dépression est déclenchée à la suite de difficultés conjugales. Au cours des entrevues, l'accent porte sur le rétablissement d'une communication claire et adéquate entre les conjoints tant sur le plan des idées que sur le plan émotif. La résultante de ce genre de thérapie sera la formation d'un nouveau système relationnel moins traumatisant pour les deux conjoints (voir chapitre 21).

La chimiothérapie (voir chapitre 28)

Notre expérience clinique nous prouve que pour certains malades, quelques séances de thérapie de support peuvent suffire. Il faudra parfois associer à la thérapie de support une médication anxiolytique comme les benzodiazépines si l'anxiété domine le tableau clinique. Dans les cas rebelles, si la dépression se prolonge ou s'aggrave, il va falloir ajouter des antidépresseurs tricycliques.

Il faut commencer habituellement par de petites doses (75 mg die en doses fractionnées) et dépendant de la réponse clinique, augmenter progressivement jusqu'à 250 mg die. Si le patient souffre d'insomnie, l'adjonction transitoire d'un hypnotique au coucher pourrait l'aider à obtenir un sommeil reposant: flurazépam (Dalmane ®), l'hydrate de chloral, diazépam (Valium ®). S'il y a un risque suicidaire, il faut prescrire peu de médicaments à la fois et demander à une personne fiable de contrôler la médication. Dans tous les cas, la médication ne devrait jamais remplacer une bonne relation thérapeutique.

BIBLIOGRAPHIE

ABRAHAM, K. "Contributions to the theory of the anal character". *Selected Papers*. London: Hogart Press, 1942, 370.

ACKNER, B. "Depersionalization II. Clinical syndromes". *J. Ment. Nerv. Dis.* 1954, 100, 854.

AMERICAN PSYCHIATRIC ASSOCIATION. *Diagnostic and Statistical Manual of Mental Disorders.* 3ᵉ édition. Washington D.C., 1980.

ARIETI, S. *American Handbook of Psychiatry.* New York: Basic Books, 1974.

BERARD, G.M. *A Practical Creatise on Nervous Exhaustion (Neurasthenia).* New York: Wm. Wood, 1880.

BERNHEIM, H. *Suggestive Therapeutics.* New York: G. P. Putnam's Sons, 1897.

BIBRING, E. "The Mechanism of Depression". *Affective Disorders.* P. Greenacre (Ed.), New York: International Universities Press, 1953, 13.

BREUER, J., FREUD, S. "Studies on hysteria". *Standard Edition of the Complete Psychological Works of Sigmund Freud.* London: Hogart Press, Vol. 2, 1955, 3.

BURTON, R. "The Anatomy of Melancholy". *Dent.* London: 1964.

CHODOFF, P., LYONS, H. "Hysteria, the hysterical personality and "hysterical" conversion". *Amer. J. Psychiatry.* 1958, 114, 734.

DA COSTA, J. M. "On irritable heart: A clinical study of a form of functionnal cardiac disorder and its consequences". *Amer. J. Med. Sci.* 1971, 61, 17.

DUGAS, L., MOUTIER, F. *La dépersonnalisation.* Paris: Félix Alcan, 1911.

ENGEL, G.L., FERRIS, E.B. and LOGAN, M. "Hyperventilation: Analysis of clinical symptomatology". *Amer. J. Intern. Med.* 1947, 27, 683.

FEDERN, P. *Ego Psychology and the Psychoses.* London: Imago, 1953.

FENICHEL, O. "The counterphobic attitude". *Int. J. Psychoanal.* 1939, 20, 263.

FENICHEL, O. *Outline of Clinical Psychoanalysis.* New York: W.W. Norton, 1934.

FENICHEL, O. *The Psychoanalytic Theory of Neurosis.* New York: W.W. Norton, 1945.

FERENCZI, S. "The further development of an active therapy in psychoanalysis". *Further Contributions to the Theory and Technique of Psychoanalysis.* S. Ferenczi (Ed.). London: Hogart Press, 1950, 178.

FLOURNOY, T. *From India to the Planet Mars.* New York: Harper & Brothers, 1900.

FLOURNOY, T. "Une mystique moderne". *Arch. Psychol.* Genève: 1915, 15 (1).

FREEDMAN, A.M., KAPLAN, H.I., SADOCK, B.J. *Modern Synopsis Comprehensive Textbook of Psychiatry II.* Baltimore: Williams & Wilkins, 1976.

FREUD, S. "Notes upon a case of obsessional neurosis". *Standard Edition of the Complete Psychological Works of Sigmund Freud.* London: Hogart Press, Vol. 10, 1955, 153.

FREUD, S. "Mourning and melancholia". *Standard Edition of the Complete Psychological Works of Sigmund Freud.* London: Hogart Press, Vol. 14, 1957, 243.

FREUD, S. "The Neuropsychoses of defence". *Standard Edition of the Complete Psychological Works of Sigmund Freud*. London: Hogart Press, Vol. 3, 1962, 45.

FREUD, S. "Analysis of a phobia in a five years old boy". *Standard Edition of the Complete Psychological Works of Sigmund Freud*. London: Hogart Press, Vol. 3, 1962, 90.

FREUD, S. "On narcissism: An Introduction". *Standard Edition of the Complete Psychological Works of Sigmund Freud*. London: Hogart Press, Vol. 14, 1957, 67.

FREUD, S. "Inhibitions, symptoms and anxiety". *Standard Edition of the Complete Psychological Works of Sigmund Freud*. London: Hogart Press, Vol. 20, 1959, 87.

GILLESPIE, R.D. "Hypochondria: Its definition, nosology and psychopathology". *Guys Hosp Ref.* 1928, 78, 408.

HILL, D. "Depression: Disease, reaction or posture?". *Amer. J. Psychiatry.* 1968, 125, 445.

JANET, P. *L'automatisme psychologique.* Paris: Félix Alcan, 1889.

JANET, P. *Les obsessions et la psychasthénie.* 2 vols. Paris: Félix Alcan, 1903.

JANET, P. *The Major Symptoms of Hysteria.* New York: MacMillan, 1907.

KRAFT, A.M. *Psychiatry: A Concise Textbook for Primary Care Practice.* New York: ARCO, 1977.

NEMIAH JOHN, C. *Comprehensive Textbook of Psychiatry II.* (M. Freedman, I. Kaplan et J. Sadock Eds), Baltimore: Williams & Wilkins, 1975, chap. 23-24.

KENYON, F.E. "Hypochondriasis: A clinical study." *Br. J. Psychiatry.* 1964, 110-478.

KIERSCH, T.A. "Amnesia: A clinical study of ninety-eight cases". *Amer. J. Psychiatry.* 1962, 119, 57.

KRISHABER, M. *De la neuropathie cérébro-cardiaque.* Paris: Masson, 1873.

LADEE, G.A. *Hypochondriacal Syndromes.* Amsterdam: Elsevrier, 1966.

LEWIS, A.J. "Melancholia: A clinical survey of depressive states". *J. Ment. Sci.* 1934, 80, 277.

LINDEMANN, E. "Symptomatology and Management of Acute Greif". *Amer. J. Psychiatry.* 1944, 101, 141.

MARKS, I.M. "Flooding (implosion) and allied treatments". *Behavior Modification, Principles and Clinical Applications.* W.S. Agras (Ed.). Boston: Little Brown, 1972.

MAY, R. *The Meaning of Anxiety.* New York: Ronald Press, 1950.

POLLITT, J.D. "Natural history studies in mental illness: A discussion based on a pilot study of obsessional states". *J. Ment. Sci.* 1960, 106, 93.

PRINCE, M. *The Dissociation of a Personality.* New York: Longmans, Green, 1906.

PRINCE, M. *The Unconscious.* New York: Macmillan, 1924.

RANGELL, L. "The nature of conversion". *J. Amer. Psychoanal. Assoc.* 1959, 7, 632.

RÉPERTOIRE des diagnostics selon la classification internationale des maladies (CIM 9). 1ère édition (avril 1979). Sélectionné par la Régie de l'assurance-maladie du Québec.

ROCHLIN, G. *Griefs and Discountents.* Boston: Little Brown, 1965.

ROTH, M. "The Phobic Anxiety Depersonalization Syndrome". *Proc. R. Soc. Med.* 1959, 52, 587.

SALZMAN, L. *The Obsessive Personality.* New York: Science House, 1968.

SCHILDRKRAUT, J.J. "Neuropharmacology of the affective disorders". *Amer. Res. Pharmacol.* 1973, 13, 427.

SCHILDER, P. *The Image and Appearance of the Human Body.* New York: International Universities Press, 1950.

SHORVON, H.J. "The depersonalization syndrome". *Proc. R. Soc. Med.* 1946, 39, 779.

SILVANO, Arièti. Editeur de l'American Handbook of Psychiatry dans Basic Books, New York.

VEITH, J. "On hysterical and hypochondriacal afflictions". *Bull. Hist. Med.* 1956, 30, 233.

CHAPITRE 6

LES RÉACTIONS PSYCHIATRIQUES

AU STRESS SITUATIONNEL

Léon-Maurice Larouche et Jean Hillel

6.1 INTRODUCTION

La notion de réactions psychiatriques reliée au "stress situationnel" se situe aux confins du normal et du pathologique.

En effet, chaque individu, au cours de sa vie, doit normalement affronter des situations stressantes. Cette entité constitue en quelque sorte une zone frontière où les concepts reliés au fonctionnement normal de la personne s'élargissent pour faire place à des concepts nouveaux de fonctionnement pathologique: soit les concepts de "crise", de "stresseurs" excessifs, de "décompensation" de la personnalité et de "réactions" pathologiques.

Cette entité psychiatrique constitue un champ d'intervention par excellence pour le médecin omnipraticien, étant donné l'incidence énorme de ce genre de problèmes qu'il aura à traiter dans sa pratique quotidienne et aussi l'impact bénéfique qu'une intervention précoce appropriée pourra avoir afin de prévenir le développement de pathologies plus sévères. Parce que cette notion de "stress" causant une pathologie psychiatrique implique une foule d'autres concepts de psychopathologie, il semble impérieux de préciser clairement les aspects du champ que nous allons explorer et de s'attarder principalement sur les aspects utilisables dans la pratique quotidienne. Pour simplifier notre démarche, nous n'élaborerons pas sur les stress de l'enfance.

Nous allons d'abord tracer un bref rappel historique de l'évolution du concept jusqu'aux classifications diagnostiques actuelles.

Nous tenterons de délimiter le concept de "stress situationnel" et de décrire les caractéristiques générales de manifestations du syndrome.

Nous donnerons ensuite un modèle théorique de métabolisation du stress, le contexte des classifications diagnostiques actuelles et les éléments de diagnostic différentiel.

Nous terminerons avec quelques réflexions sur les difficultés inhérentes à ce diagnostic.

6.2   HISTORIQUE DE LA NOTION DE STRESS

Le développement de la psychiatrie depuis ses débuts est caractérisé par une extension de ses perspectives conceptuelles. Au départ, la psychiatrie s'intéressait surtout aux facteurs biologiques de la maladie et se cantonnait à l'étude de phénomènes internes individuels; elle évolua progressivement vers une psychiatrie plus globale, s'intéressant au contexte ambiant de l'individu, aux facteurs extérieurs, sociaux, pouvant modifier ses façons de sentir, de penser et d'agir. Ainsi, vers le milieu du XIXe siècle, on parle de "psychiatrie morale". Les psychiatres portent de plus en plus leur attention sur l'influence que peuvent avoir les événements extérieurs sur le cours, sinon l'éclosion des désordres psychiques.

Dès 1913, Adolf Meyer introduit aux Etats-Unis d'Amérique la notion de "réaction". Il entendait une réaction globale, psychobiologique, saine ou pathologique, de l'individu à des changements tant intérieurs qu'extérieurs, nécessitant une adaptation. Déjà il recommandait des interventions au niveau de la famille, de l'école, du milieu de travail et de la communauté.

Sa conception était en nette opposition, à l'époque, avec la théorie freudienne à savoir que les conflits n'étaient pas extérieurs mais intrapsychiques.

Classification

En 1917, une classification adoptée par l'Association des psychiatres américains (APA) ne laisse aucune place pour ce qui va devenir plus tard les troubles situationnels. Les cliniciens devaient à ce moment-là les classer dans l'une ou l'autre des 3 catégories suivantes:

- psychoses non diagnostiquées,
- pas de pathologie psychiatrique,
- autres conditions à spécifier.

Vers 1927, A. Rosanoff signale dans un "Manuel de Psychiatrie", l'importance croissante des "troubles d'adaptation sociale" sans leur donner une étiquette diagnostique.

Vers 1934, une revision de la classification de l'APA inclut les "troubles primaires du comportement" et la "dépression réactionnelle". Par troubles primaires du comportement, l'Association entendait certains phénomènes pouvant survenir chez l'adulte face à des situations bien spécifiques dépassant les ressources disponibles à l'adaptation.

La dépression réactionnelle, comme son nom l'indique, signifiait l'apparition de phénomènes dépressifs ou anxieux dans des situations difficiles.

C'est la Deuxième Guerre mondiale qui a constitué le tournant décisif dans le développement de la notion de "trouble situationnel". C'est en effet dans les années 40 que de nombreux écrits ont rapporté les "psychoses de guerre'' (Grinker et Spiegel 1945). Des psychosomaticiens ont, à la même époque, établi le rapport entre certains troubles psychophysiologiques et des situations traumatisantes vécues dans la vie militaire ou la vie civile (Lindermann 1944, Tyhurst 1951).

En 1952, une classification nouvelle est établie: le Manuel diagnostique et statistique des maladies mentales (DSM 1). Dans cette classification, deux nouveaux diagnostics sont inclus:

1) réaction grossière de stress,
2) réaction situationnelle de l'adulte.

Ces deux diagnostics supposent quatre conditions essentielles:

1) des situations stressantes inhabituelles ou très difficiles à résoudre,
2) des réactions psychiatriques superficielles ou d'intensité modérée,
3) des individus ayant une personnalité de base adéquate,
4) une disparition rapide des symptômes après règlement de la situation.

Ces conditions excluent:

1) les réactions psychotiques,
2) les situations dont l'intensité stressante est modérée,
3) les cas où il existait une pathologie psychiatrique antérieure,
4) les cas où les symptômes persistent après règlement de la situation conflictuelle.

En 1968, la classification revisée du "Manuel diagnostique et statistique des maladies mentales (DSM 11)" est plus large en ce sens qu'elle favorise un 2e diagnostic. Ceci signifie que l'exclusion ayant trait à la personnalité prémorbide est levée et qu'il est dorénavant admis qu'un schizophrène par exemple puisse faire une "réaction" dépressive à la mort de son père ou de sa mère.

Stress

A partir de 1936, Hans Selye développe les notions de "stress" et le "syndrome d'adaptation" biologique chez les animaux. Il désigne par stress toutes les excitations externes ou internes extrêmes qui déclenchent le syndrome d'adaptation. Il décrit 3 phases à ce syndrome:

a) Dans la phase d'alarme, le corps produit des changements biologiques caractéristiques de la première exposition à un agent de stress.

b) Dans la phase de résistance, l'organisme lutte contre le stresseur, avec ses mécanismes de défense travaillant au maximum, puisant dans ses réserves.

c) Dans la phase d'épuisement, à la suite d'une exposition prolongée au stresseur, l'énergie d'adaptation est entièrement utilisée: les signes de réaction d'alarme réapparaissent, mais ils sont maintenant irréversibles, et l'animal meurt.

Le stress biologique implique donc une mobilisation générale non spécifique de l'organisme vis-à-vis une demande d'adaptation à l'environnement. Selon les auteurs, il serait initié métaboliquement par les hormones catécholamines et corticostéroïdes (Wallot 1979).

Ce concept de stress a été utilisé pour expliquer diverses maladies, telloc que l'hypertension, l'arthrite, les troubles rénaux, l'artériosclérose et d'autres.

A partir des études de Selye faites sur le stress biologique chez les animaux, s'est développée la notion de stress psychique chez les humains. Nous reparlerons plus loin du modèle de Selye lorsque nous aborderons les modèles explicatifs du stress situationnel. Il n'en demeure pas moins que les travaux de Selye firent beaucoup pour établir un lien entre psyché et soma, entre médecine physique et médecine psychique.

Crise

Vers les années 60, le concept de "crise" fait son apparition avec le développement de la "psychiatrie communautaire" aux Etats-Unis, et les concepts de "prévention primaire" et d'"intervention précoce" (Caplan 1961).

La "crise" représente une demande excessive du milieu ambiant, imposée à l'individu, qui dépasse ses mécanismes d'adaptation habituels et fait appel à des ajustements majeurs.

Elle comporte 4 phases:

1)   la phase d'impact, i.e. de choc où l'individu est surpris, distrait, désorienté et réagit de façon réflexe en combattant ou en fuyant (*fight* ou *flight* de Cannon);

2)   la phase où l'individu utilise sans succès ses réponses habituelles et se sent dépassé avec les manifestations correspondantes sur les plans idéationnel, émotionnel, physique et comportemental;

3)   des ressources additionnelles sont mobilisées, soit des ressources internes: créativité, courage, décharges adrénergiques, etc., soit des ressources externes: recherche de nouvelles sources de support, etc.;

4)   phase décisive où l'équilibre est rétabli à un niveau égal ou supérieur à celui avant la crise, ou encore la crise s'aggrave avec décompensation vers un déséquilibre pathologique de plus en plus sévère.

Nous voyons ici le parallèle frappant avec la notion du "syndrome de stress biologique" de Selye.

Soulignons l'aspect positif que peuvent avoir certaines crises à diverses étapes du développement humain: l'auteur W.I. Thomas avait déjà bien décrit cet aspect en 1909 (cf. Freedman 1975):

"Une crise est une menace, un défi, une surcharge pour l'attention, une demande d'action nouvelle. Elle n'a pas besoin d'être aiguë ou extrême. Dans le développement personnel et social, une crise est un cata-lyseur, dérangeant les vieilles habitudes, évoquant de nouvelles répon-ses, et devenant un facteur majeur dans l'élaboration de nouveaux dé-veloppements.''

Il semble qu'il existe une équation, un ''dosage optimal'', difficile à quantifier, entre une ''crise bénéfique'' pour le développement personnel d'un individu donné, et une ''crise débilitante'' pour ce même individu, à un certain stade de son développement personnel.

L'avènement du concept de ''crise'' a obligé la psychiatrie à certaines modifications thérapeutiques:

1) Une importance accrue doit être donnée aux facteurs contextuels exté-rieurs, sociaux, par rapport aux facteurs intrapsychiques, internes et indi-viduels.

2) La pensée mono-causale, linéaire, ''euclidienne'' doit être abandonnée pour adopter une pensée multicausale, interactionnelle, ''einsteinnienne'' qui accepte l'équation dynamique entre les champs intrapersonnel et ex-trapersonnel.

3) L'aspect créatif des crises doit être reconnu.

4) L'aspect omniprésent des crises à toutes les périodes de transition de la vie doit être considéré (Gail Sheehy 1978).

5) Les dispositifs de soins psychiatriques doivent axer leurs interventions en tenant plus compte des facteurs ambiants qui constituent la matrice exis-tentielle du patient (connaissance du milieu actuel du patient, de ses con-ditions de vie, de ses rôles sociaux, etc.).

6) Cependant, cette extension des facteurs pris en considération ne doit pas se faire au détriment d'une considération attentive des facteurs intrapsy-chiques: l'importance des transactions intrapsychiques particulières de chaque individu face à un stress particulier garde toute son acuité et son actualité, et demeure le champ d'étude par excellence du psychiatre.

Il ne faut pas oublier que tout changement d'ordre familial, social, pro-fessionnel, économique, religieux, politique, dont les conséquences peuvent modifier le vécu de l'individu dans son intégration ou son intégrité, est suscep-tible de provoquer un ''stress situationnel''. Le même principe est vrai pour l'ensemble d'une famille, d'une communauté, d'un pays, d'une nation, d'un peuple...

6.3 DÉLIMITATIONS DU CONCEPT

Le terme ''stress situationnel'' comporte des connotations bien diver-ses et ce terme est utilisé couramment pour exprimer des réalités parfois très disparates. Afin de délimiter l'usage du terme, il semble approprié de revoir cer-taines études qui ont contribué à développer cette notion de stress situationnel.

6.3.1 Etudes expérimentales

Nous avons déjà parlé des travaux de Hans Selye sur le stress biologique avec des rats; il est bon de répéter que ces études ont établi de façon définitive les notions de "phase d'alarme" (a), "phase de résistance" (b) et "phase d'épuisement" (c) dans le syndrome d'adaptation (tableau 0.1).

TABLEAU 6.1: Les trois phases du syndrome général d'adaptation

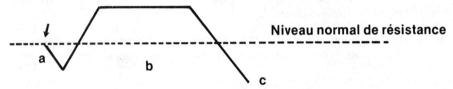

Niveau normal de résistance

a   b   c

Mentionnons aussi les travaux de Walter Cannon (1936) qui démontra que la réaction d'anxiété face au stress sert à préparer l'organisme pour le combat ou la fuite (fight ou flight). Cette réaction bipolaire aura son parallèle au plan psychologique dans les réactions d'intrusions répétitives ou de déni massif et d'engourdissement. Nous reviendrons sur ce point en parlant des phases générales du stress situationnel.

Une autre étude expérimentale qui mérite d'être mentionnée est celle de Mardi Horowitz (1976) qui a présenté à des groupes de volontaires des segments de films à contenus neutres ou à contenus stressants. L'auteur avait prédit que les sujets rapporteraient plus de pensées sous forme d'intrusions répétitives, et plus d'images visuelles après un film à contenu stressant. Les études contrôlées pour tester cette hypothèse confirmèrent que les pensées répétitives sous forme d'intrusions surviennent plus fréquemment après une condition stressante.

6.3.2 Etudes de populations exposées à des stress spéciaux, tels:

- la situation de combat militaire
- les camps de concentration
- un bombardement nucléaire
- l'émigration
- le viol
- les maladies terminales
- le deuil

a) Le combat militaire

Les situations dans la vie militaire amènent des états de désorganisation psychique particuliers qui ne correspondent pas vraiment aux syndromes psychiatriques établis: telle fut la conclusion d'une commission américaine chargée d'étudier les réactions des soldats au front lors de la Deuxième Guerre mondiale (Brill 1955). L'intensité du stress subi est trop massive et systématique pour se comparer facilement aux situations stressantes de la vie quotidienne. C'est à partir de l'étude de réactions nettement psychiatriques aux stress extrêmes de combat chez des sujets auparavant normaux que s'est développée la notion que toute personne a son point de décompensation, si le stress est suffisamment élevé.

La réaction habituelle du soldat avant le combat en est une d'appréhension générale. On a décrit des phénomènes anxio-dépressifs et des préoccupations hypocondriaques chez les soldats à cette période d'attente. Il faut comprendre le contexte complètement nouveau, tragique dans lequel ils sont jetés, loin du foyer, des amis, du connu, coupés de leur vécu habituel. Chaque soldat apporte au combat son bagage d'expériences antérieures, qui donne une signification particulièrement personnelle à cette confrontation avec la mort.

Après un combat prolongé, habituellement, le soldat présente une fatigue extrême, combinée avec une apathie et une sensibilité diminuée aux stimuli. Parfois, on note aussi une irritabilité fugace, des signes dysphoriques avec agitation psychomotrice. Les peurs les plus fréquemment ressenties par les combattants sont: soit la peur de la mort ou d'être mutilé, soit la crainte d'être paralysé de peur et de ne pouvoir agir, soit finalement la peur d'être discrédité par les compagnons.

La situation de combat constitue en soi une condition extrêmement pénible. Les conditions de vie changées, l'éloignement des siens, le bruit assourdissant des armes, la nécessité d'être continuellement sur le "qui-vive", la vue de corps de compatriotes blessés ou tués jonchant le sol, la privation de sommeil et peut-être parfois d'armes, de munitions et de nourriture, etc., constituent des conditions pouvant ébranler la stabilité émotionnelle des individus les mieux équilibrés.

Un des facteurs importants au combat pour le soldat consiste à remplir le rôle attendu du soldat, i.e. de se battre avec dignité et courage. Il est remarquable de voir que le degré de détresse émotionnelle lors de l'évacuation est généralement moindre chez les soldats blessés sérieusement au combat que chez les soldats évacués pour des raisons psychologiques ou des blessures légères. Celui qui affiche une blessure importante a gagné le droit de se retirer du combat sans autodépréciation: il a fait face au combat! Celui qui quitte la zone de combat, sans une blessure honorable, est souvent envahi par un sentiment de trahison vis-à-vis ses compagnons et va prendre plus de temps à métaboliser les séquelles psychologiques du combat.

Le syndrome particulier de la "névrose traumatique de guerre" se retrouve chez certains soldats même cinq ans après la fin du combat. Le tableau clinique comporte habituellement une anxiété intense, des rêves répétitifs de combats, des réactions de sursaut aux moindres bruits, de la tension, des sentiments dépressifs, de la culpabilité, et une tendance à des réactions soudaines explosives d'agressivité. Les symptômes secondaires les plus souvent rencontrés sont une tendance à éviter les gens, une peur d'être exposé à la critique, une difficulté à prendre des décisions et divers troubles du sommeil. Il est intéressant de constater que les auteurs de cette étude identifièrent dans les cas de "névrose traumatique de guerre" deux groupes de caractères qui se distinguent par leur style d'adaptation avant la névrose.

Les deux types de caractères sont "alloplastiques" et "autoplastiques" i.e. "extravertis" et "introvertis". Chez les caractères alloplastiques, la thérapie est habituellement courte et consiste essentiellement à rapporter les expériences du combat aux attitudes et aux sentiments présents. Chez les caractères auto-plastiques, une autre étape doit être entreprise dans la thérapie: les expériences traumatiques du combat doivent être rapportées non pas principalement aux attitudes et sentiments présents, mais aussi aux expériences traumatiques vécues antérieurement au combat. Cette distinction bipolaire dans la façon des individus de réagir au stress se retrouve dans toutes les études.

b) *Les camps de concentration*

Les études des victimes des camps de concentration, exposées à des stress prolongés et à la mort, nous apportent des éclairages additionnels, (Krystal et Niederland 1971). Il a été démontré par des évaluations détaillées que la majorité (99%) des survivants norvégiens d'un camp de concentration présentaient encore des troubles psychiatriques plusieurs années après leur retour à la vie normale. Les troubles consistaient en difficultés de concentration et troubles de la mémoire (87%), tension et irritabilité (85%), troubles du sommeil (60%), cauchemars (52%). Il semble que, quelle que soit la configuration de la personnalité avant le stress, les personnes exposées aux camps de concentration ont eu certains symptômes, telles des images d'intrusions répétées de leur expérience traumatique même des années après leur libération.

c) *Les bombardements nucléaires*

Lifton (1967) a étudié le cas de 75 survivants, dix-sept ans après le bombardement atomique d'Hiroshima. Il a fait ressortir quatre phases dans ce processus de confrontation avec la mort. D'abord il s'agit d'une phase "d'immersion avec la présence de la mort" où la victime se sent complètement dépassée, sans secours, et cesse rapidement de sentir. En effet, aussitôt l'effroi initial subi, la victime se ferme psychologiquement, comme pour nier que la mort est si près. Des sentiments de culpabilité sont ressentis envers les victimes tuées sous forme de reproches: "J'aurais dû les sauver".

La deuxième phase se caractérise par l'idée d'une "contamination invisible" par les radiations, dans les semaines qui suivent, accompagnée d'un sens d'impuissance individuelle devant un agent invisible avec déni de la maladie quand les symptômes d'irradiation apparaissent.

La troisième phase, qui se situe plusieurs années après l'explosion, coïncide avec l'expérience des effets tardifs d'irradiation et comporte de façon sous-jacente une imagerie d'une foule d'effets léthaux possibles s'échelonnant jusqu'à la prochaine génération.

La quatrième phase consiste en une identification et une préoccupation permanente avec l'idée de la mort.

d) L'émigration

Une autre série d'études sur une situation comportant un stress spécial est celle des émigrés (Bastide 1965).

L'émigré en quittant son pays (de gré ou de force, selon les circonstances) pour en adopter un autre, abandonne ses habitudes traditionnelles, les coutumes de son pays, souvent sa famille (qui le rejoindra plus tard si son adaptation est réussie). Il doit apprendre de nouvelles façons de vivre, de se nourrir, parfois même de s'habiller; il doit établir de nouvelles relations, souvent apprendre une autre langue et un autre mode de pensée. Il doit mener de front plusieurs luttes pour s'intégrer au pays d'adoption; il doit affronter des barrières sociales et culturelles, et doit s'armer de connaissances nouvelles et de patience pour affronter les exigences des ministères de l'immigration, des corporations professionnelles ou des corps de métiers qui correspondent à ses qualifications.

Depuis quelques années cependant, l'enrichissement rapide de certains pays et l'appauvrissement brutal de certains autres ont fait augmenter cette catégorie de situations et ont contribué à rendre moins difficile l'adaptation de l'émigré; il n'est plus tout seul dans son cas et certains préjugés farouches ont tendance à disparaître favorisant ainsi son adaptation.

Face à ces nouvelles exigences, contraintes, remises en question, que nous avons soulignées, l'immigrant présente des réactions diverses:
- il peut présenter des phénomènes anxieux et/ou dépressifs; il peut développer une méfiance extrême et être porté à interpréter les situations qui surviennent comme dirigées contre sa personne, pouvant conduire à un repli sur lui-même.
- il peut devenir hyperactif ou développer une structure rigide basée sur des principes sévères, voulant ainsi s'armer pour dépasser l'autochtone, être plus compétent que lui.
- certains se regroupent, vivant très proches des individus venant du même pays que lui, comme pour éviter le contact, la "contamination" de la culture dans laquelle ils ont immigré.
- enfin ceux qui ne réussissent pas à s'adapter doivent retourner dans leur pays avec un sentiment d'échec.

Ces réactions se situant surtout dans les premiers six mois après la transplantation, peuvent devenir un mode d'être qu'on qualifiera, parfois à tort, de culturel. Certaines communautés, telles les colonies hollandaises en France, sont connues pour former dans tous les pays où ils immigrent, des groupes très solidaires qui, gardant fidèlement leurs traditions culturelles, reconstituent ainsi la culture, les habitudes de vie de leur pays d'origine.

e) Le viol

Les victimes de viol peuvent aussi être considérées comme ayant été exposées à des stress spéciaux. Burgess et Holmstrom (1974) ont étudié 146 femmes qui se présentèrent pour traitement. De nouveau le syndrome comporta des phases réactionnelles. Dans la phase aiguë, caractérisée par une désorganisation du style de vie de la victime, une gamme étendue d'émotions sont exprimées. La phase initiale (I) inclut souvent une réaction de choc et d'incrédulité. Puis les émotions semblent émerger selon deux styles émotionnels particuliers: soit un "style expressif" où les sentiments de peur, de rage et d'anxiété sont exprimés par des pleurs, des rires, de l'agitation; soit un "style répressif" où les sentiments sont masqués ou refoulés et la victime apparaît comme calme. Dans la seconde phase (II), qui commence deux ou trois semaines après l'attaque, l'activité psychomotrice change, des cauchemars et des phobies sont proéminents. Les rêves alors représentent soit des situations où la victime est de nouveau attaquée mais se réveille avant de pouvoir agir, ou soit des rêves où la victime réussit à maîtriser la situation. Fréquemment la victime va développer (III) une réaction phobique envers l'événement traumatique, ainsi que des peurs reliées aux situations ressemblant à la situation traumatique comme par exemple: les parcs, l'obscurité, la solitude.

f)   Les maladies terminales

Les études de Kubler-Ross (1969) chez plus de 400 personnes atteintes de maladies terminales illustrent bien les phases d'ajustement à un stress spécial. La première phase (I) consiste en une réaction de choc et de déni devant la mort imminente. La deuxième phase (II) se caractérise par une réaction de colère dirigée vers la famille, le personnel médical, qui représente la santé. Puis durant la troisième (III) phase, le patient tente de marchander pour sauver du temps. Progressivement, peut suivre la quatrième (IV) phase qui est une réaction dépressive accompagnée de pleurs, avec ou sans verbalisations sur la mort. Finalement le patient entre dans la phase d'acceptation (V) où il se sépare progressivement de ceux qu'il laisse derrière lui. À noter que certains patients ne dépassent jamais la première phase et nient la gravité de leur situation jusqu'à la fin (Voir chapitre 25 — Psychologie de la mort).

g)   Le deuil

Les études de Lindemann (1944) sur les personnes ayant à faire le deuil d'une personne chère démontrent des phases un peu semblables à celles de personnes atteintes de maladies terminales. On note une phase de choc, avec incrédulité de ce qui arrive, suivie d'une phase de tristesse lucide, avec des sentiments d'impuissance, de culpabilité, de désespoir et de sensation de vide. La troisième phase consiste en une récupération progressive où la personne fait son "travail de deuil" i.e. qu'il y a émancipation progressive vis-à-vis des liens affectifs avec le défunt, réajustement au milieu et formation de nouvelles relations.

6.3.3   Etudes du stress dans des situations de la vie courante

Certains auteurs ont tenté d'évaluer de façon quantitative l'intensité d'un stress sur une personne représentant la moyenne des individus sans tenir compte de la signification personnelle de ce stress.

Holmes et Rahe (1967) ont élaboré une échelle d'ajustement social, basée sur la présomption que les événements de la vie, bons ou mauvais, déclenchent des mécanismes d'adaptation. Leur échelle inclut 43 événements, comme la mort du conjoint, le mariage, la perte d'un emploi, etc. Ils accordent un ''poids'' à chaque événement, en fonction de la quantité ''d'énergie d'adaptation'' qu'il déclenche (tableau 6.2).

Les événements plus hautement cotés ont trait à des événements provoquant la séparation ou la perte d'objet, soit divorce, mort de parents proches, longue maladie ou détention. Ces auteurs ont validé leur échelle à l'occasion d'une étude effectuée auprès d'hommes d'équipage placés dans les mêmes conditions expérimentales pendant un voyage de deux mois en mer. Cette étude révèle que les sujets qui avaient un score égal ou supérieur à 300, dans les six mois précédant l'expérience, ont présenté un taux plus élevé de maladies que ceux qui avaient un score plus bas et ceci de façon significative.

TABLEAU 6.2: Echelle d'ajustement social, de Holmes et Rahe

Rang	Evénement de la vie	Valeur allouée
1	Mort du conjoint	100
2	Divorce	73
3	Séparation conjugale	65
4	Emprisonnement	63
5	Mort d'un proche dans la famille	63
6	Maladie ou blessures personnelles	53
7	Mariage	50
8	Congédiement	47
9	Réconciliation de mariage	45
10	Retraite	45
11	Maladie d'un membre de la famille	44
12	Grossesse	40
13	Difficultés sexuelles	39
14	Addition d'un nouveau membre dans la famille	39
15	Changement d'affaires	39
16	Changement d'état financier	38
17	Mort d'un ami proche	37
18	Changement de domaine dans le travail	36
19	Changement dans la fréquence des disputes	35
20	Hypothèque de plus de $10,000	31
21	Emprunt	30
22	Changement de responsabilité au travail	29
23	Garçon ou fille qui quitte la maison	29
24	Problème avec la justice	29

Rang	Evénement de la vie	Valeur allouée
25	Succès personnel marquant	28
26	Femme qui commence ou cesse le travail	26
27	Débuter ou terminer l'école	26
28	Changer ses conditions de vie	25
29	Revision dans ses habitudes de vie	24
30	Problèmes avec le patron	23
31	Changement dans les heures ou conditions de travail	20
32	Changement de résidence	20
33	Changement d'école	20
34	Changement dans les loisirs	19
35	Changement dans les activités régulières	19
36	Changement dans les activités sociales	18
37	Emprunt de moins de $10,000	17
38	Changement d'habitude dans le sommeil	14
39	Changement dans le nombre des membres de la famille	15
40	Changement d'habitude alimentaire	15
41	Vacances	13
42	Noël	12
43	Violation mineure de la loi	11

L'étude de Holmes et Rahe a suscité bien des controverses, étant donné leurs efforts d'objectiver une situation stressante qui comporte toujours des facteurs subjectifs dus aux variations individuelles: ces facteurs viennent toujours fausser les prédictions. Ainsi, Tennant et Andrews (1978) ont tenté de décomposer la notion de ''stress de la vie'' en quatre éléments:

1) le nombre cumulatif d'événements nécessitant un changement

2) le pointage des changements de vie accumulé

3) le pointage de détresse émotionnelle cumulative

4) le degré d'incapacité névrotique résultante.

Ils ont démontré en reprenant l'étude de Holmes et Rahe que c'est l'intensité de détresse émotionnelle évoquée par un événement (facteur 3) qui constitue l'essence du stress. Autrement dit, certains événements sont pathogéniques, non pas tellement à cause des changements de vie qu'ils amènent, mais à cause de la composante émotionnelle bouleversante qu'ils induisent. D'après eux, c'est le degré de détresse émotionnelle d'un événement induit qui va plus tard amener une incapacité névrotique.

Nous pourrions étudier en détail chacun des stresseurs répertoriés dans l'étude de Holmes et Rahe, mais ce travail dépasserait l'objectif poursuivi ici. Disons seulement quelques mots sur une situation stressante qui est de plus en plus fréquente, de mieux en mieux documentée, soit la séparation et le divorce.

La séparation et le divorce

La séparation et le divorce, deux phénomènes relativement rares il y a une vingtaine d'années, ont augmenté à un rythme effarant depuis les années 60 au point qu'on ne peut ignorer ces problèmes dans la liste des situations de la vie courante des individus. Les phases habituelles de cette crise sont assez bien connues.

Avant la rupture officielle, souvent les relations entre les conjoints sont tendues et même stagnantes pendant plusieurs mois ou même des années (discussions, insultes, coups, silences, etc.) avec toutes les conséquences qu'on peut imaginer sur le plan émotionnel: dépression, alcoolisme, passivité, agressivité, etc.

En fait, les phases normales vécues lors d'un divorce ont été bien décrites. La première phase du processus de rupture en est une de choc, d'incrédulité et de désarroi: cette rupture signifie un chambardement profond dans une vie avec des sentiments de culpabilité, d'échec, d'abandon.

La deuxième phase comporte habituellement un mouvement de colère, de raidissement, d'agressivité, avec sentiments de vengeance, de lutte à finir. Cette phase est aussi parsemée de périodes oscillatoires d'indifférence, de déni, de refoulements défensifs, comme pour atténuer l'impact de la tragédie.

La troisième phase comporte des périodes d'activités accrues, avec une recherche de voies alternatives: on peut assister alors à des décisions impulsives, des fréquentations frivoles, une consommation excessive d'alcool, de médicaments.

La quatrième phase amène l'acceptation de la rupture avec l'établissement de nouveaux contacts avec le monde extérieur, le développement de nouveaux liens affectifs, le retour à un rendement normal au travail.

Les procédures légales qui entourent un divorce sont compliquées à souhait par les législatures et les avocats; elles augmentent l'animosité entre les conjoints: en effet, les plaintes doivent être formulées avec précision et preuves contre le conjoint; les enfants, s'il y en a, sont tiraillés entre les parties, des clans se forment dans les familles et les amis. La séparation ou le divorce ne se fait pas seulement entre les ex-conjoints mais entre ... deux clans.

Les amis gardent leurs distances, du moins pendant un certain temps, particulièrement ceux qui se sentent menacés dans leur vie conjugale par l'exemple qui pourrait être nuisible pour leur propre mariage.

Après la séparation ou le divorce, la situation demeure difficile à vivre tant pour les ex-conjoints que pour les parents de ces derniers et leurs enfants. La création de nouvelles alliances et d'un nouveau type de communication entre les "deux clans" témoigne généralement que le processus de résolution de la crise est en cours.

6.4 CARACTÉRISTIQUES GÉNÉRALES DU SYNDROME D'ADAPTATION AU STRESS SITUATIONNEL

A partir des études mentionnées antérieurement, Mardi Horowitz, dans son volume: "Stress Response Syndrome" (1976) tire les conclusions suivantes:

1) On peut affirmer l'existence de "tendances générales de réponse" aux événements stressants. Bien que le degré de réponse varie avec différentes personnes, celles soumises à des stress suffisants démontreront vraisemblablement les mêmes réponses générales au stress.

2) Ces tendances générales de réponse au stress sont généralisables, en ce sens qu'elles apparaissent de façon systématique après une variété d'événements stressants qui diffèrent en qualité et en quantité.

3) Ces tendances générales se produisent habituellement en phases temporelles, du moins pour ce qui est des événements stressants majeurs. Les phases peuvent se chevaucher et les personnes peuvent varier dans la façon d'entrer et de sortir d'une phase, ainsi que dans la séquence dans laquelle les phases se présenteront et se termineront.

4) Certaines réponses au stress commencent seulement après une période de latence, d'autres réponses persistent même après que les événements stressants soient terminés.

5) Après l'impact initial avec l'événement stressant, une des observations principales chez les divers groupes étudiés est que les sujets soumis au stress vont présenter des symptômes selon deux **orientations générales** opposées: soit des répétitions compulsives d'intrusions de pensées, d'images, d'émotions ou de conduites reliées à l'événement stressant, soit des réactions de déni idéationnel, d'''engourdissement émotionnel'' et de conduites inhibées.

6) Après l'événement stressant, on peut noter quatre phases générales typiques pour une grande variété d'événements stressants avec des manifestations aux niveaux cognitif, émotionnel, comportemental et physiologique (voir tableau 6.3):

a) une phase initiale de surprise avec la réalisation qu'un événement éprouvant va ou vient d'arriver, avec choc, cris, pleurs, confusion, etc ;

b) une phase de déni et d'engourdissement émotionnel où l'événement stressant est plus ou moins nié, ignoré;

c) une phase mixte de déni et de répétitions involontaires de pensées, de souvenirs, d'émotions, de conduites reliées au stress ;

d) une phase de perlaboration et d'acceptation avec **assimilation*** idéative et émotionnelle de l'événement stressant, diminuant ainsi les efforts de déni ou de remémoration de l'événement stressant. Si cette phase échoue, on pourra assister à une chronicisation de la réaction pathologique.

TABLEAU 6.3: Les phases générales de réponses au stress (Horowitz 1976)

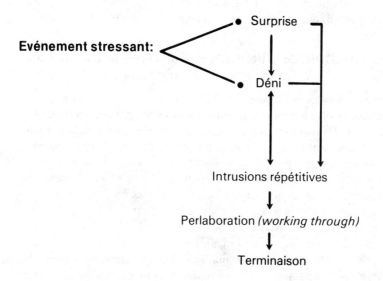

Exceptionnellement certains stress peuvent être anticipés, exemple: la retraite, on aura alors une phase anticipatoire.

Telles sont les caractéristiques générales de la réaction au stress situationnel. Ajoutons cependant que la tendance compulsive à la répétition de certains aspects de l'expérience traumatique peut se manifester:

- au plan idéationnel: par des cauchemars, des rêves, des pseudo-hallucinations, des intrusions d'images récurrentes fragmentaires, des illusions, des obsessions; les aspects caractéristiques de ces intrusions sont qu'elles sont subites, non voulues, désagréables et difficiles à supprimer ;

---

* Le mot "assimilation" est utilisé ici dans le sens que lui a donné Piaget: il s'agit d'opérations qui traduisent et coordonnent les informations reliées à l'événement stressant en significations personnelles variées, et qui les comparent aux sous-catégories appropriées de schèmes préexistants du soi (*self*) et du monde (*world*). Ces opérations peuvent être conceptualisées comme une série de comparaisons entre des informations conflictuelles, venant d'une part de l'événement stressant et d'autre part des schèmes résiduels de soi et du monde, jusqu'à ce qu'une équation satisfaisante pour l'individu puisse être établie entre ces deux groupes de significations.

- au plan émotionnel: par des peurs que l'événement se répète, de la honte devant son impuissance, de la rage envers les responsables réels ou projetés, de la culpabilité quant à sa survie, ou de la honte d'impulsions agressives envers des personnes impliquées dans la situation, de la tristesse en rapport avec les pertes subies ;

- au plan comportemental. on peut noter diverses réactions psychomotrices agitées ou inhibées ;

- au plan physiologique: on peut remarquer certaines manifestations autonomes tels des sueurs, des tremblements, des palpitations et des troubles de divers systèmes.

6.5   MODÈLE THÉORIQUE D'UN PROCESSUS D'ASSIMILATION DU STRESS

Plusieurs auteurs se sont questionnés sur les mécanismes qui sous-tendent cette tendance de l'individu à revivre de façon répétitive, compulsive, certains fragments d'expériences traumatiques (Freud 1920; Schur 1966). Une partie de la réponse nous est fournie par Horowitz (1976) qui démontre que chaque individu métabolise ou ''assimile'' l'événement stressant selon un processus personnel de traitement des aspects cognitifs et émotionnels de l'expérience traumatisante jusqu'à ce qu'il ait à peu près complètement assimilé les informations émotives reliées à l'expérience. Pour ce faire, l'auteur fait appel à diverses notions en usage actuellement, telles les notions de plan, de cycle, de mémoires actives, de schèmes, d'information, de hiérarchies par priorités, de tension et systèmes d'évaluation, de conditions optimales, de seuils et priorités, de comparaisons jusqu'à équation, et d'intégration.

Chaque événement extérieur, pour être intégré dans l'appareil psychique d'un individu, doit être évalué, comparé avec les schèmes internes emmagasinés aux cours d'expériences antérieures. Les deux registres de base qui servent de références pour comparer les nouvelles informations venant de l'extérieur sont les schèmes du soi (*self*) et les schèmes du monde (*world*). L'information concernant un événement particulier sera traitée jusqu'à ce qu'une équation satisfaisante soit atteinte entre l'information nouvelle et les schèmes résiduels du soi et du monde.

Pour effectuer ce traitement émotionnel et cognitif de l'événement stressant, l'individu dispose de quatre systèmes qui travaillent dans une relation transactionnelle. Ces quatre systèmes sont: (cf. tableaux 6.4 et 6.5).

a)   un système d'activation,
b)   un système idéationnel (ou des représentations),
c)   un système émotionnel (ou d'évaluation),
d)   un système de contrôle.

Le système d'activation règle le niveau général d'éveil auquel l'événement est perçu, senti, évalué, contrôlé et intégré. Chaque niveau d'activation appelle une gamme particulière de mémoires et d'associations évoquées (*state dependent learning*). Ce système assure une médiation entre les phases de déni ou d'intrusions répétitives: l'organisme tend à traiter de façon expéditive les aspects cognitifs et émotionnels de l'événement stressant dans la mesure où le niveau de tension est tolérable pour l'individu: si la tension devient trop élevée, le système de contrôle va interrompre le processus de traitement en abaissant le niveau d'activation pour donner la priorité à d'autres informations moins troublantes; nous assistons alors au phénomène de déni, d'inhibition, de refoulement. Cependant cette information reste dans les mémoires "actives" qui contiennent les problèmes courants non résolus et sera de nouveau présentée pour traitement dès que le niveau tensionnel aura baissé un peu, soit par exemple durant le sommeil, ou lors d'un moment de relaxation (ex. les abréactions dans le training autogène).

Le système idéationnel comporte des fonctions de perception, de représentation, d'organisation et de traitement cognitif. L'opération-type de ce système est de comparer les représentations actuelles de l'événement stressant, dans l'état actuel d'activation de l'organisme, avec ses impulsions afférentes et les schèmes résiduels du soi et du monde. Tant et aussi longtemps qu'une équation acceptable pour l'individu n'aura pas été atteinte (*match*) l'opération se continuera sous forme d'intrusions répétitives.

Le système émotionnel est conçu de telle façon que les affects sont considérés comme des signaux qui informent de l'inéquation entre les représentations du stress présent et les représentations des schèmes personnels d'intégration du soi et du monde. Il s'agit du **conflit intrapsychique traditionnel**. Certains ajustements doivent être opérés soit pour modifier les schèmes résiduels du soi et du monde, de sorte qu'un équilibre entre le monde intrapsychique et le milieu puisse être rétabli, soit pour modifier les significations de l'événement stressant jusqu'à ce qu'il ne menace plus l'intégrité psychologique de l'individu.

Il appartient au système de contrôle de sélectionner, à partir des hiérarchies de priorités, quels aspects de la crise doivent être modifiés, en tenant compte de l'état actuel de l'organisme, des significations particulières évoquées par les représentations actuelles, et des ressources disponibles à l'individu, venant de lui-même ou du milieu social.

A noter que les niveaux de conscience viennent se greffer secondairement dans ce processus d'assimilation émotionnel et cognitif. Il n'est pas nécessaire que l'individu soit conscient de toutes ces opérations pour qu'elles se produisent naturellement. Cependant, une connaissance éclairée des opérations en cause constitue une base cohérente pour le traitement de ces troubles. Avant d'aborder cet aspect, nous nous replacerons dans le contexte des classifications diagnostiques actuelles.

TABLEAU 6.4: Schéma d'assimilation du stress: Horowitz, 1976

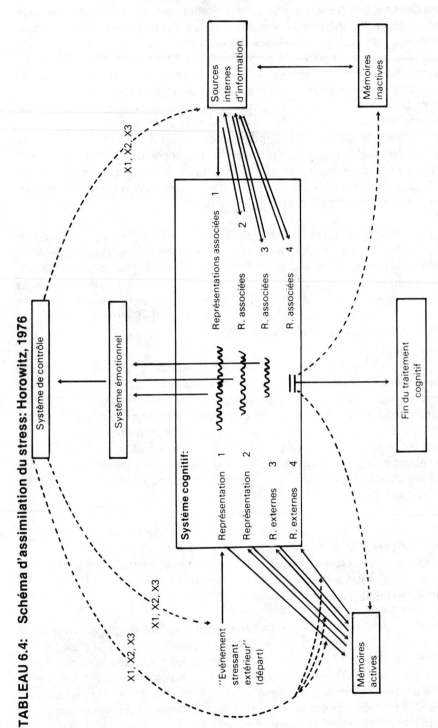

(L'équation finale entre les représentations divergentes met un terme aux tendances représentationnelles répétitives activées par l'événement stressant.)

TABLEAU 6.5: **Schéma d'Horowitz modifié pour tenir compte des différents niveaux d'activation de l'organisme**

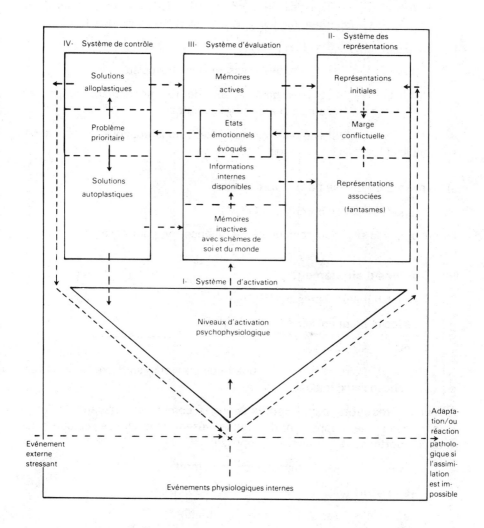

6.6 CONTEXTE ACTUEL DES NOUVELLES CLASSIFICATIONS: DSM III ET CIM 9

En 1978, avec la perspective multi-axiale de la nouvelle classification DSM III de l'Association psychiatrique américaine, une importance accrue est donnée aux agents stresseurs extérieurs. En effet, la troisième classification du Manuel diagnostique et statistique des maladies mentales (DSM III) propose que les diagnostics psychiatriques soient posés pour chaque individu en tenant compte des cinq axes suivants:

Axe I	Syndrome(s) psychiatrique(s) clinique(s) et autres conditions.
Axe II	Troubles de la personnalité (adultes) et troubles développementaux spécifiques (enfants et adolescents).
Axe III	Troubles physiques.
Axe IV	Sévérité des stresseurs psychosociaux.
Axe V	Le plus haut niveau de fonctionnement adaptif au cours de l'année précédente.

Ceci veut dire d'une part que sur l'axe I, nous pouvons, si les critères sont applicables, poser le diagnostic de:

a)   **Trouble de stress post-traumatique**

aigu (308.30) ou chronique (309.81)

ou encore, si la situation demande cette nuance, on peut poser le diagnostic de:

b)   **Troubles d'ajustement**

- avec humeur dépressive (309.00)

- avec humeur anxieuse (309.24)

- etc.

Cela veut dire, d'autre part, que nous pouvons, sur l'axe IV des stresseurs psychosociaux, indiquer:

1)   **Les stresseurs psychosociaux** jugés comme contribuant de façon significative au développement du trouble présent. Une liste de secteurs pouvant comporter des stresseurs est proposée:

- stresseurs reliés au mariage: divorce, mort

- stresseurs reliés aux relations interpersonnelles

- stresseurs reliés au travail: perte, retraite

- stresseurs reliés à l'état financier

- stresseurs reliés à la loi, famille

- stresseurs reliés aux cycles de la vie

- stresseurs reliés à la maladie physique

- autres, etc.

S'il y a plusieurs stresseurs, il est conseillé de les inscrire par ordre d'importance, en commençant par les plus sérieux.

De plus, sur l'axe IV, on peut indiquer:

2) **L'intensité du stresseur**, basée sur un jugement clinique à savoir quel serait l'impact de ce stresseur sur une personne moyenne, avec un niveau socio-culturel équivalent au patient actuel. On tente ainsi d'objectiver l'intensité du stresseur en évaluant le degré de changement demandé par le stresseur, de quelle façon le stresseur est anticipé, désiré et contrôlé par le patient, et finalement le nombre de stresseurs présents. L'intensité est graduée de 1 à 7, "7" étant "d'intensité catastrophique" (voir page 18).

A titre d'exemple, on pourrait diagnostiquer la réaction anxio-dépressive d'un homme de 60 ans, forcé de prendre sa retraite, après une carrière réussie:

Axe 1   Troubles d'ajustement, avec éléments émotionnels mixtes (309.28)

Axe II   -

Axe III   -

Axe IV   Stresseur psychosocial:
- retraite forcée
- changement de résidence avec perte de contacts avec les amis
Sévérité: 4 (modérée)

Axe V   Fonctionnement:
3 - bon   (meilleur niveau de fonctionnement au cours de l'année).

Cependant, même si la nouvelle classification DSM III apporte de précieux développements dans la phénoménologie des troubles mentaux, son acceptation et son utilisation par les cliniciens ne sont pas encore établies (Spitzer, Juin 1979).

Elle constitue un effort d'envergure pour tenir compte du plus grand nombre possible de composantes contribuant à la production du phénomène "trouble mental". Cette visée est nécessaire pour faire progresser notre conceptualisation des troubles mentaux, mais il n'est pas certain qu'une position aussi globale et idéaliste puisse être demandée et maintenue par le clinicien moyen préoccupé d'un diagnostic rapide et d'une intervention *ad hoc*...

D'ailleurs, la Régie de l'assurance-maladie du Québec a récemment choisi de proposer plutôt la Classification internationale des maladies (CIM 9) aux médecins participants. Cette classification comporte les deux mêmes grandes catégories pour diagnostiquer les réactions psychiatriques reliées au stress situationnel, soit:

A- Etats réactionnels aigus à une situation très éprouvante (correspondant au "Trouble du stress post-traumatique" du DSM III).

B- Troubles de l'adaptation (correspondant aux "Troubles d'ajustement" du DSM III).

- avec les mêmes sous-catégories.

La classification CIM 9 ne comporte pas d'axe II, III, IV, et V.

L'ambiguïté des classifications actuelles n'est pas accidentelle: elle reflète l'évolution complexe et controversée de cette entité diagnostique que sont les troubles d'adaptation et le malaise qu'éprouvent les psychiatres à s'aventurer dans le domaine des facteurs psychosociaux.

La question majeure qui confronte chaque théoricien du stress situationnel est de quantifier l'influence d'un "stresseur" particulier sur une "personnalité" particulière dans la production d'une "réaction psychiatrique" particulière.

6.7   DIAGNOSTIC DES RÉACTIONS PSYCHIATRIQUES RELIÉES AU STRESS SITUATIONNEL

Ce diagnostic est posé par exclusion lorsque le tableau clinique présenté ne rencontre pas les critères pour être classé dans les autres catégories diagnostiques, et qu'on juge que la réaction pathologique ne serait pas survenue sans cet événement stressant. La réaction au stress peut être brève ou prolongée, dépendant de la durée du stresseur, des caractéristiques personnelles de l'individu, et des supports sociaux disponibles à l'individu.

6.7.1   Trouble post-traumatique de stress

La distinction diagnostique d'une part entre le "trouble post-traumatique de stress" (DSM III 308) ou "l'état réactionnel aigu à une situation très éprouvante" (CIM 9 308) et d'autre part "le trouble d'adaptation" (309 dans DSM III et dans CIM 9) se fonde principalement sur l'intensité et le caractère exceptionnel de l'agent stresseur: dans la première catégorie (308) le stresseur est un événement psychologiquement traumatique qui se situe en dehors des expériences humaines considérées comme normales. Il est entendu que ce stresseur (exemple: viol, grand feu, torture) provoquerait des symptômes de détresse dans la majorité des individus.

Les phases habituelles du "trouble post-traumatique de stress" ont déjà été décrites, qu'il suffise de les rappeler brièvement:

1- Phase d'impact avec choc, sidération.

2- a) Phase d'inhibition, d'engourdissement, d'insensibilité, de déni.

b) Phase d'intrusions répétitives, de cauchemars et de vécus répétitifs de fragments de l'expérience. On peut aussi noter des troubles autonomes, de l'excitation, de l'insomnie, de la culpabilité, des sentiments dépressifs (les plus fréquents), de l'anxiété, de la dépréciation, avec parfois des tendances suicidaires.

3- Une phase de récupération progressive avec diminution des phases 2a et 2b mais encore présentes, avec sensibilité aux stimuli évoquant la situation traumatique originale. C'est aussi durant cette période que le patient peut commencer à abuser d'alcool ou de médicaments pour camoufler ses symptômes.

4- La phase terminale consiste en une acceptation, une intégration de l'événement traumatique dans la vie personnelle du patient avec retour au fonctionnement normal. Il faut mentionner qu'une intégration parfaite est rare et qu'il reste habituellement des résidus mnésiques.

Le diagnostic différentiel de "trouble post-traumatique de stress" est à faire avec le trouble dépressif (névrose dépressive), l'anxiété (névrose d'angoisse), le trouble phobique (névrose phobique), le trouble d'adaptation et le syndrome organique cérébral. Dans le "trouble post-traumatique de stress" les symptômes de dépression, d'anxiété, de phobie, ne dominent pas le tableau clinique mais en sont seulement des éléments secondaires. Ce trouble se distingue aussi du "trouble d'adaptation" (309) en ce que le stresseur est plus intense, plus exceptionnel, et que la réaction psychiatrique est plus sévère, persistante et débilitante. Il diffère enfin du trouble organique cérébral en ce qu'on ne trouve pas d'étiologie organique pouvant expliquer les pertes de mémoire, les troubles de concentration et les troubles d'attention.

En résumé, les critères pour un diagnostic de "troubles post-traumatiques de stress" (DSM III) ou d'"état réactionnel aigu à une situation très éprouvante" (CIM 9) sont:

a) un stresseur identifiable qu'on considère comme suffisant pour provoquer des symptômes de détresse chez la majorité des individus;

b) des expériences répétitives de l'événement traumatique sous forme:

1- de remémorations involontaires et répétitives de l'événement,

2- de rêves répétitifs de l'événement,

3- de gestes ou de sentiments subits, comme si l'événement traumatique survenait de nouveau, provoqués par des stimuli rappelant la scène traumatique;

c) un engourdissement des sensibilités au monde externe avec soit:

1- rétrécissement du champ des intérêts,

2- sentiments d'indifférence envers les proches,

3- constriction des démonstrations affectives;

d) et au moins deux des signes suivants:

1- excitation ou sursauts,

2- troubles du sommeil (initial, milieu, fin),

3- des sentiments de culpabilité pour avoir survécu à d'autres,

4- trouble de mémoire ou de concentration,

5- évitement des situations pouvant remémorer l'événement,

6- intensification des symptômes par réexposition à des situations similaires au traumatisme.

Le diagnostic de "trouble post-traumatique de stress" se subdivise grossièrement en aigu ou chronique, selon que les symptômes durent moins de six mois, ou plus de six mois.

6.7.2 Troubles de l'adaptation

Ce diagnostic caractérise une réaction inadaptée à un événement de la vie, qui n'est cependant pas une exacerbation d'un trouble mental connu, réaction qui devra s'estomper avec la disparition du stresseur. Il s'agit d'une réaction anormale, en ce sens qu'elle excède la réaction normale prévisible au stresseur. Il peut y avoir un ou plusieurs stresseurs, exerçant leur influence de façon subite ou récurrente. On a d'ailleurs remarqué que le nombre de stresseurs concomitants était plus élevé en général chez les gens de classes sociales défavorisées (classes IV et V de Redlich et Hollingshead). Chaque période développementale d'ailleurs comporte des stresseurs additionnels lors de ces passages, comme l'adolescence, le début de la vie adulte, la retraite, etc. (Sheehy 1977). La sévérité du stresseur est une fonction complexe qui dépend de la nature du ou des stresseurs, de leur durée, de leur réversibilité ainsi que du contexte personnel. Le facteur qui varie le plus est la vulnérabilité de la personnalité en cause avec ses valeurs, son style d'adaptation, mais ici nous supposons avoir affaire à une personne "normale".

Les manifestations cliniques de cette entité psychiatrique varient: d'après les études de L. Wynne au Strong Memorial Hospital, (Freedman et Kaplan, 1975) les patients ayant ce diagnostic se répartissaient ainsi:

- 80% avaient des symptômes dépressifs,

- 35% avaient des tendances agressives, hostiles,

- 25% souffraient d'insomnie,

- 22% présentaient des signes d'anxiété,

- 22% abusaient d'alcool,

- 20% avaient des troubles psychophysiologiques, tels: asthme, maux de tête, etc.

Les sous-catégories diagnostiques seront spécifiées selon la prépondérance de ces symptômes.

Le diagnostic différentiel de ''trouble de l'adaptation'' est à faire avec les troubles affectifs majeurs, le trouble dépressif chronique (dépression névrotique prolongée), la psychose brève réactionnelle, les troubles de somatisation, les troubles de l'usage de substances, le deuil non compliqué, les troubles de conduite, le trouble d'identité, le trouble post-traumatique de stress. La ligne générale à suivre pour établir un diagnostic dans ces cas est de donner préséance à ces diagnostics même si un stresseur ou un groupe de stresseurs est considéré comme un facteur précipitant possible.

Les critères diagnostiques des ''troubles de l'adaptation'' se définissent comme suit:

a) il doit s'agir d'un changement inadapté dans le fonctionnement qui est jugé comme une réaction directement reliée à un stresseur psychosocial identifiable;

b) la nature inadaptée du changement est appréciée par une incapacité dans le fonctionnement social ou occupationnel, ou par les symptômes en excès de la réaction normale prévisible au stresseur;

c) il faut que le changement dans le fonctionnement ne soit pas dû à une autre pathologie diagnostiquée;

d) il faut que la réaction disparaisse avec la disparition du stresseur.

6.8   PRINCIPES GÉNÉRAUX DU TRAITEMENT

Les principes du traitement des réactions psychiatriques au stress situationnel se basent sur les phases de réponse au stress et sur le style personnel d'adaptation de ce patient en particulier.

Le travail principal du thérapeute consistera à faciliter les tendances naturelles de l'individu à métaboliser les aspects émotionnels et cognitifs de la situation stressante.

Chaque personne a ses modes caractéristiques pour résoudre ses problèmes ou pour se défendre contre des idées ou des émotions troublantes: la personne hystérique va tendre à inhiber les représentations de l'événement stressant, la personne avec des traits obsessionnels va tergiverser en considérant des contenus représentationnels alternatifs, évitant ainsi la reconnaissance des contenus plus pénibles. Par contre, la personne avec des traits narcissiques tentera de donner des significations personnelles gratifiantes aux événements pour réparer un concept déficient de soi. Ces variations individuelles doivent être reconnues dans le traitement.

L'approche thérapeutique gagne beaucoup à être orientée selon le style personnel du patient, plutôt que selon le modèle théorique particulier du thérapeute: autrement dit, le thérapeute doit être capable d'utiliser des techniques variées, selon les besoins du patient à chaque phase de la crise.

L'orientation générale du traitement variera principalement selon l'oscillation bipolaire du patient entre les phases peu contrôlées d'intrusions répétitives ou les phases trop contrôlées de déni, de refoulement et d'inhibition. Dans la phase peu contrôlée, les traitements qui offrent du support, de la sédation, viront à suppléer aux contrôles personnels déficients. Le personnel traitant prend ainsi en charge certains aspects du contrôle en réduisant les probabilités de déclenchement de nouvelles représentations répétitives d'émotions et d'idées reliées au stress. A l'opposé, les traitements abréactifs-cathartiques réduisent les contrôles par la suggestion, l'exhortation, l'hypnose, les médications hypnotiques. Le but des traitements abréactifs n'est pas de réduire le contrôle personnel mais au contraire de réduire la nécessité ultérieure de contrôles en aidant le patient à compléter le cycle d'assimilation des réponses émotionnelles et idéationnelles reliées à la situation stressante.

Le choix des techniques particulières dans chaque cas doit être fait par le clinicien, selon chaque patient, avec chaque situation.

L'ensemble des techniques principales utilisables dans l'une ou l'autre des phases de la réaction peut se résumer ainsi:

TABLEAU 6.6:   Classification des traitements pour les réactions psychiatriques au stress situationnel

Système en cause.	Etats	
	A- Phase de déni-d'inhibition:	B- Phase d'intrusions répétitives:
1. Pour aider l'assimilation cognitive.	- Encourager l'abréaction. - Encourager une description détaillée de l'événement avec - associations - verbalisations - images associées - psychodrame - jeu de rôles - dessins - Reconstituer l'événement.	- Enlever les facteurs déclenchants de remémorations, interpréter leurs significations. - Diminuer les ruminations par sédation, tranquillisants mineurs. - Enseigner un dosage de l'attention sur l'information reliée au stress. - Différencier entre: - réalité et fantasmes - anciens schèmes de soi et du monde, avec schèmes actuels - attributs personnels et attributs d'autrui. - Travailler à clarifier, réorganiser l'information reliée au stress. - Renforcer des idées contraires à celles obsédantes, exemple: thérapie occupationnelle.

2. Pour aider l'assimilation émotionnelle.	- Encourager la catharsis. - Explorer les aspects émotionnels des relations et des expériences du soi. - Fournir des relations objectales, et encourager des relations affectives.	- Supporter. - Evoquer d'autres émotions. - Supprimer les émotions trop intenses par sédation. - Utiliser des procédures de désensibilisation.

3. Pour aider le contrôle personnel.	- Réduire les contrôles
	  - interpréter les défenses
	  - hypnose, suggestions
	  - utiliser des situations évocatives: psychodrame, imagerie.
	
	- Changer les attitudes qui nécessitent les contrôles.
	
	- Interprétations exploratives.
		- Augmenter les contrôles
		  - en structurant le temps, les événements pour le patient,
		  - assister les fonctions du moi en organisant l'information.
		
		- Thérapie comportementale avec récompense.

4. Pour optimiser le niveau d'activation	- Stimulation par présence active. - Narco-hypnose.	- Repos, sédation. - Réduire niveau de stimulation externe. - Relaxation, bio-feedback.

Une des difficultés majeures dans le traitement des réactions psychiatriques reliées au stress situationnel est de déterminer des priorités d'intervention: Horowitz propose une liste de priorités qui peut aider à résoudre cette difficulté (Horowitz 1976).

TABLEAU 6.7

État du patient déterminant l'ordre de priorité:	Le but du traitement:
1. Si le patient est encore sous l'impact du stresseur.	- Enlever le patient de la situation ou enlever le stresseur si possible. - Fournir une présence temporaire. - Aider dans les décisions, planifier.
2. Si le patient oscille de façon extrême entre des phases de déni et d'intrusions:	- Réduire l'amplitude des oscillations. - Donner du support émotionnel et cognitif. - Utiliser les techniques déjà citées.

3. Si le patient est comme paralysé dans le déni avec courtes phases d'intrusion:

- Aider le patient à doser ses remémorations de l'événement.

- Durant les périodes de remémorations, aider le patient à exprimer les émotions, à organiser l'information reliée à l'événement stressant.

4. Si le patient est capable de revivre et de tolérer les phases émotionnelles et idéationnelles:

- Aider le patient à associer, à assimiler les implications émotionnelles, idéationnelles, relationnelles de l'événement.

- Aider le patient à relier ce stress à d'autres situations stressantes, à ses schèmes de soi et du monde.

5. Si le patient est capable par lui-même de revivre les aspects émotionnels et cognitifs:

- Dissoudre la relation thérapeutique.

- Terminer le traitement.

6.9 CONCLUSION

Nous ne devons pas perdre de vue la complexité de la tâche d'essayer d'établir une corrélation de cause à effet entre stresseurs situationnels et réactions psychiatriques. Cette démarche ressemble un peu à une tentative d'objectiver des phénomènes subjectifs multi déterminés. Autrement dit: comment pouvoir prédire l'impact d'un événement stressant sur un système aussi complexe et unique qu'une personne humaine. Nos tentatives d'analyses comportent nécessairement des simplifications à outrance et des réductions excessives. La signification humaine de chaque événement change avec l'histoire personnelle de chaque individu, et sera toujours multidéterminée. C'est pourquoi une démarche de revisions et de redéfinitions continuelles constitue la seule façon de progresser dans les sciences humaines. Et comme le disait si bien Stella Chess (1979) récemment: ''Ce n'est jamais simplement une question de ''nature'' ou ''culture'', de constitution ou de milieu, d'expériences précoces tout-à-fait décisives. Plutôt le développement humain procède toujours d'un processus mutuellement interactif entre toutes les variables significatives. Une continuité dans le développement va dépendre de la continuité dans ce processus d'interactions. Des changements personnels surviennent si l'une ou l'autre de ces variables (les caractéristiques personnelles de l'individu ou les facteurs de l'environnement) change suffisamment pour produire un changement dans ce processus d'interactions.''

BIBLIOGRAPHIE

AMERICAN PSYCHIATRIC ASSOCIATION. *Diagnostic and Statistical Manual of Mental Disorders.* 3e édition. Washington DC, 1952.

AMERICAN PSYCHIATRIC ASSOCIATION. *Diagnostic and Statistical Manual of Mental Disorders* (2nd edition). Washington: DC, APA, 1968.

AMERICAN PSYCHIATRIC ASSOCIATION. DSM III Draft. Third printing. *Diagnostic and Statistical Manual of Mental Disorders.* Prepared by The Task Force on Nomenclature and Statistics. Washington: DC, APA, 1978.

BASTIDE, R. *Sociologie des maladies mentales.* Paris: Flammarion, 1965.

BERNARD, J. *Remarriage.* Dryden Press, 1956.

BERNARD, J. *The future of marriage.* New York: World Publ. Co., 1972.

BOHANNAN, P. "Divorce". *Comprehensive Textbook or Psychiatry.* Ed. Freedman, Kaplan, Sadock, 1975, Ch. 24.

BOHANNAN P. "Divorce and after". *Double Day.* New York, 1970.

BRILL BROWN, G.W., BIRLEY, J.L.T. *Crisis and Life changes on the onset of Schizophrenia.* J. Healt Soc. Behav. 1968, (9), 203.

BURGESS, A.W., HOLMSTROM, L. "Rape Trauma syndrome". *Amer. J. Psychiatry.* 1974, (131), 981-986.

CANNON, W.B. *The Wisdom of the Body.* New York: W.W. Horton, 1936.

CHESS, S. "Developmental theory revisited: Findings of longitudinal study". *Can. J. Psychiatry.* March 1979, Vol. 24 (2), 101.

EATON, M.T., PETERSON, M.H. *Psychiatry.* 2nd Edition, New York: Medical Examination Publishing Company Inc., 1969, 554.

ERICKSON, K. "Loss of Communality at Buffalo Creek". *Amer. J. Psychiatry.* 1976, (133), 302.

EY, H. *Structure des psychoses aiguës et déstructuration de la conscience.* 1954.

FREEDMAN, A., KAPLAN, H., SADOCK, B. *Comprehensive Textbook of Psychiatry.* Baltimore: Williams & Wilkins, 1976.

FREUD, S. *(1920) Beyond the pleasure principle.* Standard edition, (18), London: Hogarth Press, 1962.

GRINKER, R. SPIEGEL, J. *Men under Stress.* New York: Mc Graw Hill, 1945.

GRUNBERG, F. "Situationnal Stress". *Psychiatry: A Concise Textbook for Primary care practice.* (Sous la direction de A.M. Kraft). New York: Arco Medical Publishing Co. Inc., Chap. V. 1977.

HOLMES, T., RAHE, R.H. "The social readjustement rating scale". *J. Psychosom. Res.* 1967, II, 213.

HOROWITZ, MARDI, J. *Stress Response Syndrome.* New York: Jason Aronson Inc., 1976.

KUBLER-ROSS, E. *On death and Dying.* New York: Macmillan, 1969.

LABORIT, H. *La nouvelle grille.* Ed. Robert Lafont, 1974.

LABORIT, H. "L'homme et ses environnements: essai d'intégration bio-neuro-psycho-sociologique". *Can. Psychiatric Ass. J.* 1976, (21), 509.

LABORIT, H. *L'éloge de la fuite.* Ed. Robert Lafont, 1976.

LIFTON, R. *History and Human Survival.* New York: Vantage Books, 1967.

LINDEMANN, E. "Adolescent Behavior as a community concern". *Amer. J. Psychother.* 1964, (18), 405-417.

LINDEMANN, E. "Symptomatology and Management of Acute Grief". *Amer. J. Psychiatry.* 1944, (101), 141-148.

LOONEY, J.G., GUNDERSON, E.E.K. "Transient Situational Disturbances: Course and Outcome". *Amer. J. Psychiatry.* 1968, (124) 1549-1554.

MASTERSON, J., WASHBURNE, A. "The symptomatic adolescent psychiatric illness or adolescent turmoil". *Amer. J. Psychiatry.* 1966, (122), 1240-1247.

MEAD, M. *Adolescence in primitive and modern society in the new generation: A symposium.* New York: Macauley, Ed. Calvenon FV. Schamalhausen SD., 1930.

MORRISON, J.R., HUDGENS, R.W. et associés. "Life events and psychiatric illness". *Br. J. Psychiatry.* 1968, (114), 423.

PAYKEL, E.S., MYERS, et associés. "Life events and depression: a controlled study". *Arch. Gen. Psychiatry.* 1969, (21), 753.

PUBLISHED HEALTH SERVICE. *International Classification of Diseases.* 8e édition, adapted for use in the United States. Washington DC: United States Government Printing Off., 1968, vol. 1 et 2.

RAHE, R.H., LOONEY, J.G., WARD, H.W. et al. "Psychiatric consultation in a Vietnamese refugee camp". *Amer. J. Psychiatry.* 1978, (135), 185-190.

RANGELL, L. "Discussion of the Buffalo Creek Disaster: The course of psychic trauma". *Amer. J. Psychiatry.* 1976, (133), 313.

RANK, O. *The trauma of birth.* Robert Brunnes, 1952.

RÉGIE DE L'ASSURANCE-MALADIE DU QUÉBEC. *Répertoire des diagnostics, diagnostics sélectionnés de la Classification internationale des maladies (CIM 9).* Bibliothèque nationale du Québec, 1ère édition, avril 1979.

RUTTER, M., GRAHAM, P., CHADWICK, O. et al. "Adolescent Turmoil: fact or fiction?" *J. Child Psychol. Psychiatry.* 1976, (17), 35-36.

SCHUR, M. *The Id and the Regulatory Process of the Ego.* New York: International Universities Press, 1966.

SELYE, H. *A syndrome produced by diverses noxious agents.* London: Nature, 1936, (138), 32.

SELYE, H. *Le stress de la vie (problème de l'adaptation).* Paris: Gallimard, 1962.

SHEEHY, G. *Passages: les crises prévisibles de l'âge adulte.* Montréal: Press Select ltée, 1977.

SPITZER, L.R. et FORMAN, J.B.W. "DSM III field trials. Initial experience with the Multiaxial System". *Amer. J. Psychiatry.* 1979, 136 (6).

TENNANT, C. et ANDREWS, G. "The pathogenic quality of life event stress in neurotic impairment". *Arch. Gen. Psychiatry.* 1978, (35), 859-863.

TYHURST, J.S. "Individual reactions to community disaster: The natural history of psychiatric phenomena". *Amer. J. Psychiatry.* 1951, (107), 764-769.

WALLOT, H. *La nouvelle classification psychiatrique: projet des annexes I et II de la classification DSM III.* Un. méd. Canada, juin 1979, 108.

WALLOT, H., TURCOTTE, P. *Le stress psychique au travail.* Un. méd. Canada, avril 1979, 108.

WYNNE, L.C. "Transient situationnal disturbances". *Comprehensive Textbook of Psychiatry.* (Ed. Freedman A., Kaplan H., Sadock B.) 2ᵉédition. Baltimore: Williams & Wilkins Co., 1975.

CHAPITRE 7

ALCOOLISME ET TOXICOMANIE

Paul-André Marquis et Jules Lambert

7.1 AMPLEUR DU PROBLÈME ET RÉPERCUSSIONS SOCIALES

L'alcoolisme et les autres toxicomanies constituent indéniablement un problème majeur de santé publique en même temps qu'ils comportent des implications sociales fort sérieuses, d'où l'importance attribuée, ces dernières années, à ces troubles dans les récents traités de psychiatrie qui y consacrent généralement un ou deux chapitres complets.

Avec les maladies cardiaques, le cancer et les accidents de la route, les toxicomanies mobilisent une grande proportion de nos services de santé et services sociaux. L'ampleur du problème apparaît manifeste si l'on considère les conséquences biologiques, psychologiques et sociales qui en découlent, et les répercussions nombreuses sur l'individu, la famille, les milieux de travail et la société tout entière.

Les alcooliques et les autres toxicomanes, en plus de présenter diverses perturbations de leur santé physique, des altérations de leur santé mentale et des difficultés de comportement, sont de plus confrontés avec des problèmes reliés à la perte du rendement, la baisse de la production au travail, la diminution de leur potentiel et de leur créativité.

L'absentéisme chez les alcooliques par rapport aux autres travailleurs est trois fois plus élevé. Le Québec vient au premier rang au Canada en ce qui a trait aux accidents mortels et il semble que 62% de ces accidents sont dus à l'alcool alors que dans 80%, l'alcool ou les autres toxiques jouent un rôle direct ou indirect.

Enfin, aucun secteur de la psychiatrie à l'exception peut-être de la schizophrénie, n'offre aux cliniciens, aux chercheurs, aux responsables de programmes de traitement autant d'avenues, de champs d'action: d'où le caractère pluridimensionnel des toxicomanies et leur implication multidisciplinaire.

7.1.1 Incidence dans notre milieu

Nos constatations cliniques démontrent très fortement une hausse du taux de consommation d'alcool et des autres toxiques au cours de la dernière décade. Selon Statistique Canada, en 1952 et 1977, le pourcentage d'augmentation du taux de consommation d'alcool seul serait de 150%. Si l'on aborde le problème dans son ensemble, l'on réalise qu'une forte majorité de toxicomanes consomment simultanément deux ou trois toxiques ou passent de l'un à l'autre à un rythme qui étonne. Les agents toxiques les plus souvent employés sont l'alcool, les hypnotiques, les tranquillisants mineurs et les hallucinogènes. L'usage des narcotiques et des stimulants tels que les amphétamines nous est apparu moins fréquent.

Les chiffres publiés en 1972 par Statistique Canada indiquaient un taux d'admission de 17% et de réadmission de 16% de psychoses alcooliques et de cas d'alcoolisme dans les services de psychiatrie d'hôpitaux généraux ou d'établissements spécialisés. Il n'est nullement fait mention ici des cas de toxicomanies autres que l'alcoolisme et par ailleurs, de très nombreux patients traités pour leur dépendance à un toxique quelconque se voient apposer un diagnostic relié davantage au problème psychiatrique sous-jacent, qu'il s'agisse de troubles de la personnalité, d'états dépressifs, de manifestations névrotiques diverses ou même d'épisodes psychotiques.

En ce qui regarde l'incidence des toxicomanies dans le milieu québécois, trois points particuliers retiennent ici notre attention:

1) L'augmentation du taux d'alcoolisme et de consommation des toxiques chez la femme au cours de la dernière décade. Le rapport homme-femme se situe aux alentours de 4 pour 1 d'après l'observation clinique.

2) L'usage abusif des médicaments hypnotiques et des tranquillisants mineurs dans ce qu'on pourrait appeler l'ère de la tranquillité pharmaceutique.

3) La diminution apparente de la consommation des hallucinogènes et stimulants chez les adolescents et les jeunes adultes au profit d'un plus grand recours à l'alcool éthylique.

7.1.2　L'alcoolisme féminin

Les éléments qui favorisent un tel état de fait sont selon nous:

1) Une plus grande tolérance de la société à l'égard de l'alcoolisme féminin d'où augmentation de la consommation en public et consultation accrue au niveau des services.

2) Une plus grande accessibilité dans les débits de boisson et à tous les niveaux de la vie sociale.

3) L'évolution de notre société, plus particulièrement en ce qui concerne les changements de rôles. De ce fait, la femme est soumise aux mêmes stress, aux mêmes tensions que l'homme. Elle partage également les mêmes frustrations, doit faire face à la compétition, assurer davantage sa sécurité, etc.

La femme consommerait à un âge plus avancé, mais deviendrait alcoolo-dépendante dans un plus court laps de temps. Tout comme chez l'homme, l'étiologie de l'alcoolisme chez la femme se confond avec l'étiologie générale de la toxicomanie. Nous référons à cette partie du chapitre qui concerne l'étude des facteurs bio-psycho-sociaux. Certaines situations sont particulièrement en cause: la mort d'un enfant, le départ des enfants du foyer, le divorce, la désertion du mari, les divers problèmes maritaux, les difficultés d'adaptation sexuelle, la ménopause, les douleurs menstruelles, l'avortement, le poids de l'éducation familiale, etc. (chapitre 6).

7.1.3 L'ère de la tranquillité pharmaceutique

Ce terme déjà utilisé par divers auteurs est le reflet d'une consommation abusive de produits et agents pharmaceutiques de types hypnotiques et tranquillisants mineurs dits anxiolytiques par une proportion de plus en plus considérable de notre population. Nous référons à une sorte de courant où l'individu tentera d'échapper au stress et à la tension psychologique marquée, en recherchant l'évasion et la tranquillité artificielle dans ces médicaments devenus particulièrement accessibles.

A cause du rôle magique encore dévolu au médecin, le client attendra beaucoup d'une ordonnance et ira souvent jusqu'à dénigrer le médecin qui aura choisi de s'abstenir de prescrire et entreprendre plutôt une tentative de psychothérapie.

Enfin, l'ordonnance médicale rapide d'un hypno-sédatif aura souvent vite fait de calmer l'anxiété même du médecin et parfois soulager dans une situation de contre-transfert, sa propre tension résultant de ses difficultés à absorber l'agressivité de son client.

7.1.4 Les hallucinogènes et les stimulants majeurs

Après une période marquée par une consommation sans cesse accrue des drogues hallucinogènes et des stimulants par les adolescents et les jeunes adultes, au point où les termes ''phénomène drogue'' et ''contre-culture'' sont devenus familiers, nous croyons remarquer du moins en clinique une diminution notable de l'incidence du recours à ces drogues dans nos milieux.

Quelques facteurs paraissent influencer cette modification au courant ''sous-culturel'' au profit du recours à ce bon vieux toxique des temps immémoriaux que constitue l'alcool éthylique. Rappelons entre autres choses: le contrôle plus rigide de l'Etat, les saisies de ''stocks'', les sanctions appliquées dans les cours à l'occasion de délits reliés à ces toxiques, les expériences malheureuses vécues par les aînés à la suite d'absorption de produits nocifs dont la composition réelle demeure inconnue du client et du ''pusher'' lui-même; l'attitude de ces mêmes aînés qui non seulement ont abandonné la drogue mais dénigrent les nouveaux adeptes, la sécurité que procure l'alcool dont on connaît la nature et sa provenance et aussi sa grande accessibilité, à un coût plus acceptable.

7.2   CONCEPT DE POLYTOXICOMANIE

La polytoxicomanie représente dans le contexte clinique actuel le concept le plus approprié pour définir notre population toxicomane. Elle signifie essentiellement la propension qu'a toute personne aux prises avec un problème d'alcoolomanie ou de pharmaco-dépendance, de passer d'un toxique à l'autre, ou d'en utiliser plusieurs à la fois selon la réponse obtenue. Dans cette perspective, l'attention est centrée davantage sur l'individu que sur l'agent toxique lui-même, qui en raison de sa multiplicité et de son polymorphisme devient secondaire par rapport au problème fondamental que représente la structure psychique du consommateur.

En effet, si les traitements de désintoxication diffèrent selon la drogue utilisée, il en est tout autrement lorsqu'il s'agit de s'attaquer aux problèmes fondamentaux du toxicomane. A ce stade de l'intervention thérapeutique, les mêmes traitements de fond demeurent, et les mêmes considérations s'appliquent.

Cliniquement, les toxico-dépendants recherchent non seulement la sédation et l'analgésie que procure le produit utilisé, mais davantage son effet de stimulation et d'euphorie.

La désintoxication visera dans cette optique, à démystifier cette recherche pathologique du plaisir.

Selon nous, l'alcoolisme ne diffère en rien des autres toxicomanies relativement aux motifs qui sous-tendent le développement d'une dépendance, et c'est pourquoi nous n'en ferons pas un chapitre à part, comme dans certains traités.

L'alcoolo-dépendance demeure l'image classique de l'intoxication et de ce fait, nous incite à la choisir comme point d'appui pour aborder les autres formes de toxicomanie.

7.3   DÉFINITIONS ET CLASSIFICATION DE L'ALCOOLISME

Dans son traité "Disease Concept of Alcoholism", Jellinek subdivise les alcooliques en cinq classes qu'il décrit ainsi: l'Alpha correspond au buveur social mais indiscipliné, le Bêta présente des complications organiques, le Gamma boit jusqu'à l'ivresse, le Delta est incapable de s'arrêter de boire sans présenter des symptômes de sevrage et l'Epsilon cache sous ses boires, une pathologie psychiatrique sévère.

Pour Pierre Fouquet, l'alcoolique a perdu toute liberté de pouvoir s'abstenir.

Pour Philip Solomon, les alcooliques se divisent en trois catégories distinctes qu'il désigne sous les termes de psychosociaux, de psychonévrotiques et de psychotiques.

Ruth Fox préfère utiliser les termes primaires, secondaires, et symptomatiques.

Enfin, la description détaillée de Chafetz donne une photographie éclairée du psychisme de tout individu aux prises avec un problème d'alcoolisme. Elle pourrait également s'appliquer à toute autre forme de toxicomanie. Selon cet auteur, quatre traits caractérisent le comportement de l'alcoolique:

1) la chronicité de l'attitude,
2) la préoccupation obsessionnelle,
3) la perte de contrôle devant le toxique,
4) l'autodestruction la plupart du temps inconsciente.

7.3.1   La chronicité de l'attitude

Cette chronicité est ancrée chez l'individu en cause. Les Alcooliques Anonymes la mettent en évidence lorsqu'ils proclament qu'un alcoolique reconnu ne peut plus boire normalement.

7.3.2   Préoccupation obsessionnelle

La préoccupation de se procurer de l'alcool ou toute autre drogue, est omniprésente chez l'alcoolique, et elle revêt rapidement un caractère obsessionnel. Elle est en quelque sorte la compagne de la chronicité. Elle s'installe dans la vie psychique du consommateur et y demeure de façon obsessionnelle durant les périodes plus ou moins longues de sobriété.

7.3.3   La perte de contrôle

Toute dépendance implique perte de contrôle ou incapacité de s'arrêter.

7.3.4   L'autodestruction inconsciente

Le dernier trait et sûrement la conséquence la plus néfaste d'une toxico-dépendance est l'autodestruction. Elle amène l'individu à se couper de toute communication avec les autres. La réalité n'existe pour ainsi dire plus et le toxicomane ne vit que des fantaisies apportées par son toxique. Lentement, mais sûrement, il devient l'agent de sa propre destruction psychologique et même physique. Ce processus l'amène à l'incapacité d'établir des relations interpersonnelles valables et de remplir son rôle social de façon adéquate.

7.4   PSYCHOPATHOLOGIE GÉNÉRALE

Cette conception de l'alcoolisme et des autres toxicomanies nous éloigne sensiblement de cette époque où l'on considérait cette pathologie au même chapitre que les perversions et les psychopathies.

Aujourd'hui, il faut bien reconnaître que toute forme de pathologie mentale peut être vécue sur un mode toxicomaniaque. Effectivement, l'on retrouve toujours sous le manteau une névrose, une psychose, un trouble de la personnalité, voire même des pathologies organiques.

Toute toxicomanie cache donc une psychopathologie sous-jacente déterminante, et dans ce contexte, la toxicomanie appartient de toute évidence à la psychiatrie et elle doit à ce titre être considérée comme un secteur important de cette discipline médicale.

Le toxique est le choix du toxicomane comme défense devant toute forme d'anxiété. A des moyens psychologiques normaux, il préfère une détente rapide que lui procurent l'alcool ou les autres drogues connues.

7.5   ÉTIOLOGIE DES TOXICOMANIES

7.5.1   Aspects biologique et physiologique

Bien des efforts ont été et sont encore déployés pour trouver une explication biologique au problème des toxicomanies y compris l'alcoolisme. Jusqu'à présent, ils n'ont pas apporté des résultats concluants et aucune théorie si séduisante soit-elle n'a été retenue de façon définitive.

Les recherches ont surtout favorisé l'origine possible héréditaire et génétique, alimentaire et métabolique.

Hérédité et génétique

L'opinion fortement répandue que les familles d'alcooliques engendrent des enfants alcooliques ne fait pas l'unanimité. Il suffit selon les sociologues de les éloigner du milieu familial pour les protéger de l'alcoolisme parental.

D'autres théories proposent comme sources génétiques possibles de développement de l'alcoolisme, un trouble métabolique des hydrates de carbone, une susceptibilité constitutionnelle des glandes surrénaliennes à l'alcool, ou une déficience adrénalo-gonadique survenant au temps du climatère. La plupart des auteurs semblent reconnaître l'existence d'un terrain prédisposant.

Alimentation et déséquilibres hormonaux

Les expériences dans ce domaine n'ont rien donné de tellement concluant jusqu'à présent.

Perturbations métaboliques

Le métabolisme des sucres intéresse les chercheurs en regard de l'alcoolisme et les travaux sont nombreux en ce domaine.

Enfin, citons les théories centrées sur l'influence de facteurs allergiques et sanguins, les amines cérébrales, etc.

7.5.2   Aspects psychologiques

Les aspects psychologiques des comportements toxicomaniaques révèlent un polymorphisme caractériel qui rend difficile toute tentative de description spécifique. Des auteurs connus tels Freud, Menninger, Lolli, Rado, Berne,

Solomon et d'autres, ont en commun une explication dynamique qui fait l'unanimité sur l'image psychique du toxicomane. La passivité et la dépendance, l'immaturité sexuelle, l'agressivité non contrôlée, une sensibilité maladive à la frustration, des sentiments d'infériorité, une tendance continuelle à la dépression et une incapacité observée à faire face à la réalité ambiante: tels sont les traits de caractère retrouvés constamment chez lui.

Cependant, le mode de consommation représente le symptôme majeur de la pathologie que nous avons sous les yeux, et la façon de consommer va se modeler sur les aspects psychologiques anormaux sous-jacents et s'intriquer spécifiquement à la personnalité du toxicomane concerné.

Dans cette optique, la toxicomanie devient individualisée, et l'on y retrouve toute la gamme de la pathologie mentale. Qu'il s'agisse d'une névrose bien identifiée, d'une psychose carabinée, ou de troubles de personnalité reconnus, le tout est vécu sur un mode toxicomaniaque, et celui-ci devient l'image des troubles psychologiques sous-jacents.

Zwerling et Rosenbaum ont suggéré une structure de personnalité du toxicomane en cinq caractéristiques presque constamment observables:

1- Un retrait social par manque de confiance qui s'accompagne d'expériences d'isolement et d'éloignement, pendant que se surajoutent des processus de pensées magiques atypiques.

2- La persistance de besoins passifs dépendants qui biaisent les relations d'objet.

3- Une frustration inévitable à cause des besoins insatiables d'omnipotence et de dépendance avec un tableau clinique d'impulsivité tenace et de rage chronique.

4- Des relations de dépendance conflictuelles et ambivalentes qui doivent souvent être rompues préparant la venue de réactions dépressives.

5- Un rôle sexuel ambivalent et conflictuel avec des comportements sexuels immatures.

Cette nomenclature de traits caractériels résume en grande partie l'image des écrits à tendance analytique. Les auteurs se rejoignent dans leurs exposés et la description de chacune de leur conception n'apporterait pas plus de lumière à ce qui a été décrit auparavant.

Points de vue "behavioraux" ou théories de l'apprentissage

Pour les behavioristes, la toxicomanie résulte d'une habitude apprise et non innée. A partir de cet énoncé, un répertoire appris peut être désappris et c'est ce principe qui guidera le thérapeute pour qui l'approche behaviorale est valable.

Une façon de combattre une habitude acquise est de provoquer une réaction douloureuse au moment même où la réponse habituelle était agréable pour le sujet. C'est le renforcement négatif. La technique inverse deviendra renforcement positif. Ainsi la prise d'apomorphine, d'émétine ou de disulfiram (Antabuse) avant ou après la consommation d'alcool, provoquera chez le sujet des réactions de malaise intense susceptibles de produire par la suite le dégoût des substances antérieurement souhaitées avec avidité. Les chocs électriques peuvent également être utilisés à cette fin. Ces méthodes doivent cependant être toujours appliquées avec l'assentiment du sujet et des explications complètes concernant les réactions prévues sont essentielles au succès de tels traitements.

D'autres modèles thérapeutiques peuvent être tentés. Pour n'en mentionner que quelques-uns, citons: le conditionnement opérant, l'estompage, l'affirmation de soi, la désensibilisation imaginée, etc.

Il est utile de rappeler la nécessité de reproduire ces techniques à des intervalles réguliers, règle immuable en thérapie behaviorale.

7.5.3   Facteurs d'ordre socio-culturel

Il est indéniable que les facteurs d'ordre socio-culturel ont une influence considérable sur l'incidence des toxicomanies, et les études faites sur les facteurs religieux, ethniques et sociaux dans les divers groupes et les différentes cultures le démontrent bien.

Les recherches effectuées par les anthropologues et sociologues concernent d'une part, l'étude de la tolérance des sociétés face aux toxiques, l'association des toxiques à des rites bien précis et à des événements ou situations, et d'autre part, le niveau d'anxiété ou de frustration qui caractérise un groupe socio-culturel. Nous pensons que notre société à cet égard favorise largement le recours aux diverses drogues, 1) tant par la tolérance accrue face aux abus, l'incitation à consommer facilement et utiliser les toxiques comme moyen de communication dans les situations de la vie courante, 2) que par le contexte de frustration, d'insécurité et d'agressivité qui caractérise notre ère de consommation, de loisirs et d'évolution sociale rapide.

Tolérance de notre société

Ullman considère que le taux d'alcoolisme est plus faible dans "les groupes où les traditions, les valeurs ou les sanctions imposées et relatives au recours à l'alcool sont clairement établies, connues et acceptées par tous et en harmonie avec le reste de la culture".

Au contraire, dans les groupes où l'on perçoit plutôt une certaine ambiguïté vis-à-vis l'alcool, sa valeur, son rôle positif, où l'usage de l'alcool ne repose sur aucune tradition précise liée aux rites ou au particularisme de la culture, on constate une tendance à l'augmentation du taux de consommation.

Dans de telles sociétés, l'usage de l'alcool ou des toxiques est plus susceptible de déclencher par ailleurs des réactions de culpabilité et des situations conflictuelles.

Ainsi, certains peuples ont une faible incidence de consommation alcoolique, tels les Italiens, les Chinois, les Juifs et les Grecs entre autres. Ces constatations ne reposent nullement sur des éléments d'ordre génétique, mais plutôt sur l'influence culturelle. Il s'agit de groupes où l'alcool revêt peu d'importance dans le mode de communication sociale ou pour lesquels l'état d'ébriété est jugé peu acceptable.

Chez la majorité des mormons et des musulmans, on note un faible taux d'alcoolisme en raison des convictions religieuses de ces groupes.

A l'encontre des peuples ci-haut mentionnés, les Français et les Américains auxquels se réfère davantage notre propre tradition culturelle en ce domaine, on met en valeur une notion sociale reliée au "drink" où l'individu sera souvent valorisé par sa capacité de tolérance à l'absorption.

Chez nous, la publicité omniprésente favorise sans cesse le recours à l'alcool et aux divers toxiques en général, plus particulièrement les hypnotiques non barbituriques et les tranquillisants mineurs. L'accessibilité à ces produits croît de façon étonnante.

L'alcool pour un, est associé aux exploits sportifs, à la joie de vivre, à la victoire sur la timidité, au mode d'approche des collègues, aux transactions importantes, à la solution des querelles, à l'oubli des luttes fratricides, à la gloriole d'un succès, à la noyade d'un échec, à l'heureux événement comme au malheur qui frappe, au réchauffement contre le froid, au rafraîchissement bienfaisant, etc.

L'usage des hallucinogènes a connu un essor sans cesse croissant ces dernières années, bien qu'il nous semble peut-être en voie de rétrocéder au profit de l'alcool et des tranquillisants et hypnotiques. Ce courant de la "sous-culture", comme on l'a appelé, comporte des éléments socio-culturels évidents, le recours aux toxiques étant alors considéré chez les jeunes comme un mode d'intégration à des sous-groupes, un mode collectif de communication.

Le climat de tension de notre société

Notre société moderne constitue le prototype par excellence de cette société de stress, de compétition, de changement de rôles, d'évolution rapide. Ces variables de notre milieu suscitent facilement l'insécurité, l'agressivité, la frustration et conduisent à la recherche de l'évasion, des paradis artificiels, de la détente et des plaisirs nouveaux.

Certains auteurs ont fait ressortir la désorganisation des structures établies, les changements rapides de la culture et les conflits de rôle qui en résultent, la modification des valeurs, les pressions constantes et la compétition. Le secteur économique et le milieu de travail comportent aussi des situations anxiogènes et frustrantes.

D'autres variables s'inscrivent au tableau de ce contexte social difficile dans lequel nous vivons, à savoir: les maladies, les foyers désunis et leurs effets tragiques tant sur les parents que sur les enfants, le divorce, l'abandon du foyer, certaines mesures sociales qui bien que nécessaires n'en conduisent pas moins à l'inertie, la stagnation, le manque d'initiative.

Par ailleurs, l'urbanisation, l'industrialisation, les migrations, le mode de vie anonyme, le caractère impersonnel des grandes agglomérations et des grandes institutions, sont des facteurs non négligeables de frustration.

Les caractéristiques reliées au courant d'usage abusif des drogues hallucinogènes chez les jeunes seraient: la tolérance plus grande, l'accessibilité à des produits multiples, la publicité, la curiosité, la recherche du plaisir, un moyen de communication et d'intégration sociale à des sous-groupes, la tentative de recherche de soi, de créativité et d'expériences mystiques ou autres, un mode de protestation et d'opposition.

L'alcoolisme féminin a fait l'objet de considérations générales au tout début de ce chapitre. Le profil typique souvent rencontré dans notre milieu, nous fait voir une femme âgée d'environ 40 ans, ayant toujours fonctionné dans un cadre qui lui a été tracé, ayant assumé le rôle défini qui lui a été dévolu, et qui à l'occasion du départ et de l'autonomie acquise des enfants, ou de l'abandon du mari, se voit confrontée avec une situation nouvelle, fait face aux changements de rôles dans le contexte social. Elle est alors insécure et démunie, non préparée à une telle éventualité, d'où la dévalorisation de l'image de soi, anxiété que ne fait qu'accroître la comparaison avec les plus jeunes de 20 et 30 ans et leur mode de fonctionnement, sentiment d'impuissance, agressivité, dépression, etc.

Nous rappelons ici le concept de polytoxicomanie qui attribue plus d'importance à la propension du sujet à chercher l'évasion dans un toxique, qu'aux toxiques en cause, et traduit bien le fait de la consommation fréquente de deux ou trois toxiques ou le passage de l'un à l'autre, ce qui constitue là encore, le reflet de la tolérance de notre société acceptante et incitatrice.

7.6   PRINCIPAUX TOXIQUES ET LEURS EFFETS AIGUS ET À LONG TERME

Tout médecin doit être en mesure de différencier les principaux produits pouvant affecter tel point précis du champ psychique, qu'il en connaisse les diverses modalités d'action et leurs effets à court et à long terme.

Nous référons au tableau reproduit de l'Encyclopédie médico-chirurgicale, section psychiatrie, pages 37396 B[10]-4 et 37396 B[10]-5.

Nous reprendrons ici plus en détail, l'étude des divers toxiques et leurs manifestations cliniques les plus souvent rencontrées.

7.6.1   Alcool éthylique (Ethanol)

Introduction: Toute personne qui consomme régulièrement du cidre, de la bière, du vin ou des boissons fortement alcoolisées, est un candidat à l'alcoolisme. L'alcool s'infiltre partout, et provoque bien avant l'apparition de symptômes objectivement et subjectivement observables, des lésions sérieuses mais insidieuses dans l'organisme de chacun des individus qui le consomme.

Pharmacologie: L'alcool éthylique est absorbé par les voies digestives. Il peut l'être aussi par les voies nasales et causer des états d'ivresse. Il s'introduit dans l'organisme rapidement par la muqueuse gastrique et intestinale, et est diffusé alors dans tous les tissus avec prédilection pour ceux qui ont de fortes teneurs en eau et à une vitesse propre et spécifique à chacun des individus. Son lieu privilégié d'action demeure le cerveau cortical, où il provoque dès le début, une libération des inhibitions contrôlées antérieurement et de façon continue par le cortex. De là, il s'infiltre progressivement jusqu'aux couches les plus inférieures du système nerveux central.

90 % de l'alcool diffusé s'élimine par oxydation au niveau du foie, après une série de transformations enzymatiques. Le 10 % restant est éliminé par les voies pulmonaires, par la peau et dans l'urine.

L'oxydation adéquate de l'alcool est fonction de l'état de santé de la cellule hépatique, et il est admis aujourd'hui que le taux d'oxydation n'est aucunement influencé par l'administration de glucose, de complexe vitaminé, d'un apport plus important d'oxygène, ou par une dépense énergétique plus grande.

7.6.1.1   Effets de l'intoxication aiguë par l'alcool

L'ébriété légère ou stade d'excitation: Ce stade est induit par une faible quantité d'alcool. Les symptômes les plus usuels chez le consommateurs: il présente une sensation de chaleur, sa peau devient rosée, il manifeste de la volubilité, il devient facilement susceptible à la moindre contrariété et il présente une atteinte non voilée des fonctions intellectuelles du cerveau supérieur: diminution du jugement, exaltation inhabituelle, sentiment de fausse sécurité, attitude souvent asociale qui peut évoluer jusqu'à l'antisociabilité (assauts sexuels, vol, déclenchement de bagarres, etc.).

L'absorption de plus en plus importante accentuera ces symptômes et en créera de plus graves: diminution des réflexes et inhabileté à répondre adéquatement aux situations urgentes, incoordination motrice, vertiges, ataxie, sudation profuse, nausées et vomissements, et parfois coupure nette avec la réalité qui amène des amnésies lacunaires de la situation d'intoxication.

L'ébriété profonde ou stade de dépression: Les symptômes de la phase d'excitation conduisent inexorablement le buveur vers ce stade profond d'ébriété.

Nous sommes alors en présence d'une anesthésie progressive. Les éléments dépressifs sont de plus en plus nombreux, et le ralentissement des fonctions somatiques est caractéristique. Le patient est étourdi, présente des nausées et vomissements abondants, est pâle, ses yeux présentent un strabisme convergent ou divergent, et ses pupilles deviennent en mydriase. Sur le plan psychique, il devient hostile, se fâche et veut se battre à la moindre provocation, devient larmoyant, présente des rationalisations morbides et il peut alors entrer dans une stupeur progressive le conduisant vers un collapsus mortel.

Le décès peut survenir par arrêt respiratoire ou circulatoire, ou plus rarement, par aspiration de vomissure.

Les ivresses pathologiques: Sous ce titre, Henri Ey identifie trois formes cliniques de comportement pathologiques sous l'effet de l'alcool: il les qualifie d'ivresse excito-motrice, d'ivresse hallucinatoire et d'ivresse délirante.

Phase de retrait ou stade de retrait: Cette période peut extérioriser trois grands syndromes se manifestant isolément ou chevauchant l'un sur l'autre: les tremblements, l'épilepsie et le délirium tremens.

a) *Les tremblements alcooliques (myoclonies)*: Ils apparaissent habituellement 24 à 48 heures après l'arrêt des consommations et disparaissent habituellement dans les 72 heures. Ils s'accompagnent souvent de nausées et de vomissements, d'une grande fatigue musculaire et de dysfonctionnement cérébral se traduisant par de l'anxiété, des nuits peuplées de cauchemars et parfois des hallucinations surtout visuelles. Ces tremblements sont localisés aux extrémités, mais peuvent s'étendre à tout l'appareil musculosquelettique et réaliser de véritables crises convulsives.

b) *L'épilepsie alcoolique*: C'est le "rum fits" des anglais. La crise de grand mal y est reconstituée et elle se produit normalement dans les 48 heures qui suivent l'arrêt d'une beuverie prolongée. Le syndrome peut se répéter au point d'en arriver à un état de mal épileptique.

c) *Le délirium tremens:* C'est la complication la plus sérieuse du syndrome de sevrage. Le tableau clinique classique révèle la gravité du syndrome: faciès vultueux, sudation généralisée, tremblements généralisés, agitation extrême et délire hallucinatoire avec désorientation temporo-spatiale. La température corporelle s'élève à 39°, et il y a apparition d'une déshydratation marquée. Le tout semble lié à un déséquilibre électrolytique lui-même consécutif à une surcharge en potassium cellulaire.

7.6.1.2 Les troubles mentaux aigus et à long terme de l'intoxication chronique (alcoolisme chronique)

Le buveur chronique peut présenter les mêmes symptômes que le buveur excessif, à la différence près que les complications physiques et psychiques sont plus fréquentes et revêtent un caractère de détérioration plus marqué.

1) **Les troubles mentaux aigus**
Nous avons déjà décrit le syndrome classique du delirium tremens. Il existe par ailleurs différentes manifestations psychotiques aiguës survenant chez l'alcoolique chronique. A propos de ces états pathologiques, nous croyons utile de rappeler la notion de prédisposition, la variabilité des tableaux cliniques, et la prédominance des éléments confuso-oniriques.

2) Les troubles mentaux à long terme

Sous ce thème, nous groupons les états d'hallucinose alcoolique, les états délirants, le syndrome de Wernicke-Korsakoff et enfin les démences alcooliques.

3) Les états d'hallucinose alcoolique

Ce sont des psychoses hallucinatoires plus auditives que visuelles, et sans déstructuration considérable de la conscience. Elles se rencontrent chez les buveurs chroniques d'où le nom "d'hallucinoses des buveurs" que lui a donné Wernicke. Elles débutent après un excès éthylique, souvent à la tombée du jour, le contenu est hostile. Elles s'accompagnent d'anxiété et la conscience est étonnamment conservée. Elles disparaissent habituellement après quelques jours.

4) Les états délirants de l'alcoolisme chronique

Les délires chroniques alcooliques sont de type interprétatif et hallucinatoire. Le thème le plus fréquemment rencontré révèle un contenu de jalousie, ou d'homosexualité latente révélée au sujet par des hallucinations auditives remplies d'accusations qu'il rejette ou y réagit par des comportements agressifs et violents. Les patients ainsi affublés sont préoccupés par ces phénomènes psychotiques et apparaissent confus, devant les situations réelles où ils se trouvent.

5) Le syndrome de Wernicke-Korsakoff: Ce syndrome se rencontre chez les alcooliques de longue date. Il se manifeste essentiellement par des troubles mnésiques (fixation et confabulation), un état confusionnel allant de l'obnubilation de la conscience jusqu'à la désorientation la plus complète, et une polynévrite localisée le plus souvent aux membres inférieurs.

La cause la plus usuellement reconnue est la malnutrition notamment la déficience en apport de vitamine B_1 ou thiamine.

6) Les démences alcooliques: Les démences alcooliques ont généralement pour origine la malnutrition, et la déficience en thiamine semble la cause principale de cette évolution dégénérative. Les zones cérébrales les plus visées se situent au niveau de la région antéro-supérieure du vernix pour la dégénérescence du cervelet, et au niveau de la portion centrale du corps calleux pour la maladie de Marchiafava-Bignami. Les symptômes sont similaires aux autres états démentiels d'origines diverses.

Le traitement est surtout basé sur un régime alimentaire adéquat. L'apport massif de vitamines du complexe B, surtout la thiamine à hautes doses, est recommandée, et doit s'étendre sur une longue période. Le pronostic demeure réservé.

7.6.2　Les anxiolytiques

7.6.2.1　Benzodiazépines et méprobamate

Les anxiolytiques sont d'usage courant en psychiatrie. Les principaux médicaments prescrits sont les benzodiazépines: le chlordiazépoxide (librium), le diazépam (Valium ®), l'oxazépam (Serax ®), le chlorazépate (Tranxène ®), et le lorazépam (Ativan ®). Le méprobamate (Equanil ®) fait partie d'une autre famille, mais à toute fin pratique, s'apparente cliniquement aux benzodiazépines. Ces produits ont comme qualité principale de provoquer une diminution rapide de la tension anxieuse, et de conserver intact le rendement des facultés intellectuelles supérieures. Ces deux propriétés combinées ont favorisé leur utilisation, et ont simultanément déclenché des habitudes abusives de consommation.

Lieu et mode d'action:

Nous référons le lecteur au chapitre 26.

Effets de l'intoxication aiguë des benzodiazépines et du méprobamate

L'intoxication aiguë aux benzodiazépines se manifeste par de la somnolence, de l'apathie, de la faiblesse musculaire et finalement, le coma peut survenir. Cependant, ces complications surviennent surtout lorsqu'il y a association avec des barbituriques ou des tranquillisants majeurs.

Certains consommateurs de benzodiazépines à des dosages élevés ont présenté des symptômes de retrait, s'apparentant au sevrage éthylique. Dans ces occasions, une psychose toxique peut apparaître avec comme principal contenu, de l'agressivité, de l'agitation et une surexcitation extrême. Des états convulsifs suivis de confusion, de délire et d'hallucinations paranoïdes, ont également été observés dans les 48 à 72 heures suivant le début du sevrage.

La complication physique la plus sérieuse demeure l'hypotension surtout lorsque ces anxiolytiques sont associés à d'autres dépresseurs du système nerveux central.

Ces symptômes rapportés s'appliquent également au méprobamate, où des accidents de sevrage sont également possibles, en particulier les convulsions. Les grandes précautions à prendre demeurent toujours une attention sérieuse aux associations médicamenteuses telles que mentionnées plus haut.

Effets aigus et à long terme de l'intoxication chronique

L'utilisation continue des tranquillisants mineurs n'apporte pas habituellement des réactions spectaculaires, sauf si la consommation s'accroît en quantité exagérée. Nous pourrions alors voir apparaître une vision un peu troublée, de l'assoupissement, un langage mal articulé et un ralentissement psychomoteur pouvant aller jusqu'à la stupeur. S'il y a retrait subit, le syndrome de sevrage tel que déjà décrit peut apparaître.

7.6.2.2 Les hypnotiques barbituriques

Introduction

Les hypnotiques barbituriques sont largement utilisés comme somnifères de choix. Cependant, à cause de la puissance de leur action dépressive sur le système nerveux central, ils sont un choix privilégié des candidats au suicide, qui les utilisent soit isolément, soit en association avec l'alcool ou d'autres sédatifs qu'ils potentialisent. Concernant leur utilisation, ils sont sujets à une surveillance étroite par la Direction générale de la Protection de la santé (Canada), et de ce fait, ils entrent dans la catégorie des drogues surveillées.

Le syndrome de sevrage est particulièrement dangereux et son traitement requiert une attention médicale étroite en milieu hospitalier.

Les barbituriques agissent rapidement (amobarbital), lentement (phénobarbital), ou selon un mode intermédiaire (sécobarbital). Ils provoquent des réactions ressemblant à celles induites par l'alcool, mais la dépendance et la tolérance qu'ils engendrent est beaucoup plus sérieuse, notamment à cause de la lenteur de leur élimination, et des processus enzymatiques beaucoup plus perturbés au niveau de la fonction hépatique.

Effets aigus et à long terme de l'intoxication chronique

Sous ce titre, il faut considérer le sevrage et les réactions psychiatriques à l'utilisation chronique des barbituriques. Le retrait des barbituriques est très sérieux et commande une hospitalisation immédiate. Les symptômes prédominants demeurent l'anxiété, l'insomnie, les tremblements, les convulsions et le délire. Le diagnostic repose sur l'histoire antérieure et les symptômes caractéristiques.

Par contre, l'utilisation chronique des barbituriques peut être comparée à celle de l'alcool. Elle se manifeste par un sommeil profond, de l'instabilité, une levée des inhibitions. Pendant que la tolérance à la sédation s'accroît, la tolérance à la dose léthale diminue. Le barbituromane est un candidat à l'état de choc généralisé soit par surdosage, soit par un manque subit de son toxique. Sa présentation classique révèle une prédisposition constante aux psychonévroses et à la dépression sous toutes ses formes.

7.6.2.3 Les hypnotiques non barbituriques

Les hypnotiques non barbituriques sont causes fréquentes de toxicomanies au même titre que les barbituriques lorsqu'ils sont consommés de façon prolongée et à de fortes doses. Ils sont effectivement moins dangereux en cas de retrait, et peuvent se comparer sur le plan de leur action clinique aux anxiolytiques déjà décrits. Il y a lieu de les prescrire pour un temps limité et seulement lorsqu'il y a nécessité de le faire. Il faut mentionner entre autres, le métaqualone (Méquelon ®), le métaqualone plus diphénydramine (Mandrax ®), le glutéthimide (Doriden ®), l'éthchlorvynol (Placidyl ®) et le flurazépam (Dalmane ®).

7.6.3   Les narcotiques

La famille des opiacés comprend un groupe important de substances apparentées, utilisées comme analgésiques en médecine ou comme adjuvants dans l'anesthésie générale. Qu'on les utilise à des fins médicales ou non, on leur reconnaît un fort potentiel toxicomanogène qui leur a valu le nom de stupéfiants ou drogues majeures, et leurs caractéristiques sont la dépendance physique très marquée, avec forte réaction de sevrage et l'augmentation rapide de la tolérance.

Parmi les analgésiques narcotiques, soit l'opium et ses dérivés naturels et semi-synthétiques, ainsi que les narcotiques synthétiques, on regroupe les agents connus sous le nom de codéine, démérol, dilaudid, héroïne, méthadone, morphine, percodan, auxquels s'ajoutent des analgésiques connus, tels que le Darvon ®   et le Talwin ® .

Bien des cas de narcomanie surviennent à la suite de prescriptions médicales pourtant fort justifiées. D'autres sont imputables à l'administration trop généreuse de ces agents.

L'héroïnomanie en particulier, est considérée comme une toxicomanie fréquente et d'implications graves dans les milieux de la drogue et son traitement est fort difficile.

La polytoxicomanie n'est pas rare. L'utilisation des opiacés se fait per os, en inhalation, par voie sous-coutanée, intraveineuse ou intramusculaire, de même qu'en suppositoires.

7.6.3.1   Effets à court terme

Les effets psychiques sont variables selon la personnalité du sujet, son expérience antérieure avec la drogue, la présence ou l'absence de douleurs et les facteurs circonstanciels reliés à l'administration de la drogue. Certains sujets ne présentent aucune algie ni histoire antérieure de narcomanie. On note souvent une diaphorèse accompagnée de nausées et de vomissements. Chez les sujets présentant de la douleur, la morphine produira un état d'euphorie secondaire à la cessation de la douleur, ce qu'on a appelé l'euphorie négative. Chez l'individu non souffrant, ou n'ayant pas développé de tolérance, on note un état de bien-être qualifié d'euphorie positive, qui s'accompagne souvent soit d'un état de somnolence, ou semi-somnolence, ou d'une hyperactivité non coutumière. Les autres effets les plus usuels se ramènent à la contraction de la pupille, une hypothermie légère, un rythme respiratoire ralenti et des contractions des muscles lisses des sphincters. Les effets de la méthadone ont une durée plus prolongée qui va de 24 à 36 heures.

7.6.3.2   Effets à long terme

La tolérance et les réactions marquées de sevrage en sont les caractéristiques. Au prorata de la dépendance physique et du niveau de tolérance, l'euphorie cède le pas à une dysphorie, au remords, à l'anxiété. La drogue devient le seul rempart contre les crises de sevrage. A cela, s'ajoute la diminution des fonctions sexuelles, la détérioration de l'état physique et du comportement.

7.6.3.3   Le sevrage

Il apparaît soit lors de la cessation subite de la drogue, soit lors de l'administration d'un antagoniste (Nalline) (sevrage avec antagoniste).

Les signes cliniques notés dans un premier temps, de 12 à 16 heures suivant le sevrage sont: le baillement, le larmoiement, la rhinorrhée, la mydriase, le nervosisme, la piloérection et la diaphorèse. Un peu plus tard (24 à 48 heures suivant la dernière dose) apparaissent les douleurs musculaires, vomissements, crampes abdominales, hypertension, diarrhée, insomnie, agitation, diaphorèse intense, perte de poids, éjaculation spontanée, aménorrhée, hypoglycémie.

Le paroxysme du tableau de sevrage se situe au 2e et 3e jour et disparaît en une semaine. Il est à noter que l'on n'atteint la stabilisation de l'état physiologique qu'au bout de 6 mois et même plus.

Les infections diverses associées à des techniques d'injections non stériles, vont de l'abcès à la cellulite, la thrombophlébite, et même la septicémie; sans oublier l'hépatite, le tétanos, l'endocardite et les infections pulmonaires.

7.6.4   Les stimulants du système nerveux central

Les stimulants nerveux tels la caféine et la nicotine suscitent une dépendance purement psychologique et provoquent des signes peu importants lors de l'intoxication aiguë. Les réactions de sevrage ne comportent aucun signe spécifique et leur effet à long terme se limite à l'irritabilité, l'anxiété, l'anorexie, la nicotine conduisant toutefois à une pathologie respiratoire et cardio-vasculaire.

Les stimulants majeurs incluent les amphétamines et la cocaïne et leur importance en toxicomanie ne fait aucun doute. Tout comme les hallucinogènes, leur utilisation par les jeunes en particulier a pris un essor considérable ces dernières années dans notre milieu.

7.6.4.1   Les amphétamines

Introduits dans la pharmacopée vers 1930, à cause de leurs propriétés vaso-pressives, les amphétamines possèdent de nombreuses caractéristiques de sympathicomimétiques, mais aussi de grandes propriétés anorexigènes et euphorisantes. Elles sont reconnues comme des agents susceptibles de diminuer la fatigue, accroître l'énergie et la capacité de travail, et provoquer l'euphorie et la diminution de l'appétit.

Leur usage à des fins non médicales se fait autant par la voie orale que par la voie intraveineuse. Ce groupe comprend les produits connus sous le nom de Benzedrine ®, Dexedrine ®, Méthédrine ®, Desoxine ®, et on leur associe généralement des agents tels que la Ritaline ®, la Préludine ®. On leur reconnaît une action stimulatrice du système nerveux central plus précisément au cortex cérébral en plus d'une action périphérique sympathico-mimétique plus faible.

Par ailleurs, leur usage non médical est fort connu. Qui ne connaît pas leur utilisation par les étudiants en phase terminale de préparation d'examens, par les chauffeurs de camion désireux de se tenir éveillés la nuit, ou encore par les athlètes préoccupés d'améliorer leurs performances. On en a fait un usage massif comme anorexigène, en vue de l'obtention de perte de poids chez les obèses. Leur usage médical a été limité depuis 1973 à certaines affections neurologiques spécifiques: narcolepsie, hyperkinésie chez l'enfant, et certaines formes d'épilepsie. Leurs effets vaso-presseurs sont également mis à profit.

De nombreux adolescents et jeunes adultes en consomment de façon concomitante avec les hallucinogènes et autres groupes d'agents toxicomaniaques, dont l'alcool, qui potentialise leur effet euphorisant. La tolérance se développera rapidement et peut devenir marquée tout comme la dépendance psychologique.

Effets des doses habituelles

On a remarqué principalement l'euphorie, l'augmentation du sentiment de puissance, de bien-être et d'habileté, de concentration accrue en état d'éveil, et enfin la diminution de l'appétit.

Ces effets ne sont que transitoires et rapidement suivis de fatigue et de dépression.

Effets à long terme

Les effets à long terme de l'usage des amphétamines à des fins non médicales sont l'insomnie, l'agitation, l'irritabilité, l'augmentation de la libido avec diminution de la capacité sexuelle chez l'homme, l'incapacité de maintenir l'érection et produire l'éjaculation, les états paranoïdes, avec délire et altération du jugement, des abcès, des hépatites et des états psychotiques. La psychose amphétaminique est généralement de type paranoïde. Les manifestations de la psychose amphétaminique sont analogues à celle de la schizophrénie paranoïde, avec hallucinose visuelle terrifiante, hallucinations auditives, de même que des hallucinations tactiles semant la frayeur et la panique. L'hyperactivité et les états hypomaniaques sont notés et à ce tableau, peuvent s'ajouter des syndromes psychotoxiques, d'allure schizophréniforme avec délire, confusion mentale et désorientation.

Il importe de rappeler l'incidence d'états dépressifs d'intensité variable en réaction à la cessation des amphétamines.

7.6.4.2 La cocaïne

La cocaïne est un stimulant, un anorexigène, un agent puissant contre la fatigue. C'est un alcaloïde extrait directement des feuilles de coca du Pérou et de Bolivie. Son mélange avec l'héroïne constitue les ''speed balls'' du marché clandestin. A ce qu'il semble, 90% de la population mâle de l'Amérique du

Sud consomme plus de 100 tonnes de feuilles de coca par an, afin de parer aux effets de la haute altitude et accroître leur endurance.

Chez les Occidentaux, son utilisation à des fins non médicales est reliée au prix élevé de la drogue et dans les milieux de consommation chez les jeunes, on la considère comme une drogue de luxe.

L'absorption se fait par la mastication des feuilles de coca, en Amérique du Sud, et par prise ou reniflement en Amérique du Nord, tout comme en application locale sur la muqueuse vaginale, ou en injection intraveineuse. On note une forte dépendance psychologique et fort probablement aussi physique.

Effets à court terme

Les effets de stimulation semblables à ceux des amphétamines sont habituellement notés, soit une euphorie très marquée et une excitation avec libération des pulsions sexuelles. A l'augmentation de la libido, s'ajoute une endurance physique accrue, l'inappétence, une certaine insensibilité à la douleur, une augmentation de l'acuité intellectuelle et de la loquacité. On note le caractère passager de tels effets.

Effets à long terme

Avec le temps, les effets s'apparentent à ceux des amphétamines. S'y surajoutent en plus, des lésions de la muqueuse nasale, des perforations, des états psychotiques délirants de type paranoïde, avec des hallucinations extéroceptives. Quant au sevrage, il est susceptible également ici de susciter des états dépressifs parfois sévères. Le cocaïnisme avancé se traduira par une symptomatologie neurologique et psychiatrique, qui va des troubles du langage à l'affectivité perturbée, l'agressivité non contrôlée, et le fonctionnement social inadéquat.

7.6.5 Les perturbateurs du système nerveux central

Nous entendons par ce terme, les drogues qui ont la propriété non pas tant de stimuler ou de calmer le système nerveux central, mais de modifier son fonctionnement et provoquer des symptômes inhabituels, tels que des sentiments de dépersonnalisation, des illusions, des hallucinations, etc.

Les hallucinogènes proprement dits comme le LSD_{25}, la mescaline, la psilocybine, déclenchent habituellement ces symptômes que recherche spécifiquement le consommateur. Les dérivés du cannabis, tout comme les solvants volatils, produisent des effets moins spectaculaires, mais non moins recherchés tels le calme, l'euphorie ou l'état d'ébriété.

Nous nous limiterons à quelques données générales sur les perturbateurs du système nerveux central, leur classification, et leurs principaux effets. Ces produits ne conduisent pas à la dépendance physique et on ne leur connaît aucun signe spécifique de sevrage. Ils créent toutefois une dépendance psychologique. On peut les subdiviser en quatre catégories:

7.6.5.1   Les dérivés du Cannabis

Dans ce groupe de dérivés d'une plante appelée le chanvre indien, les formes sous lesquelles on consomme se ramènent à trois: soit la marijuana, un tabac tiré du cannabis séché et haché; le hachisch, 5 fois plus puissant, qui désigne la racine séchée du cannabis, qui peut être fumé ou mangé incorporé à des pâtes, et enfin, le tétra-hydro-cannabinol (T.H.C.), coûteux à isoler, contenant les principes actifs responsables des effets hallucinants du cannabis. En somme, la marijuana, le hachisch et le T.H.C. sont une seule et même drogue, et seule les distingue une différence de concentration du principe hallucinogène.

L'ivresse cannabique produit un état d'euphorie, de bien-être, de perte des inhibitions, de volubilité, de confiance en soi, d'autocritique diminuée, de sociabilité exaltée. A doses plus élevées, les dérivés du cannabis peuvent occasionner une diminution de la notion du temps, une difficulté des processus mentaux, un sentiment d'étrangeté concernant l'entourage et soi-même, la peur de la mort, l'anxiété, des états de panique et des états hallucinatoires.

Concernant les effets à long terme, les opinions sont parfois contradictoires. On a mentionné la baisse de la concentration, de la mémoire, et la diminution de l'aptitude à réaliser des tâches complexes.

7.6.5.2   Les hallucinogènes proprement dits

Les plus connus sont l'acide lysergique (LSD), la mescaline et la psilocybine. Le LSD_{25}, alcaloïde dérivé de l'ergot de seigle, est certes le plus connu. Il est pris en comprimés, en capsules, imbibé sur du sucre et même au dos des timbres. On l'absorbe aussi par voie parentérale et même par prise. Les modifications perceptuelles demeurent le symptôme prédominant. Les altérations de la notion du temps et les illusions relatives aux formes, au temps, à l'espace et aux couleurs, sont les premiers signes du voyage au LSD. Dans le sens strictement pharmacologique, ce produit conduit à des pseudo-hallucinations ou des illusions dont l'usager reconnaît l'origine imaginaire, différence notoire entre l'intoxication et la schizophrénie vraie.

On note des récurrences, des rappels appelés *flash backs* pouvant survenir longtemps après la dernière dose, des réactions de panique et des psychoses ou affections psychiatriques pouvant devenir chroniques chez les prédisposés. Par ailleurs, il peut s'agir d'une activation d'une psychose latente. Les altérations chromosomiques figurent au tableau des effets à long terme mais il n'y a pas de concensus sur les effets psychiques et les conséquences psychologiques de longue durée.

7.6.5.3   Les solvants volatils

Sous ce vocable, on désigne les colles, les essences, les dissolvants, les diluants et les peintures. La façon la plus répandue d'absorption de ces toxiques consiste à les respirer dans le fond d'un sac en plastique. Les effets immédiats sont très variables depuis l'ébriété comparable à celle de l'alcool, jusqu'aux illusions, hallucinations, dépression respiratoire, agitation, coma et risque de suffocation. Ici, les auteurs reconnaissent une tolérance marquée aux solvants volatils et la dépendance psychique s'installe rapidement.

Les effets à long terme sur le plan psychique sont caractérisés par la fatigue chronique, l'apathie, la dépression, l'anorexie avec amaigrissement. Des études disparates mettent en valeur des complications hépatiques, rénales et hématologiques.

7.6.5.4 La phencyclidine

La phencyclidine, dernier produit incorporé à ce groupe, est un anesthésique en médecine vétérinaire, produisant chez l'homme des effets plutôt associés aux dysleptiques et est classée parmi les hallucinogènes. Elle est absorbée per os et en inhalation. A doses faibles, les signes sont analogues à ceux de l'intoxication éthylique avec incoordination motrice, etc. A doses plus élevées le tableau comporte une analgésie, des troubles sensoriels, une rigidité musculaire et une perte de contact avec la réalité.

On note, comme ailleurs, les états oniriques qui vont jusqu'à la confusion, la paranoïa, la sensation de mort, les troubles du schéma corporel et des états psychotiques divers. Le retrait du produit pourrait causer des états dépressifs à court et à long terme.

7.6.6 Antipsychotiques ou neuroleptiques et antidépresseurs

Les neuroleptiques ou antipsychotiques occupent, au même titre que les antidépresseurs, une place importante dans l'arsenal thérapeutique de la psychiatrie au chapitre des chimiothérapies et leur étude sera reprise aux chapitres 27 et 28. Ces deux catégories de psychotropes n'entrent pas dans le cadre de toxicomanies. Tout au plus, pouvons-nous parler de légère dépendance psychologique.

L'on observe toutefois une certaine incidence d'états d'intoxication aiguë après absorption massive de médicaments dans les réactions dépressives ou les états de panique anxieuse. Ces conditions relèvent du traitement médical. Nous ne saurions cependant passer sous silence l'apport important de ces produits dans le traitement à long terme des toxicomanies, qu'il s'agisse d'antidépresseurs ou de neuroleptiques à faibles doses dans le but d'éviter le recours à d'autres agents tranquillisants ou hypnotiques susceptibles de provoquer un nouvel état de dépendance chez ces clients fragiles.

7.7 PRINCIPES GÉNÉRAUX DU TRAITEMENT DE DÉSINTOXICATION

Le traitement des toxicomanies doit être basé sur une approche bio-psycho-sociale. Un traitement multidisciplinaire doit s'installer dès la période de la désintoxication. Il est manifeste qu'on tente aujourd'hui de compartimenter l'aspect désintoxication par rapport à l'aspect réadaptation. Un traitement médical appliqué isolément en désintoxication est illusoire et inefficace s'il ne se double pas dès l'admission d'une thérapie psychosociale. En contrepartie, la tendance actuelle est d'isoler le médecin de la phase de réadaptation, ce qui à notre avis, est illogique et tout à fait inacceptable au plan scientifique. Le patient parvenu en phase de réadaptation n'en continue pas moins à présenter des phénomènes physiologiques et métaboliques qui influencent directement les processus psychologiques et les comportements.

Principes généraux de la désintoxication

Cinq principes généraux sous-tendent le traitement de la désintoxication:

1- La suppression radicale ou non du toxique.

2- Les actions thérapeutiques à prendre devant les réactions de l'organisme dues à l'arrêt du toxique.

3- Le traitement des conditions médicales et psychiatriques associées (milieu sécurisant et de support).

4- Préoccupation des phénomènes psychosociaux sous-jacents.

5- La préparation à la réadaptation.

Ces principes généraux nous apparaissent les points majeurs de référence lors de la phase de désintoxication. Ils ont l'avantage de mettre l'accent sur la personne dans sa totalité organique et affective, et de ne rien négliger dans la progression rationnelle de l'acte thérapeutique.

Traitement de désintoxication en rapport avec les divers toxiques

7.7.1   Alcool éthylique

L'intoxication éthylique aiguë nous réfère invariablement au syndrome de sevrage comme pathologie majeure de cette condition. Il faut considérer séparément le syndrome constitué par les tremblements, les hallucinations et les convulsions, de celui marqué par la confusion, les activités verbales et psychomotrices accrues et la suractivité du système nerveux autonome (fièvre, tachycardie, diaphorèse, etc.). Le premier syndrome apparaît 7 à 8 heures après la cessation des boires, dure environ 48 heures et est essentiellement bénin. Le second qui correspond au delirium tremens apparaît environ 72 à 96 heures après l'arrêt des consommations et aboutit à la mort dans 15% des cas. Le sevrage exige au départ une sédation. Nous favorisons à cette fin le chlordiazépoxide (Librium ®), à doses décroissantes, correspondant au départ à des doses sensiblement équivalentes à la quantité maximale d'alcool ingéré. On a de façon empirique, défini que une once de boisson forte équivaut à 15 mg de Librium ® , et que, une bouteille de bière équivaut à 25 mg de Librium ® . Donné pendant 24 heures en équivalence pour en évaluer l'efficacité, on diminue par la suite le dosage d'environ 30% par jour selon les résultats obtenus.

En cours de traitement, une sédation supplémentaire peut s'avérer nécessaire, et il n'est pas exclu d'y adjoindre une phénothiazine à faible dose (chlorpromazine 25 mg T.I.D. ou B.I.D. par voie orale ou parentérale).

A cette description, il faut ajouter l'importance de vérifier la glycémie, car un état d'hypoglycémie peut apparaître par suite de la déficience toujours possible de la néoglucogénèse hépatique. Dans ces circonstances, un dextrose à 5 % s'avère efficace. Nous suggérons de plus, l'emploi de hautes doses de thiamine, allant jusqu'à 100 mg par jour, pour éliminer la possibilité d'apparition d'un Wernicke-Korsakoff. Il faut éviter de donner de trop grandes quantités de liquides oraux ou en solutés, à moins que le patient ne montre un état évident de déshydratation. Enfin, les substances anticonvulsivantes sont indiquées lorsqu'il y a des antécédents de crises épileptiformes connues. Dans les autres cas d'épilepsie de sevrage, notre préférence va au phénobarbital ou au diazépam par voie parentérale.

7.7.2   Les anxiolytiques

Un certain nombre de cas de sevrage aux benzodiazépines et notamment au diazépam (Valium ®), ont été rapportés.

Normalement, ces états entrent dans l'ordre après quelques heures, mais il est recommandé de donner des tranquillisants majeurs, à cause de l'apparition occasionnelle de confusion mentale, d'hallucinations, d'agitation ou de convulsions apparentées au grand mal.

7.7.3   Les hypnotiques barbituriques

Le traitement de désintoxication aux barbituriques commande l'hospitalisation à tout prix, et une observation médicale étroite doit être maintenue jusqu'à la certitude que toute complication est exclue. L'attention doit surtout être portée aux voies respiratoires, à l'apparition d'un état de choc avec hypotension, au lavage d'estomac, au bilan électrolytique, à l'hypothermie possible, au débit urinaire et aux épreuves de laboratoire jugées nécessaires.

Syndrome de sevrage aux barbituriques

La technique la plus usuellement utilisée est la substitution aux barbituriques à action courte par le phénobarbital (Gardénal ®). On remplace habituellement 100 mg de barbituriques à action courte, par 30 mg de phénobarbital. L'apparition en cours de traitements de symptômes de sevrage peut nécessiter l'injection de 100 à 200 mg i.m. de phénobarbital. Par la suite, on diminue la dose de 10 % par jour jusqu'à l'obtention du calme désiré. Les doses fractionnées se donnent de trois à quatre fois par jour environ.

La méthode la plus ancienne de la désintoxication progressive en quelques jours à partir de la dose moyenne quotidienne du produit consommé est utilisée couramment dans notre milieu.

Les méthodes décrites ci-haut, valent tout autant pour les hypnotiques non barbituriques.

7.7.4   Les narcotiques

Le sevrage et la désintoxication des toxicomanies majeures devront être assurées par un personnel compétent à l'hôpital et en milieu spécialisé.

On ne saurait minimiser l'importance d'un climat thérapeutique sécurisant et des attitudes de support qui n'excluent pas la surveillance adéquate et attentive face aux subterfuges souvent utilisés pour l'obtention de la drogue et aux manipulations subtiles de certains sujets.

La méthode la plus courante et qui nous est plus familière consiste à évaluer le mieux possible les doses moyennes quotidiennes du produit consommé, débuter le traitement en administrant ce produit dès le premier jour de manière à éviter ou suspendre la symptomatologie de sevrage, et procéder subséquemment à une réduction quotidienne d'environ 10% de cette dose sur une période de 8 à 10 jours.

L'usage de la méthadone est réservé aux seuls médecins spécifiquement autorisés à utiliser ce traitement selon les directives du ministère de la Santé nationale et du Bien-être social. La désintoxication de l'héroïnomanie est particulièrement laborieuse, et la méthadone constitue un traitement de choix prescrit par voie orale en raison de 25 mg ou plus per os toutes les 6 heures avec diminution graduelle de 5 mg par jour.

La méthadone bloque l'effet euphorisant de l'héroïne et son utilisation s'appuie sur les théories expliquant les rechutes d'intoxication par la persistance prolongée d'un déséquilibre biochimique et neurophysiologique, après le sevrage, qui serait à l'origine de la reprise du toxique. Selon Arieti, l'utilisation des antagonistes entraîne le blocage des effets euphorisants des narcotiques, mais ne suffit pas à prévenir les rechutes.

7.7.5   Les stimulants majeurs: amphétamines et dérivés — cocaïne

Dans le cas de stimulants majeurs, les états aigus d'intoxication bénéficieront surtout de l'administration du diazépam et du phénobarbital lors de syndromes convulsifs. Les états psychotiques nécessiteront par ailleurs l'utilisation rationnelle des neuroleptiques principalement les phénothiazines et l'halopéridol. D'autre part, le diazépam s'est avéré fort utile dans le sevrage des stimulants majeurs.

7.7.6   Les perturbateurs du système nerveux central

Les psychodysleptiques ne provoquant pas de dépendance physique, le traitement de sevrage et de désintoxication est plutôt axé sur les réactions psychologiques du sujet. Dans le cas des dérivés du cannabis, et surtout dans ceux des hallucinogènes où l'on retrouve un "bad trip", les points suivants doivent retenir l'attention: observation détaillée obtenue du client ou de l'entourage et obtention pleine et entière de leur collaboration, investigation sur la nature exacte des produits, réassurance et support dans les états de panique et d'insécurité, présence chaleureuse et sympathie avec atmosphère de sécurité. La présence d'un ami ou parent est fort utile. Le contact personnel suffit dans bien des cas et il importe d'encourager les stimuli externes et inciter le malade à garder les yeux ouverts. L'utilisation du diazépam nous semble préférable à toute autre thérapeutique médicamenteuse.

Le traitement des solvants doit comporter la surveillance des fonctions respiratoires, hépatiques et rénales, de l'alimentation, des perturbations hématologiques éventuelles et de la ventilation pulmonaire (oxygéno-thérapie au besoin).

La seconde phase du traitement, celle de la réadaptation demeure dans tous ces cas d'intoxication aux hallucinogènes, la thérapeutique véritable des toxicomanies.

7.8 CONSIDÉRATIONS GÉNÉRALES SUR LE TRAITEMENT DE RÉADAPTATION DES TOXICOMANES

Le traitement des toxicomanies nécessite une approche globale, qui tient compte des aspects médicaux, psychologiques et sociaux non dissociables les uns des autres à aucune phase du traitement. Sa complexité est liée à la difficulté de bien délimiter ce qui revient aux conséquences de la toxicomanie et ce qui se rapporte aux phénomènes psychiatriques sous-jacents. L'approche psychiatrique nous apparaît la plus valable indubitablement, la science psychiatrique réalisant la synthèse de toutes les sciences du comportement: anatomie, physiologie, biochimie, anthropologie, sociologie, pathologie physique et mentale, psychologie.

Le caractère multidimensionnel du traitement explique la multiplicité des traitements utilisés chez les toxicomanes. Il n'est pas possible d'ailleurs d'établir des programmes thérapeutiques efficaces sans l'apport d'une équipe multidisciplinaire. Le rôle de chaque discipline devrait être clairement établi en rapport avec la formation professionnelle de ses membres et chacun apporte sa contribution personnelle dans une perspective où l'apport des uns complète véritablement celui des autres.

7.8.1 Rôle du médecin

Il est omniprésent dans l'équipe multidisciplinaire et on aurait tort de croire que son rôle est confiné à la phase de retrait du toxique, ou limité aux conditions physiques associées. L'interdépendance des aspects physiologiques et métaboliques cérébraux d'une part, et les conduites toxicomaniaques, les phénomènes affectifs et intellectuels d'autre part, ne fait aucun doute. On ne saurait par ailleurs minimiser l'apport de la psychopharmacologie et son application en toxicomanie sous le contrôle de la profession médicale, que le médecin soit psychiatre ou non.

La chimiothérapie de bon aloi s'applique tout autant aux comportements résultant de l'usage des toxiques qu'aux problèmes psychologiques et psychiatriques sous-jacents et aux conditions qui sous-tendent le recours à ces agents.

Chez les toxicomanes en cure de réadaptation, les troubles psychiques, les états d'agressivité, l'anxiété, les états dépressifs, les manifestations caractérielles, l'insomnie, les problèmes psychosomatiques ne sauraient dans l'état actuel de nos connaissances des sciences du comportement, être traités adéquatement par le seul apport de la psychothérapie et des sociothérapies. Ceci est encore plus évident dans les nombreux états psychotiques ou prépsychotiques rencontrés même en phase de réadaptation.

Le rôle de premier plan du médecin psychiatre ou encore généraliste ayant une expérience valable en ce domaine ne fait pas de doute à notre avis, et tous reconnaissent il va sans dire qu'il lui appartiendra de solutionner les nombreuses conditions physiques associées.

C'est souvent le médecin qui est appelé à débuter le traitement, la grande majorité des clients toxicomanes s'adressant à lui dans un premier temps. Le processus même de la réadaptation commence déjà au cours de cette première entrevue au bureau du médecin et de l'attitude de ce dernier, résultera souvent en une série de réactions en chaîne chez le client avec cheminement de la motivation, prise de conscience et expression d'un besoin d'aide.

Berne a mis en évidence l'influence des modes de comportement de l'entourage sur le recours continu au toxique, et il a qualifié de "jeux" les schèmes répétitifs d'attitudes chez l'épouse de l'alcoolique, la mère, un ami et souvent le médecin, attitudes qui au fond ne contribueront qu'à perpétuer le boire ou l'habitude toxicomaniaque. Ainsi le médecin trop paternaliste ou trop désireux de s'attirer les sympathies du client et voulant adopter une attitude compréhensive, en arrivera à minimiser l'importance du problème, tendance déjà très nette chez le toxicomane. Aussi, une attitude qui suscite la prise de conscience et la confrontation du toxicomane avec son vrai problème est-elle plus susceptible d'inciter le client à un cheminement, à réaliser l'importance du traitement si long soit-il, et comprendre les conséquences qui découlent de son comportement pathologique et accepter d'en être le responsable au lieu d'en projeter la faute sur tous et chacun.

Attitude négative des médecins

Il est reconnu que la clientèle toxicomaniaque est loin d'être désirée par la gent médicale. Plusieurs admettront à l'hôpital des clients atteints de troubles physiques consécutifs à la toxicomanie, sous le couvert d'une maladie gastrointestinale par exemple, et hésiteront à apposer un diagnostic d'alcoolisme primaire ou de pharmaco-dépendance. Cette clientèle est jugée encombrante, perturbante pour les autres malades dont elle prend la place. On se dit qu'il n'y a rien à faire. Cette réticence à comprendre le problème réfère à des préjugés déjà établis et signifie parfois chez le médecin traitant le réveil de conflits personnels. Soit qu'il ait lui-même recours à des toxiques, soit qu'il exprime une hostilité à l'égard du client parce qu'il ne peut se permettre comme lui de solutionner ses conflits émotionnels par la voie de la toxicomanie.

Aucun médecin responsable ne reprocherait à un phobique ou à un psychotique d'être l'auteur volontaire de ses symptômes, mais malheureusement certains membres de la profession médicale croient que les alcooliques et toxicomanes sont responsables et capables de contrôler leurs symptômes. On parlera de non-motivation ou absence totale de récupération possible. Ces attitudes défaitistes vont à l'encontre d'une compréhension adéquate de cette pathologie de la volonté, de cette incapacité de pouvoir vouloir.

Wolfe et ses collaborateurs ont démontré dans une recherche la tendance des médecins à limiter le diagnostic d'alcoolisme aux grands détériorés des couches sociales défavorisées et éviter cette classification chez des individus porteurs de troubles alcooliques sérieux, mais motivés, présentant un trouble physique d'ordre médical et consultant sur une base volontaire ou démontrant une certaine capacité de fonctionner.

Il est vrai que le client ébrieux, turbulent, nauséeux est peu attrayant et inspire le dégoût, mais le chef d'entreprise qui absorbe sans cesse ses apéritifs successifs pour bien fonctionner ne présente guère un tableau plus attrayant.

Le médecin peut être réticent à poser un diagnostic de toxicomanie chez un client qui consomme moins que lui-même, mais enclin à le faire facilement chez l'autre qui consomme plus que lui, en se référant à ses propres normes personnelles.

Cette attitude négative, hostile ou défaitiste du médecin est destructive, les clients se devant alors de dissiper leurs difficultés émotionnelles, physiques et sociales et souvent pour une longue période. Leur traitement ne s'en trouve que retardé.

7.8.2 Le vécu du toxicomane

Le toxicomane ressent au plus profond de lui-même le sentiment de rejet de son entourage et de la société toute entière. Ce rejet est vécu dans une attitude de condamné d'avance, alors que toutes les tentatives antérieures pour l'aider ont échoué, ou que cette première tentative est consécutive à des pressions agressives de ceux ou celles qui souffrent de son comportement. Il est donc amené à se faire traiter malgré lui, et les premiers contacts lui font ressentir cruellement son infériorité. Il est déprimé, se sent inutile, n'arrive pas à croire qu'il pourra rivaliser avec les autres, d'où impression d'être écrasé par tout ce qui lui arrive. Il ne pourra se relever de tout cela qu'en niant fortement la faute dont on l'accuse, ou minimisera au maximum l'intensité de ses consommations.

Ses défenses principales seront le mensonge, les alibis et la dénégation de son intempérance. Cette façon d'agir représente pour lui la seule porte de sortie de l'enfer où il s'est plongé, et les bras accusateurs tendus vers lui ne manquent pas. Ce vécu de malheur est omniprésent, et le sentiment de désespoir de ne pas pouvoir s'en sortir est accablant. Aussi bien alors tout nier et ne rien demander, car il est convaincu d'être déjà jugé et condamné.

7.8.3 La relation thérapeutique

Tout thérapeute en toxicomanie doit avoir présent à l'esprit ce vécu terrifiant du patient qui se présente à lui. La compréhension adéquate de ce psychisme perturbé est essentielle à l'établissement d'une bonne relation thérapeutique. Obtenir l'aveu n'est pas chose facile, et le doigté pour y arriver nécessite des qualités naturelles et acquises à la suite d'une étude approfondie des processus psychopathologiques.

Cette relation qui s'installe doit être empreinte d'emphatie et de bienveillance, et doit représenter une réalité où le climat de confiance est de rigueur. Il doit pour ainsi dire incorporer le thérapeute comme objet gratifiant, de la même façon qu'il a incorporé le toxique. Un thérapeute hostile répond sans s'en apercevoir au désir inconscient qu'a tout patient de se faire rejeter et se mettre constamment en situation de punition, d'où châtiment bien mérité, poursuite des idées profondément ancrées qu'il est vraiment mauvais, et retour à l'alcool ou à la drogue pour échapper à cette atmosphère insupportable qu'il a lui-même créé par son attitude de défi. Conduire une thérapie est un art et une science et l'un ne va pas sans l'autre.

Le jeu entrepris doit aboutir à l'échec ou au succès. L'optimisme doit toujours régner et être la flamme qui brille constamment, malgré les tentatives répétées du toxicomane pour l'éteindre.

7.8.4 Mesures d'assistance externe

Il est possible de réaliser une ambiance thérapeutique adéquate par le biais des services externes. Historiquement, tout toxicomane quel qu'il soit était admis d'emblée dans un milieu institutionnel. Aujourd'hui, toute une gamme de services est offerte à la population toxicomane sans qu'il soit nécessaire d'être admis dans un milieu fermé. Une initiative intéressante est réalisée par le centre de jour, où les patients participent à un programme thérapeutique intensif au long de la journée, et retournent dans leurs milieux respectifs en soirée. Il est facile de concevoir dans ce programme tous les avantages propices à une réadaptation, si l'on considère le cheminement personnel de chacun des participants lorsque le matin, ils rapportent les expériences vécues, et les obstacles qu'ils ont à surmonter.

La thérapie soutenue, le renforcement des défenses dans le milieu habituel, l'absence de coupure d'avec le milieu naturel, la possibilité d'une participation constante des proches au traitement en cours: tout cela milite en faveur de la promotion de cette formule nouvelle. Des critères prévus doivent quand même présider au choix des candidats aptes à profiter du centre de jour. Notons en particulier, une bonne motivation du patient, une capacité de résister à la tentation qu'exerce le toxique, un milieu social non détérioré et une volonté de participation malgré les déplacements journaliers devenus nécessaires et l'effort régulier à poser.

Le programme du centre de jour comporte des entrevues de groupe, des entrevues individuelles, la thérapie d'occupation, l'éducation physique, etc. L'accessibilité y est facile pour ceux qui présentent des rechutes en postcure d'interne, ou encore pour ceux qui ont besoin de traitements intensifs et pour qui l'admission en interne est indispensable.

Cette formule de traitement est vouée à beaucoup de promesses. Pour ce faire, l'équipe doit constituer un programme structuré, fonctionnel et efficace. Elle doit fonctionner au diapason de l'environnement immédiat de chacun des patients, et se tenir constamment à l'écoute des répercussions du traitement sur le milieu et des rebondissements positifs ou négatifs qu'il provoque.

7.8.5 Traitement interne

Les opinions sont partagées dans les milieux thérapeutiques sur la nécessité ou non de retirer les toxicomanes de leur milieu social naturel. La tendance actuelle est de favoriser autant que possible le maintien du patient dans son milieu habituel tout en lui procurant un traitement psychothérapique adéquat. Cependant, certains patients ne peuvent se libérer de leur dépendance que par un séjour plus ou moins prolongé dans une institution appropriée. Les critères couramment retenus à cette fin réfèrent aux cas trop profondément perturbés sur les plans physique et psychique, sur les échecs répétés des tentatives de sobriété, sur les difficultés d'obtenir le support de l'entourage trop perturbé ou incapable de corriger la situation existante.

Le succès espéré dans les milieux internes repose selon nous, sur l'implantation d'un véritable climat thérapeutique imbu des principes de la communauté thérapeutique de Maxwell Jones. Cette communauté thérapeutique est fondée sur une conception du traitement du groupe par le groupe et sur un partage et une analyse détaillée des attitudes et des sentiments qui sous-tendent les relations soignés-soignants, soignés-soignés, soignants-soignants. Chaque patient se trouve pour ainsi dire plongé dans un bain de thérapie, où chacune de ses actions sera observée et commentée par le groupe. La tendance de reproduire dans le groupe les mêmes comportements que dans la réalité est observable de façon continue.

Dans ce contexte, le thérapeute s'implique tout autant que les autres membres du groupe et favorise à ce titre le rapprochement plutôt que l'éloignement.

Un personnel infirmier à formation psychiatrique s'avère de première importance dans la thérapie de milieu et la continuité des soins. Sa connaissance acquise de la psychopathologie, sa plus grande formation dans la relation thérapeutique et le développement de ses attitudes dans la manipulation des situations particulières de comportement lui ouvrent grande sa place dans la communauté thérapeutique ainsi constituée. Il assurera ainsi le prolongement des autres thérapies, il favorisera le lien thérapeute-patient, il assurera une continuité de 24 heures dans le plan de traitement, et il assumera tour à tour les figures significatives de la vie de chacun des patients.

Thérapie individuelle

La thérapie individuelle demeure à notre avis un outil indispensable en autant qu'elle est conduite par des thérapeutes d'expérience et avec une compétence reconnue. On ne s'improvise pas thérapeute, pas plus qu'on doit se complaire dans un immobilisme scientifique qui exclut toute tentative d'amélioration de notre relation thérapeutique par une supervision régulière et rigoureuse. Sans vouloir minimiser l'importance et la valeur des thérapies de groupe, le toxicomane a besoin d'être confronté dans une rencontre individuelle au même titre que sa rencontre régulière avec le toxique.

Le groupe a provoqué des angoisses réelles, des réactions affectives vécues sur un mode sentimental ou émotif, des retraits dus aux inhibitions ancrées dans chaque structure différenciée de personnalité.

Laissé seul, le toxicomane ne pourra y voir clair que dans la rencontre individuelle. Il pourra y faire une autocritique valable, comprendre les mécanismes profonds qui l'ont amené à réagir de telle ou telle façon, établir une ligne de conduite propre à ses tendances et orientations personnelles.

Le tout n'est pas sans difficulté quand on connaît tout le réseau de défenses établies par le toxicomane dans la conquête de sa quiétude personnelle, et le danger de se voir démasqué dans un rapport de forces où il se sent le perdant au départ.

Seule la thérapie individuelle pourra tenter avec un certain espoir une percée dans cette coquille érigée par le toxicomane devant sa faiblesse psychologique.

Le but premier de la thérapie au départ consiste à obtenir l'aveu et la demande d'aide. A partir de là, la poursuite du traitement requiert du thérapeute l'effort constant, la neutralité bienveillante, l'empathie, le contrôle de ses propres émotions et la capacité de représenter une figure d'identification sécurisante et valable.

La thérapie de groupe

La thérapie de groupe demeure un élément important du traitement des toxicomanies. L'utilité du groupe résiderait dans l'incitation chez le client à mieux se percevoir lui-même à travers les yeux de ses compagnons, mieux comprendre ses relations avec les autres et réaliser qu'il fait partie intégrante d'un système social.

La thérapie de groupe constitue un excellent moyen d'améliorer la communication, pathologie de base des toxicomanes comme on l'a dit.

Le groupe a aussi pour effet de diluer l'anxiété du client et du thérapeute, tout comme la culpabilité par l'identification avec les pairs. Le groupe provoque en effet une baisse des résistances au changement et se révèle en plus une modalité très valable d'évaluation des attitudes et des comportements. Outre que la thérapie de groupe permette la ventilation de l'anxiété, de l'hostilité réprimée, des difficultés d'intégration sexuelle, etc., cette modalité de traitement a pour nous une triple connotation:

1) Elle permet de retrouver au sein du groupe des figures significatives et symboliques, reflet de situations vécues antérieurement et qui ont laissé des empreintes.

2) Elle suscite l'expression "d'acting out" ou la libération des affects associés à ces situations traumatisantes.

3) Elle provoque une prise de conscience des conduites interpersonnelles avec modification de ces attitudes.

Thérapies diversifiées

Si la thérapie individuelle, la thérapie de groupe et la thérapie de milieu tiennent une place prédominante dans le traitement des toxicomanies, l'apport d'autres techniques diversifiées est certes non négligeable. Au cours de la dernière décade, certains médecins ont utilisé des méthodes de déconditionnement, le bio-feedback, le psychodrame, voire même de la méditation transcendentale. Quant à nous, certaines activités telles que la relaxation, l'art thérapie, les jeux de rôle, l'ergothérapie, les activités de vie et de pastorale, trouvent leur place dans notre programme thérapeutique.

Ces modes de traitement ont en commun certaines caractéristiques et réalisent des objectifs tels que la favorisation de l'expression de soi, la détente, le calme ressenti, la créativité spécialement dans l'art thérapie, la découverte d'habiletés inconnues jusqu'à présent, la santé du corps et la performance physique, l'amélioration des relations interpersonnelles, la reprise d'habitudes de travail, le sentiment de valorisation personnelle et d'utilité.

La relaxation prend son importance dans le fait que les toxicomanies associent rapidement les sensations somato-psychiques éprouvées en cours de relaxation ou autres activités physiques avec celles ressenties lors de l'absorption de toxiques. Est-il à propos de mentionner cet aspect de l'érotisation de ces activités dans une perspective psychodynamique et l'importance du corps comme source de plaisir dans une relation thérapeutique. Cette composante revêt toute sa signification, si on réfère à ce parallélisme entre les conduites toxicomaniaques et les conduites auto-érotiques.

L'ergothérapie tente d'assurer ou améliorer l'interdépendance fonctionnelle d'un individu toxicomane au plan physique et psychique par l'utilisation d'activités de travail de la vie quotidienne.

L'intérêt des thérapeutes est principalement centré sur les attitudes démontrées et leur signification au cours d'activités telles que les travaux manuels, l'artisanat, la peinture, le graphisme, etc., les techniques d'expression corporelle et les activités récréationnelles soit sportives ou de loisirs.

Les thérapies reliées à la pastorale font appel à l'éthique personnelle, à la dimension spirituelle inhérente à chaque individu, à une prise de conscience du rôle des valeurs éthiques et surnaturelles favorisant la sublimation chez les uns, atténuant la culpabilité chez les autres.

7.8.6   Les mouvements bénévoles

De nombreuses associations bénévoles apportent une contribution très valable à la prévention et au traitement des toxicomanies.

Le mouvement universellement connu des A.A. demeure pour nos patients le choix le plus fréquent. Il comporte des règles de vie précises et s'adresse à l'ensemble des toxicomanes sans référence à l'individu ni aux problèmes émotionnels spécifiques à chacun, et implique fortement la dimension surnaturelle.

Il nous semble que les activités au sein du groupe A.A. présentent un double aspect soit celui de la libération du poids de la condamnation sociale par le truchement d'une confession publique et d'autre part, une action positive qui transpose l'attirance pour l'alcool ou le toxique en un investissement auprès d'une autre personne semblable aux prises avec les mêmes problèmes. L'adhésion à un tel mouvement permet une thérapie de support comme prolongement des traitements spécialisés. Elle est utile dans les cas d'isolement, chez les personnalités schizoïdes et dépressives, chez les patients aux prises avec de sérieuses difficultés de relations interpersonnelles. Il n'existe pas à notre avis d'incompatibilité entre les A.A. et les traitements spécialisés à condition que ces deux secteurs se situent chacun à leur niveau respectif et que chacun connaisse bien son véritable champ d'action.

Contribution du milieu de travail

La collaboration de la communauté en général et la contribution des diverses ressources sociales apparaissent évidentes. Les milieux de travail plus spécifiquement et les employeurs, voient leur coopération requise tant pour favoriser la conduite du traitement que le retour au travail des clients toxicomanes.

Ces derniers sont souvent d'excellents travailleurs reconnus pour leurs traits obsessionnels, leur minutie au travail, leur souci de bien faire. Leur réadaptation constitue un actif pour les milieux de travail et un facteur de rentabilité et de productivité.

Des compagnies importantes ont développé un programme précis avec le concours de médecins et d'infirmières, programme axé sur la détection précoce des cas, le support et la motivation au traitement, la référence à un milieu spécialisé, le soutien approprié lors de la postcure et du retour au milieu de travail. Plusieurs conventions collectives ont été modifiées dans un sens positif et les syndicats comme les employeurs déploient des efforts soutenus. Cet intérêt du milieu de l'industrie et du travail doit rencontrer l'appui constant des professionnels spécialisés.

Thérapie de couple, thérapie familiale, l'environnement

Si la pathologie sous-jacente du toxicomane est intrapsychique avant tout, on ne saurait négliger l'interrelation de l'individu avec l'environnement. Le milieu suscite souvent chez le patient une réactivation ou le maintien des situations conflictuelles vécues. En psychiatrie, les thérapies de couple et familiale ont pris un essor important au cours des dernières années et le champ des toxicomanies n'est pas étranger à cette évolution.

La réadaptation vise à la réinsertion du client dans les sphères importantes de la vie: famille, travail, relations sociales. Cela exige un effort concerté des personnes jouant un rôle d'importance chez le client et celles-ci doivent adopter des attitudes consistantes et clairement définies. L'approche thérapeutique du toxicomane doit être complétée et soutenue par une action sur le milieu et notamment sur la famille. Cette action vise à soulager les pressions s'exerçant sur l'individu et diminuer la pathologie même du milieu. Plusieurs programmes de traitement prévoient de routine des entrevues avec les conjoints, les enfants ou d'autres parents.

Certains thérapeutes, dans le cas où le toxicomane refuse le traitement, préconisent des entrevues avec les membres de la famille dans le but d'examiner et modifier leur rôle dans la perpétuation des conduites toxicomaniaques du client. La pathologie du toxicomane sera améliorée indirectement sans sa propre participation. Les thérapeutes, les conjoints et les membres de la famille concentrent leurs efforts sur l'influence de la toxicomanie dans la relation de couple ou la relation familiale et sur les autres difficultés sous-jacentes, contribuant à la maladie toxicomaniaque.

Autres mesures d'assistance

On ne saurait négliger l'apport d'autres mesures d'assistance aux toxicomanes, telles que les centres de dépannage, les foyers familiaux, les ateliers protégés, les foyers de transition, etc. De telles mesures émanent souvent de l'initiative de bénévoles et ne rencontrent pas toujours l'appui des spécialistes et des gouvernements.

Il importera à notre avis de développer de telles ressources dans l'avenir, bien qu'il faille être conscient des coûts impliqués.

En principe, les toxicomanes ont droit aux traitements tout autant que ceux souffrant d'autres conditions psychiatriques.

Une certaine proportion des cas référés à nos services, à cause de leur état de pathologie avancée ou de leur milieu défavorisé et perturbé, ne peuvent réaliser une réinsertion sociale déjà amorcée en cours de traitement dans notre milieu sans certaines modalités de transition dans un milieu thérapeutique encadré et structuré.

Bien des toxicomanes très motivés, ayant réalisé un cheminement valable en cours de traitement intensif, sont voués à l'échec du retour dans la société, à cause d'un milieu désorganisé où les conditions d'environnement ne peuvent qu'ébranler les défenses de l'individu et réinstaller le processus toxico-maniaque.

Postcure

La post-cure est cette période que tout toxicomane appréhende avec angoisse, après avoir bénéficié d'un traitement intensif de psychothérapie dans un milieu attentif et sécurisant. C'est peut-être le moment où il a le plus besoin d'aide, mais paradoxalement aussi le temps où on lui en assure le moins. C'est le retour à la vie antérieure, cause des situations de crise et reviviscence des con-flits qui ont été à la source des comportements toxicomaniaques. A notre avis, l'abstinence totale demeure la condition indispensable à une rééducation sociale adéquate. Maîtriser ses stress autrement que par le toxique, voilà le but à attein-dre. Le feu brûle toujours même si l'on souhaite le contraire. On n'apprend à personne comment se brûler, pas plus qu'on peut apprendre à un alcoolique une nouvelle façon de boire.

Tout sujet qui désire changer son comportement doit en payer le prix par un effort constant et dans un état où il n'y a pas de place pour le toxique en cause.

Les exigences d'un traitement réussi reposent en tout premier lieu sur un cerveau libéré de toute agression toxique. Tenter une rééducation à boire chez un alcoolique authentique est une entreprise utopique et ne peut être basée que sur une conception naïve chez le thérapeute, de son pouvoir magique. Cette at-titude rejoint inconsciemment les défenses classiques de dénégation du toxi-comane et lui permettra de jouer au chat et à la souris avec son thérapeute, d'où refus d'entrer dans une véritable relation thérapeutique, refus qui est consciem-ment encouragé par ceux ou celles qui prônent la possibilité d'une rééducation à un boire social.

En termes de durée, la postcure est sans limite, les rechutes sont fré-quentes et les tentations de rejeter le patient le sont aussi. L'attitude la plus positive est toujours celle qui permet aux toxicomanes de bien sentir qu'on n'est pas dupe de leur jeu et qu'ils doivent être les premiers artisans de leur réadap-tation.

Formation des médecins

Le médecin fait partie de l'équipe multidisciplinaire et à ce titre, il doit jouer adéquatement le rôle qui lui revient.

Pour ce faire, certaines qualités personnelles et professionnelles sont essentielles. Comme minimum de bagage scientifique, tout médecin qui se destine aux soins des toxicomanes devrait avoir reçu un enseignement psychia-trique de base, incluant un séjour de formation dans des centres spécialisés en toxicomanie.

De plus, certaines qualités personnelles devraient être exigées, notamment la facilité à s'intégrer à d'autres professionnels non médicaux, la capacité de réaliser sa propre adaptation et une forte qualité d'empathie.

Nous croyons également nécessaire que les universités reconnaissent l'importance de ce problème majeur de santé publique et qu'en conséquence elles favorisent durant les années de formation un cours intégré et des stages cliniques dans des centres reconnus compétents en cette matière.

Enfin, une sensibilisation constante pour les toxicomanies devrait être établie au niveau des programmes de formation continue à l'intention de la profession médicale.

Prévention

La prévention des toxicomanies a suscité de nombreux travaux au Québec, notamment l'étude de Parenteau en 1974, où il fait une étude comparative des diverses expériences et méthodes mises en oeuvre au Canada pour prévenir par l'éducation l'abus de l'alcool, du tabac et des autres drogues. Dans l'ensemble, les organismes souhaitent une vaste action communautaire où l'accent serait mis sur la promotion de la santé collective et l'amélioration de la qualité de la vie.

Dans cette optique, les préventions primaires, secondaires et tertiaires devraient s'appliquer intégralement au domaine des toxicomanies et au niveau des différents paliers de la société. Ainsi, une information éclairée devrait être donnée aux étudiants, aux parents, aux éducateurs, aux hommes politiques, dans les compagnies, dans les divers organismes de la communauté, etc.

Des programmes d'éducation devraient être mis sur pied par les gouvernements et coordonnés par des spécialistes compétents en cette matière. Cette action concertée est nécessaire pour promouvoir une attitude positive face aux consommations abusives de toxiques, et aussi pour assurer une permanence dans la réadaptation.

Une hygiène mentale de base nous apparaît être le socle sur lequel doivent s'appuyer les programmes d'éducation, de traitement et de réadaptation en matière de toxicomanie.

7.9 CONCLUSION

Pour conclure ce chapitre, nous croyons nécessaire d'affirmer que les médecins et les psychiatres se doivent de s'intéresser davantage aux toxicomanies et d'y jouer le rôle qui leur revient dans le traitement et la prévention.

Nous rejoignons dans ce sens une recommandation faite récemment par l'Ontario Addiction Research Foundation au Ministre de la Santé. Cette recommandation parmi les cinquante conclusions du rapport, demande explicitement qu'on ait recours davantage aux médecins de famille dans l'organisation des soins pour les alcooliques dont le nombre est estimé dans cette province à 229,300 et qu'ils soient intégrés activement aux ressources déjà existantes.

En terminant, nous ne saurions trop insister sur la nécessité de poursuivre la recherche dans ce secteur si complexe et de vérifier la qualité de nos programmes et les résultats de nos interventions, afin de pouvoir justifier l'investissement des sommes provenant des fonds publics dans l'amélioration des soins préventifs et curatifs chez les toxicomanes.

ANNEXE 7.1: Symptomatologie

Tolérance	Dépendance physique	Dépendance psycho-logique	Intoxication aiguë	Syndrome de sevrage	Effets à long terme	Mode habituel de consommation par les toxicomanes
1. LES DÉPRESSEURS DU SYSTÈME NERVEUX CENTRAL						
A) Alcool + + +	+ + +	+ + +	Ataxie, incoordination, pupilles normales, dépression du système nerveux central et de la respiration, hyporéflexie, coma, choc.	Anxiété, tremblements, insomnie, agitation. Puis, les symptômes du delirium tremens: 1) psychologiques: confusion, délire, hallucinations, 2) physiques: déséquilibre électrolytique (augmentation de l'azote uréique, acidose), hyperthémie, déshydratation, choc, coma.	1) Pathologies physiques et psychiatriques diverses (ex. cirrhose, psychose de Korsakoff). 2) Altération du bon fonctionnement tant au niveau psychologique que social.	P.O.
B) Anxiolytiques (sédatifs, tranquillisants mineurs) (ex. Valium, Librium, Miltown). + +	+	+ +	Peuvent donner une symptomatologie pouvant rappeler celle des hypnotiques mais beaucoup moins marquée, moins fréquente et moins précoce.			P.O.
C) Hypnotiques barbituriques et non barbituriques (ex. Tuinal, Doriden, Noludar). + + +	+ + + +	+ + +	Ataxie, incoordination, nystagmus, pupilles normales, dépression du système nerveux central et de la respiration, coma, choc.	Ressemble presque en tous points au syndrome de sevrage de l'alcoolisme sauf que les convulsions sont ici plus fréquentes. Les symptômes de sevrage sont évidemment plus marqués pour les hypnotiques barbituriques que pour les hypnotiques non barbituriques.	Anxiété, amaigrissement, irritabilité, altération du bon fonctionnement tant au niveau psychologique que social.	P.O.
D) Analgésiques narcotiques (ex. Morphine, Héroïne, Méthadone, Démérol). + + + +	+ + + +	+ + + +	Myosis fréquent, dépression respiratoire, hypotension, diminution de l'acuité sensorielle pouvant aller jusqu'au coma, oedème pulmonaire, choc, convulsions.	● De 6 à 12h après le début du sevrage: anxiété, rhinorrhée, larmoiement, mydriase, agitation, baillements, frissons, tremblements etc. ● De 12 à 24h après le début du sevrage: accentuation des symptômes énumérés ci-haut, douleurs abdominables intenses, diarrhée, vomissements, déséquilibre électrolytique, hyperthermie, etc. ● Les symptômes psychologiques du sevrage aux	Anorexie, amaigrissement, constipation, impuissance et stérilité physique et psychique, endocordité bactérienne, hépatite; traces d'injection, abcès, altération du bon fonctionnement tant au niveau psychologique que social.	I.V. I.M. P.O.

Symptomatologie (suite)

Tolérance	Dépendance physique	Dépendance psychologique	Intoxication aiguë	Syndrome de sevrage	Effets à long terme	Mode habituel de consommation par les toxicomanes
				narcotiques sont moins marqués que dans le delirium tremens. • Ces mêmes symptômes se voient chez les nouveaux-nés des mères narcomanes et peuvent être fatals.		
E) Antipsychotiques (ex. Largactil, Stélazine). +	0	I	Signes variables selon la substance utilisée; signes extrapyramidaux, trismus et contractures fréquentes.	Ne donnent pas de toxicomanie franche mais peuvent provoquer une certaine tolérance et une légère dépendance psychologique.	Leucopénie, atteinte hépatique, éruptions photosensibles, signes extrapyramidaux.	P.O.

II. LES STIMULANTS DU SYSTÈME NERVEUX CENTRAL

Tolérance	Dépendance physique	Dépendance psychologique	Intoxication aiguë	Syndrome de sevrage	Effets à long terme	Mode habituel de consommation par les toxicomanes
A) Mineurs (ex. caféine, nicotine). +	0	+ + +	Signes peu notables.	Pas de signes spécifiques.	Irritabilité, anxiété, anorexie. Nicotine: pathologies respiratoires et cardio-vasculaires.	Nicotine: se fume Caféine P.O.
B) Majeurs (ex. amphétamines, anorexigènes, cocaïne). + + + +	+	+ + + +	Mydriase, fièvre, transpiration, sécheresse de la bouche, palpitations, irritabilité, agressivité, agitation, spasmes, convulsions, hypertension, délire paranoïde.	Réaction dépressive, apathie, somnolence, douleurs musculaires.	Irritabilité, amaigrissement, délire paranoïde, psychoses, abcès, traces d'injections, hépatite.	P.O. I.V.

III. LES PERTURBATEURS DU SYSTÈME NERVEUX CENTRAL

Tolérance	Dépendance physique	Dépendance psychologique	Intoxication aiguë	Syndrome de sevrage	Effets à long terme	Mode habituel de consommation par les toxicomanes
A) Dérivés du cannabis (ex. marijuana, haschisch, T.H.C.). 0	0	+	Pupilles normales, conjonctivite, sécheresse de la bouche, anxiété, panique, agressivité, tachycardie, hypotension orthostatique, illusions, hallucinations.	Pas de signes spécifiques.	Peuvent favoriser des affections psychiatriques chez les sujets prédisposés. Récurrences rares.	Se fume P.O.
B) Hallucinogènes proprement dits (ex. L.S.D., mescaline, psilocybine). 0	0	+	Mydriase, anxiété, panique, agressivité, distorsion des perceptions, illusions, hallucinations, dépersonnalisation. En fin d'épisode: syndrome dépressif.	Pas de signes spécifiques.	Psychose ou autre affection psychiatrique pouvant devenir chronique. Récurrences fréquentes (flashback), altérations chromosomiques.	P.O.
C) Solvants volatils (ex. essence, acétone, colle). + + +	+	+ + + +	D'abord ébriété comparable à celle que donne l'alcool, puis illusions, hallucinations, dépression respiratoire, agitation, coma, risque de décès par suffocation.	Pas de signes spécifiques.	Peut produire des lésions hépatiques et rénales ainsi que des perturbations hématologiques.	Inhalation

Légende
Tolérance Dépendance   0 absence   + très légère   + + légère   + + + marquée   + + + + très marquée

BIBLIOGRAPHIE

ARCHIBALD, H. "Action communautaire face à l'alcool et aux drogues". *Informations sur l'alcoolisme et les autres toxicomanies.* Mars-avril 1971.

ARIETI, S. *American Handbook of Psychiatry.* Vol. 3, 2e édition, New York: Basic Books Inc., 1974.

BALINT, M. *Le médecin, son malade et la maladie.* Petite bibliothèque Payot, 1976.

BARRIERE, M., CORMIER, D. "Valeur de la rééducation communautaire dans la toxicomanie". *Toxicomanies.* Mars 1976, Vol. 9.

BELFER, M.L., SHADER, R.I. "Alcoolism in women". *Arch. Gen. Psychiatry.* Déc. 1971, Vol. 25.

BERNE, E. *Des jeux et des hommes (Psychologie des relations humaines).* Ed. Stock, 1969.

BOUDREAU, A. *Connaissance de la drogue.* Montréal: Ed. Du Jour, 1972.

BOUDREAU, A., HUOT, J., LEBLANC, J., MARQUIS, P.A., BERNARD, J.M. "Toxicomanies autres que l'alcoolisme". *Encyclopédie médico-chirurgicale.* Section psychiatrie, 37396 A 10 - 37396 B 10, 1972, Paris.

BOUDREAU, A., CHALOUT, L., MARCOUX, G., REID, C., DELORME, J.C., LAFOREST, L., LEBLANC, J. "L'alcoolisme". *Encyclopédie médico-chirurgicale.* Section psychiatrie, 37398 A 10 - 37398 A 20, 1976, Paris.

BRUNE, F., BUSCH, H. "Anticonvulsive - Sedative Treatment of Delirium Alcoholism". *Quaterly Journal Studies on alcohol.* (32), 334-342, 1971.

CARUANA, S. *Notes on Alcohol and Alcoholism.* London: B. Edsall & Co. Ltd, 1975.

COMITÉ O.M.S. D'EXPERTS DE LA PHARMACO-DÉPENDANCE, *Organisation mondiale de la santé. Dix-neuvième rapport.* Genève: 1973.

CORDEIRO, J.-C. "Une nouvelle perspective dans le traitement des toxicomanies, la relaxation". *Annales médico-psychologiques.* Paris T1: 130ᵉ année, 1, 11-17, 1972.

CORPORATION PROFESSIONNELLE DES MÉDECINS DU QUÉBEC. *Les toxicomanies autres que l'alcoolisme.* Quatrième édition, juillet 1976.

COUSINEAU, M. *Alcoolisme féminin.* Cours d'été Université de Sherbrooke.

EY, H. *Manuel de psychiatrie.* Masson & Cie (Eds), 1960.

FOUQUET, P. *Encyclopédie médico-chirurgicale.* Section psychiatrie. 2, 37380 C 10.

FOX, R., LYON, P. *Alcoholism, its scope, cause and treatments.* New York: Random House Ed., 1965.

FOX. V., LOWE, G.D. *Day-Hospital Treatment of the Alcoholic Patient.*

FREEDMAN, A.M., KAPLAN, H. *Comprehensive Textbook of Psychiatry.* Vol. 2, seconde édition, Baltimore: Williams & Wilkins Co., 1975.

GREENBLATT, D.J., SHADER, R.I. "Drug Abuse and the Emergency Room Physician". *Amer. J. Psychiatry.* 1974, (131), 559-562.

HÔPITAL ST-FRANÇOIS D'ASSISE. Département d'alcoologie et de toxicologie. *Programme du jour.* 28 avril 1976.

HUOT, J. "La toxicomanie alcoolique. Aspects physiologique, psychodynamique et thérapeutique". *Toxicomanies.*

JAFFE, H.J., FRITZ, K., KAISTA, K. "Methadone Risks". *Arch. Gen. Psychiatry.* Vol. 25, Dec. 1971.

J.B. LIPPINCOTT CO. *Aspects of Alcoholism.* Vol. 2, Philadephia: 1966.

JELLINEK, E.M. *The disease concept of Alcoholism.* Connecticut: Hillhouse Press, 1960.

JUS, K., SIROIS, M. *Conséquences psychosociales et criminologiques de l'alcoolisme* (travail de recherche fait par un étudiant en médecine, sous la supervision du docteur K. Jus, Division des recherches à l'hôpital St-Michel-Archange).

KISSIN, B., BEGLEITER, H. *The Biology of alcoholism.* Vol. 2, New York: Plenum Press, Physiology and behavior. Vol. 1, London: Biochemistry, 1971.

KRUSE, H.D. *Alcoholism as a medical problem.* New York: Hocher-Harper, 1956.

LAMBERT, J. "Un nouveau service de réadaptation pour toxicomanes: organisation et fonctionnement". *La vie médicale au Canada français.* Août 1972, Vol. 1.

LAMBERT, J. "L'alcoolisme et les toxicomanies, leur aspect psychologique". *La vie médicale au Canada français.* Octobre 1972, Vol. 1.

LAURIN, C. *La personnalité du thérapeute.* Union médicale du Canada, 103, nov. 1974.

LAVAL MEDICAL. *Colloque sur les hallucinogènes.* Vol. 40 (1), Québec: janv. 1969.

LIEBER, C.S. "The metabolism of Alcohol". *Scientific American.* Mars 1976, Vol. 234 (3).

MARQUIS, P.-A. "Syndrome de sevrage". *La vie médicale au Canada français.* Oct. 1977, Vol. 6 (10).

MARQUIS, P.-A., LAMBERT, J. "Considérations sur le traitement des alcooliques et autres toxicomanies". *La vie médicale au Canada français.* Sept. 1973, Vol. 2.

MARQUIS, P.A., LAMBERT, J. "Pour une approche scientifique du traitement des toxicomanes". *La vie médicale au Canada français.* Juin 1976, Vol. 5.

MARQUIS, P.-A. "Le traitement des alcooliques". *Laval médical.* Juin 1971, Vol. 42.

MINISTÈRE DE LA SANTÉ ET DU BIEN-ÊTRE SOCIAL. *Les drogues, traitement d'urgence.* Seconde édition, 1976.

NAIMAN, J. "Les toxicomanies: considérations psychanalytiques". *Toxicomanies.* Sept.-déc. 1970, Vol. 3 (3).

NANTEL, A. *Traitement de l'intoxication alcoolique.* Union médicale du Canada, 103, mars 1974.

NATIONAL COUNSIL ON ALCOHOLISM INC. "Criteria for the Diagnosis of Alcoholism". *Annals Inter. Med.* 77, New York: 1972, 249-258.

NATIONAL INSTITUTE OF MENTAL HEALTH & NATIONAL INSTITUTE ON ALCOHOL ABUSE AND ALCOHOLISM. *Alcool et alcoolisme, problèmes, programmes et progrès.* Maryland: Rockeville, 1972.

OPTAT. *Colloque international sur la sujétion aux drogues.* Québec: 1968.

PATTISON, E.M. "A critique of Alcoholism Treatment Concepts". *Q.J.S.A.* 1966, 27 (1).

PERRIN, P. "Une expérience de traitement de groupe d'alcooliques". *La revue de l'alcoolisme.* Avril-juin 1973, 2.

PLANTE, N., BÉDARD D. "Le sulfate de magnésie dans le traitement des états d'intoxication alcoolique". *Laval médical.* Québec: fév. 1960, Vol. 29 (2).

PLAY-BOY. *Drugs 1978.* Sept. 1978.

POLDINGER, W. *Compendium de psychopharmacothérapie.* Service scientifique "Roche", 3e édition, 1975.

RADO, S. "La psychanalyse des pharmacothymies". *Psychoanal. Quart.* 1933.

SAMPLINER, R., IBER, F.L. "Diphénylhydantoin Control of Alcohol Withdrawal Seizures (Results of a controlled Study)". *JAMA.* Dec. 9 1974, Vol. 230 (10).

SHOWALTER, C.V., THORNTON, W.E. "Clinical Pharmacology of Phencyclidine Toxicity". *Amer. J. Psychiatry.* Nov. 1977, 134 (11).

SOCIÉTÉ PARISIENNE D'EXPANSION CHIMIQUE. "Confrontation psychiatrique". *L'alcoolisme.* Paris: 1972, 8.

SOLOMON, P. "Psychiatric Treatment of the Alcoholic patient". *Alcoholism.* Vol. 3 (3), Jack H. Mandelson, été 1966.

STATISTIQUE CANADA. "Le contrôle des boissons alcooliques au Canada". *Catalogue 63-202.* 1966-1973.

STERLIN, C. "Pour une théorie de l'équipe en psychiatrie communautaire". *La vie médicale au Canada français.* 1973, 2 (839).

TIME. *Alcoholism, New Victims, New Treatments.* April 22 1974.

WILLIAMS, R.J. *Nutrition and Alcoholism.* Norman: University of Oklahoma Press, 1951.

WOLBERG, L.R. *The technic of Psychotherapy.* Vol. 1, New York: Grune & Stratton, 1972.

CHAPITRE 8

LES TROUBLES DE

LA PERSONNALITÉ

Pierre Lefebvre et Jocelyn Aubut

8.1 DÉFINITIONS

La personnalité d'un individu est l'organisation globale de ses modes de réaction à l'entourage et aux événements. Résultat à la fois d'un héritage génétique donné et de l'effet cumulatif des expériences vécues, elle revêt pour chacun un caractère original et se manifeste avec une certaine constance. Comme il sera ici question des troubles de la personnalité, il s'ensuit que les troubles allégués font corps avec celle-ci, et ne se présentent pas comme des ruptures globales de son fonctionnement, ou comme des symptômes perçus comme tels par le sujet.

Il ne s'agit donc ni de psychoses, marquées par une perte de contact avec la réalité, ni de névroses, dont les manifestations dans la vie du malade apparaissent à celui-ci comme incompréhensibles et étrangères à sa pensée habituelle. Dans les tableaux cliniques dont nous allons traiter, nous verrons que le sujet conserve pour l'essentiel sa prise sur le réel, qu'il n'a pas conscience, de façon générale, de souffrir d'une pathologie particulière, mais que toute sa personnalité est infléchie d'une façon contraignante vers certains types de conduites et de réactions inadéquates. Les déboires qui peuvent en découler pour lui sont mis au compte de l'entourage ou de hasards malheureux.

Aussi bien, un tel malade a-t-il rarement l'idée spontanée de consulter, et seuls les conseils insistants d'un proche ou la répétition traumatisante des échecs pourront le motiver à demander de l'aide.

Pourtant, cette tranche de la nosographie psychiatrique englobant les troubles de la personnalité décrit des phénomènes très courants. Il en est de la santé mentale comme de la santé physique: on n'en retrouve nulle part une forme parfaite, qui demeure idéale. Chaque être humain est porteur de diathèses, de fragilités propres, qui peuvent frayer la voie à tel ou tel type de décompensation. C'est pourquoi Lagache a suggéré, plutôt que de parler d'un seul mode de santé mentale, d'évoquer des santés particulières, qui seraient pour chacun un équilibre maintenu face aux tensions de la vie, en dépit de faiblesses inévitables. Une force suffisante du moi, une capacité d'aimer de façon altruiste feraient alors nécessairement partie de ces santés diverses et particulières.

Lorsqu'il y a trouble de la personnalité, c'est principalement au niveau de la relation avec l'autre que cet équilibre est compromis de façon chronique. Des expériences fort précoces, subies en fait au cours des premières années de l'existence, dans le cadre des relations avec les parents, auront déclenché chez le sujet des réponses qui seront anormales dans la mesure où la situation vécue l'était. Ces réponses, en se répétant, deviendront partie de lui-même, de son moi en cours de développement. Partie intégrante de ce moi, ils constitueront, comme l'écrit J. Laplanche, "une organisation pathologique de l'ensemble de la personnalité".

L'absence de symptômes isolables ou de rupture avec la réalité en font des entités moins fréquemment rencontrées en clinique psychiatrique courante. Ajoutons que les mêmes facteurs en rendent la description, la classification et l'explication dynamique un peu plus complexes. On observe, selon les auteurs, des terminologies variées pour aborder ce type de pathologie.

Pour aborder l'étude de la personnalité, la meilleure grille nous est fournie par la psychanalyse. Celle-ci permet une compréhension dynamique de sa formation, marquée par les stades successifs du développement psychosexuel. Depuis la naissance jusqu'à la maturité, mais de façon beaucoup plus marquée jusqu'au décours du complexe d'Oedipe, s'élabore pour l'enfant une façon particulière d'aménager ses rapports avec les autres humains qui sont ou deviendront ses objets d'amour et de désir. C'est à ce moment que se dessine pour lui la relation d'objet, noyau constituant de sa personnalité future. Selon qu'il aura ou non résolu les tensions et les problèmes de chacun des stades (oral, oral-sadique, anal, phallique), acquérant en chemin des mécanismes plus élaborés de protection contre l'angoisse générée par ses pulsions, ou restant fixé à des moyens archaïques de réduction des tensions, il présentera dans sa vie adulte un niveau de maturité affective plus ou moins avancé. Ceci n'a rien à voir avec ses ressources intellectuelles, et n'est pas nécessairement lié à la notion de santé mentale.

Par exemple, on trouvera chez les auteurs de l'école psychanalytique le terme: névroses de caractère. Il sera alors question d'un caractère de type oral, ou anal, ou même urétral, par référence au stade particulier auquel la relation d'objet reste fixée. Une séméiologie plus descriptive conduit d'autres auteurs à multiplier les entités cliniques reconnues. Personnalités narcissique, passive-dépendante, anxieuse, introvertie, autant de formes cliniques dont il est fréquemment question, d'une façon valable et utile.

Mais comme il s'agit ici de rendre accessible un domaine particulièrement complexe, il est possible d'éclairer suffisamment le sujet en retenant les formes suivantes de désordres de la personnalité: personnalités hystérique, obsessive-compulsive, schizoïde, paranoïde, cyclothymique, passive-agressive, perverse, psychopathique.

Pour chaque tableau, l'accent sera mis sur le mode particulier de relation d'objet qu'on y observe. Le terme psychanalytique de relation d'objet décrit le type de liens affectifs que le sujet est porté à revivre avec les personnes significatives de son existence, à partir de ses premières expériences. C'est là en effet, comme on l'a vu, que s'actualisent les pathologies particulières de la personnalité.

Les progrès d'une psychothérapie sont à la mesure de la motivation du malade à la poursuivre. L'angoisse qui résulte des conflits intrapsychiques, la souffrance et l'embarras qu'entraînent les symptômes, contribuent à relancer cette motivation. Or, les désordres de la personnalité ne comportent ni conflit intérieur, ni symptôme, ni angoisse, dans la majorité des cas. La personnalité pathologique souffre surtout du résultat décevant de ses conduites, et de l'échec de ses relations humaines, échec qui suit presque toujours la trame d'un scénario répétitif. Le premier objectif de la thérapie sera ici de rendre sensible au malade la mécanique de ses déconvenues affectives.

La remise en question d'un moi qui demeure, malgré tout, fonctionnel et cohérent, pose un problème difficile. Souvent, le cadre d'une psychothérapie de groupe conviendra mieux au traitement de ce genre de désordres. Les réactions interpersonnelles y sont revécues et de là, plus aisément perçues par chacun des participants. Et le caractère moins personnalisé de la relation transférentielle y rend celle-ci moins sujette à la répétition de conduites d'échecs.

Il va sans dire que le recours aux psychotropes ne sera ici d'aucun secours, sauf dans le cas particulier de la personnalité cyclothymique.

8.1.1 La personnalité schizoïde (voir chapitre 10)

On observe chez certains individus un retrait, une pauvreté affective, une sorte d'indifférence aux autres qui vont de pair avec une existence tant bien que mal accordée à la réalité. Il n'y a pas chez eux de déraison manifeste, ni de délire. Et l'autisme, puisqu'il s'agit de cela, s'exprime surtout chez eux par une dévitalisation du monde des relations humaines. Uniquement préoccupés de leur vie intérieure, du jeu de leurs pensées, ils semblent inatteignables, lointains, presque absents. Leur contact avec la réalité est purement formel et glacé. Ce type de personnalité, dit schizoïde, pourra malgré tout maintenir une activité mentale féconde, tout en paraissant s'accommoder d'une grande pauvreté des rapports humains.

C'est dans les champs de l'abstraction ou de l'imaginaire que la personnalité schizoïde semble se sentir le plus à l'aise. Elle y trouve un refuge contre le tumulte, menaçant pour elle parce que mal maîtrisé, des relations interpersonnelles. Dans le quotidien, elle se complaira dans la routine, la solitude, souvent sous l'égide et la protection d'une figure parentale qui s'accommode bien de la pauvreté du rapport. La personne schizoïde ne se fait pas d'amis et ne semble pas en souffrir. Par ailleurs, elle est peu sujette aux élans passionnels, à la colère par exemple, et donne l'impression d'être détachée des conflits. Elle n'entretient de communications avec les autres que difficilement et lorsque la nécessité les impose. Sa vie sexuelle ne peut qu'en être appauvrie, quand elle n'est pas nulle ou réduite à l'auto-érotisme. Pourtant, il n'est pas rare qu'une personnalité schizoïde traverse l'existence sans décompensation grave, en retrouvant et aménageant à chaque période critique les conditions très particulières de son équilibre affectif. Il demeure que ce type de personnalité résiste mal à des situations de tension, à la perte d'une figure sécurisante. L'évolution se fera alors vers une forme clinique ou une autre de schizophrénie.

Dynamique et relation d'objet

La personnalité schizoïde n'entretient, en fait, qu'un contact de pure apparence et de commodité avec son entourage. Ce qu'elle valorise, c'est une vie intérieure qui demeure pour elle l'essentiel. Elle sera parvenue, au cours de son développement psychosexuel, à établir peu à peu entre elle et les autres une sorte de distance sécurisante, et à parer ainsi les crises successives de la puberté et de l'accession à la vie adulte, qui provoqueront chez d'autres la dissociation et la psychose.

Au départ, la difficulté pour elle comme pour le schizophrène, est d'assumer la distinction entre ce qui est moi et ce qui est non-moi, et par conséquent d'identifier ses objets en dehors d'elle-même. Les besoins demeurent ceux de la phase orale primaire, marqués par une sorte d'autosuffisance affective. L'angoisse, chez eux, peut apparaître à partir d'un fantasme de morcellement, de manque d'unité, de rupture de ce tout autosuffisant qu'ils se sentent constituer; on comprend dès lors pourquoi la relation avec l'autre intervient dans leur monde comme un danger. A l'origine, on retrouve chez eux, comme chez les schizophrènes, une relation à une figure maternelle dont le rapport à l'enfant est symbiotique, toxique, et qui entrave l'accession à la reconnaissance de l'autre.

Le cas Fernand ... Il s'agit d'un homme de 30 ans, calme, assez soigné de sa personne, employé modèle depuis plusieurs années dans un service d'entretien. Peu loquace, il est manifestement ennuyé de se trouver dans le bureau d'un psychiatre. Il s'y est d'ailleurs présenté avec sa mère non pas pour une consultation personnelle, mais à propos d'un de ses frères hospitalisé à la suite d'un épisode schizophrénique. Nous apprenons qu'il a été un enfant docile, solitaire mais sans histoire. Ses succès scolaires ont été médiocres, en dépit de ressources intellectuelles qui semblent assez élevées. Il n'a pas pu terminer ses études collégiales. Malgré tout, son emploi de manoeuvre est nettement en-dessous de ses capacités. Ses distractions sont avant tout la lecture et la musique, ce qui est également le cas de sa mère. Celle-ci est sa seule vraie compagne. Ils vont à des concerts chaque semaine, passent ensemble leurs vacances. Lui-même n'a pas d'amis, pas de fréquentations féminines. Il est gros mangeur, gras, ne semble pas malheureux. On constate que sa vie s'est stabilisée dans un cadre familier fort restreint. A nos questions, il fournit des réponses adéquates, mais peu révélatrices de ses sentiments personnels. Il donne finalement une impression de vide affectif, de distance. La maladie de son frère est le seul ennui qui semble l'affecter; non pas sur le plan de la sympathie, quoiqu'il se montre très complaisant et conduit régulièrement sa mère aux visites, mais surtout parce que ses routines journalières en sont dérangées. Fernand n'a jamais consulté de psychiatre pour lui-même. Il ne se plaint d'aucun symptôme psychopathologique. On peut dire qu'il s'agit d'une personnalité schizoïde compensée.

8.1.2   La personnalité paranoïde (voir chapitre 11)

La société des hommes apparaît constamment chargée de menaces et d'arrière-pensées à la personnalité paranoïde. Prompte à soupçonner la non-sincérité, l'intention malveillante, l'hostilité, une personnalité ainsi structurée se perçoit à tout moment comme la victime d'une injustice ou d'une brimade. Pour elle, la méchanceté est partout, sauf en elle-même. Elle ne tolère la compagnie que de ceux qui approuvent ses doléances ou s'associent à ses luttes. La lecture qu'elle fait de ses perceptions ne dévie pas jusqu'au délire organisé, ou à l'hallucination, mais demeure marquée par l'interprétation négative. Les corrections que lui impose le maintien, pour l'essentiel, de son contact avec le réel, n'empêchent pas qu'elle soit toujours prompte à s'inquiéter des motifs de ceux qui l'entourent.

La personnalité paranoïde est portée à se choisir des têtes de Turc, qu'il s'agisse de personnages connus, de mouvements sociaux, de professions, de races. Ce sera souvent à la suite de contacts parfois étroits avec des membres de ces groupes, des bienfaiteurs parfois, ou des gens qui se seront crus en rapport d'amitié avec le sujet paranoïde. Celui-ci sera souvent séduit par des explications globalisantes et simplistes des malheurs et des difficultés qui surviennent. Pourvu qu'il puisse désigner des coupables, des méchants, et qu'il puisse se décrire comme une de leurs victimes.

Dominateur, intransigeant, l'individu qui présente ce type de personnalité se cabre devant toute contradiction. Sa colère est facile, ses arguments et ses propos impressionnants, ses insultes cinglantes. De ses proches, il exige par-dessus tout l'acquiescement, la soumission. Il cherche à exercer sur eux un pouvoir tyrannique. Le plaisir de dominer, de contraindre, remplace ici le plaisir d'aimer et d'être aimé. Fier, ce personnage se démontre ainsi jusque dans son maintien physique, raide, arrogant.

La personnalité paranoïde s'engage sans répit dans un monde de querelles, de ruptures, de procès. Car une telle façon de percevoir la réalité ne laisse pas de rendre les rapports avec l'entourage fort orageux. Pour la personne ainsi structurée, la confiance véritable n'existe pas. L'Autre est un agresseur virtuel; il n'y a pas d'ami sûr.

La personne paranoïde aura donc une vie affective orageuse et frustrante. Sa vie sexuelle s'en ressentira, marquée souvent par des pulsions homooooxuolloc mal refoulées.

Dynamique et relation d'objet

Retenons cette insistance sur la malignité de l'autre, l'agressivité en somme. La pulsion agressive domine la vie affective du sujet paranoïde, et le mécanisme de défense archaïque de la projection l'amène à situer cette agressivité chez l'autre. Cette dynamique prend son origine au début du stade anal, auquel reste fixé ce type de personnalité. Le moi éprouve encore un besoin absolu de l'objet pour éprouver sa complétude, mais cet objet est perçu comme maléfique, susceptible, au niveau des fantasmes inconscients, de rompre, de morceler le sujet en le pénétrant. Il y a chez ce dernier un déni profond de la féminité. L'image ennemie, c'est au fond pour lui celle d'une mère phallique, dominatrice, occultée par une image paternelle. Le couple activité-passivité revêt ici une grande importance, avec une défense constante contre les besoins passifs. Le besoin de retenir, de posséder, de dominer, l'inaptitude à un véritable amour génital, ont également des annotations anales.

Le cas Laurent ... Un homme de 55 ans, célibataire, ancien combattant de la guerre de 39-45, se présente à la consultation à la suite d'ennuis avec la police. En état d'ébriété, il s'est querellé, a été battu quelques jours auparavant. Maigre, de port militaire, parlant rapidement et avec facilité, ce personnage commence par expédier sèchement le cas des policiers et des compagnons de beuverie qui l'ont un peu malmené. Ce ne sont pas là pour lui des ennemis de choix. Son propos déborde très vite vers les juges véreux, les avocats filous, l'administration des affaires des anciens combattants, les hommes politiques, etc. Puis on passe aux employeurs, anciens et actuels, qui l'exploitent. Les médecins ne sont pas épargnés. Mis en verve, il passe aux femmes qu'il condamne en termes injurieux. Il se reconnaît homosexuel et vit présentement avec un compagnon très dépendant et souffrant d'un handicap physique. Il se plaint de cet ami, en fait un procès en règle. Poursuites judiciaires, réclamations aux services gouvernementaux, querelles de voisins occupent sa vie plus que son travail, emploi modeste auquel il se soustrait souvent en se déclarant malade. Autodidacte, lecteur fervent, cet homme a un discours vif, coloré, souvent intéressant. Il nous parle des dossiers qu'il monte en vue de ses quatre procès en préparation. Depuis près de trente ans, sa vie se déroule ainsi, dans un climat de contestation où les mots lui servent d'armes principales. Mais ses propos laissent parfois passer des menaces plus graves, qu'il avance pour impressionner son auditeur. En fait, on ne peut lui reprocher aucune agression physique sérieuse. Il a tout de même eu assez bon contact avec la réalité pour éviter de poser un geste excessif. Mais à cet âge, la passion farouche de menacer, de dominer, de lutter contre ceux qu'il voit comme des persécuteurs continue d'animer sa vie.

8.1.3 La personnalité dépressive (voir chapitre 12)

La personnalité qui sera décrite ici donne souvent lieu, dans la nosographie, à des distinctions ou à des appellations variées. Jean Bergeret utilise le terme de personnalité mélancolique. Chez d'autres auteurs, il est question de personnalités passive-dépendante, ou passive-agressive. Cette dernière désignation pourrait convenir à la personnalité dépressive dont il sera ici question. Le déprimé caractériel présente toujours, à des degrés plus ou moins accusés, des traits de dépendance, de passivité, d'agressivité latente. Aussi bien, pour simplifier, nous avons regroupé dans cette rubrique les aspects majeurs de la lignée dépressive en ce qui a trait à la personnalité, à l'exclusion de la forme cyclothymique.

Deux traits majeurs caractérisent ce type de personnalité: la dépendance et l'ambivalence. Le déprimé ne peut vivre sans le support d'un autre. Parent, conjoint ou ami, cet autre devient l'objet d'une relation envahissante, exigeante, jalouse. Et ajoutons: toujours insatisfaisante. Car le déprimé a beau obtenir de cet indispensable support une affection, une aide, une présence et une fidélité hors de l'ordinaire, il ne s'en sentira pas moins frustré, déçu. Attentif à tous les manquements, il sera porté à multiplier les demandes.

Au fond, il vit constamment dans un sentiment d'incomplétude, avec une sorte de vertige devant sa propre faiblesse. Car il n'y a pour ainsi dire pas de réponse à cette demande globale. Ou alors, l'image de l'autre désiré devrait être revêtue d'une sorte de toute-puissance bénéfique, d'une divination magique des besoins qui évoque celle de la mère auprès du nourrisson. Et même si l'objet d'amour du déprimé, à cause de ses propres tendances qui sont souvent névrotiques, tente d'assumer ce rôle maternant, il ne parviendra pas à rassasier la faim d'amour du sujet dépressif. Car plus celui-ci se rapproche de son objet, plus il le perçoit comme frustrant.

Une personnalité dépressive réussit souvent, en jouant de sa détresse, à mobiliser la culpabilité latente ou les instincts protecteurs d'un partenaire ou d'un parent. On voit alors s'établir, par touches subtiles parfois, mais aussi par un chantage à l'abandon ou au suicide, le type de relation décrit plus haut. L'apraxie est fréquente, et affaiblit la motivation au travail ou aux entreprises. L'image que le déprimé a de lui-même, de sa valeur propre, est négative et les propos rassurants du partenaire ne parviennent pas à la raffermir. Ce moi fragile, déliquescent et irrité s'accroche à l'autre pour survivre. La perte de cet autre expose la personnalité dépressive au risque d'un épisode mélancolique, ou encore d'un geste suicidaire, si une autre figure supportive n'intervient pas rapidement.

Dynamique et relation d'objet

Le mode de relation est ici manifestement prégénital. La recherche fébrile d'un point d'appui affectif, la dépendance, l'insatisfaction, le manque d'estime de soi résultent d'une régression du moi au stade oral-sadique. La personnalité dépressive vit une recherche et un deuil perpétuels d'une figure maternelle frustrante, mais indispensable. Il en résulte pour elle une existence parasitaire au point de vue affectif. Hésitante, apathique, abattue au moindre revers, elle cherche et trouve avec un instinct très sûr la bonne âme auprès de laquelle elle reprend sa quête d'un support impossible, évitant ainsi l'épisode psychotique. La relation d'objet revêt, dans ce cas, un caractère d'exclusivité, mais on en retrouve certains éléments dans les autres relations interpersonnelles du sujet déprimé.

Le cas de Julienne H ... Nous ne décrirons ici qu'une tranche de l'anamnèse de cette veuve quinquagénaire, qui était parvenue à traverser plusieurs décades de sa vie sans faire d'épisode psychotique. Après la perte d'un mari qui avait fini par glisser dans l'alcoolisme, pour avoir longtemps joué auprès d'elle le rôle de protecteur tutélaire, elle avait rétabli autour de sa fille aînée, également dépressive, les liens d'une relation dépendante mais chargée d'hostilité. Incapables de se quitter, toujours inquiètes l'une de l'autre, inaptes à nouer des amitiés conséquentes en-dehors du couple qu'elles formaient, elles avaient fini par se conduire à tour de rôle l'une et l'autre à la clinique, alléguant l'abattement alarmant de la partenaire. Aucune des deux n'arrivant à jouer le rôle d'un point d'appui affectif à peu près solide, leur lien n'était que frustration et hostilité. Mais elles se cramponnaient toutes deux à ce lien, en l'absence de tout autre. Elles échangeaient des propos où transparaissait l'agressivité sous-jacente, tels ceux-ci:

La jeune fille: ''Pauvre maman, il faut que tu acceptes d'être soignée. Tu es très malade. Des fois, tu te conduis de façon si bizarre que j'ai l'impression d'une détérioration organique''. La mère: ''Ah, ma fille, je sais bien. Tu dois être exaspérée d'avoir à t'occuper de ta pauvre vieille mère''.

Cette relation ne pouvait durer. La mère accepta d'abord l'hospitalisation, puis de se loger ailleurs que chez sa fille. Mais celle-ci, qui avait refusé une offre de traitement, ne trouva de solution que dans le suicide, quelques mois plus tard.

8.1.4 La personnalité cyclothymique (voir chapitre 12)

La bipolarité maniaco-dépressive se manifeste ici de façon atténuée. Ni le tableau spectaculaire de l'excitation maniaque franche, ni la tension tragique, stuporeuse ou agitée de la mélancolie n'y apparaissent. Ce type de personnalité connaîtra plutôt des phases plus ou moins longues et alternées d'activité confiante et débordante, et à d'autres moments d'asthénie discrète et inquiète. La plupart du temps, l'essentiel des activités courantes, le travail par exemple, peuvent être maintenues.

Lorsqu'elle est en phase d'hyperthymie, cette personnalité évoque ce que les américains appellent un ''workoholic''. C'est alors une orgie de travail, souvent fort efficace. Le besoin de sommeil semble réduit au minimum, l'énergie semble inépuisable. Les décisions sont prises facilement et vite, avec assurance, mais vont quelquefois au-delà des limites raisonnables du risque. Des acquisitions sont faites, des transactions bâclées, des projets ébauchés et aussitôt mis en cours de réalisation. Ce mouvement accéléré de la pensée, cette énorme capacité de travail auront souvent des résultats heureux.

Mais ici, l'alternance de la phase dépressive viendra tôt ou tard compromettre l'élan. En peu de jours, cette dynamo humaine commencera à éprouver lassitude, inquiétude, doute d'elle-même, difficulté de concentration. D'obscures culpabilités, un sentiment insinuant d'échec se font jour. Des idées de mort également avec quelquefois des ruminations suicidaires précises. La moindre tâche exige maintenant des efforts pénibles, la moindre décision semble impossible à prendre. L'appétit, le sommeil, deviennent problématiques, l'activité sexuelle sans intérêt.

Suffisamment en contact avec la réalité pour résister dans la mesure du possible à ses tendances dépressives, le sujet cyclothymique cherche alors à masquer sa détresse, à donner le change. Il se rend au bureau, fait semblant de travailler. L'entourage constate seulement l'altération de l'humeur, impossible à dissimuler. Ces phases hypothymiques pourront ne durer que quelques jours, mais il leur arrive de s'étaler sur plusieurs semaines. Certains suicides parfaitement inattendus s'expliquent par un raptus dépressif particulièrement violent chez une personnalité cyclothymique.

Ce type de personnalité se montre généralement disponible, chaleureux, tolérant dans les rapports humains. Généreux aussi et pouvant difficilement rejeter une demande. Un sens du devoir très développé, une grande loyauté envers les êtres chers donnent à penser que l'instance du surmoi est particulièrement exigeante chez le sujet cyclothymique. Chez celui-ci, l'activité débordante et les succès dans la carrière masquent des besoins de dépendance importants, qui se manifestent souvent dans les rapports avec le conjoint.

Dynamique et relation d'objet

Au point de vue dynamique, la personnalité cyclothymique est très proche de la personnalité dépressive. La figure d'une mère ambivalente, dont les seuls traits frustrants, souligne Bergeret, se sont gravés dans la mémoire inconsciente du sujet, s'est imposée durant la phase orale-sadique. Le développement psychosexuel s'est poursuivi jusqu'à la génitalité, mais la blessure narcissique subie précocement était trop profonde, et une faille a persisté dans le moi. Il y a régression vers des besoins oraux.

L'idéal du moi, au lieu de se présenter comme un facteur structurant, ramène alors le cyclothymique vers l'image d'un objet frustrant, et lui impose l'idée de sa non-valeur. L'activité hypomaniaque se perçoit comme une fuite devant celle-ci, un besoin intense de se revaloriser. Les périodes dépressives sont un retour à la problématique profonde de ces individus.

La relation d'objet est marquée chez eux par de la dépendance, de la culpabilité, de l'ambivalence également.

Le cas Jacques D ... Ingénieur dans une firme importante, cet homme de 40 ans, avenant, exubérant à certains moments, aura parcouru jusqu'ici une carrière remarquable. Il est respecté, admiré, et sa personnalité chaleureuse invite l'amitié. C'est à la suggestion de sa femme qu'il vient en consultation. Elle a noté chez lui des périodes d'abattement, de morosité, d'insomnie. Il lui a avoué qu'il traversait des moments difficiles, surtout depuis la mort accidentelle d'un de leurs enfants, quelques années auparavant.

Il reconnaît, au cours des entrevues, que ces périodes dépressives, qu'il cherchait soigneusement à cacher à ses associés et à son épouse, l'empêchent de travailler efficacement pendant des périodes de deux à trois semaines. Il cherche alors à donner le change, occupe sa secrétaire à des besognes insignifiantes, s'impose autant que possible d'être présent aux réunions d'affaires et aux sorties mondaines. Au décours de la phase dépressive, il reprend en peu de jours une activité débordante. Mais au fond de lui-même, il se sent inadéquat, incompétent, raté pour ainsi dire. Il pense souvent au suicide, mais le diffère en tentant d'abord d'assurer la sécurité des siens. Il souffre de la jalousie de sa femme, la trouve irrationnelle, mais ne l'a jamais trompée.

Né dans une famille nombreuse où la compétition était forte, il s'est toujours senti inférieur à ses frères, comme il se sent maintenant inférieur à ses associés. Il se souvient d'avoir été un enfant obèse que sa mère couvait et traitait comme un malade. Assez indolent au début de sa scolarité, il est devenu plus actif à la fin de l'adolescence, et a terminé brillamment ses études. En évoquant son passé, il se rend compte que des périodes d'asthénie et de tristesse sont apparues beaucoup plus tôt qu'il le croyait. Mais leur incidence était plus espacée et moins accusée.

En bref, Jacques D. est un homme très articulé, intelligent et lucide aussi longtemps qu'il n'est pas question de porter un jugement sur sa propre valeur. Il est conscient du caractère cyclique et morbide de ses accès dépressifs, mais l'image négative qu'il a de lui-même demeure la plus forte.

8.1.5 La personnalité perverse (voir chapitre 20)

Quelques mots d'un type de personnalité pathologique dont il sera question dans un autre chapitre, sous la rubrique ''Les paraphilies''. L'aspect qui nous intéresse ici est l'organisation globale de ce type de personnalité, au niveau surtout de sa relation d'objet. D'autant plus que la personnalité perverse ne s'actualise pas nécessairement dans tel ou tel type de conduite sexuelle aberrante. C'est quelquefois uniquement son incapacité fondamentale de trouver chez l'autre plus qu'un simple instrument de gratification narcissique, qui suffit à la désigner comme perverse. Le partenaire, qu'il s'agisse de sexualité ou d'autres niveaux de l'échange humain, devient ici un simple instrument de plaisir à qui n'est pas reconnu le droit à son propre narcissisme.

Le pervers sexuel, quant à lui, s'est fixé à un érotisme dont les données sont précises et fixes. Il s'est arrêté à une forme de satisfaction qui, dans le cadre d'une activité génitale dite normale, correspondrait à une forme ou à une autre de plaisir préliminaire. Ce plaisir est recherché et obtenu dans une perspective purement narcissique, excluant tout sentiment amoureux.

Mais certains auteurs ont noté chez certaines personnalités, dont l'activité sexuelle semble banale et fort éloignée de la spécificité perverse, un type de relation avec l'autre, sur le plan affectif, qui présente la même sorte de narcissisme exclusif, et la même absence de souffrance et de culpabilité. Bergeret souligne la distinction sémantique entre perversion et perversité. Sans utiliser ce dernier terme, c'est son sens qu'il applique à la notion de "perversion de caractère".

Pour celui-ci, écrit le même auteur, "les objets ne peuvent posséder d'individualité concurrentielle, d'intérêts propres, d'investissements qui ne seraient pas centrés sur le sujet lui-même, possessif, intransigeant, exclusif dans ses exigences affectives, tout doit être pensé pour lui et pour lui seul. Les autres sont destinés obligatoirement à compléter le narcissisme défaillant du pervers caractériel au prix de leur propre narcissisme. Le pervers de caractère tient ses objets dans une relation anaclitique aussi étroite sur le plan sadomasochique et narcissique que le pervers de perversion a besoin de conserver son objet homosexuel en sa possession érotique".

Personnalités dominatrices pour l'entourage, exigeantes, témoignant souvent d'un certain sadisme moral dans leurs relations interpersonnelles, les pervers caractériels, comme d'ailleurs les pervers sexuels, représenteraient une forme d'aménagement intermédiaire entre psychose et névrose, relevant de ce que Bergeret appelle le tronc commun des astructurations.

Il s'agit donc d'un type d'aménagement de la personnalité qui demeure labile, et qui souvent se décompensera en psychose franche aux approches de la vieillesse.

8.1.6   La personnalité obsessionnelle (voir section 5.2.6)

La plus complexe et la plus organisée des personnalités pathologiques. Peut-être, en certains cas, la plus fonctionnelle. Marquée par la rigidité des conduites, la défense contre les émotions, le caractère ritualisé de l'existence. Aussi par des rapports difficiles et des préoccupations excessives, dans un sens ou dans l'autre, avec les problèmes que posent les notions de temps, d'ordre, de propreté, ou celles du don ou de l'échange. Une possessivité vétilleuse masquée par une froideur marquée dans les rapports avec les personnes significatives de l'entourage, avec, à l'occasion, d'étonnantes et violentes bouffées d'agressivité.

La personnalité obsessionnelle abhorre l'inattendu, porteur de changement. Elle est plus en sécurité dans ce qui est stable, et tend à fixer son univers immédiat, au point de vue affectif surtout. Elle est plus à l'aise dans les préoccupations abstraites que dans les rapports humains, mais n'évite pas ceux-ci, qu'elle colore cependant d'une ambivalence bien maîtrisée. Une prétention à la rationalité est souvent démentie chez elle par des croyances d'une grande fermeté, qui laissent apparaître une certaine naïveté et un rapport évident avec la pensée magique (règles de vie, superstitions, régimes alimentaires). Les décisions sont difficiles à prendre pour une personnalité obsessionnelle, et le doute fait partie des traits de ce caractère.

En fait, on retire l'impression d'une sorte de cuirasse d'habitudes et de pensées qui protègent le sujet contre les turbulences affectives qui peuvent venir des autres ou de lui-même. Le contrôle s'exerce surtout sur la pulsion agressive, qui s'exprime malgré tout de façon indirecte par des actes manqués, des froideurs, ou à l'occasion par un humour caustique.

Les traits obsessionnels, tels que ténacité, méthode, méticulosité, sont loin d'être des handicaps dans certains champs d'activité. Aussi bien, une personnalité obsessionnelle pourra-t-elle poursuivre une carrière remarquable. C'est au niveau des relations humaines, et plus encore des plus étroites comme dans le couple, ou dans le rapport parental, que la structure obsessionnelle se heurte aux plus grandes difficultés.

Dynamique et relation d'objet

Il s'agit ici d'une persistance chez l'adulte de la problématique de la phase anale. Encore doit-on préciser qu'il s'agit de la deuxième étape de ce stade, au moment où l'enfant fait un pas important vers un moi organisé autour du principe de réalité. La pulsion agressive n'est cependant pas encore maîtrisée et liée aux autres pulsions qui concourent à la relation d'objet. Les fantasmes de rétaliation qu'elle entraîne (peur de la castration) font intervenir des mécanismes de défense pour renforcer le refoulement. L'isolation, l'annulation rétroactive, la formation réactionnelle sont typiques de la structure de personnalité obsessionnelle. Le contrôle de l'agressivité est primordial, mais un pareil contrôle s'exerce également sur les pulsions et les désirs sexuels. S'exerçant à un niveau inconscient, il pourra susciter des troubles fonctionnels de la sexualité (éjaculation précoce, frigidité). Comme l'enfant accède au cours de la phase anale aux notions de temps, d'ordre et de propreté, celles-ci deviendront des préoccupations majeures pour la personnalité obsessionnelle.

Mais pour celle-ci, le problème nodal tient toujours à l'ambivalence de la relation d'objet, à la persistance d'une agressivité primitive, mal intégrée et surcontrôlée.

Le cas de Paul ... Il s'agit d'un quinquagénaire actif, marié, père de trois enfants parvenus à l'âge adulte. Studieux à l'âge scolaire, il obtint des résultats brillants. Volontaire, maître de lui, fort peu porté aux sensibilités, il imposait facilement à ses frères et soeurs sa qualité d'aîné. Mais certaines conduites suscitaient déjà chez eux beaucoup d'irritation. Très possessif, il délimitait fermement les limites de son domaine. Le partage était exclu. Et dans une famille nombreuse, la durée de ses ablutions suscitait des drames quotidiens à la porte de la salle de toilette. Méticuleux en tout, tout dérangement de l'ordre qu'il avait établi provoquait sa colère. L'entourage familial subissait péniblement cette façon d'imposer sa loi. Fort parcimonieux dans le quotidien, il étonnait parfois l'entourage par un achat somptueux plus ou moins extravagant. Ce qui ne l'empêcha pas de réussir de façon remarquable dans les affaires.

Son mariage, cependant, se transforma vite en une relation formelle, confortable mais sans chaleur, maintenue grâce à la résignation d'une épouse pieuse et formaliste. Le sort des enfants fut moins facile. Paul semblait les percevoir comme des gêneurs, des embarras. Exigeant d'eux une obéissance absolue, il leur imposait des règles alimentaires d'une grande austérité qui étaient d'ailleurs les siennes, mais qu'il s'accordait quant à lui le droit de transgresser assez librement. Sévérité, froideur à la maison, amabilité enjouée avec les amis et les connaissances faisaient un contraste frappant. Ce climat entraîna l'éloignement précoce des enfants et leur fit prendre un départ fort incertain dans la vie. Paul ne semblait pas en souffrir et rejetait tout le blâme sur eux. Mais le sort des enfants entraîna le découragement de l'épouse et l'échec de la vie conjugale. Paul aura traversé l'existence avec succès sur le plan de la carrière, mais sa personnalité obsessionnelle aura compromis depuis son jeune âge sa vie affective.

8.1.7 La personnalité hystérique ou histrionique (voir section 5.2.3)

Il s'agit ici d'une personnalité tournée toute entière vers le paraître, vers une sorte de théâtre de l'existence, où le fait d'être vu est primordial. Le regard de l'autre, ses réactions sont interrogées et conditionnent les changements d'attitude fréquents du sujet. Le corps est survalorisé comme moyen de communication. Ce qui importe pour le sujet, dans sa perception de lui-même et de ceux qui l'entourent, ce sont avant tout les apparences, derrière lesquelles se dérobe la réalité des personnes. Les réactions d'une personnalité hystérique ont un caractère excessif, théâtral, et toujours légèrement factice. Instable dans son identité, elle se révélera très influençable. Elle sera portée à des engouements pour tel modèle, tel style de vie, quitte à s'en lasser rapidement pour passer à un autre. Les relations amoureuses joueront un rôle très important dans la vie d'une personne ainsi structurée; elles paraîtront intenses, propres à modifier toute l'existence, mais elles seront sujettes à s'éteindre en peu de temps.

Une vie sexuelle souvent marquée par des désordres fonctionnels (frigidité chez la femme, impuissance chez l'homme) et une sorte de contamination érotique inconsciente, et très souvent intempestive, des situations vécues, sont typiques de ce désordre. La personnalité hystérique éprouve le besoin constant de séduire. C'est le Don Juan, la Célimène, vivant dans l'espérance ou l'illusion d'un grand amour. A l'opposé du pervers, l'hystérique croit sincèrement aimer et être aimé. Mais il se heurte chaque fois à une déception.

C'est que la vie amoureuse de l'hystérique est entravée par un obstacle intérieur qui en compromet l'authenticité et la durée. Nous verrons que cet obstacle est en fait un interdit inconscient, qui rend compte des troubles fonctionnels fréquents de la vie sexuelle et qui exaspère le désir, qui s'exprime alors inconsciemment dans les conduites interpersonnelles.

Certains des traits d'une personnalité hystérique, tels la valorisation du corps comme moyen d'expression, ou l'aptitude à s'identifier à tel ou tel modèle ou personnage, peuvent s'avérer utiles au sujet, en particulier dans les arts de représentation.

On distingue la personnalité hystérique de la névrose du même nom en ce qu'on ne retrouve pas chez la première les manifestations spectaculaires de l'hystérie de conversion, telles que les somatisations grossières, les passages à vide de la conscience, les amnésies, l'histrionisme.

Dynamique et relation d'objet

L'organisation hystérique de la personnalité découle d'une persistance de l'interdit sexuel vécu au stade de l'Oedipe. Cet interdit, avec l'angoisse de castration qu'il entraîne, n'empêche pas la relation d'objet d'avoir accédé à un niveau génital. Les pulsions dites partielles, l'agressivité, sont désormais subordonnées ou comme on dit, liées au désir amoureux. Le moi n'a pas régressé vers des stades prégénitaux. Il se trouve bloqué dans la dynamique oedipienne, et l'actualisation de ses désirs amoureux le place dans une situation conflictuelle. Le mécanisme de défense utilisé est le refoulement, avec en corollaire l'érotisation inconsciente et diffuse des situations vécues. Ajoutons enfin cette valorisation du corps comme moyen de séduction.

Des traits d'immaturité affective sont facilement discernables dans une personnalité hystérique. L'objet désiré se révèle indispensable, et la place qu'il occupe dans la pensée et la vie du sujet manifestent une certaine dépendance de la part de celui-ci. D'autre part, le manque de stabilité du sentiment d'identité, de même qu'un certain mimétisme dans le choix des conduites et des styles de vie, témoignent de cette dépendance envers l'autre.

Le cas Flora ... Parvenue à la trentaine, cette jeune femme demeure jolie, vive, avec des élans d'enthousiasme qui gardent un caractère adolescent. Encore très jeune, elle a quitté la maison familiale, très bourgeoise, pour se joindre aux milieux de la contre-culture. Ses études formelles ont été interrompues très tôt, mais elle s'engage de façon cyclique dans des séries de cours, stages, séminaires qui suivent plus ou moins le courant de la dernière mode; expression corporelle, danse, relations humaines, sexologie, yoga, etc. Elle est présentement très active dans un mouvement de libération de la femme. Passablement autonome pour ce qui est des nécessités de la vie, elle s'active dans plusieurs domaines: animation, artisanat, arts et chansons populaires, médias électroniques. Elle arrive à survivre assez modestement, mais traverse des périodes fort contraintes au point de vue pécuniaire.

Des déconvenues un peu plus sérieuses de sa carrière, avec une phase légèrement dépressive qui s'en est suivie, l'ont menée à la consultation. On apprend alors qu'en dépit du milieu où elle évoluait et de ses idées très ouvertes sur le sujet, elle est venue fort tard à accepter l'acte sexuel. Un mariage bref et orageux ne lui a laissé qu'un mauvais souvenir. Depuis, les liaisons se sont multipliées, mais sa frigidité persistante les ont rendues décevantes. Elle a même tâté, sans trop de conviction, du côté de Lesbos.

Cette jeune femme se montre soignée dans son apparence, dans un certain genre bohémien. Elle garde, en dépit de ses déconvenues, l'espoir d'une relation amoureuse réussie et nous parle avec chaleur de certains hommes de son entourage. Elle ne se plaint en fait que d'insomnie et d'une inquiétude qui viendraient de ses ennuis d'argent.

8.1.8 La personnalité hystéro-phobique (voir section 5.2.2)

Il s'agit ici de sujets qui se sentent mal à l'aise, quand ce n'est pas franchement anxieux, dans certains types de situations qui impliquent la rencontre d'inconnus. Les magasins, les rues, les salles de spectacle, les boutiques de coiffeurs, les transports publics peuvent alors, tous ou l'un d'entre eux, déclencher chez le sujet une tension pénible. Celle-ci sera dissimulée, maîtrisée même lorsqu'il le faut absolument, mais dans la plupart des cas, elle sera évitée. Le même individu qui présente ces difficultés pourra se montrer fort à l'aise et parfaitement fonctionnel dans sa vie de tous les jours. Le fait d'éviter ou de restreindre ses contacts avec le public ou des inconnus sera mis au compte d'une certaine timidité, léger défaut qu'il ne présentera plus dans son cadre de vie habituel.

Donc, la personnalité hystéro-phobique présente une certaine ressemblance avec l'hystérie d'angoisse, ou névrose phobique. Elle s'en distingue par ceci que les situations anxiogènes peuvent être dans une certaine mesure maîtrisées, qu'il n'y a pas de début des symptômes repérable dans le temps, et que l'angoisse vécue n'a pas ce caractère massif, contraignant, qu'on retrouve dans l'hystérie d'angoisse. La vie peut se poursuivre, le sujet demeure fonctionnel et n'éprouve habituellement pas le besoin d'une aide psychiatrique. Il est bien entraîné à éviter discrètement de se trouver dans les situations qui lui sont pénibles.

Mais cette même personne pourra présenter dans ses relations avec les autres des traits d'immaturité. Par exemple, une grande dépendance à l'endroit du conjoint ou d'un proche, qui est perçu comme une figure sécurisante. On retrouve aussi souvent, comme dans le cas de la personnalité hystérique, des troubles fonctionnels de la sexualité: impuissance chez l'homme, frigidité chez la femme. Une certaine ambivalence est présentée dans la relation affective; il y a, sous-jacente, la peur de perdre le point d'appui nécessaire.

Dynamique et relation d'objet

La peur d'un danger inconnu qu'éprouve une personnalité hystéro-phobique lorsqu'elle se trouve dans un endroit public a une source inconsciente. Il s'agit de la peur de la castration liée au complexe d'Oedipe. Le désir sexuel est refoulé pour ne pas risquer de perdre la relation avec l'objet sécurisant, substitut d'une figure parentale. Mais par le mécanisme du déplacement, le désir contamine et charge certaines situations du même danger, à l'insu du sujet. Voir et rencontrer des étrangers prend le sens de rencontrer des partenaires sexuels possibles. Au niveau conscient, le sujet continue d'ignorer la charge érotique que prennent pour lui ces situations. Il ne ressent que l'angoisse qui en découle.

Les mécanismes de défense, dans ce type de personnalité, sont le refoulement et le déplacement. Bergeret considère que l'organisation phobique de la personnalité, tout en se situant à un niveau génital et en n'impliquant pas une régression du moi, perpétue un niveau plus archaïque de la relation d'objet que dans le cas de la personnalité hystérique. Il s'agirait du début du complexe d'Oedipe, à un moment où la dépendance à l'endroit des figures parentales demeure importante. Certaines régressions libidinales partielles, surtout au stade anal, seraient également en jeu.

8.1.9 La personnalité narcissique

La personnalité narcissique se caractérise essentiellement par sa grandiosité et son sentiment d'être unique au monde. Tout dans l'univers de la personnalité narcissique doit viser à la mettre en valeur. Ces individus ont constamment besoin d'attention et d'admiration de la part des autres. Egocentriques, préoccupés de leur apparence, de l'image qu'ils présentent aux autres, ils ont une vie émotionnelle plutôt superficielle. Ils sont incapables d'empathie véritable car l'autre n'existe pas pour lui-même mais uniquement comme instrument de leur valorisation. C'est pourquoi ils n'hésiteront pas à l'exploiter s'il le faut. D'ailleurs, un certain charme superficiel fait partie du tableau clinique de la personnalité narcissique. Cette façade leur permet de s'exhiber, de plaire et de mieux amener l'autre à combler leurs propres besoins. Ils ont l'impression que tout leur est dû à cause de l'importance qu'ils s'accordent.

Mais cette estime de soi gonflée à outrance demeure très fragile. Face à la critique ou à l'indifférence, ils réagiront avec une rage excessive ou encore avec une dépression exagérée. Par exemple, un artiste-peintre pourra déchirer ses toiles ou tenter un suicide si la critique, sans être négative, ne le porte pas aux nues. On note parfois certaines régressions psychotiques transitoires.

La vie fantasmatique est riche mais caractérisée par l'omni-puissance et une rêverie où ils sont roi et dieu.

Superficiellement, la personnalité narcissique semble bien adaptée sur le plan social. Cependant, ses relations interpersonnelles sont perturbées à cause de son vide émotionnel et de son incapacité fondamentale de donner à l'autre.

8.1.10 Personnalités passive-dépendante et passive-agressive

Si la personnalité dépressive, la personnalité passive-dépendante et la personnalité passive-agressive possèdent le même noyau dynamique, il n'en demeure pas moins que leurs modes de présentation varient de l'une à l'autre. C'est pourquoi nous présentons ici de façon séparée la personnalité passive-dépendante et la personnalité passive-agressive.

La personnalité passive-dépendante se caractérise par une incapacité fondamentale à s'assumer elle-même. Elle désire constamment être prise en charge par l'autre. D'ailleurs, le choix d'objet est assez significatif chez ce type de personnalité. En effet, les individus passifs-dépendants choisissent un partenaire fort qui aime prendre des responsabilités et assumer en grande partie la relation. Cet autre est en général tolérant vis-à-vis les comportements régressifs souvent présentés par la personnalité passive-dépendante. En contrepartie, la personnalité passive-dépendante est prête à tous les sacrifices pour ne pas perdre sa figure d'appui. C'est le cas notamment de nombreuses femmes battues qui acceptent d'être bafouées constamment au niveau physique et moral plutôt que de faire face à la perte du conjoint. L'incapacité de tolérer la solitude est un symptôme important chez la personnalité passive-dépendante. D'ailleurs, c'est souvent dans des situations de séparation que se manifestent le plus clairement les éléments passifs-dépendants. La personnalité passive-dépendante utilise fréquemment le passage à l'acte sur un mode d'automutilation ou de tentative suicidaire (souvent par intoxication médicamenteuse) pour signifier à l'autre qu'elle ne peut vivre sans lui. Ce type de personnalité a constamment besoin de support, elle a peu confiance en elle-même et elle ne peut prendre de décision sans recourir aux personnes significatives de son entourage. Elle n'accepte aucune responsabilité, rejetant constamment le poids de la décision sur l'entourage.

La personnalité passive-dépendante se manifeste donc en montrant à l'autre son impuissance, lui demandant de l'assumer.

De son côté, la personnalité passive-agressive se défend consciemment d'avoir besoin de l'autre. Cependant, tout dans son comportement démontre le contraire. La personnalité passive-agressive cherche constamment à démontrer de façon très culpabilisante que l'autre ne répond pas de façon adéquate à ses besoins. Elle refuse de façon hostile de répondre aux demandes venant des autres et manifeste son hostilité de façon indirecte par l'entêtement, l'obstination, l'inefficacité volontaire, la grève du zèle et l'oubli.

Ce ''pattern'' de relations se retrouve par exemple chez certains couples où l'un des conjoints ne peut exprimer de façon directe et claire ses besoins de même que son agressivité. C'est dans le comportement et non dans le dialogue que se manifesteront les besoins et les états affectifs. Ainsi, un mari exprimera sa colère à sa femme en rentrant plus tard que prévu à la maison ou en prenant un verre de plus que de coutume. Ceci peut fréquemment entraîner un cercle vicieux dans les relations du couple. L'épouse pourra prendre sa revanche en refusant les rapports sexuels à son mari.

Les comportements passifs-agressifs se retrouvent également dans certaines situations bien spécifiques telles que le travail et l'hospitalisation. En effet, de nombreux malades hospitalisés pour diverses raisons médicales ou autres vont manifester leurs tendances passives-agressives en critiquant constamment le système et le personnel hospitaliers. Ces malades se plaindront fréquemment de la nourriture ou de la lenteur du personnel à répondre à leurs demandes. Ils suscitent évidemment un contre-transfert agressif chez le personnel hospitalier, ce qui ne fait qu'amplifier leurs demandes hostiles. Ces individus ne peuvent tolérer la situation de dépendance dans laquelle ils sont placés et se défendent en agressant l'entourage. Inconsciemment, ils désirent cette dépendance mais ils s'en sentent coupables.

Si ce type de comportement est limité à des situations spécifiques telles l'hospitalisation et ne font pas partie d'un mode relationnel continu, le diagnostic de personnalité passive-agressive ne s'applique pas. Il n'en demeure pas moins qu'il est important de comprendre la dynamique sous-jacente à ce genre de comportements afin d'être en mesure d'aider ces individus.

8.1.11   La personnalité antisociale (voir pages 23, 24, 25)

Appelée aussi bien psychopathique, ou sociopathique selon les auteurs, la personnalité antisociale est marquée par une absence apparente de contraintes morales, par l'inexistence de tout sentiment de culpabilité, et par des conduites dont le but est la satisfaction immédiate des désirs et des pulsions. Le psychopathe entre donc sans cesse en conflit avec une société humaine fondée sur le respect de certains interdits.

Pourtant, il ne faut pas imaginer que tous les criminels occasionnels ou d'habitude, sont des psychopathes. D'autres facteurs peuvent rendre compte d'une transgression plus ou moins fréquente des lois. Il existe des milieux culturels, et même des micro-milieux sociaux, où la limite du permis et du défendu se révèle bien différente de celle qui est généralement acceptée dans la société en général. Le droit de propriété peut y être perçu comme très relatif, et le droit pour l'individu de se faire justice lui-même peut y devenir une obligation. Les individus qui grandissent dans ces milieux pourront avoir, à nos yeux, des conduites criminelles, sans être pour autant dénués de sens moral. Ce ne sont pas, à proprement parler, des antisociaux ou psychopathes.

Ces derniers se reconnaissent au profil existentiel qui leur est propre. C'est au cours de l'enfance qu'ils commencent à présenter des écarts de conduite qui vont se multipliant: vols d'argent ou d'objets appartenant aux parents, mensonges, fugues, vagabondage , absences en classe, laxité sexuelle précoce deviennent peu à peu une façon d'être constante. Au tournant de l'adolescence, généralement, apparaissent les premières difficultés avec la justice: à la suite de chapardages, de mauvais coups ou d'autres activités de "gangs" auxquelles ils se joignent naturellement, c'est l'arrestation et le ou les séjours en milieu de correction. Dès lors, le cycle des actes antisociaux commis (vols, vandalisme, usage d'alcool et de drogues), et des sanctions subies, s'installe de façon permanente. Les antisociaux a-t-on dit n'éprouvent pas de sentiment de culpabilité. Surpris et mis aux arrêts, ils nieront effrontément leurs forfaits ou les reconnaîtront avec une sorte de fierté. Leur comportement, malgré tout, n'est pas uniforme; ils sont loin d'être tous violents et dangereux. Les vols simples, les escroqueries leur suffiront souvent. Les agressions contre la personne dénotent la mise en action de pulsions sadiques, et celles-ci ne jouent pas nécessairement un rôle important chez l'antisocial.

A noter chez celui-ci un véritable plaisir à trangresser la loi, une excitation joyeuse à accomplir des "coups" de plus en plus risqués. Les séjours en milieu carcéral finissent par faire partie du programme, et s'ils sont perçus par l'antisocial comme des injustices qui lui sont faites, ils sont acceptés malgré tout et fournissent l'occasion de préparer une revanche contre la société, et surtout son appareil de répression (justice et police).

L'antisocial n'entretient de rapports avec les autres que superficiels, occasionnels, utilitaires. Il est incapable d'un rapport affectif profond, sain, altruiste. La notion de profit de l'autre caractérise essentiellement toutes ses relations. Il est prêt à tout pour obtenir ce qu'il désire, que ce soit la manipulation par le charme ou l'intimidation par la violence. Il perçoit facilement les faiblesses des autres et les utilise à son profit. Il tolère très mal toute frustration et la satisfaction immédiate de ses désirs représente pour lui un droit. Il semble incapable de profiter des expériences vécues. Sous des manières qui peuvent apparaître cordiales et souvent séductrices, il cache un caractère très immature, un manque profond de jugement.

A l'état adulte, la personnalité antisociale se caractérise par la présence de un ou de plusieurs symptômes suivants:

1- Médiocre performance au travail; changements de travail fréquents. Le même emploi est gardé pour de courtes périodes de temps seulement et le sujet présente des conflits très fréquents avec ses employeurs et compagnons de travail.

2- Au plan conjugal, plusieurs séparations et divorces.

3- Plusieurs arrestations et condamnations. Une feuille de route judiciaire chargée.

4- Négligence de ses dettes et autres obligations sociales.

5- Usage fréquent d'alcool et de drogues.

Un trait que l'on retrouve chez tous est le sentiment d'être victimes de traitements injustes. Pour l'antisocial, la faute est toujours celle de l'autre. Il a profondément la conviction que la société et sa justice le maltraitent, en lui interdisant les gratifications qu'il recherche. Il utilise de nombreuses justifications sociopsychologiques pour justifier ses actions délinquantes. Sa vie pourrait s'expliquer, dans son optique, comme un défi passionné à une société méchante et implacable.

Apparues précocement, les manifestations d'une personnalité antisociale se poursuivront d'ordinaire tout au long de l'existence. A moins que paradoxalement, vers la troisième ou la quatrième décade, ce criminel d'habitude ne devienne paradoxalement un déprimé, présentant un risque suicidaire important. La dynamique propre de la conduite antisociale semble alors épuisée dans ses effets, et se voit remplacée par un tableau dépressif classique: autodévalorisation, culpabilité, retrait des investissements émotifs.

Dynamique et relations d'objet

Comment s'élabore et s'explique cette personnalité antisociale. La psychiatrie n'est venue que tardivement à se poser la question. Les étiquettes de ''dégénérés'' ou de ''caractériels'', que l'on retrouve dans les nosographies classiques, traduisent sa longue hésitation à intervenir dans le domaine des conduites criminelles. Il faut dire que l'antisocial, par sa fausseté, ses manipulations grossières de la vérité, et quelquefois sa violence mal contrôlée, constitue un défi redoutable pour l'étude et le traitement psychiatrique.

L'explication génétique de la tendance antisociale, avec autrefois ses impressionnantes généalogies de familles de criminels, et plus récemment l'intérêt suscité par les recherches sur l'anomalie chromosomique XYY, aura longtemps eu cours. Des atteintes cérébrales minimes du type: dysfonctions cérébrales, ont également été alléguées. En effet, on remarque la présence de nombreuses anomalies non spécifiques à l'EEG, surtout dans les rythmes lents. Les études psychophysiologiques pour leur part ont démontré un niveau d'anxiété de base plus bas que la moyenne, une réaction au stress avec moins d'anxiété et une récupération plus rapide au décours de situations stressantes, de même qu'une plus grande difficulté à apprendre les réponses conditionnées de peur.

Au niveau sociopsychologique, les principales théories sont centrées sur l'influence directe du milieu familial pour rendre compte du comportement antisocial. Ainsi, la majorité des sujets antisociaux ont été dans leur enfance victimes d'agressions manifestes, directes et violentes. Cette agressivité dont ils ont été précocement victimes créerait un phénomène d'imprinting qui contribuerait à perpétuer leur comportement agressif.

Szurek et Johnson pour leur part soutiennent que la pulsion antisociale qui ne peut être assumée par le parent est communiquée inconsciemment à l'enfant, qui sera poussé à actualiser cette pulsion. L'enfant sera gratifié par l'attention qui lui sera accordée lors de ses passages à l'acte délinquant.

L'approche psychanalytique du problème s'est arrêtée tout d'abord à l'absence de sentiment de culpabilité. Elle y a vu un des avatars possibles d'un complexe d'Oedipe mal résolu, en l'occurrence un non-développement, une agénèse du surmoi.

L'occurrence d'épisodes dépressifs tardifs chez les sujets antisociaux, avec l'apparition d'un sentiment de culpabilité très marqué, concordent mal cependant avec cette explication. Des études plus récentes font appel à un stade de fixation plus ancien. Il s'agirait d'une non-résolution de la dynamique propre au stade oral-sadique, celui où sont vécus les traumatismes qui auront pour résultats éventuels des épisodes dépressifs, ou des traits dépressifs de la personnalité. Au lieu de revivre le deuil de la mère et l'introjection de l'image de la mauvaise mère, l'antisocial maintiendrait avec celle-ci une relation de défi et d'opposition. Plus tard, cette image ennemie serait transposée sur la société et ses instances répressives. Cette hypothèse rendrait compte à la fois des conduites habituelles de l'antisocial et, par suite d'un échec du mécanisme, des décompensations dépressives qu'on a constatées.

Traitement

L'absence relative d'angoisse, de culpabilité, de souffrance morale de même que l'incapacité fondamentale à établir une relation affective véritable rendent difficile, voire quasi impossible, l'approche psychanalytique classique. La psychothérapie individuelle d'orientation analytique a été utilisée mais avec peu de résultats favorables, semble-t-il.

La thérapie de groupe, dans la mesure où elle insiste sur l'apprentissage des relations interpersonnelles, peut être tentée mais la personnalité antisociale a souvent tendance à jouer le rôle de thérapeute auxiliaire qui traite les problèmes des autres mais non les siens.

La communauté thérapeutique a fréquemment été utilisée dans le traitement institutionnel de ces individus. Cependant, il faut que le groupe soit suffisamment évolué pour cerner la personnalité antisociale et l'empêcher d'assumer un leadership couvert. Il est important de retenir que la personnalité antisociale se sert des autres membres du groupe pour obtenir ses gratifications. La personnalité antisociale n'affrontera pas directement l'autorité institutionnelle mais utilisera les patients plus faibles pour créer l'opposition au système thérapeutique.

Enfin, récemment, Yochelson et Samenow ont mis au point une technique thérapeutique basée sur le principe que la personnalité criminelle commet des erreurs de pensée qui l'amènent à commettre ses délits. Il s'agit d'une théorie cognitive de la criminalité. Par exemple, un voleur se justifie de son acte en disant qu'il a volé un riche qui n'en souffrira pas. Il oublie au travers de ce raisonnement la notion fondamentale du respect d'autrui. Le thérapeute doit alors corriger le raisonnement incorrect du patient. Yochelson et Samenov ont décrit une série d'erreurs de pensée chez la personnalité criminelle ainsi que différentes techniques d'intervention que nous ne pouvons approfondir ici.

L'utilisation de médication psychotrope est à proscrire car elle n'entraîne aucune modification de la personnalité et ne sert en définitive qu'à alimenter la pharmaco-dépendance que l'on retrouve fréquemment chez la personnalité antisociale.

8.2 PRINCIPES GÉNÉRAUX DE TRAITEMENT

Comme nous l'avons vu dans l'introduction, les désordres de la personnalité ne se présentent pas comme des ruptures globales dans le fonctionnement d'un individu ni comme des symptômes angoissants. En conséquence, l'angoisse et la souffrance morale sont relativement absentes chez les patients qui présentent des désordres de la personnalité. Ces facteurs sont pourtant essentiels à la poursuite et à la réussite d'une psychanalyse ou d'une psychothérapie d'orientation analytique. La personnalité pathologique souffrira surtout du résultat décevant de ses conduites et de l'échec de ses relations humaines, échec qui suit presque toujours la trame d'un scénario répétitif. Le premier objectif de la thérapie sera donc de rendre sensible au malade la mécanique de ses déconvenues affectives. Il est à retenir que nombre d'auteurs ont apporté des modifications importantes aux techniques thérapeutiques classiques dans le traitement de certains types de personnalité qui avaient une organisation à tout le moins prépsychotique, telles la personnalité *borderline* et la personnalité narcissique.

Dans la majorité des cas, la demande d'aide sera motivée par une rupture dans la relation avec une figure significative de l'entourage. Dans ce contexte, la thérapie brève centrée sur certains thèmes conflictuels bien spécifiques saura être d'une certaine utilité. Cependant, la thérapie brève exige un moi assez fort qui manque à certains types de personnalité comme la personnalité passive-dépendante.

La remise en question d'un moi qui demeure malgré tout fonctionnel et cohérent pose un problème difficile. Souvent, le cadre d'une psychothérapie de groupe conviendra mieux au traitement de ce genre de désordre. Les réactions inter-personnelles y sont revécues et plus aisément perçues par chacun des participants. Le caractère moins personnalisé de la relation transférentielle rend celle-ci moins sujette à la répétition de conduites d'échec. Comme les désordres de la personnalité représentent des modes relationnels continus, il va sans dire que le recours aux médications psychotropes n'est d'aucune utilité. En outre, il faut retenir que certains désordres de la personnalité tel la personnalité antisociale, la personnalité *borderline,* la personnalité passive-dépendante et la personnalité hystrionique, peuvent être compliquées d'une pharmacodépendance que ne saurait alimenter le médecin traitant. Il est à retenir que ce genre de malade est en général assez habile pour insécuriser son médecin et l'amener ainsi à leur prescrire une médication psychotrope qui n'est pourtant pas indiquée.

Le recours à l'hospitalisation n'est pas indiqué chez ce genre de malade. Il s'agit de modes mésadaptifs chroniques qui ne répondent pas au traitement hospitalier usuel. Souvent même, l'hospitalisation amènera une régression encore plus grande comme dans le cas des personnalités "border-line". L'hospitalisation sera indiquée pour une très courte période de temps s'il y a décompensation sur un mode aigu. Par exemple, une personnalité passive-dépendante ayant subi une lourde perte pourra être temporairement retirée de son milieu si les ressources de son entourage ne lui donnent pas le support nécessaire pour fonctionner à l'extérieur et si le risque suicidaire est éminemment élevé. L'hospitalisation pourra alors être de courte durée et visera la réintégration rapide du patient dans son milieu.

Quelle que soit la méthode thérapeutique utilisée, il est important de tenir compte de l'entourage immédiat du malade. Les individus présentant des troubles de la personnalité ont tendance à établir des relations complémentaires avec leurs conjoints afin de combler leurs propres déficiences créant ainsi un équilibre qui répond aux besoins des deux partenaires. Donc, toute forme d'intervention thérapeutique visant à modifier le style relationnel d'un individu aura tendance à modifier un équilibre déjà établi. C'est alors que les membres de l'entourage présenteront fréquemment des réactions pour ramener le malade à l'équilibre antérieur. Par exemple, un homme passif qui, soudainement, commence à s'affirmer vis-à-vis sa femme verra cette dernière réagir en tentant de le contrôler de façon plus stricte encore. Il faut alors intervenir pour aider le malade à comprendre et à respecter les réactions de son entourage et à dialoguer davantage avec son conjoint. Il sera même opportun de rencontrer le conjoint ou la famille afin de désamorcer des réactions trop négatives de l'entourage qui pourraient être une entrave importante à l'évolution du malade.

Il est également très important de tenir compte du type de contre-transfert qui est suscité par chacun de ces types de personnalité. En effet, chaque malade aura tendance à reproduire avec le médecin le modèle de relations qu'il a appris et vécu antérieurement. Le malade reproduira dans la relation médecin-malade les mêmes *patterns* pathologiques qu'il a établis avec les figures significatives de son entourage. Ces *patterns* vont se retrouver dans toute relation médecin-malade même s'il ne s'agit pas d'une relation psychothérapeutique à long terme. Ainsi, les personnalités schizoïde, dépressive et passive-dépendante éveillent chez le médecin un sentiment d'impuissance et de pitié. Ces sentiments pourront facilement éveiller chez le médecin une tendance à intervenir plus que nécessaire, par exemple en donnant une médication qui n'est pas nécessairement indiquée ou en prescrivant des tests de laboratoire inutiles. Les personnalités paranoïde, passive-agressive, antisociale, perverse, obsessionnelle et *borderline* éveillent chez le médecin une réaction contre-transférentielle d'agressivité. Le médecin aura alors tendance à adopter une attitude parentale surmoïque. Il portera des jugements de valeur sur son patient et il aura nettement moins tendance à le prendre au sérieux et à l'écouter. Les personnalités hystérique, narcissique et cyclothymique se présentent souvent avec une allure séductrice qui flatte le narcissisme propre du médecin. Il est dangereux de tomber dans le piège de la séduction car, dans la majorité des cas, le médecin perdra le respect de son malade et sera pris au piège. En effet, ayant déjà cédé à la séduction, le médecin devra répondre à toutes les demandes de son patient perdant ainsi de son objectivité scientifique.

BIBLIOGRAPHIE

ARIETI, S. *American Handbook of Psychiatry.* New York: Basic Books, 1974.

BERGERET, J. *Personnalité normale et pathologique.* Paris: Dunod, 1974.

BERGLER, E. *La névrose de base.* Paris: Payot, 1963.

EY, H. *Manuel de psychiatrie.* Paris: Masson et Cie, 1974.

FENICHEL, O. *Théorie psychanalytique des névroses.* Paris: PUF, 1953.

FREEDMAN, A., KAPLAN, H., SADOCK, B. *Comprehensive Textbook of Psychiatry.* Baltimore: Williams et Wilkins, 1975.

LAPLANCHE, J., PONTALIS, J.B. *Vocabulaire de la psychanalyse.* Paris: PUF, 1973.

YOCHELSON & SAMENOW. *The Criminal Personnality.* New York: Aronson, 1977.

CHAPITRE 9

L'ÉTAT LIMITE (BORDERLINE)

Pierre Lalonde

9.1 HISTORIQUE

Il existe en psychiatrie un syndrome qui se définit par la coexistence de symptômes névrotiques, psychotiques et caractériels. En lui refusant un nom, certains ont fait de l'état limite un fourre-tout où classifier divers syndromes atypiques. Il est donc souvent défini par rapport aux autres grands diagnostics et non comme une entité propre. Dans le DSM II, les Américains en font un synonyme de schizophrénie latente. Le DSM III en fait un trouble de personnalité.

La paternité du terme est attribuée à Deutsh (1942) qui décrivit la personnalité ''as-if'' comme une hypertrophie de l'imitation; le patient est toujours en train de copier les attitudes des autres. Ses relations interpersonnelles très perturbées sont masquées, en superficie, par un bon ajustement social. Zilboorg (1941) en fait une schizophrénie ambulatoire. Hoch et Polatin suggéraient d'utiliser plutôt le terme de schizophrénie pseudo-névrotique, caractérisée par une combinaison de ''pannévrose, pananxiété, pansexualité''. Le terme prépsychotique est aussi souvent employé mais s'applique en fait à plusieurs autres pathologies à part l'état limite.

Malgré plusieurs divergences, l'état limite survit. Les contributions de trois groupes ont aidés Gunderson et Singer à définir ce diagnostic en se basant sur les observations symptomatiques et comportementales, les tests psychologiques et les formulations psychodynamiques. Une constante se retrouve chez la plupart des auteurs qui ont observé des états limites dans diverses situations: c'est la tendance de ces patients à régresser quand le contexte n'est pas structuré.

9.2 SÉMÉIOLOGIE

Affect — Parmi les quatres caractéristiques décrites par Grinker, deux sont des qualités de l'affect.

Agressivité: L'irritabilité est la principale ou la seule émotion ressentie dans l'état limite. Elle s'exprime en toute circonstance contre n'importe qui ou n'importe quoi. Cet état colérique se manifeste dans l'hostilité, les réactions de rage, les passages à l'acte, les gestes autoclastiques, le mutisme.

Dépression: Il ne s'agit pas de la dépression typique, tourmentée de remords, avec sentiment de culpabilité, autodépréciation. C'est plutôt un sentiment de solitude de l'individu qui réalise qu'il ne peut s'impliquer dans un monde de relations interpersonnelles, un sentiment de futilité, une impression pénible d'isolement. Ce désespoir existentiel chronique peut être apparent dès la première entrevue dans l'intensité écrasante de la demande d'aide; souvent il se manifeste au cours des entrevues subséquentes.

Deux autres affects sont souvent considérés typiques dans l'état limite: l'anxiété et l'anhédonie, c'est-à-dire une incapacité à prendre plaisir à la vie, à ressentir des émotions vraiment satisfaisantes.

Comportement — Ce sont surtout l'impulsivité et le caractère autodestructeur chronique qui se manifestent dans l'état limite. Même si le but immédiat ou l'intention ne sont pas autodestructeurs, le résultat à long terme provoque une détérioration du patient et de son réseau social. Certains font aussi des tentatives suicidaires graves et spectaculaires. Le manque de contrôle des pulsions est la principale faiblesse du moi. On attribue fréquemment à ces patients des bris de vitre, des lacérations aux poignets, une surconsommation de pilules ou d'hallucinogènes. Ils pratiquent souvent la promiscuité sexuelle dans une recherche d'affection mais s'arrêtent au plaisir d'organe aux dépens de la relation d'objet. Ces troubles de comportement doivent être différenciés des personnalités antisociales où la criminalité est proéminente.

Dans l'état limite, l'ajustement social est superficiellement adéquat, avec une apparence et des manières satisfaisantes. Il peut fonctionner assez bien au travail, surtout dans un environnement bien structuré mais à un niveau plutôt statique.

Relation avec la psychose — Schmideberg a qualifié l'état limite comme étant ''stable dans son instabilité''. On considère cependant qu'il peut aussi développer des symptômes psychotiques.

Il a été noté que ce potentiel de régression est pathognomonique. Il est reconnu que l'épisode psychotique, quand il survient, est 1. relié au stress, 2. réversible, 3. transitoire, 4. non systématisé, 5. ni syntone au moi. La décompensation psychotique est cependant plutôt rare. Grinker souligne que seulement une des quatre formes qu'il a décrite est susceptible de tomber dans la psychose. Le spectre de l'état limite varie entre 1. un pôle psychotique, 2. un état limite typique, 3. la personnalité ''as if'', 4. un pôle névrotique.

D'autres auteurs soulignent cependant l'apparition fréquente de troubles de la conscience prenant la forme de dépersonnalisation, dissociation, déréalisation; ces états surviennent en réponse à l'anxiété, la dépression, la rage. La vulnérabilité de ces patients aux hallucinogènes est également bien documentée.

9.3   TESTS PSYCHOLOGIQUES

On s'accorde généralement pour dire que dans les tests structurés comme le *Wechsler Adult Intelligence Scale* (WAIS), l'état limite présente un raisonnement et des réponses ordinaires. Cependant dans les tests projectifs comme le Rorschach, les bizarreries de la pensée et les troubles des processus de communication sont manifestes. En voyant les cartes, l'état limite a tendance à confabuler, à faire des combinaisons de localisations, il y a de la contamination. A l'enquête, il fabule dans des élaborations secondaires et combine des associations d'idées bizarres; il raisonne de façon plus circonstancielle que logique, il inclut trop de matériel affectif dans ses perceptions.

9.4   CONTRIBUTIONS PSYCHANALYTIQUES

Les fonctions du moi peuvent se manifester dans l'appréciation de la réalité et dans les relations interpersonnelles.

Frosch, en comparant l'état limite au psychotique, conclut que les deux ont un sens de la réalité plutôt pauvre et que leur contact avec la réalité est inadéquat. Cependant l'état limite est capable d'un test de la réalité plus adéquat que le psychotique, car il peut confronter ses expériences avec la réalité et ainsi prendre une distance par rapport à l'envahissement psychotique. Kernberg remarque toutefois que dans des circonstances spéciales — stress sévère, régression induite par l'alcool ou les hallucinogènes, psychose de transfert en cours de psychanalyse — l'état limite peut perdre aussi cette capacité. Le patient ne peut plus alors distinguer entre ses associations libres, un état de rêve et la réalité. Le test de réalité dépend en effet de ce que le moi, dans sa croissance, peut distinguer entre le soi et l'objet. Kernberg a identifié les défenses immatures de l'état limite — le clivage, l'idéalisation primitive, la projection et l'identification projective — et le conflit central relié à une hostilité primitive et à la peur de l'abandon.

Le style relationnel de l'état limite est des plus typique au point de vue diagnostique. Il est toujours à la recherche d'une distance optimale vis-à-vis ses objets. Ses relations sont superficielles et transitoires. Il peut paraître contradictoire qu'on ait aussi souligné, pour ces patients, une nette tendance à former d'emblée des attachements intenses, accaparants.

Grinker qualifie d'anaclitiques, de dépendantes ou de complémentaires leurs relations affectives qui sont rarement réciproques. Dans ses contacts avec le thérapeute, l'état limite devient rapidement engouffrant, exigeant, manipulateur et, devant la frustration, il se fâche, menace et brise à répétition ces relations trop intenses. Le clivage l'empêche de réunir dans la même personne des aspects bons et des aspects désagréables. Pour l'état limite, les objets sont ou bons ou mauvais, jamais les deux.

9.5   DIAGNOSTIC DIFFÉRENTIEL

Il est typique que ces patients reçoivent une variété de diagnostics dépendant du clinicien et du moment de l'évaluation. Même au cours d'un seul entretien, ce patient peut présenter des symptômes de toutes catégories diagnostiques — névrotiques, psychopathiques, psychotiques. C'est cette atypie même du syndrome qui en fait sa caractéristique, cette impossibilité d'unifier les symptômes ailleurs qu'aux confins de divers diagnostics qui en fait sa spécificité.

9.6 TRAITEMENT

Comme le concept d'état limite a surtout été défini par des psychanalystes, chacun d'eux a tenté de déterminer les interventions qu'ils ont cru bénéfiques. Friedman a souligné l'influence sur les attitudes thérapeutiques des diverses théories psychodynamiques avancées pour expliquer la psychopathologie de l'état limite. Certains vont préconiser une grande tolérance devant des comportements perturbateurs, sous prétexte que le patient doit exprimer son agressivité en vérifiant ainsi qu'il ne détruit pas son thérapeute. Ils offrent aussi la possibilité de régresser dans une longue hospitalisation, mettant à rude épreuve la cohésion de l'équipe thérapeutique.

On croit même que l'état limite, par son mécanisme de clivage, induit des divergences chez les soignants.

D'autres vont plutôt favoriser l'imposition de limites pour contrecarrer les manipulations, les désirs magiques et les fantaisies d'omnipotence vis-à-vis le thérapeute. Il est préférable alors de s'en tenir à de courtes hospitalisations ou mieux, éviter l'hospitalisation. Plusieurs états limites fonctionneraient en effet mieux avant d'avoir été placés dans un traitement intensif.

Pour rester en dehors de ces controverses aux résultats douteux, on peut adopter certaines attitudes au plan pratique en évitant **activement** certaines impasses:

Eviter de favoriser la tendance du patient à exagérer, à dramatiser, à présenter la réalité de façon distordue.

Eviter d'amplifier les distorsions de la relation thérapeutique quand le patient, dans sa dépendance, révèle ses désirs d'intervention magique à un thérapeute tout-puissant.

Quand le transfert négatif survient, ce qui est inévitable, il faut le clarifier.

Amener le patient à une compréhension consciente et une prise en charge de lui-même par l'insight.

Les médications antidépressives ou antipsychotiques peuvent être utilisées, mais de façon transitoire, si la symptomatologie est assez spécifique. Il est cependant inutile d'en donner de façon prophylactique et prolongée. Les anxiolytiques et hypnotiques doivent être évités à cause de la tendance de ces patients à la toxicomanie.

BIBLIOGRAPHIE

FRIEDMAN, H. "Psychotherapy of Borderline Patients: The Influence of Theory on Technique". *Amer. J. Psychiatry.* 1975, Vol. 132, 1048-1051.

FROSCH, J. "Technique in regard to some specific Ego defects in the treatment of Borderline Patients". *Psychiatric Q.* 1971, Vol. 45, 216-220.

GRINKER, R. et coll. *The Borderline Syndrome: A Behavorial Study of Ego Functions.* New York: Basic Books, 1968.

GUNDERSON, J., SINGER, M."Defining Borderline Patients: An Overview". *Amer. J. Psychiatry.* 1975, Vol. 132, 1 - 10.

HOCH, P., POLATIN, P. "Pseudoneurotic Forms of Schizophrenia". *Psychiatric Q.* 1949, Vol. 23, 248-276.

KERNBERG, O. "Borderline Personality Organization". *J. Amer. Psychoanal. Assoc.* 1967, Vol. 15, 641-685.

MACK, J. *Borderline States in Psychiatry.* Grune & Stratton, 1975.

maladie manifeste: pendant ce temps, le sujet a été exposé à une multitude d'influences et de facteurs en interactions complexes les uns avec les autres.

La question suivante se pose donc: quelle partie du comportement pathologique observé à l'âge adulte peut être expliquée par la théorie proposée, v.g. par le gène fautif? Quels mécanismes et interactions intermédiaires faut-il invoquer en plus?

10.2 THÉORIES GÉNÉTIQUES

Trois types d'études sont disponibles sur ce sujet: les études de risque familial, de concordance chez les jumeaux et de sujets adoptés en bas âge.

10.2.1 Etudes de familles

Ces études démontrent bien que le risque morbide de développer une schizophrénie au cours de sa vie s'accroît avec les liens de parenté à des sujets schizophrènes. Alors qu'il a été estimé de 0.3 à 2.8 pour cent dans la population générale ou chez des frères par adoption, il est de 0.2 à 12% chez des parents de schizophrènes, de 3 à 14% chez leurs frères, de 8 à 18% chez les enfants de un parent schizophrène et de 15 à 55% si les deux parents le sont (Rosenthal, 1971).

Ces chiffres ont été tirés de données hospitalières et ainsi ils en accusent les faiblesses. En effet, outre la difficulté générale du diagnostic de schizophrénie déjà discutée, la fidélité des diagnostics de dossiers d'hôpitaux est encore plus faible et ces dossiers ne représentent pas nécessairement la totalité des cas dans une population.

D'autre part, la signification de ces chiffres demeure également obscure, puisque les familles ont bien d'autres choses en commun qu'un bagage génétique. Les études de jumeaux et d'adoptés précoces tentent de clarifier cette variable majeure constituée par l'influence du milieu familial.

10.2.2 Etudes de jumeaux

L'évaluation de la concordance pour la schizophrénie chez des jumeaux monozygotes comparés à des jumeaux hétérozygotes vise à distinguer l'apport génétique proprement dit de l'influence de l'environnement sociofamilial. Cette stratégie expérimentale a produit des chiffres très variés d'une étude à l'autre. Ainsi, les travaux classiques de Kallmann (1953) concluaient à un taux de concordance de 86% chez les monozygotes et de 15% chez les hétérozygotes.

Les études plus récentes arrivent en général à des taux de concordance plus faibles et très variables: de 0 à 76% chez les monozygotes et de 5 à 22% chez les hétérozygotes. Les taux de concordance les plus fréquemment rapportés se situent entre 25 et 50% pour les monozygotes et entre 5 et 20% pour les hétérozygotes.

Ici encore les critères diagnostiques en particulier de même que les critères de détermination de la zygocité font varier les données. Il faut souligner aussi que les enquêtes ayant comme point de départ les registres hospitaliers, comme celle de Kallmann, concluent à des concordances plus élevées que les études utilisant des registres de population, sans doute parce qu'elles portent sur un échantillonnage plus malade. En effet, il semble que plus la maladie est sévère, plus l'hérédité est habituellement lourde.

Les études de jumeaux ont été critiquées parce qu'elles ne tiennent pas compte de l'impact créé par le fait d'être un jumeau et surtout un jumeau identique sur le développement psychologique, en particulier sur l'établissement de l'identité. On peut toutefois conclure qu'elles supportent fortement le rôle de l'hérédité dans la genèse de la schizophrénie. Par contre, les taux élevés de non-concordance doivent aussi être expliqués.

10.2.3   Etudes d'adoption

Depuis plus de 10 ans, une équipe américano-danoise utilise les excellents registres de naissances danois afin de départager les apports de l'hérédité et de l'environnement dans la genèse de la schizophrénie. On tente de retracer des sujets adoptés à la naissance et d'évaluer l'incidence de la schizophrénie chez eux, chez leurs parents biologiques et chez leurs parents adoptifs.

Ces recherches ont toujours appuyé la notion du rôle de l'hérédité dans la genèse de la schizophrénie. Ainsi, Kety et coll. (1971) rapportent que la prévalence de la schizophrénie ou d'états reliés à la schizophrénie *(schizophrenic spectrum)* est plus élevée chez les parents biologiques de sujets schizophrènes adoptés en bas âge que dans la population générale et chez leurs parents adoptifs.

Une autre étude du même groupe (Rosenthal, 1971) compare 76 enfants adoptés issus d'un parent schizophrène à 67 enfants adoptés venant de parents sans diagnostic psychiatrique. Le taux de schizophrénie fut de 31.6% dans le premier groupe et de 17.8% dans le second. Notons que la méthode diagnostique utilisée fut celle du spectre des états schizophréniques beaucoup plus vaste que les critères cliniques courants, ce qui explique en partie le taux élevé de schizophrénie même dans le groupe contrôle.

Une étude récente, également du même groupe (Wender et coll., 1974), reprit la même stratégie en y ajoutant un groupe d'enfants issus de parents biologiques normaux et adoptés par des parents dont l'un d'eux avait un diagnostic de la lignée schizophrénique. Ici encore le taux de morbidité est plus élevé seulement dans le groupe d'enfants biologiques d'un parent schizophrène.

Il faut souligner que ces recherches d'une méthodologie fort raffinée, mais laborieuse, ne reposent en fin de compte que sur des groupes restreints de sujets, ce qui en limite la signification statistique. D'autre part, elles ne nous renseignent pas sur la nature de ce qui est transmis. S'agit-il d'une anomalie spécifique ou d'une prédisposition générale?

10.2.4   Transmission génétique

Si peu d'investigateurs nient présentement la réalité d'une contribution héréditaire, nous ne connaissons pas encore la nature de ce qui est transmis ni le mode de transmission génétique. À ce sujet, trois modèles ont été proposés et l'argumentation demeure ouverte. La théorie monogénique postule une transmission mendélienne par un gène unique et suffisant de type récessif ou dominant; cette théorie n'est toutefois défendable qu'en invoquant des concepts de pénétrance ou d'expressivité diminuée à cause de l'incidence insuffisante dans les familles des sujets atteints. Un deuxième modèle propose une transmission polygénique par l'effet cumulatif de plusieurs gènes non spécifiques à plusieurs sites chromosomiques. Ce modèle s'accommode bien du concept d'une prédisposition à la schizophrénie, d'intensité variable selon le nombre de gènes présents et avec un seuil au-delà duquel un sujet apparaît manifestement schizophrénique. Le dernier modèle est celui de l'hétérogénéité génétique qui postule l'action nécessaire de deux ou plusieurs gènes spécifiques.

La découverte d'un marqueur génétique facilement identifiable fournirait un outil très précieux aux recherches génétiques (en plus d'un apport à la psychiatrie préventive). Un tel marqueur aiderait en particulier à préciser la nature de la prédisposition héréditaire et à choisir entre les modèles proposés de transmission génétique . La monoamine oxydase plaquettaire et les mouvements oculaires irréguliers (Holzman, 1977) figurent parmi les candidats actuels au titre de marqueur génétique.

Conclusions

L'ensemble de ces études génétiques appuie fortement l'hypothèse d'un apport héréditaire à la genèse de la schizophrénie. Mais toutefois, bien des interrogations demeurent car la majorité des schizophrènes n'ont pas de parents atteints et la majorité des jumeaux monozygotes demeurent discordants pour la schizophrénie.

10.3   THÉORIES BIOCHIMIQUES

L'abord biochimique de la schizophrénie a suivi trois approches principales: (1) la recherche d'une substance anormale dans l'organisme des sujets atteints, (2) l'étude des drogues qui exacerbent ou miment la maladie et (3) l'étude des mécanismes d'action des médicaments qui l'améliorent. L'histoire des recherches biochimiques chez les schizophrènes regorge d'espoirs déçus et les culs-de-sac les plus connus furent causés par des variables non contrôlées chez des schizophrènes chroniques institutionnalisés en particulier des habitudes ou déficiences alimentaires (e.g. hypovitaminose, ingestion accrue de café).

10.3.1   Protéine anormale

Heath (1966) rapporte la présence d'une protéine anormale, la taraxéine, apparentée à la céruloplasmine dans le sérum des schizophrènes. Par la suite,

TABLEAU 10.1: Représentation schématique des divers modèles de la schizophrénie pour comparer les niveaux d'explication

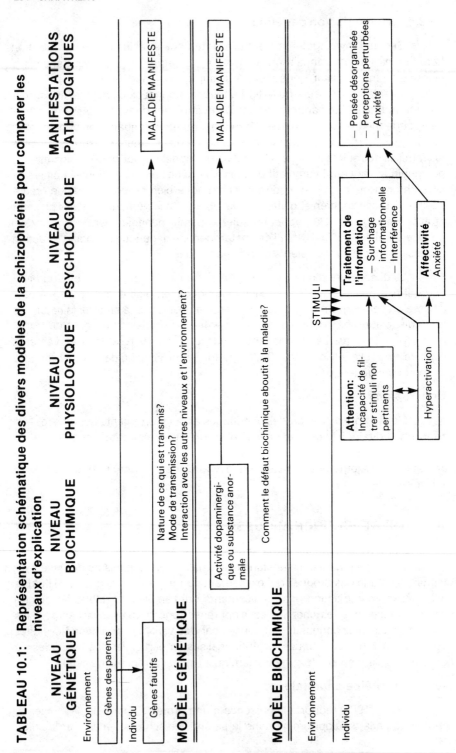

MODÈLE PSYCHOPHYSIOLOGIQUE

Environnement

Individu

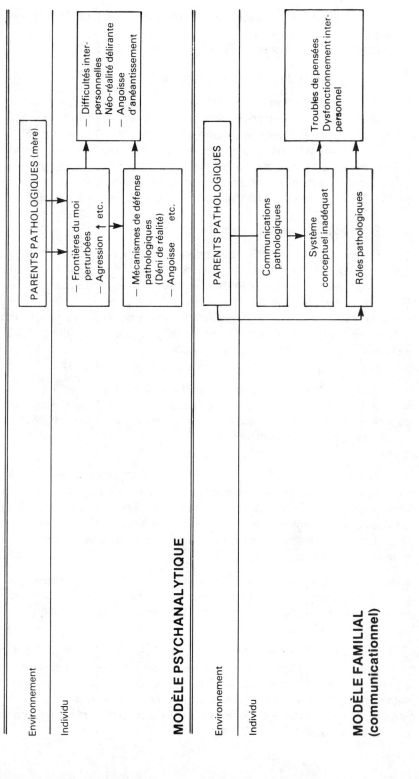

PARENTS PATHOLOGIQUES (mère)

— Frontières du moi perturbées
— Agression ↑ etc.

— Mécanismes de défense pathologiques (Déni de réalité)
— Angoisse etc.

— Difficultés inter-personnelles
— Néo-réalité délirante
— Angoisse d'anéantissement

MODÈLE PSYCHANALYTIQUE

Environnement

Individu

PARENTS PATHOLOGIQUES

Communications pathologiques

Système conceptuel inadéquat

Rôles pathologiques

Troubles de pensées Dysfonctionnement inter-personnel

MODÈLE FAMILIAL (communicationnel)

(Heath, 1967) il propose une théorie auto-immunitaire de la schizophrénie, selon laquelle la taraxéine se fixerait à la région septale et ainsi perturberait le comportement et produirait des changements électro-encéphalographiques.

10.3.2   Hypothèse de la transméthylation

Cette hypothèse remonte à plus de vingt-cinq ans et postule une méthylation anormale des catécholamines pouvant produire dans l'organisme des substances hallucinogènes voire même de la mescaline. On s'intéressa surtout à la diméthoxyphényléthylamine (DMPEA) capable d'induire de la catatonie chez l'animal et responsable de la tache rose des études chromatographiques de l'urine des schizophrènes. Des recherches se poursuivent dans cette direction, mais il ne semble pas que cette substance soit spécifique à la schizophrénie.

10.3.3   Hypothèse de la dopamine

L'hypothèse biochimique qui apparaît présentement la plus prometteuse implique un accroissement de l'activité dopaminergique. Cette hypothèse est dérivée de l'étude des médicaments antipsychotiques qui causent tous des symptômes parkinsoniens. Or, la maladie de Parkinson a été reliée à une déficience de dopamine. En outre, les antipsychotiques exercent une action de blocage sur les récepteurs dopaminergiques alors que la lévodopa et les amphétamines qui accroissent l'activité dopaminergique peuvent provoquer et exacerber une psychose schizophréniforme (Snyder et coll., 1974).

Plusieurs travaux appuient l'hypothèse de la dopamine. Toutefois, on ignore quel mécanisme du système dopaminergique pourrait être en cause: une quantité accrue de dopamine aux terminaisons nerveuses, une sensibilité accrue des récepteurs dopaminergiques ou une diminution des antagonistes de la dopamine.

Stevens (1973) propose une théorie de la schizophrénie basée sur l'hypothèse de la dopamine et incriminant une région du système limbique, le striatum limbique.   Cette théorie relie les problèmes d'attention et de filtration inadéquate des stimuli sensoriels à une augmentation de l'activité dopaminergique dans cette zone qui servirait normalement de filtre et de modulateur du champ de conscience.

Certaines variantes de l'hypothèse de la dopamine suggèrent des déséquilibres dans le rapport entre la dopamine et un autre neurotransmetteur. Ainsi, la norépinéphrine, la sérotonine et l'acétylcholine ont été impliquées tour à tour (Mc Geer, 1977; Kety, 1976).

Un courant récent de recherche porte sur une autre famille de substances neurorégulatrices, les endorphines, analogues naturels des opiacés, dont certaines pourraient être élevées dans la schizophrénie. On tente de réduire la symptomatologie schizophrénique par des antagonistes de la morphine ou par hémodialyse. Des résultats positifs ont été rapportés mais il est trop tôt pour conclure (Watson et al., 1979).

Conclusions

Les recherches biochimiques en schizophrénie n'apportent encore rien de définitif. Toutefois elles se présentent sous un jour plus raffiné et plus prometteur. Ainsi la chasse à la molécule en cause ou à la différence qualitative a laissé la place à l'étude de différences quantitatives ou de déséquilibres entre des substances normales, concepts qui s'intègrent mieux aux données venant des autres champs d'investigation en particulier le psychophysiologique et le psychologique.

10.4 THÉORIES PSYCHOPHYSIOLOGIQUES

L'appellation "psychophysiologique" s'applique aux études et théories qui se situent à la jonction du psychologique et du physiologique. Les recherches dans ce secteur ont porté le plus souvent sur des fonctions comme l'attention, la perception, l'activation ou l'apprentissage.

Cette approche de la schizophrénie présente le net avantage de tenter d'intégrer des observations comportementales et psychologiques à des observations physiologiques. Par contre, cette méthode se complique par le nombre considérable de variables à contrôler qui peuvent facilement obscurcir la signification des données. Ainsi, les travaux rapportés ont été souvent caractérisés par des résultats très variables, voire parfois contradictoires.

Déjà Kraepelin et Bleuler notaient des problèmes d'attention chez les schizophrènes. En 1949, Bergman et Escalona ont décrit chez de jeunes enfants prédisposés une sensibilité particulière à la qualité et à l'intensité des impacts sensoriels. Plus récemment, de nombreuses observations convergent et tendent à proposer un problème de perception, d'attention et de traitement de l'information au coeur des manifestations schizophréniques (Corbett, 1976).

Au terme d'une revue critique et exhaustive, Lang et Buss (1965) concluent que les schizophrènes sont habituellement en état d'hyperactivation physiologique et que la théorie de l'interférence est la seule théorie générale du déficit schizophrénique compatible avec l'ensemble des données. Cette théorie postule une difficulté à réagir aux stimuli appropriés et à inhiber ou filtrer les stimuli inappropriés qui viennent interférer avec le traitement de l'information et la production d'une réponse adéquate.

Shakow (1971) postule une incapacité de maintenir un état de préparation pour une réponse optimale à un stimulus *(major set)*, parce que le schizophrène est distrait par des aspects non pertinents de la situation ou de son passé personnel. Holzman (1977) rapporte une perturbation des mouvements oculaires chez une forte proportion de schizophrènes et de leurs parents du premier degré.

Un domaine récent d'investigation concerne l'intégration des deux hémisphères cérébraux. Dans cette perspective, une augmentation de volume du corps calleux a été rapportée chez les schizophrènes.

Conclusions

Ici encore, on doit conclure à l'absence de réponses définitives. Par contre, de nombreuses observations et formulations théoriques tendent à incriminer un problème d'attention sélective aux stimuli pertinents et de filtration des stimuli non pertinents.

10.5 THÉORIES PSYCHOLOGIQUES

Dans ce domaine, les théorisations psychanalytiques sont les plus connues bien que la schizophrénie ne constitue pas le champ d'investigation préféré des psychanalystes. Dès 1914, Freud a proposé sa conception de la psychose qui implique un retrait de la libido du monde extérieur, suivi d'un surinvestissement du moi par cette libido (narcissisme secondaire), puis en troisième lieu, dans une tentative pathologique de reconstruction de ce monde extérieur perdu, le réinvestissement d'une réalité délirante.

Depuis, un grand nombre d'autres concepts ont été introduits. Lacan situe au coeur de la psychose un mécanisme de rejet total d'un signifiant, la forclusion. Arieti (1974) propose le concept de régression téléologique progressive. Les auteurs kleiniens en Grande-Bretagne et l'école de la psychologie du moi aux Etats-Unis font jouer un rôle majeur à l'agressivité dans la genèse de la psychose (Hartmann, 1953).

Une autre approche cherche à identifier le déficit psychologique fondamental. On a ainsi décrit des problèmes au niveau des limites ou frontières du moi (Federn, 1952; Blatt et Wild, 1976). Ces dernières conceptions se relient bien aux théories psychophysiologiques impliquant des problèmes de filtration des stimuli.

Conclusions

Les théories psychanalytiques de la schizophrénie sont fort diverses. Elles ne s'avèrent pas le plus souvent irréconciliables mais leur synthèse est ardue car chacune véhicule ses observations et son vocabulaire. De plus, elles partent souvent de postulats théoriques différents (e.g. concernant la nature de l'agressivité).

Il se dégage souvent de ces conceptions psychanalytiques l'impression qu'elles nous renseignent davantage sur ce qui se passe que sur le pourquoi ça se passe ainsi, en décrivant les phénomènes observés avec des mots différents et à un niveau d'abstraction plus élevé. En ce sens, les diverses théories psychanalytiques s'avèrent plus utiles à la compréhension des phénomènes cliniques qu'à l'explication de la genèse de la schizophrénie.

10.6 THÉORIES SOCIOFAMILIALES

Les premières investigations dans ce secteur portèrent essentiellement sur la mère: on parlait de surprotection et de mère schizophrénogène (Fromm-Reichmann). Les travaux récents se sont plutôt arrêtés à l'étude de l'ensemble du système familial et du mode de communication des parents. Pour la description des principales théories proposées, celles de Bateson, de Lidz et de Wynne, le lecteur est référé au chapitre 21 consacré à la famille.

En général, les théories familiales émettent l'hypothèse que la schizophrénie est produite par la psychopathologie des parents et en particulier par leur mode de communication pathologique, dont l'exemple le plus connu est celui de double contrainte ou *double bind* (Bateson, 1956). Notons que les théories antipsychiatriques de Laing se situent également dans cette perspective.

Hirsch et Leff (1975) terminent une revue systématique des travaux sur les anomalies des parents de schizophrènes par une liste des faits établis dont les plus frappants sont les suivants: les parents de schizophrènes présentent plus de pathologies psychiatriques et de conflits conjugaux que les autres, les mères de schizophrènes sont plus protectrices et les schizophrènes impliqués dans des relations familiales intenses ont plus de rechutes (voir page 594).

Au plan sociologique, plusieurs corrélations ont été rapportées: les plus connues concernent les classes socio-économiques et la migration. Hollingshead et Redlich (1958) ont trouvé une prévalence considérablement plus élevée de la schizophrénie dans les classes socio-économiques inférieures par rapport aux classes supérieures. Eaton et Weil ont étudié une société très religieuse et conservatrice, les Huttérites d'Amérique du Nord, et ils observèrent une incidence de schizophrénie et d'hospitalisation psychiatrique inférieure aux populations environnantes. Odegaard a rapporté une incidence accrue de la schizophrénie chez les immigrants norvégiens au Minnesota par rapport aux Norvégiens demeurés en Norvège.

Il est particulièrement difficile de déterminer le rôle précis de ces données sociofamiliales dans la genèse de la schizophrénie car les relations causales demeurent obscures. Par exemple, les stress inhérents à une condition socio-économique difficile peuvent-ils déclencher une schizophrénie chez un sujet vulnérable ou le schizophrène dégringole-t-il plutôt de classe sociale en raison de sa pathologie? Dans les études familiales, on a souvent négligé d'évaluer l'impact du comportement anormal de l'enfant sur les parents. En outre, il faut envisager l'hypothèse que le style de communication pathologique observé chez les parents provienne en tout ou en partie de la même prédisposition génétique qui se retrouve chez l'enfant manifestement malade.

10.7 TENTATIVE DE SYNTHÈSE

Le survol des travaux sur l'étiologie de la schizophrénie nous laisse avec beaucoup plus de théories que de faits établis. Il n'existe certes pas de théorie globale qui tienne compte de l'ensemble des données et qui fasse consensus. Toutefois, d'importants progrès ont été réalisés: les méthodes se sont raffinées et des convergences se dessinent dans les théories qui font de plus en plus appel à des principes de causalité multiple. La présence d'une prédisposition génétique a été établie, sans que sa nature puisse être encore précisée. Il est aussi reconnu que les facteurs de stress dans l'environnement jouent au moins un rôle déclenchant.

Le modèle de la schizophrénie le plus vraisemblable à l'heure actuelle implique donc prédisposition et stress avec des chaînons intermédiaires aux divers niveaux qui viennent d'être passés en revue. Le tableau 10.2 propose une intégration plausible des principales données déjà décrites.

TABLEAU 10.2: Tentative d'intégration des divers modèles

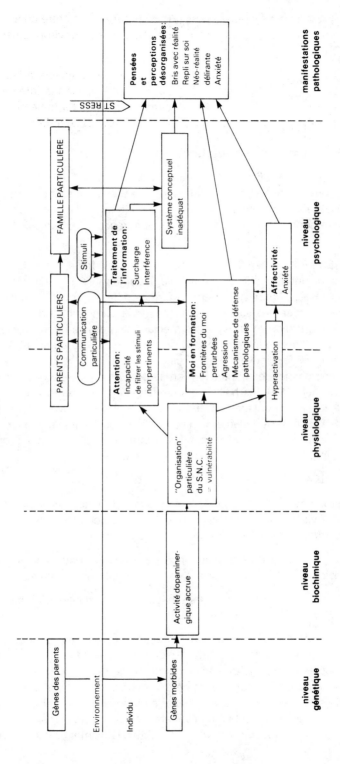

II ASPECTS CLINIQUES DE LA SCHIZOPHRÉNIE

Pierre Lalonde

10.8 HISTORIQUE

10.8.1 Premières formulations

C'est en 1856 que Morel introduit le terme de "démence précoce" pour décrire l'apparition de troubles mentaux chez un adolescent. C'est aussi à cette époque que commence à se faire la distinction entre "idiotie", déficit psychique de nature congénitale et irréversible, et "démence", trouble psychique et réversible.

En 1896, Kraepelin prend partie, dans un débat qui a duré jusqu'à nos jours, pour une classification séméiologique, laissant ainsi de côté une classification causale. Il reprend différents termes définis par ses prédécesseurs pour dégager deux entités selon le diagnostic et le pronostic: la démence précoce à évolution morbide et la psychose maniaco-dépressive qui n'évolue pas vers la détérioration mentale. La démence précoce inclut la catatonie (Kahlbaum 1868) et l'hébéphrénie (Hecker 1870). C'est une maladie sans cause externe qui survient chez des jeunes auparavant en santé. Les principaux symptômes sont le délire (Vogel 1764), les hallucinations (Esquirol), les stéréotypies, l'affect inapproprié et le jugement altéré. C'est surtout l'évolution vers la détérioration qui est caractéristique de la maladie de telle sorte que souvent le diagnostic ne pouvait être posé qu'après plusieurs années. Cette conception fataliste de la schizophrénie imprègne encore beaucoup l'école française.

10.8.2 XXᵉ siècle

Bleuler (1911) introduit le terme "schizophrénie" qui signifie littéralement "esprit divisé". Il remarque surtout la fragmentation de la personnalité *(Spaltung)* plutôt que l'évolution morbide.

Il considère que la description de Kraepelin porte sur des symptômes secondaires et il décrit les quatre A comme symptômes primaires:

Ambivalence, Affect inadéquat, Associations d'idées perturbées et le concept nouveau d'Autisme.

Langfeldt (1939) introduit la notion des psychoses schizophréniformes et différencie le **processus** schizophrénique de la **réaction** schizophrénique. Le processus est la reprise de l'ancien concept de démence précoce avec apparition insidieuse des symptômes et détérioration constatée ou prévisible de la personnalité. La réaction schizophrénique se manifeste par une symptomatologie flamboyante et aiguë suite à un événement traumatique. Les symptômes se résorbent et l'individu revient à sa personnalité relativement saine antérieure.

Freud et les psychanalystes ont introduit et défini les concepts de névrose et psychose. Il faut donc référer à la théorie et à la terminologie psychanalytique pour situer ces deux pôles de la maladie mentale.

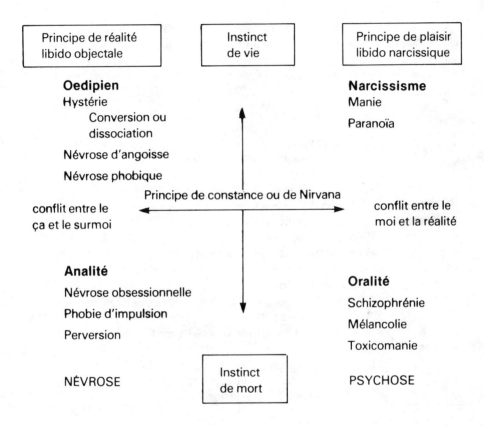

Meyer (1951), un Américain, fondateur de l'École psychobiologique de psychiatrie a eu une grande influence dans le développement du concept de schizophrénie. Influencé en partie par Freud, il considère la schizophrénie comme une "réaction" inadaptée à des situations de vie traumatique. Il s'oppose cependant aux schémas psychodynamiques universels de Freud en insistant sur le caractère unique, idiosyncrasique de l'histoire personnelle de chaque patient. Il y a aussi des différences transculturelles dans la définition même de la maladie.

Une recherche de Cooper (1972) montre qu'en visionnant les mêmes vidéos, les Américains diagnostiquent plus fréquemment la schizophrénie, tandis que les Anglais européens y verront une dépression névrotique, la manie ou un trouble de la personnalité.

En 1973, l'Organisation mondiale de la santé a publié une étude sur la schizophrénie avec la collaboration de neuf pays. Le but visait à spécifier le contenu et la forme du syndrome schizophrénique dans différentes parties du monde. Avant d'élaborer sur l'étiologie et le traitement , il faut préciser le diagnostic.

A l'aide de trois méthodes diagnostiques (évaluation clinique, catego classe "s", classification par ordinateur Mc Keon), on a pu identifier un groupe de schizophrènes dont le diagnostic concorde selon les trois méthodes. Les patients de ce groupe concordant ont les caractéristiques psychopathologiques suivantes:

97% manquent d'insight.
74% ont des hallucinations auditives.
70% entendent des voix.
70% ont des idées de référence.
67% ont un délire de référence.
66% sont méfiants.
66% ont un affect aplati.
64% entendent des voix qui leur parlent.
64% ont une humeur inappropriée.
64% ont un délire de persécution.
64% ont un flou de la pensée (descriptions obscures).
52% ont une pensée aliénée.
50% entendent leur pensée répétée à haute voix (écho de la pensée).
48% ont l'impression délirante d'être contrôlé.
44% entendent des voix qui prononcent des phrases complètes.
43% ont une pauvre socialisation.

Distribution

80% des patients ont moins de 34 ans
    dont 56% d'hommes
          44% de femmes
64% sont célibataires.

Des auteurs modernes, Szasz, Laing et des penseurs de différents pays qui se regroupent sous le nom d'antipsychiatrie, contestent le concept même de maladie mentale. Certains soulignent l'aspect répressif, normalisant de la psychiatrie; le schizophrène est pour eux une émanation d'une société ou d'une famille perturbée, un individu éclairé qui remet en question l'ordre social établi. Ils se plaisent surtout à souligner les contradictions des soignants et les paradoxes des traitements.

10.8.3 Modèles conceptuels modernes

Plusieurs modèles de compréhension de la schizophrénie s'offrent maintenant. Aucun d'eux ne présente à lui seul une explication complète du phénomène. Peu de tentatives de synthèse ont été faites malheureusement, chacun des tenants défendant en priorité son approche personnelle. On peut reconnaître au moins cinq grands domaines qui contribuent à la compréhension de la psychose schizophrénique.

1. **Le modèle génétique**: Les études de jumeaux et d'enfants adoptés montrent qu'il y a sûrement une transmission héréditaire favorisant la concordance de la schizophrénie chez des jumeaux, même élevés dans des milieux différents; on note aussi une corrélation avec les parents biologiques plutôt qu'avec les parents adoptifs.

2. **Le modèle biologique**: De nombreuses études se contredisent sans décourager les chercheurs qui continuent d'examiner le métabolisme des catécholamines, des indolamines, des réactions immunologiques, etc. L'action parfois spectaculaire des neuroleptiques sur les symptômes psychotiques relève sûrement d'une action biologique souvent autre que purement sédative.

3. **Le modèle psychodynamique**: Initiée par Freud, cette approche tente de donner un sens aux symptômes à partir de concepts et de théories expliquant la dynamique psychique personnelle du patient. Sullivan a souligné l'importance des relations interpersonnelles perturbées que le schizophrène apprend dans sa vie familiale et sociale.

4. **Le modèle familial**: La théorie des communications et la théorie des systèmes à la base de la thérapie familiale, placent le schizophrène dans un réseau d'interactions pathogènes avec sa famille. Voir chapitre 21.

5. **Le modèle sociologique**: On constate que les schizophrènes se retrouvent surtout dans l'anomie des centres-villes, dans les secteurs défavorisés. Leur maladie les entraîne souvent dans cet isolement social, aggravant en même temps leur autisme par manque de support et de cohésion sociaux.

On peut déjà unifier ces modèles dans une causalité circulaire. Chaque individu peut avoir une faiblesse dans l'un de ces aspects et, si trop de facteurs défavorables s'accumulent, il y a apparition de symptômes schizophréniques. En additionnant ces diverses perturbations, on peut atteindre un niveau critique de décompensation.

TABLEAU 10.3: Niveau critique de décompensation

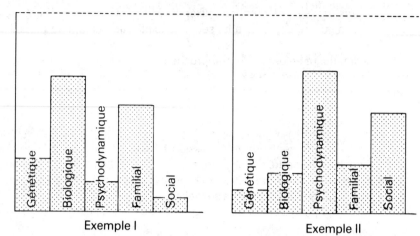

Exemple I	Exemple II
Un individu porteur d'une bio-chimie fragile décompense quand le climat familial devient trop perturbé. Une chimiothérapie et/ou une thérapie familiale font disparaître les symptômes.	Un individu ayant une faible intégration psychodynamique décompense à cause des pressions sociales. Une psychothérapie et/ou une modification du milieu social amènent une amélioration.

10.9 ÉPIDÉMIOLOGIE

Les différences de conceptions diagnostiques sont un handicap important dans l'évaluation de l'épidémiologie de la schizophrénie. Ce diagnostic varie en effet selon les pays, selon l'entraînement, les concepts théoriques et les modèles de pratique des différents cliniciens.

En Europe, on relevait autrefois surtout des formes catatoniques que les traitements modernes ont rendues plus rares. Aux États-Unis et au Canada, on diagnostique plus fréquemment des schizophrénies paranoïdes. Les dossiers d'hôpitaux montrent que l'incidence de la schizophrénie n'a pas changé aux États-Unis au cours des cent dernières années. Les chiffres de première admission dans un hôpital sous le diagnostic de schizophrénie varient de 0.30‰ à 1.20‰ de population, dépendant des critères diagnostiques restrictifs ou larges utilisés dans divers pays. On considère que 25% des premières admissions en psychiatrie se font sous ce diagnostic.

La prévalence, c'est-à-dire le total des cas de schizophrénie sous traitement à un moment donné, varie beaucoup d'un pays à l'autre. En Europe les études varient de 1.9‰ à 9.5‰, en Asie de 2.1‰ à 3.8‰. En Amérique du Nord, on compte de 2.3 à 3.6 schizophrènes sous traitement par 1,000 habitants. Dans la culture boudhiste, les attitudes schizoïdes peuvent passer inaperçues, tandis que dans le contexte occidental de productivité, le retrait social et l'apragmatisme sont difficilement tolérés. Si on transpose les conclusions de l'étude du comté de Monroe (1951) estimant qu'environ 1% de la population suivie de 0 à 60 ans développe un syndrome schizophrénique, on pourrait évaluer à 60,000 le nombre de Québécois souffrant potentiellement de schizophrénie.

10.10 PERSONNALITÉ PRÉMORBIDE

Goldstein (1975), dans une étude citée par Kokes, précise certaines caractéristiques constituant des signes précurseurs de schizophrénie chez l'adolescent:

1- pas de camarades de son âge;

2- n'assume jamais la direction de groupe; attend toujours les autres;

3- pas d'implication émotive avec une personne de l'autre sexe;

4- ne s'organise pas de rendez-vous;

5- pas d'intérêt aux activités sexuelles;

6- pas d'activité à l'extérieur de la maison (danse, cinéma, pique-nique, etc.);

7- ne fait partie d'aucune organisation (scout, sport, etc.).

Plus ces traits sont accentués chez un individu, plus la morbidité s'intensifie, moins ces traits sont présents, meilleur est le pronostic.

10.11 SÉMÉIOLOGIE CLINIQUE

10.11.1 Mode d'apparition de la psychose

La schizophrénie amène le patient en consultation vers la fin de l'adolescence ou au début de l'âge adulte. Exceptionnellement, on peut diagnostiquer cette maladie chez le jeune enfant ou chez l'adulte d'âge mûr. Le patient est parfois amené à l'urgence par sa famille suite à une série d'actes ou de paroles bizarres ou lors d'un épisode d'agitation ou de stupeur.

Quand on interroge le patient, il est possible de retracer l'évolution de la maladie dans les mois précédents: "Depuis quelques semaines, je me sens malade, tourmenté, anxieux". Le plus souvent, il s'agit d'une personne timide, peu impliquée dans des relations interpersonnelles. Progressivement elle s'isole davantage en proie à des perceptions étranges sur son entourage ou sur son propre corps, qu'elle interprète de façon perplexe. Les émotions ne sont plus ressenties de la même façon; elles s'affadissent ou s'amplifient. L'anxiété peut se transformer en panique devant ce monde environnant ou interne de plus en plus menaçant. La pensée se structure mal à cause d'un surplus d'informations ou de stimuli mal intégrés à tel point que le patient se sent "devenir fou". Parfois le patient préfère dire qu'il a la tête vide. Il perd l'appétit et le sommeil, les rêves deviennent effrayants. Ses activités usuelles déclinent, l'hygiène se détériore. La schizophrénie implique toujours une désorganisation du niveau antérieur de fonctionnement.

La grande crainte du malade est de perdre le contrôle devant l'envahissement psychotique et il va utiliser diverses techniques d'évitement. Il peut s'isoler de plus en plus, s'enfermer dans le mutisme, couper ses relations sociales, restreindre ses contacts avec sa famille à des échanges brefs, superficiels. Il rationalise ses attitudes par des explications évasives. Ou bien il peut développer des comportements compulsifs. Il classifie plusieurs fois ses objets personnels, il planifie un emploi du temps rigide prévoyant ses moindres gestes, il élabore des rituels de lavage et d'habillage; il essaie d'éviter la désorganisation de sa pensée en s'appliquant intensément à une tâche intellectuelle comme les mathématiques ou à des réflexions religieuses ou philosophiques. Il approfondit cependant ainsi une pensée de plus en plus autistique. Il peut parfois écrire un journal rempli d'idées obscures s'associant dans une logique inconsistante.

Sur le point "d'éclater" le patient peut chercher à consulter en s'adressant à une ressource thérapeutique locale; ou bien il fait une tentative de suicide et expliquera par après qu'il a agi ainsi pour obéir à ses voix ou pour éviter de poser des gestes répréhensibles que ses voix lui ordonnaient. Parfois le suicide peut être perçu comme un moyen de sortir de ce tourment de désintégration psychique; parfois il s'agit de mutilations qui ont pour but de redonner au patient des sensations douloureuses alors qu'il craignait de ne plus en ressentir. La famille peut aussi amener le malade à l'urgence parce qu'il vient de poser un geste agressif contre des personnes ou des objets, ou parce qu'elle est exaspérée de son retrait ou de son apragmatisme. Pendant la phase aiguë, qu'il s'agisse d'un premier épisode ou d'une rechute, les symptômes psychotiques sont proéminents: délire, hallucinations, incohérence du discours, désorganisation du comportement.

10.11.2　Les critères diagnostiques de Bleuler

Les quatre A (symptômes primaires)

Autisme: Ce symptôme se manifeste dans le comportement et dans la pensée. Evidemment ce ne sont pas toutes les personnes timides ou schizoïdes qui évoluent vers une décompensation schizophrénique. Mais la plupart des schizophrènes ont connu une enfance isolée, retirée, peu socialisée. A mesure que la maladie s'installe, leurs contacts sociaux deviennent plus difficiles. Ils sont trop préoccupés par leur monde psychotique ou trop méfiants envers leur entourage perçu comme persécuteur pour se sentir à l'aise dans les relations humaines (voir section 8.1.1).

L'évolution peut mener à un retrait social progressif, désabusé. Les membres de la famille remarquent que le patient semble préoccupé, enfermé dans son monde, qu'il a un regard étrange. Il est cependant possible de rétablir un investissement relationnel satisfaisant que le patient pourra réussir à maintenir par un effort constant.

L'autisme se manifeste aussi dans la logique de la pensée. Il s'agit d'une forme de pensée très subjective, parfois incommunicable, d'où les faits objectifs sont distordus ou exclus. Le patient accepte parfois de dire ou d'écrire ses pensées et on se rend compte qu'il fait appel à des observations incongrues, à des déductions inappropriées. Très préoccupé par ses fantasmes, ses rêveries, il peut élaborer un délire portant sur n'importe quel thème.

Association d'idées: En phase aiguë, l'incohérence des associations d'idées est souvent un symptôme évident. Préoccupé par ses perceptions somatiques, envahi par des idées disparates dont il ne réussit pas à faire la synthèse, perturbé par des stimuli internes et parfois externes qu'il ne réussit pas à organiser, le patient élabore un discours incompréhensible. Il y a pourtant des mots et des phrases mais la logique qui les associe est incohérente.

Parfois le patient répond à côté de la question, ou bien il est circonstanciel (longue digression avant d'en arriver à une réponse) ou tangentiel (il s'éloigne de plus en plus de la question à mesure qu'il essaie d'y répondre). Le langage exprime plus un besoin d'expression personnel qu'un désir de communiquer. Il perd sa valeur d'échange. Les associations d'idées sont souvent obscures ou vides pour l'observateur, quoiqu'elles puissent parfois être poétiques ou symboliques chez certains patients plus intelligents.

Voici un extrait des textes d'un patient: "La science naturelle et amoureuse doit se cultiver avec la correction de nos défauts d'une manière simple mais en inspirant beaucoup de volonté et une harmonie avec la nature. Explication: selon la science naturelle, homme, médical et moral, soigner la nature et nature vous soignera. Morale: Dieu est l'équivalent de ce qui pense, réfléchit ou simplement vit; vous voyez sa force. Il nous a laissé son talent à nous tous dans un domaine ou l'autre que nous acquérons par la volonté lorsqu'il n'est pas naturel. Dieu est moitié vous alors il ne vous reste que l'autre moitié à faire preuve à l'appui". Les mots sont juxtaposés sans lien et forment des phrases vides d'information. Ce trouble de la forme de la pensée consiste en une incapacité à suivre les règles sémantiques ou syntaxiques du langage; et ce n'est pas dû à un manque d'éducation ni d'intelligence. La communication livre un message embrouillé, incompréhensible.

Affect aplati ou indifférence affective: C'est un des premiers symptômes de la schizophrénie. Il reflète exactement le degré de détérioration de la personnalité. Le patient le perçoit même au début de la maladie: "C'est curieux, je ne ressens plus les choses comme avant". C'est aussi un des derniers symptômes à disparaître et, quand le tonus affectif, la subtilité de la réponse émotive réapparaissent, on peut considérer que la rémission est complète. Cette discordance idéo-affective se manifeste de diverses façons mais surtout par un émoussement ou même un aplatissement de l'affect. Le patient paraît indifférent, détaché, même s'il raconte ou s'il vit des situations dramatiques. Il peut parler dans un langage anecdotique, non impliqué de ses idées dépressives ou même suicidaires, de son anxiété devant les phénomènes psychotiques envahissant ou de tout autre processus morbide. On peut aboutir à l'anhédonie quand le patient perçoit sa vie vide sans pouvoir même imaginer d'émotions agréables. Cependant les neuroleptiques, surtout s'ils sont utilisés de façon excessive, peuvent aussi produire un aplatissement affectif.

Parfois, les réponses émotives paraissent aussi incongrues et/ou inappropriées. Le patient parle d'événements tristes avec un sourire hébété ou se montre désemparé ou irrité par une question simple. On reconnaît ce même symptôme chez les utilisateurs de marijuana, pris de rires incoercibles ou envahis par une anxiété disproportionnée à la situation.

D'autres malades manifestent des émotions anormales. On peut par exemple remarquer une angoisse morcelante chez un patient qui sent que ses membres, ses viscères ou son esprit se désintègrent. Contrairement à l'anxiété normale qui est stimulante et est provoquée par une situation anxiogène — par exemple rencontrer une échéance — l'angoisse du schizophrène est stérilisante et désorganisante. Un autre paraîtra en état d'exaltation avec un sentiment de toute-puissance, une hypertrophie de ses capacités physiques ou mentales, une certitude d'avoir découvert une grande explication cosmique. Un autre pourra vivre des appréhensions terrifiantes en étant persuadé qu'un cataclysme va survenir, ou pire, qu'il va lui-même le provoquer par ses pensées ou ses gestes.

Ambivalence: Il ne s'agit pas des hésitations ou des périodes de réflexion normales d'un individu devant un choix difficile. Il s'agit plutôt de la coexistence ou la simultanéité d'émotions opposées: "Ma mère, je l'aime; c'est la personne la plus précieuse pour moi. Non, en fait, je veux la tuer". L'ambivalence peut se manifester dans toutes sortes d'actions ou de décisions de la vie quotidienne. Le patient apparaît alors apragmatique ou perplexe devant son incapacité de choisir. Il faut distinguer ce symptôme de l'akinésie et de la sédation produites par les antipsychotiques.

Symptômes secondaires

A la suite de ces symptômes primaires, amenant un appauvrissement de la personnalité et du fonctionnement, il y a parfois apparition de symptômes secondaires visant à recréer un monde de remplacement. C'est alors que le délire et les hallucinations surviennent. Par définition, un délire est 1) une conviction — pas seulement une opinion — 2) erronée, 3) irréductible par la logique, 4) autistique, basée sur les perceptions ou les déductions personnelles du patient, non partagée par les autres gens de la même culture. On distingue les délires d'appauvrissement et les délires d'expansion du moi.

Le plus fréquent est un délire de persécution, symptôme majeur de la schizophrénie paranoïde. Le délire est en rapport avec la culture. Rarement maintenant, les persécuteurs sont d'inspiration religieuse: les démons, les esprits maléfiques. Les délires paranoïdes modernes sont souvent basés sur l'électronique: "Les micros dans les murs" — un système d'espionnage: "Les gens me regardent ou rient de moi dans la rue" — une organisation interlope: "Ils en veulent à ma vie". Il faut cependant noter que presque tous les délires sont basés sur certains faits de réalité; c'est l'interprétation de ces faits qui est paranoïde. Il s'agit d'une erreur de logique où le patient confond la contingence et la causalité. Le chauffeur d'autobus peut se moucher quand un individu monte dans le véhicule; le paranoïde interprète ce geste comme une preuve que le chauffeur est de connivence avec ses ennemis et qu'il leur envoie un signal. La plupart des délires paranoïdes sont accompagnés de grandiosité, le patient devenant convaincu qu'il doit être un personnage bien important pour être ainsi persécuté. Il peut même y avoir un glissement vers un délire mégalomaniaque.

Le patient est alors convaincu qu'il possède des pouvoirs extraordinaires, que sa pensée est toute-puissante, qu'il peut résoudre les problèmes du monde, qu'il est Dieu. Typiquement, cette forme de délire survient chez des patients vivant dans des conditions sociales défavorisées. Le monde grandiose ainsi créé devient très attrayant comparativement à leurs pauvres conditions d'existence.

D'autres formes de pensée délirante se rencontrent aussi. Dans le délire d'influence, le patient a le sentiment que son corps, ses gestes, ou son esprit sont sous l'emprise d'une force étrangère soit personnalisée soit anonyme. Dans un délire de destruction du monde, le patient anticipe des éventualités catastrophiques; ou bien il y a des élaborations d'un délire de reconstruction du monde où le patient rassemble des bribes d'informations scientifiques et philosophiques et érige un système de fonctionnement cosmique fantaisiste.

Les hallucinations du schizophrène sont le plus souvent auditives. Il peut s'agir de mots — il entend prononcer son nom — ou de sons confus. Ou bien il perçoit des ordres: ''Déshabille-toi'' — ''Marche''. Ou bien ce sont des commentaires: ''Tiens, il se lève'', ou des insultes: ''Salaud! Putain!''. Parfois il peut entendre sa pensée comme un écho. A la limite, il peut s'agir de toute une conversation à laquelle le patient peut parfois répliquer. Les hallucinations visuelles portent le plus souvent sur la vision de personnages distincts ou flous se rapprochant alors de l'illusion. Le patient peut voir soit toute la personne, soit seulement le visage, souvent déformé. Les hallucinations d'animaux, de ''bibittes'', appartiennent d'habitude aux psychoses organiques. Les hallucinations olfactives, l'impression de dégager de mauvaises odeurs amenant le patient à des lavages compulsifs, sont plus rares.

Les hallucinations coenesthésiques amenant des perceptions tactiles bizarres (brûlures, chocs électriques) ou des attouchements inconvenants, peuvent survenir dans la schizophrénie mais aussi dans les psychoses toxiques (amphétamines, cocaïne).

Quand on questionne les patients sur leurs hallucinations, il faut procéder avec tact car la plupart sont conscients que ''c'est de la folie'', et ils ne révèlent que dans un climat de confiance ces perceptions bizarres.

10.11.3 Critères diagnostiques du DSM III (voir pages 20, 21, 22)

Dans le DSM III, les Américains ont retenu une série de symptômes caractéristiques de la schizophrénie, en se basant sur ce que Schneider avait énoncé comme symptômes de premier ordre.

En l'absence de psychose organique, la présence clairement établie d'un seul de ces symptômes est pathognomonique de la schizophrénie.

Délire typique

1- **Délire d'influence**: Les émotions, les pensées, les actions du patient sont imposées, contrôlées, influencées par une force extérieure.

2- **Écho de la pensée (*Thought broadcasting*)**: Le patient entend ses pensées prononcées à haute voix de telle façon que les autres peuvent aussi les entendre.

3- **Automatisme de la pensée (*Thought insertion*)**: Le patient perçoit que des pensées qui ne sont pas les siennes, sont imposées, introduites dans son cerveau.

4- **Vol de la pensée (*Thought withdrawal*)**: Le patient croit que ses pensées ont été retirées de sa tête ce qui résulte en un appauvrissement mental.

5- **Autres délires** bizarres, manifestement absurdes, fantastiques ou irréels.

6- **Délire somatique, grandiose, religieux, nihiliste** mais sans contenu de persécution ni de jalousie.

7- **Délire associé à des hallucinations**.

Hallucinations typiques

8- **Hallucinations auditives**: Une voix commente le comportement ou les pensées du patient — ou bien deux ou plusieurs voix conversent ensemble.

9- **Hallucinations auditives fréquentes et élaborées** mais qui ne sont pas en rapport avec un affect dépressif ni expansif.

Autres symptômes caractéristiques

10- **Incohérence des associations d'idées**

11- **Appauvrissement sévère de la pensée** associé à:

— un affect émoussé, aplati ou inapproprié,

— un délire ou des hallucinations,

— un comportement manifestement désorganisé ou catatonique.

Pendant la phase active de la maladie, ces symptômes sont associés à de sérieuses perturbations du fonctionnement quotidien soit au travail, dans les relations sociales ou dans les soins personnels.

10.11.4   Critères diagnostiques de Feighner

Feighner présente ainsi les critères diagnostiques de la schizophrénie.

A- — Durée d'au moins six mois de la maladie
  — Absence de symptômes de dépression ou de manie

B- — Délire ou hallucinations sur un fond de conscience claire
  — Logique du discours difficile à comprendre rendant la communication obscure

C- — Célibataire
— Pauvre insertion sociale ou au travail
— Histoire familiale de schizophrénie
— Absence d'alcoolisme et de toxicomanie
— Début de la maladie avant quarante ans

Il faut les deux A, au moins un B et trois C pour retenir le diagnostic de schizophrénie.

10.11.5 Les troubles de la pensée

Le **cours de la pensée,** c'est-à-dire l'agencement des idées ou des mots, la façon dont la pensée se déroule, peut être perturbé surtout dans la phase aiguë ou les formes détériorées de la schizophrénie.

— L'incohérence des associations d'idées, typique du schizophrène, provient surtout d'un surinvestissement de stimuli internes (physiques ou psychiques) mal intégrés. Cameron a décrit la surinclusion (*over inclusion*) comme une tendance des schizophrènes à inclure nombre d'informations non pertinentes dans leur discours. A la limite il peut s'agir de verbigération: énumération automatique de mots sans suite. Il faut la distinguer de la fuite des idées du maniaque qui est surtout stimulée par l'environnement externe et qui est une manifestation de sa distractivité.

— Le blocage se manifeste par un arrêt inattendu dans la phrase.

— Parfois le patient peut être incapable de dire un mot (mutisme) malgré ses efforts pour répondre; parfois il a trop d'idées et les exprime dans un discours accéléré, verbalisé sous pression.

— Désireux de se faire comprendre, il peut parfois utiliser des néologismes, dont lui seul peut expliquer la définition. Il s'agit souvent d'assemblage ou de contraction de plusieurs mots. A la limite, il peut inventer tout un nouveau langage. Bien que rare, ce symptôme s'il existe, est particulièrement typique de la schizophrénie.

— Echolalie — Plutôt que de répondre à une question, il la répète ou répète les derniers mots.

— Persévération — Il s'agit de la répétition du même mot ou de la même phrase.

Il faut noter que le sensorium, l'orientation dans le temps et l'espace, la mémoire ne sont pas altérés dans la schizophrénie, sauf parfois de façon transitoire pendant une phase aiguë. Il faut d'ailleurs penser à une psychose organique dans ce cas.

Le **contenu de la pensée** est occupé par les symptômes secondaires de Bleuler: hallucinations diverses, élaborations délirantes. Les troubles de la pensée sont toujours présents au moins à certains moments dans le cours de la maladie. Les psychanalystes, entre autres, en étudiant les récits des délires, ont pu les relier à divers conflits psychodynamiques, à divers troubles du développement psychosexuel. Le délire devient alors une émanation symbolique de pulsions refoulées, une manifestation de l'inconscient.

10.11.6 Les troubles du comportement

En l'apercevant, on est frappé par l'attitude peu socialisée du schizophrène: il est vêtu de façon négligée, attachant peu d'importance à son apparence; ou bien, il adopte une attitude affectée en s'habillant presque en clown, parfois grotesque. En lui parlant, on remarque la pauvreté de la conversation, la difficulté à maintenir un dialogue impliqué qui tienne compte de la relation interpersonnelle.

Quantitativement, on note une réduction de la réactivité à l'environnement, une diminution de l'énergie, de la spontanéité, de l'initiative. Ces patients doivent toujours faire un grand effort pour soutenir une action cohérente continue. A la limite, on arrive à la stupeur catatonique.

Qualitativement, le comportement devient imprévisible, excentrique et inapproprié. À la limite, on aboutit à l'agitation catatonique et aux postures bizarres. Le patient pourra cependant expliquer les bizarreries de ses actions qui découlent de ses troubles de la pensée.

— **Maniérisme**: Le discours peut être empreint de grandiosité, de préciosité. Les mouvements affectés manquent de naturel.

— **Stupeur ou agitation**: L'envahissement de la pensée par des idées incongrues, disparates, angoissantes peut laisser le patient sidéré, catatonique — ou provoquer des actions désordonnées, parfois dangereuses.

— **Echopraxie**: Ressemblant à l'écholalie, il s'agit cependant ici de mimétisme, de répétition par le patient des actions ou gestes de l'évaluateur.

— **Négativisme ou obéissance automatique**: Le patient maintient une posture rigide et s'objecte de façon obstinée à toute suggestion ou action — ou bien il se laisse manipuler comme un automate. Certains présentent même de la flexibilité cireuse.

— **Activités stéréotypées et bizarres**: Le patient répète inlassablement le même geste, par exemple un balancement du tronc, ou bien une série de gestes des mains, ou bien il se fait des grimaces dans un miroir, etc.

Il est important de se rappeler que ces symptômes sont la plupart du temps transitoires et n'existent jamais tous ensemble chez le même patient. On peut aussi retrouver ces mêmes symptômes dans diverses autres maladies.

10.12 TESTS PSYCHOLOGIQUES

Trois types de tests permettent de détecter la schizophrénie.

1- **Les tests projectifs** comme le Rorschach et le *Thematic Apperception Test* (TAT) sont plutôt subjectifs et cliniques mais donnent des informations précieuses sur la psychodynamique de la maladie en mettant en évidence les associations, l'imagerie, les préoccupations, les conflits et les mécanismes de défense du patient. Le Rorschach comporte deux facettes: une analyse structurale quantifiée des données, une analyse subjective du contenu. La confabulation et la contamination sont des réponses typiques de la schizophrénie.

2- **Test psychométrique:** Le plus utilisé est le *Wechsler Adult Intelligence Scale* (WAIS) où on note, dans la schizophrénie, une discordance dans les diverses échelles. Le quotient intellectuel verbal est beaucoup plus élevé que le Q.I. non verbal. Les échelles de mémoire sont préservées dans la la répétition des chiffres mais l'observation et la concentration sont déficientes, appauvrissant le test des images à compléter. Il faut noter que le Q.I. global des schizophrènes se distribue selon une courbe normale comme dans la population générale. Cependant après plusieurs épisodes psychotiques aigus et une chronicisation de la maladie, on remarque une détérioration des facultés intellectuelles, concomitantes à une détérioration de la personnalité.

3- **Tests de personnalité:** Dans le *Minnesota Multiphasic Personality Inventory* (MMPI), le patient répond à 550 questions écrites. La compilation mathématique des résultats en dix échelles définit différents profils de personnalité. Habituellement les schizophrènes vont donner un score élevé dans les échelles Sc (schizophrénie), Si (retrait social) et parfois Pa (paranoïa).

10.13 CATÉGORIES DIAGNOSTIQUES

Depuis Kraepelin jusqu'au DSM III, la schizophrénie a été subdivisée en diverses grandes entités cliniques. Toutes comportent des symptômes majeurs permettant de retenir ce diagnostic principal. Mais, dépendant de l'addition de certains symptômes, la schizophrénie devient:

Schizophrénie paranoïde

C'est la forme la plus fréquente en Amérique du Nord. Elle est caractérisée par un délire de persécution et/ou de grandeur, parfois associée à des hallucinations. Le délire de jalousie est aussi fréquent. La méfiance, la réserve, l'hostilité et même l'agressivité sont typiques de ce patient. Querelleur, il est souvent sur la défensive, parce qu'il se sent persécuté, lésé dans son autonomie. Souvent la maladie se déclare vers les trente ans plutôt que dans la vingtaine comme pour les autres formes de schizophrénie. La régression aussi est moindre et l'intelligence se conserve mieux.

Schizophrénie catatonique

Le type **stuporeux** est caractérisé par une réduction ou même un arrêt de l'activité et des mouvements spontanés. Le patient apparaît sidéré par une surcharge d'informations non discriminées. Recroquevillé ou allongé sur un lit, en mutisme, il résiste à toute mobilisation (rigidité, oppositionnisme) ou manifeste le symptôme rare de flexibilité cireuse. On peut aussi observer des stéréotypies, de l'écholalie ou de l'échopraxie. La déshydratation est à surveiller. Le type **agité** manifeste des comportements expansifs ou destructeurs incoordonnés souvent en réponse à des hallucinations ou à des stimuli internes. Le patient présente une agitation psychomotrice avec violence. Son discours est incohérent et accéléré. Il faut porter attention aux blessures que le patient peut infliger aux autres et à lui-même.

Schizophrénie hébéphrénique (détériorée)

Cette forme apparaît progressivement après une longue évolution d'un processus schizophrénique. Le patient régresse à des comportements primitifs non socialisés. Avec un sourire hébété, il mène un activisme sans but. Son contact avec la réalité est très pauvre. L'intelligence se détériore. L'affect est très aplati et la conversation a perdu toute valeur d'échange à cause d'une incohérence marquée du discours.

Schizophrénie résiduelle

Certains patients sous traitement voient disparaître les symptômes spécifiques d'une forme ou l'autre; il ne reste plus alors que des symptômes primaires surtout l'aplatissement affectif et l'autisme, plus ou moins contrôlés. Si certaines hallucinations ou un délire résiduel persistent, ils n'ont plus l'intensité affective de la phase aiguë.

Schizophrénie schizo-affective

Le DSM III fait de la schizophrénie schizo-affective une catégorie à part, plutôt qu'un sous-type de la schizophrénie. On reconnaît en effet chez les patients porteurs de symptômes affectifs **et** schizophréniques:

1. un meilleur pronostic;

2. une manifestation de la maladie au début par des symptômes aigus;

3. la période de rémission permet un retour au mode antérieur de fonctionnement;

4. il n'y a pas plus de schizophrènes dans ces familles que dans la population en général; mais il y a une prévalence accrue de maladies affectives.

Il faut cependant que les troubles affectifs surviennent avant ou pendant les troubles schizophréniques pour retenir le diagnostic de schizophrénie schizo-affective.

En effet, les symptômes affectifs (surtout dépressifs, plus rarement exaltés) apparaissant après le développement d'un syndrome psychotique sont très fréquents mais n'ont pas la même signification diagnostique.

Comme pour la psychose maniaco-dépressive (dont le diagnostic différentiel est d'ailleurs difficile à faire), il y a des troubles affectifs se manifestant par une alternance de **phase dépressive** et **euphorique.** Les troubles majeurs de la pensée sont cependant typiques de la schizophrénie. Dans la phase dépressive, le patient apparaît triste, il peut même envisager ou poser des gestes suicidaires. Il présente un ralentissement psychomoteur. Quelques semaines, ou quelques mois plus tard, ce même patient devient gai, jovial, expansif, extravagant, hyperactif.

Le lithium peut parfois être recommandé pour tenter de stabiliser l'humeur.

10.14 TRAITEMENTS

Pour aborder le traitement de la schizophrénie il faut se fonder sur l'approche multi-axiale du DSM III:

1. symptômes cliniques;
2. histoire et pronostic de la maladie;
3. facteurs déclenchants;
4. réseau social;
5. réhabilitation au travail.

Le médecin n'est souvent habitué à considérer que le premier et parfois le deuxième axe, d'où la nécessité de s'ouvrir à une perspective plus large. Les possibilités thérapeutiques sont souvent améliorées par la collaboration des autres professionnels de la santé.

10.14.1 Neuroleptiques (Voir chapitre 27)

Comparés au placebo, les neuroleptiques sont sûrement efficaces pour réduire les symptômes psychotiques tant dans la phase aiguë que dans la période d'entretien. Malgré qu'on ait tenté d'attribuer des effets spécifiques à certains neuroleptiques, on reconnaît qu'ils ont, statistiquement, tous le même effet antipsychotique, à condition d'utiliser des dosages équivalents.

NOM	EFFICACITÉ RELATIVE	PATIENT EXTERNE	PATIENT HOSPITALISÉ
CHLORPROMAZINE LARGACTIL ®	100	50-400 mg	200-1600 mg
PERPHÉNAZINE TRILAFON ®	10	8-24 mg	12-64 mg
TRIFLUOPÉRAZINE STELAZINE ®	5	5-10 mg	10-60 mg
HALOPÉRIDOL HALDOL ®	2	2-6 mg	4-40 mg

Il est important de s'habituer à prescrire quelques neuroleptiques afin d'en connaître les effets thérapeutiques, les effets secondaires parfois recherchés (sédation) parfois à corriger (effets extra-pyramidaux). L'idéal est d'ajuster le dosage pour obtenir un effet antipsychotique sans effets secondaires. Une sédation trop forte inhibe la participation du patient à ses activités thérapeutiques; ou bien, parce qu'il se sent trop amorti, le patient décide d'interrompre ses traitements.

On ne croit plus, comme autrefois, que l'apparition d'effets parkinsoniens donne la preuve de l'efficacité antipsychotique. On recommande donc maintenant de n'utiliser les antiparkinsoniens (Kemadrin ®) que s'il y a apparition d'effets extra-pyramidaux et non de façon prophylactique. D'ailleurs, souvent, l'ajustement du dosage ou le changement de classe neuroleptique permet d'éviter cet ajout.

Selon May (1969), 92% des schizophrènes hospitalisés, traités par neuroleptiques et psychothérapie, ont leur congé de l'hôpital en deçà d'un an. Pour les patients externes, l'étude de Hogarty donne les résultats suivants après vingt-quatre mois.

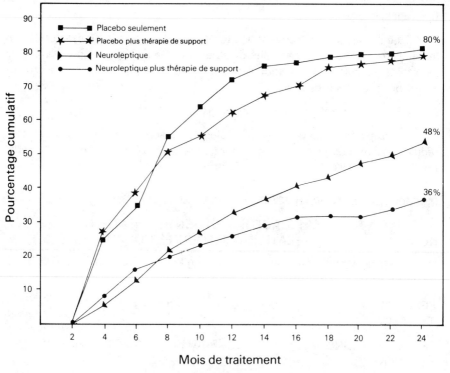

Taux cumulatif de rechute

80% des patients recevant le placebo seulement ou le placebo et la thérapie de support ont été réhospitalisés après 1 an.

Ainsi donc, 20% des schizophrènes n'auraient pas besoin de traitement externe sans pour autant décompenser. On n'a cependant aucun moyen de prévoir lesquels au départ.

36% des patients, bien qu'ils reçoivent neuroleptiques, psychothérapie et support social, sont quand même réhospitalisés.

La médication à elle seule réduit le danger de rechute de façon évidente, pour un schizophrène sur deux. La fluphénazine injectable (Moditen ® , Modecate ®) représente un net avantage sur les autres neuroleptiques pour le traitement d'entretien en période de rémission.

Il est de bonne pratique de maintenir en traitement (souvent avec médication) pendant deux ans un patient qui a eu un épisode psychotique; cinq ans pour deux accès psychotiques. Trois hospitalisations nécessitent un traitement à vie.

Des études contrôlées n'ont pas permis de confirmer que la mégavitaminothérapie, prônée par certains, ait des effets antipsychotiques différents du placebo.

Les électrochocs ne sont pas indiqués pour traiter la schizophrénie; ils peuvent cependant être recommandés au cours d'un épisode catatonique, pour permettre au patient de sortir de sa stupeur ou pour réduire l'agitation. Ils peuvent aussi être utilisés pour atténuer le risque suicidaire qui peut survenir au cours de la maladie.

Chez quelques schizophrènes sous dialyse, on a remarqué une amélioration symptomatique, laissant entrevoir une autre possibilité thérapeutique intéressante, si les études contrôlées en confirment l'efficacité.

10.14.2 Psychothérapie (Voir chapitre 31)

Heureusement, les diverses approches thérapeutiques peuvent se combiner de façon utile. La pharmaco-thérapie rend d'ailleurs souvent le patient accessible à la psychothérapie et, inversement, la psychothérapie, en créant une relation de confiance, incite le patient à maintenir une pharmaco-thérapie parfois indispensable.

Les psychothérapies en profondeur sont souvent peu recommandées pour les patients psychotiques. Il vaut mieux s'en tenir aux sujets plus proches de la réalité, par exemple, l'examen des stress de l'environnement influant sur la maladie, les relations interpersonnelles, l'ajustement social, la réhabilitation au travail, etc. Les buts à fixer avec le patient doivent correspondre à ses désirs et à ses moyens. Il faut éviter le pessimisme basé sur un pronostic sombre anticipé, visant alors à réduire les stimuli, à surprotéger le patient de crainte qu'il ne puisse s'adapter. La négation de la maladie est d'ailleurs tout aussi néfaste. Les "Fais un effort" — "Il suffit de vouloir" — laissent souvent le patient pantois devant ses insuccès.

10.14.3   Hospitalisation et milieu thérapie

La plupart du temps l'hospitalisation est utilisée lors d'une effervescence symptomatique quand par exemple le patient est agité, incohérent, en mutisme, etc. Parfois une dimension plus sociale milite en faveur d'une hospitalisation comme retirer le patient d'un milieu pathogène ou laisser souffler la famille exaspérée. Mais alors le séjour hospitalier devrait encourager l'autonomie du patient pour qu'il puisse prendre ses distances de ce milieu perturbant pour lui, à moins qu'une thérapie familiale puisse améliorer suffisamment les choses. Il a été démontré en effet que des relations familiales hostiles ou intrusives favorisent la récurrence symptomatique.

La milieu thérapie, dont les premiers agents sont d'habitude les infirmières, vise à reconnaître et à évaluer les besoins quotidiens du patient afin d'y répondre de façon thérapeutique à court et à moyen terme.

Certains hopitaux expérimentent une approche comportementale avec "l'économie de jetons". Il a ainsi été possible de rendre fonctionnels des patients régressés et oubliés. Il s'agit de spécifier avec les malades un certain nombre d'activités désirables, par exemple à propos de l'hygiène ou de la socialisation, et d'y attacher des jetons en récompense. Alors si le patient fait son lit ou participe à une partie de ballon-volant, il reçoit quelques jetons qu'il pourra échanger contre des cigarettes ou des friandises.

Cette dimension centrale du traitement intrahospitalier a donné lieu à diverses polémiques. On a pu accuser l'hôpital d'être un milieu infantilisant et répressif, une garderie où cacher la folie, amenant finalement au "syndrome de déchéance sociale". D'autres ont voulu en faire un milieu permissif allant jusqu'à laisser faire ou "laisser vivre sa psychose jusqu'au bout". La plupart des milieux thérapeutiques se situent cependant entre ces extrêmes, utilisant au mieux les ressources humaines et matérielles à l'intérieur d'un projet thérapeutique personnalisé.

10.14.4   Réintégration sociale

La tendance actuelle visant à faire sortir au plus tôt les schizophrènes des hôpitaux va de pair avec une idéologie de la psychiatrie communautaire favorisant la réintégration du patient dans son milieu naturel. Cependant quand on connaît les difficultés du schizophrène à socialiser, sa fragilité devant les conflits et ses difficultés au travail, on comprend les efforts qui doivent être déployés pour renforcer son moi d'une part et atténuer le rejet de la société d'autre part.

Diverses ressources ont été organisées à cet effet:

— Foyer de groupe, foyer thérapeutique, foyer d'accueil, foyer d'hébergement qui peuvent offrir gîte et nourriture et parfois un milieu stimulant, supportif, chaleureux, libre des vices de communication qui avaient favorisé l'éclosion de la maladie. Parfois aussi malheureusement, ces foyers reproduisent en miniature l'asile abhorré.

— Ateliers protégés visant à développer des habiletés au travail dans un contexte plus ou moins productif selon la tolérance du patient.

— Loisirs, sorties ou activités de groupe permettant une resocialisation dans un contexte de détente. L'entraînement aux habiletés sociales est un apprentissage des plus intéressant pour le patient. Il peut alors reviser ses façons de se relier aux autres, les sources de sa méfiance et de son aliénation, ses difficultés de rapprochement, ses frontières moi-autrui.

10.14.5 Thérapie familiale

Entreprise difficile, visant à percevoir et à interpréter à la famille leurs troubles de communication. On sait maintenant qu'il est néfaste de culpabiliser les parents comme s'ils étaient le point de départ de la maladie. Mais il est possible de souligner les communications paradoxales, les difficultés à donner et à recevoir des messages cognitifs et affectifs clairs; il faut aussi donner aux différents membres de la famille des informations professionnelles et des conseils appropriés.

10.15 PRONOSTIC

Une série de facteurs sont généralement associés à un bon pronostic:

— personnalité prémorbide adéquate,
— bon ajustement social antérieur,
— présence de facteurs déclenchants,
— début aigu (vs insidieux) de la maladie,
— apparition des premiers symptômes à l'âge adulte avancé,
— présence de confusion et de perplexité dans le tableau clinique,
— histoire familiale de troubles affectifs.

Il est intéressant de comparer deux études, l'une faite en 1932 et l'autre en 1971 avec les techniques thérapeutiques modernes.

	Nombre de patients	Réinsertion Sociale	Symptomatiques décédés disparus	Hospitalisés
Mayer-Gross (1932)	260	35%	5%	60%
Gross & coll. (1971)	263	51%	33%	16%

Donc, contrairement aux croyances répandues, un schizophrène sur deux peut reprendre une vie normale. Une grande partie des autres peuvent se réintégrer à une vie sociale, familiale et de travail relativement satisfaisante.

Le pronostic dépend d'une variété de facteurs tant chez le patient que dans son entourage. Plus on peut favoriser la réhabilitation selon différents axes, meilleur est le pronostic. Les énoncés fatalistes, non seulement découragent les efforts thérapeutiques, mais peuvent aussi prendre valeur de prophétie.

Cependant le pronostic s'assombrit souvent à chacune des rechutes, amenant une détérioration progressive de la personnalité et un rejet social.

L'institutionnalisation a longtemps été le seul recours pour ces patients accentuant ainsi le syndrome de déchéance sociale. L'optique de la psychiatrie communautaire vise maintenant davantage une réintégration dans la société.

BIBLIOGRAPHIE

CARPENTER, W. & COLL. "Are there pathognomonic symptoms in schizophrenia". *Arch. Gen. Psychiatry.* 1973, vol. 28, 6, 847-852.

CORBETT, L. "Perceptual dyscontrol: a possible organizing principle for schizophrenia research". *Schizophrenia Bulletin.* 1976, 2, 249-256.

DE ROSNAY, J. *Le Macroscope.* Ed. Du Seuil, 1975.

FEIGHNER, J. & COLL. "Diagnostic criteria for use in psychiatric research". *Arch. Gen. Psychiatry.* 1972, vol. 26, 1, 57-63.

FREEDMAN, A.M., KAPLAN, H.I., SADOCK, B.J. *Comprehensive Textbook of Psychiatry II.* Baltimore: Williams & Wilkins, 1975.

GREGORY, I., SMELTZER, D.J. *Psychiatry.* Boston: Little Brown, 1977.

HARTMANN, H. "Contribution to the Metapsychology of Schizophrenia". *Psychoanalytic study of the child.* 1953, 8, 177-198.

HEATH, R.G., KRAPP, I.M. "Schizophrenia as an immunologic disorder (I, II et III)". *Arch. Gen. Psychiatry.* 1967, 16, 1-38.

HIRSCH, S.R., LEFF, J.P. *Abnormalities in Parents of Schizophrenics.* London: Oxford, 1975.

HOGARTY, G. & COLL. "Drug and sociotherapy in the after care of schizophrenic patients". *Arch. Gen. Psychiatry.* 1974, vol. 31, 11, 603-608.

HOLLINGSHEAD, A.B., REDLICH, F.C. *Social Class and Mental Illness.* New York: John Wiley and Sons, 1959.

HOLZMAN, P.S., LEVY, P.N. "Smooth Pursuit Eye Movements in Functional Psychosis: a review". *Schizophrenia Bulletin.* 1977, 3, 15-27.

KEITH, S.J., GUNDERSON, J.G., REIFMAN, A., BUCHSBAUM, S., MOSHER, L.R. "Special Report: Schizophrenia 1976". *Schizophrenia Bulletin.* 1976, 2, 509-565.

KENDELL, R. "Schizophrenia: The remedy for diagnostic confusion". *Contempory Psychiatric Selected Review from British Journal of Hospital Medecine.* Ed. Trevor Sylverstone et Brian Barraclough, 1976.

KETY, S.S., ROSENTHAL, D., WENDER, P.H., SCHULSINGER, F. "Mental Illness in the biological and Adoptive Families of Adopted Schizophrenics". *Amer. J. Psychiatry.* 1971, 128 (3), 302-306

KOKES, R. & COLL. "Measuring premorbid adjustement". *Schizophrenia Bulletin.* 1977, vol. 3 (2).

LANG, P.J., BUSS, A.H. "Psychological Deficit in Schizophrenia (II Interference and Activation)". *J. of Abnormal Psychology.* 1965, vol. 70 (2), 77-102.

LEHMANN, H. "Différentes possibilités de traitement du schizophrène". *Hygiène mentale au Canada.* 1976, vol. 24 (1), 3-9.

MAY, P. "The hospital treatment of the schizophrenic patient". *Int. J. Psychiatry.* 1969, 8, 699-722.

McGEER, P.L., McGEER, E.G. "Possible changes in Striatal and Limbic Cholinergic Systems in Schizophrenia". *Arch. Gen. Psychiatry.* 1977, 34, 1319-1323.

ORGANISATION MONDIALE DE LA SANTÉ. *Report of the International pilot Study of Schizophrenia.* Genève: 1973.

RACAMIER, P.C. "L'interprétation psychanalytique des schizophrénies". *Encyclopédie médico-chirurgicale, psychiatrie.* Paris: 11-1976, 37291 A-10, 1976.

ROSENTHAL, D., WENDER, P.H., KETY, S.S., WELNER, J., SHULSINGER, F. "The Adopted-Away offspring of Schizophrenics". *Amer. J. Psychiatry.* 1971, 128 (3), 307-311.

ROSENTHAL, D., KETY, S.S. *The Transmission of Schizophrenia.* Oxford: Pergamon Press, 1968.

ROSENTHAL, D. *Genetic Theory and Abnormal Behavior.* New York: McGraw-Hill, 1970.

SHAKOW, D. "Some Observations on the Psychology (and some fewer on the biology) of Schizophrenia". *J. Nervous and Mental Disease.* 1971, 153, 300-316.

SNYDER, S.H., BANERGIE, S.P., YAMAMURA, H.I., GREENBERG, D. "Drugs, Neurotransmitters and Schizophrenia". *Science.* 1974, 184, 1243-1253.

SPRING, B., NUECHTERLEIN, C.H., SUGARMAN, J., MATTHYSSE, S. "The "New Look" in Studies of Schizophrenic Attention and Information Processing". *Schizophrenia Bulletin.* 1977, 3, 470-482.

STEVENS, J.R. "An anatomy of Schizophrenia". *Arch. Gen. Psychiatry.* 1973, 29, 177-189.

VAN DER VELDE, C.D. "Variability in Schizophrenia". *Arch. Gen. Psychiatry.* 1976, 33, 489-496.

WATSON, S.J., AKIL, H., BERGER, P.A., BARCHAS, J.D. "Some observations on the opiate peptides and Schizophrenia". *Arch. Gen. Psychiatry.* 1979, 36, 35-41.

CHAPITRE 11

LES MALADIES PARANOÏDES

Pierre Lalonde

11.1 HISTORIQUE

Le terme "paranoïa" existe depuis l'Antiquité, où il désignait alors la folie en général. Traduit littéralement, paranoïa signifie pensée-à-côté ou connaissance altérée. Le terme paraphrénie a aussi été utilisé comme synonyme de la paranoïa. Il a acquis une définition plus précise avec Kraepelin à partir de 1863. La paranoïa fut alors caractérisée par un délire paranoïde, parce que basée sur une erreur d'interprétation des faits et enracinée dans une conviction rigide réfractaire au traitement. Il différencia plus tard cette maladie rare de diverses autres conditions paranoïdes comportant des élaborations délirantes moins structurées et plus accessibles au traitement.

Dans divers écrits à partir de 1896, mais surtout en analysant le "Journal" d'un patient (le cas Schroeber), Freud interpréta la paranoïa comme une psychonévrose fondée sur l'homosexualité latente refoulée, comportant deux grands mécanismes de défense, la négation et la projection. La négation consiste en une incapacité d'assumer des émotions déplaisantes ou des désirs inacceptables pour soi-même. Donc plutôt que de se sentir coupable ou anxieux, le patient nie ces émotions ou désirs et les projette à l'extérieur. Ce sont maintenant les autres qui sont porteurs de ses sentiments et idées. Evidemment tout ce processus se déroule inconsciemment. Et le patient peut donc clamer avec conviction: "J'aime tout le monde (négation de l'hostilité) mais eux me détestent et veulent me détruire (projection de l'agressivité)".

Même si Schroeber serait plutôt aujourd'hui diagnostiqué "schizophrène paranoïde" et que les conditions paranoïdes ne comportent pas toujours d'homosexualité sous-jacente — de même que les homosexuels ne sont pas toujours paranoïdes — il reste que Freud a introduit une compréhension psychodynamique au phénomène délirant.

Mélanie Klein définit un premier stade de développement de la personnalité qu'elle nomme la position paranoïde-schizoïde. L'opération défensive normale de cette période est le clivage, i.e. une séparation des objets et des pulsions en bons et mauvais. La grande préoccupation du moi à cette époque est la survie. Tout ce qui est frustrant est perçu comme persécutoire, est projeté à l'extérieur et est mauvais; les bons objets sont totalement introjectés. Les autres mécanismes de défense de cette période sont l'idéalisation: exagération de toutes les bonnes qualités des objets internes et externes — le déni: négation de sa propre agressivité et des aspects désagréables des objets d'amour — l'identification projective: projection de parties du moi, surtout l'agressivité, dans des objets externes qui deviennent alors persécuteurs. La position paranoïde-schizoïde évolue normalement vers la position dépressive, mais peut se réactiver pour se manifester sous forme d'une psychose paranoïde ou schizophrénique.

Erikson, dans la description de son premier stade de développement, — confiance de base ou méfiance fondamentale — présente aussi des éléments d'explication de la personnalité paranoïde. On comprend aisément comment une interprétation biaisée et négative des informations venant de l'environnement ou des perceptions internes peut mener à la conception que tout est mauvais et persécuteur.

Watzlawich soutient que l'élaboration de la symptomatologie paranoïde peut fort bien se retracer dans une confusion de la communication. Il pose d'abord le principe que "la survie des êtres vivants dépend de l'information convenable ou non qu'ils reçoivent sur leur environnement". Puis il expose une situation où un individu prédisposé pourrait manifester des symptômes paranoïdes: "Imaginons que tout le monde se mette à rire au moment où j'entre dans une pièce — Voilà qui me confond parce que les autres, ou bien ont un point de vue très différent du mien sur la situation, ou bien sont en possession d'une information qui m'échappe. Ma réaction immédiate sera de chercher des indices — depuis regarder si quelqu'un se trouve derrière moi, jusqu'à me demander s'ils étaient justement en train de parler de moi, depuis aller voir dans une glace si j'ai le visage barbouillé, jusqu'à exiger une explication. Passé le désarroi initial, la confusion déclenche une recherche immédiate de la signification, afin de diminuer l'angoisse inhérente à toute situation incertaine.

Il en résulte un accroissement inhabituel de l'attention, doublé d'une promptitude à établir des relations causales, même là où de telles relations pourraient sembler tout à fait absurdes". Il est particulièrement évident dans cet exemple que le vice d'interprétation du paranoïde est de percevoir de la causalité où il n'y a que de la contingence.

11.2 ÉPIDÉMIOLOGIE

On remarque fréquemment que nous vivons maintenant dans un monde où la paranoïa est omniprésente, chacun se méfiant de chacun. La violence de différents groupes ou individus n'en est qu'une des manifestations.

Après une ère d'anxiété où les **besoins** de survie ont dominé, nous vivons maintenant dans une ère de paranoïa où chacun veut faire respecter ses **droits**, chacun défend jalousement ses prérogatives contre un envahissement présumé venant des autres. L'ennemi est projeté à l'extérieur de soi ou à l'extérieur de notre groupe.

Les états paranoïdes comptent pour environ 10% du taux des admissions en psychiatrie. Ce diagnostic est rarement posé avant l'âge de trente ans. Les femmes, les immigrants et les sourds sont plus susceptibles de développer cette pathologie. Mais beaucoup de paranoïdes ne demandent jamais de consultation. Surtout dans un milieu rural, où ils vivent isolés, cherchant souvent querelle, mais quand même productifs et autonomes, ils sont considérés comme des originaux à éviter. Ils ne sont pas conscients de leur morbidité, ne cherchent pas de traitements et ne font confiance à personne.

11.3 PERSONNALITÉ PARANOÏDE (voir section 8.1.2)

Avant d'en arriver au délire, le patient a longtemps vécu dans un climat de méfiance. Quand il était enfant, il n'a pas appris à développer une confiance de base (Erikson) en lui-même et envers son entourage; et la vie par la suite n'a pas corrigé cette difficulté à faire confiance. Ses parents par exemple n'ont pas su le rassurer dans ses anxiétés ou n'ont pas su doser les frustrations de façon tolérable. L'enfant qui a un développement sain apprend que, quelles que soient ses appréhensions, la tournure des événements sera assez souvent agréable et plus tard, comme adulte, il va de soi qu'il ne craint pas les attaques.

Par contre, l'accumulation de désappointements, d'humiliations, amène l'enfant à penser que l'entourage est hostile. Le patient rapporte fréquemment que, pendant son enfance, il n'était jamais assuré de chaleur, de confiance, d'amour, d'affection mais qu'on attendait de lui d'impossibles performances.

Il se souvient avec dépit des mises en garde, des remontrances et des punitions excessives et injustifiées qui lui ont été administrées. A mesure qu'il grandissait, il s'attendait à être entouré d'hostilité et a appris à être sur la défensive. Pour éviter les blessures, l'individu s'isole et développe une personnalité renfermée, critique, hostile, froide. La méfiance le caractérise. Il devient très attentif à divers événements jugés anodins par les autres, mais que lui perçoit comme blessants. La compétition apparaît intolérable et un délire de persécution survient pour "expliquer" ses échecs.

La cristallisation finale du délire amène la formation de la "pseudocommunauté paranoïde" (Cameron 1959). Avant d'en arriver là, le patient avait observé nombre de faits suspects difficilement explicables. Il avait développé des idées de référence en remarquant l'hostilité et les sarcasmes dirigés contre lui par des inconnus. Il s'était bien aperçu que les gens riaient — de lui — dans la rue, que la serveuse du restaurant avait renversé — intentionnellement — du café sur lui. Toutes ces perceptions, sans lien, forment le délire primaire; puis, subitement, le patient est frappé par une illumination; il comprend qu'il s'agit d'une vaste organisation dont tous les membres sont ligués pour lui faire du tort. C'est l'élaboration délirante secondaire. Il vient de créer sa pseudocommunauté. Maintenant il peut "expliquer" les liens entre ces divers actes de persécution dont il est la victime.

11.4 DIAGNOSTIC DIFFÉRENTIEL

11.4.1 Etat paranoïde

D'apparition souvent brusque en réaction au stress, il est caractérisé par un délire non systématisé, flamboyant, rendant le patient très anxieux. Quand il arrive à l'urgence, il espère trouver un refuge contre ses agresseurs. Les gens se moquent de lui dans la rue, on parle de lui à la télévision, il y a des micros dans les murs, de la radio-activité est émise par divers objets, etc. Souvent le patient est confiant envers le personnel de l'hôpital qu'il considère comme ses sauveurs mais parfois il devient méfiant quand il croit s'apercevoir qu'ils font aussi partie du complot.

Une intervention chirurgicale surtout thoracique, certaines maladies physiques (artériosclérose, diabète, etc.) et certaines médications (stéroïdes, amphétamines, etc.) peuvent conduire à un état paranoïde.

L'état paranoïde se distingue de la schizophrénie paranoïde par l'absence de symptômes schizophréniques et de la paranoïa par l'absence de délire systématisé. Les Européens se servent plutôt du terme "bouffée délirante".

11.4.2 Paranoïa

C'est une maladie très rare basée sur un délire de persécution et parfois de grandeur bien systématisé. Les Européens l'appelle aussi monomanie, soulignant que tout le système délirant est élaboré de façon très logique à partir d'un seul concept erroné. Le raisonnement dans d'autres domaines est par ailleurs intact permettant au malade d'être fonctionnel dans ses occupations et parfois d'occuper des postes importants (e.g. Hitler, Idi Amin Dada).

D'autres malades vivant dans des conditions déplorables se prennent pour un grand personnage, telle cette patiente, convaincue d'être la reine de l'univers, qui m'ordonnait d'organiser son mariage grandiose à Versailles. La personnalité révèle certains traits typiques: l'hostilité, l'arrogance, la méticulosité, la rigidité. Suspicieux, jaloux, interprétatif, il peut devenir tyrannique. Se sentant facilement lésé, il menace souvent d'intenter des procès. Il peut même se retrouver dans un imbroglio de procédures légales.

11.4.3 Variantes des syndromes paranoïdes

Diverses variantes des syndromes paranoïdes se retrouvent avec des thèmes délirants suffisamment spécifiques pour former des sous-entités diagnostiques.

Jalousie paranoïde

Un homme (ou une femme) se met à accuser son conjoint d'infidélité. Le délire se développe à partir de l'amplification et de la mauvaise interprétation de faits anodins. Si l'épouse se maquille pour accompagner son mari, celui-ci en déduit qu'elle s'attend à rencontrer un amant. Le jaloux devient de plus en plus suspicieux, acariâtre devant la dénégation outrée de son épouse. On reconnaît aisément la négation et la projection des désirs propres du malade.

Erotomanie (Clérambault)

Une femme acquiert la conviction qu'un homme prestigieux (artiste, politicien, etc.) est en amour avec elle. Elle peut ne l'avoir croisé qu'un bref instant ou même ne l'avoir jamais rencontré. Mais elle remarque que ses chansons d'amour sont des messages qui lui sont adressés; ou bien il la regarde intensément quand il parle à la télévision. Elle peut alors lui écrire des lettres enflammées.

Elle est aussi convaincu qu'il ne peut lui manifester plus ouvertement son amour, ni répondre à ses lettres parce qu'il en est empêché par ses proches ou par une organisation qui cherche à l'éloigner d'elle. La négation et la projection des pulsions érotiques du malade est évidente.

Folie à deux

Une personne vivant avec une autre dans une relation intime depuis longtemps induit un délire paranoïde auquel les deux partenaires viennent à croire par identification. Une mère dominatrice induit chez sa fille passive et soumise une peur délirante de l'agression brutale des hommes. Elles en viennent à couper tout contact avec l'extérieur, à ne plus pouvoir sortir dans la rue. Le traitement consiste à séparer cette symbiose et à traiter l'inducteur du délire; chez le partenaire, le délire disparaît d'habitude facilement, quoique la méfiance et l'introversion persistent.

14.4.4 Délire paranoïde associé

La symptomatologie paranoïde peut aussi être associée à d'autres maladies physiques ou mentales. Il s'agit alors de traiter la maladie de base et le délire paranoïde s'atténue de façon concomitante. J'ai vu quelques patients dont le diabète a été découvert lors d'une flambée paranoïde. En rétablissant la glycémie à un taux normal, le délire paranoïde a disparu.

Schizophrénie paranoïde: Les manifestations schizophréniques sont proéminentes et il s'y ajoute de la méfiance, de l'hostilité et un délire de persécution.

Dépression paranoïde: Le déprimé, en plus de son délire d'autodévalorisation, de culpabilité, d'indignité, peut aussi devenir interprétatif envers l'entourage qu'il perçoit comme persécuteur. La présence d'un délire paranoïde assombrit le pronostic de la dépression.

La pratique moderne s'attache à déterminer le diagnostic principal. Il s'agit ainsi de différencier le déprimé psychotique avec traits paranoïdes de l'état paranoïde auquel se surajoute une symptomatologie dépressive et même suicidaire, le patient préférant parfois se tuer pour se soustraire à ses persécuteurs. En précisant ainsi le diagnostic, on pourra alors prescrire des neuroleptiques pour le paranoïde et des tricycliques et/ou des électrochocs pour le déprimé; l'association de ces deux médications devrait être exceptionnelle.

Paranoïa alcoolique: On retrouve alors la personnalité paranoïde de base. L'alcool, en affaiblissant les défenses, fait apparaître un délire de jalousie, de méfiance ou de persécution. Le patient qui devient progressivement impuissant à cause de l'alcool, accuse sa femme d'avoir des amants et exprime souvent sa colère de façon violente.

D'autres toxicomanies, en particulier les amphétamines mais aussi le haschisch et le LSD, peuvent induire un délire paranoïde. Certaines médications (stéroïdes, digitaline) peuvent avoir le même effet.

11.5   TRAITEMENT

11.5.1   Neuroleptiques

Le délire flamboyant et fantaisiste de l'état paranoïde est probablement l'un des symptômes psychiatriques des plus faciles à faire disparaître. Il faut habituellement cinq à quinze jours pour que le patient en vienne à critiquer son délire. Si le malade n'est pas agité, on utilisera de préférence un neuroleptique peu sédatif: perphénazine (Trilafon ®), trifluopérazine (Stélazine ®), thiothizène (Navane ®), à dose thérapeutique. S'il faut restreindre l'agitation du malade, tout en contrôlant le délire, on peut prescrire la chlorpromazine (Largactil ®), l'halopéridol (Haldol ®).

Les antiparkinsoniens seront ajoutés seulement s'il y a apparition de symptômes extra-pyramidaux. Quand la période aiguë est passée, il reste à convaincre le patient de continuer les neuroleptiques pour un an ou deux afin de prévenir les récidives. Quand, après cette période, on cesse le traitement médicamenteux, il faut continuer à suivre le patient pour quelques mois afin de détecter rapidement la résurgence délirante possible et réinstituer une cure neuroleptique immédiatement si nécessaire.

Dans la paranoïa, les neuroleptiques sont beaucoup moins efficaces. Dans la schizophrénie paranoïde, ils sont essentiels. Si le délire paranoïde se surajoute à une autre maladie, il faut traiter la pathologie de base, quoiqu'un neuroleptique puisse être introduit dans le traitement de façon transitoire.

11.5.2   Approche psychothérapeutique du délire

Comme, par définition, le délire est une conviction, il est inutile et même néfaste de contredire directement ou de ridiculiser les certitudes du patient. Les "Ça n'a pas de bon sens ce que tu penses!" ne servent qu'à renforcer l'hostilité et le sentiment d'incompréhension du malade.

Par ailleurs, comme cette conviction est irréductible par la logique, il est inutile de faire des démonstrations savantes pour prouver l'irrationalité de ces élucubrations.

La première chose à faire face au délirant, c'est de créer une relation de confiance où le patient peut exprimer à l'aise ses idées et ses appréhensions réprimées par la crainte du ridicule. Le calme et la compréhension du médecin pourront même parfois avoir un effet apaisant sur un malade agité.

La deuxième étape consiste à induire du doute dans le délire paranoïde du patient. Le thérapeute lui posera alors des questions pour l'amener à réfléchir sur ses déductions délirantes et à en douter: "Pourquoi en êtes-vous venu à croire que tous ces gens se liguaient contre vous?". Ou bien un commentaire peut rétablir une vision moins persécutoire de la réalité: "Peut-être, qu'en fait, les gens ne riaient pas de vous dans la rue". Sans contredire les perceptions du patient, le thérapeute doit se situer comme un individu différent qui perçoit les événements sous un autre aspect et offre son opinion de façon respectueuse. Le patient en vient alors lui-même à douter de ses perceptions et déductions délirantes et à les critiquer.

Parfois le patient n'accepte aucunement de remettre en question ses convictions et, malgré une médication adéquate, le délire persiste. Le thérapeute peut alors tenter "d'encapsuler" le délire pour en restreindre les effets délétères sur la vie sociale du patient. Cette approche est particulièrement utile pour les délires mégalomaniaques. Ainsi le médecin pourra suggérer à son malade qui se prend pour le Christ: "Si vous voulez, nous discuterons de ce sujet quand vous viendrez me voir seulement; les gens autour de vous pourraient mal accepter que vous vous disiez le Christ".

De rares patients pourront bénéficier d'une psychothérapie plus approfondie. Les conditions suivantes doivent cependant être réunies avant d'aborder ce traitement: un thérapeute d'expérience prêt à s'engager dans une relation prolongée, un patient assez intelligent pour comprendre les interprétations, assez motivé pour se remettre en question et assez fort psychologiquement pour bénéficier de l'insight.

BIBLIOGRAPHIE

CAMERON, N. "The paranoid pseudo-community". *Amer. J. Sociology.* 1943, 49.

FREEDMAN, A., KAPLAN, H., SADOCK, B. *Comprehensive Textbook of Psychiatry.* Williams & Wilkins, 1976. Voir chapitre 10.4 à propos de Mélanie Klein et le chapitre 8.2 à propos de Erik Erikson.

FREUD, S. "Remarques psychanalytiques sur l'autobiographie d'un cas de paranoïa". *Revue française de psychanalyse.* 1932, 5 (1).

KAPLAN, H., SADOCK, B. "The status of the Paranoid Today". *Psychiatric Q.* 1971, 45-528.

WATZLAWICK, P. *La réalité de la réalité.* Ed. du Seuil, 1976.

CHAPITRE 12

LES MALADIES AFFECTIVES

Claude de Montigny

12.1 HISTORIQUE ET CLASSIFICATION

Même si l'on retrouve dans les plus vieux textes tels que l'Iliade, des descriptions très précises de "mélancoliques" ("ceux qui ont la bile noire" — thème peut-être repris par Freud dans sa théorie de l'introjection orale du mauvais objet (10)), ce n'est qu'avec Kraepelin en 1895 que se trouve définie comme entité psychopathologique, la psychose maniaco-dépressive. L'intérêt premier de son apport était la distinction qu'il faisait entre la psychose maniaco-dépressive et la schizophrénie. Il se basait essentiellement sur la différence de leur évolution à long terme: la première était définie comme épisodique avec *restitutio ad integrum* de la personnalité entre les épisodes tandis que la schizophrénie pouvait être identifiée par une détérioration progressive de la personnalité.

La diversité des syndromes dépressifs incitèrent les cliniciens à proposer divers systèmes de catégorisation dans le but de mieux cerner les entités psychopathologiques et de préciser les indications thérapeutiques. La plupart de ces classifications étaient diadiques. Bien que la majorité ne soit plus maintenant utilisée dans les formations diagnostiques, nous reverrons les principales classifications proposées, d'une part à cause de leur importance historique et, d'autre part, parce qu'elles permettent d'appréhender la diversité et la complexité des phénomènes dépressifs.

Avant d'aborder l'historique des classifications de la dépression, il serait opportun de s'interroger d'abord sur la notion même de classification. S'agit-il simplement de définir les regroupements de symptômes les plus fréquents? Ou ne serait-ce finalement qu'une façon de produire un "lexique" diagnostique qui permette aux médecins de se comprendre? En fait, tout effort valable de classification doit avant tout tenter de mieux définir et mieux délimiter une entité pathologique. On comprendra donc qu'un regroupement de symptômes dans un syndrome (qu'il s'agisse d'ailleurs de psychiatrie, de cardiologie ou de tout autre domaine médical) devrait être validé par plusieurs paramètres avant que sa valeur soit confirmée. Pour n'en nommer que les principaux, mentionnons: une évolution à long terme commune à ces patients, une réponse thérapeutique uniforme, des variations semblables de certains paramètres biologiques, un bagage génétique distinct. En somme, tout ce processus de validation ne vient que confirmer le fait que l'ensemble de symptômes regroupés originellement en un syndrome correspond réellement à une maladie identifiable et bien caractérisée. Évidemment, peu de systèmes de classification ont résisté à ce processus de validation. La distinction entre la dépression unipolaire et la dépression bipolaire proposée par Leonhard (21) est sûrement le meilleur exemple d'une validation extensive d'une identification nosologique basée purement sur une observation clinique, comme nous le verrons plus loin.

Une première distinction qui a reçu pendant de nombreuses années une large acceptation dans les milieux psychiatriques était celle entre la dépression névrotique et la dépression psychotique (souvent dites d'"intensité" psychotique ou névrotique). Cette notion se basait avant tout sur les notions psychanalytiques suggérant que les conflits inconscients responsables des symptômes dépressifs étaient différents. Cette dichotomie n'a pas été conservée comme telle dans le DSM III, principalement parce qu'elle est basée sur une interprétation des symptômes et également à cause de la contradiction sémantique qui survenait lorsque le diagnostic de dépression psychotique était donné à un patient présentant un syndrome dépressif sévère sans pourtant qu'il y ait véritable perte de contact avec la réalité. Dans le DSM III le terme psychotique n'apparaît que dans l'évaluation de la sévérité du syndrome dépressif et devient donc une définition de l'intensité du syndrome plutôt qu'une identification diagnostique.

Au début des années 70 le groupe de Robins et Feighner (9,27) a insisté sur l'importance de distinguer les dépressions secondaires et les dépressions primaires. Sans prétendre en faire des entités diagnostiques en soi, ils s'appuyaient sur le fait que les dépressions associées à d'autres pathologies physiques (par exemple, hypercorticisme), ou psychiatriques (par exemple, schizophrénie), c'est-à-dire les dépressions secondaires, ont des caractéristiques cliniques et surtout une évolution différente de celles des dépressions survenant chez des individus par ailleurs sains, c'est-à-dire les dépressions primaires.

Une autre distinction qui a longtemps occupé une place importante dans l'évaluation diagnostique est la dimension "endogène-réactionnelle". Elle était originellement basée sur la simple observation que la dépression de certains patients semble reliée à des stress affectifs tandis que chez d'autres, aucun facteur exogène ne paraît avoir précipité la maladie. Par la suite, on greffa plusieurs autres notions à cette dimension: on associa la dépression endogène à la présence de troubles végétatifs, on attribua aux patients présentant une dépression réactionnelle une personnalité prémorbide, normale, etc. Tant et si bien que la distinction endogène-réactionnelle acquit des significations multiples et souvent confuses. De plus, des analyses statistiques multidimensionnelles n'ont pas pu mettre en évidence de caractéristiques symptomatiques distinctes entre les patients chez qui aucun facteur précipitant ne pouvait être décelé et ceux dont la dépression semblait reliée à des stress psychosociaux. Qui plus est, leur réponse thérapeutique et leur évolution ne semblent pas pouvoir être distinguées. Pour toutes ces raisons, cette dimension tombe actuellement en désuétude et n'a pas été retenue par le DSM III.

D'autres classifications moins importantes ont aussi été utilisées par diverses écoles. Par exemple, on a opposé la dépression avec ralentissement psychomoteur à la dépression avec agitation, ou encore la dépression hostile à la dépression anxieuse. Cependant aucune n'a reçu de confirmation suffisante pour faire croire qu'elle définissait une entité pathologique distincte.

C'est Leonhard (21) qui fut le premier à proposer une distinction entre les troubles affectifs bipolaires et la dépression unipolaire. Un patient est défini comme un déprimé bipolaire s'il a présenté au moins un épisode maniaque dans le passé, par opposition avec l'unipolaire qui ne fait que des épisodes dépressifs. C'est la distinction qui a reçu le plus de support jusqu'à maintenant. En effet les données cliniques neurobiologiques et génétiques concordent assez bien pour suggérer qu'il s'agit bien là de deux entités pathologiques différentes. On a d'ailleurs rapporté que la réponse thérapeutique des patients bipolaires aux antidépresseurs tricycliques était différente de celle des patients unipolaires (voir page 310). Cette dimension unipolaire-bipolaire a été intégralement retenue par les auteurs du DSM III.

D'autres distinctions basées sur les paramètres neurobiologiques (voir section 12.4.3) ou sur la réponse pharmacologique (par exemple à l'amphétamine) ont suscité beaucoup d'intérêt chez les chercheurs, mais n'ont encore qu'un impact limité sur la pratique psychiatrique à cause de l'impossibilité actuelle d'appliquer sur une large échelle les tests cliniques qui permettent l'établissement de ces distinctions.

Le DSM III propose la classification suivante des maladies affectives:

MALADIES AFFECTIVES MAJEURES

L'état actuel du patient est codifié avec un cinquième chiffre (X):

Dépression: 6: en rémission
4: avec symptômes psychotiques
3: avec mélancolie
2: sans mélancolie
0: non spécifié

Manie   : 6: en rémission
4: avec symptômes psychotiques
2: sans symptômes psychotiques
0: non spécifié

Maladie bipolaire

296.6 x mixte
296.4 x maniaque
296.5 x dépressive

Dépression majeure

296.2 x épisode unique
296.3 x récurrente

AUTRES MALADIES AFFECTIVES SPÉCIFIQUES

301.13:   Maladie cyclothymique
300.40:   Maladie dysthymique (ou dépression névrotique)

MALADIES AFFECTIVES ATYPIQUES

296.70:   Maladie bipolaire atypique
296.82:   Dépression atypique

En somme, si l'on fait abstraction du troisième groupe, celui des maladies affectives atypiques, qui n'est en fait qu'un groupe résiduel, deux dimensions sont à la base de cette classification: la sévérité d'une part et la présence ou l'absence d'épisode maniaque d'autre part. Il est important de se rendre compte que dans le DSM III, la sévérité est utilisée à double escient: d'abord la sévérité est une variable diagnostique en ce sens qu'une dépression doit être sévère pour répondre aux critères diagnostiques d'inclusion de la dépression majeure; d'autre part, une fois la catégorie diagnostique établie, l'état actuel du patient est évalué sur l'échelle d'intensité où entrent en ligne de compte la présence ou l'absence de symptômes psychotiques ou mélancoliques. Une dépression sévère sera identifiée comme une dépression bipolaire si le patient a déjà présenté au moins un épisode maniaque et comme une dépression majeure unipolaire en l'absence d'une telle histoire. Au contraire une dépression moins sévère (ne rencontrant pas les critères d'inclusion du DSM III pour la dépression majeure) sera identifiée comme une maladie affective cyclothymique ou dysthymique selon la présence ou l'absence d'oscillations de l'humeur. Dans le but de faciliter le passage du DSM II au DSM III, l'ancien terme "dépression névrotique" a été rajouté (entre parenthèses) au nouveau diagnostic de maladie dysthymique. Il est à souligner que pour les maladies affectives les numéros de codification utilisés dans le DSM III sont les mêmes que ceux du CIM 9.

Quant à la manie elle-même, étant donné l'homogénéité beaucoup plus remarquable du tableau clinique, elle n'a jamais fait l'objet de polémiques aussi intenses que la dépression. On s'accorde à dire que la très grande majorité des épisodes maniaques surviennent chez des patients bipolaires. L'on croit que les rares cas de manie unipolaire rapportés correspondent soit à des patients jeunes bipolaires qui n'ont pas encore présenté d'épisode dépressif mais en présenteront dans l'avenir, soit à des patients bipolaires qui, probablement à cause d'une intensité moindre des symptômes, n'ont jamais consulté au cours des épisodes dépressifs survenant entre leurs bouffées maniaques plus sévères. Bien que l'on ne puisse pas considérer la polémique de l'existence ou non de la manie unipolaire comme close, les auteurs du DSM III ont préféré ne pas en faire une catégorie diagnostique à cause de l'incertitude qui règne à son endroit.

12.2 INCIDENCE ET ÉPIDÉMIOLOGIE

On comprendra que les multiples divergences sur les critères diagnostiques ont rendu difficile toute évaluation précise de l'incidence des maladies affectives et peuvent expliquer les écarts importants dans les résultats des premières études, basées surtout sur les diagnostics d'admission en milieu psychiatrique.

Des études épidémiologiques récentes utilisant des critères rigoureux situent entre 3 et 4% le taux courant de la population souffrant à un moment donné d'une dépression majeure (34,35). Une prévalence de 18 à 23% pour les femmes et de 8 à 11% pour les hommes est rapportée. Constatation à première vue surprenante, le taux courant de dépression mineure est significativement inférieur (2 à 3%) à celui des dépressions majeures. La prévalence de la maladie affective bipolaire (0.5 à 1.5%) est de beaucoup inférieure à celle de la dépression majeure. Les épisodes maniaques et dépressifs semblent être distribués à peu près également chez ces patients et, contrastant avec la dépression majeure unipolaire, la maladie affective bipolaire n'est pas plus fréquente chez la femme que chez l'homme. La prévalence de la manie unique ou récurrente (non bipolaire) n'est pas connue mais, on l'a déjà mentionné, elle est sûrement de plusieurs fois inférieure à celle de la maladie affective bipolaire.

La maladie affective bipolaire débute typiquement vers l'âge de 30 ans le plus souvent d'ailleurs par un épisode maniaque. Au contraire, le premier épisode de dépression unipolaire survient à des âges très variables. On a rapporté que la sévérité des épisodes s'accroît avec l'âge. On estime qu'approximativement 50% des individus qui ont un épisode dépressif majeur auront au moins un autre épisode ultérieurement. Tel que l'avait si justement observé Kraepelin, dans la grande majorité des cas il y a récupération complète au niveau du fonctionnement prémorbide pendant les périodes de rémission. Environ 20% seulement des cas montrent une détérioration chronique de leur fonctionnement. Il y aurait apparemment une corrélation entre la fréquence des épisodes et le risque de chronicité.

12.3 SYMPTOMATOLOGIE

12.3.1 Dépression

Le phénomène dépressif est identifié comme tel à cause de la prédominance d'un trouble de l'humeur mais ne se limite pas uniquement à cette sphère. Au contraire, chez le déprimé sévère, on décèlera presque toujours une atteinte d'autres fonctions, telles que la fonction cognitive, la vie neuro-végétative, le système moteur, etc.

Le point commun à presque tous les déprimés est la **tristesse**. Certains patients l'expliquent par des expériences malheureuses; d'autres au contraire reconnaissent qu'aucun facteur existentiel ne peut justifier la tristesse ressentie. On voit trop peu souvent faite la distinction entre la tristesse et la **douleur morale**. Pourtant il n'est pas rare de rencontrer des patients chez qui cette dernière prédomine sur la tristesse. De façon générale, la tristesse (tendance à pleurer) prédomine dans la dépression mineure tandis que chez le déprimé majeur la douleur morale qui se traduit toujours par un faciès souffrant (et non triste) est souvent plus importante que la tristesse. Un patient pourra dire par exemple: "Ce n'est pas tellement que je me sente triste, mais c'est que ça fait mal en dedans". L'intensité de la douleur morale varie beaucoup, allant d'une simple diminution de la "joie de vivre" à un sentiment intolérable qui fera voir la mort au déprimé comme le seul soulagement possible.

Une réduction de la **capacité de jouir** de la vie est caractéristique de la dépression et pourra quelquefois être le principal symptôme présenté. Le déprimé "majeur" en sera particulièrement affecté. Ainsi le déprimé "mineur" verra son humeur s'améliorer quand il se retrouvera par exemple en vacances dans une atmosphère chaleureuse, tandis qu'au contraire le déprimé sévère souffrira encore plus dans un tel contexte étant confronté avec son incapacité à participer au plaisir de son entourage.

L'atteinte de l'humeur s'accompagne souvent dans la dépression majeure d'un sentiment de **culpabilité** qui peut être plus ou moins en accord avec la réalité selon son intensité. Ainsi, on comprendra le sentiment de culpabilité de la mère qui, affectée par sa dépression, ne peut répondre aux attentes de ses enfants tandis que la nature psychotique ou délirante de la culpabilité sera évidente chez le patient qui dit mériter la mort parce qu'il n'a pas déclaré à l'impôt un revenu de quelques centaines de dollars quelques années auparavant. Par contre, il est rare de retrouver un sentiment de culpabilité sévère dans la dépression mineure. Bien au contraire, il y a souvent une agressivité vis-à-vis l'entourage manifestée par des reproches divers ("si mon mari s'occupait au moins des enfants, je ne serais pas déprimée comme je suis").

Tous les déprimés rapportent une réduction de leur **énergie**. Celle-ci pourra plus facilement être documentée en se basant sur leur niveau de fonctionnement antérieur. Un patient dira par exemple: "Il m'est maintenant difficile de faire la moitié du travail que j'abattais pourtant sans effort il y a trois mois".

Cette difficulté à vivre le moment présent est fréquemment amplifiée par une **appréhension** excessive de l'avenir. L'expression consacrée est "je me fais une montagne avec un rien". Souvent chez les personnes âgées cette appréhension aura un thème financier. Bien que conscient de posséder un avoir raisonnable, le vieillard déprimé n'en sera pas moins constamment obsédé par la peur de manquer d'argent. D'autres symptômes de type obsessionnel peuvent aussi apparaître pendant une dépression: vérification constante des actes accomplis (qu'il a bien verrouillé la porte, par exemple) ou encore le besoin de se conformer à certains rituels (se brosser les dents à toutes les heures).

D'autres symptômes, qui ne sont pas strictement de lignée dépressive, peuvent se greffer sur le tableau dépressif de base. Un délire franc de persécution (par exemple, certitude d'être empoisonné par les voisins) ou même des hallucinations auditives pourront faire croire de prime abord à une schizophrénie. Dans de tels cas, l'application stricte des critères opérationnels du DSM III est importante: les délires ou hallucinations doivent être reliés à la dépression par leur contenu ("les voix me disent que j'ai raté ma vie" ou "on veut me faire disparaître parce que je suis un poids pour la société") et par leur décours temporel, c'est-à-dire avoir débuté après l'émergence des premiers symptômes dépressifs et ne pas persister avec l'amélioration de l'humeur. D'un point de vue phénoménologique, il est intéressant de constater que dans la dépression, les délires de persécution les plus intenses ne s'accompagnent jamais d'une perception des persécuteurs comme mus par de mauvaises intentions. Au contraire, la cause de la persécution réside toujours dans le sujet. Ainsi une patiente prétendait qu'on voulait la pendre parce qu'elle était nauséabonde. En termes interprétatifs, le "mal" n'est pas à l'extérieur mais bien à l'intérieur du sujet.

Parmi les **symptômes neuro-végétatifs** fréquemment associés à la dépression figurent d'abord les altérations du sommeil et de l'appétit. L'insomnie matinale se rencontre surtout dans la dépression majeure tandis que dans les dépressions mineures on pourra avoir aussi bien une hypersomnie qu'une insomnie initiale. Une diminution de l'appétit est concomitante à presque toutes les dépressions sévères: elle sera rapportée tantôt comme une perte du plaisir de manger et tantôt comme un dégoût et même une aversion pour tout aliment. En ce qui a trait à la vie sexuelle du déprimé, on croit trop souvent qu'une diminution se retrouve chez tous les patients. En fait ceci est vrai pour les hommes mais non pour les femmes. En effet chez beaucoup d'entre elles, il y a une augmentation de l'appétit sexuel qui contraste avec la diminution des autres appétits.

L'atteinte de la **sphère cognitive** passe trop souvent inaperçue chez le déprimé probablement en raison de la proéminence des troubles affectifs. Le patient lui-même ne rapportera pas son expérience subjective de cette atteinte s'il n'est pas questionné à ce sujet étant surtout préoccupé par sa douleur morale. Cependant à l'examen attentif, il s'avère souvent que le patient déprimé, surtout s'il s'agit d'une dépression majeure, présente un déficit important de la concentration, une capacité d'abstraction réduite et des troubles de la mémoire. Le patient lui-même pourra rapporter avoir beaucoup plus de difficulté à accomplir un travail intellectuel qu'auparavant. Les déficits peuvent être si importants, surtout chez le vieillard, qu'ils peuvent faussement suggérer la présence d'un phénomène organique. Effectivement, alors que ces anomalies étaient moins connues dans le passé, plusieurs déprimés âgés ont reçu le diagnostic de démence sénile.

Chez la grande majorité des déprimés majeurs la **motricité** sera réduite. Le débit verbal est plus lent et la démarche ralentie. L'activité gestuelle accompagnant le langage et la mimique faciale sont réduites. C'est le tableau correspondant à l'ancienne appellation de "dépression ralentie". Pour ce qui est du cas plus rare des déprimés "agités", il ne s'agit pas d'une augmentation de l'activité motrice morale mais bien d'une agitation se manifestant par des mouvements répétitifs incessants (le malade ne cessant pendant l'entrevue, par exemple, d'enlever et de remettre son chandail, de se frotter la tête avec les mains ou de se triturer les doigts). Chez aucun de ces malades il n'y a, comme c'est souvent le cas dans la manie, une augmentation de leur activité. Bien au contraire, autant que pour le déprimé ralenti, le rendement du patient agité sera grandement réduit.

12.3.2   La manie

L'attribut qui caractérise le mieux le patient en phase maniaque est **l'expansivité**. Tout d'abord il est presque toujours d'humeur enjouée sinon exubérante mais également instable. En effet, il est facilement contrarié et réagit alors violemment. La rapidité avec laquelle l'humeur d'un patient en phase maniaque varie est quelquefois incroyable: en l'espace de quelques secondes, il passera d'une exubérance débordante en parlant de ses capacités exceptionnelles à des pleurs incoercibles en se rappelant la bonté de sa mère défunte, pour rire à nouveau en vous racontant ses projets. C'est une vue longitudinale du patient qui permet souvent d'établir le diagnostic. Ainsi l'état hypomaniaque d'un patient de belle humeur qui se lie d'amitié rapidement avec son entourage, parle abondamment et apparaît très sûr de lui sera plus facilement identifié s'il appert que ce même individu est normalement plutôt réservé, peu loquace et de nature timide.

En plus de l'humeur, c'est toute **l'activité** du patient en phase maniaque qui sera modifiée. Il semble infatigable: en phase hypomaniaque sa productivité pourra effectivement s'en trouver accrue mais en phase maniaque franche, son rendement est invariablement diminué puisque son jugement est moins sûr et que son activité est désorganisée. Il deviendra évident à ce stade que le patient présente d'ailleurs des **troubles de la pensée:** fuite des idées, difficultés de concentration, associations d'idées par assonances, etc. Son expansivité deviendra alors démesurée et il pourra par exemple dilapider une fortune en quelques jours. Le patient maniaque se plaindra rarement d'insomnie. Bien au contraire, il sera heureux de rapporter que quelques heures de sommeil lui suffisent.

Comme dans la dépression majeure, d'autres symptômes psychiatriques non spécifiques peuvent se greffer au tableau maniaque. Les délires de grandeur sont les plus fréquents mais il serait erroné de croire qu'il s'agit d'une indication pathognomonique de manie. Au contraire, plusieurs schizophrènes présentent ce type de délire tandis que de nombreux maniaques, quoique se surestimant, n'iront pas jusqu'au délire. Des délires paranoïdes et des hallucinations auditives et même visuelles ne sont pas rares dans la manie.

En somme, la triade **exubérance, logorrhée** et **hyperactivité** est plus caractéristique d'un processus maniaque que n'importe quel autre symptôme psychotique.

12.4 ÉTIOLOGIE

Trop souvent on voit opposer de façon dualiste les aspects psychodynamiques et neurobiologiques de la dépression. Bien que compréhensible dans le contexte de notre histoire de dualité cartésienne corps-esprit, une telle opposition n'est pas justifiable puisque ces deux aspects ne sont pas mutuellement exclusifs, mais au contraire interagissent. A titre d'illustration purement hypothétique, on pourrait très bien imaginer que l'anomalie transmise génétiquement d'un récepteur membranaire neuronal résulte en une difficulté à contrôler les pulsions agressives spontanées ou provoquées par des stress psychosociaux. Elle pourrait induire ainsi par des processus psychodynamiques une dépression clinique. Il est évidemment encore beaucoup trop tôt pour risquer quelque formulation sur une telle articulation neuropsychologique. L'important est d'éviter le confinement à une seule avenue alors qu'il est possible et même probable, comme cela s'est récemment produit pour la maladie coronarienne, qu'une compréhension satisfaisante de l'étiologie de la dépression ne voit le jour qu'au moment seulement où l'interaction de plusieurs facteurs aura été clarifiée.

12.4.1 Etudes génétiques

La transmission héréditaire de la psychose maniaco-dépressive fut postulée dès sa première description comme entité pathologique par Kraepelin en 1895. Il avait observé en effet des ''tendances dépressives'' chez 36% des parents de ses patients maniaco-dépressifs. La première préoccupation des généticiens est de distinguer les facteurs environnementaux (influence du milieu) des facteurs génétiques (influence de l'hérédité) dans la genèse d'une pathologie. Les deux principales approches utilisées pour isoler les facteurs génétiques sont: 1) la comparaison de jumeaux monozygotes et dizygotes et 2) la comparaison de parents biologiques et de parents adoptifs de patients maniaco-dépressifs adoptés en bas âge. On comprendra, vu les limitations extrêmes de l'échantillonnage imposées par ces approches que peu d'études aient été entreprises. L'étude de Kallman (17) avec les jumeaux mono- et dizygotes conclue à une incidence plus élevée de la psychose maniaco-dépressive chez le jumeau monozygote d'un patient maniaco-dépressif (66-96%) que chez le jumeau dizygote (20-25%). De même, plus récemment, une étude d'adoption menée en Belgique conclue à la présence d'un facteur génétique dans l'étiologie de la psychose maniaco-dépressive (22). Bien qu'on ait formulé des hypothèses quant au type de transmission génétique (gène unique dominant avec pénétrance incomplète, selon Kallman (17), gène situé sur le bras court du chromosome X à proximité du gène responsable du daltonisme selon Winokur (36); etc.) , le peu de données actuellement disponibles n'autorise pas encore de conclusions valides quant à la localisation, le mode de transmission et la pénétrance du défaut génétique. Quant à la nature de l'anomalie biologique transmise, les hypothèses les plus diverses furent proposées allant d'une "faiblesse du moi" à une dysfonction diencéphalique. Il est évidemment prématuré de s'aventurer dans cette avenue puisque, tel qu'exposé dans la prochaine section, les anomalies neurobiologiques du déprimé n'ont même pas encore été identifiées avec un degré de certitude satisfaisant.

Certaines études suggèrent une transmission génétique indépendante pour la dépression unipolaire et la maladie affective bipolaire (32), mais d'autres au contraire retrouvent dans la famille des déprimés un "spectre affectif" allant de la personnalité cyclothymique à la schizophrénie schizo-affective (24).

12.4.2   Théories psychanalytiques

Depuis les premières élaborations d'Abraham en 1911 (2) jusqu'aux plus récentes théories des psychologues du moi , d'innombrables formulations se sont succédé tentant d'expliquer la dépression par des traumatismes ou carences infantiles, par des conflits entre les instances inconscientes, par des fixations à des stades de développement précoces ou encore par l'hypertrophie de certains mécanismes de défense primitifs. Une revue tant soit peu exhaustive de la question dépasserait le cadre du présent chapitre à cause de sa complexité. Le lecteur intéressé est référé à la revue concise de Robertson (26) des principales contributions de l'école psychanalytique.

En dépit des divergences d'opinion sur les mécanismes fondamentaux entre les écoles analytiques, il est remarquable de retrouver de façon assez constante chez la plupart d'entre elles la notion centrale d'agressivité détournée de son objet. Abraham (2) et Freud (10) avaient déjà au début du siècle insisté sur le fait que certaines autocritiques exprimées par le patient déprimé paraissaient mieux s'appliquer à des personnes de l'entourage du patient qu'au patient lui-même. Klein (19) a, par exemple, repris à sa manière cette notion en soulignant l'incapacité du déprimé à assumer la rage ressentie vis-à-vis l'objet pourtant aimé.

Cette notion a conduit plusieurs psychothérapeutes à recommander l'exploration dans le cadre du transfert de l'agressivité inexprimée du patient déprimé. Malheureusement la valeur de l'approche psychothérapeutique se prête mal à une évaluation systématique, trop de facteurs entrant en ligne de compte. Cependant, on s'accorde à dire que, règle générale, les dépressions mineures répondent favorablement à l'établissement d'une relation thérapeutique. A l'inverse, l'approche psychothérapeutique de la dépression majeure ou de la maladie bipolaire ne semble pas modifier le cours de la maladie de façon significative. On a même rapporté que l'aide psychothérapeutique la plus profitable pouvait être le support du conjoint pendant l'épisode dépressif du patient.

12.4.3 Paramètres neurobiologiques

C'est le caractère endogène (c'est-à-dire sans facteur précipitant évident) des phénomènes dépressifs majeurs et maniaques qui a depuis toujours suggéré la présence d'une altération biologique dans la psychose maniaco-dépressive. Freud lui-même, à la suite d'Hippocrate et de Kraepelin, supposait l'existence d'une anomalie biologique dont la mise en lumière fournirait une base biologique à sa formulation dynamique.

Anomalies électrolytiques

Les premières investigations biologiques de la psychose maniaco-dépressive tentèrent de mettre en évidence une anomalie de la distribution des ions dans les compartiments intra et extra-cellulaires. Bien que la découverte de l'efficacité thérapeutique du lithium ait récemment donné une nouvelle impulsion à cette orientation (22), aucune évidence définitive ne supporte la notion qu'une altération de la balance ionique puisse être responsable du phénomène dépressif.

Investigations neuroendocriniennes

L'endocrinologie fut le second cheval de bataille des chercheurs intéressés à la biologie de la dépression. Cette fois des observations plus consistantes furent rapportées: les premiers rapports de Gibbons (11) d'une élévation des corticostéroïdes chez les déprimés furent confirmés par d'autres investigateurs. On a pu établir qu'il existait chez le déprimé une anomalie de l'inhibition circadienne de la sécrétion d'ACTH. Cependant on a suggéré que les niveaux anormaux de cortisol plasmatique soient liés plutôt au degré d'anxiété et de désorganisation qu'au trouble de l'humeur lui-même. De plus, il n'est pas certain que le cortisol rachidien soit élevé et même on a rapporté une concentration diminuée de cortisol dans les cerveaux de suicidés (5).

Les autres efforts des psychoneuroendocrinologistes n'ont pas produit des résultats aussi encourageants. Les niveaux basaux d'hormone de croissance sont normaux chez les déprimés. La réponse de l'hormone de croissance à une hypoglycémie provoquée par l'administration d'insuline est réduite chez certains déprimés (15) mais la signification n'en est pas encore claire. Les premiers rapports sur l'effet de la L-Dopa rapportaient une diminution de la réponse de l'hormone de croissance chez les unipolaires seulement. Mais plus tard, on se rendit compte que cette différence était entièrement explicable par une distribution inégale des sexes et des différences d'âge entre les groupes d'uni- et de bipolaires (28). Une équipe japonaise a décrit une diminution marquée de la réponse de l'hormone de croissance au L-5-hydroxytryptophane, un précurseur de la sérotonine, chez le déprimé (31). Bien que hautement intéressant, on doit attendre une confirmation de ce phénomène par d'autres laboratoires avant de conclure.

Les hypothèses monoaminergiques

C'est à partir d'observations pharmacologiques cliniques que furent formulées les hypothèses monoaminergiques de la dépression, il y a maintenant plus de dix ans. En premier lieu on avait rapporté des dépressions provoquées par la réserpine, un dépléteur monoaminergique, chez des hypertendus. En second, les deux types de substances s'avérant efficaces dans le traitement de la dépression, les antidépresseurs tricycliques et les inhibiteurs de la monoamine oxidase, avaient en commun la propriété d'augmenter l'efficacité des systèmes monoaminergiques: les premiers, en bloquant la recaptation au niveau des terminaisons synaptiques et les seconds, en diminuant le catabolisme des amines biogènes.

C'est sur la base de ces observations que Schildkraut aux Etats-Unis (29) et Coppen en Angleterre (6) formulaient leur hypothèse monoaminergique. Le premier postulait une diminution de l'efficacité de la transmission synaptique noradrénergique dans la dépression et une augmentation dans la manie. Selon le même schéma, Coppen posait l'hypothèse que le système sérotoninergique central était responsable des manifestations dépressives et maniaques de la psychose maniaco-dépressive.

La première orientation que prirent les investigateurs fut de tenter de déceler une anomalie présynaptique, c'est-à-dire dans les systèmes monoaminergiques eux-mêmes. Ces travaux conduisirent à des résultats souvent contradictoires: l'un rapportait une diminution du métabolite principal de la sérotonine, le 5-HIAA (l'acide 5-hydroxy-indol-acétique) dans le liquide céphalo-rachidien des déprimés et l'autre ne pouvait mettre en évidence de différence relativement aux valeurs d'un groupe contrôle. Les mêmes résultats contradictoires furent rapportés concernant les métabolites de la norépinéphrine dans le liquide céphalo-rachidien. On a tenté de réconcilier certains de ces résultats en faisant entrer en ligne de compte des facteurs techniques (utilisation ou non de probénécide, Bénémid® , critères d'inclusion différents, époques différentes dans l'évolution de la maladie, etc.) mais sans grand succès. Les seules conclusions que permet de tirer l'ensemble de ces travaux sont les suivantes:

1) Le métabolite principal de la sérotonine, le 5-HIAA (acide 5-hydroxyindoleacétique), semble diminué dans le liquide céphalo-rachidien d'un sous-groupe de déprimés qui ne peuvent cependant pas être distingué cliniquement des patients avec un 5-HIAA normal (12).

2) Le métabolite principal de la norépinéphrine centrale, le MHPG (3-méthoxy-4-hydroxy-phényl-éthylène glycol) est diminué dans l'urine d'un sous-groupe de déprimés qui ne sont pas non plus symptomatologiquement distincts des déprimés avec un MHPG normal (13). Il est à noter qu'il n'a pas été établi que les déprimés avec un MHPG abaissé étaient plus susceptibles d'avoir un 5-HIAA diminué et vice versa.

3) Ces deux anomalies ne semblent pas être directement liées à l'état clinique puisqu'elles ne se corrigent pas au cours de la rémission spontanée ou thérapeutique (12).

4) Les métabolites de la norépinéphrine et de la sérotonine ne sont pas anormalement élevés dans la manie (12).

Il est important d'insister sur le fait que ces observations, si elles ont failli dans la tâche d'apporter une confirmation satisfaisante des hypothèses originales, ne les réfutent cependant pas pour autant. Une réfutation définitive serait d'ailleurs difficile à concevoir puisque ces hypothèses postulent une diminution de l'**efficacité** de ces systèmes dans des **régions** cérébrales responsables du contrôle de l'affect. Donc, d'une part, chez l'homme il est actuellement impossible de mesurer le *turn-over* réel des amines et encore moins leur efficacité et, d'autre part, les régions cérébrales en cause dans le contrôle de l'humeur ne sont pas encore bien identifiées. Et même si elles l'étaient, nous ne disposons pas de techniques permettant de rechercher l'efficacité ou le métabolisme régional des monoamines chez l'homme, sauf pour certaines fonctions neuroendocriniennes de l'hypothalamus sous le contrôle des systèmes monoaminergiques.

L'échec relatif des efforts déployés en vue de déceler une anomalie présynaptique suscita une réorientation de la recherche vers les récepteurs aminergiques postsynaptiques. Nous avons déjà mentionné à ce chapitre l'utilisation du paradigme neuroendocrinien. Une autre approche utilisée fut l'étude des effets postsynaptiques de substances thérapeutiques. Le groupe de Sulzer a mis en évidence, en utilisant une méthode biochimique **in vitro**, une diminution de l'efficacité de la norépinéphrine au niveau du système limbique prosencéphalique par l'administration chronique d'antidépresseurs (33). Cette observation l'a conduit à énoncer une hypothèse inverse à celle originellement formulée par Schildkraut, soit une efficacité anormalement élevée du système noradrénergique dans la dépression, possiblement due à une hypersensibilité du récepteur postsynaptique. Par ailleurs, nous avons pu déceler électrophysiologiquement **in vivo** une sensibilisation du récepteur prosencéphalique sérotoninergique par l'administration chronique d'antidépresseurs (7). Cette dernière observation concorde avec l'abolition de la rémission thérapeutique pharmacologique par la parachlorophénylalanine (un inhibiteur de la synthèse de la sérotonine) rapporté par Shopsin et coll. (30). Tout aussi récemment Kanof et Greengaard rapportaient le bloc de récepteurs histaminergiques H_2 par les antidépresseurs (18). Bien que ces trois nouvelles hypothèses ouvrent de nouvelles voies, il convient de rappeler que de telles évidences pharmacologiques sont toujours indirectes. En d'autres termes, même s'il était démontré que les antidépresseurs exercent leur effet clinique via un système donné, l'on ne pourrait pas pour autant conclure à une anomalie de ce même système dans la dépression.

12.5 APPROCHES THÉRAPEUTIQUES

12.5.1 Dépression

La décision thérapeutique ne peut être prise qu'après l'identification de la nature du processus dépressif en cause. En tout premier lieu, il s'agit d'établir si la dépression est primaire ou secondaire. Dans le cas d'une dépression secondaire, c'est la condition initiale qu'il faudra traiter. Ainsi c'est la schizophrénie qui devra d'abord être traitée avec un neuroleptique chez un schizophrène qui manifeste des symptômes dépressifs.

De même la patiente hypothyroïdienne déprimée devrait être traitée d'abord pour sa condition endocrinienne. Le plus souvent le phénomène dépressif surimposé s'améliorera aussitôt que la pathologie de base sera contrôlée. Dans le même esprit, si une dépression pharmacologique est soupçonnée chez un malade traité aux antihypertenseurs (réserpine), le régime thérapeutique doit être modifié et l'évolution observée pour une période assez longue avant que toute mesure thérapeutique antidépressive ne soit envisagée.

S'il s'agit d'une dépression primaire, il faut déterminer ensuite le caractère pathologique ou normal du syndrome dépressif. En effet, une dépression de brève durée, même sévère, survenant après la perte d'un être cher ne sera pas considérée comme pathologique. Sans aucune intervention thérapeutique, le sujet récupérera spontanément son état antérieur. Si une aide psychothérapeutique de support peut être jugée utile pour faciliter le travail de deuil dans certains cas, il est tout à fait contre-indiqué de commencer un traitement pharmacologique à long terme.

Dans le cas de dépressions primaires pathologiques, la première distinction à établir est celle entre une dépression majeure (maladie affective majeure selon le DSM III) et une dépression mineure (autres maladies affectives spécifiques ou maladies affectives atypiques selon le DSM III). En effet, la réponse thérapeutique de ces deux catégories diffère radicalement. Nous avons vu plus haut quelques points de repères cliniques qui permettent d'établir la distinction. De plus, le manuel du DSM III facilite la tâche du clinicien en fournissant une liste claire et détaillée des critères d'inclusion et d'exclusion. Cependant il ne faut pas perdre de vue que, quelle que soit la clarté et la précision des critères donnés, c'est en dernier ressort l'expérience et le jugement du clinicien qui assure la qualité du diagnostic.

A) La dépression mineure

L'intervention psychothérapeutique

Il est toujours plus satisfaisant de pouvoir déterminer avec un certain degré de certitude l'effet des mesures thérapeutiques adoptées. Ceci s'applique aussi bien au chercheur qui étudie un médicament nouveau qu'au clinicien dans sa pratique quotidienne. Appliquant ce principe à la dépression mineure, il est préférable dans la majorité des cas de limiter au moins initialement l'intervention thérapeutique à l'établissement d'une relation psychothérapeutique. En effet, la plupart des dépressions mineures répondent favorablement au support apporté par le thérapeute. Tel que nous le mentionnons plus haut une fois un transfert positif établi, c'est souvent l'interprétation (ou la mise à jour) des pulsions agressives dans le cadre du contexte transférentiel qui portera fruit. Kohut a posé l'hypothèse que dans un premier temps, la blessure narcissique associée à la dépression soit rendue moins cuisante par l'identification au thérapeute admiré ou encore par l'appropriation (d'où l'expression ''mon'' docteur) du ''bon'' thérapeute (20). Ce serait seulement une fois cette douleur calmée, grâce au support transférentiel, que les pulsions agressives pourraient être assumées.

Quoiqu'il en soit, le recours immédiat à un anxiolytique ne se justifie que dans de rares cas où l'anxiété atteint un niveau intolérable. D'ailleurs, il faut bien réaliser que même si le patient peut manifester un certain dépit devant le refus du médecin à lui prescrire une médication sédative, il perçoit souvent le recours immédiat aux anxiolytiques comme une forme de rejet (''il préfère me donner des pilules plutôt que de m'écouter'') ou encore comme une indication du manque de confiance du thérapeute dans l'efficacité de la relation thérapeutique.

Anxiolytiques

L'utilisation d'un anxiolytique sera indiquée quand la relation thérapeutique ne parvient pas à réduire à elle seule l'anxiété à un niveau tolérable. Elle devra de toute façon toujours être transitoire à cause de la tolérance qui peut se produire avec tous les types d'anxiolytiques. Le thérapeute qui prescrit un anxiolytique doit être également attentif à la possibilité d'une aggravation du syndrome dépressif par celui-ci. Ce phénomène semble se produire plus souvent chez les patients qualifiés dans la terminologie américaine de ''doers'' (c'est-à-dire ceux qui tirent leur satisfaction de leurs accomplissements immédiats). Ces patients voient le rendement de leur activité diminuer à cause de l'effet sédatif de l'anxiolytique. Il est possible également que certaines actions centrales des anxiolytiques, en particulier sur les systèmes monoaminergiques, puissent contribuer à l'aggravation des symptômes dépressifs quelquefois observée. Chose qui ne peut pas être faite avec d'autres médicaments psychotropes, tels que les antidépresseurs et les antipsychotiques. Il est recommandable dans le cas des anxiolytiques d'expliquer au patient qu'il devrait lui-même en limiter au minimum sa consommation. Non seulement cette façon de procéder est-elle pharmacologiquement valable, mais elle favorise une participation plus active du patient à son traitement.

Finalement mentionnons que des doses élevées d'anxiolytiques ne doivent jamais être employées. En effet, la relation dose-effet n'est pas linéaire. Il est par exemple bien démontré que certaines benzodiazépines peuvent, à doses élevées, provoquer une réaction paradoxale et précipiter un épisode de panique.

Les antidépresseurs tricycliques

L'emploi d'antidépresseurs tricycliques dans la dépression mineure ne devrait être considéré que si la réponse à la relation thérapeutique s'est avérée insatisfaisante. Il est en effet maintenant généralement reconnu que l'efficacité des tricycliques dans ce type de dépression est à peine supérieure à celle du placebo. Il est donc regrettable que de nombreux patients de cette catégorie se voient prescrire à leur première consultation ce type de médicaments non dépourvus d'effets secondaires sérieux et possiblement léthaux à dose massive. Quant aux types d'antidépresseurs indiqués, aux doses et à la durée du traitement, les grands principes sont similaires à ceux de leur usage dans la dépression majeure. Il convient en terminant de mentionner qu'une bonne réponse aux antidépresseurs devrait toujours amener le clinicien à réexaminer son diagnostic pour s'assurer qu'il ne s'agit pas d'une dépression majeure.

B)   Dépression majeure

Le risque suicidaire

Le premier facteur à considérer pour juger la nécessité d'hospitaliser un déprimé est le risque suicidaire. Des échelles d'évaluation ont été spécialement conçues pour l'évaluation du risque suicidaire mais il est généralement possible au clinicien d'évaluer avec une assez bonne précision l'ampleur du risque. Quatre facteurs sont fondamentaux: 1) la dimension espoir-désespoir: plus le patient s'avère persuadé que son état est irrémédiable plus le risque est grand; 2) intensité du sentiment de culpabilité: le patient qui présente un délire de culpabilité doit être considéré comme un haut risque suicidaire; 3) l'expression de désir ou d'idées suicidaires ou une histoire suicidaire lors d'épisodes antérieurs accroissent le risque suicidaire; 4) l'absence d'un support familial ou social adéquat augmente la probabilité d'un geste suicidaire (voir section 17.6).

En prenant sa décision le clinicien doit tenir compte du fait que même avec le début immédiat du traitement aux antidépresseurs tricycliques, il est peu probable qu'une amélioration appréciable survienne en deçà de deux semaines. Il est d'ailleurs important, advenant que le thérapeute opte pour un traitement externe, qu'il informe le patient et sa famille de ce délai thérapeutique en vue de prévenir une réaction de désespoir du patient qui voit son état inchangé après une semaine ou dix jours de traitement.

Sismothérapie (voir chapitre 30)

La controverse qu'ont toujours suscitée les électrochocs n'est pas éteinte mais n'a plus la virulence d'antan. L'efficacité de la thérapie électroconvulsive est en effet maintenant généralement reconnue comme en fait foi par exemple un récent rapport exhaustif du Royal College of Psychiatrists (1). On croit même que son efficacité est supérieure à celle de toute autre forme de traitement actuellement disponible.

Ceci ne justifierait pas cependant son usage immédiat chez tout déprimé majeur à cause des effets secondaires non négligeables, en particulier ses effets à long terme sur la mémoire. Quant au risque de la procédure, on l'évalue de 3 à 6 mortalités par 100,000 interventions, ce qui est inférieur à la plupart des interventions chirurgicales mineures, et négligeable relativement au risque suicidaire élevé que présentent certains patients pendant la phase de délai de l'action thérapeutique des antidépresseurs.

La décision d'utiliser la thérapie électro-convulsive comme traitement de premier recours pourra reposer sur deux éléments: en premier lieu, un risque suicidaire élevé même en milieu hospitalier et, en second, une souffrance morale extrême jugée trop intense pour en retarder le soulagement. Finalement, l'absence de réponse au traitement pharmacologique après un délai minimum de trois semaines justifie également l'emploi de la thérapie électro-convulsive.

Les antidépresseurs tricycliques *(voir chapitre 28)*

Même si la dépression majeure est la première indication des antidépresseurs tricycliques, il faut constater que leur efficacité est réduite. Les études les plus positives rapportent un taux de succès thérapeutique d'environ 70%. Cependant la réponse au placebo étant de l'ordre de 30 à 40%, l'efficacité véritable des tricycliques se situe donc autour de 30 à 40%.

Le premier facteur qui devrait guider le clinicien dans le choix de l'antidépresseur est l'histoire pharmacologique du patient. En effet, en prescrivant à nouveau un antidépresseur qui s'est avéré efficace lors d'un épisode antérieur, l'on minimise le risque d'un échec thérapeutique. Il semble même qu'une bonne réponse à un médicament chez un membre de la famille accroisse la probabilité d'une réponse favorable.

En l'absence d'une telle histoire, certaines grandes lignes peuvent être suivies: on recommande généralement l'emploi d'un composé tertiaire (telles l'amitriptyline (Elavil®) ou l'imipramine (Tofranil®) chez les patients chez qui l'anxiété est importante tandis que les composés secondaires (telles la désipramine Pertofrane® , Norpramin®) ou la protriptyline (Triptil®) seront indiqués quand le ralentissement psychomoteur est marqué. On doit tenir également ment compte des effets secondaires produits par chacun de ces tricycliques. L'amitriptyline par exemple semble généralement produire plus de somnolence pendant la période initiale de traitement et possède avec la clomipramine(Anafranil®), les propriétés anticholinergiques les plus marquées. A l'opposé, la désipramine est moins anxiolytique que l'amitryptiline et entraîne peu d'effets secondaires cholinolytiques.

Principalement à cause des effets secondaires, les doses doivent être augmentées progressivement. La dose initiale ne devrait pas dépasser 100 mg. Elle peut être augmentée progressivement à 300 mg en deux semaines. Pour minimiser les effets secondaires au début du traitement, il est préférable d'administrer les doses quotidiennes fractionnées. Quand la dose thérapeutique est atteinte, l'administration d'une dose unique au coucher simplifie la posologie (donc accroît la docilité) et réduit les effets secondaires diurnes. Seules la protriptyline et la nortriptyline (Aventyl®) sont données à doses moindres: la dose de maintien est d'environ 100 mg die.

Si la réponse thérapeutique est insatisfaisante trois semaines après l'instauration du traitement, il est raisonnable dans l'état actuel de nos connaissances, d'augmenter la dose jusqu'à 450 mg die si elle est bien tolérée par le patient. En effet jusqu'à maintenant, il n'y a que la nortryptiline pour laquelle on a clairement démontré l'existence d'une fenêtre thérapeutique (14). Ce serait donc le seul antidépresseur tricyclique dont le dosage devrait être diminué en l'absence d'une réponse thérapeutique.

La détermination systématique des niveaux plasmatiques se répand rapidement. Malgré les rapports sur la question de plus en plus nombreux, il serait prématuré de fixer la posologie uniquement sur la foi du niveau plasmatique. La corrélation entre la réponse thérapeutique et les niveaux plasmatiques, si elle existe, n'est sûrement pas étroite. De plus, il existe une énorme variation de ces taux d'un individu à l'autre, rendant difficile la formulation d'une règle générale. Donc, mis à part la vérification de la soumission d'un patient à la médication, la détermination des niveaux plasmatiques de tricycliques n'a pas encore sa place dans la pratique quotidienne.

Une réponse différentielle à l'amitriptyline et à l'imipramine selon l'excrétion urinaire de MHPG fut rapportée par Beckmann et Goodwin (3) chez les patients unipolaires. Cependant, le dosage du MHPG urinaire n'étant pas encore disponible dans les hôpitaux et ce rapport n'ayant pas encore été confirmé par des études prospectives, il n'y a pas lieu de penser immédiatement à une application clinique. Malgré cela, il est recommandable en cas d'absence de réponse à l'un de ces composés après une période de plus d'un mois, de faire un essai thérapeutique avec l'autre. Une autre possibilité est de prescrire un tricyclique tertiaire (amitriptyline (Elavil®), imipramine (Tofranil®), doxépine (Sinequan®), clomipramine (Anafranil®), etc.) quand dans un premier temps, un tricyclique secondaire (désipramine (Pertofrane ® , Norpramin ®), nortriptyline (Aventyl®), protriptyline (Triptil®)) s'est avéré inefficace et vice versa.

La présence d'importants symptômes psychotiques au cours d'une dépression majeure pose un dilemme thérapeutique. Il y a d'abord la question de l'utilisation des neuroleptiques dont nous parlerons plus loin. Mais il y a aussi le fait que ces patients semblent répondre moins bien aux tricycliques que les déprimés non psychotiques. Un rapport récent conclut même que les tricycliques peuvent aggraver les symptômes psychotiques (24). Cependant, jusqu'à preuve du contraire, il est raisonnable dans de tels cas d'associer un neuroleptique et un tricyclique. Au moins théoriquement, aussi bien le risque d'exacerber les symptômes psychotiques que celui de voir s'aggraver la dépression comme telle sont amoindris. En l'absence de réponse favorable à cette association, la grande majorité de ces patients seront rapidement améliorés par la sismothérapie.

Quant à l'efficacité prophylactique des antidépresseurs, il existe de fortes chances qu'elle soit significative. Quand le patient a montré une récupération satisfaisante et stable pendant un mois ou plus, la dose peut être progressivement réduite à 100 mg die puis, après quelques semaines, à 50 mg die. Il est important de ramener la dose à son niveau antérieur aussitôt que des symptômes avant-coureurs réapparaissent tels qu'une insomnie, la diminution de l'appétit. Les ayant déjà vécus, le patient pourra souvent lui-même reconnaître de légers signes avant-coureurs (par exemple l'apparition de préoccupations financières) qui passeraient inaperçus au clinicien. Ils disparaissent à nouveau rapidement lorsque l'antidépresseur est ramené à la dernière dose qui s'avérait suffisante pour contrôler tous les symptômes.

Les inhibiteurs de la monoamine oxydase

Les inhibiteurs de la monoamine oxydase (IMAO) ne sont presque plus utilisés depuis le développement de l'arsenal thérapeutique des tricycliques. Les IMAO se sont avérés inférieurs à ces derniers dans des études contrôlées. On a prétendu que certaines dépressions où se retrouvaient d'importants éléments phobiques pouvaient répondre remarquablement bien aux IMAO, mais ceci reste à être confirmé.

Les IMAO occupent donc une place de deuxième ou même troisième ligne dans le traitement de la dépression. Il n'est pleinement justifié de les utiliser que dans les cas de dépressions chroniques sévères réfractaires aux tricycliques et à la sismothérapie. Le risque thérapeutique est significativement plus élevé à cause de la possibilité d'une réaction hypertensive à la tyramine contenue dans plusieurs aliments et boissons.

Les neuroleptiques

Quelques études psychopharmacologiques ont suggéré que certains neuroleptiques, en particulier la thioridazine (Mellaril®), ont une action antidépressive. En premier lieu, cette propriété antidépressive est loin d'avoir été démontrée hors de tout doute. En fait, la seule étude extensive faite avec un neuroleptique, la chlorpromazine (Largactil®), montre clairement que l'antipsychotique réduit l'anxiété et l'agitation mais qu'il n'améliore pas l'humeur (25). En second lieu, même si on devait démontrer un réel effet antidépresseur pour certains neuroleptiques, leur importante toxicité à long terme devrait justifier l'utilisation préférentielle des antidépresseurs tricycliques dont la toxicité est moindre et l'efficacité bien établie.

Ces importantes restrictions faites, il faut mentionner que dans certains cas où l'agitation et l'anxiété sont incontrôlables par des benzodiazépines ou dans des cas où les symptômes psychotiques sont sévères, on pourra associer un neuroleptique à l'antidépresseur, mais la dose devrait être maintenue à un niveau minimal et cette médication cessée aussitôt qu'apparaissent les premiers signes d'amélioration de la dépression. A cause des rapports mentionnés, il paraîtrait préférable d'utiliser la thioridazine, mais il faut se rappeler que cette dernière est un des plus cholinolytiques parmi les neuroleptiques et que ses effets anticholinergiques s'additionnent à ceux de l'antidépresseur.

La psychochirurgie

Une revue élaborée du problème de la psychochirurgie n'est pas indiquée ici puisque ces interventions ne sont à peu près pas pratiquées au Canada à l'heure actuelle (8). Il suffira donc de mentionner que la dépression sévère, chronique et prouvée réfractaire à toute autre forme de traitement constitue peut-être la seule indication véritable à la psychochirurgie. La démonstration définitive de l'efficacité de cette approche est encore à faire, mais de nombreuses évidences cliniques suggèrent fortement que certaines de ces interventions, en particulier celle visant la région médiane du cortex orbital, amènent une amélioration significative chez la majorité des patients qui s'étaient pourtant avérés réfractaires à toutes autres formes de traitement (4). La réduction drastique des effets secondaires grâce à l'emploi de la stéréotaxie permet d'entrevoir l'éventualité où la psychochirurgie pourra être une thérapeutique de dernier recours acceptable. Le Québec a d'ailleurs formé il y a quelques années un comité permanent pour la revue des cas pour lesquels on envisage la possibilité d'une intervention psychochirurgicale.

12.5.2   La manie

Le patient en phase maniaque représente peut-être le défi thérapeutique le plus exigeant du praticien en salle d'urgence. Quiconque a l'expérience de ces patients sait qu'à moins que le patient ne représente qu'une hypomanie légère et que le contact avec la réalité soit bien conservé, tout essai de "raisonner" le patient est peine perdue. La seule attitude valable alors en est une de fermeté tout en évitant cependant de provoquer ce patient hyperirritable en le contredisant ou en le menaçant. Il est d'ailleurs surprenant de constater comment un patient jugé incontrôlable répondra positivement au clinicien qui se bornera à lui répéter calmement mais fermement qu'il a besoin d'un traitement et qu'il le lui donnera.

Le contrôle de l'agitation psychomotrice extrême doit se faire dans le plus bref délai en vue de protéger aussi bien le patient que son entourage. L'administration parentérale de doses relativement hautes et répétées de neuroleptiques est encore le meilleur moyen d'y parvenir. Par exemple, une première dose de 5 mg d'halopéridol (Haldol®) i.m. peut être administrée à un patient de poids normal et, s'il n'y a pas de variation de la tension artérielle, une seconde dose semblable, donnée une heure plus tard. Cette dose peut être répétée aux heures jusqu'à ce que l'agitation diminue. Le patient doit rester alité pendant cette neuroleptisation à cause des risques d'hypotension orthostatique.

Une fois la phase aiguë contrôlée, on peut passer à la voie orale pour administrer une dose d'entretien temporaire qui maintiendra le patient calme sans cependant provoquer trop de somnolence. L'ajout du lithium à ce traitement doit être fait le plus tôt possible en vue de minimiser l'exposition du patient aux neuroleptiques.

Bien qu'une controverse soit toujours active sur la question, il n'est pas nécessaire d'administrer de façon automatique un anticholinergique central avec les neuroleptiques sauf, par exemple, dans les cas où une réactivité extra-pyramidale marquée est présente dans l'histoire du patient. Le patient doit être cependant examiné souvent et un anticholinergique central, telle la procyclidine (Kemadrin®) 5 mg, p.o., t.i.d., doit être administré aux premiers signes de réaction extra-pyramidale. Le plus souvent, avec l'administration de hautes doses de neuroleptiques, les premiers symptômes extra-pyramidaux sont des dystonies aiguës. Elles sont contrôlées en l'espace de quelques minutes par l'administration intramusculaire d'un anticholinergique central tel que la benztropine (Cogentin®) 2 mg, i.m.

Le lithium *(voir chapitre 29)*

L'efficacité thérapeutique et prophylactique du lithium dans la psychose maniaco-dépressive bipolaire n'est plus à démontrer. Le principal point d'interrogation provient de récents rapports concernant la néphrotoxicité possible du lithium. Celle-ci était connue lors d'intoxication sévère avec signes d'altération de la fonction rénale. Cependant, récemment, deux groupes indépendants ont rapporté la présence d'anomalies tubulaires chez des patients traités au lithium sans anomalie de la fonction rénale ni d'histoire d'intoxication au lithium (16). Bien qu'il s'agisse là d'une alarme sérieuse, on peut juger que le profit énorme sur le plan psychiatrique justifie le risque de son emploi chez le patient bipolaire d'autant plus que sa néphrotoxicité ne peut pas être considérée comme démontrée. Cependant chez le patient unipolaire où l'efficacité du lithium est moindre et où celle des tricycliques est satisfaisante, il devient moins justifié d'instaurer une thérapie prophylactique au lithium. Ces rapports incitent à maintenir les taux plasmatiques au niveau minimal auquel une réponse thérapeutique est observée, i.e. pour la majorité des patients autour de 0.8 à 1 mEq/litre et d'évaluer la fonction rénale à intervalles réguliers.

La sismothérapie

La nécessité de recourir à la thérapie électroconvulsive dans la manie est beaucoup plus rare que dans la dépression. En effet, rares sont les épisodes maniaques qui ne peuvent être contrôlés par l'administration conjointe de neuroleptiques et de lithium. De plus, il est généralement reconnu que les électrochocs sont moins efficaces dans la manie que dans la dépression.

BIBLIOGRAPHIE

1- AA, MEMORANDUM ON THE USE OF ELECTROCONVULSIVE THERAPY. The Royal College of Psychiatrists. *Br. J. Psychiatry.* 131, 1971, 261-272.

2- ABRAHAMS, K. "Notes on the psychoanalytic investigation and treatment of manic-depressive in sanity and allied conditions". *Selected Papers on Psychoanalysis.* London: Hogarth Press, 1949, 137-156.

3- BECKMAN, H. et GOODWIN, F.K. "Antidepressant response to tricyclics and urinary MGPH in unipolar patients. Clinical response to imipramine or amitriptyline". *Arch. Gen. Psychiatry.* 32, 1975, 17-21.

4- BRIDGES, P.K. et BARTLETT, J.R. "Psychosurgery: yesterday and today". *Br. J. Psychiatry.* 131, 1977, 249.

5- BROOKSHANK, M.A. & COLL. "Estimation of cortisol, cortisone and corticosterone in cerebral cortex, hypothalamus and other regions of human brain after natural death and after death by suicide". *Steroid Lipids Res.* 4, 1973, 162-183.

6- COPPEN, A. "The biochemistry of affective disorders". *Br. J. Psychiatry.* 113, 1967, 1237-1264.

7- DE MONTIGNY, C. et AGHAJANIAN, G.K. "Tricyclic antidepressants: longterm treatment increases responsivity of rat forebrain neurons to serotonin". *Science.* 202, 1978, 1303-1306.

8- EARP, J.D. "Psychosurgery. The position of the Canadian Psychiatric Association". *Can. J. Psychiatry.* 24, 1979, 363-365.

9- FEIGHNER, J.P. & COLL. "Diagnosis criteria for use in psychiatric research". *Arch. Gen. Psychiatry.* 26, 1972, 57.

10- FREUD, S. *Mourning and melancholia, 1917.* The Standard Edition. London: Hogarth Press, 1955, 243-258.

11- GIBBONS, J.L. "Cortisol secretion rate in depressive illness". *Arch. Gen. Psychiatry.* 10, 1964, 572-575.

12- GOODWIN, F.K. et POST, R.M. "Studies of amine metabolites in affective illness and in schizophrenia. A comparative analysis". *Biology of the Major Psychoses.* D.X. Friedman (Ed.), New York: Raven Press, 1975, 299-332.

13- GOODWIN, F.K. et POST, R.M. "Catecholamine metabolite studies in the affective disorders: issues of specificity and significance". *Neuro-regulators and Psychiatric Disorders.* E. Uskin, D.A. Hambourg and J.D. Barchas (Eds), New York: Oxford Press, 1977, 135-145.

14- GRAM, L.F. "Plasma level monitoring of tricyclic antidepressant therapy". *Clin. Pharmacokin.* 2, 1977, 237-251.

15- GRUEN, P.H. & COLL. "Growth hormone responses to hypoglycemia in post-menopausal depressed women". *Arch. Gen. Psychiatry.* 32, 1975, 31-33.

16- HESTBECH, H. & COLL. "Chronic renal lesions following long-term treatment with lithium". *Kidney Int.* 12, 1977, 205-213.

17- KALLMAN, F.J. *Genetic principles in maniaco-depressive psychosis.* 42th Annual Meeting of the American Psychopathologists' Association, 1952.

18- KANOF, P.D. et GREENGARD, P. "Brain histamine receptors as targets for antidepressant drugs". *Nature.* 272, 1978, 329-333.

19- KLEIN, M. "A contribution to the psychogenesis of maniaco-depressive states, 1935". *Love, Guilt and Reparation.* New York: Delacarte Press, 1975, 136-169.

20- KOHUT, H. "Forms and transformations of narcissism". *J. Am. Psychoanal. Ass.* 14, 1966, 243-273.

21- LEONHARD, K. & COLL. "Temperaments in families of monopolar and bipolar phasic psychosis". *Psychiatr. Neurol.* 143, 1962, 416.

22- MENDELS, J. et FRAZER, A. "Alterations in cell membrane activity in depression". *Am. J. Psychiatry.* 131, 1974, 1240-1246.

23- MENDLEWICZ, J. et RAINES, J.D. "Adoption study supporting genetic transmission in maniaco-depressive illness". *Nature.* 268, 1977, 327-329.

24- NELSON, J. & COLL. "Exacerbation of psychosis by tricyclic and antidepressants in delusional depression". *Am. J. Psychiatry.* 136, 1979, 574-576.

25- RASKIN, A. & COLL. "Differential response to chlorpromazine, imipramine, and placebo". *Arch, Gen. Psychiatry.* 23, 1970, 164-173.

26- ROBERTSON, B.M. "The psychoanalytic theory of depression". *Can. J. Psychiatry.* 24, 1979, 341-352.

27- ROBINS, E. & COLL. "Primary and secondary affective disorders". *Disorders of Mood.* J. Zubin et F.A. Freyhan (Eds), Baltimore: Johns Hopkins University Press, 1972.

28- SACHAR, E.J. "Sex differences in growth hormone response". *Am. J. Psychiatry.* 131, 1974, 608-615.

29- SCHILDKRAUT, J.J. "The catecholamine hypothesis of affective disorders". *Am. J. Psychiatry.* 122, 1965, 509-522.

30- SHOPSIN, B. & COLL. "The use of synthesis inhibitors in defining a role for biogenic amines during imipramine treatment in depressed patients". *Psychopharmacol. Commun.* 1, 1975, 239-249.

31- TAKAHASHI, S. et KONDO, H. "Growth hormone response to administration of L-5-hydroxy-tryptophan (L-5-HTP) in manic-depressive psychoses". *Folia Psychiatr. Neurol. Jpn.* 27, 1973, 197-206.

32- TRZEBIATOWSKA-TRZECIAK, O. "Genetical analysis of unipolar and bipolar endogenous affective psychoses". *Br. J. Psychiatry.* 131, 1977, 478-485.

33- VETULANI, J.& COLL. "A possible common mechanism of action of antidepressant treatments. Reduction in the sensitivity of the noradrenergic cyclic AMP generating system in the rat limbic forebrain". *Arch. Pharmacol.* 293, 1976, 109-114.

34- WEISSMAN, M.M. et KLERMAN, G.L. "Sex differences and the epidemiology of depression". *Arch. Gen. Psychiatry.* 34, 1977, 98-111.

35- WEISSMAN, M.M. & COLL. "Psychiatric disorders in a U.S. urban community". *Am. J. Psychiatry.* 135, 1978, 459-462.

36- WINOKUR, G. & COLL. *Manic-depressive illness.* St-Louis: Mosby, 1969.

CHAPITRE 13

LA MALADIE CÉRÉBRALE

ORGANIQUE

Jean-Pierre Deschênes, Frédéric Grunberg et Bernard Gauthier

INTRODUCTION

La maladie cérébrale organique se différencie des autres maladies mentales par le fait qu'on peut identifier soit par l'anamnèse, soit par l'examen physique, soit par les examens de laboratoire, un facteur étiologique spécifique organique déterminant le tableau clinique psychiatrique.

Le fait qu'on ne puisse pas identifier une étiologie organique dans les autres maladies mentales telles que les psychoses dites fonctionnelles (e.g. schizophrénie, psychose maniaco-dépressive), ne signifie pas qu'une telle étiologie n'existe pas. L'absence d'une causalité organique indique simplement qu'à l'état actuel de nos connaissances, nous n'avons pas encore pu établir d'une manière rigoureuse et sûre qu'une lésion cérébrale ou qu'une dysfonction de cellules cérébrales explique la maladie mentale dite fonctionnelle.

Dans ce chapitre, nous aborderons les maladies cérébrales organiques en deux parties. Tout d'abord, nous examinerons les aspects généraux du syndrome cérébral organique pour ensuite envisager les aspects étiologiques et cliniques spécifiques des différents syndromes cérébraux organiques.

ASPECTS GÉNÉRAUX DU SYNDROME CÉRÉBRAL ORGANIQUE

Jean-Pierre Deschênes et Frédéric Grunberg

13.1 GÉNÉRALITÉS

L'importance grandissante accordée par les cliniciens aux maladies organiques cérébrales s'appuie sur plusieurs données épidémiologiques. Aux États-Unis, la maladie d'Alzheimer (démence sénile) est la cinquième cause de décès (52): 35% des personnes de plus de 65 ans ont quitté l'hôpital psychiatrique avec un diagnostic de maladie organique cérébrale en 1977 (84) et environ 25% des lits psychiatriques sont occupés par des malades de cette catégorie (66).

Les difficultés du diagnostic différentiel d'un syndrome psychiatrique fonctionnel sont multiples. Il est connu qu'une même maladie systémique peut donner lieu à divers tableaux psychiatriques: le lupus érythémateux disséminé a été associé à des réactions dépressives, à des déliriums et à des réactions psychotiques de caractère schizophrénique. Beaucoup d'études cliniques reliant une maladie physique à un médicament ou à une condition psychiatrique sont des études rétrospectives non contrôlées. Par exemple, la relation de causalité entre la réaction dépressive et la réserpine a récemment été mise en doute. D'autres relations sont mieux établies (par exemple celle qui relie cancer et réaction dépressive) mais restent à être précisées (54). De plus, le diagnostic différentiel des syndromes fonctionnels psychiatriques ne présente pas toujours la même difficulté. Ainsi une réaction dépressive bipolaire avec tableau complet exclut le plus souvent une atteinte organique (35) alors que le diagnostic différentiel de la catatonie demeure complexe (34). Certains signes et symptômes sont d'interprétation difficile (fatigue, perte de poids, céphalée) alors que d'autres (incontinence des selles, nystagmus, myoclonie) doivent toujours évoquer une atteinte organique. En général, on peut dire que l'un ou l'autre des éléments diagnostiques suivants incite à rechercher "l'organicité": malade de plus de 65 ans, histoire psychiatrique familiale négative, installation rapide du tableau psychiatrique, "hystérie de conversion", incontinence des urines ou des selles, catatonie (44). De plus, la présence de facteurs précipitants ou de symptômes dits spécifiques d'une maladie psychiatrique fonctionnelle (hallucinations auditives de la schizophrénie) ne doit pas être un élément rassurant (8).

Il n'est pas facile non plus de poser un diagnostic neurologique dans certains cas de maladies organiques cérébrales (71). Ainsi Nott et Fleminger rapportent que dans une série de 35 malades le diagnostic de démence sénile a été confirmé par l'évolution dans 15 cas (43%) (67). Dans une autre étude portant sur 106 malades hospitalisés par un psychiatre et/ou un neurologue pour bilan de démence, on a retrouvé 10 réactions dépressives et dans environ 20% des cas le diagnostic de démence n'a pu être confirmé (61).

Les applications thérapeutiques d'un bon diagnostic différentiel psychiatrique et/ou neurologique sont nombreuses. Il existe parfois des traitements efficaces (dépression-antidépresseurs, épilepsie-anticonvulsivants, surdosage médicamenteux-retrait des médicaments impliqués); souvent on peut avoir recours à un traitement palliatif (neurosyphilis-pénicilline, hydrocéphalie normotensive-pontage, chorée de Huntington-conseil génétique); en l'absence de traitement spécifique (maladie d'Alzheimer, Pick) on peut toujours s'abstenir de mesures thérapeutiques futiles ou dangereuses (41-42).

13.2 DÉFINITION

Les maladies organiques cérébrales peuvent se définir comme des syndromes psychiatriques ou neurologiques qui résultent d'une lésion cérébrale (localisée ou diffuse) et/ou d'une anomalie métabolique.

Le terme syndrome réfère à un ensemble de signes et de symptômes qui se reproduisent en même temps dans un certain nombre de maladies et qui se retrouvent assez souvent réunis pour former une entité clinique. Par exemple, le terme délirium réfère à une atteinte globale des fonctions cognitives d'installation rapide avec fluctuation dans le temps, troubles de l'attention et de la mémoire récente, insomnie et délire. Cet ensemble de signes et symptômes regroupés sous le terme délirium peut avoir plusieurs étiologies: fièvre typhoïde, intoxication aux antidépresseurs tricycliques, pneumonie, alcool, etc.

Par lésions cérébrales on entend perte de neurones irréversible, ce qui s'oppose à une anomalie métabolique souvent réversible.

La maladie organique cérébrale peut être induite par une atteinte localisée des neurones (lésion expansive intracérébrale, infarctus) ou diffuse (maladie d'Alzheimer).

Le syndrome cérébral organique est, comme son nom le dit, un syndrome, c'est-à-dire un ensemble de signes et de symptômes qui reviennent assez régulièrement dans le cours du travail clinique pour en faire une entité; ces signes et symptômes peuvent être dus à toutes sortes de maladies, comme pour le syndrome néphrotique.

Les signes et les symptômes qui caractérisent le syndrome cérébral organique, selon la littérature nord-américaine, sont au nombre de cinq:

1) troubles d'orientation dans le temps, dans l'espace et par rapport aux personnes;

2) troubles de la mémoire: mémoire de fixation, des faits récents surtout et des faits anciens;

3) troubles de l'intellect (difficultés de calcul, de compréhension);

4) troubles du jugement;

5) troubles de l'affect, soit labilité ou encore affect inapproprié.

Ces cinq signes et symptômes forment ce que l'on peut appeler le noyau du syndrome cérébral organique mais, ajoutons dès maintenant qu'ils ne sont pas toujours tous présents et qu'en plus s'ajoutent fréquemment à ceux-ci d'autres symptômes, tels par exemple des hallucinations visuelles, un délire de persécution, une agitation psychomotrice, etc.

13.3 CONCEPT D'ORGANICITÉ

On oppose parfois ''organique'' à ''fonctionnel''. Cependant, le cerveau étant l'organe de la pensée et la pensée ayant une base moléculaire (neuromodulateur) il est évident que des molécules de carbone sont toujours impliquées. Théoriquement, on devrait restreindre le terme ''fonctionnel'' aux troubles du comportement issus d'un défaut d'apprentissage et, en principe, réversible après réapprentissage. De plus, l'étiopathogénie de la plupart des entités cliniques psychiatriques demeurant inconnue, on ne peut pas simplement distribuer les syndromes psychiatriques dans l'une ou l'autre de ces catégories (organique ou fonctionnelle) (5-18-48-59-63). Cependant, en pratique, on retient toujours la dichotomie de Kraepelin différenciant les psychoses fonctionnelles des psychoses organiques sur le seul fait que dans ces dernières, on retrouve toujours une étiologie organique concrètement identifiable, soit par l'histoire de la maladie, soit par l'examen physique ou par des examens de laboratoire.

Les tests de fonction psychologique ont un rôle important dans la détection et l'évaluation des maladies organiques cérébrales (94). Il faut savoir qu'il n'existe pas en soi de test d'organicité mais bien une batterie de tests qui mesurent l'intelligence (quotient intellectuel), les fonctions psychomotrices, le langage, la mémoire et la capacité d'apprentissage. Ainsi une maladie organique cérébrale pourra se manifester par une détérioration globale des fonctions intellectuelles (maladie d'Alzheimer), par des manifestations cliniques distinctes qui sont fonction de la localisation et de l'étendue de la lésion (infarctus du lobe frontal), ou par des anomalies spécifiques s'il y a atteinte d'une aire cérébrale spécialisée (aphasie de Broca). Les tests de fonction psychologique révèlent l'organicité en détectant une atteinte des fonctions de cognition (pensée, mémoire, perception) qui se manifeste par des défauts d'abstraction, de raisonnement ou de formation de concept, le cerveau étant incapable de traiter convenablement (et d'intégrer) les données transmises par les afférences sensorielles (95).

On a tenté de mettre au point des tests simples de détection de l'organicité pouvant s'administrer au lit du malade (31). Le test de Katz (51) a le désavantage de ne détecter que les cas de délirium manifestes. Le test de Jacobs (47) plus sensible qu'un examen de routine de l'état mental, peut être complété en 5 minutes, ne requiert pas de personnel spécialisé et constitue un document important au dossier (tableau 13.1). Il présente le désavantage d'être moins sensible et complet qu'une batterie de tests de fonction psychologique administrée par un psychologue qualifié. De plus, comme tout test de fonction psychologique, il reflète une diminution des fonctions cognitives qui peut impliquer autre chose que l'organicité: retard mental, surdité, éducation minimale, compréhension incomplète de la langue.

TABLEAU 13.1: Adaptation du Test de Jacobs

Travail...Education...........................

Age...................................Coopération.......................Diagnostic.......................

1) Quel jour de la semaine sommes-nous? ....

2) Quel mois? ....

3) Quel jour du mois? ....

4) Année? ....

5) En quel endroit sommes-nous? ....

6) Répéter 8, 7, 2 ....

7) Répéter 8, 7, 2 à rebours ....

8) Répéter 6, 3, 7, 1 ....

9) Compter de 1 jusqu'à 10 puis répéter 6, 9, 4 ....

10) Compter de 1 jusqu'à 10 puis répéter 8, 1, 4, 3 ....

11) Nommer à rebours les jours de la semaine (dimanche, samedi...) ....

12) 9 et 3 font ....

13) Plus 6 (ajouter à la réponse précédente) ....

14) Moins 5 (soustraire de la réponse précédente) ....

Répéter après moi: chapeau, auto, arbre, vingt-six. ....

Je vais vous demander de les répéter à nouveau dans quelques instants.

15) Le contraire de rapide est lent. Le contraire de ''en haut'' est ....

16) Le contraire de grand est ....

17) Le contraire de dur est ....

18) L'orange et la banane sont des fruits, le rouge et le bleu sont des ....

19) Un vingt-cinq sous et un dix sous sont des ....

Quels sont les mots que je vous ai demandé de répéter il y a un moment?

20) Chapeau ....

21) Auto ....

22) Arbre ....

23) Vingt-six ....

24) Compter à rebours à partir de 100 par tranches de 7 (100, 93...) (86) ....

25) Moins 7 (79) ....

26) Moins 7 (72) ....

27) Moins 7 (65) ....

28) Moins 7 (58) ....

29) Moins 7 (51) ....

30) Moins 7 (44) ....

Un (1) point est accordé par item.

La cote maximum est de 30.

Au-dessous de 20, il y a atteinte des fonctions cognitives et on doit suspecter une atteinte organique cérébrale.

13.4 CLASSIFICATION

Les critères classiques d'organicité (désorientation temporo-spatiale, diminution de la mémoire, diminution des fonctions intellectuelles et du jugement, affect labile) sont nettement insuffisants puisque les maladies organiques cérébrales miment à peu près n'importe quel syndrome psychiatrique et/ou neurologique. C'est pourquoi la classification actuellement la plus satisfaisante est celle de Lipowski (tableau 13.2) qui procède par syndrome; à partir de signes, de symptômes et d'un bilan complémentaire adéquat il y a reconnaissance d'un syndrome (par exemple démence) qui permet la recherche d'une étiologie (carence en vitamine B12). Parfois, l'identification d'une maladie est impossible et il faut s'en tenir au syndrome, par exemple démence d'étiologie non précisée. Cette classification syndromale, d'abord proposée par Lipowski, a été retenue en grande partie dans le DSM III.

TABLEAU 13.2: Classification des maladies cérébrales organiques selon Lipowski

MCO   Avec atteinte globale des fonctions cognitives

      Délirium

      États confusionnels

      Démences

MCO   Avec atteinte sélective

      Syndrome amnésique

      Hallucinose

      Troubles de la personnalité et du comportement

      Autres désordres psychomoteurs ou cognitifs

MCO   Se présentant comme des syndromes fonctionnels

      Syndrome schizophrénique

      Paranoïa

      Réaction dépressive unipolaire

      Réaction dépressive bipolaire

      Catatonie

En effet, dans sa version finale le DSM III définit six catégories dans le syndrome cérébral organique:

1- **Le délirium et la démence** avec atteinte globale des fonctions cognitives.

2- **Le syndrome amnésique et l'hallucinose organique** avec atteinte sélective des fonctions cognitives.

3- **Le syndrome délirant organique et le syndrome affectif organique** dont les tableaux cliniques ressemblent à celui de la schizophrénie et des maladies affectives.

4- **Le syndrome de la personnalité organique** avec atteinte de la personnalité.

5- **Le syndrome d'intoxication et de sevrage** où le tableau clinique est associé avec l'ingestion ou la réduction d'une substance. En pratique, ces syndromes sont définis par leur étiologie plutôt que par leurs symptomatologie.

6- **Le syndrome cérébral organique mixte ou atypique** constituant un groupe résiduel, pour tout syndrome cérébral organique qu'on ne peut pas inclure dans les cinq autres syndromes mentionnés plus haut.

13.4.1 Les démences

13.4.1.1 Définition

Les démences peuvent être définies comme des syndromes cliniques qui sont l'expression de maladies organiques cérébrales dégénératives, affectant de façon diffuse et symétrique les hémisphères cérébraux et se manifestant par une détérioration progressive de l'intellect et de la personnalité.

Cette définition vaut surtout pour les "démences vraies" et regroupe un ensemble de maladies qui se manifestent par des signes et des symptômes similaires (tableau 13.3). Le diagnostic de démence doit être porté d'après un examen clinique et non à partir d'un électro-encéphalogramme, d'un test de fonctions psychologiques ou d'une tomographie axiale du cerveau (qui peut montrer la présence d'atrophie cérébrale légère à modérée sans démence (96)). Le terme maladie dégénérative reflète la progression dans le temps et le caractère inexorable des "démences vraies" dont le diagnostic doit être confirmé par une détérioration globale de l'intellect et de la personnalité. L'atteinte des fonctions neuropsychologiques est en général fonction des pertes de neurone (19-55-97).

TABLEAU 13.3: Démences · classification clinique

I. **Atteintes des fonctions intellectuelles avec signes neurologiques associés**

  A) Autres signes neurologiques toujours présents

  Chorée de Huntington

  Shilder et autres maladies démyélinisantes

  Lipidose

  Épilepsie myoclonique

  Dégénérescence cérébro-cérébelleuse

  Dégénérescence des ganglions de la base

  Leucoencéphalopathie progressive multifocale

  Panencéphalite subaiguë sclérosante (rougeole)

  Creutzfeld Jakob (encéphalopathie subaiguë spongiforme)

  Parkinson

  B) Souvent associés à d'autres signes neurologiques

  Post-traumatique (contusion, boxeur, hématome sous et épidural)

  Infarctus cérébraux multiples (hypertension artérielle)

II. **Atteintes des fonctions intellectuelles**

  Alzheimer

  Pick

13.4.2.1 Etiopathogénie

Dans le passé, on a attribué aux maladies cérébro-vasculaires l'étiologie de la majorité des démences. Cependant l'étude de Tomlison (90) avec corrélation anatomo-clinique de 50 cas de démences a démontré la présence d'athérosclérose significative dans 12% des cas seulement, d'infarctus cérébraux dans 8% des cas de démences et confirme qu'environ la moitié des cas de démence sont attribuables à de l'atrophie cérébrale idiopathique (44) (tableau 13.4).

TABLEAU 13.4: Étiologie des démences (d'après H.C. Hendries)

Diagnostic	Pourcentage
Atrophies cérébrales	51%
Maladies vasculaires cérébrales	8%
Hydrocéphalies normotensives	6%
Éthylisme	6%
Lésions expansives intracérébrales	5%
Huntington	5%
Réactions dépressives	4%
Intoxications médicamenteuses	3%
Autres —	12%

    Creutzfeld-Jakob
    Post-traumatique
    Postencéphalique
    Psychose
    Sclérose latérale amyotrophique
    Hémorragie sous-arachnoïdienne
    Parkinson
    Déficience en vitamine B_{12}
    Épilepsie
    Insuffisance hépatique
    Étiologies non retrouvées

Des virus lents sont à l'origine de certains types de démences vraies: maladie de Creutzfeld-Jakob, panencéphalite subaiguë sclérosante, panencéphalite progressive de la rubéole (16).

Plus récemment, Bowen et collaborateurs ont mis en évidence une dégénérescence plus ou moins sélective des neurones cholinergiques de néocortex dans la maladie d'Alzheimer (10). On a tendance actuellement à considérer la maladie d'Alzheimer et la démence sénile comme une seule et même maladie avec des manifestations plus ou moins tardives (44).

13.4.1.3 Pathologie

L'histologie de la démence sénile se caractérise par une diminution de la masse neuronale et l'apparition d'éléments structuraux nouveaux.

Cette diminution de la masse neuronale semble proportionnelle à l'atteinte des fonctions psychologiques (55-97), et est beaucoup plus marquée et moins sélective que la perte neuronale que l'on retrouve chez les personnes âgées intellectuellement intactes.

Parmi les éléments structuraux nouveaux que l'on retrouve à l'examen histologique des cerveaux atteints de démence sénile, on peut mentionner les plaques séniles, les trames neurofibrillaires et la dégénérescence granulo-vacuolaire. Les plaques séniles comprennent un noyau central amyloïde avec zone circulaire granulaire; à la microscopie électronique, elles sont constituées d'axone et de dendrites démyélinisées; ces plaques sont présentes chez les personnes âgées normales en nombre restreint et dans des localisations différentes (90).

Les trames neurofibrillaires sont des fibrilles intraneuronales tordues et épaissies dans lesquelles on a récemment signalé la présence d'une protéine a-normale (46). La dégénérescence granulo-vacuolaire de même que les corps de Hirano sont moins bien connus et leur importance reste à définir.

On retrouve à l'autopsie des personnes de 65 ans et plus des infarctus cérébraux dans 50% des cas; cependant le volume de tissu neuronal détruit excède rarement 50 cc et il ne semble pas y avoir de corrélation avec la maladie d'Alzheimer.

13.4.1.4 Symptomatologie (58)

Le diagnostic clinique d'une démence peut être particulièrement difficile s'il s'agit d'une maladie débutante et sans signes neurologiques associés (atteinte exclusive des fonctions intellectuelles). Parfois, il faut oser rechercher l'atteinte de l'intellect et de la personnalité malgré l'aspect général et les réponses outragées du patient. La détérioration des fonctions intellectuelles se manifeste principalement au niveau de la mémoire et de la pensée.

L'atteinte de la mémoire est le signe de démence le plus précoce et le plus souvent retrouvé. Il peut s'agir d'une atteinte de la mémoire récente (antérograde) ou passée (rétrograde) qui se manifeste par des défauts d'apprentissage (nom, numéro de téléphone) et l'oubli de données acquises longtemps auparavant (visage d'un ami, date de naissance, pays d'origine).

En général, la mémoire récente est la première atteinte et constitue souvent la cause de la consultation médicale: oubli d'éteindre une cigarette, de fermer l'eau du robinet, d'acheter des aliments, etc.

Les déficiences de la pensée se manifestent par une capacité réduite de formation de concept, d'esprit de synthèse, de déduction logique et de différenciation. Cette incapacité d'intégrer des données nouvelles s'extériorise parfois par un refus global du changement, de l'anxiété et de l'irritabilité devant une tâche ou une situation légèrement modifiée. Le jugement et le contrôle des pulsions peuvent être déficients avec comme manifestation un langage et des plaisanteries inappropriés, une apparence négligée ou un comportement qui ne tient pas compte de certaines conventions sociales: vol à l'étalage, attentat à la pudeur...

Les changements de la personnalité peuvent être dans le sens d'une accentuation de certains traits de caractère prémorbides (le méticuleux devenant obsessionnel, l'impulsif, violent et le méfiant, paranoïde) ou dans un sens opposé (la malpropreté remplaçant le souci d'hygiène). Il n'est pas rare que l'entourage ne "reconnaisse plus" le malade.

Les démences vraies étant des maladies progressives dans le temps, les lignes cliniques et la symptomatologie retrouvées sont en fonction du stade de la maladie. Il peut y avoir des troubles du langage (langage imprécis, stéréotype), des apraxies (difficulté à se vêtir, à utiliser une fourchette) et des réactions émotives face à la détérioration de l'intellect (anxiété, réaction dépressive, retrait social, idée paranoïde, désintéressement). A noter que l'amnésie est constante et que l'épilepsie se retrouve dans 12% des démences d'Alzheimer qui ont atteint le stade 3 (tableau 13.5).

TABLEAU 13.5: Signes et symptômes de la maladie d'Alzheimer

- Stade 1	Amnésie	100%
	Désorientation spatiale	73%
	Diminution de spontanéité	65%
	Syndrome extra-pyramidal	35%
- Stade 2	Dysphasie	80%
	Syndrome extra-pyramidal	70%
	Persévération verbale et motrice	66%
	Dyspraxie	62%
	Ataxie	59%
	Dysgraphie	55%
	Dyslexie	53%
	Épilepsie	6%
- Stade 3	Amnésie marquée	100%
	Incontinence	85%
	Syndrome de Kluver-Bucy	46%
	Épilepsie	12%

13.4.1.5 Bilan complémentaire

L'examen clinique doit être complété par un bilan biologique, radiologique, électro-encéphalographique et par des tests de fonctions intellectuelles. Au bilan biochimique et hématologique habituel (formule sanguine, urée, glycémie, électrolytes, test de fonction hépatique et V.D.R.L.) doivent s'ajouter le dosage sérique de la T3-T4 (hypothyroïdie), de la vitamine B12, de l'acide folique (anémie pernicieuse), du cuivre sérique et de la céruloplasmine (maladie de Wilson).

La tomographie axiale cérébrale (tomodensiométrie, émiscanning cérébral) constitue l'examen radiologique de choix. Cet examen qui permet d'évaluer le volume des ventricules cérébraux permet aussi dans les cas les plus heureux de différencier substance grise et substance blanche, de visualiser certaines atteintes démyélinisantes et de suspecter l'hydrocéphalie normotensive (56). En l'absence de traumatisme, la radiographie simple du crâne apporte en général peu de renseignements supplémentaires.

L'électro-encéphalogramme peut avoir une valeur de localisation, aider au diagnostic de l'épilepsie et en présence d'ondes triphasiques et de périodicité nous orienter vers certaines catégories diagnostiques (tableau 13.6).

TABLEAU 13.6: Électro-encéphalogramme, ondes triphasiques et périodicité

1) Ondes triphasiques: Encéphalopathie hépatique

    Anoxie

    Acido-cétose diabétique

    Creutzfeld-Jakob

    Tay-Sachs

    Traumatisme crânien

    Hématome sous-dural

    Tumeur cérébrale

    Infarctus cérébral

2) Périodicité: (Bouffées d'ondes lentes et amples qui surviennent à intervalles réguliers)

    Hypoxémie

    Anesthésie profonde

    Intoxication aux barbituriques

    Coma postictal

    Encéphalopathie hépatique

    Creutzfeld-Jakob

    Panencéphalite subaiguë sclérosante

    Encéphalite virale

    Traumatisme crânien

    Hématome sous-dural

    Lipidose

Les tests de fonction psychologique complètent l'examen des fonctions cognitives et constituent un document précieux au dossier du malade afin de suivre l'évolution de la maladie.

13.4.1.6 Diagnostic

L'anamnèse et l'examen physique d'un malade avec atteinte globale des fonctions cognitives permettent en général de situer le syndrome clinique dans une des catégories diagnostiques suivantes: démence, délirium, syndrome amnésique (ou syndrome de Korsakoff). Cependant, c'est très souvent l'évolution de la maladie, un bilan complémentaire adéquat et une épreuve thérapeutique qui nous orientent vers les autres diagnostics différentiels du syndrome de démence: états confusionnels, réactions dépressives, syndromes neurologiques (par exemple infarctus de l'hémisphère dominant), tableau 13.7.

Les états contusionnels (que le DSM III inclut dans la catégorie diagnostique démence) se distinguent des démences vraies (tableau 13.3) par leur élément de réversibilité. Dans un contexte gériatrique, ils évoquent d'abord une réaction médicamenteuse: par exemple la démence (syndrome extra-pyramidal,

TABLEAU 13.7: Diagnostic différentiel des syndromes de démence

A. Démences vraies - irréversibles

B. États confusionnels - réversibilité

1- Intoxications

- Médicaments - neuroleptiques chez les personnes âgées:

  syndrome extra-pyramidal, incontinence, désorientation

  - anticonvulsivants (phénantoines - Dilantin):

  carence en acide folique - démence avec neuropathie

- Bromures (Bromo-Seltzer, Sominex)

- Alcool

  Toxicité directe: atrophie cérébrale: Marchiafava Bignami (vin rouge italien)

  Toxicité indirecte: encéphalopathie porte-cave

  Carences associées:

  Pellagre (Niacine)

  Wernicke (Thiamine)

  - Paralysie des muscles oculaires externes

  - Ataxie

  - Atteinte de l'état mental (apathie)

  Si diminution de la mémoire récente: Wernicke Korsakoff

  - Danger si perfusion de glucose sans thiamine

2- Troubles du métabolisme

  Hypothyroïdie

  Hypercalcémie

  Hypopituitarisme

  Maladie de Cushing

  Insuffisance rénale

  Insuffisance hépatique

  Maladie de Wilson

3- Infections

  Syphilis

  Torulose

4- Néoplasie

  Tumeur cérébrale primitive ou métastatique

  Syndrome paranéoplastique (leucoencéphalopathie progressive multifocale)

5- Carences

  Acide folique

  Vitamine B 12

6- Hydrocéphalie normotensive

C. Délirium

D. Syndrome amnésique (Korsakoff)

Infarctus hippocampe ou diencéphale (hypertension artérielle)

Hémorragie sous-arachnoïdienne

Intoxication C.O.

Épilepsie

États post-contusion

Encéphalite herpes simplex

Wernicke-Korsakoff

Méningite tuberculeuse

Tumeur du 3e ventricule

E. Réaction dépressive

F. Autres syndromes neurologiques

Infarctus cérébral hémisphère dominant

incontinence et désorientation) parfois induite par les neuroleptiques majeurs. Chez l'enfant il s'agit le plus souvent d'un problème infectieux. L'alcool est souvent impliqué dans les états confusionnels et peut provoquer un syndrome de Wenicke-Korsakoff (carence en thiamine associée à une consommation excessive d'alcool) qui se manifeste par une paralysie des muscles oculaires externes, de l'ataxie, et une atteinte de l'état mental (diminution de la mémoire récente et apathie). À cause des dangers qu'elles impliquent, les perfusions de glucose à des malades alcooliques doivent toujours s'accompagner d'un supplément en thiamine.

Les signes cliniques d'hydrocéphalie normotensive n'étant pas spécifiques, c'est surtout la tomodensitométrie cérébrale qui permet de détecter cette condition clinique partiellement réversible.

Le syndrome amnésique ou syndrome de Korsakoff peut avoir des étiologies multiples, l'alcool demeurant l'étiologie la plus fréquemment retrouvée.

Le DSM III retient les critères suivants pour faire un diagnostic de démence:

A- Atteinte suffisamment importante des facultés intellectuelles pour perturber le fonctionnement social et occupationnel du malade.

B- Atteinte de la mémoire.

C- Présence d'au moins un des symptômes suivants:

(1) Atteinte des capacités d'abstraction qu'on peut identifier par une interprétation concrète des proverbes; incapacité à trouver les similitudes et les différences entre des mots qui ont un certain rapport, difficultés à définir des mots et des concepts; difficultés à accomplir d'autres tâches à composantes cognitives.

(2) Troubles du jugement.

(3) Autres troubles des fonctions cérébrales supérieures tels que l'aphasie, l'apraxie, l'agnosie, l'apraxie visuo-motrice (e.g. incapacité à recopier un dessin sur trois dimensions, à assembler des blocs ou disposer des bâtonnets suivant des modèles spécifiques).

D- Absence d'obnubilation.

E- Présence d'un des deux critères suivants:

(1) Identification par l'anamnèse, l'examen physique ou les examens de laboratoire, d'un facteur étiologique organique spécifique.
(2) En l'absence de l'identification d'un facteur étiologique organique spécifique on peut présumer l'existence d'une démence si tous les troubles mentaux non organiques ont été exclus et si le tableau clinique est caractérisé par des déficits cognitifs affectant plusieurs facultés intellectuelles.

13.4.1.7 Traitement

Parmi les maladies qui se présentent comme des syndromes cliniques de démences, on distingue trois sous-groupes:

- 12% de démences réversibles (par exemple: intoxication médicamenteuse, carence en acide folique, réaction dépressive) avec un traitement spécifique.

- 20% de maladies qui requièrent une intervention médicale ou chirurgicale dont l'efficacité est variable (par exemple: hydrocéphalie normotensive, éthylisme, syphilis tertiaire).

- Plus de 50% de démences vraies irréversibles (Alzheimer, Pick) dont les modalités thérapeutiques restent encore très discutées (38-75-85).

Trois types de médicaments ont été utilisés dans le traitement des démences vraies: les vasodilatateurs cérébraux (tableau 13.8), les nootropes (tableau 13.9) et les stimulants non spécifiques du système nerveux central (maintenant délaissés comme agents thérapeutiques).

Dans une critique récente de l'utilisation des nootropes et des vasodilatateurs, Hyams (45) apporte des arguments qui **vont contre** cette utilisation:

- Méthodologie expérimentale déficiente: non-homogénéité des malades (démences versus maladies vasculaires cérébrales).
- Paramètre d'évolution (mémoire, motricité, affect), diversement modifiés (60).
- Absence de tests psychométriques.
- Coût parfois prohibitif.

Et **d'autres qui sont en faveur:**

- Quelques études bien menées qui ont démontré un effet favorable sur certains paramètres d'évolution.

- Un effet antidépresseur possible.

- Dans certains cas particuliers de bons résultats.

TABLEAU 13.8: Vasodilatateurs cérébraux

I - Système nerveux autonome

   A) Bloquants adrénergiques

      Alkaloïdes ergot. . . . . .Hydergine ®

      Thymoxamine

      Phénoxybenzamine

      Phentolamine. . . . . .Rogitine ®

      Tolazoline. . . . . .Priscoline ®

   B) Stimulants B-Adrénergiques

      Isoxsuprine. . . . . .Vasodilan ®

      Nylidrine. . . . . .Arlidin ®

II - Muscle lisse

      Papavérine

      Cyclandélate. . . . . .Cyclospasmol ®

      Héxobendine

      Bétahistine. . . . . .Serc ®

      Acide nicotinique et dérivés

III - Effets combinés

      Naftidrofuryl

      Oxpentifylline

IV - Production de CO_2

      Acétazolamide. . . . . .Diamox ®

V - Action de membrane

      Cinnarizine

      Flunarizine

VI - "Microcirculation"

      Alkaloïdes ergot. . . . . .Hydergine ®

      Destran

TALBEAU 13.9: Agents nootropes

Alkaloïdes ergot. . . . . Hydergine ®

Acide nicotinique et dérivés

Naftidrofuryl

Deanol. . . . . Deaner ®

Méclofénoxate

Pémoline

Piracétam

Vasopressine

Toujours d'après Hyams (45), le tableau 13.10 illustre l'efficacité "suggérée" des nootropes et vasodilatateurs cérébraux dans certaines conditions cliniques.

TABLEAU 13.10: Efficacité suggérée des nootropes et vasodilatateurs

	Insuffisance cérébro-vasculaire	Démence	Ischémie cérébrale transitoire	Insuffisance vertébro-basillaire
Hydergine ®	+	?		
Vasodilan ®			+	
Serc ®				+
Deaner ®		+		

13.4.2 Le délirium

13.4.2.1 Définition

Le délirium est un syndrome clinique transitoire résultant d'un désordre du métabolisme cérébral et se manifestant par une atteinte globale des fonctions cognitives (obnubilation de la conscience) qui se développe sur une courte période de temps, dont l'intensité varie dans le temps et qui s'accompagne d'hypo ou d'hyperactivité psychomotrice.

13.4.2.2 Étiologie

On retrouve parfois l'étiologie du délirium en dehors du système nerveux central: infections, désordres métaboliques, déséquilibre des électrolytes sanguins, maladies rénales et hépatiques, avitaminoses (thiamine), états post-opératoires, intoxications et sevrage de certaines substances. Le délirium peut aussi s'observer dans les encéphalopathies hypertensives, à la suite d'un traumatisme crânien ou à la suite d'une crise d'épilepsie. Le tableau 13.11 résume les facteurs étiologiques. Il faut aussi retenir que le cerveau immature de l'enfance ou sénescent de la vieillesse prédispose au délirium.

13.4.2.3 Symptomatologie

Il s'agit d'une atteinte clinique transitoire et typiquement de brève durée (environ 1 semaine). Si l'atteinte des fonctions cognitives dure plus d'une semaine, il vaut mieux parler d'état confusionnel et si cette atteinte s'aggrave progressivement sur une longue période de temps, on doit suspecter la démence.

TABLEAU 13.11: Étiologies des déliriums

A. Délirium avec hyperactivité

1- Sevrage ou intoxication

Sevrage
Alcool: délirium tremens
Opiacées
Barbituriques
Méthaqualone
Benzodiazépines

Intoxication
Antidépresseurs tricycliques (encéphalopathie atropinique)
Neuroleptiques majeurs
Amphétamines
Benzodiazépines
Autres: Xylocaine, Atropine, Ergot, Bromures

2- Infections

Pneumonie
Septicémie
Infection à streptocoques
Postopératoire

3- Problèmes neurologiques

Postictal ou épilepsie psychomotrice
Accidents cérébro-vasculaires (infarctus, hémorragie sous-arachnoïdienne, hémorragie cérébrale)
Méningite purulente ou tuberculose
Lésions expansives intracérébrales (néoplasie, hématome)
Encéphalites

B. Délirium avec hypoactivité

1- Intoxication

Hypnotiques
Antiépileptiques (Dilantin et Phénobarbital)

2- Infections

Pneumonie

3- Désordres métaboliques

Déshydratation
Hypoglycémie
Acidose métabolique
Hyponatrémie
Hypoxemie ou hypercapnie
Insuffisance hépatique
Insuffisance rénale

4- Insuffisance cardiaque

5- Problèmes neurologiques	Coma postictal
	Accidents cérébro-vasculaires
	Lésion expansive intracérébrale
	(hématome, tumeur, abcès)
	Méningite
	Encéphalite
6- Syndrome de déshydratation	Fécalome
	Fièvre de la personne âgée.

L'atteinte globale des fonctions cognitives se manifeste par l'obnubilation de la conscience entraînant des perturbations de la perception, de la pensée, de la mémoire et de l'orientation.

Perception: Des troubles de l'attention font que le malade est incapable de capter de façon soutenue les stimuli environnants, de mener une pensée ou un comportement à terme: par exemple il ne peut suivre une émission de télévision pendant plus de dix secondes. Les modifications d'état de veille se caractérisent par des passages de la somnolence à l'état d'alerte (vigilance). Enfin on peut retrouver des défauts d'interprétation, des illusions et des hallucinations: impression d'avoir des insectes dans son lit, visage du médecin déformé, éléphants roses sur les murs.

Pensée: Les défauts d'abstraction, de raisonnement ou de formation de concept rendent la pensée fragmentaire et disjointe avec langage incohérent et coq-à-l'âne. Ces anomalies sont parfois difficiles à mettre en évidence à cause de l'atteinte proéminente de la perception.

Mémoire: Il peut y avoir atteinte de la mémoire récente et passée: par exemple le malade ne se souvient pas de trois mots après cinq minutes, de sa date de naissance. Il peut aussi y avoir désorientation temporo-spatiale (jour de la semaine?, hôpital ou domicile?) et de façon assez caractéristique le malade ne se souvient de rien après l'épisode de délirium.

Cette atteinte transitoire des fonctions cognitives se développe en général sur une courte période de temps, des symptômes pouvant évoluer en quelques heures parfois en quelques jours. Le tableau complet de délirium peut être précédé d'un prodrome: cauchemar, insomnie, intolérance à la lumière ou au son, difficulté à penser clairement. L'intensité du tableau clinique varie d'un moment à l'autre de la journée, parfois rapidement avec accentuation de la symptomatalogie le soir et dans le noir, et présences d'intervalles de lucidité. L'hyper ou l'hypoactivité peut se manifester par une succession ininterrompue de gestes sans but évident et sans relation d'attraper un insecte qui n'existe pas, passage de la position couchée à assise et de la torpeur à l'hypervigilance (phénomène du commutateur).

13.4.2.4   Bilan complémentaire

En stat: urée, glycémie, électrolyte (na, K, Cl), calcémie, phosphorémie, gaz, capillaires, recherche de barbiturique et d'aspirine et radiographie pulmonaire. Ce bilan en stat doit être complété dans les 24 heures (ou plus tôt si indiqué) par une formule sanguine, une analyse d'urine, une radiographie du crâne, un é-lectro-encéphalogramme et un bilan hépatique.

13.4.2.5   Diagnostic

Il est relativement aisé de distinguer le syndrome délirium de la démence, d'un syndrome Korsakoff ou d'une réaction dépressive. Les étiologies du délirium sont cependant multiples (voir tableau 13.11), le diagnostic étiologique parfois ardu. Certaines étiologies du délirium doivent être reconnues rapidement (à la salle d'urgence de préférence): méningite, hypoglycémie, intoxication médicamenteuse, syndrome de Wernicke-Korsakoff, encéphalopathie hypertensive, hémorragie intracrânienne. D'autres entités cliniques doivent être reconnues rapidement mais sont des urgences relatives: hématome sous-dural chronique, septicémie, insuffisance hépatique, insuffisance rénale, délirium tremens, encéphalopathie atropinique. L'examen physique doit nous faire rechercher et évaluer certaine éléments diagnostiques particulièrement significatifs: état de conscience, température, pouls, pression artérielle, signe de traumatisme crânien, méningisme, tremor, astérixis, myoclonie, réflexe pathologique et réponse pupillaire.

Pour poser un diagnostic de délirium, le DSM III propose les critères suivants:

A- Obnubilation de la conscience avec trouble de l'attention aux stimuli de l'environnement immédiat.

B- Présence d'au moins deux des symptômes suivants:

(1) Trouble de la perception: mésinterprétation, illusions, hallucinations.

(2) Discours épisodiquement incohérent.

(3) Trouble du cycle sommeil-veille avec insomnie nocturne et somnolence diurne.

(4) Activité psychomotrice augmentée ou diminuée.

C- Désorientation et trouble de la mémoire.

D- Évolution du tableau clinique sur un laps de temps réduit (heures ou jours) avec fluctuation au cours de la journée.

E- Identification par l'anamnèse, l'examen physique ou les examens de laboratoire d'un facteur étiologique organique spécifique.

13.4.2.6 Principe du traitement

Le délirium étant un syndrome, un **traitement spécifique** ne pourra être institué qu'**après avoir précisé l'étiologie** de la maladie impliquée.

En l'absence d'un diagnostic précis, on peut toujours corriger les facteurs aggravants: médication antérieure, déshydratation, infection, désordre métabolique. Si une sédation est requise, on peut utiliser une benzodiazépine per os ou intraveineuse. Par exemple, dans un cas de délirium tremens (sevrage éthylique), on peut se servir du chlordiazépoxyde à raison de 50 à 100 mg per os ou intraveineux aux heures jusqu'à l'obtention de l'effet sédatif désiré, puis aux quatre à six heures en fonction de la réponse clinique. L'administration intramusculaire d'une benzodiazépine est non recommandée à cause de l'absorption erratique.

13.4.3 Le syndrome amnésique

13.4.3.1 Définition

La caractéristique principale du syndrome amnésique est l'installation d'une perte sélective de la mémoire en l'absence d'obnubilation (délirium) ou de déficit cognitif global (démence).

13.4.3.2 Étiologie

Le syndrome amnésique est causé par tous les processus pathologiques causant des lésions bilatérales du diencéphale ou du cerveau limbique (corps mamillaires, fornix, hippocampe). Ce syndrome peut être causé par un traumatisme crânien, l'hypoxie ou les infarctus dans les territoires anatomiques irrigués par les artères cérébrales postérieures. Les encéphalites herpétiques peuvent aussi causer un syndrome amnésique. Cependant la cause la plus fréquente de ce tableau clinique est une déficience en thiamine associée à l'éthylisme chronique causant le syndrome de Wernicke-Korsakoff.

13.4.3.3 Symptomatologie

Dans le syndrome amnésique, le tableau clinique qui peut s'installer soudainement est dominé par un déficit sélectif de la mémoire. Ce déficit affecte au début les souvenirs récents (amnésie antérograde) suivis au cours de l'évolution de la maladie par les souvenirs distants (amnésie rétrograde). La mémoire immédiate de fixation n'est cependant pas atteinte.

Il arrive souvent que dans ce syndrome amnésique, le malade compense ses troubles de la mémoire en faisant appel à des confabulations et des fausses reconnaissances; ce qui lui donne l'apparence d'être en bon contact avec la réalité. Généralement, le malade est indifférent à son déficit et ne présente aucune autocritique. Dans la psychose de Korsakoff associée à l'éthylisme chronique, on peut observer d'autres symptômes neurologiques tels que des neuropathies périphériques et des ataxies cérébelleuses.

13.4.3.4 Diagnostic

Le diagnostic différentiel doit se faire avec le délirium où l'obnubilation est toujours présente, et avec la démence où on observe une atteinte beaucoup plus globale des fonctions cognitives. Le DSM III établit les critères suivants dans le syndrome amnésique:

A- Amnésie antérorétrograde affectant les souvenirs récents et distants.

B- Absence d'obnubilation telle qu'observée dans le délirium, intoxication et absence de déficit intellectuel global telle qu'observée dans la démence.

C- Identification par l'anamnèse, l'examen physique ou les examens de laboratoire d'un facteur étiologique organique spécifique.

13.4.4 Le syndrome délirant organique

13.4.4.1 Définition

Le tableau clinique du syndrome délirant organique est dominé par un comportement délirant associé à un facteur organique spécifique.

13.4.4.2 Étiologie

Le syndrome délirant organique peut être causé par l'ingestion de nombreuses substances telles que les amphétamines, la cocaïne, le cannabis et les hallucinogènes. Il peut aussi s'observer dans l'épilepsie temporale et dans la chorée de Huntington.

13.4.4.3 Symptomatologie

En l'absence de toute obnubilation ou de tout déficit cognitif majeur, on voit s'installer un syndrome délirant qui est souvent difficile à distinguer de la schizophrénie. Le thème des délires est généralement persécutoire mais se trouve rarement associé à des hallucinations auditives. Cependant, on retrouve souvent des hallucinations cénestopathiques (sensation de petites "bibites" sous la peau). Il n'est pas rare que l'on retrouve des signes discrets de déficits cognitifs à l'examen psychiatrique approfondi.

13.4.4.4 Diagnostic

C'est généralement par l'anamnèse (e.g. identification de la toxicomanie, ingestion récente d'hallucinogènes) ou par les examens de laboratoire (e.g. présence d'amphétamines dans les urines) que se fait le diagnostic. Sur le plan de la symptomatologie, le syndrome cérébral organique se distingue difficilement d'un syndrome délirant observé dans la schizophrénie ou dans la psychose paranoïde. Cependant, l'apparition rapide d'un syndrome délirant chez un sujet âgé de plus de trente ans sans passé psychotique doit faire penser à un syndrome délirant organique. Le DSM III établit les critères suivants dans le diagnostic du syndrome délirant organique.

A- Les délires dominent le tableau clinique.

B- Absence d'obnubilation observée dans le délirium, de déficit cognitif global observé dans la démence, d'hallucinations importantes observées dans l'hallucinose organique.

C- Identification par l'anamnèse, l'examen physique ou les examens de laboratoire d'un facteur étiologique organique spécifique.

13.4.5 L'hallucinose organique

13.4.5.1 Définition

La caractéristique essentielle de ce syndrome est la présence persistante ou récurrente d'hallucinations en l'absence d'obnubilation de la conscience, sans perte importante des facultés intellectuelles et sans trouble majeur de l'humeur.

13.4.5.2 Étiologie

L'utilisation des hallucinogènes et l'éthylisme chronique sont les facteurs étiologiques les plus fréquents dans l'hallucinose organique. Ce syndrome peut aussi être causé par la déprivation sensorielle telle qu'elle existe dans la cécité ou la surdité. L'épilepsie temporale peut aussi être mise en cause.

13.4.5.3 Symptomatologie

Toutes formes d'hallucinations peuvent s'observer dans ce syndrome dépendant de l'étiologie. Par exemple, les hallucinogènes causent généralement des hallucinations visuelles tandis que l'éthylisme chronique cause des hallucinations auditives. Chez les individus atteints de cataracte on peut observer des hallucinations visuelles, tandis que chez ceux atteints d'otosclérose on observe des hallucinations auditives.

Dans ce syndrome, l'autocritique peut être préservée mais il n'est pas rare que le syndrome hallucinatoire s'associe à une conviction délirante. Néanmoins, les délires ne dominent pas le tableau clinique.

13.4.5.4 Diagnostic

Toutes formes d'hallucinations associées à de l'obnubilation de la conscience doivent faire penser au délirium. Aussi, l'association du syndrome hallucinatoire à un déficit cognitif global et important évoquera toujours la possibilité d'une démence. Naturellement, en l'absence de facteur étiologique organique spécifique, il faut penser au diagnostic d'une psychose fonctionnelle: schizophrénique ou affective.

On devrait aussi considérer les hallucinations hypnagogiques ou hypnopompiques qui peuvent s'observer chez des sujets normaux au moment de l'endormissement ou du réveil.

Le DSM III propose les critères diagnostiques suivants pour l'hallucinose organique:

A- La présence persistante ou récurrente d'hallucinations domine le tableau clinique.

B- Absence d'obnubilation de la conscience comme dans le délirium, de déficit intellectuel important comme dans la démence, de trouble de l'humeur comme dans le syndrome affectif organique. Les délires ne dominent pas le tableau clinique comme dans le syndrome délirant organique.

C- Identification par l'anamnèse, l'examen physique, ou les examens de laboratoire d'un facteur étiologique organique spécifique.

13.4.6 Le syndrome affectif organique

13.4.6.1 Définition

La caractéristique essentielle de ce syndrome est un trouble de l'humeur ressemblant d'ailleurs à un épisode maniaque ou dépressif mais associé à un facteur étiologique organique spécifique.

13.4.6.2 Étiologie

Ce syndrome est généralement causé par un facteur toxique ou un trouble métabolique. Certaines susbtances telles que la réserpine, le méthyl-dopa et certains hallucinogènes peuvent causer un syndrome dépressif. De même certaines maladies endocriniennes telles que l'hyper ou l'hypothyroïdie, les maladies cortico-surrénaliennes, le cancer du pancréas et certaines maladies virales peuvent être associées au syndrome dépressif correspondant en fait à la dépression secondaire de l'école de Saint-Louis.

13.4.6.3 Symptomatologie

D'un point de vue phénoménologique, la symptomatologie du syndrome affectif organique ne se différencie pas de troubles affectifs tels que décrits dans le chapitre 12. Cependant, on observe souvent des déficits cognitifs discrets. Dans la dépression, tous les symptômes associés à la tristesse peuvent être observés tels l'angoisse, l'irritabilité, le ralentissement psychomoteur et les idées de dévalorisation. Dans la manie, l'euphorie, l'irritabilité, la logorrhée et l'hyperactivité psychomotrice sont présentes. Les délires et les hallucinations sont plus fréquents dans la forme maniaque que dans la forme dépressive du syndrome affectif organique.

13.4.6.4 Diagnostic

Le syndrome affectif organique doit évidemment être différencié des troubles affectifs primaires. L'absence de troubles affectifs dans les antécédents familiaux est en faveur d'un diagnostic du syndrome affectif organique lorsqu'un facteur étiologique organique est mis en évidence.

Le DSM III propose les critères diagnostiques suivants pour établir le diagnostic:

A- Les troubles de l'humeur dominent le tableau clinique avec les caractéristiques de la dépression et de la manie.

B- Absence d'obnubilation de la conscience et d'atteinte cognitive significative. Les délires et les hallucinations ne dominent pas le tableau clinique.

C- Identification par l'anamnèse, l'examen physique ou les examens de laboratoire d'un facteur étiologique spécifique.

13.4.7 Le syndrome de personnalité organique

13.4.7.1 Définition

Le syndrome de personnalité organique est constitué par un changement marqué de la personnalité d'un individu en l'absence de tout autre syndrome organique cérébral.

13.4.7.2 Étiologie

Le syndrome de personnalité organique est généralement causé par des lésions structurales au niveau du cerveau. Les causes les plus fréquentes sont les néoplasies cérébrales, les traumatismes crâniens et des accidents cérébro-vasculaires. On peut observer ce syndrome dans les cas d'épilepsie temporale, de sclérose en plaque, dans la chorée de Huntington et dans les séquelles post-encéphalitiques.

13.4.7.3 Symptomatologie

Ce syndrome est caractérisé par un changement marqué du comportement habituel du sujet atteint. Certains, sur un fond de labilité affective, exhibent un comportement impulsif et inapproprié, d'autres, sur un fond d'apathie et d'indifférence perdent tous leurs intérêts habituels, au sein de la famille et de l'emploi, et ne se sentent plus touchés par les événements qui les entourent. D'autres deviennent méfiants et une personnalité de type paranoïde s'installe. Associés à ces changements marqués de la personnalité, on peut identifier à l'examen psychiatrique quelques signes discrets de déficit cognitif. Souvent ce comportement peut provoquer des problèmes sociaux avec implication médico-légale.

13.4.7.4 Diagnostic

Le syndrome de personnalité organique se différencie des troubles de la personnalité (antisociale - paranoïde) par le fait que l'on ne trouve pas ces troubles du comportement dans les antécédents personnels du malade.

Quoique ce syndrome se différencie facilement de la démence par le fait que les déficits cognitifs sont très légers ou inexistants, il faut retenir cependant que ce changement de la personnalité peut annoncer le début d'une démence franche qui se manifestera plus tard.

Le DSM III propose les critères diagnostiques suivants pour le syndrome de personnalité organique:

A- Changements importants du comportement et de la personnalité du sujet atteint, impliquant au moins un des comportements suivants:

(1) labilité émotionnelle (e.g. colères intempestives, crises de pleurs);

(2) comportement impulsif (e.g. perte des inhibitions sexuelles, vol à l'étalage);

(3) apathie et indifférence (e.g. perte d'intérêt aux passe-temps favoris);

(4) méfiance ou idéation paranoïde.

B- Absence d'obnubilation de la conscience, absence de déficit intellectuel important, les troubles de l'humeur ne dominent pas le tableau clinique, absence de délires ou d'hallucinations.

C- Identification par l'anamnèse, l'examen clinique ou les examens de laboratoire d'un facteur étiologique organique spécifique associé au tableau clinique.

13.4.8 Le syndrome d'intoxication

13.4.8.1 Définition

Le syndrome d'intoxication se définit par un comportement pathologique ou inadapté, intimement associé à l'ingestion récente, et à la présence dans le corps d'une substance spécifique. Cette substance est mise en évidence par l'anamnèse, par l'examen physique (e.g. haleine éthylique) ou par les examens de laboratoire (e.g. présence de la substance dans les urines et dans le sang).

Dans cette classification qui nous vient du DSM III, on ne peut pas porter le diagnostic de syndrome d'intoxication si le tableau clinique associé à l'ingestion d'une substance se conforme à la symptomatologie d'un syndrome déjà décrit tel que le délirium ou le syndrome délirant organique. Par exemple, on peut faire le diagnostic de délirium ou de syndrome délirant aux amphétamines si cette substance a été mise en cause dans l'éclosion du tableau clinique.

13.4.8.2 Diagnostic

Dans le syndrome d'intoxication, il s'agit donc de manifestations psychiatriques qui ne correspondent pas au syndrome décrit plus haut. Le DSM III propose les critères de diagnostic suivants:

A- Développement d'un syndrome psychiatrique spécifique à l'ingestion récente d'une substance et à sa présence dans le corps.

B- Comportement inadapté se manifestant à l'état de veille et causé par l'effet de la substance sur le système nerveux central (e.g. trouble du jugement, agressivité).

C- Le tableau clinique ne correspond pas à la symptomatologie observée dans le délirium, le syndrome délirant organique, le syndrome d'hallucinose organique ou le syndrome affectif organique.

13.4.9   Le syndrome de sevrage

13.4.9.1   Définition

L'aspect essentiel de ce syndrome est le développement d'un tableau clinique psychiatrique faisant suite à l'arrêt ou à la diminution soudaine d'une substance à laquelle un individu était intoxiqué dans le contexte d'une toxicomanie.

13.4.9.2   Diagnostic

Le diagnostic de syndrome de sevrage ne se pose pas si, faisant suite à l'arrêt ou à la diminution brusque de l'ingestion de la substance toxique, s'installe un tableau clinique de délirium, de syndrome délirant organique ou de tout autre syndrome décrit plus haut dans ce chapitre. Par exemple, un tableau de délirium faisant suite à un sevrage d'alcool chez un éthylique correspond au délirium tremens décrit au chapitre 7. Le DSM III propose donc les critères suivants pour le syndrome de sevrage:

A- Développement d'un syndrome psychiatrique spécifique faisant suite à la cessation ou à la réduction de l'ingestion d'une substance utilisée régulièrement par un individu dans le contexte d'une toxicomanie.

B- Le tableau clinique ne correspond pas à la symptomatologie d'un syndrome organique spécifique tel que le délirium, le syndrome délirant organique, l'hallucinose organique ou le syndrome affectif organique.

13.4.10   Le syndrome cérébral organique atypique ou mixte

13.4.10.1   Définition

Ce terme est réservé pour tout tableau clinique psychiatrique qui n'a pas été décrit dans ce chapitre mais qui est directement associé à un facteur étiologique organique identifié par l'anamnèse, l'examen physique ou les examens de laboratoire. Un exemple de ce syndrome serait le tableau clinique de "neurasthénie" observé dans la maladie d'Addison.

13.4.10.2   Diagnostic

Le DSM III propose les critères de diagnostic suivants:

A- Le tableau clinique s'observe à l'état de veille et ne se conforme pas à la symptomatologie des autres syndromes organiques cérébraux décrits plus haut.

B- Identification par l'anamnèse, l'examen physique ou les examens de laboratoire, d'un facteur étiologique organique spécifique associé au tableau clinique.

ASPECTS SPÉCIFIQUES DU SYNDROME CÉRÉBRAL ORGANIQUE

Bernard Gauthier

Dans cette deuxième partie du chapitre, nous aborderons les maladies cérébrales organiques dans leur spécificité étiologique. En effet, nous avons déjà vu qu'en plus du délirium, de la démence et du syndrome amnésique, les maladies cérébrales organiques peuvent, par leur symptomatologie, mimer toutes sortes de maladies psychiatriques telles que:

1- la dépression (asthénie, insomnie, anorexie, troubles de mémoire, de concentration, céphalée, etc.) (2, 86);

2- la manie (agitation psychomotrice, logorrhée, fuite des idées, désorientation plus ou moins grande, etc.) (49);

3- différents types de schizophrénie en phase aiguë:

- catatonique (catatonie, etc.) (69),

- paranoïde (présence d'un délire de persécution, etc.) (39, 98);

4- névrose d'angoisse (anxiété marquée, hyperventilation, impression de manquer d'air, etc.).

Ces maladies organiques peuvent mimer encore bien d'autres affections psychiatriques, ex. hystérie de conversion, mais ces modes de présentation sont toutefois moins fréquents.

13.5 LES MALADIES CÉRÉBRALES ORGANIQUES DÉGÉNÉRATIVES

Ces maladies en général se présentent comme une démence, mais parfois elles peuvent mimer à leur début une dépression grave ou encore une paraphrénie tardive (délire de persécution chez la personne âgée (58)).

13.5.1 La maladie d'Alzheimer (démence sénile)

Nous avons déjà abordé cette maladie lorsque nous avons parlé de la démence. Nous rappellerons simplement, à son sujet, qu'en Amérique du Nord, depuis plusieurs années, on a tendance à laisser tomber la distinction que l'on faisait auparavant entre la démence sénile, qui apparaît après 65 ans, et la démence présénile, qui apparaît avant 65 ans. On a plutôt tendance à croire qu'il s'agit de la même maladie et que seul le moment d'apparition diffère.

On ne connaît pas les causes de cette maladie mais les hypothèses les plus en vogue en ce moment et qui font l'objet de recherches sont (20, 21):

1- qu'il s'agirait d'une maladie à virus lent;

2- d'une maladie auto-immune;

3- d'une intoxication lente à l'aluminium;

4- d'une dégénérescence des neurones cholinergiques du néocortex.

L'important est de retenir qu'à ce jour, les recherches portent à croire qu'il s'agit d'une maladie bien distincte de la sénescence et non pas d'une progression normale de celle-ci, ni d'une conséquence d'une maladie artériosclérotique.

13.5.2   La maladie de Pick

Cette maladie est beaucoup moins fréquente que la démence sénile. De plus, un facteur héréditaire semble jouer un rôle dans l'étiologie de cette maladie.

Sur le plan macroscopique, on note une atrophie surtout fronto-temporale alors que pour la démence sénile ou maladie d'Alzheimer, cette atrophie est diffuse. Enfin, sur le plan clinique, il est très difficile de différencier la démence sénile de la maladie de Pick, et, le plus souvent, il s'agit d'un diagnostic post-mortem.

13.5.3   La maladie de Parkinson

Cette maladie dont la symptomatologie neurologique, tremblement postural, démarche à petits pas, etc., est bien connue, se complique parfois d'un tableau de démence. En effet, fréquemment, de légers troubles de l'intellect accompagnent cette maladie et, selon certains auteurs, dans 40 à 80% des cas, ces troubles sont beaucoup plus marqués et sévères et évoluent parallèlement aux symptômes neurologiques. De plus, la dépression est très fréquente chez ces patients et se retrouve chez près de la moitié d'entre eux. Elle serait en partie due à la perte d'estime de soi qu'entraînent les déficits physiques de la maladie.

Enfin, l'évolution clinique se fait très graduellement et progressivement et est indépendante de la médication.

13.5.4   La chorée de Huntington

Il s'agit d'une maladie héréditaire, autosome dominante.

La maladie commence très insidieusement vers 30-40 ans. Elle s'accompagne de changements progressifs au niveau de la personnalité. On note des tics et l'apparition de mouvements choréiformes. A ce stade, un état dépressif est fréquent et par la suite s'installe un état démentiel. Le décès survient 10 à 20 ans après le début de la maladie. Ajoutons qu'à la phase dépressive de la maladie, il y a de fréquents suicides.

13.5.5   La sclérose en plaque

Il s'agit d'une maladie assez fréquente, 50 cas par 100,000 habitants. Elle est plus fréquente dans les pays au climat froid et tempéré. Dans cette maladie, les symptômes psychiatriques se retrouvent dans environ 50% des cas. Il peut s'agir d'une dépression, d'une anxiété maladive ou, par contre, d'une euphorie inappropriée. L'évolution de cette maladie est caractérisée par des atteintes neurologiques multifocales avec des exacerbations d'apparition rapide en quelques jours, suivies de rémissions plus lentes s'étalant en général sur plusieurs mois.

13.6 LES MALADIES CÉRÉBRALES ORGANIQUES VASCULAIRES

De façon générale, une atteinte vasculaire au niveau du cerveau altère de façon abrupte les fonctions du parenchyme cérébral; ceci se traduit sur le plan clinique par des perturbations des fonctions cérébrales qui apparaissent de façon soudaine. Ainsi, toute modification abrupte des fonctions cérébrales doit faire suspecter une atteinte vasculaire. Parfois cependant, l'atteinte du parenchyme se fait progressivement et se traduit sur le plan anatomo-pathologique par des nécroses du parenchyme très petites et dispersées. Ce type d'atteinte s'exprime cliniquement par des symptômes progressifs et insidieux, qui peuvent parfois évoquer une maladie psychiatrique.

13.6.1 La maladie des petits vaisseaux cérébraux

Multiples infarctus (Lacunar state). L'atteinte des petits et moyens vaisseaux donne des lésions parenchymateuses petites et dispersées dans tout le cerveau. Apparaissent alors des symptômes neurologiques et psychiatriques. De toutes les atteintes des petits et moyens vaisseaux, la plus fréquente et importante est la maladie des petits infarctus disséminés (*Lacunar state*). Il s'agirait du diagnostic de beaucoup de patients, classé comme démence artériosclérotique.

On trouve dans cette maladie des infarctus ischémiques de petite taille de quelques millimètres à deux centimètres, parfois isolés mais le plus souvent multiples. Cette maladie se présente chez les personnes qui font de l'hypertension et serait rarement associée au diabète ou à l'artériosclérose sans hypertension.

Sur le plan clinique, les signes et symptômes sont proportionnels au nombre de lésions. Les symptômes de démence s'installent parallèlement aux signes d'atteinte motrice. Au début, on note une atteinte motrice bilatérale avec des signes suggestifs de paralysie pseudo-bulbaire, de la rigidité, de l'akinésie, de la dysarthrie, des réflexes tendineux profonds augmentés et un extenseur plantaire positif, de l'incontinence urinaire et parfois des troubles de la démarche comme dans la maladie de Parkinson. S'associent à ceux-ci les symptômes classiques d'un syndrome cérébral organique, c'est-à-dire des troubles d'orientation, de la mémoire, du jugement, de l'intellect et enfin des troubles de l'affect.

L'histoire du patient révèle une évolution typique en escalier, c'est-à-dire une dégradation soudaine suivie d'une amélioration partielle, suivie d'une nouvelle dégradation subite, ainsi de suite. L'hypertension doit être présente; si on ne la retrouve pas, ce diagnostic doit être mis en doute.

Cette affection ressemble, par sa symptomatologie, à la démence sénile ou présénile mais en diffère par trois points: les signes d'atteinte des neurones moteurs du cortex, la présence d'une paralysie pseudo-bulbaire et une labilité émotionnelle plus marquée.

Pour ce qui est du traitement, il n'y en a pas. On peut toutefois la prévenir en traitant l'hypertension. Enfin, l'évolution vers la démence est irréversible.

13.6.2   Maladie des gros vaisseaux

13.6.2.1   L'artériosclérose

Contrairement à ce que l'on croit généralement, le durcissement des artères et la détérioration mentale progressive chez les gens âgés ne sont pas nécessairement liés. Il est probable que l'artériosclérose et la démence sénile soient deux maladies distinctes qui apparaissent fréquemment chez la personne âgée mais qui ne sont aucunement liées l'une à l'autre.

Enfin, nous notons que l'artériosclérose aura tendance à donner une atteinte focalisée, d'apparition soudaine, plutôt qu'une démence à évolution très progressive.

13.6.2.2   Les infarctions cérébrales

Sur le plan histologique, il y a peu de différence avec la maladie des petits infarctus disséminés si ce n'est le diamètre des lésions ischémiques qui est plus grand dans les infarctions cérébrales. Les causes sont aussi différentes; dans la maladie des petits infarctus disséminés, l'étiologie est l'hypertension, dans les infarctions, il s'agit d'embolies provenant de lésions artérielles extra-crâniennes.

Les attaques ischémiques transitoires

Il s'agit d'épisodes courts, c'est-à-dire de moins de 24 heures, caractérisés par des perturbations neurologiques focalisées. Le plus souvent, ils sont dus à des microembolies provenant de lésions artérielles extra-crâniennes proximales. Il est important de distinguer entre l'origine carotidienne des embolies qui donne des perturbations de l'hémisphère unilatéral et l'origine vertébro-basilaire qui atteint le tronc et le lobe occipital. Le traitement est l'administration d'anticoagulants et parfois la chirurgie.

Il faut se rappeler que le 1/3 des patients qui présentent de telles attaques ischémiques transitoires et qui ne sont pas traités vont présenter une infarction cérébrale plus importante avec des séquelles neurologiques. La moitié de ce tiers présentera cette infarction quelques semaines après la première attaque ischémique transitoire, d'où l'importance du diagnostic et de la prévention par anticoagulo-thérapie.

L'infarction unilatérale

Ces patients sont rarement vus en psychiatrie, bien que de façon superficielle la symptomatologie puisse ressembler à une démence. Toutefois, par un examen plus fin, on peut distinguer soit des troubles du langage qui évoquent une atteinte du lobe dominant, des troubles de l'orientation visuo-spatiale, une atteinte du lobe non dominant, ou encore des changements de comportement, de personnalité, de la labilité émotionnelle qui feront penser à une atteinte du lobe frontal.

L'infarction bilatérale

Ces patients sont beaucoup plus fréquemment vus en psychiatrie pour évaluation, car les perturbations mentales sont souvent sévères et relèguent au second plan les signes neurologiques.

Notons que lors d'une infarction bilatérale de l'hippocampe ou suite à une obstruction dans les aires de distribution des deux artères cérébrales postérieures et de leurs connexions, on assiste à une amnésie des événements récents et de la mémoire de rétention sans autre perturbation mentale bien marquée.

13.6.3 Les anoxies

Lors d'un épisode d'hypoxie sévère, c'est surtout des lésions corticales qui apparaîtront, alors que plusieurs épisodes d'hypoxie moins sévères toucheront surtout la matière blanche et les ganglions de la base. Dans l'ensemble, la matière grise est beaucoup plus vulnérable au manque d'oxygène que la matière blanche. L'hypoxie, selon sa durée et sa gravité, peut donner des symptômes allant de la simple anxiété avec difficulté de concentration, à des tableaux de délirium, de stupeur et même de coma.

L'encéphalopathie postanoxie

Les patients qui se remettent d'une anoxie marquée, présentent souvent des séquelles neuropsychiatriques qui dépendent des atteintes histologiques et de l'agent causal. Ces séquelles peuvent être de la démence ou encore un syndrome de Korsakoff, une dépression d'intensité psychotique, un syndrome extra-pyramidal, de l'hyperkinésie, des perturbations cérébrales focalisées telles qu'apraxie, agnosie, de la confusion mentale ou encore de l'amnésie. Souvent l'amnésie est permanente, entre telle et telle date le patient aura un trou de mémoire. Même si le changement à l'EEG est parallèle à l'évolution, celui-ci a peu de valeur pour déterminer le pronostic final. L'amélioration est imprévisible, il n'y a pas de règle. L'évolution, enfin, s'étend sur des semaines et des mois.

La détérioration postanoxie différée

Après une anoxie causée le plus souvent par du monoxyde de carbone, mais parfois par un autre agent, certains patients présentent des symptômes neurologiques ou psychiatriques, dix à quatorze jours après l'anoxie. Le tableau clinique évolue alors vers une détérioration rapide des fonctions cognitives, qui reflète une démyélinisation sous-corticale parfois extensive.

13.6.4 Les hémorragies intracrâniennes non traumatiques

On distingue généralement deux types d'hémorragie intracrânienne, soit l'intracérébrale avec collection de sang localisé dans le parenchyme, et la sous-arachnoïdienne qui est fréquemment causée par un anévrisme rupturé et où il y a collection de sang dans l'espace sous-arachoïdien. On retrouve les hémorragies intracrâniennes chez des personnes qui ont des antécédents d'hypertension mais pas exclusivement chez elles.

Au sujet des ces hémorragies intracrâniennes, retenons trois faits:

1- Les séquelles sont fréquentes et s'extériorisent par des perturbations des fonctions mentales en plus des perturbations neurologiques.

2- Occasionnellement, la céphalée et la raideur de nuque sont peu marquées et alors subsiste sur le plan clinique une confusion aiguë ou un délirium.

3- Après n'importe quelle atteinte intracrânienne et en particulier l'hémorragie sous-arachnoïdienne, apparaissent en un à trois jours de la confusion et de l'agitation et moins fréquemment de la somnolence. Ceci serait dû à une hyponatrémie et à une sécrétion inappropriée d'hormone antidiurétique. Un examen des électrolytes, de l'osmolarité du sérum et de l'urine confirme le diagnostic, et en général une diminution des ingesta liquides suffit comme traitement.

13.6.5   L'hydrocéphalie communicante posthémorragique (9)

La présence de sang dans l'espace sous-arachoïdien perturbe la circulation et l'absorption du liquide céphalo-rachidien; ceci entraîne une hydrocéphalie qui se caractérise par des troubles progressifs de l'activité mentale. On note de l'akinésie, des troubles de la démarche et de l'incontinence urinaire. Ces symptômes peuvent apparaître de façon transitoire après une hémorragie sous-arachnoïdienne, parfois ils persistent et évoquent une démence. Cependant, bien que le mot démence ait une connotation d'évolution irréversible, celle-ci est curable et le traitement est le pontage.

13.6.6   Autres maladies à composante vasculaire

13.6.6.1   L'endocardite bactérienne subaiguë

Les patients atteints de cette affection présentent souvent des symptômes neuropsychiatriques. Ces symptômes sont prédominants dans environ 60% des cas, et pour plusieurs patients ils sont tellement évidents qu'ils entraînent de temps à autre une admission d'emblée dans un service de psychiatrie. Comme symptomatologie, on retrouve communément, un délirium caractérisé par de la confusion, des hallucinations et des idées de type paranoïde. Le médecin, devant une fièvre légère et une sédimentation élevée sans autres signes d'endocardite, doit faire preuve de beaucoup de perspicacité pour arriver au diagnostic. Lorsque l'endocardite est suspectée, les cultures de sang permettent de mettre en évidence le streptocoque viridans, la bactérie la plus souvent incriminée. L'antibiothérapie doit être entreprise rapidement, car le taux de mortalité est élevé.

13.6.6.2   Le lupus érythémateux systémique

On note des perturbations des fonctions mentales chez 15 à 20% des patients souffrant de lupus érythémateux. Cette maladie peut donner toute une gamme de symptômes psychiatriques, allant du délirium aux symptômes schizophréniformes (39) de type catatonique ou paranoïde, aux dépressions (2) et aux névroses d'angoisse. La cause de ces perturbations mentales est inconnue. On ne trouve pas d'anomalie au niveau du cerveau. Certains pensent que la maladie fait éclore au grand jour une personnalité prépsychotique. D'autres estiment que ces symptômes psychiatriques sont dus aux effets secondaires des stéroïdes et de la chloroquine (39). Toutefois, à l'encontre de cette dernière hypothèse, on note que les troubles mentaux accompagnent les exacerbations de la maladie. Il serait donc utile alors de donner ou d'augmenter les stéroïdes. Parfois, la symptomatologie est telle qu'elle impose l'emploi des neuroleptiques.

13.6.6.3 L'artérite temporale

Cette maladie atteint surtout les personnes âgées et elle est malheureusement souvent confondue avec une dépression ou encore une exacerbation d'arthrite rhumatoïde. Les symptômes sont la céphalée, un malaise général avec lassitude, asthénie et perte de poids. Il est excessivement important de faire le bon diagnostic, car lorsqu'elle n'est pas traitée, cette maladie entraîne la cécité dans la moitié des cas. Une sédimentation élevée chez un patient de plus de 60 ans qui présente une céphalée récente et persistante doit faire évoquer cette possibilité. La palpation de l'artère temporale ainsi qu'une biopsie de celle-ci dans laquelle on trouvera des cellules géantes corroborent le diagnostic. Le traitement aux stéroïdes est très efficace.

13.6.6.4 Les états confusionnels postchirurgie cardiaque

Chez environ la moitié des patients qui subissent une chirurgie cardiaque, le retour à un niveau de conscience normal se fait très graduellement et lentement. Ils sont souvent confus et désorientés (42-81-88). Plusieurs hypothèses sont évoquées pour expliquer cette symptomatologie. La première est celle de la privation sensorielle que subit le patient dans une unité coronarienne. Une autre incrimine les effets secondaires de certains médicaments. Enfin, la dernière suppute des micro-embolies générées par la circulation extra-corporelle durant l'intervention chirurgicale.

13.7 LES MALADIES CÉRÉBRALES ORGANIQUES MÉTABOLIQUES

La symptomatologie est celle du syndrome cérébral organique; toutefois l'orientation et la mémoire des faits récents sont perturbées de façon plus marquée.

On trouve aussi de l'agitation ou parfois du retrait. On note des troubles perceptuels, illusions, hallucinations surtout visuelles et parfois un délire de type persécutif. S'ajoutent à ce tableau des signes plus spécifiques tels que l'astérixis dans le coma hépatique et aussi des convulsions qui sont surtout de type généralisé (rarement focalisé).

À l'EEG, les changements sont fréquents mais non spécifiques, il y a ralentissement des rythmes de fond et apparition de rythmes thêta ou delta. Parfois, il y a des décharges épileptiformes, en particulier dans l'hypoglycémie et l'hypocalcémie.

Le tableau clinique est donc celui du syndrome cérébral organique. Certains indices peuvent parfois orienter vers un diagnostic plus spécifique:

1- Une confusion tranquille fera penser à l'urémie, à l'anoxie.

2- Une confusion agitée fera penser à l'insuffisance hépatique aiguë, au sevrage à l'alcool et aux barbituriques, à la porphyrie intermittente aiguë et aux désordres endocriniens.

3- La céphalée avec fièvre et signes d'irritation méningée fera penser à un processus infectieux.

4- Les fonctions cognitives et la mémoire fonctionnant bien, avec présence d'hallucinations auditives, feront penser à une maladie psychiatrique.

13.7.1   Encéphalopathie hépatique

Celle-ci est due à une augmentation du NH_3 sanguin et de ses autres métabolites. Les symptômes sont des troubles de la conscience allant de l'apathie jusqu'au coma. On note des troubles non spécifiques de la mémoire, de l'intellect et de la personnalité. Par moment, le patient peut devenir excessivement agité. Enfin, à la période de récupération, ces patients sont plus susceptibles de présenter des exacerbations nocturnes de leur symptomatologie et de temps à autre un délire de persécution.

13.7.2   Encéphalopathie urémique

La cause en est une d'insuffisance rénale aiguë ou chronique qui provoque une augmentation de l'urée et des acides phénoliques sanguins. Nous trouvons dans cette affection les cinq signes et symptômes classiques du syndrome cérébral organique. Parfois s'ajoutent de la confabulation, de même que des ecmnésies, le sujet vivant de façon actuelle des souvenirs anciens.

13.7.3   Encéphalopathie hypoglycémique

Les causes les plus fréquentes sont une injection trop grande d'insuline ou encore un adénome du pancréas qui sécrète trop d'insuline.

L'hypoglycémie a tendance à survenir le matin ou après l'exercice. Les symptômes vont de la nausée, pâleur, tachycardie et sudation avec légère confusion jusqu'au coma.

On peut assister à des convulsions généralisées ou focales. Le patient peut devenir halluciné. Il est le plus souvent agité et peut de ce fait être conduit directement dans un service de psychiatrie.

On a aussi décrit un syndrome hypoglycémique après la prise d'alcool chez certains individus qui serait caractérisé par un comportement excessivement agité et violent avec désorientation.

13.7.4 Acidocétose diabétique

La cause en est un diabète non traité ou encore une aggravation d'un diabète par le stress, la chirurgie, une infection, un trauma, une grossesse, etc.

Les symptômes sont une grande fatigabilité, de la polyurie, de la polydipsie, de la déshydratation, une respiration de Kussmaul, de la confusion légère pouvant aller jusqu'au coma.

Le coma hyperglycémique s'installe lentement et plus graduellement que le coma hypoglycémique. Une injection de glucose permettra de trancher dans un cas peu clair, en quelques minutes; en effet, dans un coma hypoglycémique une injection va améliorer le patient, tandis que dans le coma hyperglycémique, il n'y aura pas de changement.

13.7.5 Porphyrie intermittente aiguë

Il s'agit d'une maladie héréditaire autosome dominante. La cause serait un défaut de l'enzyme hépatique, *ð amino levulinic acid synsthetase,* enzyme important dans le métabolisme des pyrroles.

Les symptômes de cette maladie sont:
1- instabilité émotionnelle;
2- douleurs abdominales récurrentes;
3- symptômes neurologiques tels que neuropathies périphériques;
4- de la confusion, du délirium et un état pouvant aller jusqu'au coma.

Il n'y a pas de traitement spécifique, mais simplement symptomatique. Notons qu'il ne faut jamais donner à ces patients de barbituriques, de sulfamides, d'oestrogènes, de griséofulvine, car ces médicaments augmentent la symptomatologie.

13.8 LES MALADIES CÉRÉBRALES ORGANIQUES ENDOCRINIENNES

13.8.1 Hyperthyroïdie (49-91)

Parfois, dans cette maladie, l'anxiété prédomine et peut donner le change pour une névrose d'angoisse. Quelquefois aussi, mais beaucoup plus rarement, l'agitation est telle qu'elle peut évoquer un état maniaque.

13.8.2 Hypothyroïdie

Cette maladie est à surveiller chez les dames âgées; les symptômes classiques sont l'hypothermie, l'asthénie, la sécheresse de la peau. Cette maladie peut assez facilement simuler une dépression et entraîner ainsi le médecin sur une fausse piste. Parfois, elle peut aussi se présenter comme un syndrome cérébral organique de type démence ou encore une maladie psychiatrique avec délire et hallucination (70).

Notons enfin que le coma myxoédémateux est une urgence car le risque de mortalité est de 50 %.

13.8.3   Troubles parathyroïdiens

L'excès de parathormone induit une hypercalcémie. Nous retrouvons alors de la fatigue, de l'irritabilité, et un syndrome dépressif. Il peut même y avoir apparition d'un délire paranoïde et d'une réaction psychotique. Par ailleurs, le manque de parathormone induit l'hypocalcémie. Il y a alors augmentation de l'excitabilité neuromusculaire avec apparition de symptômes tels que: tétanie avec risque de convulsion, hyperventilation, signe du Trousseau et de Chvostek. Cette symptomatologie peut mimer une névrose d'angoisse et même, à certains moments, se compliquer d'une agitation marquée, de confusion avec hallucinations et donner le change pour un trouble psychotique.

13.8.4   Troubles surrénaliens

La maladie d'Addison. Cette maladie peut donner un tableau clinique ressemblant à l'hypothyroïdie et donc mimer une dépression. Enfin, assez souvent elle se complique d'une symptomatologie de type psychotique.

La maladie de Cushing. Avec la médication stéroïdienne, certains patients deviennent euphoriques, d'autres deviennent anxieux et déprimés et cela peut les conduire jusqu'au suicide (39).

13.9   LES DÉFICIENCES EN VITAMINES

13.9.1   La pellagre

Cette maladie est due à une insuffisance en acide nicotinique ou de son précurseur le tryptophane. Elle est caractérisée par la triade des 3 D: démence, diarrhée, dermatite.

Les symptômes psychiatriques les plus fréquents sont: l'apathie, l'insomnie, la confusion et un syndrome démentiel qui s'installe graduellement.

On note aussi une ataxie cérébelleuse et des neuropathies périphériques.

La réponse à la médication est rapide en deçà de 24 heures sauf pour le syndrome démentiel qui prend beaucoup plus de temps à se résorber.

13.9.2   Anémie pernicieuse ou de Biermer

Cette anémie résulte du manque de facteur intrinsèque qui permet l'absorption de la vitamine B12. Il s'agit d'une anémie mégaloblastique. Il est important de noter que les troubles neurologiques peuvent précéder l'anémie. Les symptômes fréquents sont: l'apathie, la dépression, l'irritabilité, et parfois comme symptôme prédominant un délire, accompagné d'hallucinations.

Enfin, cette maladie peut se présenter sous la forme d'une démence. On a rapporté à quelques reprises l'émergence d'une symptomatologie psychiatriforme dans cette maladie, sans altération de la formule sanguine et de la moelle, et avec seulement une vitamine B12 diminuée, ce qui rend le diagnostic particulièrement ardu (41-86).

Pour le traitement, l'acide folique corrige l'anémie mais pas les symptômes neurologiques, il faut donner de la vitamine B12 parentérale pour corriger ces derniers.

13.10 LES NÉOPLASIES INTRACRÂNIENNES

Dans ces affections, la symptomatologie varie selon la nature de la tumeur et sa localisation (40).

La symptomatologie psychiatrique est souvent le seul signe précoce de la néoplasie et, en particulier, l'association de dépression, de ralentissement psychomoteur avec somnolence et de céphalée qui peut varier de légère à sévère (15).

Les symptômes mentaux peuvent varier d'une heure à l'autre. Ceci peut être dû à des variations de l'oedème péritumoral ou au stress lors de l'entrevue.

La symptomatologie varie selon la localisation de la tumeur. Ainsi si la tumeur se loge au niveau du lobe frontal, la symptomatologie ne sera différente que si elle se loge dans la région temporale de l'hémisphère dominant ou non dominant ou encore dans le lobe occipital. Pour différencier les diverses symptomatologies en fonction de la localisation de ces tumeurs, nous vous renvoyons à un livre de neurologie. Notons seulement que, lorsque la tumeur évolue lentement, le patient peut se rendre compte de la diminution de ses fonctions cérébrales. Il passera alors à travers différentes phases:

1- Une irritabilité et une non-acceptation de ses pertes et difficultés au niveau des fonctions cognitives.

2- Suivront de l'anxiété et un syndrome dépressif.

3- Une période de négation avec diminution de l'anxiété et de la dépression. Cette négation sera présente même devant des déficits flagrants. Enfin, notons qu'à ce stade, le patient pourra présenter une grande euphorie et une sensation de bien-être. Si par ailleurs la perte des fonctions cérébrales est très, très graduelle, le patient aura tendance à laisser les tâches les plus complexes pour se limiter à des tâches plus faciles; en d'autres termes, il s'autolimite graduellement.

13.11 LES INFECTIONS

Les méningites peuvent donner un syndrome de délirium. Toutefois, on retrouve les signes classiques de la méningite: céphalée, fièvre, nausée, vomissements et raideur de la nuque. Par contre, les encéphalites, en particulier celles à Herpès, peuvent imiter toutes sortes de maladies psychiatriques (98). Le ralentissement psychomoteur avec difficulté de concentration et une diminution des fonctions intellectuelles peut être le symptôme prédominant et donner le change pour une dépression. Un délire de persécution avec retrait, trouble de la pensée, peut évoquer une schizophrénie paranoïde, de la catatonie, une schizophrénie catatonique, etc. (69).

13.11.1   La neurosyphilis

Cette maladie est beaucoup moins fréquente aujourd'hui dans nos régions. On peut noter toutefois qu'elle a une évolution qui ressemble à celle de la démence sénile, c'est-à-dire un début insidieux et une évolution très graduelle dans le temps. Peut s'ajouter au syndrome de démence, une hypochondrie, parfois de la mégalomanie avec délire de grandeur.

Le diagnostic différentiel est alors à faire avec toutes les autres maladies qui peuvent donner un syndrome de démence (41).

13.11.2   La fièvre des montagnes Rocheuses

Cette maladie due au Rickettsia Rickettsii et qui est transmise par des tiques est endémique aux Etats-Unis et au Canada. Elle peut donner un syndrome de délirium. Un rash au niveau des extrémités apparaissant 4 à 6 jours après un contact avec des tiques peut nous orienter vers ce diagnostic.

13.11.3   Les infections systémiques (43)

Les fonctions cérébrales sont souvent atteintes lors de telles infections. Cela peut être dû: à des toxines, à des troubles métaboliques, à l'inanition secondaire à l'infection, à de l'anoxie lors d'atteinte respiratoire ou cardio-vasculaire, ou encore à une réaction allergique. En général, la symptomatologie est celle du délirium (50), mais s'ajoutent assez fréquemment des illusions visuelles, des hallucinations et parfois un délire de type persécutif.

13.11.4   La malaria (paludisme)

Cette maladie peut donner une symptomatologie neuro-psychiatrique. Elle peut en effet évoquer une dépression par la présence d'un ralentissement psycho-moteur. Cette maladie est à suspecter particulièrement chez des jeunes qui reviennent de voyages dans des régions endémiques, telles que le Mexique.

13.12   LES INTOXICATIONS

Les intoxications, qu'elles soient aiguës ou chroniques, à divers médicaments ou substances, peuvent toutes donner des symptômes psychiatriformes, tels que le délirium ou encore des hallucinations visuelles, du délire, etc.

Nous repasserons ici celles qu'on rencontre le plus fréquemment en psychiatrie.

13.12.1   Les barbituriques (voir section 7.6.2.2)

L'intoxication aiguë. Celle-ci donne une dépression du système nerveux central qui, en fonction de la dose ingurgitée, peut aller de la stupeur au coma et même à la mort.

L'intoxication est sévère entre 200 et 1000 mg et la dose léthale se situe entre 1000 et 1500 mg.

L'intoxication chronique. L'organisme acquiert une certaine tolérance aux barbituriques. Toutefois, le patient exhibe une fluctuation de l'état de conscience. En fait, cette intoxication chronique est parfois mise en évidence à l'occasion d'un sevrage. Elle se complique quelquefois de convulsion.

Le syndrome de sevrage. Lors de sevrage trop rapide de barbiturique, il faut être vigilant car le patient risque de mourir. Les modalités de sevrage se retrouvent dans la plupart des livres de médecine et nous ne les repasserons pas ici. Sur le plan clinique, rappelons-nous que le sevrage passe à travers trois phases:

1- Au début, le patient semble s'améliorer, il est moins somnolent, mais après environ 8 heures, des signes et des symptômes d'atteinte du système nerveux central apparaissent. On note de l'irritabilité, de la céphalée, de l'hypotension orthostatique.

2- Après 30 à 48 heures, ces symptômes sont plus sévères et le patient risque de présenter des convulsions.

3- 4 à 7 jours après la cessation des barbituriques, le patient peut présenter des symptômes psychiat. iformes beaucoup plus évidents. En général, il s'agit d'un délirium accompagné d'hallucinations, associé à une température élevée. Cet épisode, si le patient survit, se terminera par un sommeil prolongé de plusieurs jours.

13.12.2   Les benzodiazépines (64) et le méprobamate

L'intoxication à ces médicaments donne un état confusionnel de type délirium. **Le sevrage,** par ailleurs, pourra donner des tremblements et des difficultés de concentration.

13.12.3   Les hypnotiques

L'intoxication entraîne une dépression du système nerveux central et la possibilité d'apparition de convulsion. Il faut faire particulièrement attention aux médicaments tels que: ethchlovynol (Placidyl ®), méthylprylon (Noludar ®), glutéthimide (Doriden ®) et méthaqualone (Mandrax ® Tualone ®). **Le sevrage** donne une symptomatologie analogue au sevrage des barbituriques.

13.12.4   Les bromures

Les patients qui s'intoxiquent à ces médicaments, le font souvent à leur insu. Ils prennent des préparations patentées du type nervine, neurosine, bromo-seltzer, sominex, etc. L'intoxication aiguë est rare car ces médicaments induisent des vomissements et ainsi protègent de l'intoxication. Par contre, l'intoxication chronique est plus fréquente et elle donne lieu à un syndrome de délirium (11). Celui-ci peut se compliquer de symptômes psychotiques avec délire de persécution et hallucinations visuelles.

13.12.5   Les amphétamines et les anorexigènes

L'intoxication à ces médicaments donnera une désorientation accompagnée très souvent d'un délire de persécution. Ces symptômes peuvent paradoxalement apparaître après l'ingestion d'une seule dose ou encore après une ingestion prolongée excessive. Le retour à un état de conscience clair peut prendre plusieurs mois. Le sevrage donnera une fatigue sévère avec ralentissement psychomoteur et un état dépressif (73). Il faut particulièrement se méfier du risque suicidaire élevé.

13.12.6   Les hallucinogènes

En général, ces substances modifient les perceptions. On peut donc avoir des hallucinations visuelles, tactiles, auditives, etc. (1). **Le "bad trip"**. Pour une raison inconnue la personne qui prend de telles substances (assez souvent lorsqu'il s'agit d'ingestion de tétra-hydro-cannabinol) peut alors présenter une réaction d'anxiété extrême, avec une angoisse de morcellement, la peur de perdre son identité, de la désorientation et des idées ou délires de persécution.

Le traitement consiste alors à placer le patient dans un endroit calme et d'inviter un ami ou un membre de sa famille à rester près de lui pour le rassurer jusqu'à ce que l'effet de la substance disparaisse. Dans les cas d'anxiété très marquée, l'emploi de benzodiazépines peut être nécessaire.

13.12.7   Les intoxications aux neuroleptiques et aux antidépresseurs

Ces intoxications sont abordées dans les chapitres sur la pharmacologie. Notons toutefois deux choses: 1) plusieurs médicaments utilisés en psychiatrie ont des effets anticholinergiques, qui peuvent être cumulatifs, et donc induire un syndrome anticholinergique qui se caractérisera par un délirium. En effet, les neuroleptiques et les antidépresseurs tricycliques ont un effet anticholinergique et sont parfois prescrits concomitamment. Notons que d'autres médicaments tels que l'atropine, la scopolamine, la benztropine (Cogentin ®), la propanthéline (Probanthine ®), la diphenhydramine (Bénadryl ®), le trihexyphénidyl (Artane ®), le bipéridène (Akinéton ®), et d'autres médications que le patient peut prendre à notre insu telles que: sominex, sleep ease, etc., sont composés en général d'un mélange d'antihistaminique, de salicyclate et de scopolamine. 2) Dans l'intoxication aux IMAO, il y a une période de latence d'environ 12 heures avant l'apparition des symptômes d'intoxication et ce fait peut induire chez le praticien une fausse réassurance qui peut être dramatique.

13.12.8   L-Dopa (65)

Ce médicament est donné comme traitement dans la maladie de Parkinson. Notons qu'il peut donner toute une gamme de symptômes psychiatriques. Chez 20 à 30% des patients prenant ce médicament, nous pouvons avoir de la désorientation, de la dépression, de l'hypomanie, du délirium. Il semble que le risque d'apparition de symptômes psychiatriques est plus grand si la maladie de

Parkinson est accompagnée de signes et symptômes de syndrome cérébral organique avant que l'on donne la médication (légère démence, etc.)

13.13 ÉPILEPSIE

On décrit généralement trois grands types de crises épileptiques: la crise de grand mal, la crise de petit mal et la crise psychomotrice aussi appelée épilepsie du lobe temporal.

C'est surtout la crise de type psychomotrice qui prend de l'importance en psychiatrie, car sa symptomatologie peut faire croire à tort à un processus psychotique ou de dissociation hystérique. La crise psychomotrice se caractérise par la présence d'automatismes qui sont parfois suivis d'un comportement plus organisé. Au début de la crise, on note fréquemment des mouvements associés aux muscles de la mastication et de la déglutition, le patient peut se mettre à mâchonner, à faire du bruit avec les lèvres *(smacking)*, ou encore verbaliser des choses incohérentes. On note alors une altération de l'état de conscience, le patient ne répond pas ou peu aux questions. Il peut alors présenter de courts épisodes d'hallucinations visuelles ou auditives, il peut devenir temporairement délirant, s'imaginer par exemple qu'on veut le tuer. Après l'épisode, le patient peut décrire l'intrusion soudaine de pensées répétitives assez floues, ou encore la présence de voix provenant d'un point précis soit dans la tête, l'abdomen ou parfois de l'extérieur. Certains décrivent de brefs états de peur intense, de terreur, de rage, ou parfois de bien-être et de plaisir.

L'épisode ressemble à un court état de délirium avec par moments libération d'impulsions agressives parfois autodestructrices. La fureur épileptique est caractérisée par la soudaineté de son apparition, l'absence de préméditation et de précaution et l'amnésie qui la suit. Parfois le comportement du patient est si complexe, qu'il donne l'impression d'être une suite d'actes délibérés. Dans la grande majorité des cas la crise dure quelques minutes, mais parfois elle peut continuer pendant des heures et des jours et ainsi ressembler à une fugue; toutefois ceci est très rare. Le plus souvent elle prend la forme d'une attaque de rage suivie d'amnésie. On peut lier à ce type de crise le syndrome d'*epilepsia cursiva* (79), caractérisé par une altération de l'état de conscience et le fait que le patient se met à courir sans but. Ces crises d'épilepsie psychomotrice sont traitées par une médication anticonvulsivante.

Notons enfin que ces médicaments anticonvulsivants lors de leur prescription (30) ou de leur retrait (22) peuvent provoquer des réactions psychotiques.

13.14 PSEUDO-DÉMENCE (93)

Qu'est-ce qu'une pseudo-démence? Grossièrement, nous pourrions dire qu'il s'agit d'une maladie psychiatrique, plus fréquemment une dépression qui se présente sous les dehors d'une maladie organique, en l'occurrence la démence sénile ou maladie d'Alzheimer. Dans le passé et la plupart du temps, ce diagnostic se faisait lorsqu'un patient, considéré comme souffrant de démence sénile, s'améliorait contre toute attente. Selon plusieurs recherches portant sur des patients hospitalisés avec le diagnostic de démence, de 18 à 57% de ces diagnostics n'auraient pu être corroborés, soit qu'ils ont été rejetés par un examen neuropsychiatrique approfondi ou soit qu'une détérioration mentale progressive n'a pas confirmé le diagnostic (71-76-93).

La pseudo-démence est donc fréquente et pour l'instant aucun test, aucun examen biologique simple et rapide ne nous permettent de faire la distinction entre la démence vraie et la pseudo-démence. Dans certains cas, l'atrophie cérébrale peut être mise en évidence à la tomodensitométrie. Toutefois, certains patients présentant une atrophie cérébrale légère peuvent ne pas avoir de symptômes de démence et d'autres ne présentant aucun signe d'atrophie cérébrale, peuvent avoir des symptômes de démence. Aussi, la tomodensitométrie ou tout autre examen neurologique peut étayer le diagnostic clinique de démence mais ne peut être en aucun cas un critère pour porter ce diagnostic sans la corroboration clinique. Depuis quelques temps cependant, on tente de faire la distinction entre démence vraie et pseudo-démence par une approche clinique.

L'évolution

Dans l'ensemble, celle-ci ne permet pas de faire la distinction entre ces deux entités. La démence vraie peut apparaître abruptement après un épisode infectieux et par contre une pseudo-démence peut apparaître très graduellement sur une longue période. Toutefois, ceci dit, un début abrupt suggère en général la pseudo-démence.

La mémoire

Le pseudo-dément se plaint beaucoup de ses troubles de mémoire alors qu'ils sont peu évidents pour l'observateur. Par ailleurs, le vrai dément reste indifférent à ses troubles de mémoire alors qu'au contraire ils sont très marqués.

Le pseudo-dément se plaint de pertes de mémoire pour des périodes définies ou encore des événements précis alors que ceci est rare chez le vrai dément.

Réponses au questionnaire de l'examinateur

A des questions ouvertes, du genre: parlez-moi de votre jeunesse, le pseudo-dément donne souvent une histoire logique, détaillée et cohérente, malgré le fait qu'il se plaigne de troubles de mémoire et de concentration. Le vrai dément, par ailleurs, aura tendance à donner une histoire incohérente.

A des questions plus spécifiques, du genre: En quelle année vous êtes-vous marié? Ou, quel genre de travail faisiez-vous en 1940? Le pseudo-dément répond souvent qu'il ne sait pas, ou qu'il ne se rappelle pas, en laissant à l'examinateur l'impression qu'il ne fait pas un grand effort pour essayer de répondre à la question. Par contre, le vrai dément essaie de répondre et donne souvent des réponses incohérentes ou aberrantes. Il est bien difficile d'obtenir de ce dernier une réponse du type: ''Je ne sais pas'' ou ''Je ne me rappelle pas''.

Autocritique

Dans une certaine mesure, le pseudo-dément perçoit ses difficultés. Le vrai dément, lui, en est peu ou pas concient.

Les habitudes sociales

Le pseudo-dément les a perdues ou y porte peu d'attention, alors que dans la démence vraie, les habitudes telles que tendre la main à l'arrivée et au départ de l'examinateur sont conservées, même lorsque la maladie est très avancée.

Orientation dans le temps et l'espace

Le pseudo-dément est désorienté dans le temps et l'espace. Il ne peut dire où il est, à quel mois ou à quelle saison il se trouve. Le vrai dément, quant à lui, confond le non-familier avec le familier. Alors qu'il est dans sa chambre d'hôpital il vous dira: "Je suis chez moi, sur la rue Drolet, on est en 1945 et dépêchez-vous avec vos questions car ma soeur m'attend dehors".

Exacerbation nocturne des symptômes

Chez le pseudo-dément, il y a rarement une telle exacerbation des symptômes la nuit. Chez le vrai dément, cette exacerbation est assez fréquente.

Comportement et performance

Le pseudo-dément montre une certaine incongruité entre ce qu'il nous dit et ce qu'il fait. Même s'il se prétend incapable de résoudre quoi que ce soit, il donne beaucoup de détails sur ses problèmes financiers ou maritaux. Alors qu'il ne semble pas être orienté dans le temps et l'espace, il se dirige très bien seul dans les corridors de l'hôpital. Le vrai dément, quant à lui, exhibe un tableau clinique plus constant. Les performances, pour une même tâche, se maintiennent d'une fois à l'autre, ce qui n'est pas le cas chez le pseudo-dément. Enfin, notons que, comme la cause la plus fréquente de la pseudo-démence est la dépression, le traitement de celle-ci avec des antidépresseurs amène assez souvent une bonne amélioration et une disparition des symptômes de démence.

TABLEAU 13.12: Démence et pseudo-démence (93)

Pseudo-démence	Démence
1. Évolution et histoire	
— La famille se rend rapidement compte du déficit.	Souvent la famille ne se rend pas compte du déficit.
— Début assez précis dans le temps.	Début vague dans le temps.
— Court délai avant la première consultation médicale.	Long délai avant la première consultation médicale.
— Progression rapide après le début.	Progression lente.
— Antécédents psychiatriques fréquents (en particulier la dépression).	Antécédents psychiatriques rares.

Pseudo-démence	Démence

11. Comportement clinique et plaintes du patient

— Le patient se plaint beaucoup de ses déficits cognitifs.	Le patient s'en plaint peu.
— Il se plaint de ces déficits de façon détaillée.	Il s'en plaint de façon vague.
— Le patient amplifie ses troubles.	Le patient minimise ses troubles.
— Pessimisme.	Optimisme.
— Le patient met en relief ses échecs.	Le patient se satisfait de réussites banales.
— Le patient fait peu d'effort pour réussir des tâches simples.	Le patient fait des efforts.
— Le patient fait peu d'effort pour se situer dans le temps et l'espace.	Le patient fait des efforts, il prend des notes, se fie à un calendrier, etc.
— Le patient communique à l'observateur une certaine détresse.	Le patient semble indifférent à son état.
— L'affect est généralement stable et teinte tout le tableau clinique (souvent affect triste).	L'affect est labile, et fréquemment plat.
— Le patient a perdu ou porte peu d'intérêt aux gestes de bienséance (ex.: tendre la main à l'arrivée et au départ de l'observateur).	Le patient les a conservés.
— Le comportement observé est discordant avec la sévérité des troubles cognitifs perçus par le patient.	Le comportement est objectivement aussi désorganisé que les troubles cognitifs sont sérieux (ex.: le patient se perd dans l'hôpital).
— L'accentuation nocturne des symptômes est rare.	L'accentuation nocturne des symptômes est fréquente.

111. Autres détails cliniques

— L'attention et la concentration sont conservées.	L'attention et la concentration sont diminuées de façon marquée.
— Les réponses du type "Je ne sais pas" aux questions de l'observateur sont fréquentes.	Le patient a plutôt tendance à répondre avec une certaine assurance et souvent à côté de la question.
— Aux tests d'orientation, le patient répond fréquemment qu'il ne sait pas.	Le patient confond le non-familier avec le familier (l'hôpital = sa maison).
— L'atteinte de la mémoire récente est égale à l'atteinte de la mémoire des faits anciens.	La mémoire des faits récents est beaucoup plus atteinte que celle des faits anciens.
— Il peut y avoir présence de trous de mémoire autour de périodes ou d'événements précis.	De tels trous de mémoire sont rares.
— Il y a variations des performances pour une même tâche.	Le patient maintient les mêmes performances pour une même tâche.

13.15 FACTEURS QUI ACCENTUENT LE S.C.O

Plusieurs facteurs peuvent accentuer les symptômes et signes d'un syndrome cérébral organique. Nous en rappellerons trois:

1. la dépression (17),
2. la privation sensorielle (28),
3. la surmédication (62).

Tous ces facteurs peuvent augmenter la désorientation, les troubles de mémoire, de concentration et de jugement. Il faut donc évaluer leur impact chez chaque patient présentant un syndrome cérébral organique, et le cas échéant, tenter de diminuer l'intensité de ces facteurs aggravants.

13.15.1 La dépression

Nous savons déjà que chez le patient dépressif, on trouve régulièrement un ralentissement psychomoteur et des difficultés de concentration, de mémoire et parfois même une diminution des capacités de symbolisation et d'abstraction. Aussi est-il normal que chez un patient qui souffre déjà d'un syndrome cérébral organique auquel s'ajoute un état dépressif, nous puissions retrouver la présence simultanée de deux maladies et une accentuation de tous les symptômes communs à ces deux maladies.

Ajoutons qu'à quelques occasions, des cliniciens ont rapporté chez de jeunes adultes un syndrome caractérisé par de la désorientation dans les trois sphères, des troubles de la mémoire et de l'intellect, accompagné d'un comportement bizarre (tel monsieur respectable qui du jour au lendemain se met à fouiller dans les poubelles du quartier), syndrome qui répondrait bien aux antidépresseurs (17). Il se peut donc que parfois, même chez de jeunes adultes, la dépression se présente essentiellement comme une pseudo-démence, à moins qu'il ne s'agisse d'un syndrome inconnu qui réponde aux antidépresseurs.

13.15.2 La privation sensorielle

Plusieurs études ont démontré que la privation sensorielle peut induire une certaine confusion caractérisée surtout par de la désorientation. Ainsi, on a remarqué que les personnes opérées pour cataracte développaient parfois des états confusionnels (29-87). Depuis, on s'assure qu'un peu de lumière passe au travers des pansements qu'elles doivent porter pour éviter ce phénomène. Que ce soient les études d'un long séjour dans les grottes, les explorateurs dans l'Arctique ou les pilotes d'avions à très haute altitude, toutes ces études démontrent qu'un individu, s'il est privé pendant un certain temps de stimuli sensoriels, aura tendance à devenir désorienté et à développer une certaine confusion. Dans un hôpital, le patient peut manquer de stimulation sensorielle et ceci peut accentuer les symptômes du syndrome cérébral organique.

Parfois la diminution de *l'input* sensoriel n'est pas due à l'environnement hospitalier, mais plutôt à la maladie elle-même. Ainsi, des patients ayant perdu la vue de façon rapide ou subite soit par complication d'une artérite temporale, d'un diabète, ou toute autre cause, présentent un syndrome caractérisé par une certaine confusion, une légère désorientation dans le temps, dans l'espace et la présence d'hallucinations visuelles comme par exemple: la présence d'escaliers inexistants, de longs corridors et, très fréquemment, l'apparition de visages humains qui se déplacent lentement dans le champ visuel du patient (29).

En général, cette confusion légère et ces hallucinations disparaissent avec le temps si l'on prend soin de stimuler les autres sens du patient telle par exemple, l'ouïe, en lui permettant d'écouter la radio dans sa chambre, etc. Cette symptomatologie se rapproche aussi du syndrome de Charles Bonnet décrit chez la personne âgée. Les malades, à la tombée du jour, ou encore dans la nuit, sont victimes d'hallucinations visuelles multiples constituées le plus souvent de nombreux personnages semblables qui se déplacent avec des mouvements du regard. Ils sont également sujets à de multiples illusions visuelles. Les objets familiers se transforment en personnages, en animaux, etc. Parfois ces visages font des grimaces mais, en général, sont muets et habituellement n'effraient pas le patient. Le plus souvent, ces hallucinations disparaissent dès qu'on fait de la lumière. Le patient les critique alors, mais nous fait part que cela l'ennuie, lui fait peur et souvent l'empêche de s'endormir.

Chez le patient présentant un syndrome cérébral organique (exemple: le patient qui se remet d'un coma hépatique ou qui souffre d'une insuffisance rénale) on remarque fréquemment, la nuit, le développement d'accès de confusion, parfois accompagnés d'idées de persécution qui contrastent avec le comportement adéquat du malade pendant le jour. Ceci est probablement dû à la diminution des stimuli sensoriels pendant la nuit et cette absence de point de repère semble favoriser l'apparition de confusion. En général, installer ce patient dans une chambre seul avec une veilleuse et un poste de radio qui joue en sourdine suffit à éviter ces accès confusionnels nocturnes.

13.15.3 La surmédication (62-78)

Le patient qui souffre d'un syndrome cérébral organique est plus sensible à toute médication; ses cellules cérébrales fonctionnent moins bien pour toutes sortes de raisons ou encore ses cellules cérébrales sont moins nombreuses suite à une atrophie cérébrale. De plus, les interactions médicamenteuses sont très mal connues et peuvent induire de ce fait n'importe quelle réaction paradoxale. De façon générale, il faut donc réviser périodiquement la feuille de prescription du patient souffrant d'un syndrome cérébral organique, en se demandant: 1° si chacun des médicaments prescrits est vraiment nécessaire et 2° si le patient ne reçoit pas une dose trop élevée compte tenu du problème organique sous-jacent. Ainsi, si un malade a une fonction rénale diminuée, il faut en tenir compte dans le dosage des médicaments. Notons enfin que, chez ces patients, les somnifères induisent fréquemment des réactions paradoxales d'agitation ou de confusion. Ils peuvent induire aussi une grande somnolence qui peut durer toute la matinée et nuire à la réorientation du patient dans le temps et dans l'espace, et ainsi allonger indûment sa période de convalescence.

13.16 LE TRAITEMENT

13.16.1 Traiter les causes du S.C.O.

Lorsque nous soupçonnons un syndrome cérébral organique, qu'il se présente sous forme de délirium ou de démence ou encore sous forme d'une maladie psychiatrique X, **on doit rechercher la cause organique et traiter la maladie une fois qu'on l'a identifiée.**

Ceci est l'essentiel de la démarche thérapeutique devant un S.C.O. Malheureusement, ce point est trop souvent mal compris. Ainsi, dans l'hôpital général, le psychiatre est souvent demandé en consultation pour évaluer et si possible colmater le délire de persécution chez ce patient sortant d'un coma hépatique, ayant une insuffisance rénale, etc. Curieusement, dans ces cas, le médecin traitant agit comme s'il imaginait que subitement une maladie psychiatrique (état paranoïde, dépression, psychose maniaco-dépressive, etc.) s'était surajoutée à la maladie en cours. Ce n'est pas le cas, et le médecin traitant reste le mieux placé pour s'occuper de la maladie organique qui s'extériorise temporairement par une symptomatologie psychiatriforme.

Tout d'abord, un bon examen clinique permettra éventuellement de déceler certains indices qui orienteront vers un diagnostic plus précis. Ainsi, un patient qui se présente avec un problème de démence légère et une légère ataxie pourra être affecté d'une anémie de Biermer et un examen plus attentif des formules sanguines pourra nous révéler une macrocytose. Chez un autre patient qui consulte pour névrose d'angoisse avec comportement hypomaniaque, un examen plus attentif pourra montrer une exophtalmie, des réflexes ostéotendineux plus vifs et nous orienter éventuellement vers une hyperthyroïdie. Chez un autre patient qui se présente avec un état dépressif, de l'apathie, un ralentissement psychomoteur, un examen plus attentif pourra nous montrer une sécheresse de la peau avec pâleur de celle-ci. En questionnant le patient, il peut nous révéler une susceptibilité au froid inaccoutumée et ainsi nous orienter vers une hypothyroïdie. Enfin, un dernier pourra nous dire, lors d'un questionnaire plus serré, que pour dormir il prend des comprimés de Sominex en plus de son Mellaril et d'un antiparkinsonien pour ses tremblements et ceci pourra nous orienter vers un syndrome anticholinergique. Comme nous l'avons vu à travers ce chapitre, de nombreuses maladies organiques peuvent donner un tableau de délirium, de démence ou encore d'une autre maladie psychiatrique. Chacune de ces maladies, par ailleurs, amène un traitement spécifique. Ainsi, l'hypothyroïdie demandera des extraits thyroïdiens; l'hypoglycémie, un soluté glucosé; une anémie de Biermer, de la vitamine B 12 intramusculaire, etc. Enfin, souvent dans les cas très difficiles, l'avis d'un neurologue et d'un interniste s'avère très utile.

13.16.2   Éviter d'aggraver la confusion et la désorientation

Le deuxième principe est d'éviter d'aggraver le syndrome cérébral organique pendant cette période d'investigation. Il s'agit pour cela de suivre de très près les paramètres physiques tels: la température, le pouls, la glycémie, les électrolytes, etc. Ainsi, on peut avoir un syndrome cérébral organique qui peut se compliquer d'une pneumonie et donc s'aggraver. Il faut aussi éviter, autant que possible, la privation sensorielle et la dévalorisation du patient, ce qui peut le pousser vers la dépression (28).

Il faut donner au patient le maximum de paramètres possibles qu'il peut utiliser pour se réorienter autant dans le temps, dans l'espace que par rapport aux personnes.

L'orientation dans le temps (12, 74). Il s'agit de fournir au patient le maximum d'instruments qui lui permettent de se réorienter dans le temps. Ainsi, dans sa chambre on peut installer un calendrier avec de gros chiffres. S'assurer qu'il a une montre qui fonctionne. Lui procurer les journaux du jour, lui servir ses repas à heures fixes et lui organiser des activités à heures fixes. Ainsi, dans certains hôpitaux pour patients chroniques, afin de les orienter dans le temps, chaque matin à l'intercom le personnel souhaite le bonjour aux patients en leur rappelant la date du jour ainsi que les activités prévues pour la journée. Notons qu'il est très facile pour un individu de devenir désorienté dans le temps. Il est classique, qu'après deux ou trois semaines de vacances, on ne sache plus exactement quel jour on se trouve et encore moins à quelle date on est; or c'est en demandant au patient des questions sur le jour, la date qu'on évalue son orientation dans le temps (cf. tableau 13.1). Si l'on est orienté dans le temps, c'est qu'il y a toutes sortes d'indices qui nous resituent dans le temps: notre montre, le calendrier, l'heure de la pause-café, l'heure du repas, le week-end, etc. Il faut donc redonner au patient souffrant de syndrome cérébral organique le maximum d'indices qui lui permette de se réorienter dans le temps.

L'orientation dans l'espace. Tout d'abord, pour orienter le patient dans l'espace, il faut s'assurer qu'il voit bien: porte-t-il toujours ses lunettes? Souffre-t-il de cataracte? Il faut le faire sortir aussi fréquemment que possible de sa chambre. Pour l'aider à retrouver sa chambre, on peut mettre son nom en grosses lettres sur son lit. Idéalement on peut avoir des lits de couleurs différentes. De même, les portes des différents locaux peuvent être de couleurs diverses de sorte que le patient qui commence à se lever puisse se repérer dans le corridor et trouver sans difficulté la porte de sa chambre, celle de la salle de bain, celle de la salle de séjour.

L'orientation par rapport aux personnes. Pour se faire, on répète fréquemment notre nom ainsi que notre fonction au patient lorsqu'on le rencontre. On peut lui répéter aussi fréquemment son propre nom au cours de la conversation. On s'assure aussi que le patient a des photos des gens de sa famille. Il est important que le patient ait des visites fréquentes des gens de sa famille, de ses amis. Quand il commence à aller mieux, on peut envisager de lui procurer un téléphone avec lequel il pourra rejoindre ses connaissances et ainsi s'orienter de plus en plus par rapport aux personnes et à la réalité en général. Enfin, il est souhaitable de favoriser autant que possible les visites dans la famille et hors de l'hôpital lorsque le patient doit rester de façon prolongée à l'hôpital, sauf dans les démences vraies.

13.16.3 Aménagements particuliers

Le délirium (92)

Il est souhaitable de placer le patient seul dans une chambre, car la présence d'autres personnes semble favoriser l'apparition du délire; ainsi a-t-on déjà vu au milieu de la nuit un patient en convalescence d'un coma hépatique s'attaquer violemment aux deux autres personnes de sa chambre, étant persuadé qu'elles conspiraient entre elles en vue de l'assassiner. La chambre doit être bien aérée, chaude, et toujours éclairée, même la nuit (utiliser un éclairage tamisé). De la musique en sourdine, et la présence d'un poste de radio que peut utiliser le patient, évitent la privation sensorielle. Les fenêtres doivent être incassables et à bonne hauteur du sol, car il est fréquent que des patients en délirium tentent de sortir par les fenêtres. Le lit sera bas ou peut se limiter à un simple matelas sur le sol, pour éviter les chutes lors de mouvements intempestifs.

On utilise le moins possible les contentions, à moins que le patient ne se fasse du tort, comme par exemple: arracher constamment le soluté qui lui est nécessaire. Une surveillance de vingt-quatre heures est de rigueur. Si cela est possible, on peut encourager un membre de la famille ou un ami à rester au chevet du patient, car la présence d'une personne connue tend à le rassurer et à le tranquilliser. Comme le patient en délirium est facilement suggestible, on peut lui dire que l'ours qui le terrorise n'est qu'un petit chat, que les araignées sur les murs ne sont que des fissures, et cela très souvent le calmera. Enfin, chez de tels patients, on cesse toute médication non absolument nécessaire et on utilise les benzodiazépines pour induire la sédation.

La démence (72, 74)

On peut diviser les aménagements particuliers à la démence en deux temps, soit ceux qui précèdent le placement en institution et ceux qui le suivent.

Avant le placement en institution (hôpital pour patients chroniques, résidence spécialisée pour personnes âgées, etc.), une équipe constituée d'un médecin, d'un travailleur social et d'une infirmière qui se rend à domicile permet de retarder le départ du domicile; ainsi le patient ne sera hospitalisé que pour la phase terminale de la maladie. Une diète adéquate peut être assurée par un service de repas à domicile telle la ''popote roulante'', etc., ou encore par la famille qui prépare à l'avance des plats et rappelle par une visite ou un coup de téléphone au patient de prendre ses repas. Dans certains endroits existent des centres de jour *(Day Care)* qui s'occupent de tels patients pendant le jour, tandis que la famille en reprend la charge pour la nuit et les fins de semaine.

Avec la collaboration de la famille, il s'agit d'instituer un environnement stable et familier, des activités à heures fixes telles des marches, visites, etc. Dans le logis de ces patients, on installe des calendriers avec gros chiffres, horloges, etc., qui aideront le patient à s'orienter dans le temps et l'espace et diminueront l'anxiété induite nécessairement par l'impression qu'il a de perdre le contact avec ces paramètres.

Cette approche permet de maintenir le patient chez lui plus longtemps, ce qui diminue la culpabilité des familles qui en général n'aiment pas placer leurs vieux, mais qui y sont souvent acculées faute d'infrastructures qui puissent les épauler; de plus, cette approche permet d'éviter un placement prématuré qui provoque chez le patient une importante perte d'estime de soi, laquelle souvent accélère le processus dégénératif de la maladie.

Arrive un moment où **le placement** devient nécessaire, lorsque le patient se met à errer dans son quartier, risque de mettre le feu à son logis, etc. On s'assure alors qu'il puisse apporter avec lui des objets familiers; par la suite, on favorise les visites de la famille et des anciens amis. Pour ce qui est de la chambre, les aménagements ressemblent à ceux décrits pour le délirium. À partir de ce moment, il faut éviter les changements majeurs, ainsi a-t-on remarqué que les voyages ou vacances en des lieux nouveaux se soldent souvent par un échec, le patient devenant plus confus et anxieux; il est préférable de faire des sorties toujours au même endroit. Pour ce qui est de la médication des démences ce point est abordé à la section 13.4.1.7.

Les maladies organiques mimant la manie, la dépression, ou qui s'extériorisent par un délire et des hallucinations

Dans ces maladies le principe de base est toujours celui de traiter la cause; toutefois de façon temporaire un traitement symptomatique s'impose.

Ainsi dans les états de grande agitation, ou pseudo-manie, l'utilisation de l'Haldol ® peut être indiqué, c'est souvent le médicament de choix car il a peu d'effet hypotenseur.

Dans les cas d'anxiété simple, on se limite à l'utilisation de benzodiazépines.

Dans la dépression liée à ces maladies comme dans le cas du lupus érythémateux systémique, l'utilisation des antidépresseurs tricycliques est indiquée.

Enfin dans la pseudo-démence on utilise aussi les tricycliques. Selon plusieurs auteurs, l'antidépresseur de choix est la doxépine (6) (Sinéquan ®), car c'est celui qui a le moins d'effets cardiogéniques et qui peut être utilisé avec les antihypertenseurs du type guanéthidine. Comme la pseudo-démence survient avec l'âge avancé, la posologie des antidépresseurs n'est pas la même que chez le jeune adulte; ainsi on visera comme posologie autour de 100 mg/die d'antidépresseur chez les 60-70 ans; 50 mg/die, chez les 70-80 ans; 30 mg/die chez les 80 ans et plus, en dose fractionnée plutôt qu'en une seule dose au coucher.

Paramètres à suivre dans le plan de soins des patients chroniques

Plusieurs patients qui souffrent d'un syndrome cérébral organique sont obligés de faire de longs séjours dans les hôpitaux et en particulier ceux qui souffrent de démence peuvent y rester indéfiniment. Pour ces derniers, nous retiendrons les quatre principes suivants:

1. Tenter de conserver le métabolisme général du patient au mieux. Par exemple: surveiller l'anémie, s'assurer que le patient se nourrit suffisamment, s'assurer qu'il soit bien hydraté, etc.

2. Tenter de conserver ses capacités à un niveau de fonctionnement optimum. Ainsi, par exemple, si on note une diminution de la vue ou de l'ouïe, tenter de la corriger soit par des lunettes ou un appareil auditif. Si le dentier est mal adapté, le faire ajuster. Dans l'ensemble, il s'agit d'éviter qu'à l'hôpital les capacités du patient diminuent. Et sur ce plan, il faut avoir une vue d'ensemble et s'attacher à des détails aussi insignifiants à première vue que d'éviter de rendre les planchers trop glissants lorsqu'on a des patients qui ont de la difficulté à marcher, ou éviter de rendre les patients plus confus par une prescription intempestive de somnifères.

3. Tenter de conserver l'intégrité du patient. Ainsi, par exemple, ne pas le diminuer en le traitant comme un enfant, respecter son territoire, ses objets personnels qu'il a pu amener jusqu'à l'hôpital, respecter aussi autant que possible ses habitudes. Par exemple, on sait que les personnes âgées dorment moins d'heures la nuit mais dorment souvent de petits sommes le jour; il s'agit alors de leur permettre de se bercer à 4 heures du matin plutôt que de leur donner un somnifère. Pour ces patients, il faut de façon générale tenter d'adapter l'hôpital et le personnel aux patients et non forcer les patients à s'adapter à l'hôpital et au personnel.

4. Tenter de conserver l'intégrité sociale du patient. Il s'agit d'éviter autant que possible que la famille disparaisse du tableau. S'assurer que les liens seront maintenus. Permettre dans la mesure du possible aux patients de garder un contact avec ce qui se passe à l'extérieur par le biais d'un poste de radio, de journaux, d'une télévision, de sorties si possible en groupe, etc.

BIBLIOGRAPHIE

1- ALLEN, M., YOUNG, S.J. *Phencyclidine induced psychosis.* 1978, 9, 1081-84.

2- ALLEN, R., PITTS, F.N. "ECT for depressed patients with lupus erythematous". *Amer. J. Psychiat.* 1978, 3, 367-369.

3- "Americain Psychiatric Association Task Force on Nomenclature and Statistics: DSM-III". *Diagnostic and Statistical Manual of Mental disorders.* 3rd ed., 1980.

4- BAKER, M. "Psychopathology in systemic lupus erythematosus I Psychiatrics observations". *Semin. Arthritis Rheum,* 95-110, 1973.

5- BALDESSARINI, R.J. "Schizophrenia". *N.E.J.M.* 1977, 297, 988-995.

6- BANT, A. "Treatment of depressed geriatric patients". *Amer. J. Psychoter.* 1978, 27, 93-104.

7- BANT, W. "Do antihypertensive drugs really cause depression?" *Proc. Roy. Soc. Méd.* 1974, 67, 919-921.

8- BELLAK, L. "A possible Subgroup of the Schizophrenic Syndrome and Implications for Treatment". *Amer. J. Psychother.* 1976, avril, 2, 194-205.

9- BENSON, D.F. et AL. "Diagnosis of Normal Pressure Hydrocephalus". *N. England J. Med.* 1970, 283, 609.

10- BOWEN, D.M. et AL. "Accelerated ageing on selective neuronal loss as an important cause of dementia". *The Lancet.* 1979, 8106, 11-14.

11- BRENNER, I. "Bromism Alive and Well". *Amer. J. Psychiat.* 1978, 135, (7) 857-858.

12- BURNSIDE, I.M. "Clocks and Calendars". *Amer. J. Nursing.* 1970, 70, 117.

13- BURNSIDE, I.M. *Psychological Nursing care of the aged.* New York: McGraw-Hill Book co., 1973.

14- BUTLER, R. "The overus of tranquilizers in older patients". *International journal of aging and human development* (Public interest report no 19.). 1976, 7 (2), 185-187.

15- CARLSON, R.J. "Frontal lobe lesions masquerading a psychiatric disturbance". *Canad. Psychiatr. Assoc. J.* 1977, 22-10, 315-318.

16- "Case records of the Massachusetts Hospital". *N. England J. Med.* 1977, 287-931-937.

17- CAVENAR, J.O. et AL. "Depression simulating organic brain disease". *Amer. J. Psychiat.* 1979, HB Special Issue, 521-523.

18- CAZZULA, C.L. et AL. "The leucocyte antigenic system HL-A a possible genetic marker of schizophrenia". *Brit. Psychiat.* 1974, 125, 25-27.

19- CHAPMAN, L.F., WOLFF, H.G. "The cerebral hemisphere and highest integrative funtions in man". *Arch. Neur. I.* 1959, 357-424.

20- CORSELLIS, J.A.N. "On the transmission of dementia: a personnal view of the slow virus problem". *Brit. J. Psychiat.* 1979, 134, 553-59.

21- CRAPPER, D.R., DEBONI, V. "Brain aging and Alzheimer disease". *Canad. Psychiat. Assoc.* 1978, 23-6, 229-223.

22- DEMERS-DESROSIERS, NESTOROS, J., VAILLANCOURT, P. "Acute psychosis precipitated by withdrawal of anticonvulsivant medication". *Amer. J. Psychiat.* 1978, 135 (8), 981-82.

23- DENIKER, P., COLLONA, L., LOO, H., PETIT, M. "Pharmacopsychoses et syndrome déficitaire". *Evolution psychiatrique.* 1979, avril-juin, 283-301.

24- DUCKWORTH, B.S., ROSS, H. "Diagnostic differences in psychogeriatric patients in Toronto, New York and London". *Canada Med. Assoc. J.* 1975, 112, 847-851.

25- EISDOFER, C., FRIEDEL, R. "Cognitive and emotional disturbance in the eldery". *Year Book Medical Publisher Inc.* 1977.

26- ELSBORD, L. et AL. "Vitamin B concentrations in psychiatric patients". *Acta. psy. scand.* 1979, 59, 145-152.

27- ENGEL, G., ROMANO, J. "Delirium, a syndrome of cerebral insufficiency". *J. chronic. disease.* 1959, 3 (9).

28- ERNST, P., BERAN, B., SAFFORD, F. "Isolation and the symptoms of chronic brain syndrome". *The gerontologist.* 1978.

29- FITZGERALD, R.G. "Visual phenomenology in recently blind adults". *Amer. J. Psychiat.* 1971, 127 (11), 109-115.

30- FRANK, R.D., RITCHER, A.J. "Schizophrenia-like psychosis associated with anticonvulsivant toxicity". *Amer. J. Psychiat.* 1979, 136 (7), 973-74.

31- FREEMAN, F.R. "Evaluation of patients with progressive intellectual deterioration." *Arch. Neurol.* 1976, 33, 658-659.

32- FREEMAN, J.M. et AL. "Folate-Responsive Homocystinuria and "Schizophrenia". *N. England J. Med.* 1975, 292, 491-496.

33- GEDYE, J.L. et AL. "A method for measuring mental performance in the elderly and its use in a pilot clinical trial of meclofenoxate in organic dementia". *Age and Ageing.* 1972, 1, 74-80.

34- GALENBERT, A.J. "The catatonic syndrome". *The lancet.* 1976, 19, 1339-1341.

35- GESCHWIND, N. "The borderland of neurology and psychiatry". Benson D.F. (ed.). *Psychiatric aspects of neurologic diseases.* New York: Grune & Stratton. 1979, 1-9.

36- GOLDSTEIN, J.M. "Premorbid adjustment, paranoid status and Patterns of response to Phonothiazine in acute". *Schizophrenia Bulletin.* 1970, hiver, 3, 24-37.

37- GOODWIN, F.K. et BUNNY, W.E. "Depressions following reserpine, a reevaluation". *Semin. Psychiatric.* 1971, 3, 435-448.

38- HACHINSKI, V.C. et COLL. "Cerebral blood flow in dementia". *Arch. Neurol.* 1975, 32, 632-637.

39- HALL, R.C., POPKIN, M. et AL. "Presentation of the steroid psychosis". *J. of nerv. & mental dis.* 1979, 167 (4), 229-236.

40- HEATH, R.G. et AL. "Gross pathology of the cerebellum in patients diagnosted and treated as functional psychiatric disorders". *J. of ner. & mental dis.* 1979, 167 (10), 585-592.

41- HEILMAN, K.M., WILDER, B.J. "Evaluation and treatment of chronic simple dementia". *Modern treatment.* New York: Haeber. 1971, 8, 219-230.

42- HELLER, S. et AL. "Postcardiotomy delirium and cardiac out put". *Amer. J. Psychiat. 1979, 136 (3), 337-339.*

43- HENDLER, N., WILLIAM, L. "Psychiatric and neurologic sequelae of infectious mononucleosis". *Amer. J. Psychiat.* 1978, 135 (7), 842-844.

44- HENDRIES, H.C. "Organic brain disorders". *Psychiatric clinics of North America.* 1978, avril 1, 3-19.

45- HYAMS, D.E. "Cerebral function and drug therapy". *Textbook of geriatric medicine and gerontology.* New York: J.C. Brocklehurst, 1978, 670-711.

46- IQBAL, K et AL. "Protein changes in senile dementia". *Brain res.* 1974, 77, 337, 343.

47- JACOBS, J.W. et AL. "Screening for organic mental syndrome in the medically ill." *Ann. intern. med.* 1977, 86, 40-46.

48- JERSILD, C. "The HL-A System and CNS disease with special reference to multiple sclerosis". *Presented at the first International symposium on immunological comporents in schizophrenia.* Galveston, tex. 1976.

49- JOSEPH, A.M., MACKENSIE, T.B. "Appearance of manic psychosis following rapide normalization of thyroid status". *Amer. J. Psychiat.* 1979, 136 (6), 846-847.

50- KALES, J.D. et AL. "Sleepwalking and night terrors related to febrile illness". *Amer. J. Psychiat.* 1979, 136 (9), 1214-1215.

51- KATZ, N.M., AGLE, D.P., DEPALMA, R.G. et AL. "Delirium in surgical patients under intensive care". *Arch. Surg.* 1972, 104, 310-313.

52- KATZMAN, R., KARASU, T.B. "Differential diagnostic of dementia". *Neurological and sensory disorders in the elderly.* Fields W.S. (ed). New York: Stratton intercontinental Medical Book Corp. 1975, 103-134.

53- KELLERMAN, J. et AL. "The psychological effects of isolation in protected environments". *Amer. J. Psychiat.* 1977, 134 (5), 563-565.

54- KERR, J.A. et AL. "The relation-ship between premature death and affective disorders". *Brit. J. Psychiat.* 1969, 115, 1277-1282.

55- KIEV, A., CHAPMAN, L.F., GUTHRIC, T.C. et AL. "The highest integrative functions and diffuse cerebral atrophy". *Neurology.* 1962, 12, 385-392.

56- LANE, B., CONTROLL, B.A. AND PEDLEY, T.A. "Computerized cranial tomography in diseases of white matter". *Neurology.* 1978, 28, 545-551.

57- LIPOWSKI, Z.L. "Organic Brain Syndrome: A reformulation". *Comprehensive Psychiatry.* 1978, 19, 309-322.

58- LISTON, E. "The clinical phenomenology of presenile dementia: a critical review". *J. Nerv. & mental dis.* 1979, 167 (6), 329-336.

59- MANN, H.B., GEENSPAN, S.I. "The identification and treatment of Adult Brain Dysfunction in adults". *Arch. Gen. Psychiat.* 1976, 33 (12), 1453-1460.

60- MARCER, D. AND HOPPENS, S.M. "The differential effects of meclofenoxate on Memory loss in the elderly". *Age and Ageing.* 1977, 6, 123-131.

61- MARSDEN, C.D., HARRISON, M.J. "Outcome of investigation of patients with presenile dementia". *Br. Med. J.* 1972, 2, 249-252.

62- MARUTA, T. "Prescription drug induced organic brain syndrome". *Amer. J. Psychiatr.* 1978, 135 (3), 376-377.

63- MELTZER, H.T. "Neuromuscular dysfunction in schizophrenia". *Schizophrenia bulletin.* 1976, 2, 106-135.

64- MENUCK, M. "Effets indésirables des tranquillisants à base de benzodiazépine". *Médecine moderne au Canada.* 1979, 34 (12), 1637-1640.

65- MOSKOVITZ, C. et AL. "L-Dopa - induced psychosis: a kindling phenomenon". *Amer. J. Psychiart.* 1978, 135 (6), 669-675.

66- National Institute of Mental Health, Mental Health statistics Series B, No 5, Table 6. *Utilisation of Mental Health Facilities.* 1971, D.H.E.W., 1963.

67- NOTT, P.N., FLEMINGER, J.J. "Presenile dementia: The difficulties of early diagnosis". *Acta Psych. Scand.* 1975, 51, 210-217.

68- QUITKIN, F. et AL. "Neurological Soft Signs in Schizophrenia and character Disorders". *Arch. Gen. Psychiat.* 1976, 33, 845-853.

69- RASKIN, D.E., FRANK, S.W. "Herpes encephalitis with catatonic stupor". *Arch, Gen. Psychiat.* 1974, 31, 544-546.

70- RODER, E. "Reversible psychosis and dementia in myxedema". *Acta Psych. Scand.* 1970, 46 (1).

71- RON, M.A. et AL. "Diagnostic acurracy in presenile dementia". *Brit. J. Psychiat.* 1979, 134, 161-168.

72- ROPPER, A.H. "A rational approch to dementia". *Canad. med. assoc. J.* 1979, 121 (11), 1175-1188.

73- ROSENFELD, A. "Depression and psychotic regression following prolonged methyphenidate use and with drawal". *Case report.* 1979, 136 (2), 226-227.

74- ROTH, M. "The management of dementia". *Psychiatric Clinic of North America.* 1978, 1 (1), 81-89.

75- SATHANANTHAN, G.L., GERSHON, S. "Cerebral vasodilators: a review". *Ageing.* Gershon, S. et Raskin A. (eds). New York: Raven Press, 1975, 2, 155-168.

76- SELTZER, B., SHEDWIN, I. "Organic Brain Syndrome: an empirical study and critical review". *Amer. J. Psychiat.* 1978, 135 (1), 13-21.

77- SERBY, M. et AL. "Mental disturbance during bromocriptine and lergotrile treatment of Parkinson's disease". *Amer. J. Psychiat.* 1978, 135 (10), 1227-1229.

78- SHADER, R. et AL. "Problems with drug interactions in traiting Brain disorders". *Psychiatric Clinic of North America.* 1978, 1 (1), 51-69.

79- SHALE, J.H., MURRAY, G. "Psychiatric presentation of epilepsia cursiva". *Canad. Psychiat. Assoc. J.* 1978, 23 (10), 395-98.

80- SHAPIRO, R.N. et AL. "Histocompatibility antigens and manic depressive disorders". *Arch. Gen. Psychiat.* 1976, 33, 823-825.

81- SHEAR, K., SACKS, M.H. "Digitalis delirium: report on two cases". *Amer. J. Psychiat.* 1978, 135 (1), 109-110.

82- SJOGREN, T. et AL. "Morbus Alzheimer and morbus Pick: a genetic clinical and anatomical study". *Acta Psych. Scand. supp.* 1952, 82, 1-152.

83- SOLOMON, P. et AL. "Sensory deprivation: a review". *Amer. J. Psychiart.* 1957, 314-357.

84- Statistical note 68. "Department of health, education and welfare". Washington D.C. 1973, février.

85- STREHLER, B.L. "Aging in the human brain". *Neurobiology of aging.* Terry, R.D. and Gershon, S. (eds). New York: Raven Press. 1976, 1-22.

86- STRACHAM, R.W. et AL. "Psychiatric syndrome due to avitaminosis B 12 with normal blood and marrow". *Quart. J. Med.* 1965, 34, 303.

87- SUMMERS, W.K., REICH, T.C. "Delirium after cataract surgery: review of two cases". *Amer. J. Psychiat.* 1979, 136 (4A), 386-391.

88- TALBOT, P. "Les complications psychiatriques à l'unité des soins coronariens 1 et 2". *Médecine moderne au Canada*. 1979, 34 (5), 559-562.

89- TERRY, R.D., WISNIEWSKI, H. *The ultrastructure of the fibrillary tangle and the senile plaque Alzheimer disease and related conditions.* London: Wolstenholme GEW (ed.), J. & A. Churchill, 1970, 145-165.

90- TOMLISON, B.E. et AL. "Observations on the brains of demented old people". *J. Neuro. Sci. II.* 1970, 205-242.

91- VAN VITERD, R.L., RUSSAKOFF, L.M. "Hyperthyroid chorea mimicking psychiatric disease". *Amer. J. Psychiat.* 1979, 136 (9), 1208-1210.

92- VARGAMIS, J. "Clinical management of delirium". *Psychiatric Clinic of North America.* 1978, 1 (7), 71-80.

93- WELLS, C. "Pseudodementia". *Amer. J. Psychiat.* 1979, 136 (7), 895-900.

94- WELLS, C.E., BUCHANAN, D.C. "The clinical use of psychological testing evaluation for dementia". *Dementia,* 2nd ed., Wells C.E. (ed.). Philadelphia: F.A. Davis Co. 1977, 189-204.

95- WELLS, C.E. "Chronic brain diseases: an overview". *Amer. J. Psychiatr.* 1978, 135, 1-12.

96- WELLS, C.E., DUNCAN, G.N. "Danger of overreliance on computerised cranial tomography". *Amer. J. Psychiat.* 1977, 134, 811-818.

97- WILLANGER, R., THYGESEN, P. et AL. "Intellectual impairment and cerebral atrophy a psychological, neurological and radiological investigation". *Dan. Med. Bull. 15.* 1968, 65-93.

98- WILSON, G.L. "Viral encephalopathy mimicking a functional psychosis". *Amer. J. Psychiat.* 1975, 133 (2), 165-170.

99- WOODS, D.R. et AL. "Diagnosis and Treatment on Minimal Brain Dysfunction in Adults". *Arch. Gen Psychiatr.* 1976, 33 (12), 1453-1460.

100-"Reality orientation and Staff attention: a controlled study". *Brit. J. Psychiat.* 1977, 134, 502-507.

CHAPITRE 14

L'ARRIÉRATION MENTALE

André Blanchet

14.1 INTRODUCTION

Certains seront surpris de constater que dans un livre où l'on traite de la psychiatrie pour le praticien de première ligne l'on trouve un chapitre sur l'arriération mentale. En fait, historiquement, la médecine a considéré l'arriération mentale comme une discipline de la psychiatrie. Dans les facultés de médecine, les quelques cours que nous avions sur ce sujet se donnaient à l'intérieur des cours de psychiatrie. De plus, les organisations de services pour déficients mentaux étaient souvent dirigées par des psychiatres et les services professionnels étaient donnés également par des psychiatres.

Au Québec, ce n'est que vers la fin des années 60 que plusieurs disciplines médicales et paramédicales firent leur entrée dans le champ de l'arriération mentale. Aujourd'hui, l'arriération mentale n'est plus considérée que comme une maladie. C'est un problème qui a à la fois des dimensions médicales, sociales, familiales, psychologiques et pédagogiques. C'est un problème où l'on peut trouver une solution adéquate si toutes ces dimensions sont examinées. Toutefois, le rôle du praticien de première ligne (médecin) est essentiel comme nous allons le voir plus loin. Ce médecin peut aussi bien être un généraliste, pédiatre, gynécologue, obstétricien, neurologue que psychiatre. C'est donc parce que ce chapitre est écrit par un psychiatre qu'il se retrouve dans un livre sur la psychiatrie. L'important, c'est qu'il soit utile aux praticiens de première ligne.

14.2 DÉFINITION

On a, pendant longtemps, défini l'arriération mentale par le déficit intellectuel en ne se basant que sur des tests de quotient intellectuel (Q.I) pour la déterminer. Ces tests de quotient intellectuel sont des tests standardisés où à la suite d'échantillonnages scientifiquement établis, on a déterminé que la moyenne de la population a un quotient intellectuel de 100. On a pu ainsi élaborer une courbe de répartition du fonctionnement intellectuel dans la population. Cette courbe est appelée la courbe de Gauss.

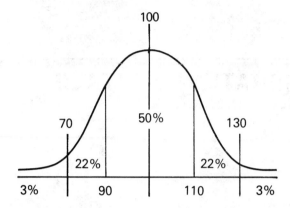

On s'est rendu compte que cette approche ne tenait pas compte de deux (2) facteurs importants dans l'appréciation de l'arriération mentale:

1) Les facteurs d'erreur dans l'appréciation des tests d'intelligence. Il est admis aujourd'hui que des variations allant de +10 à -10 peuvent se glisser dans la détermination du Q.I. Ceci est lié tant aux dispositions du sujet à évaluer qu'à des facteurs socioculturels comme la race, la pauvreté, etc. Il est reconnu, par exemple, que les Noirs américains ont des résultats moins élevés avec les tests de Q.I. standardisés (Stanford-Binet, Wechsler).

2) Les tests de Q.I. ne tiennent pas compte non plus de la capacité d'adaptation d'un individu, i.e. son potentiel d'autonomie et ses capacités de communication et de socialisation. C'est pourquoi la détermination d'un cas d'arriération mentale doit être faite en tenant compte des résultats de l'observation clinique du sujet. Il existe maintenant des tests de quotient social (Gunzburg, Vineland, Social Maturity Scale, l'échelle de l'Association américaine de la déficience mentale) qui permettent d'évaluer avec une certaine exactitude la capacité d'adaptation d'un individu. Toutefois, ces échelles ne remplacent pas les observations cliniques sur le potentiel du sujet faites par le praticien de première ligne.

Tenant compte de ces observations, la définition de l'Association américaine de la déficience mentale qui est de plus en plus reconnue internationalement est la suivante:

"L'arriération mentale se définit comme un fonctionnement intellectuel sous la moyenne de façon significative accompagné de déficits dans la capacité d'adaptation de l'individu, survenant durant la période de croissance." (1)

Des précisions s'imposent:

1) Le "fonctionnement intellectuel" se détermine par les résultats obtenus suite à l'administration des tests d'intelligence généraux reconnus. Ceci

permet d'établir le quotient intellectuel (Q.I.) d'une personne avec la marge d'erreurs dont j'ai parlé plus haut.

2) "Sous la moyenne de façon significative" se détermine par un Q.I. inférieur de plus de deux déviations standard à la moyenne du test.

3) La "capacité d'adaptation de l'individu" s'établit par la détermination de son autonomie par rapport à son âge et à sa culture.

4) La "période de croissance" est celle de la naissance à 17 ans inclusivement.

Comme on peut s'en rendre compte, l'arriération mentale est une notion descriptive d'un comportement **actuel** et n'implique pas nécessairement un pronostic. De plus, le fonctionnement intellectuel d'une personne et sa capacité d'adaptation sont des éléments non statiques, évolutifs, donc susceptibles de modifications parfois importantes. C'est pourquoi le pronostic est lié à un ensemble de facteurs tels que les troubles associés, la motivation du sujet et des personnes qui s'en occupent, le traitement et les ressources disponibles.

Autre point important:

La définition ne tient pas compte de l'étiologie. C'est dans la classification, comme on le verra plus loin, que cette dimension, qui est le volet médical à proprement parler de l'arriération mentale, sera retenue.

14.3 CLASSIFICATION

Dans la perspective de la définition dont nous venons de parler, la classification comprend donc trois volets:

1) Le fonctionnement intellectuel déterminé par des tests standardisés. Les plus utilisés au Québec sont le Stanford-Binet, le Cattell et le Wechsler.

2) La capacité d'adaptation déterminée à la fois par les tests de quotient social déjà mentionnés et par l'observation clinique.

3) Les données étiologiques. En général, le médecin de première ligne doit être capable d'établir la ou les causes de la déficience mentale.

La classification se fera donc en trois étapes:

1) Niveaux de fonctionnement intellectuel au Stanford-Binet

Arriération mentale

légère: 67-52

moyenne: 51-36

sévère: 35-20

profonde: 19 et moins.

2) Détermination de la **capacité d'adaptation** (quotient social)

Cette capacité se détermine par des tests et des observations cliniques dans les sphères suivantes:

a) l'autonomie   - Ex.: la capacité de se vêtir, se nourrir, faire sa toilette, etc.

b) la communication   - Ex.: langage verbal ou gestuel, complexité des phrases, etc.

c) la socialisation   - Ex.: capacité de jouer, de participer à un groupe, d'avoir des amis, etc.

d) l'occupation et le travail - Ex.: tâches domestiques, habitudes de travail, complexité du travail, scolarité, etc.

Cette évaluation se fait en même temps que la détermination du Q.I. et permet ainsi de la pondérer et de la qualifier. En troisième lieu, interviennent les facteurs étiologiques.

3) Etiologie (volet médical)

Des classifications (1, 6, 7) extrêmement élaborées dont j'ai mis les références en bibliographie existent. Pour des fins de brièveté du texte et de concordance avec la classification internationale des maladies (CIM 9), j'ai retenu celle de l'Organisation mondiale de la santé même si elle est incomplète (4). Les lecteurs pourront consulter le manuel de Grossman pour une classification (1) plus détaillée.

L'arriération mentale peut être légère, moyenne, sévère ou profonde avec une capacité d'adaptation déterminée dans les quatre sphères d'activité déjà mentionnées et dont la ou les causes peuvent être:

1.   Une infection ou une intoxication:

1.1   prénatale: les cas les plus fréquents sont:

- une maladie à inclusion cytomégalique congénitale

- une rubéole congénitale

- la syphilis congénitale

- la toxoplasmose congénitale

- une encéphalopathie associée à une infection ou une intoxication prénatale comme la toxémie de la grossesse;

1.2   post-natale d'origine virale ou bactérienne.

2.   Un traumatisme ou un facteur physique comme:

- une encéphalopathie due à un traumatisme prénatal

- une encéphalopathie due à un traumatisme mécanique à la naissance

- une encéphalopathie due à une asphyxie à la naissance

- une encéphalopathie due à un traumatisme post-natal.

3. Un facteur métabolique ou nutritionnel:

   - les maladies du storage des lipides au niveau du neurone
     Ex.: storage des gangliosides, de la lipofuscine

   - les maladies du métabolisme des sucres
     Ex.: la galactosémie, l'hypoglycémie

   - les maladies du métabolisme des acides aminés
     Ex.: la phénylcétonurie

   - les maladies du métabolisme des minéraux
     Ex.: la maladie de Wilson

   - les maladies endocriniennes
     Ex.: l'hypothyroïdie

   les maladies de la nutrition; il importe de spécifier la substance en cause si possible.

4. Une atteinte post-natale du cerveau:

   - les dysplasies neurocutanées
     Ex.: la neurofibromatose (maladie de Von Recklinghausen)
     l'angiomatose cérébrale (maladie de Sturge-Weber)
     la sclérose tubéreuse de Bourneville

   - les tumeurs intracrâniennes (spécifier)

5. Une cause prénatale inconnue:

   - les malformations du cerveau
     Ex.: anencéphalie

   - les anomalies crânio-faciales
     Ex.: syndrome de Cornelia de Lange
     microcéphalie
     macrocéphalie
     maladie de Crouzon

   - les méningo-encéphalocèles et les méningo-myélocèles

   - l'hydrocéphalie.

6. Des anomalies chromosomiques

   - le syndrome de Down (mongolisme) dû à une trisomie G, une mosaïque ou une translocation

- les anomalies du chromosome X
  Ex.: Klinefelter XXY ou XXX
  Turner XO

- les anomalies du chromosome Y
  Ex.: XYY

7. Des maladies de la gestation:

- la prématurité

- la postmaturité

8. Des maladies psychiatriques:

- les psychoses.

9. Des facteurs du milieu familial et socioculturel:

- les carences sensorielles et affectives

- le milieu socioculturellement pauvre.

Les arriérations mentales d'origine familiale et socioculturelle sont numériquement les plus importantes. Elles représentent environ 85% de toutes les arriérations mentales. C'est ici que l'intervention de la psychiatrie est souvent la plus utile en intervenant sur le milieu familial pour prévenir l'émergence d'une déficience mentale.

10. D'autres conditions.

La détermination d'un diagnostic d'arriération mentale est donc un processus complexe qui nécessite en plus des connaissances médicales, celles de la psychologie, de la pédagogie et parfois même, celles de l'orthophonie, de la physiothérapie et du Service social. Nous parlerons plus loin du rôle de coordonnateur du praticien de première ligne dans cette équipe multidisciplinaire.

14.4 INCIDENCE ET PRÉVALENCE

Trois pour cent (3%) des enfants nés seront diagnostiqués comme arriérés mentaux durant leur période de croissance. La grande majorité d'entre eux, comme nous l'avons déjà mentionné, le seront à cause d'une déficience intellectuelle liée à un milieu socioculturel pauvre ou à cause de troubles d'apprentissage ou encore de troubles émotionnels. On peut donc dire que cette incidence de 3% est plutôt théorique. Les auteurs (2-3) s'entendent sur le chiffre d'environ 1% comme prévalence réelle de l'arriération mentale dans les pays occidentaux. Toutefois, ce chiffre de 1% ne peut se traduire directement par 1,000 personnes souffrant d'arriération mentale dans une population de 100,000. Il faut tenir compte, entre autres, de l'âge de la population et de ses caractéristiques socioculturelles.

En effet, une population dont l'âge moyen des familles est plus élevé et qui a un milieu socio-culturel plus défavorisé a une incidence plus grande.

14.5 RÔLE DU PRATICIEN DE PREMIÈRE LIGNE

On entend encore souvent dire de la part des parents d'enfants déficients que le médecin, après avoir établi le diagnostic médical, n'a fait que recommander aux parents de placer leur enfant dans une institution. L'approche et le traitement d'un cas de déficience mentale sont évidemment beaucoup plus complexes que cela. Autrefois, le médecin de famille aux prises avec les grandes maladies infectieuses n'avait en quelque sorte pas le temps et les possibilités de s'occuper adéquatement de la déficience mentale. Aujourd'hui, les états dits chroniques, dont la déficience mentale, peuvent et doivent être suivis par le généraliste ou praticien de première ligne. Le rôle du praticien de première ligne se situe à quatre niveaux:

1) le diagnostic et l'évaluation fonctionnelle

2) la prévention

3) les soins continus (''management'')

4) le counseling des parents et de la famille.

14.5.1 Diagnostic et évaluation fonctionnelle

Le diagnostic d'un cas d'arriération mentale ne peut plus se faire par le médecin seul. Celui-ci, comme premier responsable de l'évaluation, doit s'assurer que l'enfant ou l'adulte déficient mental puisse avoir, si nécessaire, une évaluation en psychologie, en pédagogie, en physiothérapie, en orthophonie et en Service social entre autres. Les éléments importants à retenir dans le programme d'évaluation sont les suivants:

a) Une évaluation globale de la personne, de ses forces et faiblesses, qui permet d'établir un traitement tant sur le plan physique, psychologique, pédagogique et social.

b) La nature périodique de cette évaluation. A cause de la nature évolutive de sa condition, sur le plan des apprentissages et de sa capacité d'adaptation, une personne déficiente mentale doit être réévaluée de façon régulière.

c) Le diagnostic et l'évaluation doivent permettre l'établissement immédiat du traitement s'il y a lieu. C'est un des problèmes majeurs en arriération mentale. Beaucoup d'enfants diagnostiqués stagnent entre autres dans les pouponnières ou ne reçoivent aucun traitement à la maison. Le médecin a une responsabilité majeure dans l'institution immédiate du traitement.

d) La communication des résultats des examens et du plan de traitement aux parents. Nous y reviendrons plus loin.

Avantages de l'établissement d'un diagnostic précoce

Un diagnostic précoce de retard dans le développement ou même d'arriération mentale permet:

1) D'établir un programme immédiat de traitement. Dans un nombre croissant de cas (phénylcétonurie, hypothyroïdie, etc.) la détection de l'anomalie d'origine biologique permet de prévenir l'atteinte cérébrale et par conséquent, l'arriération mentale. Dans d'autres cas, entre autres dans l'arriération mentale d'origine socioculturelle, le diagnostic précoce permet l'établissement d'un programme de stimulation précoce du jeune enfant, qui peut lui éviter, quand il arrive à l'âge scolaire, d'être catégorisé parmi les arriérés mentaux et de commencer sa ''carrière'' dans les classes spéciales. Au Québec, il existe un nombre grandissant de programmes de stimulation précoce du jeune enfant. Le praticien doit communiquer avec l'association locale de l'Association du Québec pour les déficients mentaux (cf. liste en 14.7) pour savoir quelles sont les possibilités dans sa région.

2) D'éviter une situation où les parents, non conscients du handicap de l'enfant, vont avoir des exigences non réalistes envers celui-ci. Cette situation amène souvent des troubles de comportement chez l'enfant, notamment de l'agitation, qui peuvent être évités quand le diagnostic est posé à temps.

3) De considérer l'enfant comme un risque élevé et de le suivre de près quand il présente des retards de développement psychomoteur et cognitif. Parce que la qualité et la quantité du vocabulaire sont en corrélation avec l'intelligence, le retard du langage est le meilleur indice d'une possible arriération mentale chez l'enfant dont la vision et l'audition sont normales. L'enfant normal vocalise un mot ou deux entre 9 et 12 mois, utilise des mots simples pour exprimer ses désirs vers l'âge de 18 mois et parle avec des phrases de deux ou trois mots à l'âge de 2 ans. Toute déviation importante de cette évolution oblige le praticien à investiguer plus à fond et suivre de près le développement de l'enfant.

14.5.2   Histoire de cas et examen

Comme dans les autres domaines de la médecine, l'histoire de cas et l'examen sont les outils de choix pour le médecin dans l'établissement d'un diagnostic. Sans avoir la prétention d'être exhaustif, nous allons donner ici les jalons importants qui permettent d'établir si nous sommes en face d'un cas de retard de développement.

Nous parlerons:

1)   De l'histoire familiale et sociale.

2)   De l'histoire du développement.

3) De l'histoire médicale.

4) De l'examen physique et neurologique et des tests de laboratoire.

Histoire familiale et sociale

Les éléments importants en sont:

1) Les interactions familiales et leur effet sur le comportement de l'enfant. Un diagnostic différentiel est à faire entre un enfant en retrait à cause d'un trouble émotionnel grave et un enfant arriéré. Les enfants autistiques sont souvent des enfants qui peuvent être diagnostiqués comme arriérés mentaux par mégarde.

2) Une sous-stimulation de l'enfant qui peut amener un retard de croissance. Le cas classique est celui des enfants de crèche qui n'avaient pas suffisamment de stimuli dans bon nombre de cas et qui présentaient des retards tant sur le plan moteur, sensoriel que cognitif.

3) Un milieu socio-économique et culturel pauvre.

Histoire du développement

Les parents, les grands-parents et les autres membres de la famille peuvent fournir des données significatives surtout par la comparaison entre la croissance de cet enfant et celle de ses frères et soeurs.

Nous avons déjà parlé du langage comme étant un indice majeur dans l'appréciation d'un retard dans le développement de l'enfant. L'histoire du développement devra être évidemment complétée par une évaluation détaillée de la croissance de l'enfant.

Il existe maintenant des évaluations systématiques qui permettent au médecin de se faire une idée précise et rapide de l'état du développement de l'enfant. Nous avons choisi celle de Caldwell et Drachman (5) recommandée par les Associations américaine et canadienne de la déficience mentale. Nous en présentons une version modifiée et abrégée mais suffisante pour évaluer adéquatement l'enfant.

Table d'évaluation du développement du jeune enfant

1 mois: - Suit brièvement un stimulus en mouvement
- Regarde de façon sporadique la figure de l'examinateur
- Tient la tête droite brièvement quand supporté dans la position assise
- Evite les stimuli qui l'ennuient comme par exemple: un linge placé sur la figure

2 mois: - Tient la tête droite quand supporté dans la position assise
- Les yeux suivent une personne en mouvement
- Sourit de temps à autre
- Vocalise

3 mois:
- Les yeux suivent un objet mobile dans toutes les directions
- Cherche l'origine d'un bruit avec ses yeux
- Soulève la tête et le thorax en pronation

4 mois:
- Empoigne un crayon à deux mains et le tient brièvement
- Suit du regard un objet en mouvement quand retenu en position assise
- Aime s'amuser
- Se retourne d'un côté et de l'autre mais non sens dessus dessous
- Sourit de lui-même et rit fort

6 mois:
- S'assoit avec peu d'aide
- A le dos et la tête stables
- Soulève une tasse
- Tente d'aller chercher un jouet avec sa main
- Répond à son image dans un miroir
- Découvre les possibilités d'un jouet, le passe d'une main à l'autre, frappe, le porte à sa bouche
- Se retourne dans son lit: supination à pronation
- Babille dans un registre de plus de deux sons

9 mois:
- Utilise son pouce pour l'aider à prendre un petit objet
- Tient et manipule plus de deux objets à la fois
- S'assoit de lui-même et peut changer de position sans tomber
- Dit maman et papa

12 mois:
- Remet le jouet à l'examinateur quand celui-ci le demande
- Met des petits objets dans une tasse et les enlève
- Se tient avec support
- Mots additionnels (2 ou 3) en plus de papa et maman

15 mois:
- Peut mettre des blocs l'un sur l'autre
- Peut placer de petits objets dans une bouteille
- Peut barbouiller par imitation
- Marche sans support
- Grimpe sur une marche
- Utilise entre 5 à 8 mots

18 mois:
- Marche bien et peut même courir un peu
- Peut s'asseoir et grimper sur une chaise
- Peut monter et descendre un escalier
- Utilise plus de 10 mots

24 mois:
- Peut ouvrir une porte, tourner un robinet
- Peut identifier des dessins en les nommant: chien, chat, etc.
- Demande en utilisant la parole et les gestes (nourriture, toilette, etc.)
- Peut lancer et frapper une balle
- Fait des phrases de deux à trois mots

30 mois: - Peut reproduire des barres horizontales et verticales sur du papier
- Peut répéter des chiffres par groupe de deux au rythme de un par seconde
- Peut marcher sur la pointe des pieds et se tenir brièvement sur un pied
- Peut dire son nom et son âge (si enseigné)
- Utilise les pronoms

36 mois: - Peut copier un cercle
- Peut répéter trois chiffres sans relation entre eux
- Peut dire les bruits d'une mouche, un chat, etc.
- Connaît son nom de famille
- S'habille pratiquement seul

Histoire médicale

Le médecin peut trouver utile d'explorer l'information génétique, l'histoire des différentes grossesses de la mère et bien sûr, la présente grossesse, l'accouchement, un travail difficile, les incompatibilités Rh, les épisodes significatifs dans la vie du jeune enfant, les infections, les accidents, les troubles émotionnels, une histoire de convulsions et une histoire de détérioration cérébrale progressive.

Examen physique

L'examen physique comprend un examen neurologique complet et doit porter entre autres sur les points suivants:

Les proportions du corps: les extrémités courtes indiquent une possibilité de chondrodystrophie.

La tête: Une très petite tête peut être une indication d'une microcéphalie qui peut être familiale, secondaire à une anoxie ou à une atteinte due à une infection pendant la grossesse. Une grosse tête indique une hydrocéphalie, un gigantisme cérébral, une gangliosidose généralisée, une maladie de Hunter, une maladie de Hurler ou un Tay-Sachs que l'on rencontre surtout dans la population d'origine juive.

La langue: Une langue large peut être trouvée dans les états suivants: crétinisme, syndrome de Down (mongolisme), l'hypoglycémie, la trisomie 17-18, la maladie de Hunter et le syndrome de Sanfilippo.

Les cheveux: Epais et cassants dans le crétinisme. Un toupet blanc suggère la présence d'un syndrome de Waardenburg.

Les yeux: Les sourcils qui se rejoignent sont caractéristiques du syndrome de Lange.

L'hypertélorisme se rencontre dans plusieurs états. Des cataractes congénitales sont présentes dans la rubéole.

Les oreilles: L'implantation basse des oreilles existe dans les maladies suivantes: Maladie d'Apert, de Crouzon, d'Hallerman-Streiff, Pierre Robin, les Trisomies 13-15, 17-18, Cri du chat.

Les extrémités: Une grande variété de malformations de la syndactylie à la polydactylie peuvent être présentes.

La peau: L'adénome sébacé avec une distribution caractéristique en forme de papillon sur le nez et les joues se retouve dans la sclérose tubéreuse.

Un hémangiome couleur porto habituellement d'un côté du visage et du front est caractéristique du syndrome de Sturge-Weber. Des taches de couleur café au lait se rencontrent dans la neurofibromatose, la sclérose tubéreuse et l'ataxie-télangiectasie.

Les signes neurologiques légers sont à relever et à évaluer dans l'ensemble du bilan. Ils peuvent être significatifs ou non.

Tests de laboratoire

L'électro-encéphalogramme peut être une procédure très utile dans l'évaluation de problèmes cliniques avec atteinte du système nerveux comme dans la paralysie cérébrale, l'épilepsie et l'arriération mentale sévère. Toutefois, l'EEG est souvent utilisé à faux dans l'évaluation des problèmes d'apprentissage et de comportement. Les études démontrent, jusqu'à maintenant du moins, qu'il n'y a pas de corrélation entre une anomalie spécifique à l'EEG et un trouble spécifique d'apprentissage ou de comportement.

Les troubles biochimiques, souvent associés à l'arriération mentale et qui entraînent un taux élevé d'acides aminés dans le sang, sont rapportés dans le tableau de l'annexe 14.1, à la page 398.

14.5.3   La prévention

La prévention est un autre domaine où le médecin de première ligne joue un rôle clef. Il s'agit ici de prévention primaire, secondaire et tertiaire.

La prévention primaire peut être définie comme l'ensemble des mesures à caractère médical qui permettent de réduire le nombre de personnes déficientes mentales. Certains disent qu'en n'utilisant que les moyens connus actuellement, nous pourrions réduire l'incidence de la déficience mentale de 50%. Ce chiffre m'apparaît élevé mais il n'y a pas de doute que les connaissances présentement acquises ne sont pas traduites de façon systématique dans la pratique médicale. L'exemple le plus frappant est la rubéole. Quoique nous connaissions l'effet nocif de la rubéole sur le foetus, il n'y a pas encore de programme systématique de vaccination des femmes durant leur enfance.

La prévention secondaire consiste à détecter le plus tôt possible les facteurs qui prédisposent à l'arriération mentale et d'en limiter le plus possible les effets nocifs.

La prévention tertiaire consiste à donner des soins et une réadaptation adéquates à des personnes qui n'ont pas été détectées assez tôt pour prévenir, quand cela est possible, ou réduire la limitation intellectuelle et qui sont par conséquent des personnes déficientes mentales de façon permanente.

De façon plus concrète, dans une perspective de prévention, des interventions médicales doivent être envisagées avant la conception, pendant la grossesse, à l'accouchement et durant la petite enfance.

A- Avant la conception

- Evaluation et counseling génétique.

- Nutrition adéquate pour les femmes en âge de devenir enceintes.

B- Pendant la grossesse

1- Protection de la mère et du foetus contre les maladies qui peuvent causer l'arriération mentale.

a) Les infections bactériennes aiguës durant le troisième trimestre peuvent induire le travail de façon prématurée. Elles doivent être traitées rapidement et avec vigueur. Par ailleurs, la majorité des infections aiguës de la grossesse sont d'origine virale et peuvent endommager le foetus quand elles interviennent dans les premières huit semaines.

Parmi les infections les plus fréquentes pour lesquelles une action préventive est efficace, il y a:

- la syphilis: V.D.R.L. obligatoire en début de grossesse et traitement;

- la tuberculose: séparation de l'enfant de la mère dès la naissance et prophylaxie avec le B.C.G.;

- la rubéole: vaccination des futures mères dans leur enfance.

b) Les maladies métaboliques:

Les enfants nés de mère diabétique ont une morbidité et une mortalité néo-natales plus élevées ainsi qu'une fréquence plus grande de malformations congénitales. Il est raisonnable de penser qu'un bon contrôle du diabète chez la future mère et l'anticipation des problèmes chez le nouveau-né peut décroître la morbidité et la mortalité néo-natales.

Les mères souffrant d'hypothyroïdisme doivent être traitées et suivies de près durant leur grossesse si l'on veut éviter des malformations congénitales et l'arriération mentale chez l'enfant.

c) Les agents tératogènes:

La médication durant le premier trimestre de la grossesse doit être limitée à un strict minimum. Une étude américaine récente indique que 70% des femmes enceintes prennent de façon régulière au moins deux médicaments.

2- Utilisation de l'amniocentèse, des ultrasons ou autres techniques obstétricales pour déterminer l'état du foetus. Ceci doit s'accompagner du droit des parents de terminer la grossesse.

L'amniocentèse est une procédure complexe sans grand risque maintenant avec l'utilisation des ultrasons qui ne peut être pratiquée que par des médecins spécialisés dans ce domaine. Les indications d'une amniocentèse au début de la grossesse pour prévenir une possible arriération mentale sont les suivantes:

1) Femmes enceintes de plus de 35 ans.

2) Un parent est porteur connu d'une translocation chromosomienne.

3) Femmes qui ont déjà donné naissance à des enfants avec aberrations chromosomiques.

4) Porteurs connus d'une maladie récessive autosome avec un diagnostic possible in utero.

5) Porteurs connus de maladies récessives liées au chromosome X.

6) Un enfant précédemment né avec une anencéphalie, un spina-bifida ou un encéphalocèle.

L'amniocentèse pose le problème du droit des parents à l'avortement. Quoiqu'il n'est pas de notre propos de discuter de cette question controversée, il est indéniable que cette procédure pose des problèmes d'éthique dans notre société.

C- **A l'accouchement**

- La surveillance *(monitoring)* du foetus doit se faire quand tout accouchement devient un risque élevé à cause d'un problème chez la mère ou le foetus.

- La détection des maladies qui causent l'arriération mentale chez le nouveau-né comme la phénylcétonurie, l'hypothyroïdie, etc. doit être pratiquée de façon systématique.

- La protection des mères Rh négatifs par la gamma-globuline doit également être une pratique systématique. Un diagnostic précoce et les transfusions si nécessaires permettent de réduire à moins de 1% la fréquence de kernictère chez les nouveaux-nés avec incompatibilité Rh ou ABO.

Finalement, on doit recourir aux soins intensifs et même aux unités de néo-natalogie pour les enfants prématurés ou ceux qui sont nés malades.

L'Association médicale américaine dans son livre sur la déficience mentale (1) présente un tableau que je reproduis ici sur les ''bébés à risque élevé''. Il est évidemment important pour le praticien de première ligne d'être alerte sur toute situation qui représente un risque d'atteinte cérébrale et souvent, en conséquence, d'arriération mentale et de suivre de près les mères et les enfants dits à risque élevé. Les éléments à relever sont les suivants:

Dans l'histoire familiale:

- Histoire d'atteinte du système nerveux central
- Un frère ou une soeur déjà déficient
- Consanguinité entre parents
- Problèmes génétiques
- Groupe socio-économique pauvre

Dans l'histoire médicale:

- Problèmes de nutrition inadéquate
- Histoire d'irradiations fréquentes
- Hypertension
- Maladie cardiaque ou rénale
- Maladie de la thyroïde

Les facteurs d'ordre obstétrical à évaluer sont:

- Age maternel de moins de 16 ans ou de plus de 40 ans
- Primipare âgée avec histoire de non-fertilité prolongée
- Multiparité importante
- Parturiante âgée de plus de 30 ans avec histoire de courts intervalles entre les grossesses
- Evaluation pondérale des enfants précédant la grossesse actuelle
- Histoire de prématurité, d'enfant mort-né, d'avortement spontané
- Prééclampsie et éclampsie
- Avortement précédant immédiatement la présente grossesse

Dans l'histoire de la grossesse actuelle:

- Diabète
- Maladie cardio-vasculaire hypertensive
- Hyperthyroïdisme traité
- Nutrition inadéquate

- Atteintes rénales
- Maladies infectieuses: rubéole, tubercole, syphilis et hépatite
- Irradiation
- Toxicomanie
- Médicaments
- Prééclampsie, éclampsie
- Multiparité
- Grossesse non désirée

A l'accouchement:

- Absence de soins pendant la grossesse
- Accouchement difficile avec complications
- Présentation anormale
- Rupture prolongée des membranes
- Poids de moins de 1500 g à la naissance
- Hémorragies
- Coeur foetal anormal
- Apgar peu élevé (1-5-10 minutes)

Placenta:

- Artère ombilicale unique
- Inflammation
- Infarcissement massif

A la période néo-natale:

- Hyperbilirubinémie
- Hypoglycémie
- Apnée
- Convulsions
- Asphyxie
- Septicémie
- Fièvre
- Malformations congénitales
- Maladie hémolytique grave
- Survie après une atteinte des méninges ou un traumatisme crânien

D-   **A la première enfance**

Une diète spécifique ou un traitement spécifique existe pour les maladies métaboliques qui causent l'arriération mentale. Les trois maladies pour lesquelles les résultats sont probants quand diagnostiquées et traitées rapidement sont la phénylcétonurie, la galactosémie et l'hypothyroïdie.

Le traitement agressif et complet des méningites et encéphalites bactériennes est important. Des études ont démontré que le traitement ne se termine pas à la phase aiguë et que l'enfant doit être suivi pendant plusieurs semaines par la suite si l'on veut éviter le développement de séquelles permanentes au cerveau.

La stimulation précoce du jeune enfant dont nous avons déjà parlé peut être nécessaire. Il est important que le médecin soit en quelque sorte l'initiateur de cette approche et souvent le conseiller des parents. L'attitude positive du médecin est souvent un facteur déterminant dans l'évolution de l'enfant.

Voilà donc brièvement résumé, un ensemble d'interventions de nature préventive que doit effectuer un praticien qui a la responsabilité d'une future mère ou d'un jeune enfant.

14.5.4   Soins continus ("Management")

L'arriération mentale étant un état permanent mais évolutif, la personne déficiente mentale nécessite un plan de traitement continu. Ici également, le médecin de première ligne joue un rôle primordial à cause de sa connaissance de l'enfant, de sa famille et de son milieu naturel. Il verra, au cours de ses réévaluations périodiques, à apporter l'aide des ressources de support telles que la neurologie, la psychiatrie, la physiothérapie, l'orthophonie, l'orthopédagogie, le Service social, etc. Il est en quelque sorte le maître d'oeuvre du plan de soin et de réadaptation. Le comité présidentiel américain dans son rapport au président Kennedy en 1962, avait défini trois niveaux de responsabilité pour le médecin de famille. Ces responsabilités demeurent les mêmes en 1980:

1)   Ses connaissances sur les nouvelles méthodes de prévention et d'amélioration de l'arriération mentale doivent être mises à jour de façon continue.

2)   Dans son travail au bureau et à l'hôpital, il doit s'assurer que ces connaissances s'appliquent de façon rigoureuse à toutes les mères et personnes déficientes mentales dont il a la responsabilité.

3)   Dans son rôle d'éducateur et de leader dans la communauté, il doit être familier avec l'ensemble des ressources et des services disponibles pour ses patients et doit aider à promouvoir la mise en place des ressources manquantes.

Le temps où le médecin, comme premier responsable des soins, ne faisait que recommander un placement, est définitivement révolu. Si le médecin se comporte de cette façon, je pense qu'avec les connaissances que nous avons dans le domaine de l'arriération mentale, nous pouvons parler d'une pratique professionnelle inadéquate.

Il y a également, en plus de l'acquisition de connaissances, une question de changement d'attitude de la part du médecin par rapport aux déficients mentaux. Le médecin a encore tendance à être pessimiste quand il est confronté avec un problème de déficience mentale. Cette attitude comporte au moins trois désavantages:

1) Assez souvent l'enfant déficient mental surprend tout le monde en se développant de façon différente de celle prévue.

2) Les parents épousent l'attitude du médecin et se dépriment.

3) L'enfant a tendance à se développer selon les attentes de ses parents et du personnel qui en a la responsabilité (syndrome de Pygmalion).

On peut se rendre compte que le rôle du médecin est capital. Comme dans tous les cas de problèmes et maladies chroniques, il doit suivre son patient de près et s'assurer que l'ensemble des services dont il a besoin pour son développement et son maintien dans la communauté lui soit procuré et ceci à toutes les étapes de sa vie de l'enfance à la vieillesse. C'est donc une lourde responsabilité qui peut impliquer beaucoup de temps de la part du médecin mais qui, si bien assumée, comporte beaucoup de satisfaction tant sur le plan professionnel que humain.

Counseling des parents et de la famille

C'est le quatrième rôle que le médecin praticien de première ligne doit assumer et c'est souvent le plus difficile. L'objectif du médecin est d'aider les parents à intégrer l'enfant et son problème comme une situation complexe et parfois difficile mais intégrable à part entière à la vie de la famille.

Au départ, une fois le diagnostic établi avec le plus de précision possible, comment le médecin transmettra-t-il les renseignements sur les problèmes de l'enfant aux parents? Nous ne pouvons que trop insister sur cette première entrevue. C'est souvent dans l'attitude du médecin et dans la compréhension qu'il aura des réactions des parents au cours de cette entrevue que se bâtira une relation bénéfique au traitement de l'enfant handicapé. Après avoir été informés du diagnostic, les parents passent habituellement par trois phases d'adaptation. Ils sont au départ souvent désorganisés et parfois même en détresse. Les mécanismes de défense normaux ne peuvent souvent absorber en quelque sorte l'angoisse qu'ils ressentiront au moment où ils apprennent la nouvelle. Par après, ils commencent à se réorganiser mais non parfois sans grande difficulté. C'est à ce stade souvent qu'ils nieront ce qui leur arrive, seront hostiles à leur médecin et chercheront ailleurs des solutions miracles. Le médecin doit comprendre que cette attitude est normale et que les parents ne remettent pas en cause sa compétence. Les parents pourront également projeter leurs sentiments de culpabilité vis-à-vis leur famille, leurs voisins, entre eux, etc. Là encore, un médecin alerte et compétent acceptera et permettra aux parents d'exprimer leurs sentiments. Graduellement, si le support du médecin est efficace, les parents évolueront vers une acceptation réaliste de la situation et une organisation de leur vie en conséquence.

L'attitude du médecin va dépendre beaucoup de ses propres perceptions face à l'arriération mentale et de sa capacité de supporter et parfois même de vivre les émotions que lui transmettront les parents et l'enfant. Si le médecin est incapable de faire face à ces situations, il aura recours à des solutions simplistes comme de proclamer que "tous les enfants mongols doivent être placés en institution loin des parents" en ne se rendant pas compte que souvent il veut dire loin de lui-même.

Rôle des associations de parents

Le praticien dans cette tâche difficile de conseiller de parents peut maintenant compter sur l'allié de première importance que sont les associations de parents.

Depuis une vingtaine d'années, ces associations sont en constant développement et ont assuré un leadership dans le support aux familles et l'orientation des services vers la communauté plutôt qu'en institution. Au Canada, l'Association canadienne pour la déficience mentale, qui est considérée sur le plan international comme une des meilleures organisations au monde dans ce domaine, a renforcé son action avec l'aide d'un Institut de recherches qu'elle a mis sur pied il y a déjà dix ans. Ceci lui permet de promouvoir des programmes qui ont une valeur scientifique certaine. C'est dans cette perspective qu'un programme d'action interparentale se développe actuellement. Ce programme permet aux "nouveaux" parents de rencontrer d'"anciens" parents qui leur font bénéficier de leur expérience. Vous trouverez en 14.7 la liste des associations locales au Québec. Ces associations peuvent représenter une aide très précieuse pour le praticien de première ligne. Communiquez avec votre association locale. Vous serez souvent agréablement surpris et pourrez compter sur un support valable.

Normalisation versus l'institutionnalisation

Tout au long de ce chapitre, nous avons mentionné que le placement en institution d'enfants ou d'adultes déficients mentaux n'est plus une pratique professionnelle qui correspond aux données scientifiques, sociales et humanitaires actuelles dans le domaine de l'arriération mentale. On peut dire que la seule indication de placement institutionnel qui demeure c'est l'absence de ressources dans une communauté donnée. Ceci arrive encore fréquemment et est imputable à la phase de transition entre les services institutionnels et les services de la communauté dans laquelle nous sommes actuellement. Certains pays, comme la Suède ou certains états américains, comme le Nebraska, sont plus avancés que nous et sont en voie de fermer complètement leurs institutions.

Ce changement est imputable entre autres à deux facteurs:

1) Le changement d'attitude des sociétés occidentales face à ses déviants, y compris les arriérés mentaux.

2) Les effets néfastes et même les abus de l'institution.

Le changement d'attitude des sociétés occidentales est lié à la tendance, depuis la deuxième guerre mondiale, à promouvoir le respect des droits individuels. La personne déficiente mentale, malgré ses handicaps, a des droits comme tout autre citoyen. C'est dans cette perspective historique et socio-politique que diverses législations ont été promulguées dans divers pays depuis 20 ans, y compris au Québec la toute nouvelle législation sur la promotion des droits des personnes handicapées. C'est aussi dans cette perspective que de nouvelles stratégies d'organisation de services, basées sur des principes théoriques différents se sont développées. Dans le domaine de la déficience mentale, la théorie de la normalisation développée dans les pays scandinaves (9) et qui s'est répandue en Occident par la suite est le facteur idéologique majeur qui sous-tend l'organisation des services aux déficients mentaux (8-11).

Le principe de normalisation, défini simplement, s'énonce comme suit: ''Permettre à une personne déficiente mentale de vivre une existence aussi normale que possible''. On peut se rendre compte que cette petite phrase, si traduite dans la vie quotidienne de chaque personne déficiente mentale, implique des changements majeurs dans nos attitudes et dans l'organisation des services pour les personnes déficientes mentales.

Les effets néfastes de l'institution sont maintenant bien démontrés (10). On en a même fait un syndrome qui porte le nom d'institutionnalisme et qui peut se définir comme suit: état pathologique chez un individu qui séjourne longtemps dans une institution par lequel la personne perd son identité propre. En fait, la personne devient aliénée au sens littéral du terme i.e. sans lien avec elle-même. Elle se conforme aux attentes du milieu qui sont souvent minimes et déshumanisantes (ces attitudes ne sont pas toujours conscientes) parce que la décision même de placer quelqu'un en institution et, par conséquent, de la priver d'une partie de ses droits, implique une perception consciente ou inconsciente de cette personne comme inférieure. Il suffit de voir l'état de délabrement de bon nombre de nos institutions pour déficients mentaux pour constater que cette affirmation, si choquante qu'elle puisse paraître au premier abord, est combien vraie.

14.6 L'ARRIÉRATION MENTALE, UN DÉFI

En résumant ce chapitre, nous pouvons dire que l'arriération mentale, domaine longtemps ignoré de la médecine, représente un défi pour le praticien de première ligne pour, entre autres, les quatre facteurs suivants:

1) En raison de l'incidence élevée de l'arriération mentale, cette maladie (dans une perspective strictement médicale) est la plus fréquente parmi les maladies rencontrées chez les enfants. En effet, si l'on estime à environ 100,000 le nombre de naissances chaque année au Québec, 3,000 d'entre elles seront diagnostiquées sous une forme ou une autre d'arriération en cours de route (surtout à l'âge scolaire).

2) Les problèmes diagnostiqués soulevés par l'arriération mentale sont fort complexes et doivent tenir compte, comme nous l'avons vu, de nombreux facteurs tant sur le plan biologique, psychologique, social que pédagogique.

3) Les possibilités d'action préventive sont grandes et l'application des découvertes récentes et à venir, a de quoi garder le praticien alerte et intéressé. Certains prétendent que la prévalence actuelle pourrait baisser de 50% si les connaissances déjà acquises étaient appliquées de façon rigoureuse.

4) En raison de sa position privilégiée face aux parents et dans son milieu, le praticien de première ligne est le coordonnateur de l'ensemble des actions à entreprendre pour maintenir, de la façon la plus adéquate possible, la personne déficiente mentale dans la communauté. Il sera aussi le leader pour promouvoir le développement de ressources nouvelles dans plusieurs endroits où elles sont malheureusement encore manquantes.

14.7 ASSOCIATIONS DU QUÉBEC POUR LES DÉFICIENTS MENTAUX

● **Région 01: GASPÉSIE ET ILES-DE-LA-MADELEINE**

Association des handicapés des Iles

Iles de la Madeleine, P.Q.
Tél.: (418) 986-2121

● **Région 02: SAGUENAY-LAC-ST-JEAN**

Association pour le développement de l'handicapé intellectuel du Saguenay inc.

Chicoutimi
Tél.: (418) 549-9808

Association pour la promotion des droits de l'handicapé

Arvida
Tél.: (418) 548-5832

● **Région 03: QUÉBEC**

Association de parents pour inadaptés inc.

Rivière-du-Loup, P.Q.
Tél.: (418) 862-2641

Association pour déficients mentaux (Région de Québec)

Québec, P.Q.
Tél.: (418) 529-9710

L'Entraide aux inadaptés Pascal-Taché inc. (La Pocatière)

Ville de la Pocatière, P.Q.
Tél.: (418) 856-4554

● **Région 04: MAURICIE**

Nil

● **Région 05: ESTRIE**

Association pour les déficients mentaux inc. de Sherbrooke

Sherbrooke, P.Q.
Tél.: (819) 567-2227

Club Les Soupapes de la Bonne Humeur inc.

Lac Mégantic
Tél.: (819) 583-1655

● **Région 06A: ILE DE MONTRÉAL**

Association l'Ami du déficient mental

Montréal
Tél.: (514) 727-9862

Association l'aide à l'enfance inadaptée de l'est de Montréal inc.

Montréal
Tél.: (514) 321-9392

Association de Laval pour déficients mentaux

Chomedey-Laval
Tél.: (514) 663-2364

Association de Montréal pour les déficients mentaux inc.

Montréal
Tél.: (514) 336-0684

Association des parents de l'hôpital Rivière-des-Prairies inc.

Montréal
Tél.: (514) 323-7260

Association de parents du Pavillon Charleroi-Boyer inc.

Montréal
Tél.: (514) 522-3835

Corporation Compagnons des Marronniers

Montréal
Tél.: (514) 255-4026

Corporation L'Espoir du déficient inc.

Verdun, P.Q.
Tél.: (514) 766-9519

Services de réadaptation de l'Ouest de l'Ile inc.

Lachine, P.Q.
Tél.: (514) 637-6784

● **Région 06B: LAURENTIDES-LANAUDIÈRE**

Association de St-Jérôme pour les déficients mentaux inc.

St-Jérôme, P.Q.
Tél.: (514) 224-5276

**Association du Québec pour les déficients mentaux
Succursale Deux-Montagnes.**

Pointe-Calumet, P.Q.
Tél.: (514) 473-9714

● **Région 06C: RIVE-SUD DE MONTRÉAL**

Association de Salaberry pour les déficients mentaux.

Chateauguay-Centre, P.Q.
Tél.: (514) 691-4374

Association du District de Bedford pour les déficients mentaux inc.

Cowansville, P.Q.
Tél.: (514) 263-4683

Association du Québec pour les déficients mentaux, Rive-Sud

St-Lambert, P.Q.
Tél.: (514) 671-3263

**Association du Québec pour les déficients mentaux
Section de la Vallée du Richelieu.**

Beloeil, P.Q.
Tél.: (514) 679-3430

Chateauguay Valley Association for the Mentally Retarded

Ormstown, P.Q.
Tél.: (514) 829-2431

Association des parents des enfants handicapés de St-Hyacinthe inc.

St-Hyacinthe, P.Q.
Tél.: (514) 773-8518

Action-Intégration Brossard

Brossard
Tél.: (514) 676-5784

Association pour déficients mentaux Juste Part inc.

Valleyfield
Tél.: (514) 373-4665

● **Région 07: OUTAOUAIS**

Le regroupement des parents d'handicapés mentaux de Gatineau inc.

Gatineau, P.Q.
Tél.: (819) 561-3699

Association de Hull pour les déficients mentaux inc.

Hull, P.Q.
Tél.: (819) 771-6219

Association de Maniwaki pour les déficients mentaux et handicapés physiques inc.

Maniwaki, P.Q.

Association pour la défense des intérêts des handicapés physiques et mentaux de Mont-Laurier.

Mont-Laurier, P.Q.
Tél.: (819) 623-5258

Association pour enfants exceptionnels de Papineau Est

St-André-Avelin, P.Q.
Tél.: (819) 983-7962

● **Région 08: NORD-OUEST QUÉBÉCOIS**

Association du Témiscamingue pour les déficients mentaux inc.

Témiscamingue
Tél.: (819) 627-9261

Association des parents des enfants handicapés du Témiscamingue inc.

Témiscamingue
Tél.: (819) 629-2187

● **Région 09: CÔTE-NORD**

Association au service de l'enfance exceptionnelle de la Côte-Nord inc.

Hauterive, P.Q.
Tél.: (418) 296-6793

Module d'épanouissement à la vie de Forestville inc.

Forestville, P.Q.
Tél.: (418) 587-4491

Module d'épanouissement à la vie de Havre St-Pierre inc.

Havre St-Pierre, P.Q.
Tél.: (418) 538- 2878

Module d'épanouissement à la vie de Port-Cartier inc.

Port-Cartier, P.Q.
Tél.: (418) 768-2413

Module d'épanouissement à la vie de Sacré-Coeur inc.

Sacré-Coeur, P.Q.
Tél.: (418) 236-4477

Module d'épanouissement à la vie de Schefferville inc.

Schefferville, P.Q.
Tél.: (418) 585-3458

Module d'épanouissement à la vie de Sept-Iles inc.

Sept-Iles, P.Q.
Tél.: (418) 968-7425

● **Région 10: NOUVEAU-QUÉBEC**

Nil

ANNEXE 14.1

Tableau extrait du livre sur l'arriération mentale de l'American Medical Association (1).

Troubles biochimiques identifiables souvent associés avec l'arriération mentale, caractérisés par un taux sérique d'acides aminés élevé.

MALADIE	ACIDES AMINES DANS LE SANG	SYMPTÔMES CLINIQUES
Phénylcétonurie	Phénylalanine	Odeur de souris
		Eczéma
		Convulsions
Homocystinurie	Méthionine	Ostéoporose générali-sée
		Thromboses et embo-lies
Histidinémie	Histidine	Retard du langage
		Défauts d'articulation
Maladie du "Sirop d'érable"	Isoleucine Leucine Valine	Odeur de sirop d'érable dans l'urine Hypertonie
		Convulsions
Prolinémie Type II	Proline	Convulsions?
		Arriération mentale?
Glycinémie	Glycine	Convulsions
		Spacticité
		Opisthotonos
Lysinémie	Lysine	Absence de croissance
		Absence de signes sexuels secondaires
Hyperammonémie Type I et II	Glycine	Vomissements de façon épisodique
	Glutamine	Irritabilité
		Léthargie - Coma
		Convulsions
		Hépatomégalie

Citrullinémie	Citrulline	Crises de vomissements
Argininémie	Arginine	Convulsions
		Displagie spastique
Argininosuccinicacidurie	Acide argininosuccinique	Convulsions
		Hépatomégalie
		Coma
		Ataxie intermittente
		Implantation anormale des cheveux
Syndrome de Lesch-Nyhan	Urée	Automutilation
		Choréo-athétose
		Spacticité

BIBLIOGRAPHIE

1- AMERICAN ASSOCIATION ON MENTAL DEFICIENCY. *Manual on Terminology and Classification in Mental Retardation*. Washington: H.J. Grossman (Ed.), 1977.

2- AMERICAN MEDICAL ASSOCIATION. *Mental Retardation*. 3rd edition, Chicago: 1976.

3- BAUMEISTER, H.A. *Mental Retardation*. Aldine Publishing Co., Chicago: 1966.

4- ORGANISATION MONDIALE DE LA SANTÉ. *CIM-9 Classification internationale des maladies*. 9ᵉ révision, 1979.

5- CALDWELL, B.M., DRACHMAN, R.H. "Comparability of three Methods of Assessing Developmental Level of Young Infant". *Pediatric*. 1964, 34, 51-57.

6- GARRARD, S.D., RICHMOND, D.B. "Diagnosis in Mental Retardation without biologic Manifestations in Charles C. Thomas".*Medical Aspect of Mental Retardation*. Springfield: Carter C.A. (ed.), 1965.

7- GROUP FOR THE ADVANCEMENT OF PSYCHIATRY, COMMITTEE ON MENTAL RETARDATION. "Basic Considerations". *Mental Retardation*. GAP Vol. IV, New York: Report no. 43, 1959.

8- MACGREGOR, D.L. *Report on Medical Services for Mentally Retarded Persons*. Non publié.

9- NIRGE, B. "The Normalization Principle and its Human Management Implications". *Changing Patterns in Residential Services for the Mentally Retarded*. Washington: R. Kugel et W. Wolfensberger (Eds), President's Committee on Mental Retardation, 1969, 51-57.

10- PRESIDENT'S PANEL ON MENTAL RETARDATION. *A Proposed Program for National Action to Combat Mental Retardation*. Washington D.C.: Report to President Kennedy, Government Printing Office.

11- WOLFENSBERG, W. *The principle of Normalization in Human Services*. Toronto: National Institute on Mental Retardation, 1972.

CHAPITRE 15

LES MALADIES

PSYCHOSOMATIQUES

Jacques Monday et Pierre Morin

15.1 INTRODUCTION

Depuis que l'homme croit avoir un esprit, une âme, un souffle désincarné, il y a eu sorciers, chamans, prêtres, médecins, psychiatres, charlatans qui ont pu exploiter cette vieille terreur que le corps pouvait être victime de l'esprit ou "des esprits". Des écoles philosophiques de l'Antiquité grecque se sont arrêtées sur la dichotomie esprit-corps, et pour citer Platon: "La plus grande erreur dans le traitement des maladies, c'est qu'il y a des médecins pour le corps et des médecins pour l'âme, alors que les deux ne font qu'un et sont indivisibles". Malgré ces tentatives unicistes, l'influence de Descartes a marqué, par son dualisme corps-esprit, non seulement la pensée philosophique moderne mais aussi l'approche scientifique. Même le terme "psychosomatique", que l'on doit à Heinroth au siècle dernier, reflète la présence de deux instances alors qu'il voulait traduire une prise de position contre cette coupure si ancrée dans la pensée occidentale.

Plus près de nous, en Europe, c'est à Goddeck et Deutsch, pionniers avec Freud de la psychanalyse, qu'on peut attribuer les premiers travaux dans la sphère plus proprement psychosomatique.

Aux Etats-Unis, Franz Alexander (1, 3, 16, 19) s'inscrit d'emblée comme le père de la psychosomatique et son école de pensée (Ecole de Chicago) a produit plusieurs grands noms dans ce domaine (Dunbar, Benedek, Mirsky, Engel).

A partir de ces premiers travaux sur la spécificité des conflits dans l'étiologie des troubles psychosomatiques classiques*, une nouvelle tendance s'est manifestée par l'étude des facteurs non spécifiques dans le déclenchement et l'entretien de plusieurs maladies. Schmale, Engel, et leurs collaborateurs de l'Université de Rochester ont décrit ainsi le syndrome d'Abandon-Démission,

---

* (Asthme, colite ulcéreuse, hyperthyroïdie, hypertension essentielle, eczéma, ulcère peptique, arthrite rhumatoïde).

Détresse-Désespoir (Giving-up-Given-up, Hopelessness-Helplessness Syndrome) (14, 34, 35).

Parallèlement aux études psychanalytiques, des recherches psychophysiologiques se sont multipliées à partir des observations cliniques entre autres celles d'Alexis Saint-Martin (premiers travaux sur la fistule gastrique). La psychophysiologie, influencée par Pavlov, Masserman et plusieurs autres, a pris un essor considérable surtout aux Etats-Unis et ce n'est que depuis une dizaine d'années qu'un rapprochement commence à s'établir entre cette approche expérimentale et l'approche plus interpersonnelle subjective de la psychanalyse.

Dans les années cinquante, un groupe de psychanalystes français (Marty, De M'Uzan, Fain, David et autres) commencent une réflexion analytique à partir de l'observation de malades psychosomatiques qui aboutit à l'élaboration de concepts tels: l'investigation psychosomatique selon l'anamnèse associative inspirée de Félix Deutsch, l'approche psychosomatique, la maladie et enfin le malade psychosomatique. Par la suite, ils précisent des notions telles la pensée opératoire, la carence fantasmatique, la reduplication pseudo-projective qui aboutissent à l'élaboration du concept d'organisation psychosomatique (10, 12, 25). Enfin, le concept de désorganisation progressive (Marty) rejoint à notre avis celui de Schmale sur le syndrome d'abandon-démission. Il est intéressant de constater comment deux groupes n'ayant pratiquement aucune communication entre eux en sont arrivés à développer des notions conceptuelles qui se recoupent. Nous faisons allusion à l'alexithymie de Nemiah et Sifneos (Boston) (31, 37) d'une part et à la pensée opératoire (Marty, De M'Uzan...).

Depuis 1970, le Service de psychosomatique de l'Hôpital du Sacré-Coeur de Montréal, dont nous faisons partie, s'est consacré à ce domaine particulier, situé dans une zone frontière entre la médecine et la psychiatrie. Influencées par des courants à la fois américains et européens, psychanalytiques et psychophysiologiques, nos discussions cliniques et théoriques, dans le cadre de la consultation-liaison avec différents services médicaux, nous ont amené à préciser certaines notions qui sont à l'origine de ce chapitre.

La situation ambiguë de la psychosomatique nécessite que nous définissions les termes que nous emploierons.

Définir le mot ''psychosomatique'' soulève de multiples difficultés (3, 13, 23). Employé dans des sens fort différents pour désigner des domaines divers, une science, une médecine, une approche, un type de maladie, un type de malade, il est parfois restreint pour certains à un qualificatif, désignant une cause psychologique d'un malaise vague ou d'une maladie définie, tandis que pour d'autres il prend une signification plus générale et par conséquent plus floue, dont le champ est finalement celui de la médecine et de l'homme en tant qu'union esprit-corps.

Par la **psychosomatique**, nous entendons dans ce texte, un ensemble de connaissances portant:

1) sur les théories élaborées pour comprendre le développement des troubles psychosomatiques;

2) sur la compréhension psychosociale;
   - du malade atteint dans son corps (somatiquement)
   - et de sa maladie dans une optique globale (psycho-bio-sociale)

3) sur les relations existant chez tout être humain entre d'une part le comportement, la pensée, l'affect et d'autre part le corps.

L'expression "la psychosomatique" sera utilisée dans son sens le plus large, correspondant à une tentative de perception aussi globale que possible. Par ailleurs, nous emploierons le qualificatif "psychosomatique" pour désigner:

1) Une approche plus spécifique du malade, dite **approche psychosomatique**, visant à mettre en lumière les différents facteurs psychologiques qui ont pu être prédisposants ou déclenchants ou ont été concomitants à sa maladie. Le terme, ici, aura un sens plus restreint rejoignant l'orientation psychanalytique.

2) Un ensemble d'états pathologiques, dits **troubles psychosomatiques** comprenant, non seulement les sept maladies classiques décrites par Alexander, mais aussi, tout état physique pathologique avec modification anatomique ou physiologique dont l'apparition et l'entretien ont été sous l'influence des facteurs psychologiques. L'importance de ces facteurs nous paraît variable suivant la maladie et suivant les malades.

Le terme, **trouble psychosomatique**, correspond au "psychosomatic Reaction" du DSM III, et aux "troubles psychosomatiques" du CIM 9 avec le numéro de code 306.90, autrefois connu sous l'expression "troubles psychophysiologiques" (305.00 à 305.90 dans le DSM II).

Par **psychophysiologie**, nous entendons l'étude expérimentale des variations physiologiques associées à des facteurs psychologiques. Ainsi cette approche s'intéresse par exemple aux variations des cathécholamines circulantes chez les individus présentant un comportement de type A (voir p. 48), facteur de risque dans la maladie coronarienne d'après Friedman et Rosenman.

Par **simulation**, nous entendons: le fait de mimer une symptomatologie douloureuse ou autre que l'on ne ressent nullement et que l'on est conscient de feindre; en langue anglaise, cela se dit "Malingering".

Par **hypocondrie**, nous entendons un syndrome constitué par des préoccupations excessives du malade à l'égard de sa santé physique et donnant lieu à une symptomatologie physique ne s'appuyant pas sur des changements organiques démontrables.

Par **somatisation**, nous entendons tout trouble somatique à composante psychologique avec ou sans modification anatomo-physiologique transitoire ou prolongée.

Le terme somatisation inclut donc, dans ce texte, la conversion, l'hypocondrie, la maladie psychofonctionnelle et les troubles psychosomatiques mais non la simulation.

Comme le mot psychosomatique, il prend un sens très différent suivant les auteurs. Il peut être restreint au trouble psychosomatique, signifiant un "remplacement de l'organisation psychonévrotique d'un conflit par une organisation somatique" (29) suivant une approche psychanalytique.

Pour d'autres, notamment certains cliniciens, il est réservé à une manifestation symptomatique physique d'un problème purement psychologique sans changement organique démontrable. Il peut alors prendre une connotation péjorative tant pour le médecin que pour le malade dont on dit qu'il "somatise", c'est-à-dire qu'il ne souffre d'aucune maladie physique, en sous-entendant parfois qu'il simule, qu'il "s'écoute" ou "s'imagine" être malade.

Par **conversion**, nous entendons la notion telle que définie par Laplanche et Pontalis, c'est-à-dire: "La transposition d'un conflit psychique et une tentative de résolution de celui-ci dans des symptômes moteurs ou sensitifs" (23) . L'aspect symbolique exprimé dans le symptôme est important dans toute conversion.

Si l'on considère que le corps est utilisé comme instrument qui sert à diminuer l'anxiété (conversion) ou l'exprimer (hypocondrie), dans le trouble psychosomatique, il devient une victime puisqu'une partie de son anatomo-physiologie peut être atteinte à des degrés divers. Nous ne mentionnons la simulation que pour en souligner l'aspect conscient et péjoratif qui amène à la confondre à tort avec la conversion ou l'hypocondrie et même pour certains médecins avec toute somatisation qui sont toutes trois des manifestations de l'inconscient.

15.2   ASPECTS GÉNÉRAUX   (approche psychosomatique des malades et leur(s) maladie(s) psychosomatique(s))

15.2.1   Approche psycho-bio-sociale

Un malade souffre d'un malaise pour lequel il consulte son médecin:

Un jeune homme consulte pour des "brûlures d'estomac" qui le réveillent toutes les nuits depuis trois semaines. C'est la première fois que cela lui arrive. Son père a fait dans le passé des ulcères et il craint d'avoir la même maladie. Il vient de l'extérieur de la ville, il est étudiant, c'est la première fois qu'il habite depuis quelques mois hors du domicile familial. Et il doit se présenter prochainement à des examens de fin d'année qu'il n'est pas du tout certain de réussir .

Ce jeune homme consulte en fait un médecin qu'il n'a jamais vu auparavant. L'examen fait penser à ce dernier, à cause de la symptomatologie, des antécédents familiaux et de quelques signes physiques, que le patient souffre possiblement d'un ulcère peptique duodénal. Pour vérifier son diagnostic, il demande une radiographie, un repas baryté qui, effectivement, montre une "belle" niche ulcéreuse au duodénum. Il prescrit une diète, quelques médicaments (antacides, tranquillisants, ... antispasmodiques...), rassure son patient.

L'approche psycho-bio-sociale implique que le médecin tente de considérer avec autant d'importance tous les éléments pertinents à l'éclosion, à l'entretien et éventuellement à la guérison d'une maladie chez un patient; chaque fait observé est inscrit dans un tableau global, le contexte du malade. Ainsi la brûlure située au creux épigastrique, survenant la nuit, sera un indice biologique orientant vers le diagnostic. L'antécédent familial d'ulcère sera un autre élément suggestif et en plus contribue à mieux connaître l'étiologie (facteur biogénétique). La séparation du milieu familial, la crainte de l'échec, la migration du milieu rural à un milieu urbain, le statut d'étudiant et ce qu'il implique en particulier pour ce jeune adulte sont autant de facteurs psychosociaux qui permettent de mieux comprendre les circonstances entourant le moment particulier de l'apparition du malaise. Ils ne sont pas essentiels pour arriver au diagnostic posé cliniquement à partir des symptômes, des signes et des examens complémentaires; ils permettent cependant de mieux comprendre le "pourquoi".

L'étiologie dans l'approche psycho-bio-sociale ne peut plus prendre une forme de causalité linéaire qui s'avère simpliste et incomplète. L'antécédent familial ne peut à lui seul expliquer la maladie ulcéreuse. L'étiologie est multifactorielle et ce, dans la plupart des maladies (13).

Le concept d'approche psycho-bio-sociale ne s'inscrit pas uniquement dans un contexte étiologique. Il implique la considération du vécu du malade et des multiples facteurs prédisposants, déclenchants, entretenants et concomitants à sa ou ses maladies ainsi que des facteurs curatifs.

Facteurs prédisposants (ce n'est pas n'importe qui...)

Nous entendons par ces facteurs non seulement ceux qui sont transmis génétiquement (on sait que les nouveaux concepts de la génétique insistent davantage sur la transmission d'une prédisposition que d'une maladie comme telle) mais aussi ceux qui relèvent de la pseudo-hérédité, c'est-à-dire des facteurs psychosociaux éducatifs et culturels qui accompagnent le développement de tout être humain. Ils expliquent un peu pourquoi tel individu plutôt que tel autre souffre de telle ou telle pathologie (ce n'est pas n'importe qui).

Facteurs déclenchants (ce n'est pas n'importe quand...)

Il s'agit ici de facteurs tant biologiques, psychologiques que sociaux qui tous n'ont pas la même importance spécifique mais contribuent à l'éclosion d'une maladie. Certains sont essentiels, comme les bacilles de Koch dans la tuberculose, pour déclencher le processus pathologique, mais ils ne sont pas suffisants. Toute personne en contact avec ces bacilles ne devient pas nécessairement "tuberculeuse". D'autres facteurs ne sont ni essentiels, ni suffisants mais sont nécessaires au facteur plus spécifique reconnu souvent comme étiologique. Quel que soit le degré de leur importance, difficile à apprécier objectivement, ces facteurs multiples éclairent la lanterne de l'investigateur quant à la situation, au lieu et au moment déclenchants (13). C'est après avoir été séparé de sa famille, s'être retrouvé dans un milieu différent et devant la menace d'un échec que notre étudiant, mentionné ci-haut, a développé un ulcère (ce n'est pas n'importe quand).

Facteurs entretenants et concomitants (ce n'est pas n'importe comment)

Ce sont des facteurs tant psychologiques, biologiques que sociaux qui accompagnent la maladie tout au long de son évolution. Ainsi, par exemple, notre étudiant pourrait hypothétiquement accuser une stase gastrique secondaire à l'inflammation duodénale (facteur biologique), avoir été excusé de se présenter à ses examens par un certificat de son médecin (facteur psychosocial) et être retourné dans son foyer à la campagne pour y poursuivre sa convalescence (facteur psychosocial). Ces facteurs peuvent impliquer agréments (gains secondaires reliés aux soins familiaux) ou désagréments (obligation éventuelle de reprendre l'examen à l'Université) mais ils influent sur l'évolution de la maladie en l'accompagnant ou l'entretenant. Et il est important de les considérer pour le médecin traitant.

Facteurs curatifs

Outre les facteurs bien connus qui relèvent de l'ordonnance médicale, il ne faut pas oublier que l'art de traiter implique pour le médecin un ensemble d'attitudes, de recommandations qui vont toucher non seulement aux aspects biologiques mais également aux aspects psychosociaux. Ainsi l'attitude chaleureuse et empathique du médecin de famille qui traiterait notre étudiant pourrait rassurer ce dernier, satisfaire ses besoins de dépendance au point qu'une amélioration globale puisse survenir.

Autres facteurs curatifs souvent ignorés: les ressources personnelles du malade souvent inexploitées à leur juste mesure ainsi que les ressources de son milieu ou de son environnement.

15.2.2 Approche psychosomatique proprement dite

Après ces généralités sur l'approche psycho-bio-sociale, abordons maintenant avec plus de précision la dimension psychosomatique proprement dite. Une écoute particulière du malade nous permettra de retrouver, souvent, les caractéristiques spécifiquement psychologiques qui ont pu jouer en tant que facteurs prédisposants, déclenchants, ou concomitants.

Avec une attitude neutre, bienveillante, le médecin, après avoir invité le patient à parler de lui-même par une formule ouverte, sans question précise du genre: "Je vous écoute", gardera le silence et laissera au malade le soin de se présenter tel qu'il est. Dans ce contexte, le patient se trouvera dans une situation favorisant les associations libres bien que difficile et angoissante. Cette technique d'anamnèse associative permettra de mettre en évidence sa capacité d'établir une relation avec l'objet (au sens psychanalytique) que représente l'évaluateur selon son mode propre et caractéristique (10, 12, 38). Ainsi, il pourra faire montre de différentes particularités que l'on rencontre fréquemment chez des malades psychosomatiques, sans que ce soient des conditions nécessaires, suffisantes ou spécifiques chez ces individus, à leurs pathologies.

L'alexithymie

Il s'agit ici, de l'incapacité pour un individu d'élaborer verbalement sur les émotions qu'il peut plus ou moins ressentir ou avoir ressenties. Ce terme, décrit par Sifneos et Nemiah, tire son étymologie du grec: a, lexis, thymos, c'est-à-dire, une humeur sans mot. C'est une particularité souvent rencontrée chez la plupart des malades atteints d'un trouble psychosomatique et cela s'inscrit dans une façon d'être de l'individu (structure de personnalité).

La pensée opératoire

"Il s'agit là d'une pensée consciente qui: 1. paraît sans lien organique avec une activité phantasmatique de niveau appréciable; 2. double et illustre l'action, parfois la précède ou la suit, mais dans un champ temporel limité." C'est ainsi que Marty et De M'Uzan (10) décrivaient leur concept de pensée opératoire (1963). Le discours du malade est factuel, ressemblant en quelque sorte à un constat écrit par un policier. Il décrit une action telle qu'elle se déroule sans chercher à lui trouver une signification, sans interruption ou comparaison avec des produits de l'imaginaire. La relation avec l'évaluateur, comme, avec probablement toute personne, prend un style caractéristique, que ces auteurs ont décrit comme la "relation blanche", c'est-à-dire comme si elle n'était pas vraiment établie.

L'organisation psychosomatique

Les auteurs du Groupe de Paris (Marty, De M'Uzan, Fain, David...) à partir du concept de pensée opératoire, ont élaboré l'hypothèse d'une organisation psychique propre au malade psychosomatique, c'est-à-dire atteint d'une maladie psychosomatique ou prédisposé à l'être. Cette organisation se distingue de celles du névrotique et du psychotique, par une absence de "mentalisation", en fait, surtout une sécheresse de l'imaginaire qui peut être évaluée dans ce que l'individu raconte en entrevue ou rapporte de ses rêves, rêveries et loisirs.

Pour Nemiah et Sifneos comme pour le Groupe de Paris, le caractère particulier de cette organisation psychique est d'ordre carenciel. La carence peut être au niveau de l'expression des émotions, de la perception des émotions, de l'élaboration de la pensée, de l'élaboration imaginaire (carence fantasmatique), de l'établissement de la relation avec l'autre (relation objectale). Dans tous les cas, pour les deux groupes, il s'agit d'une lacune pratiquement considérée comme congénitale ou structurale sans caractère défensif comme c'est le cas de l'intellectualisation ou isolation, mécanisme de défense névrotique, retrouvé entre autres, chez l'obsessionnel.

Le narcissisme

L'approche psychosomatique de ce type particulier de malades a amené plusieurs cliniciens à constater la présence d'une problématique narcissique très fréquente. Il s'agit au fond d'une carence dans l'estime de soi, se traduisant par une attitude du sujet qui cherche constamment à prouver sa valeur dans le but de mériter d'être aimé, et ce avec une remarquable apparence de pauvreté émotionnelle. Kernberg décrit que les patients avec une "personnalité narcissique" n'ont pas en surface un comportement perturbé. Leur adaptation semble très convenable. S'ils semblent très sûrs d'eux-mêmes rendant la relation interpersonnelle souvent pénible pour l'autre, ce n'est qu'une façade camouflant un profond malaise probablement secondaire à une intériorisation primitive d'objets très effrayants. C'est en cela entre autres que la personne dite "narcissique" se distingue de la personne avec organisation psychosomatique chez qui l'on ne retrouve pas nécessairement ce type de fantasmes. (Selon De M'Uzan, il y a carence fantasmatique chez le malade psychosomatique.)

Le style de vie

La façon de vivre

Nous entendons par là, le reflet dans le comportement des caractéristiques mentionnées précédemment auxquelles nous allons en ajouter certaines autres et qui constitue, en quelque sorte, la façon d'être, la manière de vivre de l'individu, qui lui fera dire souvent (s'il cherche une explication à donner relative à tel ou tel comportement): "J'suis comme ça, j'ai toujours été de même, je suis comme tout l'monde".

Cette impression de ne se distinguer en rien des autres, de n'avoir aucune particularité propre, et qui convainc l'homme psychosomatique de sa "normalité", a été qualifiée du terme de reduplication pseudo-projective par le Groupe de Paris. Si cet aspect de la vie n'a rien de trop spectaculaire c'est pourtant l'une des sphères les plus valorisées par lui. "L'agir" c'est le moyen de passer toute son énergie, réaliser ses ambitions, se faire une "place au soleil", en somme un moyen d'être dans l'environnement actuel (occidental?).

Le rythme de "l'agir" peut varier de l'hyperactivité continue à la passivité la plus récalcitrante, suivant les individus et la situation. Ainsi, on retrouvera un comportement compétitif, agressif, impatient, courant entre deux échéances sans jamais pouvoir tolérer un repos (pourtant bien mérité) ou un délai à l'obtention d'un but déjà fixé. Une voix forte, accélérée, accompagnée de gestes saccadés (genre pointer du doigt, ou frapper sur la table avec son poing) pour illustrer la détermination et influencer l'action en l'accélérant, complète le tableau du type A (*Behavior Pattern Type A*) décrit par Friedman et Rosenman. C'est là un exemple de mode de vie retrouvé chez l'individu psychosomatique. Cette hyperactivité compulsive, parfois stéréotypée et par le fait même inévitablement conformiste ne se retrouve pas uniquement chez certains coronariens.

Il ne faut pas cependant généraliser et accoler d'emblée cette façon d'être, caricaturale ou presque, à tous les malades souffrant de troubles psychosomatiques. On retrouve parfois, au contraire, un comportement très passif et à l'antithèse du comportement précédent; et ce contraste peut se retrouver à l'intérieur même du processus évolutif du même individu selon le moment de sa maladie. Ainsi, l'ulcéreux peptique après avoir subi une gastrectomie subtotale peut présenter une désorganisation psychosociale dans le sens d'une passivité extrême après avoir été pourtant très ou suffisamment actif avant l'apparition de ses symptômes.

Qu'il soit hyperactif ou "hyperpassif", le comportement traduit deux facettes d'un même problème: un profond conflit face au besoin de dépendance qui ne peut être satisfait de façon convenable. Originant de la tendre enfance lorsque les besoins oraux étaient exprimés et satisfaits chez le nourrisson suivant une qualité particulière dans la relation mère-enfant, influencée tant par l'intensité du besoin du nourrisson que par la capacité de la mère à y répondre, le besoin de dépendance sera aménagé par la suite tout au long de la vie d'une façon plus ou moins fragile et adéquate.

La vie quotidienne de l'"Homme psychosomatique" sera marquée dans tous les domaines par ce "style de vie". Ainsi, dans la vie familiale, le conjoint aura un rôle déterminé par le besoin de conformisme et le besoin de dépendance plus ou moins explicitement.

La vie sexuelle n'aura rien de celle du "fantaisiste de la chose" se limitant à une pratique visant la décharge de la tension sexuelle plutôt que l'épanouissement érotique poussé et expansif.

Le travail sera le lieu habituellement privilégié où toute l'énergie sera concentrée vers une production plutôt qu'une création.

Bien sûr, cette description a une tendance caricaturale et heureusement une grande proportion de nos malades ne s'y retrouvent qu'à des degrés fort variés et qu'à certains moments de leur vie.

Syndrome d'abandon-démission *(Giving-Up - Given-Up)*

Une perte survenant dans la vie d'un individu peut amener un syndrome particulier décrit par Schmale et Engel sous le vocable anglais de *Giving-Up - Given-Up* (14, 34, 35). Cet état psychologique de prémaladie comporte plusieurs caractéristiques:

1) Une qualité affective de déplaisir, exprimée par des termes comme "c'en est trop, ça ne sert à rien, j'abandonne…"

2) Le patient se perçoit comme atteint dans son intégrité, dans ses aptitudes, dans sa maîtrise, dans sa possibilité de recevoir des satisfactions et dans sa

capacité à fonctionner d'une manière relativement autonome.

3) Les relations avec les objets (au sens psychanalytique) sont ressenties moins sûres, apportant moins de satisfaction et le patient peut se sentir abandonné par ces objets, ou bien il peut s'abandonner lui-même.

4) L'environnement extérieur peut être perçu comme s'écartant significativement des attentes fondées sur l'expérience passée, qui ne semble plus un guide aussi utile pour le comportement actuel ou futur.

5) Une perte de confiance dans l'avenir.

6) Une tendance à revivre des sentiments, des souvenirs, et un comportement associé aux circonstances qui, dans le passé, ont eu une qualité analogue.

Les affects principaux de ce complexe sont l'état de détresse (*helplessness*) et l'état de désespoir (*hopelessness*).

Selon ces auteurs, ce complexe n'est ni nécessaire ni suffisant au développement de la maladie.

Ce complexe peut servir de facteur déclenchant à une maladie physique ou à une dépression plus ou moins intense en sévérité. Mais il peut également évoluer vers une résolution spontanée.

Les changements de vie

S'inspirant des travaux d'Adolf Meyer sur la charte de Vie, (aspect psycho-bio-social de la maladie), Holmes et Rahé (18) ont produit une échelle pouvant mesurer l'impact pathogénique des adaptations à certains événements de la vie impliquant un changement dans le cheminement habituel des individus (voir section 6.3.3).

Ils ont ainsi identifié 43 événements et leur ont attribué une valeur en points (unités de changement de vie) variant de **100** à **11**. Ces événements tels, la mort d'un conjoint **(100)**, le divorce **(73)**, la séparation **(63)**, l'emprisonnement **(63)**, et ainsi de suite jusqu'aux délits mineurs du genre "billets de stationnement" **(11)**, s'accumulent et sont additionnés quant aux points qui leur sont alloués au cours d'une année. Une étude statistique à corrélation positive de 0.65 en ce qui a trait à la maladie chronique a démontré qu'une personne accumulant plus de **300** unités de changement de vie au cours d'une même année est davantage prédisposée à souffrir d'une maladie chronique de modérée à sévère. Par contre, une personne en accumulant moins de **100** au cours d'une même année y est moins prédisposée d'une part et la qualité de la maladie éventuelle (si toutefois elle devait en souffrir) est de légère à modérée.

D'autres échelles ont été produites. La plus célèbre, la plus employée et la plus collée à la réalité est celle précédemment citée.

Le concept de maladie somato-psychique - psychosomatique

A la suite de travaux de Mirsky, Engel a voulu bien montrer l'origine biologique au point de départ des grandes maladies psychosomatiques d'où l'emploi du terme somato-psychique - psychosomatique (3). Un déficit biologique initial, par exemple une hypersécrétion de pepsine héritée génétiquement, va influencer le développement psychoaffectif du nourrisson qui aura plus de difficulté à satisfaire sa faim et par le fait même son besoin affectif oral qui sera plus intense. La mère, pour répondre à ce besoin plus intense, devra le satisfaire suffisamment mais sans excès et, à cette fin, posséder des capacités développées de façon équivalente à l'intensité du besoin de l'enfant. Mais si le besoin est trop intense, la "meilleure des mères" ne pourra l'assouvir. S'il n'y a pas eu une satisfaction harmonieuse, un conflit pourra prendre naissance et marquer l'enfant profondément. Par la suite, quand ce conflit sera réveillé, lors de la frustration d'un besoin oral par exemple, au moment où une relation de dépendance est menacée, une réactivation d'un processus physiologique pourra survenir et déclencher ainsi un ulcus peptique. Au départ, une anomalie "physique" a marqué le développement psychoaffectif, a fait une faille qui à son tour, dans un temps ultérieur, peut avoir des répercussions sur le système physiologique impliqué. Si le concept est très séduisant et semble assez probable dans une maladie comme l'ulcus peptique, il demeure néanmoins très hypothétique dans la majorité des autres maladies faute de connaissances sur le déficit physique initial ayant servi de facteur prédisposant.

L'angoisse et le stress

Pour tout individu, l'angoisse est une partie constituante inhérente à la vie même, survenant de façon plus ou moins intense, avec des qualités productives ou destructives suivant les obstacles, menaces, dangers, rencontres. Cette émotion est d'abord et avant tout un ensemble de manifestations psychophysiologiques (tachycardie, sudation, tremblements, péristaltisme accéléré, hyperventilation, tension musculaire...). Si l'angoisse atteint un certain niveau d'intensité critique, elle provoquera des manifestations psychophysiologiques plus marquées qui, bien que transitoires habituellement peuvent devenir permanentes (maladies psychosomatiques), si elles surviennent dans un système prédisposé héréditairement.

Cette angoisse pourra rester pratiquement inconsciente, quant à sa perception affective, chez certains individus qui se diront "tendus" mais "pas nerveux".

Moultes recherches en psychophysiologie ont porté sur l'angoisse et ses effets sur tous les systèmes. Pour certains même, les tenants de la non-spécificité, elle est le dénominateur commun à toute maladie psychosomatique en tant que facteur déclenchant.

Pour Hans Selyé, l'angoisse s'organise dans une forme particulière qualifiée de syndrome d'adaptation à l'agression quelle qu'en soit la cause. Il a adopté le terme STRESS pour dénommer le tout. Ce syndrome d'adaptation se déroule en 3 temps: réaction d'alarme, période de résistance, stade d'épuisement. La persistance dans le temps de ce syndrome, ou sa non-résolution, expliquerait selon lui, la chronicité de certaines maladies qui font l'objet de ce chapitre.

15.3 ASPECTS PARTICULIERS

15.3.1 Réactions psychologiques à la maladie

Si le stress, suivant Selyé, n'est pas une maladie en soi, la maladie par ailleurs peut être considérée comme une source de stress. En effet la personne qui devient malade se sent souvent victime d'une agression et doit s'adapter à ce nouvel état. Nous voulons traiter ici plus spécifiquement de ces réactions psychologiques.

L'une de ces réactions est la **régression**. Quiconque fait l'expérience d'une maladie, aussi bénigne soit-elle, décrira que sous l'effet de la douleur ou du malaise, il ne peut ni penser, ni agir, ni aimer comme d'habitude. Il devient plus susceptible, irritable, impatient, sa concentration est moins bonne, son mode de fonctionnement moins efficace. On pourra dire de lui en langage populaire "quand il est malade, c'est un gros bébé"; c'est ce que nous entendons par régression.

Une autre réaction, c'est **l'anxiété**: anxiété face à la gravité éventuelle de cette maladie, face au traitement tel qu'il peut être imaginé par celui qui n'a jamais vécu l'expérience, face aux conséquences matérielles, en perte de temps, de travail, d'argent mais aussi et surtout face à soi-même, cette anxiété qui est suscitée par la remise en question de celui dont la perception de soi vient d'être brutalement modifiée. Les vieux conflits intrapsychiques qui avaient été suffisamment enfouis pour permettre un fonctionnement harmonieux, sont alors susceptibles d'être ravivés. Le degré de l'anxiété peut varier de la simple inquiétude à la quasi-panique et dépend de la force du moi, de sa qualité d'adaptation aux situations pénibles et d'autres facteurs tant intrapsychiques qu'interpersonnels. Toutefois il faut retenir que l'anxiété est une composante de toute maladie.

L'importance de la perte secondaire à la maladie déterminera si une réaction de **deuil** doit survenir. Ainsi, l'amputation d'un membre par exemple à la suite d'un accident de travail revêtira un caractère définitif et majeur pour l'employé de la construction, signifiant une perte corporelle considérable avec répercussions tant sociales que psychologiques. En perdant l'usage de son membre, l'accidenté perd non seulement une fonction, il est aussi blessé dans son estime de soi (blessure narcissique). Il doit "faire son deuil" c'est-à-dire s'adapter à ce manque qui doit se cicatriser non seulement sur le plan physique mais aussi sur le plan affectif. Au cours du processus de deuil, on peut retrouver différentes phases qui ne suivent pas nécessairement l'ordre dans lequel nous allons les énumérer et qui peuvent s'entremêler. Il s'agit 1. de la négation, 2. d'une période de révolte, 3. de marchandage, 4. de désespoir, 5. d'acceptation (voir chapitre 25). Ainsi, l'amputé pourra nier cette perte réelle au tout début, se révolter contre le médecin qui a procédé à l'amputation, passer par des périodes dépressives avec ou sans idéations suicidaires et finalement accepter la perte au moment où il réalise que TOUT n'est pas perdu, qu'une réadaptation peut être envisagée. Si le deuil est évident dans le cas d'un amputé, il est plus subtil à discerner dans d'autres maladies telle la maladie coronarienne et pourtant il s'agit aussi d'une perte ("le coeur de ses vingt ans"). Ici, l'individu réalise qu'il est à la merci d'une nouvelle attaque et que son sentiment d'immortalité n'est que fantasme. L'épreuve "d'effort" risque d'être quotidienne pour beaucoup de ces malades pour qui la moindre activité prendra des proportions alarmantes.

La maladie en forçant une régression, en suscitant l'anxiété, en provoquant un deuil, ébranle plus ou moins intensément les défenses psychologiques habituelles. Selon la force du moi, la résistance de la personne et la gravité de cette maladie (selon le potentiel pathogène de l'agression), un processus de décompensation psychologique peut survenir. L'organisation de la personnalité en cause influencera l'apparition de symptômes franchement névrotiques ou psychotiques ou des troubles de comportement. Ainsi, un coronarien ou un asthmatique pourrait développer une phobie l'empêchant de s'éloigner de la proximité d'un centre hospitalier, un cancéreux se mettre à délirer sur un mode paranoïde de persécution par rapport à la maladie et aux médicaments qui le rongent ou se comporter comme un délinquant.

Si ces réactions psychologiques ne sont pas aménagées de façon adéquate, elles peuvent compliquer l'évolution de la maladie ou son processus de convalescence et rendre le traitement plus ardu. Ces **complications** sont parfois prévisibles et le médecin traitant doit être aux aguets et en tenir compte dans une plan de soin éventuel.

15.3.2   Les somatisations

D'un point de vue psychosomatique global, dans toute somatisation, le corps est utilisé comme INSTRUMENT, MOYEN D'EXPRESSION ou comme VICTIME.

Conversion

Le concept freudien de conversion s'appliquait exclusivement à la névrose hystérique (voir section 5.2.3.2). Depuis, cette notion de conversion fut reprise par plusieurs auteurs et son concept s'en trouve maintenant plus élargi.

Pour Franz Alexander (1) la conversion est "limitée au système neuromusculaire volontaire et aux appareils de la perception sensorielle dont la fonction est d'exprimer et de décharger des émotions". Pour d'autres auteurs, notamment Engel et Schmale (14), la conversion peut conduire à une maladie somatique qui devient une complication sans avoir de fonction symbolique ou défensive primaire. Le concept en est encore plus élargi par plusieurs auteurs anglo-saxons, Rangell (32), Chodoff, Lyons (16), Bowlby, qui ont démontré que l'on pouvait rencontrer ce symptôme non seulement chez les "soi-disant hystériques'' mais chez plusieurs types de personnalité y compris les ''pré-psychotiques''. Pour Melitta Sperling, il s'agit d'une régression prégénitale d'emblée plutôt que génitale telle que préconisée par Freud. Avec ce concept élargi, il est donc possible de retrouver des symptômes de conversion chez un grand nombre de malades.

Le syndrome classique le mieux décrit demeure la névrose hystérique de conversion, rencontrée plus souvent chez les femmes que chez les hommes. Elle commence souvent au cours de l'adolescence ou chez le jeune adulte, mais la symptomatologie peut apparaître à un âge avancé et parfois même très avancé. Les manifestations peuvent être épisodiques, apparaissant souvent au cours de périodes de détresse émotionnelle résultant de crises situationnelles; le site et la nature des symptômes varient d'un individu à l'autre et un symptôme isolé peut se fixer et persister pour plusieurs années.

La conversion peut s'exprimer sur le plan de la motricité: on y retrouve surtout les mouvements anormaux, les contractures et les paralysies; sur le plan sensitif: les paresthésies, hyperesthésies et anesthésies; sur le plan sensoriel: les troubles visuels, auditifs, olfactifs. En ce qui a trait au système nerveux autonome, il y a les symptômes à prédominance motrice: dans la sphère digestive, les spasmes laryngés, oesophagiens, nausées, vomissements, constipation spasmodique; les tics et spasmes respiratoires, les spasmes urétraux et vésicaux (énurésie), le vaginisme; à prédominance sensitive: tous les types de douleur peuvent s'y rencontrer, notamment les céphalées, rachialgie, arthralgie, etc., et les syndromes vaso-moteurs et trophiques ainsi que certaines affections cutanées.

Le diagnostic d'hystérie peut être posé en fait le plus souvent d'après les manifestations cliniques: théâtralisme impressionnant d'une part, recherche des effets, circonstances particulières d'apparition évoquant la recherche probable d'un bénéfice secondaire, absence habituelle de signes d'organicité et d'anxiété face à la gravité apparente du symptôme (belle indifférence). Mais il faut bien dire cependant que le diagnostic est fondé souvent davantage sur les traits de personnalité hystérique plus aisément reconnaissables. Le diagnostic de conversion dans son sens élargi doit s'appuyer sur la notion de symbolisme de la manifestation et partant sur une connaissance approfondie du malade. Rien n'est plus difficile à notre avis que de poser un diagnostic certain de conversion.

L'approche thérapeutique varie selon l'intensité de la symptomatologie, le degré de détérioration du malade et les qualités du thérapeute.

La psychothérapie d'inspiration analytique et la psychothérapie supportive sont encore les approches les plus employées. Elles visent à donner au malade une introspection plus ou moins approfondie selon le cas des éléments émotionnels ou psychologiques sous-jacents.

La psychanalyse, demeurant l'approche très spécialisée du psychanalyste, s'applique à certains cas qui répondent aux critères d'une telle entreprise.

L'hypocondrie

L'hypocondrie a été décrite par Galien, sous ce même nom, qui se trouve être ainsi l'un des plus anciens du vocabulaire médical, avec une acception sensiblement inchangée: il s'agit d'un syndrome constitué par des préoccupations excessives du sujet à l'égard de sa santé physique et donnant lieu à une symptomatologie physique qui ne s'appuie pas sur des changements organiques démontrables.

Tourné vers l'intérieur de son corps, l'hypocondriaque est à l'écoute des messages les plus contingents de sa cénesthésie qu'il interprète dans un sens péjoratif; à partir de ces messages, il imagine ses organes altérés par un processus menaçant, généralement simpliste et mécanique. Il forme un couple indissociable avec le médecin, ou plutôt avec le corps médical, qu'il consulte inlassablement malgré les déceptions toujours renouvelées. L'inquiétude hypocondriaque, plus ou moins envahissante aux dépens de l'intérêt pour le monde extérieur constitue une vive souffrance et un état dépressif parfois sérieux, habituellement méconnus par l'entourage que rebutent des doléances monotones (histoire du petit garçon qui criait: "au loup").

C'est pour cette manifestation surtout que la différenciation entre symptômes et syndromes revêt une importance toute particulière. Il est classique au niveau du syndrome d'opposer une hypocondrie névrotique à une hypocondrie psychotique. Mais il convient avant d'énumérer les principaux aspects de ces syndromes, d'insister sur une prédisposition, un "complexe hypocondriaque universel" (H. Ey) et par conséquent normal. Chaque fois qu'une perception fortuite, voire une simple idée rapportée à notre corps est interprétée comme ayant une signification lésionnelle précise, on est en présence d'un phénomène hypocondriaque. Il arrive à chacun, pensons-nous, en éprouvant une douleur banale d'imaginer obscurément une grave pathologie sous-jacente.

On peut donc retrouver chez tout individu des symptômes d'allure hypocondriaque. Le syndrome par contre se retrouve dans les entités cliniques suivantes:

a) L'hypocondrie névrotique
Cette tendance décrite plus haut peut se développer, se faire permanente et tyrannique et caractériser la constitution hypocondriaque: l'intérêt de l'individu se limite plus ou moins à l'un de ses systèmes organiques: sa vie en est alors plus ou moins paralysée. G. Beard a ainsi décrit sous le nom de "neurasthénie"(aujourd'hui névrose neurasthénique) (DSM II) un groupement symptomatique bien individualisé: difficulté à commencer une tâche, dépression légère, insomnie, sommeil non réparateur, anxiété, agitation, tension, palpitations, tachycardie dont le cours et la durée sont très variables.

Il y a aussi la névrose hypocondriaque, qui affecte les hommes dans la quarantaine et les femmes dans la cinquantaine surtout dans les classes sociales défavorisées (Hollingshead et Redlich). On y retrouve entre autres des expériences de dépersonnalisation, où tout se déroule comme dans un rêve, le patient jouant le rôle d'observateur, avec sentiments d'abandon, de rejet, avec douleurs physiques imaginées et sensations de malaise continuel. Les symptômes les plus fréquemment rencontrés alors sont une sensation de vertige ou d'étourdissement et une fatigue généralisée.

Il n'est pas d'organisation névrotique qui ne puisse s'enrichir d'une composante hypocondriaque qu'elle nuance de ses propres couleurs: l'hystérophobique peut être nosophobe, c'est-à-dire craindre sans motif une maladie précise (cancer, infarctus du myocarde...); le dépressif se demande s'il ne risque pas de devenir fou; l'obsédé met l'anxiété à distance en instituant des rites antiseptiques et surtout défécatoires pouvant atteindre une incroyable complexité, surtout dans le cadre d'une névrose constituée.

Car l'anxiété est un élément essentiel du syndrome hypocondriaque. D'un point de vue psychopathologique, l'hypocondrie "normale" ou névrotique peut être considérée comme la localisation sur le corps d'une thématique anxieuse dont les deux références sont la mort et la dépersonnalisation, rupture de l'unité du moi conscient et du corps, son intermédiaire avec le monde.

b) L'hypocondrie psychotique

Dans cette catégorie il faut ajouter la notion de régression plus sévère de sorte que l'hypocondrie s'entache d'une connotation délirante. Le délire hypocondriaque peut dominer le tableau psychotique: délire de transformation corporelle où le malade n'a plus d'estomac, a les intestins en caoutchouc (ceci constituant d'ailleurs dans ses formes moins sévères le mode de présentation de certaines schizophrénies et mélancolies); délire d'agression corporelle où des persécuteurs par exemple l'électrisent, lui infligent des sensations génitales. D'un point de vue psychopathologique, elle peut exprimer dans la schizophrénie, l'expérience découlant de la dépersonnalisation ou constituer un phénomène de réparation visant à projeter l'anxiété et la circonscrire; dans la mélancolie, elle est souvent au premier plan, si bien qu'il existe des psychoses hypocondriaques périodiques qui ne sont autre chose que des équivalents mélancoliques.

La localisation des symptômes se retrouve à tous les niveaux. Il faut retenir cependant que le terme hypocondrie tire son origine d'hypocondre, région anatomique bien décrite, et que plusieurs préoccupations hypocondriaques sont en rapport avec les organes abdominaux.

L'approche thérapeutique

La relation médecin-malade est ici des plus importantes à comprendre puisque cette relation est la pierre angulaire du succès ou de l'échec thérapeutique. L'hypocondrie peut être parfois causée sinon favorisée par des facteurs découlant de la relation médecin-malade. En effet, soucieux de ne pas méconnaître une lésion organique, le médecin multiplie les examens sans conviction mais parfois de telle manière que le patient y voit une confirmation de ses craintes. Les conclusions négatives du médecin ne le rassurent pas et sont interprétées avec une mauvaise foi inconsciente qui est bien proche du délire: ''le médecin n'a pas su trouver mon mal ou me le dissimule pour me ménager''.

Le traitement consiste avant tout à accepter la doléance hypocondriaque sans impatience mais sans concession, c'est-à-dire en refusant les investigations et surtout les gestes chirurgicaux inutiles. C'est dans ces conditions qu'une pharmacothérapie adaptée revêtira toute son efficacité.

La pharmaco-thérapie

Ses indications évidemment devront se plier à l'entité clinique sous-jacente. S'il s'agit de symptômes dépressifs graves, les antidépresseurs (surtout les tricycliques) à la dose appropriée sont indiqués de préférence; cette pharmaco-thérapie pourrait se greffer, si l'état de mélancolie est avancé, à d'autres interventions thérapeutiques plus spécialisées: hospitalisation, psychothérapie de soutien ou autre, sismothérapie.

S'il s'agit d'anxiété névrotique, les anxiolytiques sont indiqués à court terme. Encore là, s'il s'agit d'une névrose ''grave'' il faudra orienter ces patients vers des techniques plus spécialisées de thérapie: approche analytique, approche behaviorale, psychorelaxation et autres.

Le traitement spécialisé

Il consiste en fait en une consultation ou un transfert en psychiatrie où le patient pourra bénéficier alors d'une forme de thérapie avec une technique différente selon les psychothérapeutes ou la problématique et la personnalité du cas particulier.

La maladie psychofonctionnelle

Par opposition aux troubles psychosomatiques dont nous traiterons plus loin, cette maladie implique une atteinte au niveau physiologique (fonction), sans lésion anatomique décelable par les moyens actuels d'investigation ou de dépistage. L'étiologie demeure souvent imprécise, mal connue, ignorée même dans de telles maladies. Ainsi, dans l'hypoglycémie réactionnelle, la glycémie peut ''chuter'' rapidement après la prise d'aliments plus sucrés qui provoquent une excrétion hormonale débalancée. Le malade se plaindra d'étourdissements, faiblesses, lipothymies qui pourront donner le change pour de la conversion ou de l'hypocondrie.

On doit cependant distinguer ces troubles fonctionnels qui peuvent atteindre n'importe quel système, être déclenchés par certaines émotions, des somatisations précédentes. L'hypocondrie peut provoquer des troubles fonctionnels (ex: constipation), la conversion également (ex: atrophie musculaire secondaire à une immobilisation prolongée), mais le trouble fonctionnel s'inscrit alors comme complication ou comme découlant secondairement du malaise primordial. En fait, le trouble psychofonctionnel nous paraît davantage de l'ordre du trouble psychosomatique quant à sa physiopathologie.

Les troubles psychosomatiques

La décompensation psychophysiologique aiguë épisodique (DPPAE)

C'est Avner Barcaï en 1974 qui en a élaboré le concept. A titre d'exemple de cette entité clinique, citons les symptômes de nausée, vomissement, diarrhée qui surviennent chez l'étudiant physiquement sain à la veille de se présenter à un examen difficile et important pour lui. On peut aussi citer le débalancement hormonal d'un diabétique "bien contrôlé" au moment de la perte de son emploi.

Cette décompensation survient quand une personne est confrontée à une situation personnellement significative et pressante faisant appel à des manoeuvres de contrôle urgentes étrangères à son style de vie habituel ou bloquées par des restrictions internes ou externes. Il en résulte un état de tension émotionnelle qui se perpétue si elle n'est pas soulagée et cause une activation inappropriée du S.N.A. (système nerveux autonome) ou des glandes endocrines conduisant à une manifestation psychophysiologique sur un organe vulnérable.

Ainsi, la perte d'emploi (agression psychosociale) qui survient à un moment précis (état de contrôle relatif du diabète) dans la vie d'un individu contribue à réactiver tout un processus physicopathologique aux étiologies multiples et ce, malgré une obéissance stricte aux prescriptions médicales quant à la diète, aux habitudes de vie et à la médication (insuline).

Cette décompensation aiguë peut disparaître rapidement comme elle est venue, dès que le stress situationnel disparaît (quand l'étudiant passe son examen par exemple). Il peut arriver néammoins que la récidive soit fréquente ou que le processus s'organise dans une permanence qui prend une dimension grave pour la vie ou le bon fonctionnement de l'individu. Il appartient alors au thérapeute dans le cadre de sa relation avec son malade d'explorer les vicissitudes d'adaptation relatives alors à un conflit intrapsychique, de les comprendre et surtout de les faire comprendre si possible à celui qui en souffre par le moyen d'une psychothérapie introspective dont la durée est très variable. Cette approche s'avère parfois impossible parce que la structure de personnalité du malade crée une résistance insurmontable à la psychothérapie ou parce que le symptôme demeure la seule voie expressive de son conflit intérieur, comme c'est le cas souvent dans les troubles psychosomatiques. On peut avoir recours à la psychorelaxation (thérapie autogène de Schultz et Luthe), à la relaxation progressive de Jacobson (voir chapitre 34), ou à toute autre approche behaviorale (inhibition réciproque entre autres). Ce sont des atouts thérapeutiques fort valables pour aborder et contrer ces problèmes car ils impliquent la participation du malade à leur résolution.

La participation du patient à son traitement est hélas trop souvent négligée ou considérée comme non valable. Par une attitude paternaliste ou ultra-directive on en vient à oublier que le patient est aussi un adulte "majeur et vacciné" possédant des ressources personnelles extraordinaires ou ordinaires mais utiles (sinon suffisantes) pour s'aider lui-même. Cette participation est parfois supérieure à la recette ou potion magique du "druide docteur". Nous ne voulons pas signifier par là que toute ordonnance médicamenteuse soit inutile ou inefficace. Bien au contraire elle est parfois l'atout le plus précieux. Cependant, quand elle est **la seule** composante du traitement elle s'avère souvent insuffisante et entretient malheureusement un vieux fantasme relatif à la toute-puissance ou à la sorcellerie. Sans compter qu'elle décharge partiellement le patient de sa responsabilité vis-à-vis lui-même, elle contribue à la tendance régressive déjà présente chez tout malade.

La relation interpersonnelle vécue dans la relation médecin-malade pourra souvent être le meilleur moyen pour améliorer un malaise occasionné par des relations interpersonnelles conflictuelles.

Les troubles psychosomatiques chroniques ou maladies psychosomatiques proprement dites

Dans le contexte restreint de ce chapitre nous avons groupé les troubles psychosomatiques par systèmes en tentant de souligner les caractéristiques qui nous paraissent les plus importantes. Il ne faudrait pas y voir une tentative d'explication étiologique exhaustive spécifique, nécessaire ou suffisante. Ces observations se veulent un reflet de notre expérience clinique commune et le fruit d'une réflexion de notre groupe à la lumière des multiples travaux retrouvés dans la littérature psychosomatique.

Système immunitaire

A la suite du développement spectaculaire de l'immunologie depuis les vingt-cinq dernières années, de nombreux travaux en psychophysiologie ont mis en évidence le rôle du facteur "émotionnel" dans le déclenchement des réactions en chaîne qui s'y produisent. Le niveau exact de l'influence de ce facteur demeure imprécis, mais depuis longtemps les observations cliniques militent en faveur de cette assertion.

Que l'on considère les allergies

l'asthme

les maladies auto-immunes: arthrite rhumatoïde
lupus érythémateux
sclérodermie

ou les différentes néoplasies,

il nous semble de plus en plus évident que ces maladies n'affectent pas n'importe qui, ni n'importe quand (22). En plus de l'alexithymie, de la pensée opératoire, on peut retrouver chez ces malades un type de relation interpersonnelle affective particulière, dite relation objectale, qui a été nommée "relation objectale allergique" par Marty ou "relation fusionnelle". Cette relation se caractérise par un trouble profond au niveau du processus d'individuation-identité. Le patient semble avoir de la difficulté à percevoir le caractère unique de son identité qu'il tend à confondre à des degrés divers avec celle de la personne aimée (objet). Ainsi, il aura tendance à donner à l'autre des caractéristiques qui lui sont propres et inversement à s'approprier des caractéristiques de l'autre (réduplication pseudo-projective). Cette confusion d'identité peut prendre des visages différents qu'il faut savoir distinguer d'un problème de dépendance excessive ou symbiose qui reflète une atteinte du processus d'autonomie. La présence de l'un, n'excluant pas celle de l'autre, vient souvent compliquer l'observation de ces types de problèmes (asthme).

Chez ces patients, la menace d'une séparation, la survenue d'un drame dans la vie de l'être aimé ou une manifestation de domination agressive de sa part, peuvent être des facteurs déclenchants de la maladie. Une perte sérieuse ou perçue comme telle peut entraîner un état d'abandon-démission avec affects de détresse et de désespoir qui à son tour peut contribuer en partie à déclencher des désorganisations ou décompensations somatiques sévères (néoplasies).

On retrouvera souvent une certaine répression de l'action agressive qui ne se manifestera le plus souvent que par un état de tension musculo-squelettique (arthrite rhumatoïde).

Approche thérapeutique: Le médecin confronté à ces malades sera souvent étonné par l'attitude singulière du malade "fusionnel" qui aura tendance à être très familier et à s'accrocher, surtout s'il ressent une certaine forme de rejet. Son état de détresse mal compris pourra favoriser des visites fréquentes et régulières aux salles d'urgence où le traitement sera très ardu. Une prise en charge tolérante et chaleureuse de la part du médecin, à l'intérieur d'un cadre thérapeutique bien défini et explicite, pourra utiliser ces caractéristiques propres à ces malades. En devenant l'objet de fusion pour le malade, le médecin pourra progressivement l'aider à identifier ses émotions, ses difficultés et à réaliser le développement d'une identité propre et satisfaisante tout en sensibilisant le patient à la possibilité de séparation qui pourra être perçue avec le temps de façon de moins en moins traumatisante. Si ce travail psychothérapeutique est impossible chez certains, faute de ressources psychologiques suffisantes tant chez le malade que chez le thérapeute qui n'a pas nécessairement une formation à cet effet, une relation de soutien pourra également être bénéfique et faciliter le traitement global à long terme chez beaucoup de ces patients.

Un dernier point à souligner concerne les asthmatiques et la démystification récente de la notion de "mère asthmatogène" par un groupe de chercheurs québécois (Gauthier, Drapeau et coll.) (17) sur l'asthme infantile. On se souviendra pour se l'être fait répéter à plusieurs reprises que la "mauvaise mère" réprimant à grand-peine une agressivité vis-à-vis de son enfant était la principale cause psychologique de l'initiation au processus asthmatiforme. Les récents travaux de ces chercheurs infirment clairement cette notion fausse à cause de son absolutisme et de sa généralisation. Il ne faut donc pas se gêner pour rassurer certaines mères qui auraient développé une forte culpabilité à la suite de la lecture d'un ouvrage vulgarisé ayant provoqué une prise de conscience sauvage de l'aspect psychosomatique de l'asthme.

Système cutané

En ce qui a trait aux malades atteints de dermatose, il est fréquent de retrouver (chez les eczémateux entre autres) la "relation objectale allergique" (P. Marty) (24) telle que décrite pour les maladies du système immunitaire. L'approche thérapeutique est la même quant à la relation médecin-malade. En complément, nous ajoutons cependant la notion suivante: "le complexe de la lèpre" c'est-à-dire cette modification dans ses rapports objectaux ambivalents et oscillant entre l'approche et le retrait, où l'individu atteint de dermatose se sent "repoussant" et par là même "repoussé" par les autres. Le médecin dans son approche thérapeutique doit donc tenir compte de cette ambivalence relationnelle en préservant davantage le côté bienveillant de la relation que le côté dédaignant ou "dédaigneux".

Autre point d'importance: l'atteinte massive de la peau (c'est-à-dire par tout le corps et notamment au visage) peut s'associer à un trait de personnalité caractérisé par ce qui est qualifié de "semi-perméabilité" (Musaph) c'est-à-dire une hypersensibilité aux tensions ou émotions qui surviennent chez les personnes-clés de l'entourage. Un peu comme si le patient se les accaparait en les faisant siennes alors qu'il a de la difficulté à sentir ses propres émotions. Il devient semi-perméable à celles des gens importants pour lui. Nous en revenons toujours au fond au trouble perceptuel et expressif des émotions propres du sujet et de sa perception exagérée des émotions des autres.

Sur le plan thérapeutique, il faut savoir percevoir cet état et respecter la difficulté d'expression verbale des affects du malade si tant est qu'on ne peut y apporter une modification par "pédagogie des émotions". Une thérapie corporelle, genre psychorelaxation, s'avère alors utile.

De plus, nous retrouvons souvent des traits dépressifs chez bon nombre de ces malades ainsi que des signes d'une hostilité ou d'une sexualité très refoulée (acné). Une approche supportive est alors indiquée. L'approche incisive ou analytique ne s'applique que lorsque le sujet est motivé d'une part et n'est plus déprimé d'autre part.

L'aspect narcissique fréquemment rencontré rend plus difficile l'approche thérapeutique.

Enfin, mentionnons à propos des avis préventifs que peuvent donner certains médecins, que des études ont rapporté que chez plusieurs malades atteints de dermatose il y avait eu une absence de contact peau sur peau au temps de la relation mère-enfant, soit au moment de l'allaitement ou de la période symbiotique en général. La suggestion aux mères et aux pères de se dévêtir jusqu'à la taille et de mettre à nu leur rejeton à l'heure du biberon devrait pouvoir être donnée plus fréquemment, en soulignant l'aspect de plaisir réciproque que peuvent y prendre les acteurs de cette dyade: père ou mère (ou leur substitut) et enfant.

Système endocrinien

La psychophysiologie a contribué aux progrès importants de nos connaissances sur le fonctionnement de ce système. L'axe hypothalamo-hypophysaire a fait l'objet de multiples publications et son rôle de "transmetteur" neurohumoral est maintenant de mieux en mieux connu. Cependant, depuis Alexander, les recherches plus psychosomatiques à proprement parler ont été très nombreuses et c'est surtout l'hyperthyroïdie et le diabète qui ont été les maladies les plus étudiées sous cet aspect.

L'hyperthyroïdie

Les observations cliniques dans l'hyperthyroïdie ont mis en évidence l'importance des conflits psychologiques comme facteur déclenchant, en particulier ceux reliés à la séparation d'un être cher. On retrouvera ici aussi, très souvent, une alexithymie importante, des problèmes de dépendance, des relations ambivalentes, ainsi qu'une difficulté d'expression adéquate de l'agressivité. Ce qu'il faut cependant souligner, c'est qu'une approche thérapeutique psychologique qu'elle soit par le biais d'une thérapie corporelle de relaxation, d'une psychothérapie plus analytique, ou enfin d'une simple approche de soutien permettant une "ventilation" des affects retenus longtemps "sous pression" par le malade, semble amener une amélioration importante dù fonctionnement de la glande thyroïde parfois même sans autre traitement. Les plus sceptiques diront cependant qu'il s'agit peut-être d'une amélioration spontanée, mais, nous avons l'impression par notre expérience clinique que l'intervention psychothérapeutique ici a vraiment une place importante pour le traitement de ces malades.

Le diabète

Il serait vain de chercher un profil de personnalité spécifique aux malades souffrant de diabète. La longue évolution de cette maladie vient presque toujours colorer le tableau psychologique surtout chez ceux atteints de diabète juvénile. Les travaux de Barcaï, cependant, ont mis en évidence un aspect fort intéressant. Les patients placés dans une situation de double contrainte sans issue ("double bind"), c'est-à-dire soumis à des agressions et interdits tels qu'aucune réponse de leur part ne puisse être adéquate, ont présenté un déséquilibre hormonal nécessitant un ajustement dans leur dose d'insuline. Ces malades semblent également avoir beaucoup de difficultés à élaborer sur leurs émotions et souvent répriment leurs affects au point qu'ils paraissent même indifférents. L'alexithymie, la pensée opératoire, une manière de vivre conformiste se retrouvent ici encore à des degrés variables. Notons que les troubles du comportement peuvent ici avoir des manifestations dangereuses surtout lorsque de façon impulsive le malade fait des écarts spectaculaires à sa diète ou "laisse tomber" son traitement à l'insuline, comme cela se produit souvent chez les adolescents atteints de diabète juvénile. En fait ici les problèmes sont davantage secondaires à la maladie et l'approche thérapeutique visera surtout à obtenir une meilleure collaboration du patient, en l'incitant à participer activement à son traitement et en évitant de le limiter à une soumission passive aux prescriptions du médecin.

Le système génito-urinaire

a) Les complications obstétricales

Qu'il s'agisse de pseudo-cyèse (grossesse fantôme), d'hyperemesis gravidarum (vomissements incoercifs de la grossesse), d'avortements habituels, travail difficile, prématuré, ou toxémie, une revue de la littérature (26) à ce sujet met en relief une dynamique rencontrée à maintes reprises même si non spécifique ou généralisée à tous les cas. Il y a d'abord un conflit intrapsychique non résolu quant à l'acceptation de la grossesse (soit manifesté par de l'ambivalence, de la culpabilité, de l'insécurité, une extrême dépendance, un consentement mitigé mais toujours associé à une immaturité psychosexuelle). Ces conflits engendrent un malaise adaptatif (stress) qui favorise un état anxieux. La déficience des défenses du moi prolonge l'anxiété et favorise ou provoque une activité du système nerveux autonome qui influe sur les différents systèmes:

1- gastro-intestinal: pseudo-cyèse et hyperemesis gravidarum;

2- musculaire lisse: avortements habituels, travail difficile prématuré;

3- artériel: toxémie.

Cette séquence dynamique, nous l'avons retrouvée chez quelques-unes de nos malades, mais nous répétons que nous ne croyons pas qu'elle s'applique à chaque cas.

L'approche analytique visant la résolution du conflit par transfert au thérapeute est ici indiquée, si tant est que la patiente a des ressources personnelles (et nous ne voulons pas dire financières mais bien plutôt une bonne force du moi) lui permettant une telle entreprise. Une psychothérapie centrée sur des facteurs de réalité, notamment en ce qui a trait à la grossesse fantôme s'applique aussi d'emblée. Il nous semble enfin qu'une thérapie corporelle visant l'amélioration de l'état anxieux (c'est-à-dire psychorelaxation ou relaxation progressive) a sa place dans l'arsenal thérapeutique à suggérer. Aussi une thérapie de soutien visant à renforcer les défenses déficientes du moi peut être utile dans certains cas.

Soulignons enfin l'apport préventif et bénéfique que fournissent aux femmes enceintes les techniques d'exercices de relaxation et de préparation globale à l'accouchement. Ces techniques de relaxation spécifiques à la grossesse s'apparentent à la relaxation progressive de Jacobson et elles s'avèrent nécessaires et utiles dans tous les cas.

b) Les troubles sexuels

Nous ne traitons pas ici des dysfonctions sexuelles puisque cela fait l'objet d'un chapitre entier (chapitre 18). Qu'il nous soit permis cependant de souligner que la relation sexuelle étant en soi la démonstration de ce qu'il y a de plus typiquement "psychophysiologique" chez l'être humain, nous sommes portés à classer ces dysfonctions sous le chapitre des troubles psychosomatiques.

c) La ménopause

Qu'il nous soit permis en premier lieu de distinguer ce terme signifiant l'arrêt des menstrues (aspect biologique), de celui de climatère qui s'applique autant à l'homme qu'à la femme et qui signifie le "changement de vie" (aspect psycho-bio-social). Le climatère est conséquent du processus de vieillissement bien sûr mais aussi de l'arrêt brusque ou étalé dans le temps de la vie reproductrice. Ce qui embête davantage le médecin ce ne sont pas les phénomènes d'ostéoporose ou d'athérosclérose qui l'accompagnent mais bien le syndrome neurasthénique caractérisé par la dysphorie, une instabilité affective (sous le signe de l'irritabilité le plus souvent), l'incontinence affective (crises de nerfs), la fatigue et l'anxiété. On sait bien que ce syndrome souvent confondu avec une dépression véritable peut quand même évoluer jusqu'à le devenir (ralentissement psychomoteur, perte d'intérêt, rumination suicidaire, état dissociatif, etc.). C'est une question de degré symptomatique. L'aspect du "nid vidé" (Empty Nest) présidant à un fort sentiment d'inutilité y est fort contributif, ainsi que l'attrait que peut avoir le conjoint pour un ou une partenaire sexuel(le) plus jeune.

De nombreuses études ont mis l'accent sur le rôle prépondérant de la baisse des oestrogènes comme facteur déclenchant du syndrome neurasthénique de la ménopause et de son traitement par hormonothérapie de remplacement. Une récente publication dans l'Acta Scandinavia Gynecologica (15) montre que l'administration d'oestrogènes améliore ce syndrome. Des études anthropologiques par contre démontrent clairement que ce phénomène de la ménopause peut être perçu comme récompense ou punition selon des différences culturelles aussi variables que l'opinion des médecins sur le sujet.

Par contre, la relation médecin-malade devrait s'orienter sur la prise de conscience de l'identité propre de chaque personne confrontée à ce problème. Elle devrait favoriser aussi (dans notre culture nord-américaine) la participation à des groupes à visée sociale (genre celui des *grey panthers* aux U.S.A.) pour renforcer les sentiments d'utilité chez ceux qui les auraient perdus ou étiolés. Elle devrait aussi informer et rassurer sur la persistance de la capacité orgastique dont l'intensité et la fréquence sont moindres mais toujours présentes.

Si l'état dépressif s'installe, il va de soi qu'il doit être traité comme tel par pharmacothérapie antidépressive, psychothérapie, sismothérapie au besoin, etc., en se rappelant toujours qu'à cet âge, le degré de dangerosité suicidaire est plus élevé.

d) Les troubles menstruels

Enfin, un dernier paragraphe pour souligner l'approche individuelle et nullement spécifique à adapter à chaque femme souffrant soit d'aménorrhée, dysménorrhée ou métrorragie. Dans la foulée de Marie Cardinal ("Des mots pour le dire" et "Autrement dit") (8) il est important croyons-nous de sensibiliser tout thérapeute à l'aspect identificatoire propre relatif non pas à la féminité en général mais à chaque femme en particulier. Nous nous refusons pour l'instant de souligner les "points chauds" comme précédemment car notre brève expérience clinique ne concorde nullement à la littérature produite sur le sujet. L'évolution des concepts suscitée par l'apport des mouvements féministes, qui y ont présidé en grande partie, nous incite à cette sagesse. Permettons-nous de souligner la remise en question fort bénéfique et la démystification de ces vieux concepts inspirés par la psychanalyse qui reléguaient les femmes de façon péjorative et discriminatoire au niveau "d'hommes manqués" ou "incomplets". Nos connaissances sur la psychologie féminine n'en sont encore qu'au stade des prémices. Nous nous contentons d'insister sur l'attitude d'écoute intelligente c'est-à-dire globale et de recommander parmi les approches thérapeutiques celles qui visent à la résolution du conflit inconscient (psychanalyse ou psychothérapie d'inspiration analytique) ou à la diminution de l'état anxio-dépressif (thérapies corporelles, de soutien et autres).

Système cardio-vasculaire

Les maladies cardio-vasculaires de même que la physiologie de ce système ont fait l'objet des recherches les plus nombreuses en psychosomatique et en psychophysiologie depuis ces dernières années. L'incidence aux allures épidémiques de la maladie coronarienne dans notre monde occidental en est probablement à l'origine. Les facteurs émotionnels étaient déjà bien connus dans l'hypertension essentielle et Alexander avait posé l'hypothèse d'un conflit spécifique touchant l'agressivité réprimée qui activait de façon indue le système nerveux autonome sympathique, tenu responsable de l'hypertension. Si on peut remettre en question les théories trop spécifiques de cette époque, soit de conflits spécifiques (Alexander), soit de personnalités types (Dunbar), il demeure une tendance générale pour la majorité des auteurs d'aujourd'hui à chercher des facteurs de risque, dans une orientation de spécificité relative.

Ainsi, dans la maladie coronarienne, les travaux de Friedman et Rosenman puis de Jenkins aux Etats-Unis (3, 16, 20, 21, 27) ont mis en évidence le rôle d'un ensemble de comportements et d'affects particuliers, qualifié en anglais de *Behavior Pattern Type A*, qui serait, chez une population nord-américaine, un facteur de risque prédisposant à la maladie coronarienne au même titre que le tabagisme. Ce type A de comportement et d'affect est caractérisé par une ambition continue, un goût pour relever les défis et pour la compétition, une difficulté à déléguer les responsabilités, un besoin de réussir, une préoccupation pour les échéances à rencontrer, une impatience, un sens profond et continu d'être constamment pressé par le temps, qu'il faut aller toujours plus vite avec une difficulté pour accepter tout ce qui peut retarder. L'ensemble se manifestera de façon privilégiée par la forme du discours de la personne encore plus que par son contenu. Ainsi, une voix de tonalité explosive, un discours sec, rapide, avec des réponses brèves ponctuées de gestes saccadés comme pointer du doigt ou frapper la table du poing et une façon d'accélérer le discours de l'autre en le pressant par des intonations, vont faire poser l'étiquette de type A même si la personne se dit calme, détendue, prenant tout son temps pour vivre. A l'opposé, le type B reflète par son attitude, sa voix et son discours le calme et la détente de celui qui n'est pas pressé et "prend la vie comme elle vient". Il s'intéresse aux autres, même s'il n'est pas directement impliqué et tolère les retards ou les obstacles qui peuvent survenir. Le ton de sa voix est souvent monotone et ennuiera son interlocuteur s'il est, lui, un type A. Dans une étude prospective, Friedman et Rosenman ont départagé en A ou B un groupe d'employés de sexe masculin suivant la prédominance de l'un ou l'autre type de comportement. Après les avoir suivis plusieurs années, ils ont trouvé une maladie coronarienne plus fréquente chez les A que les B et une sévérité d'athérosclérose des coronaires deux fois plus élevée chez les A que les B à l'autopsie quelle que soit la cause du décès. Il ne faudrait pas croire cependant que ce type de comportement soit le seul facteur émotionnel impliqué. Les pertes répétées, les échecs, les blessures d'amour-propre, sont souvent des facteurs déclenchants tant au début de la maladie que lors des rechutes, notamment dans l'insuffisance cardiaque. De plus, on retrouve fréquemment des problèmes d'alexithymie, de pensée opératoire, de style de vie conformiste. Si l'hyperactivité est plus souvent rencontrée chez les coronariens, il ne faut surtout pas s'imaginer que les passifs cependant, sont protégés contre les maladies vasculaires: le problème chez ces derniers consiste en une difficulté énorme à les réadapter à une vie fonctionnelle à cause de leur maladie qui les rend plus facilement invalides que les types A. Outre la maladie coronarienne et l'hypertension essentielle, les troubles du rythme cardiaque ont été fortement étudiés ces dernières années et, ici encore, le rôle de l'angoisse comme facteur déclenchant a été très bien documenté.

Approche thérapeutique: Le développement des nouvelles techniques très poussées tant en cardiologie qu'en chirurgie cardio-vasculaire, a fait oublier à beaucoup de médecins l'importance de la relation médecin-patient chez ce type particulier de malade. Une écoute de la part du médecin ainsi que des paramédicaux (infirmières en particulier) a souvent joué un rôle primordial pour rassurer le malade qui se sent du jour au lendemain très limité dans ses activités, lui pour qui l'action représente toute sa vie. Si l'intervention médicale est orientée vers ces activités qu'il pourra reprendre graduellement plutôt que sur ce qui est proscrit, si le malade est informé de façon adéquate et bien préparé aux différents examens et traitements de telle sorte qu'il sente sa collaboration utile et nécessaire, enfin s'il n'est pas traité comme un numéro mais comme une personne victime de "la maladie du siècle", le traitement aura beaucoup plus de chance d'être efficace tant au niveau cardiaque qu'à un niveau global.

Système digestif

Avec le système cardio-vasculaire, le système digestif est un de ceux qui ont été les plus étudiés. L'ulcus peptique comme la maladie coronarienne a été l'objet d'une longue étude prospective. Les travaux de Mirsky et Weiner demeurent des modèles méthodologiques de recherche psychosomatique. Il semble aujourd'hui assez bien reconnu que la maladie ulcéreuse (ulcus peptique duodénal) s'inscrit très souvent dans un contexte psychosomatique particulier (3). Une particularité physiologique héréditaire, telle la présence d'une forme de pepsinogène plasmatique plus élevée, associée à une hypersécrétion gastrique, va influencer le besoin oral affectif du nourrisson. Ce besoin de l'enfant sera plus intense et plus difficile à satisfaire pour la mère ou son substitut, et une fragilité psychologique pourra en résulter chez l'enfant. Si une crise survient par la suite, touchant ce conflit particulier, en l'occurrence, un conflit de dépendance, une altération physiologique risque d'advenir, entraînant la formation d'un ulcus peptique. Cette explication psychosomatique demeure la plus plausible bien qu'elle soit encore discutée faute de preuves scientifiques irréfutables. Le conflit de dépendance est en fait une incapacité à pouvoir satisfaire, de façon adéquate, un besoin affectif bien normal. Il peut être aménagé de diverses façons et prendre des aspects diversifiés. Ainsi, on pourra retrouver quatre types différents selon De M'Uzan (9):

1) **Le type indépendant:** celui qui, par son attitude, nie tout besoin de dépendance, cherche à prouver aux autres qu'il n'est pas du tout sous leur domination affective. On retrouvera ici une instabilité familiale et professionnelle.

2) **Le type équilibré:** celui qui adopte dans un secteur de sa vie l'attitude de l'indépendant et qui dans un autre secteur devient à l'opposé très dépendant. Ainsi, il peut donner l'image de l'homme très autoritaire au travail et se comporter comme un jeune "enfant" auprès de son épouse.

3) **Le type alternant:** celui qui passe par des phases d'une attitude très dépendante pendant un certain nombre de mois, voire d'années, pour devenir plus tard à l'opposé très indépendant. On retrouvera souvent des problèmes familiaux et souvent associé un problème d'éthylisme.

4) **Le type dépendant:** celui qui manifeste un besoin de dépendance ne pouvant jamais être satisfait suffisamment. Il s'accroche, demande, supplie encore et encore et malgré tout ce qu'il peut recevoir, ne trouve jamais d'amélioration. Habituellement, il sombre rapidement dans l'invalidité sociale et devient un lourd fardeau tant pour sa famille que pour ses médecins. Une intervention chirurgicale chez ce type de malade, très souvent rebelle à toute forme de traitement médical, s'avère fréquemment désastreuse. Elle est en effet souvent suivie d'une désorganisation psychosociale encore pire et de problèmes physiques tel le syndrome de chasse (*dumping syndrome*).

Les maladies du tube digestif inférieur ont également fait l'objet de plusieurs publications psychosomatiques, en particulier la colite ulcéreuse ou recto-colite hémorragique. Les travaux d'Engel (3) et de De M'Uzan (11) constatent sensiblement les mêmes phénomènes chez ces malades: une certaine immaturité affective, une relation de dépendance face à une personne-clé, habituellement la mère, des manifestations psychonévrotiques variables, obsessionnelles souvent mais parfois hystéro-phobiques, plus rarement un comportement d'allure prépsychotique. C'est souvent une séparation de la personne-clé et un changement important dans la vie de l'individu, comme le mariage et la prise de nouvelles responsabilités, qui vont servir de facteurs émotionnels déclenchants. C'est comme si, inconsciemment, il se produisait une blessure narcissique chez ces personnes dont l'estime de soi est le plus souvent très fragile.

La maladie de Crohn (iléite régionale, colite granulomateuse) a souvent été comparée dans la littérature américaine, à la colite ulcéreuse par ses aspects psychologiques similaires. Nous devons toutefois souligner que notre expérience clinique ne va pas dans cette direction. Ces malades nous paraissent souvent plus difficiles à rejoindre et établissent des relations beaucoup moins solides avec leur thérapeute. Les problèmes d'alexithymie, de pensée opératoire y semblent également souvent plus marqués de même qu'une estime de soi plus fragile encore que chez ceux atteints de colite ulcéreuse.

Approche thérapeutique: Il nous paraît essentiel de souligner l'importance d'une approche thérapeutique tenant compte des aspects particuliers des malades souffrant tant de maladie ulcéreuse que de colite. L'attitude du thérapeute avec les ulcéreux variera suivant qu'il doit traiter un type indépendant avec qui il sera plus souple, ou un type très dépendant face à qui il devra être plus ferme. Le thérapeute tentera de faire réaliser à l'un qu'il peut se permettre un certain degré de dépendance et à l'autre qu'il faut se prendre en charge un peu plus. Dans un cas comme dans l'autre, il s'agira de favoriser un aménagement du problème de dépendance de façon aussi harmonieuse que possible.

C'est l'équilibre entre les deux tendances opposées, dépendance-passivité d'une part et indépendance-hyperactivité d'autre part qui doit être visé pour réduire l'angoisse. Le type équilibré sera d'ailleurs le plus facile à traiter et celui chez qui l'intervention chirurgicale aura le moins de chance d'amener une désorganisation psychosociale.

Avec les malades souffrant de colite ulcéreuse, c'est souvent une prise en charge à long terme qu'il faut envisager suivant les ressources psychologiques du malade ainsi que son intérêt, une thérapie de relaxation ou même une psychothérapie plus introspective pourront être les adjuvants précieux au traitement biologique. Le médecin traitant doit tenir compte de l'attachement profond que lui porte souvent ce type de malade; ce lien sera un atout thérapeutique important mais le médecin devra réaliser alors qu'il doit préparer son malade à ses absences (vacances) ou à des références d'une façon très prudente, en l'informant à l'avance et en expliquant les circonstances pour éviter que ces séparations inévitables ne soient perçues comme des rejets.

Alimentation

Sous ce titre, on peut regrouper deux entités principales: l'anorexie nerveuse et l'obésité. D'autres habitudes alimentaires particulières telles que l'ingestion inhabituelle d'aliments, ou des restrictions alimentaires spéciales chez des groupes marginaux (macrobiotiques) ont aussi été commentées. Il existe aussi chez certains enfants une maladie, le pica, qui consiste en une ingestion de matières non alimentaires, comme de la peinture. Nous ne considérons ici que les problèmes principaux de l'anorexie et de l'obésité.

L'anorexie nerveuse décrite par Gull et Lasègue au siècle dernier, et même déjà par Richard Morton en 1689 sous le nom de "consomption nerveuse" a fait l'objet de nombreuses recherches récemment dont celles d'Hilde Bruch (3), Dally et Selvini. L'incidence de cette entité clinique semble à la hausse ou son diagnostic est posé plus fréquemment. Il s'agit le plus souvent de jeunes filles dont la maladie a débuté entre les âges de 10 et 26 ans. Les garçons peuvent en être atteints mais plus rarement; H. Bruch en rapporte cependant 10 cas sur une étude de 75 anorexiques. On peut distinguer d'emblée l'anorexie nerveuse primaire, l'entité classique, des autres formes d'anorexie moins typiques et le plus souvent secondaires à d'autres troubles psychologiques (dépressions, schizophrénie...). Le caractère central pour H. Bruch n'est pas la perte prolongée d'appétit comme telle, mais la recherche de minceur avec un refus et une crainte de prendre du poids, de devenir obèse. L'anorexique va chercher à être le plus mince possible en limitant son ingestion d'aliments, tout en étant très souvent hyperactif. La perte de poids va atteindre 20 kilogrammes en moyenne (d'après H. Bruch) et sera associée à une aménorrhée chez toutes les femmes atteintes d'anorexie primaire. L'examen psychologique montre la triade suivante:

1) Le trouble du schéma corporel pouvant atteindre des proportions délirantes. L'anorexique se trouve "grosse", jamais aussi maigre qu'elle en a l'air effectivement.

2) Le trouble perceptuel amenant une interprétation altérée des stimuli physiques venant de l'organisme, quant aux besoins de nourriture entre autres. La faim est souvent mal perçue.

3) Le sentiment d'inefficacité paralysante qui se reflète dans toutes les pensées et le comportement de l'anorexique pendant qu'elle cherche en vain à atteindre une perfection, pour être reconnue par les autres.

La lutte pour le contrôle, la recherche d'une identité personnelle, seront les premières difficultés rencontrées par la malade avant que la symptomatologie classique s'installe.

Approche thérapeutique: À notre avis, le médecin généraliste pourra ici jouer un rôle de dépistage et de thérapie conjointe. L'anorexique devra le plus souvent être adressée pour des traitements spécialisés de psychothérapie à long terme, plus ou moins analytique suivant ses capacités psychologiques. Parfois, une approche familiale sera nécessaire au début, pour permettre un traitement individuel rendu pratiquement impossible par une dynamique familiale très perturbée. Dans les cas extrêmes, des techniques behaviorales de conditionnement opérant entre autres, seront très utiles, pour obtenir la collaboration de la malade cachectique parfois en danger de mort à cause de troubles métaboliques (inanition). Plus la malade est prise en traitement au début des manifestations, plus les chances de réussite thérapeutique sont élevées à notre avis.

L'obésité est une condition beaucoup plus fréquente que l'anorexie dans notre société et demeure un problème complexe tant pour ceux qui en souffrent que pour leurs thérapeutes. Classiquement, un poids dépassant 20%

le poids idéal, est un signe d'obésité bien qu'aujourd'hui il existe d'autres façons de mesurer les matières grasses en excès dans le corps (pli cutané par exemple). La prévalence de l'obésité dans la quarantaine semble autour de 35 à 40% dans une population nord-américaine. Les travaux de Albert J. Stunkard (3) ces deux dernières années, ont fait le point sur le problème de l'obésité. Les hypothèses de personnalité spécifique, de troubles psychologiques communs à tous les obèses, pouvant expliquer l'étiologie de ce syndrome, ne peuvent plus être soutenues. Les recherches tendent à montrer que les problèmes émotionnels chez les obèses sont fréquents et peuvent parfois expliquer le gain de poids mais sont très variables d'un obèse à l'autre. L'obésité, en soi, génère des complications émotionnelles très fréquemment et il est souvent difficile de faire le partage des choses. Actuellement, un trouble "de l'apprentissage alimentaire" est considéré comme le facteur le plus prometteur de la recherche psychosomatique sur ce sujet d'après Stunkard.

Ici encore, il ne faut pas oublier que l'étude de chaque individu est plus importante pour comprendre son état plutôt qu'une application à chaque obèse d'une théorie psychologique soi-disant spécifique à l'obésité. Pour l'un la nourriture pourra représenter un substitut d'affection, pour l'autre, l'obésité sera une carapace protectrice contre la sexualité par exemple.

Approche thérapeutique: Le traitement des obèses, visant seulement la perte de poids et le maintien d'un poids relativement idéal, est loin d'avoir fait ses preuves. Les approches psychothérapeutiques, surtout individuelles et d'orientation analytique, ne se sont pas avérées très efficaces. Dans certains cas, le patient pourra éprouver un certain bien-être mais le poids n'aura pas changé de façon significative. C'est actuellement par des techniques "behaviorales", dans des contextes d'intervention de groupe, surtout de groupes populaires "non médicaux" tels que les *Weight Watchers*, qu'on arrive à modifier les habitudes alimentaires, le style de vie, le type d'activités qui peuvent amener un meilleur contrôle du poids par le patient obèse. Pour Stunkard, c'est par cette approche qu'on arrivera le mieux à traiter le problème de l'obésité.

Le médecin généraliste face aux obèses est souvent confronté avec ses difficultés personnelles à accepter de tels patients qui éveillent en lui des sentiments agressifs. Il a parfois l'impression que si le patient ne suit pas la diète prescrite ou ne maigrit pas, c'est par simple mauvaise volonté, faiblesse de caractère ou autre explication tenant plus de ses préjugés personnels face à ce problème, qu'aux difficultés propres au patient. Son attitude agressive aura souvent pour effet de provoquer un gain de poids plutôt qu'une amélioration de l'état général du patient. Nous suggérons au médecin d'adopter ici encore, une attitude d'écoute, de tenter de comprendre le patient qui le consulte, de voir si, effectivement, le patient lui demande de l'aide pour son obésité, ou si c'est lui, médecin, qui veut absolument venir à bout de l'obésité de son malade à cause du facteur de risque que cela représente. Ce "facteur de risque" que signifie l'obésité ne justifie pas, d'après nous, la nécessité de "partir en guerre" contre les obèses, qui éviteront alors de consulter leur médecin et auront tendance à passer d'un médecin à l'autre ou même à se confier à des charlatans. Une prise en charge globale de l'obèse, une acceptation du problème de poids, qu'il ne s'agit pas d'ignorer, mais de tenter de comprendre sous tous ses aspects tant physiques que psychologiques, seront à la base de l'approche thérapeutique.

Les douleurs

La composante affective dans la douleur est très variable bien que toujours présente. Certains troubles psychosomatiques ont fait l'objet de recherches dans ce cadre. Les céphalées, tant la migraine que celle dite "de tension", les lombalgies, les cervicalgies, la causalgie, les membres fantômes ont déjà fait couler beaucoup d'encre.

La douleur est un symptôme qui peut être d'origine purement psychologique, telle qu'une manifestation de conversion ou d'hypocondrie. Mais le plus souvent elle sera la manifestation d'un trouble psychofonctionnel, conséquence d'une "tension nerveuse" chez un malade où l'on retrouvera des caractéristiques psychosomatiques telles que pensée opératoire, alexithymie, comportement conformiste, conflit de dépendance (voir les aspects généraux). Un échec, une frustration, une contrariété pourraient servir de facteurs déclenchants pour accentuer une tension qui se manifestera dans un système déjà fragile (prédisposition); un accroissement de la tension musculo-squelettique au niveau du crâne provoquerait ainsi une céphalée de tension; si c'est au niveau du rachis, la tension pourra provoquer lombalgie ou cervicalgie, ou encore favoriser l'apparition d'hernie discale lors de mouvements inhabituels ou accidentels. Enfin, dans les cas de migraine, le problème se situe plus au niveau vasculaire mais ici aussi, chez ces patients, on retrouvera les mêmes caractéristiques classiques. On a décrit la présence d'impulsions hostiles refoulées ou réprimées, comme facteur déclenchant aux migraines et une amélioration de l'épisode migraineux après une expression avec prise de conscience de l'agressivité (Fromm - Reichmann, Alexander, Wolff) (3).

Approche thérapeutique: Le traitement de la douleur est habituellement fort simple pour le médecin qui se contentera de prescrire un analgésique si la condition sous-jacente ne nécessite pas d'autre intervention. Si le phénomène est aigu, inhabituel pour le patient, tout rentrera dans l'ordre avec le temps et le malade sera satisfait d'avoir été soulagé. Mais hélas, il arrive très souvent que la douleur revienne fréquemment ou persiste, tandis que le traitement devient de moins en moins efficace à mesure que la chronicité s'installe. En plus du problème de la douleur, le malade développe une complication fréquente dans ces cas, souvent iatrogène d'ailleurs, une toxicomanie aux analgésiques (codéine, morphine, Démerol [R], Talwin [R], Fiorinal C [R], etc.), et même parfois aux hypnotiques divers à cause de problèmes d'insomnie secondaire. Les complications ne manquent pas, les interventions chirurgicales à répétition ont peu de succès et, malheureusement, aggravent souvent une désorganisation psychosociale progressive. Le malade devient invalide, vit centré sur sa douleur et les limites qu'elle entraîne tant et si bien qu'il ne fait plus rien sauf peut-être récriminer. Il n'a d'ailleurs pas tout à fait tort, car il aura souvent été victime d'un système médico-social déficient à cet égard. Une erreur diagnostique, une référence retardée ou multipliée, des arrêts de travail prolongés, des compensations financières promises mais si longues à venir, enfin un système de travail où l'on doit être ou en parfaite santé ou complètement invalide favorisent ce long mais sûr processus de désorganisation. Une fois devenu "chronique", le malade sera parfois même accusé d'être un simulateur ou un malade mental. C'est d'ailleurs trop souvent à ce moment qu'il est vu en consultation psychosomatique.

C'est bien sûr avant que le phénomène en soit rendu à cette phase pratiquement irrémédiable, qu'il faut intervenir de façon globale. Ce n'est pas seulement la douleur qui doit faire l'objet d'étude mais également celui qui en souffre. Il est primordial de pouvoir identifier ce que le phénomène douloureux représente pour le malade. S'il s'agit de migraine par exemple, une psychothérapie d'orientation analytique pourra, si le malade a les capacités psychologiques nécessaires comme c'est souvent le cas chez les migraineux, amener une amélioration très importante avec diminution de la fréquence, de l'intensité et de la durée des épisodes si ce n'est une "guérison" même; chez d'autres, une thérapie autogène pourra avoir des résultats similaires.

Dans les cas d'amputation avec membres fantômes douloureux, il faut intervenir rapidement, même avant l'amputation quand cela est possible, par une approche psycho-bio-sociale. Les problèmes d'accident de travail ou de compensations financières devraient toujours être réglés rapidement car ils tendent à renforcer l'état d'invalidité du patient sans même qu'il en soit conscient.

L'approche par équipe multidisciplinaire semble dans les cas les plus rebelles ou difficiles l'atout principal des "cliniques de la douleur". Mais c'est surtout au médecin de famille que revient le rôle difficile de suivre ces malades souffrant de douleur chronique, réfractaire. Il doit tenter d'éviter d'aggraver leurs conditions mais ne peut, dans certains cas, les priver complètement d'analgésique. La "toxicomanie" sera tolérée alors, mais dans un cadre ouvert où médecin et malade savent où ils en sont, c'est-à-dire que l'effort est centré sur l'acceptation mais non la résignation. Le médecin peut aider son malade à apprendre à vivre avec sa douleur et parvenir à un fonctionnement aussi satisfaisant que possible.

15.4 CONCLUSION

Nous aimerions en terminant aborder les aspects évolution et convalescence.

Si les approches thérapeutiques suggérées amènent parfois une amélioration rapide de la symptomatologie (notamment pour la migraine, l'asthme, les douleurs, la colite hémorragique, les troubles gynécologiques, les dermatoses et certaines maladies d'allure psychofonctionnelle, les DPPAE, ou dans les symptômes de conversion) et confèrent autant au médecin qu'à son malade une satisfaction et un espoir, il n'en demeure pas moins qu'elles sont difficiles, ardues, souvent décevantes et ne donnent jamais de façon absolue l'impression de guérison définitive.

Face à ce type de malade et à ce type de maladies, le médecin est confronté à une évolution souvent chronique caractérisée soit par la rechute ou l'exacerbation des symptômes après des périodes de rémission plus ou moins prolongées, soit par une progression lente et continue d'un processus morbide. Il arrive alors qu'il se perçoive comme un témoin impuissant bien qu'attentif et compétent, rendant sa tâche pénible surtout s'il accepte mal de ne pas toujours satisfaire son idéal de guérisseur (30). Il n'en demeure pas moins que s'il ne peut pas toujours guérir il peut toujours avoir un rôle utile pour son malade si ce n'est d'améliorer son état ou de le soulager un peu.

Ce qui ressort surtout de l'approche psychosomatique c'est la notion d'alliance thérapeutique. Le patient et le médecin établissent une relation particulière complémentaire ou l'un et l'autre s'allient pour améliorer la qualité de vie du malade soit en prévenant, en dépistant, en traitant ou améliorant, soit en s'adaptant à des situations qui viennent menacer cet état d'équilibre dynamique et précaire.

BIBLIOGRAPHIE

1- ALEXANDER, F. *Médecine psychosomatique II.* Paris: Payot (PBP), 1970.

2- AMERICAN PSYCHIATRIC ASSOCIATION. *Task Force on Nomenclature and Statistics: Diagnostic and Statistical Manual of Mental Disorders.* DSM III.

3- ARIETI, S. "Organic disorders and Psychosomatic Medicine". *American Handbook of Psychiatry, Basic Book, inc.* 2nd edition, vol. IV, New York: Morton F. Reiser (Ed.), 1975.

4- BALINT, M. *Le médecin, son malade et la maladie.* Paris: Payot, 1966.

5- BARCAI, A. "Acute Episodic Psychophysiological Decompensation (AEPPD) I et II". *Br. J. Psychol.* 1974, 47, 163-180.

6- BOUVET, M. "La clinique psychanalytique. La relation d'objet". *R. Fr. Psychanal.* 1960, XXIV (6), 721-788.

7- BRISSET, C.H., SAPIR, M. "Médecine psychosomatique introduction". *Encycl. méd.-chir. Psychiatrie.* Vol. II (5), Paris: Ed. Technique Paris-France, C.B., 37400 A, 1966, 1-2.

8- CARDINAL, M. *Les mots pour le dire.* Grasser et Fasquelle (Ed.), 1975. *Autrement dit.* Grasset et Fasquelle (Ed.), 1977.

9- DE M'UZAN, M. "Thérapeutique psychosomatique de l'ulcus gastro-duodénal". *La Clinique.* 1969, 547, 233-238.

10- DE M'UZAN, M., MARTY, P. *L'investigation psychosomatique.* Paris: PUF, 1963, 263, 1-21 et 254-263.

11- DE M'UZAN, M., BONFILS, S., LAMBLING, A. "Etude psychosomatique de 18 cas de Rectocolite hémorragique". *La semaine des Hôpitaux de Paris.* 1958, vol. 34 (5), 922-928.

12- DEUTSCH, F. "The Associative Anamnesis". *Psychoanal. Quart.* 1939, VIII, 354-381.

13- ENGEL, G.L. "A unified concept of Health and Disease". *Psychological Development in Health and Disease.* Philadelphia: W.B. Saunders Co., Chap. 23 à 26 incl., 1962, 239-287.

14- ENGEL, G.L. et SCHMALE, A. "Théorie psychanalytique du trouble somatique". *Rev. Méd. Psychosom.* 1968, 19, 197-216.

15- FEDOR-FREYBERG, P. "The influence or Oestrogens on the Welbeing and Mental Performance in Climacteric and Post Menopausal Women" *Acta Obstet. et Gynécol. Scand.* Supp (64), 1977.

16- FREIDMAN, A.F., KAPLAN, H.I. *Comprehensive Textbook of Psychiatry.* Baltimore: Williams & Wilkins Co., 1975.

17- GAUTHIER, Y., FORTIN, C., DRAPEAU, P. & COLL. "L'asthme chez le très jeune enfant". *Union médicale du Canada.* 1: Tome 104, juillet 1975,1060-1069. II: Tome 104, août 1975, 1215-1223.

18- HOLMES, TH. "Life Situations, Emotions and Disease". *Psychosomatics.* 1978, 19,747-754.

19- ISRAEL, L. *Le médecin face au malade.* 25, Bruxelles: Dessart, Coll. Psychologie et Science Humaine, 1968, 338.

20- JENKINS, C.D. "Psychologic and Social Precursors of Coronary Artery Disease, Part I et II". *New Engl. J. Med.* 1971, 284, 244-255 et 307-317.

21- JENKINS, C.D. "Recent evidence supporting psychologic and Social risk factors for coronary disease". *New Engl. J. Med.* 1976; 294 (18), 987-994, 294 (19), 1033-1038.

22- LAPIERRE, J. "Aspects psychosomatiques d'un cas de lupus érythémateux disséminé". *L'Union médicale du Canada.* Août 1973, 1678-1683.

23- LAPLANCHE, J., PONTALIS, J.B. *Vocabulaire de la psychanalyse.* PUF, 1967, 104 & 106.

24- MARTY, P. "La relation objectale allergique". *R. Fr. Psychanal.* 1958, 5-23.
26- MC DONALD, R.L. "The role of Emotional Factors in Obstetric Complications: A review". *Psychosom. Med.* 1968, 30 (2).

26- MC DONALD, R.L. "The role of Emotional Factors in Obstetric Complications: A review". *Psychosom. Med.* 1968, 30 (2).

27- MERTENS, C. *L'influence des facteurs psychologiques dans la genèse des affections coronariennes.* Centre d'études psycho-médico-sociales, Univ. Catho. Louvain, 1975.

28- MIRSKY, A. "Psychoanalysis and the Biological Sciences". *Twenty years of Psychoanalysis.* New-York: Franz Alexander (Ed.), W.W. Norton & Co., 1953.

29- MONDAY, J. "Le patient cruddé". *Award Winning Papers from the 5th Psychiatric Resident's Forum.* 57-84, 1975.

30- MORIN, P., MONDAY, J., HENEMAN, B. "L'iatrogenèse". *Le Médecin du Québec.* 1978, vol. 13(9), 44-49.

31- NEMIAH, J.C. & SIFNEOS, P.E. "Affect and Fantasy in Patients with Psychosomatic Disorders". *Hill, O.W.* Modern Trends in Psychosomatic Medicine (Ed.), London: Butterworths, chap. 2, 1970, 26-34.

32- RANGELL, L. "The Nature of Conversion". *J. Amer. Psychoanal. Ass'n.* 1959, 7,632-661.

33- SAINT-LAURENT, C. "L'intégration des connaissances psychiatriques à la pratique de la médecine". *Colloque de la Société de Psychologie Médicale.* Mai 1975.

34- SCHMALE, A.H. Jr & ENGEL, G.L. "The Giving-up—Given-up. Complex Illustrated on Film". *Arch. Gen. Psychiat.* 1967, 17, 135-145.

35- SCHMALE, A. "Giving-up as Final Common Pathway to Changes in Health". *Adv. Psychosom. Med.* Vol. 8 New York: Psychosocial Aspects of Physical Illness, Z.J., Lipowski (Ed.), S. Karger, 1972, 20-40.

36- SCHNEIDER, P.B. *Psychologie Médicale.* Paris: Payot, 1969, 330.

37- SIFNEOS, P.E. "The Prevalence of "Alexithymia" Characteristics on Psychosomatic Patients". *Psychother. Psychosom.* 1973, 22,255-262.

38- VILLARD, H.P. "L'anamnèse en médecine psychosomatique". *Union méd. can.* 1971, 100, 2411.

39- VILLARD, H.P. "Emotion, immunité et cancer". *Le Médecin du Québec.* 1978, vol. 13(6), 45-49.

40- *Programme d'enseignement psychosomatique.* Service de psychosomatique. Hôpital du Sacré-Coeur, Université de Montréal, 1976-1977.

CHAPITRE 16

LE SOMMEIL NORMAL

ET PATHOLOGIQUE

Jacques Montplaisir

16.1 INTRODUCTION

Depuis toujours un médecin examine le malade à l'état ''éveillé'', et le plus souvent celui-ci est incapable de rapporter ce qui se passe pendant son sommeil à cause de l'altération de la conscience propre à cet état; c'est pourquoi les troubles du sommeil sont demeurés longtemps ignorés. Mais récemment se sont multipliés des laboratoires de sommeil permettant l'observation des sujets endormis et rapidement on a vu s'édifier une véritable médecine du sommeil.

Ce manuel consacre une place importante au sommeil pour plusieurs raisons. Tout d'abord nous passons le tiers de notre vie dans cet état ''endormi'' dont la physiologie et la pathologie sont ignorées de la plupart des médecins. Deuxièmement, des études récentes ont apporté beaucoup de précisions sur les modifications de nombreuses variables physiologiques au cours du sommeil. Ces modifications résultent notamment des changements dramatiques de l'activité électrique du cerveau lors du passage de l'état de veille à l'état de sommeil. Troisièmement, on a réalisé que ces changements physiologiques respiratoires, cardio-vasculaires, endocriniens ou autres qui surviennent lorsqu'on s'endort peuvent aggraver une maladie existante ou démasquer un état pathologique latent. Par exemple, les crises d'asthme sont plus nombreuses et plus sévères au cours du sommeil, certaines formes d'angine surviennent de façon sélective pendant le sommeil et le sommeil est un activateur puissant de l'activité épileptique. Enfin nous savons que la plupart des maladies psychiatriques s'accompagnent de troubles sévères du sommeil et que les médicaments psychotropes modifient de façon marquée et parfois très sélective la structure du sommeil.

16.2   LE SOMMEIL NORMAL

16.2.1   Description

L'ère moderne des études sur le sommeil commence vers 1930, c'est-à-dire au moment de la découverte de l'électro-encéphalogramme (EEG). Au cours des années qui suivirent, on a décrit les modifications du tracé EEG qui surviennent lors du passage de l'état de veille à l'état du sommeil. A ce moment, le ralentissement du tracé et l'augmentation de l'amplitude des ondes cérébrales étaient les seuls indices d'un sommeil de plus en plus profond. Le sommeil était alors considéré comme un état passif de déafférentation cérébrale. Mais en 1953, Azerinsky et Kleitman (2) puis Dement et Kleitman (7) ont noté la présence de mouvements rapides des yeux (Rapid Eyes Movements: REM) au cours du sommeil et ils ont étudié le moment d'apparition de ces mouvements oculaires rapides. Ils ont alors noté que ces épisodes de sommeil avec mouvements oculaires rapides (sommeil REM) survenaient 90 minutes environ après l'endormissement et réapparaissaient de façon périodique à toutes les 90 à 120 minutes par la suite. Ces épisodes du sommeil REM durent environ 15 à 20 minutes.

Le tracé EEG à ce moment est de faible amplitude et ressemble à celui que l'on enregistre au moment de l'endormissement. Par la suite, Jouvet et ses collaborateurs (17) ont noté que le tonus musculaire qui était maintenu bien qu'atténué au moment de l'endormissement était complètement aboli au cours de ces épisodes de sommeil REM. Sur la base de ces observations on a défini deux types de sommeil: ''Le sommeil non REM'', que l'on nomme encore le sommeil lent ou sommeil à ondes lentes et le sommeil REM ou sommeil paradoxal. Nous adopterons dans ce chapitre les définitions des stades du sommeil de Rechtschaffen et Kales (23). Ces définitions sont basées sur l'enregistrement de trois paramètres physiologiques, à savoir l'EEG, l'électro-oculogramme (EOG) et l'électromyogramme (EMG).

Le sommeil lent ou non REM

Au moment de l'endormissement on observe une disparition des ondes ''Alpha'' qui caractérise le tracé EEG du sujet éveillé, au repos, les yeux fermés. A l'endormissement ces ondes ''Alpha'' sont remplacées par un tracé de faible amplitude et on note alors la présence d'ondes pointues sur les dérivations centrales de l'EEG, que l'on nomme des ''Pointes Vertex''. A ce moment il y a des mouvements lents des yeux sous les paupières closes et le tonus musculaire est présent.

C'est le sommeil de Stade I qui est un sommeil léger au cours duquel le sujet peut être éveillé facilement et où il a fréquemment une impression de demi-sommeil ou de rêverie (fig. 16.1).

FIGURE 16.1

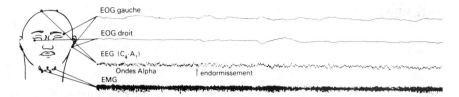

Puis l'EEG se modifie, le tracé est formé surtout d'ondes "Thêta" de 4 à 7 cycles par seconde et des complexes électriques particuliers apparaissent dont les fuseaux du sommeil et les complexes "K". Les fuseaux sont de cour-tes bouffées d'ondes rapides, de 12 à 14 cycles par seconde, qui traduisent l'activité rythmique des neurones "thalamocorticaux". Les complexes "K" sont des potentiels de grande amplitude qui peuvent être provoqués par des stimulations sensorielles de diverses modalités. L'apparition de l'un ou l'autre de ces complexes électriques signe le début du sommeil de Stade II (fig. 16.2).

FIGURE 16.2

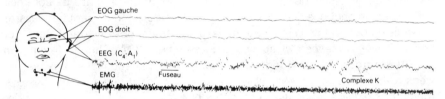

Puis le tracé ralentit et on note l'apparition d'ondes "Delta" (0.5 à 4 cy-cles par seconde). Si celles-ci occupent plus de 20% du tracé nous sommes en Stade III et si ce pourcentage excède 50% c'est le Stade IV du sommeil non REM (fig. 16.3).

FIGURE 16.3

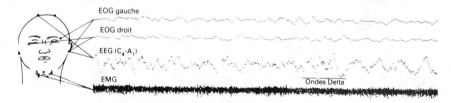

Le sommeil REM ou sommeil paradoxal

Après 90 à 120 minutes de sommeil lent, L'EEG redevient plus rapide et de faible amplitude et le tonus des muscles squelettiques est aboli. Des mouvements rapides et conjugués des yeux surviennent par bouffées irréguliè-res, c'est le sommeil REM (fig. 16.4). L'abolition du tonus musculaire n'est pas une simple relaxation mais une véritable paralysie avec suppression des réflexes ostéotendineux, qui est probablement le résultat d'une inhibition active, tonique et non réciproque des motoneurones "Alpha".

FIGURE 16.4

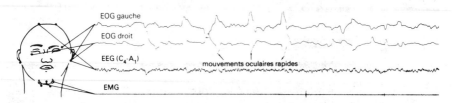

Depuis 1960 on a rapporté toute une série de phénomènes qui surviennent de façon sélective pendant le sommeil REM et qui en font un état physiologique distinct. On note par exemple, des ondes en dents de scie sur les dérivations centrales de l'EEG.

Ces ondes précèdent ou accompagnent les bouffées de mouvements oculaires rapides. On observe souvent des clonies de la face et des membres inférieurs au cours du sommeil REM et plusieurs auteurs ont décrit des contractions des muscles de l'oreille moyenne pendant cette phase de sommeil. On note également des décharges autonomiques qui se traduisent par des irrégularités du pouls et de la respiration. On a également observé une érection du pénis (*Penile Tumescence*) au cours du sommeil REM. Chez la femme on note une turgescence clitoridienne et une vaso-dilatation des organes pelviens. Cette observation est utilisée cliniquement pour le diagnostic des dysfonctions sexuelles organiques et fonctionnelles.

Les cycles du sommeil

Les stades du sommeil apparaissent selon une séquence prévisible. Ainsi, après 90 à 120 minutes de sommeil lent survient une épisode de sommeil REM de 10 à 30 minutes et la même séquence se répète tout au cours de la nuit. Cette association d'un épisode de sommeil lent et d'un épisode de sommeil REM forme un cycle de sommeil. Il y a quatre à cinq cycles par nuit chez le jeune adulte.

FIGURE 16.5

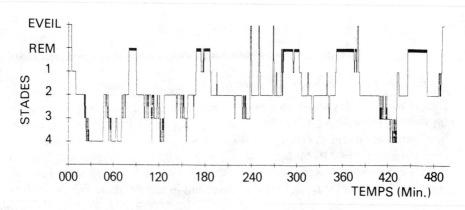

On parle souvent de rythme ultradien, c'est-à-dire un rythme dont la période est inférieure à vingt-quatre heures, pour décrire ce phénomène. Plusieurs auteurs croient que cette périodicité de 90 à 120 minutes continuerait tout au cours de la journée modulant plusieurs fonctions biologiques et psychologiques qui vont du contrôle de la température corporelle jusqu'à la créativité. On parle alors de BRAC ou "Basic Rest-Activity Cycle".

Les cycles du sommeil ne sont pas tous identiques par exemple le sommeil de Stades III et IV apparaît presque exclusivement dans les deux premiers cycles du sommeil, les épisodes de sommeil REM par contre durent plus longtemps dans les derniers cycles de sommeil.

Du point de vue philogénique (1) le sommeil lent est présent chez certains amphibiens, les oiseaux et les mammifères, tandis que le sommeil REM n'apparaît de façon non équivoque que chez les mammifères où il occupe de 5 à 60% de la durée totale du sommeil. L'apparition périodique de sommeil REM est présente chez tous les mammifères mais la durée de cette période de même que le nombre de cycles par 24 heures varie considérablement d'une espèce à l'autre.

La sécrétion de plusieurs hormones et en particulier celle de l'hormone de croissance et du cortisol est étroitement liée aux stades du sommeil.

Les taux sanguins d'hormones de croissance augmentent de façon marquée pendant le premier tiers du sommeil en relation étroite avec le sommeil de Stades III et IV tandis que la sécrétion du cortisol atteint son niveau le plus élevé dans le dernier tiers de la nuit au moment où le sommeil REM devient plus abondant.

16.2.2. Le développement ontogénique (21, 25)

Chez le nouveau-né on ne retrouve pas les stades du sommeil tels que décrits précédemment. On distingue généralement deux états physiologiques à partir de l'observation du sujet et de l'enregistrement de multiples variables physiologiques. On parle d'un sommeil "calme" et d'un sommeil "actif" lequel s'accompagne de mouvements oculaires rapides. Ce n'est que vers l'âge de trois mois qu'on peut reconnaître un Stade II et un Stade IV du sommeil calme ou sommeil non REM.

Le nouveau-né présente des cycles du sommeil qui sont généralement plus courts. Il ne dort pas de façon continue mais par période de deux heures dispersées tout au long des vingt-quatre heures. Le nouveau-né dort en moyenne quatorze à dix-sept heures par jour et il est très souvent éveillé entre quatre et huit heures du matin. Le sommeil "actif", qui est sans doute le précurseur du sommeil REM, occupe alors 50% environ de la durée totale du sommeil. Avec la maturation du système nerveux et sous l'effet de contraintes sociales progressives, l'enfant développera un horaire de sommeil semblable à celui de l'adulte.

Pendant l'enfance, la durée totale du sommeil diminuera progressivement, elle est en moyenne de dix heures vers l'âge de cinq ans et de huit heures vers l'âge de quinze ans. Le sommeil lent de Stades III et IV est particulièrement abondant chez l'enfant et il diminue jusqu'à la puberté puis recommence à décroître après l'âge de trente ans pour occuper moins de 5% de la durée totale du sommeil vers l'âge de soixante ans. Le sommeil REM diminue rapidement pendant la première année de vie puis de façon progressive pendant l'enfance pour atteindre 20 à 25% au moment de la puberté et pendant toute la vie adulte.

Après l'âge de cinquante ans, le sommeil est plus court, le nombre des éveils augmente et le sommeil lent diminue rapidement (9, 29). C'est pourquoi on parle d'une hyposomnie physiologique du vieillard, qu'il faut connaître pour éviter l'ordonnance abusive d'hypnotiques ou d'antidépresseurs chez les sujets âgés.

16.2.3   La neurophysiologie du sommeil

Les données expérimentales sur les mécanismes du sommeil sont complexes et souvent en apparence contradictoires; on ne saurait les résumer ici. Précisons par ailleurs que le sommeil nous apparaît de plus en plus comme un phénomène actif et non comme une simple déafférentation cérébrale. Selon la conception actuelle la plus répandue, le sommeil REM et non REM relèveraient de structures cérébrales distinctes.

On a souvent souligné l'importance des neurones des noyaux du raphé dans le bulbe rachidien pour le déclenchement du sommeil non REM. Ces neurones seraient principalement sérotoninergiques. Pour le sommeil REM, il faut faire la distinction entre les éléments toniques et les éléments phasiques. Les éléments toniques sont ceux qui sont continus pendant toute la période de sommeil REM, c'est-à-dire, la désynchronisation de l'EEG et l'abolition du tonus musculaire. Ce serait la partie caudale du locus coeruleus et la partie voisine du tegmentum ventral qui serait responsable de l'inhibition motrice. Les éléments phasiques comme les mouvements oculaires rapides, les décharges autonomiques et les mouvements cloniques seraient déclenchés par des potentiels électriques qui origineraient dans le tronc cérébral. Ces potentiels se propagent à diverses structures dont le corps genouillé latéral et le cortex visuel, d'où leur nom de ''pointes ponto-géniculo-occipitales'' (PGO). La noradrénaline et l'acétylcholine seraient les principaux neurotransmetteurs responsables du sommeil REM.

16.2.4   Les fonctions du sommeil

Approche biologique

L'importance du sommeil pour le maintien de la santé physique et mentale a été bien démontrée par les études de privation du sommeil. Des privations totales du sommeil entraînent la mort de l'animal tandis que les privations sélectives de sommeil lent de Stades III et IV et de sommeil REM entraînent des modifications de l'humeur, du comportement affectif et moteur, de l'apprentissage, etc.

Chez l'homme, les études de privation du sommeil n'ont pas apporté beaucoup d'informations quant au rôle du sommeil. Les premières études de privations sélectives du sommeil REM suggéraient que des privations de courte durée soit de 24 à 48 heures pouvaient entraîner l'apparition de symptômes psychotiques. De nombreuses études ultérieures n'ont pas confirmé ces résultats et aujourd'hui certains auteurs estiment que la privation de sommeil REM pourrait même avoir des effets antidépresseurs (28). Quant au sommeil de Stades III et IV on pense de plus en plus qu'il serait relié aux fonctions récupératrices du sommeil. On sait tout d'abord que le sommeil de Stades III et IV ne suit pas un rythme circadien mais qu'il est étroitement relié à la quantité d'éveil qui précède l'endormissement. Deuxièmement, lors de privations totales de sommeil la première nuit de récupération s'accompagne d'un rebond très marqué de sommeil lent de Stades III et IV. Nous savons également que le dormeur court (c'est-à-dire, le sujet normal qui dort moins de cinq à six heures par nuit), présente des pourcentages très élevés de sommeil lent de Stades III et IV. Enfin l'exercice physique précédant le sommeil produit une augmentation sélective du sommeil lent de Stades III et IV. Toutes ces observations suggèrent que cette phase du sommeil pourrait être en relation avec les fonctions récupératrices du sommeil.

Quant au sommeil REM, Roffward et ses coll. (25) suggèrent que cette phase du sommeil serait importante pour le développement normal du cerveau. En effet selon ces auteurs il y aurait au cours du sommeil REM un grand nombre de stimulations endogènes qui aurait un rôle crucial pour le développement intra et extra-utérin du cerveau.

Ces stimulations seraient essentielles notamment pour la maturation et la différenciation structurales des aires sensori-motrices. Le sommeil REM préviendrait ainsi les effets néfastes d'une privation sensorielle prolongée chez le nourrison qui dort quatorze à dix-sept heures par jour. Cette théorie est donc à rapprocher des travaux de Barlow et de Bowlby sur les privations sensorielles en bas âge chez l'animal et chez l'homme. Une autre théorie insiste sur le développement de l'activité oculomotrice. Pour Berger, les mouvements oculaires rapides du sommeil REM constitueraient pour le foetus et le nouveau-né un mécanisme facilitateur du développement du contrôle de la vision binoculaire. Pour Snyder le sommeil dans son ensemble réalise la conservation d'énergie; le sommeil REM remplit une fonction de sentinelle en ponctuant le sommeil de périodes d'excitation qui rendent l'organisme prêt à une lutte ou à une fuite immédiate. Cette théorie n'est pas en accord avec l'observation faite par plusieurs d'un seuil d'éveil relativement élevé pendant le sommeil REM.

Pour Jouvet le sommeil paradoxal serait un "éveil phénotypique" au cours duquel les neurones contenant des indolamines et des cathécholamines serviraient à stimuler et à organiser les circuits synaptiques nécessaires aux comportements instinctuels, qui doivent être prêts immédiatement après la naissance.

D'autres auteurs insistent sur l'importance du sommeil REM pour le traitement ou le stockage des informations reçues au cours de la veille.

Ils soulignent l'importance du sommeil REM dans la consolidation des tracés mnémoniques et dans l'apprentissage. Disons enfin que quel que soit le rôle que l'on attribue au sommeil REM, sa présence en grande quantité chez les espèces inférieures, notamment chez l'opossum, lui donne un caractère très archaïque.

Approche psychologique

Depuis toujours les gens se sont intéressés à l'activité mentale qui prenait place au cours du sommeil. Comme le signale Henri Ey (8): pendant la nuit un cheminement de la pensée s'opère, bien des problèmes mûrissent et on observe pendant le phénomène hypnoonirique une production subconsciente indispensable à l'élaboration pendant la veille d'une pensée réfléchie. Depuis longtemps les chercheurs de toute discipline ont reconnu dans la production onirique l'une des fonctions fondamentales du sommeil, le sommeil permet le rêve en soustrayant le dormeur aux stimulations sensorielles et en permettant ainsi l'exaltation subconsciente des désirs. Plusieurs estiment que l'inhibition motrice du sommeil REM permettrait de vivre intensément son rêve sans interrompre le sommeil.

Les recherches psychophysiologiques plus récentes ont tenté de répondre à deux questions fondamentales qui sont d'une part le moment du sommeil où apparaît le rêve et d'autre part les conditions psychophysiologiques de la remémoration des rêves.

Au moment de la découverte du sommeil REM et pendant la décade qui suivit, on a cru que le rêve ne survenait que pendant le sommeil REM. On a vu dans les mouvements oculaires rapides le reflet de l'imagerie visuelle du rêve et on a décrit des corrélations anecdotiques entre la direction des mouvements oculaires et le contenu du rêve rapporté au moment de l'éveil du sujet. On a observé également qu'il existait une corrélation étroite entre l'intensité des phénomènes phasiques du sommeil REM et l'intensité dramatique du contenu onirique. Mais l'argument le plus déterminant en faveur de cette hypothèse était le grand pourcentage de remémorations de rêves lors de réveils provoqués en sommeil REM. Depuis les travaux de Dement et Kleitman en 1957 (7), il était généralement admis que seule l'activité mentale du sommeil REM devrait être considérée comme rêve et qu'on aurait chaque nuit autant de rêves que d'épisodes de sommeil REM. Les rêves rapportés lors d'éveils provoqués en sommeil non REM étaient considérés comme les réminescences de rêves survenus pendant le sommeil REM plus tôt au cours de la nuit.

Par la suite, nombre d'auteurs et en particulier Foulkes et coll. ont obtenu des pourcentages importants de récits de rêves après des réveils provoqués en sommeil non REM. Les mêmes auteurs ont par ailleurs décrit des différences importantes entre les contenus des récits de rêve obtenus en sommeil REM et non REM. Les rêves du sommeil REM seraient plus longs, plus riches en imagerie visuelle, plus complexes, plus "bizarres" et plus chargés émotionnellement tandis que les récits recueillis après des éveils en sommeil non REM seraient plus cohérents, plus logiques, en relation étroite avec les souvenirs de la veille et surtout sans le caractère hallucinatoire du rêve véritable. Cette distinction n'est pas sans rappeler les concepts psychanalytiques de processus primaire et secondaire de la pensée. Récemment on a émis l'hypothèse que les caractères distinctifs de l'activité mentale du sommeil REM seraient le résultat de la grande activité de l'hémisphère "non dominant" au cours de cette phase du sommeil. Précisons aussi qu'il existe plusieurs observations contradictoires dans la littérature comme par exemple la description de nombreux récits de rêves "hallucinatoires" soit au moment de l'endormissement, soit lors de sommeil diurne de courte durée donc vraisemblablement en sommeil non REM. D'ailleurs toutes ces recherches présentent des difficultés méthodologiques multiples et encore non résolues.

16.3 LE SOMMEIL PATHOLOGIQUE

16.3.1 L'insomnie

Définition

Le premier problème que pose toute étude sur l'insomnie est un problème nosologique: comment définir l'insomnie? Le problème provient en premier lieu des grandes variations individuelles de la durée du sommeil dans une population de sujets normaux. Hartmann (13) a étudié la personnalité de sujets dormant régulièrement plus de neuf heures ou moins de six heures par nuit.

Il a observé que les dormeurs "courts" étaient plus actifs, plus efficaces parfois même hypomaniaques tandis que les dormeurs "longs" apparaissaient plutôt déprimés et introvertis. L'enregistrement des dormeurs "courts" et "longs" a révélé que les deux groupes passaient le même temps en sommeil non REM de Stades III et IV mais que le sommeil REM était plus abondant chez les dormeurs "longs". Parmi les variations individuelles, rappelons qu'après 60 ans, la durée du sommeil diminue à sept heures environ et le nombre moyen d'éveils s'élève à quatre ou cinq par nuit. Les gens âgés se couchent en général tôt le soir et ont plus de difficulté à dormir le matin. Le sommeil non REM de Stade IV est souvent absent chez le sujet âgé mais le sommeil REM subit peu de modification. A noter également l'existence de sujets normaux qui ne dorment que deux ou trois heures par nuit sans accuser de fatigue et sans présenter des signes de privation de sommeil. De tels individus sont nommés des hyposomniaques ou *healthy insomniacs* (14).

Par conséquent, on ne saurait définir l'insomnie par le seul critère de la durée du sommeil. L'insomnie est tout d'abord un symptôme rapporté par le malade. D'une façon générale, on peut donc dire que l'insomniaque est celui qui tout d'abord se plaint de mal dormir. Mais pour parler d'insomnie il faut considérer le fonctionnement de l'individu au cours de la journée. La véritable insomnie est celle qui entraîne des perturbations de la vigilance avec une sensation accrue de fatigue. On a longtemps parlé d'insomnie d'endormissement, d'insomnie avec éveils multiples et d'insomnie du matin. Par contre, la plupart des études polygraphiques vont à l'encontre de cette classification et révèlent que la grande majorité des insomnies sont de type mixte.

Epidémiologie

Il ne fait aucun doute que l'insomnie est l'un des symptômes le plus souvent rapporté par les patients. Dans une étude portant sur 1645 sujets, Karacan et coll. ont noté que 14% des sujets interrogés accusaient de la difficulté à s'endormir. Ce pourcentage s'accroissait avec l'âge et il était plus élevé chez la femme que chez l'homme. Selon Sweetwood et coll., 6 à 33% des hommes dans la population générale accusent des troubles du sommeil et ce pourcentage atteint des valeurs de 31 à 72% pour une population de malades psychiatriques. Plusieurs études épidémiologiques s'accordent à dire que 10 à 20 millions d'Américains se plaignent de mal dormir. Balter et Levine (3) ont dévoilé que les ordonnances d'hypnotiques pour l'année 1970 aux Etats-Unis avaient coûté plus de 170 millions de dollars. En France, 50 millions de tubes de somnifères ont été vendus pendant l'année 1972 et à ce nombre on doit ajouter ceux qui utilisent soit l'alcool, soit les tranquillisants mineurs pour combattre leur insomnie. Guilleminault et Peraita rapportent "qu'une récente enquête faite à Stanford montra que la consultation d'un insomniaque entraînait moins de huit minutes d'attention médicale avant la prescription d'un médicament".

Classification étiologique

a)   L'insomnie associée à une mauvaise hygiène du sommeil et l'insomnie transitoire situationnelle

Le bruit, les écarts importants de température et d'humidité, la haute altitude peuvent entraîner des perturbations importantes du sommeil. On a souvent attribué l'incidence accrue d'insomnie à l'absence d'exercices physiques qui caractérisent la vie moderne. Il est vrai que l'exercice physique a pour effet de diminuer le temps d'endormissement et d'augmenter le pourcentage des Stades III et IV du sommeil, par contre l'exercice violent pratiqué peu de temps avant de se mettre au lit entraîne un état d'activation tel qu'un individu peut mettre deux à trois heures avant de s'endormir. Il faut donc dissuader les insomniaques de faire du conditionnement physique en soirée dans le but d'accroître leur fatigue.

D'autres insomnies sont en rapport avec un trouble du rythme circadien secondaire à des horaires irréguliers. Ce phénomène est fréquent chez le personnel des avions intercontinentaux, chez les travailleurs dont les horaires de travail changent périodiquement mais s'observe également chez certains sujets qui se couchent tantôt à 22 heures, tantôt à 3 heures du matin et cela de façon répétée. Regestein (24) souligne que l'établissement d'un horaire régulier corrige dans plusieurs cas l'insomnie. Une autre technique consiste à demander à ces patients de se lever à heure fixe ce qui entraîne après quelques jours une régularisation du temps d'endormissement.

On peut également mettre dans cette catégorie les insomnies associées à des tensions psychologiques transitoires secondaires à des problèmes soit professionnels, familiaux ou autres, dont l'insomnie que présente le malade hospitalisé.

b) L'insomnie associée à d'autres conditions médicales et psychiatriques

Plusieurs maladies s'accompagnent de manifestations nocturnes qui peuvent perturber le sommeil. Les douleurs musculo-squelettiques chroniques s'accompagnent fréquemment de troubles du sommeil. Les maladies respiratoires obstructives chroniques s'accompagnent également de perturbation profonde de la structure du sommeil.

Il ne fait aucun doute qu'un grand nombre de patients qui consultent pour insomnie souffrent de troubles psychologiques. 50 à 75% des malades psychiatriques présentent une insomnie, ce pourcentage est particulièrement élevé chez les malades anxieux, déprimés ou en phase psychotique aiguë y compris la manie, la schizophrénie et certaines psychoses organiques comme le delirium tremens. Quant au traitement, il est important de souligner que l'insomnie du malade psychiatrique ne doit pas être traitée par des hypnotiques mais par un réajustement de la dose de l'agent psychotrope approprié. Nous reviendrons sur ce sujet.

c) Les myoclonies nocturnes

Les myoclonies nocturnes sont des contractions rapides et intenses qui apparaissent au moment de l'endormissement et qui peuvent se répéter tout au cours de la nuit (27). Ces myoclonies sont plus marquées au niveau des membres inférieurs où elles produisent des mouvements qui vont d'une simple flexion du pied à une triple flexion du membre inférieur, souvent perçue par le conjoint comme un ''coup de pied''.

Typiquement elles durent une à deux secondes et surviennent de façon répétée à toutes les 15 à 30 secondes au cours de la nuit. Dans plusieurs cas le patient rapporte des douleurs ou des ''faiblesses musculaires'' au réveil, comme ''s'il avait marché toute la nuit''. Ces clonies entraînent une perturbation de la structure du sommeil. Les Stades III et IV sont diminués et le patient s'éveille fréquemment au cours de la nuit. Le diagnostic se fait par l'enregistrement de l'activité du muscle tibialis anterior pendant le sommeil. Il n'y a pas de traitement efficace de cette condition.

d) Les apnées au cours du sommeil et les anomalies du réflexe de déglutition

Récemment, Guilleminault et coll. ont rapporté deux syndromes pouvant causer une insomnie. Tout d'abord le syndrome des apnées au cours du sommeil, où le patient présente des arrêts respiratoires répétés au cours de son sommeil. Il s'agit le plus souvent de patients obèses qui consultent pour une somnolence accrue et pour des attaques de sommeil pendant la journée et non pour un problème d'insomnie dont ils sont généralement inconscients. Ce sont donc surtout des hypersomniaques et leur cas sera discuté plus loin. Ces auteurs ont rapporté également le cas d'une insomnie secondaire à des anomalies du réflexe de déglutition. Rappelons que le réflexe de déglutition est actif pendant toute la durée du sommeil et que toute anomalie de ce réflexe peut conduire à une aspiration trachéale et un éveil brutal avec sensation d'étouffement.

La répétition de ces épisodes pourrait conduire à l'insomnie. Il n'y a pas de traitement de cette condition mais toutes les substances qui dépriment le système nerveux central sont contre-indiquées chez ces malades.

e) L'insomnie associée à la prise de médicaments

L'ingestion d'hypnotiques est sans doute la cause la plus fréquente d'insomnie chronique (24). Cette affirmation peut nous étonner et nous apparaître paradoxale. Cette insomnie, dite de dépendance aux hypnotiques (*drug dependency insomnia*) est due au développement rapide d'une tolérance à ces substances et à l'apparition d'un syndrome de sevrage qui se caractérise notamment par une exacerbation des troubles du sommeil. Au début du traitement le malade s'endort rapidement et la durée totale de son sommeil s'accroît, mais après quelques jours l'insomnie réapparaît puis s'aggrave et la structure du sommeil se modifie. A ce moment le patient augmentera la dose ou décidera d'arrêter le traitement. Mais l'arrêt du traitement même après une durée de quelques semaines entraîne une insomnie souvent sévère pouvant persister plusieurs semaines. Ainsi un patient se verra prescrire un hypnotique lors d'une période de crise comme une hospitalisation et il persistera dans cette habitude de prendre un hypnotique au coucher car l'arrêt du traitement entraînerait une insomnie plus sévère dont il ne connaîtrait pas la cause à moins d'en être informé par son médecin.

D'autres substances peuvent induire ou aggraver une insomnie dont les plus connues sont sans doute la caféine et l'alcool. A mon avis les troubles du sommeil engendrés par l'alcool et la caféine s'accentuent avec l'âge. Il est essentiel d'interroger le patient sur ses ingestions d'alcool ou de breuvage contenant de la caféine comme le café, le thé ou les colas. Les insomniaques devraient s'abstenir d'ingérer ces substances. Il est important de souligner à chaque insomniaque les effets néfastes de l'alcool sur le sommeil car plusieurs l'utilisent pour combattre leur insomnie. S'il est vrai que l'alcool aide à l'endormissement il procure un sommeil non récupérateur interrompu par de nombreux éveils et caractérisé par de multiples mouvements du corps.

D'autres agents pharmacologiques, notamment les amphétamines, les antiarythmiques, la réserpine, la méthysergide (Sansert ®) peuvent causer ou aggraver une insomnie.

f) L'insomnie chronique idiopathique

Tous les malades qui n'entrent pas dans les catégories précédemment décrites font de l'insomnie dite idiopathique ou essentielle. On peut espérer que le raffinement de nos moyens d'investigation nous permettra de découvrir d'autres entités et de réduire davantage le nombre de malades appartenant à ce groupe.

Il est étonnant de constater qu'en dépit de l'étendue du problème il y a très peu d'étude objective sur l'insomnie idiopathique. L'une de ces études, celle de Carskadon et coll. a révélé le manque de corrélation entre l'évaluation subjective par le malade de la durée et de la qualité de son sommeil et les résultats des enregistrements polygraphiques. Typiquement, l'insomniaque surestime le temps qu'il met à s'endormir. Par exemple, les sujets qui disent mettre plus de 60 minutes pour s'endormir, s'endorment en moins de 15 minutes dans 43% des cas. De la même façon les insomniaques sous-estiment la durée totale de leur sommeil, ceux qui disent dormir moins de 5 heures dorment plus de 6 à 7 heures dans 64% des cas. Il est donc très difficile d'évaluer l'insomnie d'un patient uniquement sur la base de son évaluation subjective. Il semble qu'un très grand nombre d'insomniaques aient une perception erronée de leur sommeil. D'ailleurs, bon nombre d'insomniaques se disent grandement améliorés lorsque nous faisons la preuve en laboratoire qu'ils ont un sommeil comparable à la moyenne des gens de leur âge. Ceci étant dit, les véritables insomniaques existent. Ils accusent de la difficulté à s'endormir, rapportent une durée plus courte de leur sommeil de nuit et un plus grand nombre d'éveils. Comment les traiter?

Traitement

Disons qu'en règle générale, il faut éviter de prescrire des hypnotiques car aucun ne produit un sommeil physiologique surtout s'ils sont prescrits pour des périodes prolongées. Chez des malades qui ont un niveau élevé d'anxiété, les techniques de relaxation doivent être essayées. Knapp et coll. (19) résument les résultats des diverses méthodes de thérapie behaviorale de l'insomnie. Les techniques de relaxation passive, comme l'entraînement autogène sont particulièrement utiles.

Si un hypnotique doit être prescrit, lequel choisir? Plusieurs études ont souligné le danger de prescrire des barbituriques. Tout d'abord les barbituriques produisent des diminutions importantes du sommeil REM et du sommeil non REM de Stades III et IV. Lors d'une administration prolongée, les barbituriques entraînent une perturbation profonde de l'organisation des cycles du sommeil et le sujet s'éveille fréquemment pendant la nuit. L'arrêt du traitement s'accompagne d'une insomnie sévère et d'un rebond de sommeil REM.

Outre leurs effets sur le sommeil, les barbituriques interfèrent avec l'action d'autres médicaments par leur action sur les microsomes du foie et ils sont la cause d'un grand nombre d'intoxications mortelles.

Si un hypnotique doit être prescrit, le flurazépam (Dalmane ®) me semble à l'heure actuelle le médicament de choix, tout d'abord parce que les effets hypnotiques du flurazépam furent bien démontrés à des doses de 15 et 30 mg. Deuxièmement parce que c'est le seul hypnotique non barbiturique dont les effets persistent après 21 ou 28 jours de traitement. Il existe peu de dépendance physiologique au flurazépam.

L'arrêt du traitement n'entraîne pas de syndrome de sevrage important, ni d'insomnie sévère ou prolongée, ni de rebond de sommeil REM ou de sommeil de Stades III et IV lorsque le médicament est utilisé aux doses thérapeutiques habituelles. Enfin, le flurazépam est un médicament qui comporte une marge sécuritaire importante entre la dose thérapeutique et la dose léthale et le risque suicidaire est pratiquement nul. Rappelons par ailleurs que les patients âgés sont particulièrement sensibles au flurazépam et rapportent souvent de la confusion au réveil ou de la somnolence pendant la journée. Une autre benzodiazépine, le triazolam (Halcion ®) a des effets hypnotiques comparables au flurazépam. Le triazolam dont la durée d'action est plus courte produirait moins de confusion au réveil principalement chez le sujet âgé.

Par ailleurs, une étude de Kales et coll. (18) suggère que le triazolam produirait une insomnie importante lors de l'arrêt du médicament même après seulement 14 jours de traitement. On ne saurait donc recommander le triazolam pour le traitement de l'insomnie chronique. Signalons également que le flurazépam est fréquemment plus efficace, le deuxième et même le troisième jour du traitement. Ceci pourrait être dû à l'accumulation de désalkyl flurazépam, qui est un métabolite actif du flurazépam.

En général, les hypnotiques ne devraient pas être prescrits pour des durées excédant deux à trois semaines et par conséquent ne sauraient être une réponse définitive au problème de l'insomnie. Si l'on considère l'efficacité, le coût, la sécurité et les effets secondaires, le glutéthimide (Doriden ®), le méthyprylon (Nodular ®) et l'ethchlorvynol (Placidyl ®) ne sont jamais à mon avis des hypnotiques de choix, par contre, l'hydrate de chloral et le flurazépam peuvent être utilisés lorsqu'un traitement à court terme, c'est-à-dire de moins d'une semaine, s'impose.

Le diagnostic d'une insomnie

L'investigation d'une insomnie nécessite tout d'abord un interrogatoire et un examen complet du sujet qui s'en plaint. Une attention particulière devra être apportée à l'histoire du symptôme et aux caractéristiques actuelles du sommeil. Le médecin doit également rechercher des facteurs pouvant influencer le sommeil comme l'environnement, l'horaire de travail, l'ingestion d'hypnotiques et d'autres médicaments, l'ingestion de café ou d'alcool, etc. Il doit également rechercher la présence d'une affection pouvant entraver le cours normal du sommeil: soit une affection médicale non spécifique, comme par exemple des douleurs ou de la pollakiurie nocturne, soit une maladie se manifestant spécifiquement pendant le sommeil comme les myoclonies ou les apnées du sommeil. Par conséquent, on doit interroger le patient et si possible le conjoint sur la présence ou non de mouvements anormaux ou de ronflements périodiques au cours du sommeil. Depuis quelques années se sont multipliées des cliniques de sommeil où le patient peut être également observé pendant son sommeil. Tous les insomniaques ne doivent pas être observés en laboratoire. Billiard (4) divise les insomnies en deux types principaux selon qu'elles nécessitent ou non le recours à un enregistrement nocturne. Par exemple, les insomnies récentes situationnelles ou les insomnies secondaires à des affections douloureuses ou psychiatriques ne nécessitent pas d'enregistrement nocturne.

Par contre un enregistrement sera nécessaire si on soupçonne des myoclonies nocturnes ou des apnées au cours du sommeil.

16.3.2   L'hypersomnie

Définition

La société moderne se caractérise par une très grande incidence d'insomnie. Par ailleurs bon nombre de sujets se plaignent d'un excès de sommeil. Le malade accuse généralement une hypersomnolence diurne qui l'empêche d'avoir une activité sociale satisfaisante et ceci en dépit d'un sommeil normal ou prolongé au cours de la nuit. Donc, pour définir une hypersomnie il faut deux conditions, premièrement, un sommeil perçu par le sujet comme normal ou prolongé au cours de la nuit et deuxièmement un trouble de la vigilance au cours de la journée. L'hypersomnie ne comprend donc pas les sujets qui présentent uniquement un sommeil de nuit prolongé qui serait par exemple de l'ordre de huit à dix heures par nuit. Contrairement à l'opinion courante, l'hypersomnie est exceptionnellement due à une maladie psychiatrique et rarement secondaire à une affection endocrinienne (hypothyroïde, diabète, hypoglycémie). L'analyse des diagnostics obtenus chez 235 hypersomniaques au cours de deux ans à la clinique du Sommeil de l'Université Stanford en Californie indique que la narcolepsie, les apnées au cours du sommeil ou l'association de ces deux syndromes seraient responsables d'environ 85% des cas d'hypersomnie sévère.

Classification étiologique

La narcolepsie

La narcolepsie n'est pas une maladie rare, son incidence serait de 1 cas pour 2 000 à 5 000 habitants dans la population générale. Cependant la majorité des narcoleptiques demeurent sans diagnostic pendant de nombreuses années et par conséquent sans traitement adéquat en dépit de nombreuses consultations médicales.

- Le syndrome clinique

La narcolepsie est une maladie qui se développe généralement entre 15 et 25 ans et qui comporte tout d'abord quatre symptômes principaux que l'on a qualifiés de tétrade narcoleptique (30). Il y a tout d'abord les accès de sommeil au cours de la journée. Traditionnellement ces accès de sommeil sont décrits comme survenant brusquement, durant 15 minutes environ, après quoi le patient se sent reposé pour quelques heures. Des travaux plus récents ont suggéré une révision de ce concept car la plupart des narcoleptiques présentent, en plus de ces accès de sommeil, une hypersomnolence accrue tout au cours de la journée (22).

Le deuxième symptôme de la tétrade narcoleptique est la cataplexie. Il s'agit d'une abolition du tonus musculaire qui peut être déclenchée par plusieurs stimuli comme l'effet de surprise, le rire ou la colère. Le plus souvent il s'agit d'attaque partielle avec perte du tonus musculaire au niveau de la face, du cou et des bras. Dans certains cas par ailleurs, il y a une perte du tonus musculaire de tout le corps et le patient s'écroule au sol. Les épisodes de cataplexie sont généralement de courte durée et excèdent rarement deux minutes. Au cours des épisodes de longue durée on note une altération de l'état de conscience du sujet et une évolution vers un épisode de sommeil qui est généralement un épisode de sommeil REM. La reconnaissance de la cataplexie est très importante car la présence de ce symptôme en plus de la somnolence diurne est une condition essentielle au diagnostic de narcolepsie.

Les deux autres symptômes de la tétrade narcoleptique sont des paralysies du sommeil et des hallucinations hypnagogiques. Les paralysies du sommeil surviennent soit à l'endormissement soit au réveil. Elles durent généralement quelques secondes ou quelques minutes; à ce moment le patient est éveillé mais il ne peut bouger ni appeler à l'aide. Cette expérience peut être très anxiogène au début de la maladie. Le patient rapporte souvent au moment de ces épisodes de paralysie des altérations des perceptions sensorielles comme la sensation de flotter ou de s'enfoncer dans le matelas. Quant aux hallucinations hypnagogiques, il peut s'agir d'hallucinations de diverses modalités sensorielles qui surviennent le plus souvent au moment de l'endormissement le soir mais aussi au cours de la journée. Les hallucinations hypnagogiques apparaissent souvent au début de la maladie et disparaissent par la suite.

En plus de la tétrade narcoleptique il existe d'autres symptômes caractéristiques de la narcolepsie. Ces symptômes sont tout d'abord les automatismes, qui ressemblent à ceux que l'on observe dans l'épilepsie temporale. Très souvent les malades rapportent qu'ils se sont retrouvés dans des lieux inconnus sans savoir comment ils y étaient parvenus. Il semble donc que le malade puisse poursuivre, en présence d'un état "altéré" de sa conscience, des activités qui ne demandent pas une attention soutenue. Un autre symptôme important dans la narcolepsie consiste en des perturbations importantes du sommeil. Pour plusieurs narcoleptiques c'est le premier symptôme à apparaître dans l'évolution de leur maladie. Ces malades rapportent également des rêves nombreux et terrifiants.

- L'étiologie

La cause de la narcolepsie n'est pas connue. La prévalence de la narcolepsie serait environ 60 fois plus élevée chez les parents du premier degré des narcoleptiques que dans la population générale et on a rapporté un cas de jumeaux homozygotes concordant pour la narcolepsie. Ces observations de même que des études de croisement de chiens narcoleptiques soulignent l'importance des facteurs génétiques dans l'étiologie de la narcolepsie.

Plusieurs symptomes de la narcolepsie notamment les automatismes et les attaques de cataplexie rappellent certains symptômes de l'épilepsie temporale, mais de nombreuses études d'EEG ont clairement établi qu'il n'y avait pas d'activités épileptiques chez les narcoleptiques. D'ailleurs, ceux-ci ne répondent pas aux traitements antiépileptiques. D'autres ont vu dans la narcolepsie une forme d'hystérie de dissociation à cause surtout de l'importance des facteurs émotionnels pour le déclenchement des attaques de cataplexie. Il y eut plusieurs études de personnalité faites chez les narcoleptiques (30), plusieurs valeurs anormales au M.M.P.I. (Minnesota Multiphasic Personality Inventory) ont été rapportées, mais il n'y a pas de trait dominant qui serait commun à l'ensemble des malades narcoleptiques. Ces troubles de personnalité peuvent d'ailleurs être secondaires à l'apparition de la maladie.

- La physiopathologie

Il existe plusieurs observations qui suggèrent que la narcolepsie serait une maladie touchant spécifiquement les structures nerveuses responsables de la régulation du sommeil REM. Tout d'abord des études polygraphiques ont révélé que chez les malades narcoleptiques le premier épisode de sommeil REM survenait le plus souvent au début du sommeil. Ces endormissements en sommeil REM sont très caractéristiques de la narcolepsie. Selon cette hypothèse, les autres symptômes de la tétrade narcoleptique peuvent également être considérés comme des manifestations dissociées du sommeil REM. Par exemple, les paralysies du sommeil et la cataplexie résulteraient de l'activation des mêmes circuits nerveux responsables de l'inhibition motrice qui est présente normalement au cours du sommeil REM. De la même façon les hallucinations hypnagogiques, qui surviennent à l'endormissement chez un sujet qui s'endort en sommeil REM, apparaissent comme la manifestation dissociée de l'activité onirique qui caractérise le sommeil REM. Tout se passe donc comme si le rêve précédait le sommeil induisant ainsi des hallucinations dites hypnagogiques. Les médicaments efficaces pour traiter la cataplexie dont les tricycliques et les inhibiteurs de la monoamine oxydase (IMAO), sont des inhibiteurs puissants du sommeil REM. Ces observations favorisent l'hypothèse que la narcolepsie résulterait de l'apparition inappropriée au cours de l'état de veille, de phénomènes normalement retrouvés au cours du sommeil REM. La narcolepsie serait donc un trouble des mécanismes de déclenchement du sommeil REM ou encore une déficience des systèmes qui normalement inhibent l'apparition du sommeil REM au cours de l'état de veille.

- Le diagnostic

Le diagnostic clinique de la narcolepsie implique la présence d'accès de sommeil ou de somnolence excessive au cours de la journée et la présence d'attaques de cataplexie. Le diagnostic en laboratoire consiste à mettre en évidence au moins un endormissement en sommeil REM au cours de la journée. Rappelons que d'une façon générale seuls les patients qui rapportent une histoire d'accès de sommeil et de cataplexie présentent lors de l'enregistrement polygraphique un endormissement en sommeil REM.

- Le traitement

Certains malades réussissent à contrôler leurs accès de sommeil en dormant pendant 15 ou 30 minutes à deux ou trois reprises au cours de la journée. Ce régime recommandé à ceux qui peuvent l'adopter est difficilement compatible avec la vie professionnelle de la plupart des gens. De plus, il ne réduit pas l'incidence des attaques de cataplexie. Pour cette raison plusieurs médicaments furent utilisés dans le traitement de la narcolepsie. Aujourd'hui le traitement de choix est l'association d'un stimulant, le méthylphénidate (Ritalin ® 10 à 30 mg die) et d'un tricyclique, la clomipramine (Anafranil ®). Les tricycliques sont très efficaces dans le traitement de la cataplexie, leur action est rapide et les doses requises sont minimes. La cataplexie, par exemple, répond à des doses quotidiennes de clomipramine variant de 10 à 75 mg.

Les apnées au cours du sommeil

C'est en 1965 que Gastaut et coll. ont rapporté pour la première fois que les malades pickwickiens, par conséquent des patients obèses et hypersomnolents, présentaient des arrêts respiratoires répétés et de durée variable tout au long de leurs multiples endormissements diurnes et nocturnes. Plus tard, la présence d'apnées au cours du sommeil fut rapportée chez des malades non obèses qui présentaient comme principal symptôme une somnolence excessive au cours de la journée. Guilleminault et coll. ont décrit ce syndrome chez des enfants des deux sexes qui consultaient pour une hypersomnolence.

- Le syndrome clinique

A part quelques exceptions, ces malades viennent consulter pour des accès de sommeil au cours de la journée. Le plus souvent, ils ne sont pas conscients de leur problème de sommeil. La plupart sont obèses et dans la majorité des cas on vous dira que le patient ronfle très fort. Un questionnaire plus poussé permettra de mettre en évidence le caractère périodique de ce ronflement. Un petit nombre de patients consulteront pour une insomnie car ils attribueront leur trouble de la vigilance à une perturbation importante de leur sommeil de nuit.

Dans les cas des enfants souffrant d'apnées au cours du sommeil, l'histoire est légèrement différente. On note en plus de la somnolence diurne des troubles d'apprentissage, un retard staturo-pondéral et psychomoteur, et une puberté souvent retardée. On note parfois une énurésie secondaire qui a fait son apparition au début du syndrome précédemment décrit.

- Le diagnostic

L'investigation de ces malades (12) comprend en plus de l'enregistrement polygraphique habituel (EEG, EOG, EMG), l'enregistrement de nombreuses variables respiratoires principalement, l'enregistrement du flux aérique au niveau de la bouche et du nez et l'enregistrement des mouvements respiratoires. Il est essentiel d'enregistrer également l'électrocardiogramme à cause de l'incidence très élevée d'arythmie chez ces patients. Il est recommandé d'enregistrer également le taux de saturation en oxygène par un oxymètre placé sur l'oreille du sujet.

Une apnée est définie comme un arrêt du flux aérique au niveau du nez et de la bouche pendant un temps minimum de 10 secondes, ce qui distingue les apnées des pauses respiratoires normales du nourrisson et de l'adulte qui sont des irrégularités respiratoires non périodiques. Il faut enregistrer au moins 30 apnées au cours d'une nuit pour poser le diagnostic d'un syndrome des apnées au cours du sommeil.

On divise les apnées en trois types. Il y a les apnées dites centrales ou diaphragmatiques qui se caractérisent par l'absence de flux aérique au niveau du nez et de la bouche associée à une absence de mouvements respiratoires abdominaux et thoraciques. Il y a les apnées dites périphériques ou obstructives où l'arrêt du flux aérique est causé par une obstruction au niveau des voies respiratoires supérieures. Dans ce cas il y a persistance de l'effort respiratoire thoracique et abdominal et une augmentation de la pression intrathoracique. Les apnées mixtes sont une combinaison de ces deux types d'apnée. La durée minimum d'une apnée pathologique est de 10 secondes, mais ces apnées peuvent durer jusqu'à 2 minutes. On a mis en évidence des modifications cardiovasculaires importantes chez ces malades notamment l'hypertension pulmonaire, l'hypertension artérielle périphérique et les arythmies dont les blocs auriculo-ventriculaires de types 2.

- La physiopathologie

Des irrégularités de la respiration au cours du sommeil ont été démontrées chez l'animal et chez l'homme normal par plusieurs chercheurs. Ces irrégularités ont également été mises en évidence dans certaines pathologies notamment chez des patients souffrant de poliomyélite bulbaire chez lesquels les périodes d'hypoventilation au cours du sommeil précédaient les troubles respiratoires de la veille et persistaient pendant plusieurs mois après la disparition des symptômes de jour. L'examen anatomopathologique du cerveau de ces patients de même que de nombreuses observations recueillies chez l'animal semblent suggérer la présence soit d'une lésion, soit d'un trouble fonctionnel au niveau des centres respiratoires situés dans la région tégumentaire ventro-latérale de la protubérance et du bulbe rachidien.

Le traitement

Chez les malades obèses, il est très important de les faire maigrir et de leur signaler l'importance vitale du régime. Dans les cas, les plus nombreux, où les apnées sont principalement de type obstructif, on pratique une tra-chéostomie (12). La trachéostomie permet de faire disparaître la somnolence excessive au cours de la journée et le sommeil redevient normal. Les gaz san-guins au cours du sommeil se normalisent et la pression artérielle qui est élevée chez 40% environ des patients revient à la normale en 24 à 48 heures. La canule trachéale est installée à demeure et le patient l'ouvre pendant la nuit et la referme pendant la journée. On doit éviter de prescrire à ces patients des hypnotiques ou toutes autres substances qui dépriment l'activité du système nerveux central.

Les hypersomnies périodiques ou la maladie de Kleine-Levin

Selon la description classique ce syndrome se caractérise par la surve-nue d'épisodes récurrents de somnolence, d'anorexie ou de mégaphagie et de troubles du comportement, notamment d'une hypersexualité.

Critchley (6) insiste sur quatre points essentiels pour le diagnostic de la maladie de Kleine-Levin. Ces caractéristiques sont la prédominance ou l'exclu-sivité du sexe masculin, le début de l'adolescence, l'apparition rapide de la som-nolence qui dure quelques jours et qui disparaît spontanément, et enfin l'hyper-phagie qui est plutôt une mégaphagie compulsive qu'une boulimie. Des études plus récentes s'opposent à cette conception restrictive et plusieurs ne voient pas notamment dans le sexe masculin un critère important de la maladie de Kleine-Levin. D'autres enfin, rejettent la mégaphagie comme faisant partie essentielle du tableau clinique. Plusieurs s'entendent pour regrouper sous le nom de mala-die de Kleine-Levin toutes formes d'hypersomnies périodiques y compris l'hy-persomnie périodique associée aux menstruations décrites par Billiard et coll.

Les autres hypersomnies

Les autres formes d'hypersomnie ne seront pas revues dans le présent chapitre tout comme les troubles du sommeil secondaires à diverses atteintes du système nerveux et dont il a été fait mention dans les pages précédentes (5).

16.4 SOMMEIL ET PSYCHIATRIE

Les troubles du sommeil dans les syndromes psychiatriques

L'association de troubles du sommeil et de maladies psychiatriques est fréquente; les pourcentages les plus élevés étant enregistrés chez les malades déprimés et schizophrènes. Selon Regestein (24) l'insomnie signale presque toujours une psychopathologie; près de 75% des insomniaques auraient un résultat élevé dans au moins une échelle du MMPI (Minnesota Multiphasic Personality Inventory) principalement dans l'échelle dépression.

16.4.1 Dépression et sommeil

De nombreux travaux ont tenté d'établir une classification clinique des maladies affectives. Nous envisagerons ici trois groupes de malades, c'est-à-dire, la dépression bipolaire, la dépression unipolaire et la dépression secondaire à une maladie cérébrale organique.

La dépression bipolaire

Nous considérons ici des études chez des malades déprimés mais qui avaient présenté antérieurement des épisodes répétés de dépression et de manie chez lesquels on retrouvait une histoire familiale de manie.

Selon Kupfer et plusieurs autres chercheurs, le malade maniaco-dépressif dort plus longtemps lorsqu'il est déprimé et il devient insomniaque en phase maniaque. Au cours des épisodes de dépression le patient rapporte des rêves nombreux et parfois terrifiants. Les enregistrements polygraphiques montrent alors une augmentation de la durée et du pourcentage du sommeil REM tandis que le sommeil non REM de Stades III et IV est grandement diminué. En phase maniaque, le sommeil est court et le pourcentage de sommeil REM est diminué. On a émis l'hypothèse que lors du passage de la dépression à la manie, la réduction de la durée totale du sommeil et en particulier du sommeil REM précéderait les changements diurnes de l'humeur. L'étude d'un cas de psychose maniaco-dépressive à cycle court suggère que le "switch process" surviendrait pendant le sommeil.

La dépression unipolaire

Selon les études, ce diagnostic regroupe des patients qui présentent soit des épisodes répétés de dépression, soit une mélancolie d'involution, soit un épisode isolé de dépression psychotique, soit encore une dépression névrotique; les conclusions rapportées ici s'appliquent donc à l'ensemble de ces malades.

Réduction de la durée totale du sommeil

Les premiers enregistrements polygraphiques de malades déprimés avaient clairement démontré que le sommeil de ces patients était court et fréquemment interrompu d'éveils. En 1966, Snyder allait jusqu'à dire que les troubles du sommeil étaient un meilleur instrument de mesure de la détresse psychologique du patient que l'évaluation clinique. D'autres auteurs ont rapporté par contre que près de 10% de patients souffrant d'une dépression unipolaire présentaient au contraire une hypersomnie et non une insomnie.

Dans la dépression unipolaire, le temps d'endormissement est prolongé et le patient s'éveille plus fréquemment au cours de la nuit. Les études avec enregistrement en laboratoire ont par ailleurs démenti la croyance très répandue que l'insomnie du soir, c'est-à-dire la difficulté à s'endormir, était caractéristique d'une dépression réactionnelle tandis que l'insomnie du matin était caractéristique d'une dépression endogène. Les deux types d'insomnie se retrouvent également dans toutes les formes de dépression unipolaire.

Les études plus récentes sur le sommeil des patients déprimés ont porté principalement sur l'analyse de diverses manifestations du sommeil REM. Dans la dépression unipolaire, on observe une diminution de la latence du sommeil REM. Il n'est pas rare par exemple de voir un malade déprimé passer au sommeil REM 10 à 20 minutes après s'être endormi. Une latence courte du sommeil REM se retrouve également dans la dépression bipolaire, dans la narcolepsie et chez le sujet normal après privation de sommeil. Kupfer et coll. (20) y voient néanmoins un ''marqueur biologique spécifique'' d'une maladie affective primaire.

Foster et coll. ont noté également une augmentation de la densité des mouvements oculaires pendant le sommeil REM chez les malades déprimés. On note aussi chez ces sujets une distribution particulière des mouvements oculaires qui surviennent par bouffées intenses suivies d'un arrêt plus ou moins long. On parle ''d'orages oculaires'' (*Eyes movement Storms*) pour décrire ce phénomène. Ces études ont porté sur des malades déprimés hospitalisés et regroupés sous le diagnostic de maladie affective primaire. Par opposition, la densité des mouvements oculaires est grandement diminuée dans les dépressions associées à des maladies physiques, chez les patients alcooliques en période de sevrage, chez les déficients mentaux et chez les schizophrènes chroniques. En résumé, selon Kupfer (20), dans les dépressions primaires unipolaire et bipolaire, le temps et le pourcentage de sommeil REM sont augmentés, la latence est diminuée et on note des orages oculaires. Dans la dépression symptomatique d'une condition médicale le sommeil REM est diminué, sa latence est normale et les mouvements oculaires sont rares, sans évidence d'orage oculaire.

Le sommeil REM et le traitement de la dépression

En 1975, Vogel (28) a rapporté que la privation de sommeil REM produisait une amélioration des symptômes dépressifs et que cette privation était vraisemblablement le mécanisme d'action des médicaments antidépresseurs. Son hypothèse était fondée tout d'abord sur l'étude des effets des antidépresseurs sur le sommeil. En effet, les antidépresseurs tricycliques ou les inhibiteurs de la monoamine oxydase produisent une diminution marquée et persistante du sommeil REM. Selon Vogel, les effets thérapeutiques des antidépresseurs n'apparaissent que lorsque le sommeil REM diminue et atteint un pourcentage inférieur à 10% de la durée totale du sommeil. En 1976, Kupfer et coll. (20) ont également observé que la réduction du sommeil REM et l'augmentation de la latence du sommeil REM au début du traitement permettaient de prédire une réponse favorable aux antidépresseurs tricycliques. Signalons par contre que certains antidépresseurs comme la Doxépine (Sinequan ®) ou la Trimipramine (Surmontil ®) ne produisent pas de réduction du sommeil REM. Vogel rejette cette objection à sa théorie générale en remettant en question l'efficacité de ces médicaments dans le traitement de la dépression primaire.

Il existe d'autres arguments en faveur de la théorie de Vogel. Par exemple, les électrochocs, lorsqu'ils sont efficaces pour traiter la dépression, produisent une diminution du sommeil REM et la réserpine, capable d'induire un état dépressif, augmente le sommeil REM. Vogel a de plus étudié les effets de la privation du sommeil REM par des éveils répétés au cours de la nuit, chez les malades déprimés.Il a observé une amélioration significative des symptômes dépressifs après privation du sommeil REM. La privation de sommeil REM exige des éveils répétés des patients pendant dix à vingt nuits et ses effets sont souvent de courte durée. Par conséquent, il est peu probable que cette technique occupe un jour une place importante dans le traitement de la dépression.

La théorie de Vogel n'est pas reconnue par tous mais elle a le mérite de regrouper plusieurs observations bien établies. On ne comprend pas cependant pourquoi la Clomipramine (Anafranil ®), par exemple, qui supprime la cataplexie du narcoleptique en moins de 24 heures par son effet suppresseur sur le sommeil REM met plus de deux semaines à améliorer les symptômes de la dépression. On ne peut pas expliquer non plus pourquoi les tricycliques seraient préférables aux inhibiteurs de la monoamine oxydase alors qu'ils produisent une inhibition plus marquée du sommeil REM.

16.4.2 Psychose et sommeil

Dès le début de l'ère moderne des études sur le sommeil, les chercheurs se sont intéressés au sommeil des malades psychotiques. Les études se sont multipliées mais les résultats souvent contradictoires sont difficiles à interpréter. Selon Ey et coll. (8), qu'il s'agisse de psychoses organique ou fonctionnelle, la phase aiguë de la maladie s'accompagne généralement d'une diminution de la durée totale du sommeil. Ces auteurs, après plusieurs autres, ont observé notamment une diminution du sommeil de Stades III et IV et du sommeil REM de même qu'un accroissement du nombre d'éveils chez les malades psychotiques en phase aiguë. Par contre, la diminution des Stades III et IV n'est pas spécifique au malade psychotique et se retrouve comme nous l'avons vu précédemment chez plusieurs patients et même chez le sujet normal soumis à un stress. Quant à la diminution du sommeil REM, on ne l'observe pas chez tous les schizophrènes en phase aiguë. On ne sait pas pour l'instant la cause de ces contradictions entre les résultats des différentes études. Il peut s'agir de différences dans les critères de diagnostic, dans la sévérité ou la durée de la maladie, dans la prise ou non de médicaments psychotropes, dans la privation ou non de sommeil avant le début de l'étude.

Si les malades psychotiques présentent le plus souvent une diminution du sommeil REM en phase aiguë, on ne note pas par contre de rebond de sommeil REM dans la phase de rémission. Cette observation rappelle les résultats des expériences de privation sélective de sommeil REM chez les patients schizophrènes. Zarcone et coll. ont observé que la privation de sommeil REM pendant deux nuits consécutives n'était pas suivie de rebond de sommeil REM au cours des nuits subséquentes chez les schizophrènes contrairement aux patients psychiatriques non psychotiques, qui comme les sujets normaux ont une augmentation marquée du sommeil REM au cours des deux à trois nuits suivant la privation. Rappelons également d'autres études qui ont signalé une grande variabilité dans la latence du sommeil REM, dans la phase aiguë de divers syndromes psychotiques, latence qui peut donc être très courte ou très longue selon les cas. D'autres ont observé des ''orages oculaires'', tels que décrits précédemment dans la dépression, et des fluctuations importantes des potentiels électrocutanés pendant le sommeil REM chez les schizophrènes. D'autres ont observé une augmentation des potentiels évoqués pendant le sommeil REM chez les enfants autistiques tandis que ces potentiels diminuent en amplitude chez les sujets normaux pendant cette phase du sommeil.

Toutes ces études avaient pour but de mettre en évidence des anomalies du sommeil REM chez les schizophrènes afin d'établir une relation entre les phénomènes hallucinatoires et oniriques. Mais les anomalies du sommeil dans la schizophrénie manquent de spécificité et ne se retrouvent pas chez tous les malades schizophrènes, il n'existe donc aucune évidence en faveur de cette hypothèse.

Les neuroleptiques ne produisent pas de modification caractéristique du sommeil (11). Selon les études, la chlorpromazine (Largactil ®), par exemple, augmente ou diminue le sommeil REM. Par contre il est généralement admis que plusieurs neuroleptiques notamment la chlorpromazine augmentent la durée du sommeil des patients schizophrènes et des sujets normaux. Cet accroissement de la durée du sommeil persiste après plusieurs semaines de traitement continu avec 400 mg de chlorpromazine. L'administration au coucher de 100 mg de chlorpromazine augmente la durée du sommeil et diminue le nombre des éveils nocturnes tandis que la même dose administrée le matin n'a aucun effet sur le sommeil. Cette observation souligne l'un des avantages de prescrire les neuroleptiques en dose unique au coucher.

16.4.3 Le sommeil du malade psychosomatique

Dans quatre maladies psychomatiques à savoir la maladie coronarienne, l'asthme bronchique, l'ulcère duodénal et la migraine, les symptômes peuvent apparaître de façon préférentielle au cours du sommeil. Dans la maladie coronarienne, les patients ont un sommeil perturbé, ils mettent plus de temps à s'endormir, dorment moins longtemps, s'éveillent plus souvent au cours de la nuit et ont moins de sommeil de Stades III et IV. Ce sont donc véritablement des insomniaques. Plusieurs auteurs ont rapporté que les crises nocturnes d'angine survenaient surtout pendant les épisodes de sommeil REM du dernier tiers de la nuit. Ceci rejoint l'observation faite par MC Williams en 1923 à savoir que les malades coronariens meurent le plus souvent entre 5 et 6 heures du matin.

Nowlin et coll. soulignent que dans l'angine nocturne la douleur est souvent associée à un rêve où l'émotion dominante est soit la peur, la frustration ou la colère, mais aucune étude détaillée du contenu des rêves de ces patients n'a été entreprise. Par contre, dans une étude récente, Broughton et Baron n'ont pas retrouvé de corrélation entre les stades du sommeil et l'apparition d'angine chez 12 patients hospitalisés pour infarctus du myocarde.

Kales et coll. ont rapporté que les malades asthmatiques avaient fréquemment des troubles du sommeil. Leur sommeil est ponctué de nombreux éveils et le sommeil de Stade IV est grandement diminué. L'expérience clinique a de plus démontré que les asthmatiques ont fréquemment des crises nocturnes et que celles-ci sont souvent plus intenses que les crises diurnes, d'ailleurs les crises mortelles surviennent généralement vers la fin de la nuit. L'observation nocturne des patients asthmatiques a confirmé l'observation clinique à savoir que les crises survenaient surtout au petit matin. Aucune corrélation avec le sommeil REM n'a pu par ailleurs être démontrée.

En 1959, Dragstedt a rapporté que dans l'ulcère duodénal, la sécrétion nocturne d'acide chlorhydrique était très augmentée. En 1965, Amstrong a observé que cette sécrétion survenait de façon préférentielle pendant le sommeil REM chez le malade ulcéreux. Il n'y a par contre aucune étude sur le sommeil des patients souffrant d'ulcère duodénal ni sur l'association possible d'un accroissement de la sécrétion gastrique avec le phénomène hypnoonirique.

Certains migraineux ont des douleurs qui apparaissent surtout la nuit. L'observation nocturne de ces patients a révélé que ces épisodes nocturnes survenaient le plus souvent au moment du sommeil REM. Comme pour l'asthme et l'angine, les migraines sont particulièrement sévères pendant la nuit.

L'hypothèse générale

Du point de vue de la neurophysiologie, on peut s'interroger sur les causes d'apparition pendant le sommeil, d'angine, de crises d'asthme, de sécrétions accrues d'acide chlorhydrique et de migraine. Rappelons ici que les recherches neurophysiologiques ont détruit cette croyance qui voulait que le sommeil soit un moment de quiétude absent de toute forme de stress. Au contraire, le sommeil REM est marqué par une activation autonomique intense, conduisant à des fluctuations importantes de la respiration, du rythme cardiaque, de la pression artérielle. On pourrait donc postuler que les structures nerveuses génératrices des événements phasiques du sommeil REM, par conséquent les régions voisines du locus coeruleus, pourraient être responsables des manifestations nocturnes des maladies psychosomatiques.

On serait par contre tenté d'avancer une théorie psychologique pour expliquer les troubles du sommeil de ces patients et des malades psychosomatiques en général. Tout d'abord nous avons vu que les symptômes nocturnes surviennent surtout dans le dernier tiers de la nuit au moment où les épisodes de sommeil REM sont plus longs. On serait porté à croire que les crises d'angine nocturne ou de migraine par exemple pourraient être déclenchées par un rêve dont l'intensité dramatique serait particulièrement grande. On pourrait postuler qu'il y aurait une expression des conflits à travers le soma chez le malade psychosomatique et que la résurgence des conflits dans le rêve pourrait produire les mêmes symptômes somatiques. Par ailleurs, si les crises d'angine et de migraine surviennent fréquemment en sommeil REM, les crises d'asthme n'apparaissent pas de façon sélective pendant le sommeil REM et ne s'accompagnent d'aucun souvenir de rêve. La survenue de crise d'asthme dans le dernier tiers de la nuit serait plutôt associée à des changements circadiens de paramètres physiologiques respiratoires ou autres.

Si nous revoyons le concept d'inhibition de l'action et la maladie psychosomatique, on comprendra que pour un malade coronarien par exemple, le sommeil puisse être anticipé avec anxiété. Nous savons en effet que ces patients investissent beaucoup dans l'action, qu'ils repoussent le moment de se coucher jusqu'à ce qu'ils tombent véritablement de sommeil. Ce sont très souvent des dormeurs courts et l'une des caractéristiques des ''dormeurs courts'' décrits par Hartmann était précisément d'être orientés vers l'action. Si nous poussons plus loin l'utilisation du concept d'inhibition de l'action, on pourrait penser que l'inhibition motrice, c'est-à-dire la paralysie avec l'abolition des réflexes ostéo-tendineux qui accompagnent normalement le sommeil REM, puisse être vécue de façon particulièrement traumatique chez le malade psychosomatique.

Dans une étude des troubles du sommeil chez l'enfant, Michel Soulé (26) parle de l'endormissement comme de la capacité d'aménager une aire d'illusion. Chez le jeune enfant, l'endormissement est étroitement lié à la présence de la mère puis plus tard et même jusqu'à l'âge adulte d'objets transitionnels. Les malades névrotiques notamment ceux qui sont déprimés ont souvent de la difficulté à s'endormir. Ceci peut être dû à la peur de la résurgence conflictuelle dans le rêve ou du désir ambivalent de la régression nirvanique. On pourrait penser par ailleurs que le malade psychosomatique ne peut s'endormir parce qu'il ne peut aménager cette aire d'illusion essentielle à l'endormissement. Sur la base de ces théories on pourrait facilement définir l'insomnie idiopathique comme une forme de maladie psychosomatique.

BIBLIOGRAPHIE

1- ALLISON, T. "Comparative and Evolutionary Aspects of sleep". *The Sleeping Brain*. Los Angeles: M.H. Chase (ed.), BRI/BIS, UCLA, 1972, 1-57.

2- ASERINSKY, E., KLEITMAN, N. "Regularly occuring periods of eyes mobility and concomitant phenomena during sleep".*Science*. 1953, 118, 273-274.

3- BALTER, M., LEVINE, J. *Character and Extend of psychotherapeutic drug usage in the United States*. Mexico: Proceedings of the fifth world congress of psychiatry, 1971.

4- BILLIARD, M. "Comment interroger et examiner un insomniaque". *La Revue du praticien*. 252, 283-293, 1977.

5- BROUGHTON, R. "Neurology and sleep research". *Can. Psychiat. Ass. J.* 1971, 16, 283-293.

6- CRITCHLEY, M. *Periodic hypersomnia and megaphagic in adolescent males Brain*. 1962, 84, 627-646.

7- DEMENT, W.C., KLEITMAN, N. "Cyclic variations in EEG during sleep and their relation to eyes movements, body mobility and dreaming". *Electroenceph. clin. neurophysiol.* 9, 673-690, 1957.

8- EY, H., LAIRY, C., BARROS-FERREIRA, M. de, GOLDSTEINAS, L. (Eds) *Psychophysiologie du sommeil et psychiatrie.* Paris: Masson, 1-309, 1975.

9- FEINBERG, L., KORESKO, R.L., HELLER, N. "EEG sleep patterns as a function of normal and pathological aging in man". *J. Psychiat. Res.* 1973, 5, 107-144.

10- FISHER, C., GROSS, J., ZUCH, J. "Cycle of penile tumescence synchronous with dreaming (REM) sleep". *Arch. Gen. Psychiat.* 1965, 2, 29-45.

11- FREEMON, F.R. "Clinical pharmacology of sleep: A critical review of all-night electroencephalographic studies". *Physician Drug Manual.* 1972, 3, 98-119.

12- GUILLEMINAULT, C., TILKIAN, A., DEMENT, W.C. "The sleep apnea syndromes". *Ann. Rev. Med.* 1976, 27, 465-484.

13- HARTMANN, E.L. *The functions of sleep.* New Haven and London: Yale University Press, 1973, 1-198.

14- JONES, H.S., OSWALD, I. "Two cases of healthy insomnia". *Electroenceph. Clin. Neurophysiol.* 1968, 24, 378-380.

15- JOUVET, M. "Recherches sur les structures nerveuses et les mécanismes responsables des différentes phases du sommeil physiologique". *Archiv. Ital. Biol.* 1962,100, 125-206.

16- JOUVET, M. "Biogenic amines and the states of sleep". *Science*. 1969, 163, 32-41.

17- JOUVET, M., MICHEL, F. "Corrélations électromyographiques du sommeil chez le rat décortiqué et mésencéphalique chronique". *C.R. Soc. Biol.* 1959, 153, 422-424.

18- KALES, A., BIXLER, E.O., KALES, J.D. & COLL. "Comparative effectiveness of nine hypnotic drugs: sleep laboratory studies". *J. Clin. Pharmacol.* 1977, 17, 207-213.

19- KNAPP, T.J., DOWNS, D.L., ALPERSON, J.R. *Behavior Therapy for insomnia: a review Behavior therapy.* 7, 1976, 614-625.

20- KUPFER, D.V., FOSTER, F.G., REICH, L. & COLL. "EEG sleep changes as predicators in depression". *Am. J. Psychiat.* 1976, 133, 622-662.

21- MONOD, N., THARP, B. "Activité électro-encéphalographique normale du nouveau-né et du prématuré au cours des états de veilles et de sommeil". *Rev. E.E.G. Neurophysiol.* 1977, 7, 302-315.

22- MONTPLAISIR, J. "Les hypersommnies. 1. La narcolepsie". *L'Union médicale du Canada.* 1977, 106, 1616-1621.

23- RECHTSCHAFFEN, A., KALES, A. *A Manual of standardized terminology techniques and scoring system for sleep stages of human subjects.* U.S. Department of health: 204, U.S. Government Printing Office Washington D.C., Education and Welfare Publication.

24- REGESTEIN, Q.R. "Treating insomnia: A pratical guide for managing chronic sleeplessness". *Compr. Psychiat.* 1976, 17, 517-526.

25- ROFFWARD, H.P., MUZIO, J.N., DEMENT, W.C. "Ontogenic development of the human sleep-dream cycle". *Science.* 1966, 152, 604-619.

26- SOULE, M. "L'endormissement se fait dans une "aire d'illusion"". *Les troubles du sommeil de l'enfant.* D. Houzel, M. Soulé, L. Kreisler et O. Benoît (Eds), Paris: L'Expansion scientifique française, 1977, 11-16.

27- SYMONDS, C.P. "Noctural myoclonus". *J. Neurol. Neurosurg. Psychiat.* 1953, 16, 166-171.

28- VOGEL, G., THURMOND, A., GIBBONS, P. & COLL. "REM sleep reduction effects on depressive syndromes". *Arch. Gen. Psych.* 1975, 32, 765-777.

29- WILLIAMS, R.L., KARACAN, I., HURSCH, J.C. *Electroencephalography of human sleep: clinical applications.* New York: Wiley Pub., 1974, 1-169.

30- ZARCONE, V. "Narcolepsy: A review of the syndrome". *N. Engl. J. Med.* 1973, 288, 1156-1166.

CHAPITRE **17**

LES URGENCES PSYCHIATRIQUES

Jacques Monday

17.1 INTRODUCTION

Un rôle difficile

Le rôle du médecin qui doit répondre à une demande urgente de soins psychiatriques en première ligne est particulièrement difficile, et ce, parce qu'il (ou elle) risque d'être contesté par le malade lui-même souvent en désaccord ou ambivalent face à cette demande, confronté aussi à la famille du patient maintes fois en attente d'une hospitalisation (qui risque d'être refusée), d'une attitude répressive du comportement ou tout simplement d'une négation du problème (tableau 17.1).

TABLEAU 17.1:   Le solliciteur*

Le "solliciteur" peut avoir des composantes multiples:

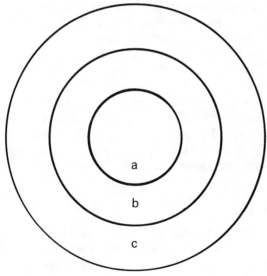

a) le patient lui-même;

b) la famille, les proches du malade;

c) la société: policier, juge, médecin, voisin, employeur, professeur, ami, "ennemi", etc.

* À mon avis et sans minimiser le rôle social de citoyen du médecin, c'est la demande du malade (a) qui doit être considérée et traitée avec le plus d'attention.

Contesté en outre par la société qui imprimant des normes, juge, condamne ou approuve tacitement tel ou tel genre d'intervention; de la part des collègues médicaux ou paramédicaux qui préconisent une idéologie différente quant aux soins à donner; ... et aussi parce que la "normalité" est en soi un concept fort contesté.

Rôle difficile aussi car le médecin est inéluctablement soumis au contre-transfert la plupart du temps pénible pour des raisons d'ordre personnel, idéologique ou relationnel. Ce contre-transfert parfois négatif tout en étant compréhensible n'en est pas moins source éventuelle d'erreur si le médecin n'en est pas conscient ou avisé et ne se questionne jamais quant à ses attitudes.

Rôle difficile enfin, par la limite des connaissances actuelles dans le domaine psychiatrique, par la limite des connaissances personnelles du médecin, par la limite des moyens efficaces à employer: il n'y a ni recette ni potion magique ni attitude thaumaturgique qui soit garante d'une infaillibilité thérapeutique.

La rapidité à agir, l'influence parfois trop pressante de l'entourage, la philosophie de soins propre à tel milieu donné, l'imprécision de la demande, les lois locales ou générales sont d'autres facteurs limitatifs. Et il ne faut pas oublier l'angoisse, celle du malade, communicative, envahissante ou "angoissante" pour l'autre, et celle du médecin découlant de la situation qu'il envisage.

Le contexte de l'urgence

Le patient n'arrive jamais avec un problème isolé ou trop simple. Son passé, son environnement, ses modes de communication particuliers l'accompagnent. Plusieurs facteurs inter ou intrapersonnels ont pu contribuer à sa décompensation actuelle et en général ses symptômes sont spectaculaires, angoissants, désorganisants. Il nous semble alors qu'il faille agir et ... vite.

Une attitude calmante

Bien sûr on se doit d'agir rapidement et bien sûr on connaît les particularités de l'évaluation psychiatrique d'un malade (voir chapitre 4). Mais ici, le contexte est différent. On ne dispose ni du même temps pour évaluer ni des mêmes ressources: on est souvent tout seul et parfois inquiet. Cependant, malgré ces difficultés, une attitude calme, directive et compréhensive doit transparaître et présider au processus d'évaluation.

Créer une alliance thérapeutique

L'important c'est de créer une alliance thérapeutique immédiate avec le patient. C'est lui qu'on devrait voir en premier et si ceux qui l'accompagnent veulent nous en parler, cela devrait se faire en présence du malade. Pas de "cachotteries" ou de complicité qui ne peuvent en fin de compte que nuire à l'alliance thérapeutique. On doit faire en sorte que le malade perçoive "son" médecin de l'heure comme un allié plutôt qu'un "ennemi". Il doit sentir aussi que son évaluation sera limitée dans le temps (de 15 à 30 minutes au maximum) et cela, on peut le lui dire dès le début de l'entretien. En effet, un patient angoissé, paniqué ou dissocié ne peut tolérer sans préjudice une première évaluation trop longue.

La cueillette des informations et l'identification du problème

L'évaluation doit bien sûr laisser un temps d'expression libre ou spontanée suffisant au malade, mais le questionnaire subséquent doit être organisé de façon à circonscrire le problème rapidement. Il ne s'agit pas ici de procéder à une évaluation exhaustive visant une compréhension approfondie de la psychodynamique du malade, mais bien de ramasser suffisamment d'informations pertinentes pour prendre une décision thérapeutique immédiate. Un questionnaire simple visant à éliminer la dangerosité suicidaire, homicidaire, pyromaniaque ou autre et s'inspirant des critères élaborés plus loin au cours de ce chapitre est facilement réalisable.

Si les informations recueillies auprès du malade nous semblent trop incomplètes, insuffisantes ou inadéquates, une vérification par un appel téléphonique auprès d'un proche ou d'un parent le connaissant bien ou vivant dans sa proximité, une rencontre brève avec les gens qui l'accompagnent et ce, en sa présence, si possible, peuvent enrichir la compréhension du problème.

Le reste de l'entretien et du questionnaire doit s'étayer selon le jugement du clinicien et ses connaissances dans le champ psychiatrique. Est-il besoin d'ajouter qu'un examen médical rapide mais complet est une nécessité même pour ces malades dont les problèmes sont qualifiés de ''psychiatriques''?

Après ce tour d'horizon, la synthèse des informations recueillies (signes et symptômes) doit favoriser la décision à prendre. Y a-t-il nécessité d'une intervention immédiate ou non? Y a-t-il danger pour la vie du malade ou d'autrui, nécessité d'une intervention ultérieure ou d'un recours au spécialiste?

La connaissance des ressources du milieu influence souvent la décision prise. Le jugement du clinicien qui a bien évalué le problème demeure l'atout le plus valable (tableau 17.2).

TABLEAU 17.2:   Le processus d'évaluation psychiatrique d'urgence (1)

Le Problème	L'Évaluation	La Décision

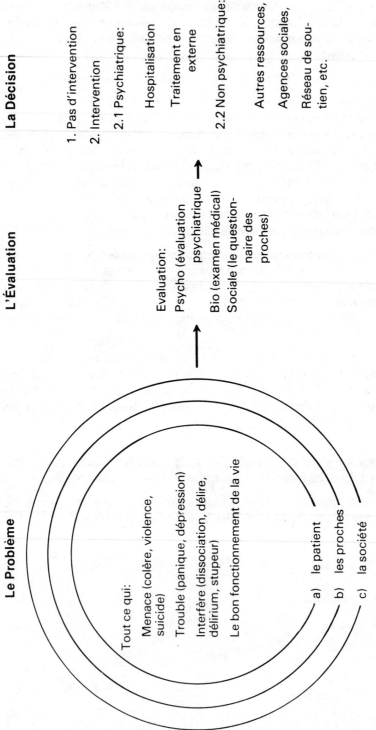

Le Problème

Tout ce qui:

Menace (colère, violence, suicide)

Trouble (panique, dépression)

Interfère (dissociation, délire, délirium, stupeur)

Le bon fonctionnement de la vie

a) le patient

b) les proches

c) la société

L'Évaluation

Evaluation:
Psycho (évaluation psychiatrique
Bio (examen médical)
Sociale (le question-naire des proches)

La Décision

1. Pas d'intervention

2. Intervention

2.1 Psychiatrique:

Hospitalisation

Traitement en externe

2.2 Non psychiatrique:

Autres ressources,

Agences sociales,

Réseau de sou-tien, etc.

(1) Ce tableau illustre la séquence logique du processus de consultation psychiatrique d'urgence.

17.2 DÉFINITION

On dit qu'il y a urgence psychiatrique quand une personne à un moment donné fait face à une situation qui dépasse sa capacité d'adaptation (autrement dit: "C'est au-delà de ses forces"). Cette inadéquation occasionne ou est secondaire à un trouble psychique qui, s'il n'est pas traité immédiatement ou rapidement, peut avoir des conséquences néfastes (suicide ou agression, mutilations importantes, incapacités permanentes, etc.). Par contre, si on le traite immédiatement et adéquatement, on peut favoriser la récupération du fonctionnement sain antérieur ou même une amélioration du fonctionnement.

17.3 CLASSIFICATION

Les principales maladies psychiatriques en cause (selon le DSM III):

17.3.1 Les troubles mentaux d'origine organique

Principalement secondaires: - à l'alcool,

- aux drogues,

- aux pathologies neurologiques, par atteinte corticale, sous-corticale, autres.

17.3.2 Les troubles affectifs

Troubles maniaques,

troubles dépressifs,

troubles bipolaires.

17.3.3 Les troubles schizophréniques

Paranoïdes,

catatoniques,

schizo-affectifs.

17.3.4 Les troubles paranoïdes

L'état paranoïde,

la paranoïa.

17.3.5 Les troubles dissociatifs particuliers

Les fugues.

17.3.6 Les troubles réactionnels

Post-traumatiques.

17.4 LES PRINCIPAUX MOYENS D'EN CONTRER LES MANIFES-TATIONS PRINCIPALES... OU D'AMÉLIORER LA SITUATION

17.4.1 La contention pharmacologique

Contrôle biochimique

Depuis Laborit et sa découverte de la chlorpromazine, le contrôle phar-macologique des symptômes ou signes psychiques a pris l'ampleur d'une "multinationale". Depuis 25 ans maintenant médecins et médecins-psychiatres ont cet outil de travail à leur disposition. Parmi le vaste choix de la pharmaco-logie psychiatrique nous ne retiendrons que les médicaments les plus utilisés dans le contexte de "réponse à une urgence", à savoir:

Les neuroleptiques principaux

- chlorpromazine (Largactil ®)

- halopéridol (Haldol®)

Les anxiolytiques

- chlordiazépoxyde (Librium®)

- diazépam (Valium®)

Les hypnotiques

- amytal sodique

- flurazépam (Dalmane®)

Voir les chapitres 26 et 27 pour la pharmacologie de chacun de ces pro-duits. Nous soulignons que les doses suggérées dans ce chapitre dépassent souvent les recommandations de la compagnie relatives à un dosage quotidien.

17.4.2 La contention sismothérapique

Contrôle électrique ou postconvulsif

Il s'agit ici bien sûr des électrochocs dont la popularité réapparaît parce que leur efficacité a pu être mesurée, quantifiée et finalement qualifiée.

La dose varie généralement de 75 à 130 volts pour une durée de 0.1 à 0.5 seconde.

Cette forme de contention n'est à peu près jamais utilisée dans nos sal-les d'urgence.

17.4.3 La contention physique

Contrôle mécanique

La "camisole" est encore employée bien que la "bande abdominale" soit davantage utilisée. Le contrôle physique personne-personne demeure sou-ventes fois plus efficace si la personne contrôlante est bien entraînée à ce rôle mais a le désavantage de mobiliser quelqu'un pour en immobiliser un autre et son efficacité n'est souvent que transitoire et encore de très courte durée. Cette contention ne doit jamais être employée comme seule et unique mesure de contrôle. On se doit de l'associer à une autre forme de contention.

17.4.4   La contention institutionnelle

Contrôle légal · La cure fermée

Malgré la meilleure volonté du monde, l'attitude d'écoute la plus attentive, l'empathie la plus vraie ou la disponibilité la plus grande, il arrive qu'il faille hospitaliser contre son gré un malade soit pour le protéger contre lui-même soit pour protéger les autres. La connaissance des lois relatives aux droits du malade mental m'apparaît essentielle (voir section 39.1.1.1).

17.4.5   La contention psychologique

Contrôle psychique

Le rôle principal de l'intervenant consiste souvent à apaiser la situation, tant auprès du malade qu'auprès de ceux qui l'accompagnent. Une attitude calme, directive, démontrant empathie et compétence est parfois suffisante. Il faut se rappeler que le médecin représente d'une certaine façon une autorité compétente, qu'on l'investit de la capacité à savoir quoi faire, quoi dire, quoi écouter, comment intervenir et qu'on s'en réfère à lui pour contrôler ou amorcer un contrôle de la situation. Ce contrôle peut s'exercer par persuasion, suggestion et communication directe et précise.

Parfois, il faut savoir séparer le malade de ceux qui l'accompagnent si on juge que leur présence lui est plus angoissante qu'apaisante, quitte à demander à l'infirmière ou à toute autre personne du milieu d'être présente auprès des accompagnants. Si c'est le cas contraire, il faut évidemment laisser le malade avec eux.

17.4.6   La contention psychosomatique

Contrôle par relaxation

J'ai employé à quelques reprises la relaxation progressive de Jacobson (version modifiée) (voir chapitre 34) avec succès pour certains malades agités mais dont le sensorium était clair. Je me permets de suggérer cette méthode qui offre l'avantage d'être sans violence pour en arriver à contenir une agitation ou une violence éventuelle chez un malade. La modalité d'application cependant exige une grande disponibilité du thérapeute et un environnement de travail quasi parfait, c'est-à-dire: un local adéquat, un personnel paramédical intéressant et intéressé à son travail et une isolation des autres malades durant le traitement (pour ne pas les déranger et ainsi subir une ''pression'' qui serait incompatible au bon déroulement de la cure).

17.4.7   L'intervention de crise

Contrôle "par les autres"

L'urgence psychiatrique constitue en soi une situation de crise et c'est souvent à ce moment que se joue le "futur" pathologique du malade. Si l'intervention à ce moment précis est adéquate, elle peut servir non seulement à apaiser la situation dans l'immédiat, mais aussi influencer le comportement éventuel de l'individu.

L'équipe multidisciplinaire (avec psychologue, travailleur social, infirmière clinicienne, assistant social, etc.) si elle est présente joue ici un rôle primordial. Malheureusement, tous les services d'urgence ne bénéficient pas d'un tel apport.

Il s'agit, au moment de la crise, de mobiliser toutes les ressources du malade:

- d'abord ce qu'il y a de sain en lui (v.g. jugement, introspection, rationalisation, etc.)

- ce qu'il y a de sain autour de lui: son réseau de soutien primaire (c'est-à-dire ses proches, ses parents, ses amis, quiconque peut lui fournir une aide, hébergement, surveillance, chaleur humaine, contrôle, etc.)

- quitte à lui fournir la possibilité d'élargir ce réseau de soutien par d'autres personnes-ressources faisant partie de l'équipe multidisciplinaire ou en l'aidant à en trouver (ressources communautaires multiples de telle ou telle région: le groupe des A.A. par exemple).

Il s'agit en bref de démontrer au malade sa capacité de s'aider lui-même, de se prendre en charge malgré la difficulté de la situation, sa possibilité d'être aidé par d'autres et enfin, de lui redonner confiance tant envers lui-même qu'envers les autres.

17.5 LES MANIFESTATIONS PRINCIPALES

(Rencontrées dans les salles d'urgences d'hôpitaux généraux)

Les manifestations psychologiques en sont:

Troubles de la pensée

-dissociation,

-troubles de la perception: délire, hallucinations.

Troubles de l'affect

-angoisse,

-panique,

-colère excessive,

-dépression (tristesse, détresse, désespoir),

-suicide.

Troubles du comportement

-agitation,

-violence (agression),

-stupeur.

Les manifestations sociales

-l'inquiétude collective,

-la détérioration outrée des relations interpersonnelles.

Les manifestations biologiques

-l'atteinte de l'état général,

-neurologiques,

-autres.

17.5.1 Les manifestations psychologiques

Les troubles de la pensée

A) *Les états dissociatifs:*

Les étiologies de ces états sont aussi variées que nombreuses: troubles schizophréniques, épilepsie temporale, psychose aux hallucinogènes ou autres produits pharmacologiques, troubles de l'anxiété (névroses hystériques, dissociatives, etc.) pour ne citer que les principales. Ces états se manifestent par l'amnésie, des fugues, la "personnalité multiple" ou la dépersonnalisation. Ils se définissent ou s'inscrivent comme mécanismes de défense inconscients qui séparent une idée de son affect concomitant. Le processus mental de l'individu est alors clivé par rapport au reste de son processus de pensée, ce qui a pour effet la perte des relations interpersonnelles et des comportements habituels.

Ces patients sont la plupart du temps amenés à la consultation d'urgence par une tierce personne.

Conduite thérapeutique: Contention institutionnelle: une hospitalisation de quelques jours est souvent nécessaire pour suivre adéquatement l'évolution du processus pathologique, poser un diagnostic adéquat et débuter un traitement à long terme.

Apport pharmacologique: l'amytal sodique à raison de 200 à 800 mg en dose intraveineuse injectée très lentement (15 à 20 minutes) et dans le but narco-analytique d'une abréaction est fort utile; c'est rarement utilisé mais c'est efficace. Le librium ® demeure l'anxiolytique de choix le plus employé.

Apport psychologique: sur le plan psychothérapeutique c'est d'abord une attitude supportive (et non analytique) qui prévaut toujours dans un contexte d'urgence. À long terme c'est le thérapeute qui décidera.

Évidemment, l'examen médical le plus complet possible s'impose à chaque fois que ces symptômes sont présents.

B) *Les troubles de la perception*:

Délire et hallucinations: Le délire et l'hallucination originent quant à eux de troubles psychotiques fonctionnels tels que schizophrénie, états paranoïdes et dépressifs, etc., et de troubles psychotiques organiques, toxicomanies, troubles vasculaires, métaboliques, etc. Ces troubles de la perception occasionnent parfois des comportements désordonnés (agitation, violence, impulsion au suicide ou au meurtre) et l'approche à ces symptômes ne peut **surtout pas** être généralisée. C'est le bon sens clinique qui est le meilleur atout évaluateur ou thérapeutique et dans ces cas, le diagnostic de l'état pathologique sous-jacent doit être rapidement établi.

Conduite thérapeutique: S'il s'agit d'une psychose fonctionnelle (17.3.2, 17.3.3, 17.3.4 et 17.3.6) d'un point de vue psychologique, on doit favoriser une approche supportive plutôt qu'incisive ou obstinée.

Contention pharmacologique:

- Chlorpromazine: - 50 mg i.m. à l'heure ad amenuisement symptomati-
  (Largactil ®)   que.

                     - 100 mg per os à la 1/2 heure ad amenuisement symptomatique.

- Halopéridol: - 2 à 5 mg i.m. à l'heure ad amenuisement symptoma-
  (Haldol ®)   tique.

- Thioridazine: - (1/3 à 1/2 dose de chlorpromazine ci-haut mention-
  (Mellaril ®)   née s'il s'agit d'un patient âgé).

Contention physique: si ce genre de contention doit être employée, le malade ne doit pas être laissé seul et un membre du personnel hospitalier aux allures rassurantes doit être à son chevet.

Contention institutionnelle: le malade doit être gardé sous observation et surveillance jusqu'à ce que l'intensité du trouble perceptuel s'amenuise. Par la suite, selon l'état clinique, les ressources disponibles et l'état pathologique en cause, se pose l'indication d'hospitaliser ou non.

S'il s'agit d'une psychose fonctionnelle ou organique, l'hospitalisation risque de s'avérer plus nécessaire que s'il s'agit d'un processus d'intoxication aiguë à un psychodysleptique quelconque (hallucinogène). Encore là cependant, une évaluation des ressources (présence ou absence d'un réseau de soutien social bien constitué et adéquat quant à apporter de l'aide) guidera la décision thérapeutique.

Délirium: S'il s'agit d'une psychose organique (17.3.1) et plus particulièrement d'un état dit de DELIRIUM c'est-à-dire manifesté principalement par: 1) une obnubilation de la conscience et du sensorium, 2) de l'insomnie, 3) de l'agitation, 4) une attention perturbée, 5) du délire, 6) une désorientation, 7) un état d'angoisse ad panique, 8) des changements brusques d'humeur, 9) un manque de coopération avec le personnel, 10) des hallucinations ou autre trouble perceptuel, 11) de la rage, 12) de l'incohérence, 13) une absence d'introspection et des troubles de mémoire avec comme signes physiques des tremblements, de la sueur profuse, une tachycardie et de l'hyperventilation.

Conduite thérapeutique: Le diagnostic quoique primordial, s'avère parfois impossible à poser rapidement avec certitude alors que l'intervention contrôlante, elle, s'impose d'emblée et c'est la contention pharmacologique qui doit être privilégiée. Ses contre-indications cependant (chapitre 26-27) doivent être extrêmement bien connues. Dans le délirium postopératoire, en général, le syndrome apparaît de 0 à 48 heures après l'intervention chirurgicale, et c'est la chlorpromazine (Largactil ®) qui est la plus utile, à raison:

-de 50 mg per os aux 1 à 2 heures,

-ou 25 mg i.m. aux 1 à 2 heures.

Dans le délirium tremens , s'il est prévisible, une dose de chlordiazépoxyde (Librium®) à raison de 100 mg par heure per os (de 500 à 1000 mg/24 heures) est fort efficace.

Pour le délirium aux opiacés, l'apomorphine: à doser selon les quantités ingérées. Si le patient est conscient et que les opiacés ont été ingérés plutôt qu'injectés, le lavage gastrique s'impose.

Pour l'intoxication aiguë à l'héroïne, le naloxone hydrochloride (Narcan®), à raison de 0.4 mg/1 ml i.v. à répéter aux 2 à 3 minutes ou en soluté.

Pour le délirium posthallucinogène (LSD, psylocybine, mescaline, STP, etc.) amphétamines et cocaïne, la chlorpromazine, la chlordiazépoxyde et le diazépam sont les médicaments de choix à utiliser, car on n'est jamais sûr de la qualité du produit toxique identifié. Les anxiolytiques risquent moins de produire des effets croisés ou davantage toxiques.

Pour le syndrome extra-pyramidal secondaire aux neuroleptiques: une dose de Cogentin® à raison de 2 mg i.m. ou de diphenhydramine (Benadryl®) à raison de 50 mg i.v.

Une observation en milieu hospitalier (**dans un service de médecine interne** de préférence à un service de psychiatrie à moins que la surveillance médicale y soit bien établie) s'impose pour le délirium tremens.

L'approche relationnelle se doit d'être supportive et la mobilisation des proches du malade est essentielle en complément thérapeutique. La chambre "hospitalière" doit être confortable et prévoir un minimum de stimuli sensoriels brusques: il faut atténuer le bruit et tamiser la lumière.

Les troubles de l'affect

A)   L'angoisse et la panique:

Les états anxieux sont aussi nombreux que différents et leur intensité varie du simple malaise à l'état de panique. Leurs manifestations sont de nature psycho-bio-sociale (somatisations multiples, exagération de symptômes, malaises vagues et généralisés, incongruité symptomatique, impression de perdre la raison, désorganisation sociale, peur sans objet réel, etc.) et sont si nombreuses qu'il serait fastidieux de toutes les énumérer. Le "sens clinique" doit être aiguisé et sensible à chaque cas. Et c'est ici que la notion d'urgence fait référence au contre-transfert souvent négatif du médecin. On ne comprend pas pourquoi on consulte à cette heure, en ce jour et en ce lieu pour tel ou tel malaise si on n'est pas sensibilisé à l'angoisse du malade... et alors on ne répond ni à sa demande ni à sa propre frustration.

Cependant, les états de panique, eux, sont facilement identifiables.

Conduite thérapeutique: La panique homosexuelle dont l'approche psychologique doit être supportive; l'approche pharmacologique doit éviter si possible suppositoires et injections et favoriser davantage la médication per os:

- chlorpromazine (Largactil®) ad 100 mg aux 1 à 4 heures,

- halopéridol (Haldol®) 2 à 5 mg aux 1 à 4 heures.

L'approche psychosomatique par relaxation progressive de Jacobson s'avère fort efficace si tant est que l'évaluateur en soit familier. L'intervention de crise est ici particulièrement utile, surtout pour dédramatiser la situation. La personne-ressource devra être choisie en fonction de sa capacité à accepter les projections homosexuelles à son endroit (si elle est du même sexe que l'individu paniqué) et de sa capacité à rassurer, à supporter et non à culpabiliser ou stimuler. L'analyse en profondeur d'un tel état à ce moment est contre-indiquée.

Autres paniques: la médication peut être plus légère:

- chlorpromazine (Largactil®) 25 mg per os aux 4 heures pour les angoisses d'intensité psychotique,

- diazépam (Valium®) 10 à 20 mg per os aux 4 heures pour l'anxiété d'intensité névrotique.

B) *La colère excessive:*

Si elle n'est que verbale, il faut s'asseoir et l'écouter. C'est l'abréaction que le malade a choisi comme mode d'expression. Le passage à l'acte violent, par contre, nécessite une contention rapide et énergique.

Conduite thérapeutique: Il faut bien sûr pouvoir s'isoler avec le malade si tant est que ses échanges verbaux, souvent sur ton fort et violent, dérangent l'entourage immédiat (d'un patient qui nécessiterait un repos absolu par exemple).

Il faut aussi que l'évaluateur se sente en sécurité et à l'aise, qu'il puisse compter sur l'intervention immédiate de quelqu'un d'autre (policier, agent de sécurité, auxiliaire, etc.) en cas de danger pour lui.

Il ne faut pas que son attitude provoque ou augmente la colère de l'individu en face de lui mais plutôt lui permette de la "sortir", de l'abréagir en paroles mais non en actes.

La médication ne devrait être donnée qu'au moment où le malade a eu l'occasion de s'exprimer suffisamment et que quelqu'un lui ait manifesté que son "message" a été compris, sans être jugé "négativement".

C) *La dépression:*

Il faut savoir distinguer entre la dépression d'intensité psychotique de celle qui ne l'est pas. Il faut aussi savoir différencier la dépression de la tristesse qui est un état de l'humeur et non une maladie.

Tout un chacun ressent des affects dépressifs d'intensité variable et la manifestation de ces affects varie beaucoup. Pour en énumérer les principaux symptômes: idées suicidaires, désespoir, détresse, autodévalorisation, mélancolie, perte de l'appétit, perte de poids, troubles du sommeil, apathie, absence de libido, ralentissement psychomoteur, fatigabilité et souvent dès le réveil, solitude, cafard, pessimisme, constipation, tristesse, propension à l'alcool, etc.

Les étiologies sont multiples. Il faut se rappeler qu'elles peuvent aussi être biologiques (médication antihypertensive genre réserpine, hypokaliémie secondaire aux diurétiques, hépatite, carcinome du pancréas, etc.). L'évaluation du risque suicidaire est à faire consciencieusement.

Conduite thérapeutique: Dans un contexte d'urgence, il est inutile de penser commencer un traitement définitif (ou antidépresseur d'emblée). Il faut surtout se montrer empathique, très supportif et veiller au confort du malade entre autres par une médication hypnotique appropriée si on décide de l'observer durant quelques jours. A cet effet, la diphenhydramine (Benadryl®) à dose de 50 mg ou le flurazépam (Dalmane®) à dose variant de 15 à 30 mg sont deux médicaments fort appropriés (per os évidemment).

Si la dépression est psychotique (et je vous réfère au chapitre 12 pour le détail de ses composantes), il faut de plus rechercher si une médication ou un traitement antérieur a été institué et veiller à ajuster en conséquence. Sinon, on peut débuter le traitement pharmacologique antidépresseur, en sachant que les effets bénéfiques de celui-ci ne se manifestent qu'à long terme. La consultation psychiatrique s'avère nécessaire pour décider de l'hospitalisation ou non de ce genre de malade. Si le risque suicidaire est évident, il ne faut pas hésiter à hospitaliser. L'intensité dépressive et la présence ou l'absence de ressources extérieures adéquates pour le malade influenceront la décision d'une hospitalisation.

Les troubles du comportement

A) *Agitation et Violence:*

Ces comportements sont les plus spectaculaires et les plus difficiles à contrer. Le patient qui frappe, qui crie, qui se débat, qui casse tout sur son passage soulève autant d'émotions que de désirs d'intervention de la part des témoins de tels gestes incontrôlables. De tels états peuvent causer des blessures parfois fatales (pulsions homicidaires ou suicidaires) à l'individu agité et violent ou aux personnes de l'entourage. L'on se doit d'intervenir rapidement et adéquatement sans semer la panique et sans déclencher d'autres violences ou agitations.

Rapidement, il faut savoir distinguer entre la violence d'un patient psychotique (état de manie, schizophrénie, etc.) de celle du patient non psychotique (épilepsie et intoxication aiguë à l'alcool par exemple).

Conduite thérapeutique: Dans ce cas, après examen médical sommaire, l'emploi de l'amytal sodique (ad 500 mg i.v. très lentement) permet souvent de distinguer le psychotique du non-psychotique. Une médication anxiolytique permet aussi de trancher la question diagnostique, le psychotique demeurant psychotique une fois l'effet de la médication terminé. Il faut bien sûr se fier à l'histoire rapportée avant d'administrer un tel produit pour éviter les effets nocifs, toxiques ou croisés.

J'insiste sur le fait suivant: si le malade n'est pas psychotique, il peut être alerte ou très rationnel après ce traitement ou présenter une amnésie rétrograde importante. S'il est psychotique, les symptômes particuliers à la psychose persistent.

En somme, il s'agit de traiter selon l'étiologie et hospitaliser d'emblée si l'agitation persiste après médication.

Contention pharmacologique:

- chlorpromazine: 50 mg i.m. aux 30 minutes en surveillant les
  (Largactil ®)   signes vitaux et notamment la tension arté-
                        rielle

- ou chlordiazépoxyde: 50 mg i.m. aux 30 minutes
  (Librium ®)

- ou diazépam: 20 mg i.m. aux 30 minutes
  (Valium ®)

- ou halopéridol: 5 mg i.m.aux 60 minutes en surveillant les symp-
  (Haldol ®)   tômes extra-pyramidaux et les signes vitaux.

Contention sismothérapique:

1.   1 ECT stat

2.   1 ECT 5 minutes plus tard

3.   1 ECT 60 minutes plus tard

4.   1 ECT 24 heures plus tard

Pratiquement, on n'utilise pas cette contention dans nos salles d'urgence.

Contention mécanique: Dans ces cas-ci, elle est très dangereuse pour le malade qui peut soit développer une hyperthermie fatale, soit une excitation catatonique. Cette forme de contention, nous l'avons dit précédemment, ne doit plus être employée comme seule et unique mesure de contrôle.

Contention psychologique: La persuasion est parfois impossible et devant le patient violent nul n'est tenu à l'héroïsme. Cependant, une attitude calme et amicale est supérieure à une attitude effarouchée, incontrôlée et incontrôlable.

Le questionnaire des proches doit renseigner sur la nature du produit ingéré quand il s'agit d'intoxication médicamenteuse.

B)   *La stupeur:*

On entend par stupeur cet état relatif d'absence de réponse aux stimuli de l'environnement. Elle se distingue du coma en termes purement "quantitatifs". Le patient est immobile, muet et ne répond pas aux stimuli même vigoureux; cependant, il ne souffre d'aucun syndrome organique cérébral et ses **réflexes sont préservés** alors qu'en coma profond, ils sont abolis. Dans la stupeur catatonique par exemple, le malade ne répond pas à l'environnement mais semble quand même très préoccupé. Il est d'ailleurs capable de rendre compte de cet état en rétrospective.

Conduite thérapeutique: "L'ABC" de l'examen médical doit ici primer, le diagnostic différentiel d'avec un état comateux étant parfois ardu. **S'il** s'agit vraiment d'une stupeur catatonique, ce qui est très rare, théoriquement, c'est la sismothérapie qui est l'instrument de choix et de la même façon que précédemment, c'est-à-dire:

1.   1 ECT stat

2.   1 ECT 5 minutes plus tard

3.   1 ECT 60 minutes plus tard

4.   1 ECT 24 heures plus tard

Cependant, on n'emploie pratiquement jamais cette technique dans une salle d'urgence.

Il n'est pas question ici de contention mécanique et l'approche psychothérapeutique s'avère fort difficile sinon impensable dans un contexte d'urgence. Une attitude douce et sympathique est évidemment supérieure à l'attitude exaspérée ou obstinée de vouloir soutirer à tout prix quelques mots du malade. La pharmacothérapie peut attendre, à mon avis, au moins jusqu'à ce que le diagnostic, obtenu par l'évaluation complète avec documentation historique de la part des proches, soit posé.

L'hospitalisation s'impose, de même que le traitement médical de replétion en eau et électrolytes si déshydratation.

17.5.2   Les manifestations biologiques et sociales

Il n'est pas de notre ressort de décrire ici l'examen médical complet. Mais l'on insistera jamais assez sur son importance, surtout quand les symptômes ou problèmes présentés sont si "pressants" qu'ils nous induisent souvent à omettre certaines particularités de l'examen pourtant fort bien connues.

Ainsi, une atteinte de l'état général ou tout symptôme neurologique (anisocorie, tremblements fins, mouvements désordonnés, etc.) nécessitent une investigation rapide bien sûr, mais la plus poussée qui soit. Il faut savoir rechercher les causes organiques de la stupeur (bien proche du coma), de l'agitation, du délirium et autres symptômes précédemment décrits et ce, avant même évidemment d'instituer une contention pharmacologique qui pourrait, on le sait, être fatale.

Il faut aussi être suffisamment attentif à l'inquiétude de ceux qui accompagnent le malade. Quelque chose qui nous échappe à l'examen peut les avoir frappés: bizarrerie subtile, liquidation d'affaires, attitude fort inhabituelle, excentricité, etc., et surtout la détérioration progressive des relations inter-personnelles: au travail, à la maison, aux loisirs (dans le sens d'un retrait, d'une violence verbale, d'une bonne humeur excessive, etc.). Ce sont là souvent les premiers signes d'une éventuelle décompensation psychiatrique plus spectaculaire ou même d'une pathologie organique sévère dont on ne s'apercevra qu'après coup (voir tableau 17.3).

17.6   L'ÉTAT SUICIDAIRE

On ne sait toujours pas pourquoi les gens se suicident. D'un point de vue philosophique, le suicide trahit au premier chef le désir de surmonter l'irréversibilité, mais dans l'antécédence. Epicure en a dit: ''C'est parfois la peur de la mort qui pousse les hommes à la mort''. Se donner la mort, c'est clore son destin en se précipitant dans l'immédiatement antérieur.

Qu'importe la cause immédiate: corps dont les infirmités importunent, échecs successifs qui transforment le destin, désespoir, mélancolie, perte d'intérêt...

Il est difficile d'éviter de porter un jugement moral à l'égard du suicidaire; le volontaire de la mort dresse le procès de la vie en général, mais par là même celui de ses proches, de la société ou du système politique. Néanmoins, s'il engendre des réactions aussi extrêmes que l'estime ou le dégoût, le suicide suscite plus fréquemment sympathie et pitié auxquelles n'est pas sans se mêler un indéfendable sentiment de culpabilité.

Situé aux confins du normal et du pathologique, il semblerait justiciable autant d'une analyse philosophique que d'une explication psycho-bio-sociale. Mais c'est la clinique qui constitue la voie principale sinon la seule pour son étude pratique.

17.6.1   Épidémiologie

7.6/100,000 population, Canada, 1963;

11.2/100,000 population, Canada, 1972;

12.2/100,000 population, Canada, 1973.

Il s'agit là bien sûr de suicides ''déclarés''. On constate qu'en dix ans, il y a eu une augmentation approximative de 60% du taux de suicide. Le problème est d'envergure. Si l'on compare ces chiffres à ceux d'autres états, l'on s'aperçoit qu'ils sont identiques ou presque à ceux des U.S.A. mais moindres

TABLEAU 17.3: Tableau schématif récapitulatif

ATOUTS THÉRAPEUTIQUES	MANIFESTATIONS PSYCHOLOGIQUES									BIOLOGIQUES	SOCIALES	
	T. de la pensée			T. de l'affect			T. du comportement			Atteinte État général	Détérioration relations interpers.	Inquiétude collective
	dissociation	T. perception	délirium	panique	colère	dépression	agitation	violence	stupeur			
EXAMEN MÉDICAL COMPLET	+	+	+	+	+	++	+	+	+++	++	+	+
INTERVENT. DE CRISE	+	+		+	+	+	+	+		+	++	++
CONTENTION PSYCHOLOGIQUE	+	+		+	++	+++	+	+	+		++	++
CONTENTION MÉCANIQUE				±				++				
CONTENTION SISMOTHÉRAPIQUE						si sévère +	+++	+++	si indiquée +			
CONTENTION INSTITU-TIONNELLE		+	+++	±	±	+	+	+	+++			
CONTENTION PSYCHO-SOMATIQUE	+	+		++	++	++	+					
CONTENTION BIOCHIMIQUE en fonction de 70 kg	200-800 mg i.v.											
AMYTAL SODIQUE							200-800 mg i.v.	200-800 mg i.v.				
CHLORPORMAZINE THIORIDAZINE		50 mg i.m. 100 mg p.o. q 1 h		100 mg p.o q 1-4 h			50 mg i.m. q 30 min.	50 mg i.m. q 30 min.				
HALOPERIDOL		3 à 5 mg i.m. q 1 h		2 à 5 mg p.o q 1 h			5 mg i.m. q 1 h	5 mg i.m. q 1 h				
DIAZEPAM		5 à 10 mg i.v. ou i.M. q 1 h	20-40mg p.o. et 10mg q 1 h	10 à 20 mg p.o. q 4 h			20 mg i.m. q 30 min.	20 mg i.m. q 30 min.				
CHLORDIAZEPOXYDE		100 mg i.m. ou p.o. q 1 h	50 à 100mg p.o. q 1 h	25 mg p.o. q 4 h			50 mg i.m. q 30 min.	50 mg i.m. q 30 min.				
FLURAZEPAM						15 à 30 mg p.o. H.S.						
DIPHENHYDRAMINE						50 mg H.S. p.o.						

qu'en Suède ou au Japon, où les proportions atteignent 25/100,000 population. Donc de 700 à 800 Québécois, selon ces chiffres, se suicideraient par année. Ce taux augmente considérablement si l'on considère la population de médecins (en fait, il quadruple).

Il faut de plus multiplier par 8 pour connaître le nombre de tentatives.

Le suicide est surtout un phénomène de l'âge mûr et du troisième âge, mais si l'on considère le groupe des jeunes adultes de 15 à 35 ans, le suicide serait la seconde cause de mort après les accidents.

17.6.2 "Mythologie"

Il faudrait maintenant démystifier certaines idées fausses relatives au patient suicidaire et qui sont véhiculées dans le monde médical (et tirées de Schneidman) (7).

1. Ceux qui en parlent ne le font pas. C'est **FAUX.** 8/10 de ceux qui font une tentative sérieuse en avaient parlé auparavant.

2. La tentative survient sans avertissement. C'est **FAUX.** Cela est très rare. Le geste impulsif, ça existe mais c'est rare.

3. Le patient veut vraiment mourir. C'est **FAUX.** Le moment où il peut désirer mourir n'est que transitoire, et de courte durée pour la plupart des cas.

4. Une fois suicidaire, toujours suicidaire. C'est **FAUX.** Le moment suicidaire n'est souvent qu'un moment très court dans la vie d'un individu, bien qu'il puisse réapparaître.

5. Si le patient s'améliore rapidement après le geste, le risque n'existe plus. C'est **FAUX.** Il faut observer, revoir, réévaluer ce genre de malades après avoir établi avec lui un plan de traitement à plus ou moins long terme.

6. Cela survient plus souvent chez les riches que chez les pauvres. C'est encore **FAUX.** Cela peut arriver également à tout le monde.

7. C'est héréditaire. C'est **FAUX** (sauf pour les troubles bipolaires ou le risque est plus grand si un parent s'est déjà suicidé).

8. Cela n'arrive qu'à des malades mentaux ou psychotiques. C'est **FAUX.** Cela peut vous arriver à vous.

A cela, réajoutons qu'on ne sait toujours pas de façon certaine pourquoi les gens se suicident et que toutes les études qui ont été faites n'ont pu l'être que de façon rétrospective et hypothétique.

17.6.3 Évaluation du risque suicidaire (voir tableau 17.4)

L'évaluation du risque suicidaire implique d'abord et avant tout une attitude d'écoute. Ecouter attentivement en vue de poser un diagnostic, documenter les ressources actuelles de l'environnement en vue de mobiliser tout ce

TABLEAU 17.4:   Critères de dangerosité suicidaire

	DANGEREUX + +		DANGEREUX + A±
1) L'âge:	> 40 ans		< 40 ans
2) Le sexe:	Masculin		Féminin
3) L'origine ethnique:	Noir-immigré		Blanc-natif
4) La religion:	aucune > protestant >	juif >	catholique
5) Le statut:	divorcé > célibataire >		marié
6) L'emploi régulier:	chômeur > travailleur occasionnel >		travailleur régulier
7) Les amis:	aucun >		quelques
8) La famille:	aucune >		bons liens avec famille
9) La vie sociale:	aucune >		bien remplie
10) Les tentatives antérieures:	une ou plusieurs >		aucune
11) La rumination:	présente >		absente
12) L'élaboration d'un plan:	oui >		non
13) La lettre d'adieu:	oui >		non
14) L'alcoolisme:	oui >		non
15) La ou les pathologies sous-jacentes	oui >		non
16) L'état d'esprit:	morbide, cynique, ralenti, taciturne >		vivace, expressif
17) L'état affectif:	dépressif, plat >		triste ou autre

qui selon notre jugement clinique peut contribuer à aider le malade. Il s'agit à mon avis de développer davantage une philosophie d'écoute que d'en apprendre les facettes techniques (critères de dangerosité) qui sont cependant fort utiles à connaître.

17.6.4 L'approche thérapeutique

Après évaluation du risque, examen médical complet du malade (y compris le questionnaire psychiatrique) la décision d'hospitaliser ou non en milieu psychiatrique ou pas est une question épineuse, un moment difficile pour le médecin. Il n'y a aucune règle absolue à cet effet et seul le jugement clinique aidera à trancher la question. Dans le doute ou devant l'évidence d'un suicide imminent, la prudence est de mise et l'hospitalisation en milieu psychiatrique est recommandable. Quoi qu'il en soit, l'observation continue du malade doit être commencée et chaque clinicien doit connaître à fond les ressources de son milieu à cet effet. Souvent, l'hospitalisation dépend du réseau social de soutien.

17.6.5 Prévention

Peut-on prévenir le suicide?

Considérons maintenant les efforts de prévention en général qui ont été mis de l'avant et sont encore maintenus.

D'abord l'organisation des soins psychiatriques qui avec l'avènement de la psychiatrie communautaire, la sectorisation, l'emploi plus adéquat de toutes les ressources, a permis, en théorie du moins, une disponibilité plus grande, une accessibilité accrue aux soins et a favorisé une approche multidisciplinaire.

Cependant, une étude récente faite au Royaume-Uni comparant les villes dites samaritaines aux non samaritaines ne montre aucune différence significative quant à la baisse de l'incidence. Une autre étude, suédoise celle-là, sur l'île de Samso n'a démontré aucune baisse du taux de suicide après l'établissement d'une institution psychiatrique (2) (4).

Le phénomène des lignes ouvertes: sans doute que ces disponibilités radiophoniques, téléphoniques ont pu et su à un moment donné aider un individu désespéré. Mais encore là, aucune étude ne montre d'évidence quant à l'efficacité d'une telle méthode.

Les mouvements **visant à diminuer la publicisation outrancière** des gestes suicidaires ou violents:

Ici, c'est le "gros bon sens" qui nous fait dire que ces mouvements contre-publicitaires ont leur raison d'être tout comme ils ont raison de s'inscrire en faux et de s'insurger contre les accessibilités trop faciles aux analgésiques, à l'alcool, aux A.A.S. et autres produits à potentiel toxique qui favorisent l'ambiance, président ou sont les instruments du geste suicidaire.

L'éducation médicale et paramédicale continue, en améliorant la connaissance du travailleur de la santé actif, en stimulant sa réflexion et en l'éveillant de temps à autre pourrait aussi être considérée comme un effort valable bien qu'indirect de prévention au suicide.

En ce qui nous concerne comme praticiens de première ligne, sachons que 8/10 des suicidés ont cherché de l'aide ou ont parlé de leur idée suicidaire à des médecins dans une période précédant de un à trois mois l'exécution de leur geste. Qu'en conclure?

Que la seule aide d'un médecin n'est pas suffisante en soi? C'est fort possible. Que le médecin n'est pas à l'écoute de façon adéquate de ses malades? Ça aussi c'est possible.

Dans une perspective de médecine opératoire, efficace, productive, rapide, parfois déshumanisée (?), ces deux questions, je pense, se fusionnent et se confondent. Le médecin-ordinateur est à mon avis inadéquat pour l'évaluation de ce problème. Le véritable effort préventif et qui ne coûtera rien à l'Etat est le développement d'une attitude d'écoute. Apprendre à écouter et à se taire. Se demander davantage quand et comment écouter, plutôt que "quoi dire"?

En conclusion à la question: Peut-on prévenir le suicide? Je réponds: "Peut-être" et je m'associe et souscris aux suggestions de Fenton et Mann (4):

1- Que les cliniciens tant médicaux que paramédicaux prennent toujours au sérieux toute allusion, idéation ou rumination suicidaire.

2- Qu'on établisse une prise en charge serrée de tous les cas de tentative.

3- Que des liens étroits unissent cliniciens, omnipraticiens et psychiatres d'urgence.

4- Que les efforts consacrés à la recherche ne cessent pas malgré les déceptions.

5- Que les divers gouvernements ne reculent pas devant leurs responsabilités sociales ou politiques face aux individus à risque élevé:

- Services sociaux pour les gens âgés;

- le soulagement de la solitude;

- la production de logements adéquats;

- la lutte contre le chômage.

6- Enfin, que le médecin soit toujours un médecin, c'est-à-dire un aidant.

BIBLIOGRAPHIE

1- ARIETI. "Psychiatric Emergencies: Evaluation and Management". *American Handbook of Psychiatry.* Vol. V, 1974.

2- BUGLASS, D., HORTON, J. "A Scale for Predicting Subsequent Suicidal Behavior". *Brit. J. Psychiatry.* 124, 573-578, 1974.

3- DE MONTREMY, J. "Pourquoi, quand, où, comment prévenir le suicide?" *Psychologie médicale.* Tome 9 (9), 1613-1619, 1977.

4- FENTON, F.R., MANN, A.M. "Is suicide preventable?" *Revue de psychiatrie de l'Université d'Ottawa.* Vol. 1 (1-2), 65-68, 1978.

5- LINN, L. *Other Psychiatric Emergencies.* Freedman & Kaplan, Williams & Wilkins, 1785-1798, 1975.

6- MENARD, B. "Evaluation de la condition psychiatrique". *Le Médecin du Québec.* 61-67, Juin 76.

7- SHNEIDMAN, E. "Suicide". *Comprehensive Textbook of Psychiatry.* Freedman & Kaplan, Williams & Wilkins, 1774-1785, 1975.

8- SLABY, A.E. LIEB, J., TANCREDI, L. *Handbook of Psychiatric Emergencies.* Medical Examination Publishing Co. Inc., 1975.

CHAPITRE 18

LES DYSFONCTIONS SEXUELLES

Edouard Beltrami et Normande Couture

18.1 INTRODUCTION

18.1.1 Définition

Les dysfonctions sexuelles, également appelées sexoses par certains auteurs (Crépault, 1976) ou insuffisances sexuelles, etc., représentent pour un individu, masculin ou féminin, le manque de désir ou l'incapacité de passer à travers le cycle complet des quatre phases de la réponse sexuelle décrites par Masters & Johnson (1971) dans "Les mésententes sexuelles", et ce, dans des situations et avec un partenaire jugés comme adéquats.

18.1.2 Historique

Observations cliniques du XIXe siècle

Le comportement sexuel était, par le passé, prescrit par des normes religieuses et sociales. Le comportement véritable des individus est resté longtemps dans l'ombre car la privauté même de ce comportement lui permettait d'échapper aux normes. Les premières tentatives scientifiques ont été faites à partir d'expertises médico-légales de criminels comme celles décrites par le médecin légiste Krafft-Ebing (1840-1902) dans "Psychopathia Sexualis" ou de patients psychiatriques (Freud, 1856-1939). Si tous les criminels sexuels et les psychopathes se masturbaient, la tentation était grande de voir dans la masturbation l'étiologie de ces pathologies. Bien que Havelock Ellis (1859-1939) ait essayé de définir une sexualité plus normale, ses observations restaient appuyées sur la méthode scientifique qui depuis Claude Bernard est la pierre angulaire de la médecine moderne.

La méthode scientifique du XXe siècle

a) **Sociologie**: On doit à l'obstination persévérante d'un professeur de biologie, Alfred C. Kinsey, spécialisé dans l'étude des insectes (les cynips), les premières données statistiques de la sexualité humaine avec "Sexual Behavior of the Human Male" (1948) et plus tard "Sexual Behavior of the Human Female" (1952). Les deux rapports portaient sur la vie sexuelle de plus de 10,000 individus.

b) **Physiologie:** Il a fallu attendre les études du gynécologue William Masters et de sa collaboratrice Virginia Johnson avec l'apparition de "Les réactions sexuelles" (1968) pour connaître la réponse sexuelle vérifiée sur le champ en laboratoire sans être obligé de se fier à des faits relatés.

Recherches récentes en sexophysiologie

La méthode primitive du laboratoire a été adoucie par les techniques de télémétries qui permettent d'analyser la réponse sexuelle tout au long de la journée et dans la chambre à coucher habituelle d'un individu avec son partenaire habituel par C.A. Fox et B. Fox (1971), P. Sarrel (1976). Le rôle des hormones et de l'hérédité sur l'identité sexuelle, le dimorphisme sexuel et l'érotisme ont été clarifiés dans "Man and Woman, Boy and Girl" (1972), par le psychologue John Money, de l'hôpital Johns Hopkins.

Traitement

Mais la véritable révolution dans le traitement des problèmes sexuels éclate lorsque, en 1971, Masters et Johnson publient "Les mésententes sexuelles". Les traitements de l'impuissance ou de l'anorgasmie féminine qui pouvaient prendre plusieurs années par les techniques psychiatriques habituelles avec des résultats à peine supérieurs à 20%, sont réduits à un traitement intensif de 15 jours, avec 80% de succès en fin de traitement, et 75% cinq ans après.

Une fois de plus, la méthode scientifique avait triomphé: un traitement doit se faire après une bonne connaissance de la physiologie et après une séméiologie qui reflète cette connaissance physiologique.

18.2 SEXOPHYSIOLOGIE DE LA RÉPONSE SEXUELLE HUMAINE

18.2.1 Généralités

On signale que Masters et Johnson ont eu le grand mérite d'analyser la réponse sexuelle humaine et de l'illustrer au moyen de courbes où ils mettaient en ordonnée le niveau de congestion des organes sexuels qu'il ne faut pas confondre avec le niveau d'excitation et l'intensité de la réponse sexuelle, et encore moins avec le niveau de satisfaction sexuelle. L'abscisse indique le temps écoulé depuis le début de la stimulation.

FIGURE 18.1: Cycle de la réponse sexuelle de l'homme

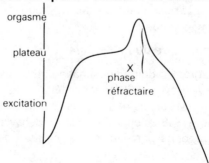

orgasme

plateau

X
phase
réfractaire

excitation

FIGURE 18.2: **Cycle de la réponse sexuelle de la femme**

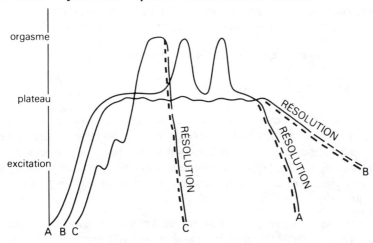

Un des avantages importants des travaux de Masters & Johnson est d'avoir divisé la réponse sexuelle en quatre phases distinctes par les réactions physiologiques suivantes:

— Excitation: caractérisée essentiellement par l'érection chez l'homme et la lubrification vaginale chez la femme.

— Plateau: érection complétée et gonflement du gland chez l'homme et apparition de la plate-forme orgasmique chez la femme.

— Orgasme: éjaculation avec contractions du cordon spermatique, des vésicules séminales, de la prostate et de l'urètre chez l'homme et contractions vaginales et utérines chez la femme.

— Résolution: détumescence générale des organes génitaux, sentiment de bien-être et relaxation chez l'homme et la femme; période réfractaire pour l'homme adulte et âgé.

Masters & Johnson ont fait oeuvre de pionniers, de grande importance; ils ont analysé un grand nombre de réponses physiologiques aussi subtiles que la coloration de la peau, la remontée des testicules, la tumescence du clitoris même si elle n'était pas toujours visible à l'oeil nu. Ces informations, quoique importantes, ne doivent pas amener le clinicien à penser que toutes ces réactions peuvent se noter dans la vie sexuelle quotidienne. Il ne faut pas oublier qu'un grand nombre d'entre elles sont inconstantes et n'arrivent que dans un certain pourcentage des cas; que d'autres sont impossibles à observer en dehors des observations de laboratoire comme pour la rougeur sexuelle; que d'autres comme la remontée des testicules peuvent être provoquées, comme le médecin le sait, par d'autres stimulations, en particulier tout ce qui amène le réflexe crémastérien.

Nous allons maintenant examiner les réponses sexuelles les plus constantes, les plus caractéristiques et les plus utilisables en clinique, soit en questionnant le patient, soit en questionnant son partenaire.

18.2.2 Réponse sexuelle de l homme adulte

Intérêt sexuel

Avant même que l'homme arrive à une pleine excitation sexuelle et à une érection, il trahit son orientation sexuelle par ses réactions physiologiques. De toutes les mesures expérimentées, la mesure des changements discrets du pénis semble encore la plus précise. Plusieurs appareils ont été mis au point; celui de Freund semble pouvoir détecter des changements légers et ainsi diagnostiquer avec efficacité.

Par la suite, un grand nombre de techniques beaucoup plus simples, décrites par Bancroft (1974) dans "Deviant Sexual Behavior", ont permis l'utilisation d'une technique qui s'appelle la pléthysmographie pénienne. En clinique cette technique sert soit le diagnostic, soit le traitement.

D'autres mesures physiologiques, qui ne sont pas d'utilisation courante, témoignent de la variation de l'intérêt sexuel: le diamètre de la pupille et les phosphatases urinaires acides augmentent avec l'intérêt sexuel.

D'autres recherches cliniques (Jules Bureau, 1976; Edouard Beltrami, 1976) semblent indiquer que, pour que l'intérêt sexuel soit maintenu malgré les obstacles de la vie courante, il faut les conditions suivantes:

— une fréquence minimum de fantasmes sexuels (scénarios imaginaires);
— une capacité de se concentrer, sans être distrait, sur ses fantasmes sexuels;
— la conscientisation de ses propres changements physiologiques et de ceux de son partenaire.

Excitation sexuelle: érection

Par l'érection du pénis, l'homme montre plus qu'un intérêt sexuel; il entre en phase d'excitation, la première des quatre phases du cycle de la réponse sexuelle telle que définie par Masters & Johnson (1968). Les érections non liées à un vécu érotique sont rares. Elles sont habituellement le fait d'une relâche de l'inhibition corticale, libérant ainsi les influx du centre de l'érection situé au niveau des vertèbres sacrées. La mort par pendaison et l'anesthésie profonde sont les deux conditions dans lesquelles l'érection peut être détachée d'un vécu érotique.

Certains domaines sont moins clairs. Les érections "réflexes" qui peuvent arriver dans la vie d'un homme peuvent être accompagnées de fantaisies sexuelles non reconnues.

Des études récentes montrent que les érections nocturnes chez les hommes adultes sont significativement reliées aux rêves du type POM (phase oculaire motrice) (en anglais: REM Rapid Eye Movement) même si ces rêves ne sont pas à contenu érotique. Néanmoins, les rêves de type POM à contenu anxiogène sont plus rarement accompagnés d'érection.

On peut résumer la neurophysiologie de l'érection de la manière suivante: les sensations de la peau et des muqueuses lors des contacts sexuels empruntent les nerfs sensitifs somatiques (au niveau du pénis: nerf honteux) puis montent au thalamus spécifique par la voie spinothalamique latérale; de là, elles se projettent à l'aire sensorielle du cortex où ces zones sensitives sont fidèlement représentées. Simultanément ou antérieurement apparaissent, au cortex frontal d'association, des souvenirs défavorables ou favorables; dans ce dernier cas, il y a activation du septum du lobe limbique qui donne à l'individu la coloration affective du plaisir. Du septum et de l'hypothalamus, une motricité viscérale descend par le faisceau prosencéphalique médian. Ces influx moteurs se synapsent à la corne intermédiolatérale de la moëlle sacrée: S2, S3, S4. Le parasympathique sacré, par la médiation du nerf honteux, ouvre les anastomoses entre les artérioles et les espaces vasculaires des tissus érectiles (Conti, 1952) amenant ainsi le pénis à sa forme d'érection. Des affects, émotions et souvenirs désagréables, activent l'amydale du lobe limbique, donnant une coloration émotionnelle négative qui, par les mêmes voies, aura tendance à inhiber l'érection. On peut donc considérer, en règle générale, l'érection comme un signe spécifique et constant de l'excitation sexuelle chez l'homme.

Les phénomènes qui accompagnent l'érection en phase d'excitation sont pour la plupart constants mais non spécifiques. Les testicules remontent aussi bien par la contraction du Dartos que par le raccourcissement du cordon spermatique. La veine spermatique gauche se jetant dans la veine rénale au lieu du tronc de la veine cave inférieure, le testicule gauche est plus lourd et plus bas que le droit dans 80% des cas. Ainsi, le testicule droit est-il plus rapide à remonter jusqu'à la paroi abdominale. De toute façon, l'élévation des testicules n'est que partielle en phase d'excitation.

La phase en plateau

La deuxième phase du cycle de la réponse sexuelle, la phase en plateau, est caractérisée par une érection complète et plus prononcée, une augmentation involontaire vasocongestive du diamètre dans la zone de la couronne et du gland et une augmentation de la coloration rouge violet du gland (inconstant). Le méat urétral, qui était devenu transversal en phase d'excitation, triple son diamètre. La distension du tube urétral et la remontée complète du testicule droit signent l'imminence de l'éjaculation. A ce moment, les testicules ont augmenté leur volume d'au moins 50%. On voit également apparaître une sécrétion incolore, inodore et en faible quantité, venant des glandes de Cooper et ayant une fonction de lubrification du canal urétral.

L'orgasme masculin

L'orgasme masculin est un sentiment subjectif de plaisir intense qui s'accompagne le plus souvent d'une éjaculation. Il se déroule en deux phases chez l'homme adulte.

a) **Première phase**: Une stimulation soutenue du pénis finit par s'accompagner d'une activité sympathique accrue pour finalement exciter le centre médulaire de l'orgasme situé au niveau lombaire. Les sensations des organes accessoires internes (cordon spermatique, vésicules séminales, prostate) activent les sensations viscérales qui, véhiculées par les nerfs hypogastriques, montent par étages successifs avec des arrêts à la substance réticulée du bulbe, de la protubérance et du thalamus non spécifique, pour donner de nouveau une coloration encore plus agréable et intense caractérisée par une activité électrique du septum. De là, par le faisceau prosencéphalique médian, les influx descendent à la corne intermédiolatérale de la moëlle dorsale et lombaire pour favoriser une réponse sympathique au niveau des organes accessoires internes. Cette première phase est caractérisée par une mise sous pression du liquide séminal dans l'urètre prostatique entre le sphincter interne et le sphincter externe de la vessie qui restent fermés pendant cette phase. Le tout est ressenti par l'homme comme une impression caractéristique de perte de contrôle de l'éjaculation, ou un sentiment de "sentir venir" l'éjaculation.

b) **Deuxième phase**: Dans la deuxième phase, commandée cette fois par le parasympathique sacré, le sphincter externe de la vessie s'ouvre et se contracte régulièrement, à un intervalle de 0.8 seconde, ainsi que les organes accessoires internes et la portion de l'urètre pénien (6 à 10 contractions). L'orgasme masculin s'accompagne aussi de contractions du rectum (2 à 4), très constantes, de contractions des muscles ischiocaverneux, des transverses du périnée, d'une augmentation générale du tonus musculaire, d'une augmentation du rythme respiratoire et du rythme cardiaque. Toutes ces activités viscérales sont ressenties d'une manière vague, floue mais très intense et agréable pendant environ dix secondes.

La phase de résolution

Cette phase arrive, d'une manière constante, après l'orgasme masculin. Elle est un état de détente et de retour à la normale de tous les changements qui ont eu lieu pendant le cycle de la réponse sexuelle. L'individu est alors réfractaire à toute stimulation sexuelle pendant un temps qui varie suivant son âge et la situation. Le système parasympathique, étant considéré comme le système de récupération de l'individu, est responsable de cette phase. L'involution du pénis peut prendre de quelques secondes à vingt minutes suivant l'âge et la circonstance.

Conclusion

Masters & Johnson ont eu le grand mérite de nous démontrer en laboratoire la plupart des phénomènes cités. De plus, ils ont pu montrer:

— que la taille du pénis n'est pas proportionnelle au physique de l'individu;

— que la taille des pénis en érection varie assez peu: 5.5″ à 6.5″;

— que les pénis circoncis sont au même niveau de sensibilité que les autres;

— que la physiologie du coït diffère peu de la physiologie de la masturbation;

— que le plaisir orgasmique semble proportionnel au volume de l'éjaculat;

— que l'homme, contrairement à la femme, a une période réfractaire dans laquelle, quelle que soit la stimulation, il ne peut avoir une nouvelle érection.

Il ne faut cependant pas oublier que tout cela est valable pour leur échantillonnage qui a peut-être des caractéristiques psychologiques particulières (Maslow, 1965).

Fox, Ismail et coll. (1972) ont montré que la testostérone plasmatique augmente d'une manière significative après les relations sexuelles coïtales, alors que la masturbation ne donne pas de changement. Ces données nous montrent que la similitude entre coït et masturbation n'est que grossière. De plus, l'étude des préadolescents et de l'homme du IIIe âge montre que l'orgasme n'est pas toujours proportionnel au volume de l'éjaculat.

On peut conclure que Masters & Johnson nous ont ouvert la voie en donnant l'essentiel des données actuelles sur la physiologie sexuelle. Néanmoins, cette base devra être nuancée par les recherches modernes qui se préoccupent de plus en plus du critère de qualité et de satisfaction. L'approche neurophysiologique semble devoir doubler et donner un sens aux données purement périphériques.

18.2.3 Réponse sexuelle du préadolescent

Les érections arrivent à tout âge et dès la naissance. Comme l'homme adulte, le préadolescent a un grand nombre de rêves POM qui s'accompagnent d'érection. Kinsey a noté des orgasmes arrivant chez des enfants dès l'âge de cinq mois. On y remarque les phénomènes suivants:

"L'orgasme a été constaté chez les garçons de tout âge, depuis cinq mois jusqu'à l'adolescence. Dans nos dossiers, nous trouvons consigné l'orgasme chez une petite fille de quatre mois. Chez un bébé ou tout autre jeune mâle, l'orgasme est la réplique exacte de l'orgasme chez l'adulte, abstraction faite d'éjaculation. Comme il a été décrit plus haut dans ce chapitre, le comportement en implique toute une série de modifications physiologiques progressives: développement de mouvements rythmiques du corps avec palpitations particulières du pénis, changement manifeste des capacités sensorielles, tension finale des muscles, particulièrement de ceux de l'abdomen, des hanches et du dos, déclenchement soudain accompagné de spasmes comprenant des contractions rythmiques de l'anus et suivi de la disparition de tous ces symptômes. Un bébé irritable s'apaise sous l'excitation sexuelle commençante; il est distrait de ses autres activités, se met à faire des poussées rythmiques du bassin, se contracte au fur et à mesure qu'approche le paroxysme, est amené à des mouvements spasmodiques accompagnés souvent de secousses violentes des bras et des jambes, et parfois de larmes au mo ment du paroxysme. Après quoi, l'érection disparaît rapidement et l'enfant tombe dans le calme et la paix qui suivent typiquement l'orgasme chez l'adulte. Il peut se passer un certain temps avant que l'érection puisse être provoquée à nouveau après une expérience de cette sorte."

Ceci a été noté non seulement par les parents des enfants mais par des rapports très précis et détaillés donnés par des pédophiles ainsi que par des rapports d'individus qui ont trouvé que l'expérience de l'orgasme lors de leur préadolescence était à peu près identique à celle qu'ils avaient connu à l'âge adulte. Néanmoins, sans qu'on puisse en connaître les proportions exactes, ces réponses sexuelles sont possibles. Cela ne veut pas dire qu'elles sont normales et statistiquement fréquentes (moins de 10%) chez le préadolescent.

Kinsey a noté que plusieurs préadolescents avaient des périodes entre les orgasmes d'une durée de moins de dix secondes, ce qu'il a décrit comme étant des orgasmes multiples. Certains ont eu neuf orgasmes en sept minutes. La recherche de laboratoire n'étant pas aussi précise et sophistiquée que celle de Masters & Johnson, il est difficile de savoir si c'est un véritable orgasme multiple.

Il est à noter qu'à cet âge où l'individu n'a pas eu d'élaboration de fantasmes personnels, toute personne ou situation qui peut provoquer un orgasme chez les préadolescents a des chances de faire "une fixation" (*imprinting*) qui peut être la source d'une déviation par la suite.

18.2.4 Réponse sexuelle de l'adolescent

A l'adolescence, on voit apparaître une augmentation dramatique du taux d'androgène et particulièrement de testostérone. La production testiculaire, qui est déclenchée par l'axe hypothalamo-hypophysaire, secrète une augmentation importante de F.S.H. et L.H. Cette sécrétion augmente la production de testostérone qui va atteindre un maximum à l'âge de 18 ans pour redescendre progressivement par la suite; ceci aura les effets suivants:

— l'apparition des caractères sexuels secondaires (pilosité, mue de la voix, distribution des graisses et musculature);

— le développement des caractères sexuels primaires (croissance des testicules, du pénis, de la prostate, des vésicules séminales, des glandes de Cooper) qui amènent la possibilité pour ce nouvel adolescent d'avoir des éjaculations;

— l'augmentation des fantasmes sexuels, scénarios sexuels (Money, 1961).

Si l'individu n'a pas eu d'orgasme lors de sa préadolescence, la poussée des androgènes va favoriser l'orgasme dans 90% des cas entre l'âge de 12 et 20 ans, quelle que soit la répression de la culture, de la morale, de la religion ou des situations particulières (monastère).

Helen Kaplan, thérapeute reconnue, décrit l'adolescent:

''La jeunesse manifeste, par une quasi-impossibilité d'éviter le relâchement orgasmique, une véritable faim sexuelle qui occupe pratiquement tout le courant de cette période. Les rêves et fantaisies sexuels sont très fréquents et ont une qualité urgente; chercher un partenaire sexuel devient une préoccupation importante. Un homme normal, vers les 20 ans, veut avoir une activité sexuelle, même s'il n'aime personne; s'il n'a pas de partenaire, il obtiendra l'orgasme par masturbation ou par émission nocturne.

Ce haut niveau de désir sexuel est caractérisé par les manifestations suivantes: la fréquence de l'orgasme est à son maximum, 4 à 8 orgasmes par jour ne sont pas atypiques; la période réfractaire après le premier orgasme est très courte et souvent une question de seconde ou de minute.

L'érection est instantanée en réponse à une stimulation psychologique ou physique. La détumescence après l'orgasme est lente. L'éjaculat atteint plusieurs centimètres par jet et les sensations orgasmiques sont rapportées comme très intenses.''

18.2.5   Réponse sexuelle de l'homme du IIIᵉ âge

Avant d'atteindre le IIIᵉ âge, l'homme adulte voit sa sexualité se modifier selon les données suivantes: vers la trentaine, trois orgasmes par semaine peuvent devenir une norme pour la majorité des hommes avec des fantasmes fréquents et des excitations rapides. Puis vers la quarantaine, les fantasmes sont moins fréquents s'il n'y a pas de stimulants extérieurs ou si le travail est trop préoccupant. La période réfractaire peut atteindre une ou plusieurs heures.

La sexualité du IIIᵉ âge (environ 55 ans) est marquée par un certain nombre de changements physiologiques:

— l'éjaculation se produit en un temps: le sphincter externe de la vessie ne permet pas une phase de mise sous pression précédant l'éjaculation; cette phase disparaît donc, ainsi que le sentiment subjectif qui l'accompagne; quant aux contractions expulsives de l'éjaculation, elles sont moins fortes et moins nombreuses (moins de trois);

— la période réfractaire après l'orgasme, peut s'allonger de 8 à 24 heures;

— un moins grand nombre d'érections d'origine psychique même dans une situation érotique et une difficulté à obtenir une érection à moins d'être touché directement sur les parties génitales;

— la détumescence est très rapide;

— possibilité d'apparition de la période réfractaire paradoxale, i.e. si une érection est perdue pendant un jeu sexuel, il va falloir entre 8 et 24 heures avant qu'une nouvelle érection apparaisse.

Ces changements ne sont pas absolus à 55 ans, i.e. qu'un homme ne voit pas arriver brusquement ces changements le jour de son anniversaire, mais les voit arriver de plus en plus fréquemment à mesure qu'il s'approche de cette période. Certains de ces changements apparaissent plus tôt (vers la trentaine avancée) et plus souvent chez des individus qui ont eu une vie sexuelle peu active, avec peu d'imagination sexuelle, peu de stimulations et qui souffrent parfois de maladies physiques débilitantes telles l'alcoolisme ou des hépatites. Par contre, chez des individus qui sont en bonne santé, ces changements sexuels arrivent peu fréquemment avant la soixantaine.

Il est important que ces phénomènes de la sexualité du IIIe âge soient bien connus du médecin car si son patient ou le partenaire de ce dernier commencent à se préoccuper de ces changements, il y a de fortes chances qu'une impuissance psychogénique se développe.

Certains hommes cessent de plus en plus d'avoir des relations sexuelles et ceci n'est pas tant en fonction de l'âge que de la frustration ou du manque d'occasion ou éventuellement d'une dépression sous-jacente. Par contre, il est possible de jouir d'une vie sexuelle agréable, comme le fait remarquer Helen Kaplan:

"Dans le cas d'un homme en bonne santé physique et mentale, les changements que l'on vient de décrire sont récupérés et ce dernier sera capable de jouir d'une vie sexuelle agréable. En effet, libéré de ce désir intense de l'orgasme et des inhibitions de sa jeunesse, il pourra avoir des activités amoureuses plus satisfaisantes imaginatives et plus sensuelles que le jeune homme."

18.2.6 Réponse sexuelle de la femme adulte

Intérêt sexuel

Les lois qui président à l'intérêt sexuel de l'homme opèrent de la même manière chez la femme bien que les éléments quantitatifs soient différents. Comme chez l'homme, les recherches cliniques semblent montrer que l'intérêt sexuel de la femme dépend:

— du nombre de fantasmes sexuels que celle-ci entretient;

— de la capacité qu'elle a de se concentrer sur ses fantasmes;

— de la conscientisation de ses propres changements physiologiques et de ceux de son partenaire.

Tandis que l'homme avait dès l'adolescence un taux d'androgène (plus de 500 nanogrammes) suffisant pour activer ses fantasmes sexuels, la femme n'en a que très peu (environ 75 nanogrammes). Elle a donc moins de fantasmes sexuels spontanés que l'homme et devra beaucoup plus dépendre de l'apprentissage et de l'encouragement du milieu pour avoir des fantasmes sexuels. Une culture ou une famille qui n'encourage pas ces apprentissages est déjà l'étiologie d'un manque d'intérêt sexuel. Donc, la femme a des chances d'avoir une fréquence de fantasmes sexuels moindre. Le fait de se concentrer et de cultiver systématiquement et volontairement ses fantasmes est rarement encouragé par la société. Aussi, il est moins fréquent de voir chez les femmes une capacité soutenue de se concentrer sur un scénario érotique. Ainsi, le moindre coup de téléphone, la moindre difficulté interactionnelle avec le partenaire, la moindre parole mal interprétée va plus facilement, chez la femme, arrêter le début de l'intérêt sexuel qui vient d'apparaître.

En ce qui concerne la conscientisation des changements physiologiques qui apparaissent, la femme se voit également moins favorisée que l'homme qui lui, par son érection, a une véritable aiguille de bio-feedback qui lui donne une rétroaction sur sa condition physiologique et qui l'encourage à se remémorer ses sensations physiques lors d'activités sexuelles subséquentes.

De plus chez la femme, la conscientisation des changements physiologiques du partenaire est fortement découragée dans la majorité des sociétés car le fait de s'intéresser à l'érection masculine ainsi qu'aux autres changements physiologiques qui témoignent de l'excitation sexuelle masculine serait considéré pour des femmes comme un encouragement à la provocation sexuelle, ce qui contribuerait encore plus à justifier les violeurs ou les exhibitionnistes.

De tous les phénomènes que l'on vient de mentionner, la femme a moins de chances de pouvoir se centrer sur ses organes génitaux; ainsi son érotisme va être plus diffus, plus romantique, surtout au début de sa vie sexuelle, car l'entretien de sa maison et le soin des enfants va entrer en conflit avec sa sexualité naissante.

Notre expérience clinique montre qu'il est extrêmement important, pour conserver son intérêt sexuel, qu'elle puisse avoir une sortie par semaine avec son partenaire sexuel, libre de toutes tâches ménagères et maternelles ainsi que plusieurs jours de vacances par année où elle est également libérée de ces tâches. Ces points de repère lui permettent de s'imaginer des scénarios romantiques et agréables avec son partenaire et ces scénarios vont meubler ses fantasmes consciemment ou inconsciemment et entretenir un intérêt sexuel qui sans cela périclite au cours des années.

Excitation sexuelle

a) **Les réactions génitales**: La réponse caractéristique et typique de l'excitation sexuelle chez la femme est la lubrification vaginale qui ne vient pas des glandes de Bartholin mais d'une transsudation du plasma sanguin à travers les capillaires sanguins qui se trouvent dans la muqueuse vaginale. Ce liquide apparaît à l'entrée du vagin lorsque la femme est excitée sexuellement. Cette lubrification apparaît aussi la nuit lors des rêves de type POM (phase oculaire motrice).

Pendant l'éveil, la femme a également une lubrification vaginale, mais contrairement à l'homme qui est toujours conscient de ses érections, la femme prend moins conscience de ses lubrifications vaginales. Il a été montré que des femmes répondent par une lubrification vaginale à des films érotiques bien qu'elles prétendent ne pas avoir été excitées et ne pas avoir aimé ces films. Le dispositif qui permet de vérifier la lubrification vaginale s'appelle le colorimètre vaginal; il prend une mesure indirecte de la lubrification par le volume du flot sanguin des parois vaginales. Leur capacité de réfléchir la lumière envoyée par une petite sonde est mesurée par une cellule photo-électrique.

Contrairement à ce que laisse croire la littérature populaire, l'augmentation de volume, visible à l'oeil nu, du clitoris lors d'une stimulation sexuelle est inconstante alors que les changements discrets d'une certaine tumescence, détectable seulement en laboratoire, sont constants.

Les petites lèvres s'épaississent et contribuent à allonger le canal vaginal d'environ un centimètre. Les grandes lèvres semblent s'aplatir et s'écarter, ce phénomène étant plus marqué chez les nullipares que chez les multipares. L'utérus a une élévation partielle qui se complète seulement à la fin de la phase en plateau et qui libère un certain espace au niveau du vagin.

b) **Les réactions extra-génitales**: En dehors de ces réactions typiques et caractéristiques, un certain nombre de réactions non spécifiques de la réponse sexuelle ont été notées en laboratoire bien qu'elles aient une importance faible au point de vue clinique:

— au niveau des seins, il y a tumescence des aréoles, un début d'augmentation du volume de la poitrine et pour certaines femmes, une apparition plus marquée du réseau veineux;

— au niveau de l'épigastre et s'étendant sur les seins et éventuellement le cou et les épaules, apparaît une éruption maculo-papulaire qui est inconstante;

— à la fin de la phase d'excitation, certains signes qui vont prendre une expansion plus forte au niveau de la phase en plateau, commencent à se manifester:

• une tension générale des muscles volontaires;
• une augmentation du rythme respiratoire;
• une augmentation du rythme cardiaque;
• une augmentation de la pression sanguine.

La phase en plateau

a) **Les réactions génitales**: Cette phase est caractérisée essentiellement par le gonflement du tiers externe du vagin, en particulier les structures vasculaires du bulbe vestibulaire. Le tout a été nommé, par Masters & Johnson, la plate-forme orgasmique. Le vagin croît également en longueur. L'utérus est complètement élevé et devient plus excitable. Le clitoris quitte sa position saillante normale et se rétracte contre le bord intérieur de la symphise pubienne. Les grandes lèvres s'engorgent de sang veineux aussi bien pour les nullipares que pour les multipares. Quant aux petites lèvres, elles présentent un phénomène typique et caractéristique appelé "peau sexuelle". Cette réaction se décrit comme un changement subit de couleur variant du rouge vif au rouge sombre et est pathognomonique de l'imminence de l'orgasme.

b) **Les réactions extra-génitales** de la phase en plateau consistent en:

— un développement plus marqué des phénomènes qui existaient déjà à la phase d'excitation;

— une tension musculaire accrue;

— une accélération du rythme respiratoire;

— un rythme cardiaque qui peut monter jusqu'à 100 à 175 battements à la minute;

— une pression sanguine dont les élévations systoliques peuvent augmenter de 20 à 80 millimètres de mercure tandis que les élévations diastoliques peuvent augmenter de 10 à 40 millimètres de mercure.

La phase de l'orgasme

a) **Les réactions génitales**: La réponse motrice de l'orgasme se joue essentiellement au vagin qui voit apparaître des contractions de la plate-forme orgasmique se produisant à 0.8 seconde d'intervalle, entre 5 à 12 fois, et dont l'intensité diminue après la troisième ou la sixième contraction. Egalement, des contractions du rectum à 0.8 seconde d'intervalle qui sont complètement involontaires et différentes des contractions qui auraient pu arriver à la phase d'excitation ou en plateau. Les contractions du rectum (3 à 6) sont assez caractéristiques de l'orgasme. L'utérus montre des contractions régulières à 0.8 seconde d'intervalle et sa taille peut augmenter de 50%. Quant au clitoris, il garde sa position rétractée.

b) **Les réactions extra-génitales** lors de l'orgasme sont:

— des mouvements musculaires striés des muscles des fesses;

— les transverses du périnée et le pubo-coccygien montrent une perte de contrôle volontaire et des contractions involontaires spasmodiques;

— les modifications de la pression sanguine: augmentation de la pression systolique jusqu'à 100 millimètres de mercure et de la pression diastolique qui peut aller jusqu'à 50 millimètres de mercure;

— augmentation du rythme respiratoire (40 respirations par minute) et cardiaque (maximum possible de 180 battements par minute).

La phase de résolution

Lors de cette phase, la plupart de ces phénomènes retournent à la normale mais l'on note une sudation lorsque le sujet ne présente aucun effort. Contrairement à l'homme, il n'y a pas de période réfractaire et la femme à tout moment peut recommencer un nouvel orgasme.

18.2.7   Orgasmes féminins

Théories freudiennes

Freud lui-même n'a pas parlé d'orgasme mais a parlé d'érotisme. Il concevait que la petite fille commençait à être sensibilisée plus facilement au niveau du clitoris qui est externe et dont elle prenait conscience petit à petit. Il a donc parlé d'érotisme clitoridien. Par la suite, la jeune femme, à l'occasion de relations sexuelles, découvrait une autre sensibilité: la sensibilité vaginale qu'il a appelée l'érotisme vaginal. L'érotisme clitoridien était considéré comme infantile et incomplet tandis que l'érotisme vaginal était le fait de la femme mûre et ayant eu un certain nombre d'expériences sexuelles. Comme dans la théorie freudienne, la névrose était en fait des fixations à des positions infantiles, il a fallu très peu de modifications pour que l'on fasse des femmes incapables d'obtenir l'orgasme vaginal, des femmes infantiles et névrotiques dont le seul traitement possible était la psychanalyse. Cette position a été tenue essentiellement par des élèves de Freud: Hélène Deutsch (1945), Sylvia Payne (1935). Ces dernières sont allées plus loin et ont même parlé d'orgasme clitoridien comme étant infantile et névrotique et d'orgasme vaginal comme étant la position mûre de la femme normale.

Bien que cette théorie était généralement acceptée, le peu de résultats obtenus par les thérapies psychanalytiques indiquait que cette théorie laissait fortement à désirer.

Epoque scientifique

a) **Alfred Kinsey**: D'après une étude portant sur 900 femmes, Kinsey a constaté que seulement 14% de ces femmes avaient une sensibilité vaginale. Pour toutes les autres, le vagin était insensible même à des coupures ou à des brûlures. Il soulignait que:

> "Chez la plupart des femmes, les parois du vagin sont privées de terminaisons nerveuses tactiles et sont presque insensibles quand elles sont légèrement touchées ou soumises à une pression légère et pour les femmes qui ont des réactions, la sensibilité est confinée à l'entrée de celui-ci."

Selon Kinsey, il y a six sources de satisfaction autres que la sensibilité vaginale elle-même lors d'un orgasme coïtal:

1) la satisfaction psychologique à savoir qu'une union sexuelle complète ainsi qu'une pénétration profonde a été effectuée; la réalisation que le

partenaire est satisfait peut être un facteur d'importance considérable dans ce cas;

2) les stimulations tactiles venant du contact du corps avec celui du partenaire;

3) les stimulations tactiles des organes génitaux masculins ou de son corps se pressant contre les petites lèvres, le clitoris et la vulve; ceci serait suffisant pour amener un orgasme à la plupart des femmes; il se pourrait que certaines d'entre elles attribuent à cela une sensibilité du vagin; il s'agit alors d'une fausse localisation de ces sensations;

4) les stimulations du pubo-coccygien lors du coït; ces stimulations peuvent faire apparaître des spasmes qui ont une signification érotique particulière;

5) les stimulations des nerfs qui sont dans les masses musculaires péritonéales entre le rectum et le vagin;

6) la stimulation directe, chez quelques femmes, de certains nerfs des parois du vagin lui-même; mais cela ne peut être vrai que pour les 14% des femmes qui sont conscientes d'une stimulation tactile dans cette région; mais dans ce cas, il n'y a aucune raison de croire que le vagin est la seule source de stimulations lors de la pénétration.

Par conséquent, pour Kinsey, il n'existe pas de véritables différences physiologiques entre l'orgasme "clitoridien" et l'orgasme "vaginal". Il n'y a qu'une différence d'interprétation psychologique de sensations différentes et diffuses.

b) **W. Masters & V. Johnson**: Masters & Johnson, comme nous l'avons vu dans les descriptions de l'orgasme féminin, considèrent qu'il n'y a qu'un seul orgasme dont la réponse motrice est identique, quels que soient les niveaux de stimulations qui ont pu le provoquer. En effet, ces derniers font remarquer: que ce soit une stimulation clitoridienne, ou des seins, ou purement psychologique, l'orgasme provoqué sera le même. De plus, Masters & Johnson ont dit que dans toute pénétration, s'il n'y a pas un contact direct entre le pénis et le clitoris, il y a néammoins un contact avec les petites lèvres et le mont de vénus qui sont des stimulations indirectes mais très efficaces du clitoris. Par conséquent, pour Masters & Johnson, il n'y a aucune raison de distinguer entre l'orgasme coïtal et l'orgasme par caresses clitoridiennes.

Conséquence au niveau du traitement: L'exagération journalistique de ces connaissances a amené certains conseillers improvisés à considérer que toute femme ayant l'orgasme par caresses clitoridiennes, ne devait pas chercher ailleurs pour avoir autre chose que cela. Certains mouvements féministes extrémistes sont même allés jusqu'à dire que le plein potentiel de la femme s'obtenait lors des orgasmes multiples et que ces orgasmes peuvent arriver plus facilement avec la masturbation et éventuellement avec des vibrateurs. Ils s'appuyaient sur les travaux de Masters & Johnson qui disaient que ces orgasmes multiples amènent une congestion de plus en plus forte à chaque orgasme pour dire que cette congestion était synonyme d'excitation et de plaisir. La femme n'ayant pas d'orgasme coïtal n'était plus considérée comme à l'époque freudienne comme névrotique mais au contraire c'était son mari et le monde des hommes qui étaient névrotiques de vouloir modifier la réponse sexuelle de la femme pour que cette dernière s'adapte à la réponse sexuelle de l'homme.

Époque psychophysiologique

Les deux attitudes de l'époque freudienne et de la première époque scientifique étaient extrêmes. Le raffinement des appareils psychophysiologiques nous permet d'arriver à des conclusions plus mitigées.

a) **Critique neurophysiologique de l'insensibilité vaginale telle que décrite par Kinsey:** Le fait que les deux tiers internes du vagin soient insensibles aux stimulations légères, même aux coupures et aux brûlures est tout à fait normal. En effet, en dehors des muqueuses et de la peau, tous les organes internes sont dans cette catégorie de réponse physiologique. L'urètre et la prostate sont dans ce cas; néanmoins tout le monde sait que l'homme peut avoir un orgasme très agréable et très intense à partir de ces organes, soi-disant insensibles. En effet, les organes internes, s'ils ne sont pas sensibles aux coupures et aux brûlures et aux sensations légères, sont par contre sensibles à la distension et à la contraction. Or, c'est justement le cas du vagin d'être distendu lorsque le pénis y pénètre. De plus, depuis que Kinsey avait très justement mis en évidence l'importance des masses musculaires et de la sensibilité proprioceptive dans l'appréciation sexuelle générale, Kegel a bien démontré que la masse musculaire du périnée et surtout le muscle pubo-coccygien avaient un rôle capital à jouer dans l'appréciation sexuelle. Le muscle pubo-coccygien entoure le vagin; sa face interne innervée par le sympathique (responsable de l'orgasme) est un élément important pour l'obtention du plaisir coïtal.

Finalement, Lemon Clark (1970), dans des études en laboratoire, a montré, par un processus ingénieux qui permettait de stimuler le vagin sans stimuler le clitoris et les régions avoisinantes, que les femmes pouvaient obtenir l'orgasme par stimulations uniquement vaginales. Il est maintenant prouvé que le vagin peut avoir une sensibilité soit directement par ses parois, soit par les masses musculaires qui l'entourent et qu'une stimulation uniquement vaginale peut amener à l'orgasme.

b) **Critique de Masters & Johnson:** Singer & Singer avaient remarqué, après une revue de littérature, que ce n'était pas toutes les femmes qui avaient forcément des contractions de la plate-forme orgasmique (contractions de la vulve) lors des relations sexuelles. D'autres travaux physiologiques (Fox et Fox) semblaient leur donner raison. Se pouvait-il que Masters & Johnson aient pu se tromper, avec des techniques si précises et sur une population aussi grande. Le psychologue Maslow a répondu lors d'un congrès en signalant ce qu'il appelle l'erreur du volontaire. D'après Maslow, il n'est pas prouvé que tout volontaire, désirant aller se faire tester en laboratoire, ait la même réponse sexuelle que tous les individus normaux. Il trouve au contraire que ce genre de volontaire est d'un caractère qu'il a appelé dominant, porté vers la masturbation et éventuellement vers un certain nombre de réponses physiologiques particulières.

Mais c'est avec l'avènement des travaux de Fox et Fox que l'on s'aperçoit que dans l'intimité d'une chambre à coucher de deux individus qui se connaissent depuis longtemps et sans l'interférence de l'équipe technique, la réponse sexuelle semble différer de la masturbation et éventuellement de la réponse notée par Masters & Johnson. Ce couple de gynécologues masculin et féminin ont utilisé la télémétrie qui permettait de faire des enregistrements à distance. A la suite de leurs travaux, on s'est aperçu que la respiration, la pression artérielle et le rythme cardiaque étaient moins élevés lors d'un orgasme par pénétration que lors d'un orgasme par stimulations clitoridiennes. Par contre, le niveau de satisfaction pouvait être ressenti comme plus élevé. Ils ont également défini en laboratoire **l'orgasme postéjaculatoire.** Ils ont enregistré des contractions utérines arrivant quelques instants après l'éjaculation à condition que la femme ait atteint un niveau suffisant d'excitation érotique et qu'elle soit entièrement abandonnée dans le vécu de la rencontre sexuelle. Cet orgasme se caractérise par des inhalations d'air successives se terminant par une expulsion violente de l'air avec un mouvement caractéristique du diaphragme et du muscle cricopharyngien. Certaines femmes décrivent également dans ces circonstances une satisfaction telle qu'elles sont psychologiquement au moins réfractaires à un nouveau coït. Ces données semblaient confirmer déjà des données de Kinsey où une femme d'une cinquantaine d'années qui pouvait avoir soixante orgasmes consécutifs par stimulations clitoridiennes, arrêtait après trois orgasmes si ce troisième était provoqué par une pénétration complète et satisfaisante.

Par la suite, une revue a été faite par Singer & Singer qui ont pu déterminer également un **orgasme vulvaire** qui correspondrait à l'orgasme clitoridien et qui est caractérisé par des contractions utérines et vulvaires, une respiration haletante, une contraction de la plupart des masses musculaires, avec une forte concentration sur les fantasmes érotiques et une participation active de la femme. A l'opposé de l'orgasme vulvaire, on avait **l'orgasme utérin** qui dépend d'une pénétration profonde ne durant que deux minutes et d'un contact intime entre le pénis et le col de l'utérus. Cet orgasme s'accompagne d'une apnée particulière, d'une tension diaphragmatique et d'une contraction brusque du muscle cricopharyngien. Le niveau de satisfaction est intense et dure presque une journée avec un sentiment de réplétion et un non-désir de recommencer l'expérience sexuelle. Pour ce genre de femmes dans ce genre de situations, il n'y aurait pas de contractions vulvaires. Singer décrit également un **orgasme combiné** qui serait provoqué par des pénétrations lentes durant les premières 10 à 20 minutes, se terminant par 1 ou 2 minutes de pénétrations très profondes et très accentuées. Le même niveau de satisfaction est alors caractérisé par des contractions à la fois vulvaires et utérines.

Récemment, Crépault, à la suite d'un questionnaire auprès de plusieurs centaines de femmes, décrit **l'orgasme vulvaire, l'orgasme vaginal, l'orgasme utérin** avec des précisions semblables. De nos jours, il serait aussi aberrant de dire à une femme qui n'a pas l'orgasme vaginal qu'elle est névrotique, que de priver une femme d'un traitement alors qu'elle souhaite améliorer sa capacité sexuelle, avoir une communion plus importante avec son partenaire et atteindre l'orgasme coïtal.

En conclusion, quand nous renseignons les patientes et leur conjoint, il est important de leur souligner les points suivants:

1) On n'est pas névrotique parce que l'on n'atteint pas l'orgasme coïtal.

2) Les orgasmes, qu'ils soient provoqués par quelque stimulation que ce soit, sont très semblables comme l'ont montré les recherches de Kinsey et de Masters & Johnson et dans certains cas, il est utile pour une femme d'avoir un orgasme par caresses clitoridiennes. Cela permet de continuer une vie sexuelle lors d'une maladie vaginale, d'une opération, ou d'une faiblesse du mari le conduisant à une impuissance temporaire; de plus, c'est un des seuls moyens thérapeutiques de lever l'anorgasmie primaire qui dure depuis plusieurs années.

3) Il existe un orgasme qui se différencie de l'orgasme clitoridien dans ses nuances psychologiques et physiologiques par un abandon psychologique plus grand, et un vécu intérieur qui s'exprime peu à l'extérieur avec peu de mouvements, peu de contractions musculaires (il faut que les partenaires masculins soient prévenus afin qu'ils n'interprètent pas ce vécu comme un vécu non érotique, dévalorisant pour eux). Cet orgasme provient de sensations vaginales beaucoup moins aiguës, beaucoup moins violentes et dramatiques que les sensations clitoridiennes et amènent probablement à une satisfaction plus grande avec parfois un non-désir de continuer les activités sexuelles pour un certain temps. Cet orgasme est néanmoins très sensible au désir de performance et dès qu'on le recherche avec trop de désir et trop d'avidité, il semble disparaître et s'enfuir, ce qui paradoxalement, justifie totalement l'attitude de ceux qui disaient que ce n'était pas important de chercher à l'obtenir.

18.2.8 Variations de la réponse physiologique de la femme suivant l'âge

Sexualité de la préadolescente: Dès la naissance, la jeune fille a des lubrifications vaginales et dès l'âge de 4 mois, Kinsey a noté des orgasmes avec la même précision qu'il l'a fait pour les garçons. C'est un point important pour un médecin qui questionne un père incestueux ou un pédophile, de savoir si l'enfant a atteint l'orgasme, ce qui pourrait expliquer certaines collusions avec l'agresseur qui sont souvent mal comprises. Evidemment, l'enfant, même sans rien comprendre, cherche toujours à reproduire ce plaisir intense.

Sexualité de l'adolescente: Les changements importants à la puberté sont une augmentation de F.S.H. et L.H. qui amène à une augmentation de production d'oestrogène qui donne à la jeune fille ses caractères sexuels secondaires: distribution particulière des graisses aux hanches, aux fesses et aux seins lui donnant son apparence féminine. En plus, l'apparition du cycle menstruel permet à cette jeune fille de compléter son image corporelle et sexuelle et l'incite à se poser des questions sur la maternité, les relations sexuelles, la fécondation, qui ont un rôle à jouer dans la réponse sexuelle. Ces facteurs sociaux et psychologiques semblent les plus importants pour favoriser la réponse sexuelle féminine. Par contre, la testostérone et les androgènes n'augmentent pratiquement pas, ce qui fait que la jeune fille n'est pas poussée autant que le garçon vers une recherche aussi intransigeante de la satisfaction sexuelle. Néanmoins, les jeunes filles qui ont une tumeur des surrénales produisant des androgènes d'une manière excessive, souffrent d'une tumescence continuelle du clitoris, d'un désir de masturbation ou copulation frénétique. Mais dans les cas normaux, la jeune fille est beaucoup plus préoccupée par les individus que par la sexualité et la génitalité. Elle n'a pas d'urgence spéciale à obtenir un relâchement orgasmique et la masturbation n'est pas aussi fréquente que pour les garçons.

Sexualité dans la vingtaine: A cette période, la jeune femme est habituellement mariée ou a des rapports sexuels beaucoup plus en fonction de son partenaire ou de son mari que de son propre besoin. Les relations avec d'autres que son partenaire régulier sont relativement rares à cet âge. La réponse orgasmique est lente et pas aussi stable qu'elle peut l'être plus tard dans la vie.

Sexualité dans la trentaine: Une accumulation de bagages, de connaissances, de fantasmes, de vécu sexuel réimaginé permet à la femme une réponse sexuelle beaucoup plus stable qui va en grandissant jusqu'à la quarantaine. Ces femmes peuvent demander des relations sexuelles pour elles et investir leurs organes génitaux d'un intérêt beaucoup plus fort. La lubrification vaginale se fait très rapidement et les orgasmes multiples sont fréquents dans cette catégorie d'âge, surtout à l'approche de la quarantaine.

Fluctuations de la sexualité suivant le cycle menstruel

Bien qu'on ait déjà essayé de montrer que la femme était plus facilement stimulée au milieu du cycle menstruel (Thérèse Bénédeck), des auteurs très sérieux comme Ford & Beach et Kinsey ont montré que la femme avait une légère augmentation du désir sexuel en phase prémenstruelle.

La conclusion des recherches actuelles (Bardwik, Persky) semble montrer que les facteurs sociaux et culturels ainsi que psychologiques sont plus forts que les facteurs biologiques. Néanmoins, d'excellentes études faites par Judith Bardwik ont montré qu'un niveau élevé d'oestrogène est en relation directe avec une humeur, une performance psychologique meilleure chez la femme, impliquant la possibilité d'une légère baisse d'humeur lors de la phase prémenstruelle qui est compensée totalement par certaines femmes et n'apparaît que dans les tests psychologiques fins tandis qu'elle est dramatique et importante chez d'autres femmes.

Changements psychophysiologiques lors de la grossesse

D'une manière générale, au cours de la grossesse, des changements physiologiques de tumescence sont amplifiés et la résolution est de moins en moins complète au fur et à mesure que la femme s'approche du troisième trimestre. En particulier, les seins qui augmentaient d'environ 1/5 de leur volume chez la femme nullipare, augmentent jusqu'à 1/3 au troisième trimestre chez la femme enceinte.

Un certain nombre de réactions sont masquées par la congestion; par exemple, l'écartement des grandes lèvres ou même, vers le troisième trimestre, les contractions de la plate-forme orgasmique sont de plus en plus difficiles à observer. Cette plate-forme, de toutes façons, occupe presque 75% de l'entrée vaginale.

Au point de vue intérêt sexuel, il est évident que les femmes qui ont des symptômes de grossesse tels que nausées et vomissements vont voir leur intérêt sexuel diminuer. Par contre, au deuxième trimestre, la majorité des femmes rapporte un intérêt sexuel accru. Au troisième trimestre, ces femmes ont parfois des empêchements physiques et une certaine fatigue qui souvent les empêchent de souhaiter des relations sexuelles; mais si elles en ont, poussées par leur partenaire, elles s'étonnent parfois de l'intensité de leur réponse sexuelle. En dehors des cas pathologiques, il n'y a aucune raison particulière à ne pas permettre aux femmes d'avoir une réponse sexuelle aussi fréquemment qu'elles le souhaitent lors de leur grossesse. Masters & Johnson ont noté que des hommes avaient commencé leurs premières expériences extra-maritales lors de la grossesse de leur femme à l'occasion d'une interdiction médicale de relations sexuelles.

Réponse sexuelle de la femme en post-partum

La question la plus souvent posée au médecin est: quand les relations sexuelles peuvent-elles reprendre après l'accouchement? Les femmes de la recherche de Masters & Johnson ont repris entre 2 et 4 semaines après l'accouchement. Pour éviter des pressions indues de la part du partenaire à reprendre trop rapidement les relations sexuelles avant que la femme se sente à l'aise et bien, et que l'épisiotomie soit complètement cicatrisée, on recommandera, par prudence, de recommencer à la 6e semaine si tout va bien.

Certains changements qui arrivaient à la femme non enceinte, ne réapparaissent pas immédiatement. En effet, l'érection des seins réapparaît environ 3 mois après pour les femmes qui allaitent et environ 6 mois après pour les femmes qui n'allaitent pas et à qui on a arrêté artificiellement la montée laiteuse. Il est à noter que la succion des seins par le bébé, peut provoquer des contractions utérines et éventuellement des sensations qui peuvent être vécues comme sexuelles par la femme. Il est important de la déculpabiliser en lui expliquant que cela est normal et qu'il faut accepter ces sensations de plaisir qui n'ont rien d'incestueux. De plus, en fin de grossesse et au début de l'allaitement, une excitation sexuelle peut amener une certaine montée laiteuse qui est tout à fait normale.

Ce qui caractérise essentiellement la femme en post-partum, c'est un manque d'oestrogène avec une atrophie vaginale et une moins grande lubrification. D'une manière générale, les réactions sexuelles sont légèrement moins intenses mais le tout rentre dans l'ordre environ six mois après l'accouchement.

Réponse sexuelle de la femme du IIIe âge: la postménopause

La majorité des phénomènes de la ménopause peuvent être compris par la baisse drastique des oestrogènes et de la progestérone. En effet 90% des femmes entre 45 et 65 ans voient l'arrêt de leur cycle menstruel. La diminution d'oestrogène peut favoriser un débalancement psychologique qui peut être vaincu facilement si les circonstances sociales et psychologiques sont bonnes mais peut devenir problématique si la femme n'a pas su convertir l'intérêt qu'elle portait à ses enfants en intérêt porté au couple ou à d'autres activités personnelles. La dépression est fréquente dans ces moments-là. De plus, tout changement en oestrogène favorise un débalancement du système nerveux autonome qui donne des symptômes tels que bouffées de chaleur ou autres. Des migraines sont fréquentes et sont liées aux changements brusques d'oestrogènes. Tous ces facteurs sont non spécifiques à la sexualité mais on comprend qu'ils peuvent la diminuer de beaucoup.

Sur le plan sexuel, la baisse en oestrogènes va diminuer les caractères sexuels secondaires, soit les graisses aux hanches, aux fesses, au pubis et aux seins. Cela va amener une image corporelle décevante pour la femme, d'où un manque d'intérêt sexuel. Les réactions des seins diminuent avec le vieillissement: tumescence aréolaire d'intensité réduite, rougeur sexuelle beaucoup plus rare; les contractions musculaires sont moins fortes; les réactions des grandes lèvres et des petites lèvres sont moins marquées. Par contre, il y a toujours le phénomène de la peau sexuelle qui est pathognomonique de l'orgasme. Les contractions rectales existent et elles sont au nombre de trois au lieu de six.

C'est au niveau du vagin que les changements sont les plus marqués. Les oestrogènes, responsables du maintien de la muqueuse vaginale ayant sept couches d'épithélium bien vascularisées, baissent, entraînant une diminution des couches d'épithélium du vagin, avec une diminution de lubrification vaginale, d'où la nécessité de compenser par une stimulation psychologique plus intense. Les minces parois du vagin protègent mal l'urètre et la vessie et certaines femmes accusent parfois, au coït, des sensations de miction et des douleurs telles qu'on peut en avoir dans les infections urinaires. De plus, le manque de tissu graisseux au pubis peut provoquer parfois certaines douleurs lors des relations sexuelles.

Quand des réactions aussi précises que celles que nous venons de décrire apparaissent, il est important de faire une thérapie hormonale de substitution et Masters & Johnson ne traitaient pas les patients qui n'avaient pas suivi au moins trois mois de traitement hormonal. Il faut également noter que plus une femme a eu une vie sexuelle active et agréable, moins l'atrophie du vagin semble être marquée, arrivée à un âge avancé. Quant à l'intérêt sexuel, 1/3 des femmes le voit diminuer, pour 1/3 il demeure stationnaire et pour 1/3 il augmente. Ces femmes qui voient leur intérêt sexuel augmenter, peuvent profiter d'une nouvelle "lune de miel" avec leur mari, étant libérées de leur tâche de mère.

En contraste avec l'homme, la femme du IIIe âge est capable de jouir d'orgasmes multiples. Il est donc important de reconnaître et de traiter certains symptômes de la ménopause et de pouvoir comprendre que certaines formes de la réponse sexuelle peuvent être moins intenses mais qu'il y a toujours une possibilité de sexualité agréable jusqu'à un âge avancé; l'âge n'est pas un obstacle à une vie sexuelle plaisante et agréable.

18.3 SÉMÉIOLOGIE

18.3.1 Les dysfonctions sexuelles

Nous rappelons ici que la caractéristique essentielle des dysfonctions sexuelles est l'inhibition du désir sexuel ou des changements psychophysiologiques qui caractérisent le cycle complet de la réponse sexuelle, ceci avec un partenaire et dans des circonstances considérés par l'individu comme adéquats.

Le médecin devra tenir compte du fait que les difficultés sexuelles sont répétitives et persistantes pour en faire une catégorie diagnostique.

Classification: dysfonctions organiques et fonctionnelles

Une dysfonction peut être organique ou fonctionnelle. Toute atteinte du système circulatoire au niveau du périnée et de ses annexes va favoriser des difficultés d'excitation sexuelle (impuissance, lubrification insuffisante). Toute atteinte du système nerveux périphérique, plus précisément une atteinte du parasympathique des niveaux sacrés (S2, S3, S4), affecte la phase d'excitation et de plateau, ainsi que tous les médicaments parasympathico-lytiques ou par antagonisme, la majorité des médicaments sympathico-mimétiques.

L'orgasme peut être inhibé par l'incapacité d'atteindre une excitation adéquate par les facteurs précités mais peut également être inhibé spécifiquement par toute atteinte du système nerveux sympathique dorsal et lombaire (D10 à L5) de même que par la majorité des sympathico-lytiques et par antagonisme, les parasympathico-mimétiques. Une incompétence de tous les muscles cités dans la réponse sexuelle (voir 18.2.2 et 18.2.6) favorise une inhibition orgasmique.

Quant au système endocrinien, toute altération majeure de l'hypophyse, de la thyroïde, des surrénales et des gonades peut altérer la réponse sexuelle.

Au niveau du système nerveux central, des atteintes (épilepsie, tumeur, ablation) du septum, de l'amydale et de l'hypothalamus peuvent porter atteinte à la réponse sexuelle avec parfois possibilité d'hypersexualité (syndrome de Klüver Bucy).

Il est à noter que toutes ces dysfonctions organiques ne représentent que 10% des cas.

Classification: dysfonctions primaires et secondaires

Qu'elles soient organiques ou non, les dysfonctions peuvent se classifier également en primaires ou secondaires. On dit qu'elles sont primaires, si elles ont toujours existé depuis les premières expériences sexuelles. Par contre, si elles apparaissent après une période de fonctionnement adéquat, on parle de dysfonctions sexuelles secondaires.

18.3.2 Facteurs associés

Il peut ne pas y avoir de facteurs associés mais seulement un vague sens de ne pas vivre une certaine normalité sexuelle.

On peut aussi rencontrer des plaintes telles qu'anxiété, culpabilité, honte, frustration et symptômes somatiques. Il y a presque toujours une peur de l'échec et un rôle de spectateur lors des relations sexuelles ainsi qu'une hypersensibilité aux réactions du partenaire. Ces facteurs inhibent encore plus les capacités et la satisfaction et amènent à un cercle vicieux.

Facteurs généraux prédisposants

D'une manière générale, une dysfonction sexuelle n'est pas forcément liée à une pathologie psychiatrique. Néanmoins, tout stress demandant une adaptation exagérée à l'organisme ou toute augmentation exagérée du système sympathique inhibent l'excitation. Par contre, pour ceux dont l'excitation n'est pas éteinte par un stress modéré, l'orgasme peut être plus intense (goût du risque, du défendu, de la nouveauté).

Par contre, les états dépressifs diminuent le désir et à la longue l'orgasme. Les états maniaques sont liés à une augmentation éventuelle d'une sexualité normale mais vécue dans des circonstances inappropriées. La schizophrénie peut s'accompagner ou non de dysfonction sexuelle mais avec un plaisir général diminué.

Des structures rigides et obsessionnelles se retrouvent fréquemment liées à l'anorgasmie masculine. Des traits compulsifs sont souvent associés à un manque d'intérêt pour le partenaire régulier. L'anxiété semble prédisposer à l'éjaculation précoce.

Toute attitude négative envers la sexualité venant du milieu socio-culturel, des conflits internes ou des expériences vécues négativement inhibe au moins partiellement la réponse sexuelle.

Diagnostic différentiel

Les dysfonctions sexuelles doivent être différenciées des paraphilies (perversions ou déviations) qui sont un cycle de réponse sexuelle et un désir adéquats mais pour des objets d'amour inappropriés. On doit aussi les différencier des troubles de l'identité sexuelle (voir chapitre 20).

On peut différencier entre les troubles de sexualité ceux qui sont fonctionnels et ceux qui sont organiques: si un individu a présenté au moins dans une circonstance, ne serait-ce que dans la nuit, le matin au réveil, une réponse appropriée, il y a des chances majeures que son problème sexuel soit fonctionnel. Certains laboratoires sont équipés pour mesurer les érections nocturnes liées aux phases oculaires motrices (POM) et ainsi diagnostiquer une impuissance organique ou non (Karacan, 1978).

18.3.3   Catégories diagnostiques, définition et étiologie spécifique

Dysfonctions sexuelles masculines

1)   Manque d'intérêt sexuel (désir sexuel inhibé)

Définition: Tout individu qui présente simultanément les deux éléments suivants:

- un sentiment subjectif, de l'individu ou de son partenaire, d'insatisfaction quant à la fréquence des relations sexuelles malgré des circonstances et un partenaire jugés comme adéquats;

- une réponse sexuelle très éloignée, en terme de fréquence, de ce qu'on peut attendre d'un homme en tenant compte de l'âge, de l'état de santé et des circonstances (voir 18.2 ''sexophysiologie'').

En général, une fréquence d'activités sexuelles inférieure à une fois par mois chez l'homme de moins de 55 ans, est considérée comme insuffisante par l'individu ou son partenaire.

Etiologie:

- interdiction que l'individu se fait d'avoir des fantasmes sexuels variés et extra routiniers, ce qui finit par étioler sa sexualité et lui faire perdre tout désir;

- immense désir de fidélité qui va jusqu'à contrôler les pensées intimes de l'individu;

- routinisation de la vie: absence de vacances et de sorties de couple sans enfants (voir réponse sexuelle de l'homme no 18.2.2).

2) Insuffisance de la phase d'excitation: impuissance

Définition: Incapacité partielle ou complète d'atteindre ou de maintenir une érection qui permet de compléter une relation sexuelle.

Étiologie:

- secondaire à un manque d'intérêt qui s'est prolongé pendant longtemps;

- secondaire à l'éjaculation précoce d'abord parce que l'individu lutte contre son excitation pour prolonger la pénétration et ensuite surtout parce que liée à un sentiment d'échec et de faillite;

- traumatisme:

    a) physique: toute coïtalgie quelle qu'en soit la raison, inhibe l'excitation sexuelle de l'homme;

    b) psychologique: après un échec, l'individu s'observe au lieu de s'abandonner et une impuissance occasionnelle ou physiologique peut devenir chronique.

3) Éjaculation précoce

Définition: Tout individu qui voit son éjaculation apparaître avant qu'il ne la souhaite, n'ayant aucune forme minimum de contrôle, soit pendant les préliminaires, soit lors de la pénétration.

Étiologie:

- manque d'apprentissage du contrôle de l'éjaculation;

- habitude de vouloir soulager le plus rapidement possible les tensions sexuelles souvent vécues comme désagréables;

- toute partenaire qui souhaite que la relation sexuelle se termine le plus vite possible;

- certaines formes de contraception inadéquates tel le coït interrompu;

- tout facteur d'anxiété chez un individu prédisposé.

4) Éjaculation retardée ou absente

Définition: Tout individu qui doit faire de grands efforts pour arriver à l'éjaculation souvent même sans pouvoir éjaculer à une fréquence compatible avec l'âge, l'état de santé et les circonstances (voir réponse sexuelle du IIIe âge no 18.2.5).

Les cas les plus graves n'arrivent plus du tout à éjaculer quelle que soit la circonstance.

Étiologie:

(N.B. Il est important de bien éliminer les causes organiques (voir 18.3.1.))

• individus ayant des traits ou une névrose obsessionnels, venant d'une famille avec une éducation rigide, qui ont une certaine incapacité à accepter le plaisir, qui mettent toutes leurs énergies dans le travail et l'effort;

• trop de pressions pour avoir un enfant(cas de stérilité);

• conflit plus ou moins conscient d'hostilité refoulée contre la partenaire.

5) Éjaculation anhédonique

Définition: Tout individu qui passe à travers les quatre phases de la réponse sexuelle en n'éprouvant qu'un plaisir incertain.

Tout homme qui hésite longtemps et ne sait que répondre quand on lui demande si son éjaculation est agréable rentre automatiquement dans cette catégorie. Les cas les plus graves ne peuvent même pas affirmer s'il y a eu éjaculation ou non après des relations sexuelles complètes.

Étiologie:

• semblable à celle de l'éjaculation retardée ou absente, mais survenant chez des individus habituellement plus jeunes qui ont conservé leur réflexe éjaculatoire.

Dysfonctions sexuelles féminines

1) Manque d'intérêt sexuel (désir sexuel inhibé)

Définition: Absence ou diminution du désir sexuel d'une femme qui dit néanmoins souhaiter une relation intime avec un partenaire qu'elle juge adéquat et dans des circonstances qu'elle considère favorables.

Ce diagnostic peut être isolé ou exister en conjonction avec d'autres dysfonctions. Dans le cas où il est isolé, les rares fois où cette personne a du désir sexuel, elle peut passer à travers toutes les phases de la réponse sexuelle. À tout âge, une fréquence de désir de contacts sexuels de moins d'une fois par mois a de fortes chances d'être le signe d'un manque d'intérêt sexuel.

Étiologie:

• absence de vie fantasmatique élaborée;

- absence de situations romantiques;

- manque de temps pour la sexualité souvent dû à la présence continuelle des enfants;

- routinisation de la vie: absence de vacances et de sorties de couple sans enfants;

- apprentissage, par influences familiales, à inhiber toute excitation (en présence d'un homme) pendant de longues fréquentations prémaritales;

- il est important de référer à: réponse sexuelle de la femme, 18.2.6.

2) Insuffisance de la phase d'excitation: manque de lubrification

Définition: Incapacité partielle ou complète d'atteindre ou de maintenir la lubrification vaginale et le sentiment de désir qui y est habituellement lié pendant des préliminaires et des relations sexuelles.

Le souhait d'une femme que les caresses sur ses parties génitales continuent et la frustration lorsqu'elles disparaissent sont pathognomoniques de l'excitation sexuelle féminine.

Étiologie:

- le plus souvent, identique au manque de désir;

- toute baisse en oestrogènes diminue la lubrification vaginale en affectant moins le désir;

- il est important de référer à la réponse sexuelle de la femme, nos 18.2.6 et 18.2.8.

3) Insuffisance de la phase orgasmique: orgasme précoce chez la femme

Définition: Une forte présomption existe à l'effet que certaines femmes de tempérament nerveux, et connaissant des orgasmes presque exclusivement vaginaux, soulagent rapidement leurs tensions sexuelles avec peu de préliminaires. Ceci peut entraîner, chez le partenaire, une impuissance ou parfois une éjaculation précoce, favorisant à la longue dans le couple, un manque d'intérêt sexuel.

Étiologie:

- apprentissage sexuel inadéquat: survalorisation de la réponse vaginale et non-érotisation lors de la phase d'excitation, vécue comme une tension à soulager rapidement.

4)   Anorgasmie primaire totale

Définition: Toute femme qui présente simultanément les deux conditions suivantes de diagnostic:

a)   femme qui a eu des relations sexuelles pendant plus d'un an avec un partenaire et dans des circonstances qu'elle juge adéquates;

b)   femme qui n'a jamais eu aucun orgasme, quelles qu'aient été les stimulations.

Étiologie:

- manque d'apprentissage sexuel surtout au niveau corporel;

- manque de fantasmes avec conscientisation des parties génitales;

- réflexe orgasmique inadéquat avec des engrammes neuro-physiologiques non formés; ce qui demanderait alors une stimulation infiniment plus forte que la normale pour arriver à l'orgasme.

5)   Anorgasmie avec partenaire

Définition: Toute femme qui a connu l'orgasme par masturbation mais ne peut l'obtenir ni par les caresses de son partenaire, ni par le coït.

Étiologie:

- manque d'apprentissage des préliminaires et des caresses de couple;

- manque de communication sur les caresses désirées;

- ''désir de performance'' exagéré de la femme ou de son partenaire;

- fausse honte des réactions corporelles et psychologiques en présence du partenaire.

6)   Anorgasmie coïtale

Définition: Toute femme qui n'arrive pas à obtenir l'orgasme par la pénétration vaginale bien qu'ayant un partenaire dont la pénétration dure au moins deux minutes et pouvant atteindre, dans certaines circonstances, plus de dix minutes.

Étiologie:

- manque de conscientisation, de valorisation et de contacts au niveau du vagin;

- manque de contrôle, de force, de tonus et de sensibilité du muscle pubo-coccygien;

- manque de capacité d'abandon réceptif et confiant;

- dévalorisation des sensations subtiles et douces du vagin et survalorisation des sensations aiguës et vives du clitoris;

- trop grand désir d'atteindre l'orgasme et dévalorisation des sensations nuancées qui y mènent;

- préliminaires inadéquats.

7) Dysfonction sexuelle globale

Définition: Toute femme rencontrant cumulativement les diagnostics 1, 2 et 4 vus précédemment. C'est le seul cas où l'on pourrait éventuellement utiliser le terme ''frigidité'' qui est souvent un sac fourre-tout cachant l'ignorance.

Étiologie:

- secondaire à une névrose traumatique, i.e. viol, attentat à la pudeur avec violence;

- voir étiologie des nos 1, 2 et 4.

8) Vaginisme

Définition: Spasme involontaire des muscles du périnée et de ceux qui entourent le 1/3 externe du vagin. Ce spasme entraîne une fermeture très étroite du vagin dès qu'il y a tentative effective, anticipée ou simplement imaginée de pénétration. Ces femmes présentent par ailleurs certaines phobies mais peuvent très souvent atteindre l'orgasme par les caresses du partenaire.

Étiologie:

- pathologie organique ayant existé mais ayant laissé des séquelles psychologiques du traumatisme;

- structure de personnalité phobique ayant tendance à symboliser les conflits à travers la musculature striée;

- peur de l'homme et de son pénis liée à une méconnaissance de l'anatomie féminine et souvent avec fantasmes irréalistes de posséder un vagin inadéquat;

- influences familiales d'éviter surtout la pénétration par peur de grossesse avec valorisation de la virginité.

18.4 TRAITEMENT

18.4.1 Généralités

Le traitement dure entre 10 et 20 semaines. Dans la majorité des cas, il est fortement recommandé d'entreprendre un traitement de couple car les résultats sont améliorés. C'est ce qui a fait le succès des thérapies de style Masters & Johnson. Cependant, dans l'impossibilité d'un traitement de couple, il y a quand même moyen de traiter un patient seul avec de bons résultats.

Le traitement se divise en deux parties: une partie spécifique qui consiste en un certain nombre d'apprentissages spécialisés (exercice de Semans ou de compression pour régler une entité diagnostique précise: éjaculation précoce) et une partie non spécifique qui s'applique à toutes les dysfonctions et qui comprend:

1) évaluation et diagnostic;

2) clarification du problème au patient;

3) informations sexologiques pertinentes;

4) apprentissage sensoriel: exercices de sensibilisation corporelle non génitaux et génitaux;

5) apprentissage psychomoteur: relaxation.

La première moitié de cette partie non spécifique (diagnostic, clarification et informations) peut à elle seule régler une grande majorité des cas. Exemple: Une femme se plaint de l'impuissance de son partenaire de 55 ans. Le diagnostic montre qu'il s'agit en effet d'une période réfractaire paradoxale (voir no 18.2.5) qui a été interprétée à tort comme une impuissance créant ainsi de l'anxiété et le rôle de spectateur amenant ainsi une impuissance secondaire à l'anxiété. D'où l'importance pour le praticien d'une bonne connaissance de la physiologie sexuelle de tous les âges et d'une capacité de pouvoir la clarifier aux patients.

18.4.2 Partie non spécifique du traitement

Évaluation et diagnostic

En plus du questionnaire médical et psychosocial habituel, un questionnaire spécifiquement sexologique mènera le praticien à la démarche suivante:

QUESTIONNAIRE

1. PROBLÈME PRÉSENTÉ: Cocher le ou les problèmes

Homme
- manque d'intérêt sexuel
- impuissance
- éjaculation précoce
- éjaculation retardée ou absente
- éjaculation anhédonique

Femme
- manque d'intérêt sexuel
- manque de lubrification
- orgasme précoce
- anorgasmie primaire totale
- anorgasmie avec partenaire
- anorgasmie coïtale
- vaginisme

Pour chaque problème, indiquer le moment d'apparition, les périodes de rémission ou d'aggravation en notant à chaque fois les circonstances et l'âge de l'individu.

2. HISTOIRE DU DÉVELOPPEMENT SEXUEL: Âge

Réaction de l'individu et de la famille   _____

Apparition de la puberté   _____

Premiers intérêts sexuels   _____

Première excitation, réaction de l'individu, des parents   _____

Premiers orgasmes, avec quels fantasmes   _____

Habitudes de masturbation, avec quels fantasmes   _____

Premières sorties   _____

Premiers contacts (baisers prolongés, caresses génitales sans relation)   _____

Premières relations sexuelles   _____

Première rencontre d'amis (es)   _____

Affection ayant duré plus de six mois, raison de rupture   _____

Premières fréquentations avec le conjoint actuel   _____

˙Il est important, dans tous les cas investigués, de demander s'il y a eu, en bas âge ou plus tard, des contacts sexuels ou de l'exhibitionnisme de la part d'un adulte.

3. HABITUDES SEXUELLES ACTUELLES:

On se servira du tableau suivant pour établir les fréquences mensuelles:

TABLEAU 18.3:   Grille diagnostique de la fonction sexuelle: fréquences mensuelles

	FAIT	SOUHAITE	FAIT AVEC PLAISIR	FAIT AVEC DÉPLAISIR
Fantasmes	_____	_____	_____	_____
Excitation seul	_____	_____	_____	_____
Orgasme seul	_____	_____	_____	_____
Attiré par son partenaire	_____	_____	_____	_____
Se montrer nu	_____	_____	_____	_____
Voir son partenaire nu	_____	_____	_____	_____
Donner des caresses non génitales	_____	_____	_____	_____
Recevoir des caresses non génitales	_____	_____	_____	_____
Toucher aux organes génitaux du partenaire	_____	_____	_____	_____
Être touché sur ses organes génitaux	_____	_____	_____	_____
Phase d'excitation avec partenaire	_____	_____	_____	_____
Orgasme avec partenaire	_____	_____	_____	_____
Pénétration	_____	_____	_____	_____
Orgasme par pénétration	_____	_____	_____	_____
Résolution et détente	_____	_____	_____	_____

D'après Beltrami, Dupras et Tremblay dans *Sexologie: Perspectives actuelles;* avec permission des auteurs.

4.   COMPLÉMENT À L'EXAMEN PHYSIQUE MÉDICAL:

En plus de l'examen physique habituel, l'examen des parties génitales de l'homme devra se faire en expliquant les différentes parties telles que: gland, prépuce, testicules, prostate et en ajoutant certains éléments physiologiques: liquide prééjaculatoire, effets de la circoncision sur la réponse sexuelle.

Dans un deuxième temps, on s'assurera que le patient connaît bien son anatomie. Il est utile de faire cet examen devant le conjoint si possible.

Quant à la femme, l'examen doit obligatoirement se doubler d'une partie thérapeutique où l'on explique à cette dernière ses organes sexuels externes y compris leurs fonctions érotiques. Il est important de bien vérifier les sentiments ou les mythes qu'elle a au sujet de ses organes génitaux, i.e. une femme qui veut faire couper ses petites lèvres parce qu'elle les trouve anormales ou trop longues.

De plus, une évaluation, par toucher vaginal, des zones entourant le muscle pubo-coccygien ainsi qu'une analyse de la tonicité, de la symétrie et de la force de ce muscle est importante (Hartman et Fithian, 1972; Kegel, 1952). On devra utiliser le périnéomètre de Kegel pour avoir des valeurs objectives de cette évaluation. La procédure est la suivante:

EXAMEN SEXOLOGIQUE DE LA FEMME

A. Le thérapeute demande à la femme de faire un auto-examen de ses organes génitaux et lui pose les questions suivantes:

1. Identification

La patiente est-elle capable d'identifier ses grandes lèvres, ses petites lèvres, son clitoris, le capuchon du clitoris, l'orifice urétral, l'orifice vaginal et son angulation?

2. Acceptation

La patiente est-elle satisfaite de son corps: ses organes génitaux, ses seins?

Souhaiterait-elle changer certaines choses?

3. Sensations

Perçoit-elle les réactions de ses seins: aux stimuli non érotiques (vent, froid), aux stimuli érotiques (caresses du partenaire)?

A-t-elle le désir d'être touchée: seins, vulve, clitoris, vagin?

Existe-t-il un dégoût de ces mêmes touchers? Lesquels?

Effets des moyens contraceptifs ou non sur sa sexualité?

A-t-elle des douleurs (coïtalgie) lors des relations sexuelles à l'entrée du vagin, vers le fond du vagin?

Dans quelles circonstances?

Cela varie-t-il avec l'excitation et la lubrification?

4. Muscle pubo-coccygien

La patiente ressent-elle les contractions de ses muscles péri-vaginaux? En quelles circonstances?

Perd-elle des urines lors d'efforts physiques ou rires (incontinence de stress pouvant signer une dysfonction du muscle pubo-coccygien)?

B.   Examen sexologique par le thérapeute

1. Observation extérieure

La patiente présente t elle un périnée qui n'est pas en protusion vers l'extérieur?

Présente-t-elle une vulve fermée et non béante qui élimine un relâchement important des tissus du périnée?

Il est important de vérifier s'il n'y a pas d'adhérence du clitoris, de brides hyménales ou de caroncules hyménales anormales, chaque élément pouvant amener des douleurs.

2. Examen vaginal

D'après Kegel, seul le toucher vaginal peut informer sur le bon état du muscle pubo-coccygien.

Le vagin doit être étroit, la patiente doit être capable de se contracter volontairement sur les doigts qui l'examinent. On notera donc le contrôle du muscle, le tonus, la force et la symétrie (toute asymétrie pouvant signer une lacération d'un côté du muscle pubo-coccygien).

Les doigts se rendront sur la face postérieure du muscle pubo-coccygien en appuyant jusqu'à ce que la patiente perçoive une sensation d'inconfort. On lui demande alors de se contracter et si la sensation d'inconfort disparaît, ceci indique que la patiente a un bon potentiel de sensations vaginales.

3. Périnéométrie

Le diagnostic final est donné en insérant le périnéomètre de Kegel dans le vagin et en notant sur le manomètre la pression en millimètres de mercure (environ 20). Lors de la contraction des muscles du périnée seulement (à l'exclusion des abdominaux et des fesses) les chiffres devraient augmenter d'environ 15 à 20 mmHg.

4. Établissement du diagnostic définitif avec diagnostic différentiel et facteurs étiologiques

Ces derniers seront trouvés en comparant les changements importants dans la vie d'étude, de travail, et l'histoire médicale notés suivant l'âge du patient. Exemple: M. X qui travaillait à salaire a commencé à 32 ans à fonder sa propre compagnie, à 33 ans on note le début d'un ulcère, à 34 ans des débuts d'impuissance.

Clarification du problème au patient

Ce n'est que lors d'une deuxième ou troisième séance et après avoir vu le conjoint que le praticien clarifie avec son patient son opinion diagnostique.

Apprentissage de base

Si la clarification précitée n'a pas suffi, les trois ou quatre séances sub-séquentes seront vouées aux trois thèmes suivants qui seront menés de front:

1) **Informations:**

- physiologie de l'homme;
- physiologie de la femme;
- changements physiologiques avec l'âge;
- auto-érotisme;
- rôle des fantasmes dans la vie sexuelle;
- hygiène de vie de couple.

2) **Apprentissage sensoriel:** Après une interdiction absolue de relations sexuelles, les individus passent par les phases suivantes:

- **sensibilisation corporelle I:** pour une première semaine, le couple reçoit l'instruction de se masser tour à tour, leur corps nu, mais sans contact sur les parties génitales et sans influencer par leurs commentaires les caresses de leur partenaire. En plus de ces exercices qui doivent être faits au moins une heure, trois fois par semaine, ils doivent faire une sortie à l'extérieur, la femme étant libre de toutes tâches ménagères et sans la présence de parents, enfants ou amis.

- **sensibilisation corporelle II:** la semaine suivante, les mêmes massages et caresses reprendront et devront se terminer par une communication non verbale (en guidant la main de l'autre) sur la préférence des caresses (fréquence, rythme, pression...).

- **sensibilisation corporelle III:** ce n'est qu'après le succès de ces deux semaines que le couple pourra passer aux apprentissages sensoriels numéro III qui consistent en des préliminaires qui sont le résumé des deux premiers exercices et qui se continuent par des caresses sur les parties génitales avec communication non verbale.

3) **Apprentissage psychomoteur:** Toutes les démarches précitées seront fortement facilitées si le praticien enseigne à chacun des clients une technique de relaxation facile et leur enjoint de la pratiquer régulièrement deux fois par jour (70% du succès dépend de l'application de cette règle).

18.4.3 Partie spécifique du traitement

La dernière partie du traitement tiendra compte des catégories diagnostiques.

Manque d'intérêt chez l'homme ou chez la femme

a) Importance capitale des sorties de couple et des vacances annuelles d'au moins quatre jours sans parents, amis ou enfants.

b) Bonne connaissance de l'anatomie et de la physiologie des organes génitaux pour en devenir conscients lors de l'intérêt sexuel.

c) Entraînement aux fantasmes dirigés: imaginer un scénario romantique ou érotique à la fin de chaque relaxation.

d) Lecture pour supporter l'imaginaire.

e) Si un traumatisme vrai ou imaginé, une peur ou un dégoût marqué ont bloqué l'intérêt sexuel, une désensibilisation s'impose. Cela consiste à imaginer par petites doses successives et croissantes des images traumatisantes sous relaxation pour en enlever les effets émotifs.

f) Traitement de la dynamique de couple si nécessaire.

Impuissance

a) Importance capitale d'arrêt total de relations sexuelles lors de la partie non spécifique.

b) Abandon du rôle de spectateur et du souci de performance.

c) Désensibilisation systématique à la peur de l'échec et aux frustrations de l'impuissance.

d) Augmentation poussée des préliminaires et des situations où il n'y a pas de ''risques'' de pénétration.

e) Sensibilisation du partenaire féminin à ne pas survaloriser la pénétration.

f) Attendre que les érections arrivent fréquemment et pendant plus de cinq à dix minutes lors des préliminaires avant de passer aux étapes subséquentes: caresses génitales, pénétration.

Éjaculation précoce

a) Apprendre à percevoir l'érotisme à travers tout son corps et non seulement dans son pénis.

b) Apprendre à voir les tensions sexuelles comme agréables.

c) Maîtriser les techniques de relaxation brève.

d) Percevoir les sensations qui précèdent l'imminence de l'éjaculation.

e) Utiliser la masturbation thérapeutique pour apprendre à prolonger l'excitation au-delà de dix minutes avant l'éjaculation, soit par relaxations brèves, par arrêt de stimulations, ou autocompression de la base du pénis.

f) Maîtriser le contrôle de son muscle pubo-coccygien.

g) Avec partenaire, à l'occasion de la sensibilisation corporelle III, utiliser la technique suivante de compression: l'homme étant allongé sur le dos, la femme pose son pouce sur le frein du pénis, son index et son majeur de part et d'autre de la couronne et comprime quelques secondes.

Après avoir maîtrisé cette technique, ils ne l'utilisent que pour différer une excitation qu'ils sentent mener à l'éjaculation (Masters & Johnson, 1971).

h) Pénétration avec la femme en position cavalière (les deux genoux de chaque côté de l'homme allongé sur le dos). Après une semaine d'entraînement à la méthode de compression par caresses, la femme insère, dans la position mentionnée, le pénis en elle, puis se soulève, désengage le pénis et effectue une compression, le tout plusieurs fois de suite. La technique étant maîtrisée, ils ne l'utilisent que pour prévenir une éjaculation imminente. Une fois le temps de pénétration fixé écoulé, il est important que les deux partenaires se laissent aller complètement dans l'abandon et le vécu érotique de l'orgasme.

i) Arrêt-départ: Dans des cas plus légers, le seul fait de ne pas bouger lors des deux premières minutes de pénétration en position cavalière et par la suite d'arrêter les stimulations quand l'excitation augmente exagérément peut suffire pour permettre une pénétration de vingt minutes. Une fois le temps de pénétration fixé écoulé, il est important que les deux partenaires se laissent aller complètement dans l'abandon et le vécu érotique de l'orgasme. L'abandon érotique fait ensuite place au contrôle.

Éjaculation retardée ou absente ou anhédonique

a) Si blocage important, vérifier la nécessité de psychothérapie indivi-duelle.

b) Apprentissage sensoriel et psychomoteur important souvent contre le gré et l'irritation croissante du patient qui dit perdre son temps.

c) Entraînement aux fantaisies dirigées pour augmenter les fantasmes, surtout pour accorder une permissivité et déculpabiliser: il est important d'imaginer volontairement et consciemment un scénario sexuel sans se sentir coupable.

d) Importance de prendre du temps pour la sexualité dans sa vie de tous les jours.

e) Apprentissage à accélérer l'orgasme par la masturbation thérapeuti-que qui comprend un scénario préparatoire, des fantasmes élaborés, des mouve-ments corporels (bassin), une conscience du pubo-coccygien et des autres changements physiologiques.

f) Après réussite de l'item e), même démarche en présence du parte-naire, puis avec l'aide de celle-ci, et ensuite uniquement par les caresses fémini-nes.

g) Désensibilisation imagée pour enlever les inhibitions possibles face au vagin.

h) Caresses de la partenaire jusqu'à l'éjaculation, le pénis étant maintenu proche de l'entrée du vagin.

i) Pénétration intravaginale, la femme continuant de caresser la base du pénis jusqu'à l'éjaculation.

j) Éjaculation intravaginale, la femme ayant les cuisses serrées et augmentant les mouvements du bassin ainsi que les contractions de son pubococcygien.

k) Dans les cas rebelles, utilisation de vibrateurs à massage facial.

Incapacité d'excitation chez la femme: manque de lubrification

a) Même traitement que pour le manque d'intérêt.

b) De plus, s'il y a syndrome de manque d'oestrogènes (ménopause), il y aurait lieu de faire une thérapie de remplacement hormonal orale ou le cas échéant des oestrogènes en pommade locale.

Orgasme précoce chez la femme

Informations sexologiques pertinentes et rééducation.

Anorgasmie primaire totale

a) Emphase sur l'examen sexologique et la connaissance de son corps.

b) Auto-examen des organes génitaux à la maison.

c) Exploration tactile des organes génitaux.

d) Après repère des parties sensibles et agréables, autostimulation de ces parties pour plus de vingt minutes avec abandon corporel, fantasmes érotiques, mouvements du bassin, etc.

e) Si échec malgré répétition de l'item d) pendant trois semaines, utilisation recommandée des vibrateurs à massage facial jusqu'à obtention de l'orgasme.

Anorgasmie avec partenaire

a) Apprentissage par la femme à son partenaire des caresses qu'elle préfère et des zones les plus érogènes.

b) Sensibilisations corporelles II et III avec communication non verbale extrêmement importantes.

c) Dans les cas difficiles, utilisation d'un vibrateur par le partenaire, jusqu'à l'orgasme.

d) Entraînement aux fantasmes dirigés: scénarios positifs d'atteindre l'orgasme avec partenaire.

Anorgasmie coïtale

a) Il est important que la femme ait pu vivre avec facilité pendant au moins trois à neuf mois l'orgasme avec partenaire.

b) Enseignement sur les différences entre orgasme coïtal et orgasme par caresses.

c) Entraînement du partenaire à des préliminaires longs et à des pénétrations de plus de dix minutes.

d) Exercices du pubo-coccygien sans résistance et avec résistance (sur dilatateur de Young N° 4) (Graber, 1978).

e) Abandon de la course à l'orgasme et de la recherche de sensations trop vives.

f) Entraînement aux fantasmes dirigés orientés vers les sensations vaginales et scénarios positifs d'obtenir l'orgasme avec le partenaire.

Vaginisme et non-consommation

a) Informations sexologiques pertinentes; dimension du vagin et compatibilité pénis/vagin.

b) Désensibilisation aux craintes exagérées.

c) Entraînement aux fantasmes dirigés orientés vers les sensations vaginales et scénarios positifs d'obtenir l'orgasme avec le partenaire.

d) Maîtrise de techniques brèves de relaxation en position gynécologique.

e) Détente des cuisses et du pubo-coccygien.

f) Auto-examen des organes génitaux.

g) Insertion des dilatateurs de Young N°s 1, 2, 3, 4, par étapes, selon le rythme de la cliente, tout en lui enseignant l'angle adéquat de pénétration.

h) Insertion du pénis du partenaire en position cavalière. Lorsque cette forme de pénétration est maîtrisée, on passe à la pénétration de l'homme en position supérieure.

i) Entraînement de l'homme à aider sa partenaire à se relaxer, à apprendre avec elle l'angle de pénétration et à insérer à son tour les dilatateurs. Ceci contribue à sécuriser la femme et à faciliter l'étape de l'insertion du pénis.

18.5 CONCLUSION

Depuis la parution des livres de Masters & Johnson, le praticien a des outils thérapeutiques de plus en plus précis et efficaces dans le domaine de la sexo-thérapie à la condition de bien connaître la sexo-physiologie. Il est important aussi que le praticien se tienne à jour quant aux nouvelles données sexologiques afin de pouvoir offrir les meilleurs services possibles à ses clients.

BIBLIOGRAPHIE

BANCROFT, J. *Deviant Sexual Behavior: Modification and Assessment.* Oxford: Clarendon Press, 1974.

BARDWICK, J. *Psychology of Women: A Study in Biocultural Conflicts.* New York: Harper Row, 1971.

BELTRAMI, E. "La réponse sexuelle de l'homme". *Etudes de sexologie.* Vol. 1, Ottawa: Educom, 1976.

BERGERON, A., TREMPE, J.P. *Sexologie: perspectives actuelles.* Montréal: Les Presses de l'Université du Québec, 1978.

BONAPARTE, M. *La sexualité de la femme.* Paris: Presses Universitaires de France, 1951.

BUREAU, J. "L'intérêt sexuel: structure et concepts thérapeutiques". *Etudes de sexologie.* Vol. 1, Ottawa: Educom, 1976.

CLARK, L. "Is There a Difference Between a Clitoral and a Vaginal Orgasm?" *The Journal of Sex Research.* 1970, Vol. 6, 25-28.

CONTI, G. *L'érection du pénis humain et ses bases morphologico-vasculaires.* Acta. anat. (Basel), 1952, Vol. 14, 217-262.

CREPAULT, C., DESJARDINS, J.Y. *La complémentarité érotique.* Ottawa: Educom, 1976.

DEUTSCH, H. *La physiologie de la femme.* Paris: Presses Universitaires de France, 1969.

FOX, C.A., FOX, B. "A Comparative Study of Coital Physiology, with Special Reference to the Sexual Climax". *Journal of Reproduction and Fertility.* 1971, Vol. 24, 319-336.

FREUD, S. *Trois essais sur la théorie de la sexualité.* Paris: Gallimard, Trad. B. Reverchon, 1962.

GRABER, G., GRABER, B. "Diagnosis and Treatment Procedures of Pubococcygeal Deficiencies in Women". *Handbook of Sex Therapy.* New York: Plenum Press, 1978.

HARTMAN, W.E., FITHIAN, M.A. *The Treatment of Sexual Dysfunction.* Californie: Long Beach, Center of Marital and Sexual Studies, 1972.

KAPLAN, H.S. *The New Sex Therapy: Active Treatment of Sexual Dysfunction.* Montréal: Book Center, 1974.

KARACAN, I. & AL. "Noctural Penil Tumescence and Diagnosis in Diabetic Impotence". *American Journal of Psychiatry.* February 1978, Vol. 135(2), 191-197.

KEGEL, A. "Sexual Functions of the Pubococcygeus Muscle". *Western Journal of Surgery, Obstetrics and Gynecology.* 1952, 60, 521-524 (c).

KINSEY, A.C., POMEROY, W.B., MARTIN, C.E. *Le comportement sexuel de l'homme.* Paris: Edition du Pavois, 1948.

KINSEY, A.C., POMEROY, W.B., MARTIN, C.E., GEBHARD, P. *Le comportement sexuel de la femme.* Paris: Amiot, Dumont, 1954.

KRAFFT-EBING, R. (Von). *Psychopatia Sexualis: A Medicoforensic Study.* Brooklyn: Physicians and Surgeons Books, 1922.

LOPICCOLO, J., LOPICCOLO, L. *Handbook of Sex Therapy.* New York: Plenum Press, 1978.

MASLOW, A. "Volunteer-error". Discussion de l'article de Frank Beach dans *Sex Research New Development*. John Money (Ed.), H.R.W., 141, 1965.

MASLOW, A.H. "Critic and Discussion Following Master's Intervention on Human Female Physiology". *Sex Research: New Development*. Money (Ed.), Holt Rinehart, 1965.

MASTERS, W.H. JOHNSON, V.E. *Les réactions sexuelles*. Paris: Robert Laffont, 1968.

MASTERS, W.H., JOHNSON, V.E. *Les mésententes sexuelles*. Paris: Robert Laffont, 1971.

MONEY, J., EHRHARDT, A. *Man and Woman, Boy and Girl*. Baltimore: Johns Hopkins University Press, 1972.

MONEY, J. "Sex Harmones and Other Variables in Human Eroticism". *Sex and Internal Secretions*. Baltimore: Williams & Wilkins, W.C. Young (Ed.), 1961.

PAYNE, S.M. "A Conception of Feminity". *British Journal of Medical Psychology*. 1935, 15, 18-33.

PERSKY, H., LIEF, H. & AL. "Reproductive hormone levels and sexual behavior of young couples during the menstrual cycle". *Progress in Sexology*. New York: Plenum Press, Gemme, R. and Weeler C. (Ed.), 1977.

CHAPITRE 19

L'HOMOSEXUALITÉ

Roland Boulet

19.1 INTRODUCTION

Il importe, dès le début, de souligner la grande difficulté à aborder un tel sujet avec objectivité, vu les profondes implications morales, religieuses et culturelles qui s'y rattachent. Le plus souvent, toute discussion sur l'homosexualité soulève un débat passionné où chacun s'implique selon ses traits de personnalité. Depuis une dizaine d'années, surtout depuis cinq ans, nous assistons à un cheminement idéologique nouveau et rapide, parsemé de débats animés entre différentes écoles de pensée. C'est surtout dans l'arène psychiatrique américaine que se font les discussions les plus vives aboutissant à des chambardements nosologiques importants.

19.1.1 Définition

L'homosexualité se définit simplement comme un rapport sexuel entre personnes de même sexe. Cette définition ne nous aide guère à la compréhension d'un tel phénomène. Lorsque nous parlons d'homosexualité, "s'agit-il d'un état d'esprit ou d'une forme de comportement? Doit-elle être consciente, ou peut-elle être inconsciente? Est-elle un aspect ontogénique universel de tout comportement humain, ou une forme spécifique de psychopathologie? Est-ce que son expression manifeste est le résultat de troubles familiaux particuliers ou le reflet de facteurs socioculturels plus élargis?... À quel moment un sujet devient-il un homosexuel dans le sens clinique du terme? Est-ce une question de qualité ou de quantité?" Ces questions soulevées par Judd Marmor mettent d'emblée en relief les multiples facettes et la complexité de l'homosexualité. Toute définition, bien sûr, ne peut satisfaire toutes ces questions et nous retiendrons, pour les besoins de notre exposé, celle de Marmor: *l'homosexuel clinique* est motivé, au cours de la vie adulte, par une attraction érotique préférentielle explicite à l'égard des membres du même sexe et, habituellement (mais non nécessairement), s'engage dans des relations sexuelles manifestes avec eux.

19.1.2 Incidence

Il est bien connu que le comportement homosexuel est aussi vieux que le monde et se retrouve dans presque toutes les cultures. Parmi les rares sociétés où l'homosexualité n'aurait pas été identifiée, Bieber mentionne les Indiens Utes du Colorado, les Indiens de la Guyane hollandaise et les Nigériens.

La Grèce antique

Parmi les sociétés ouvertes à l'homosexualité, la Grèce Antique demeure l'exemple classique (quoique encore sujet à polémique de nos jours). Les enfants issus des classes sociales aisées étaient dirigés auprès d'adultes mâles dans le but de leur transmettre les plus hauts standards d'éthique de la société: la relation maître-élève prenait fin au moment de l'adolescence du jeune homme qui avait été honoré du rapprochement et du comportement érotique de son partenaire adulte. Cette homosexualité ritualisée n'ouvrait pas la porte à une homosexualité persistante; elle visait plutôt à renforcer les valeurs et le préparait à assumer un choix hétérosexuel.

Étude de Ford et Beach

Dans une étude de 76 sociétés, Ford et Beach (1952) rapportent que, pour les deux tiers d'entre elles, l'homosexualité est considérée comme normale et acceptable dans certaines conditions; 1- certains rites d'initiation de l'entrée d'un adolescent dans la vie adulte (masturbation mutuelle, orgies homosexuelles); 2- le caractère sacré accordé au chaman de Sibérie qui au moment de la révélation de ses dons, adopte des usages féminins, le travestisme; 3- dans certaines tribus d'Amérique, celui qui vit en femme (le berdache) s'accouple avec un homme.

Enquête Kinsey

Toutefois, plus que toute autre, l'enquête Kinsey (1948) réalisée chez plus de 5,000 Américains de race blanche nous apporte des faits objectifs étonnants: 50% des hommes ne sont pas exclusivement hétérosexuels: 4% sont des homosexuels exclusifs; 10% ont pu avoir un comportement homosexuel plus ou moins exclusif pour une période minimale de trois années; 37% ont déjà eu des rapports homosexuels jusqu'à l'orgasme; enfin, 13% mentionnent avoir éprouvé un potentiel homosexuel (réactions érotiques à d'autres mâles) sans contact direct cependant. Cette enquête exhaustive a pu mettre en lumière un continuum de comportement sexuel entre deux pôles extrêmes, ce que Kinsey a traduit par une échelle en sept points: 0, un comportement exclusivement hétérosexuel; 1, l'hétérosexualité prédomine sur l'expérience homosexuelle minime de l'individu; le Kinsey type 2 correspond à une plus

TABLEAU 19.1: Échelle d'évaluation hétérosexuelle-homosexuelle basée sur les réactions psychologiques et les expériences manifestes

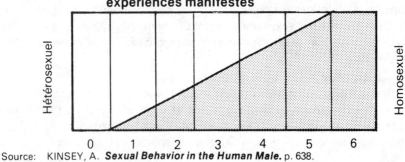

Source: KINSEY, A. *Sexual Behavior in the Human Male.* p. 638.

grande expérience homosexuelle d'un sujet que chez le Kinsey type 1, mais l'expérience hétérosexuelle l'emporte; dans la case 3, les expériences autant homosexuelles qu'hétérosexuelles s'équivalent, et malgré l'ambivalence quant au genre du partenaire, il présente habituellement des périodes à partenaire bien identifié; l'échelle 4, à l'inverse de l'échelle 2, représente des personnes ayant eu une expérience hétérosexuelle significative mais qui s'affichent de façon prédominante en interaction homosexuelle; chez le Kinsey type 5, l'expérience homosexuelle domine nettement et l'activité hétérosexuelle demeure minime; enfin, le Kinsey type 6, tout à fait à l'opposé du Kinsey type 0, n'a jamais eu d'expérience hétérosexuelle, son interaction étant exclusivement homosexuelle.

Il n'y a donc pas de cloisonnement étanche dans l'orientation sexuelle entre hétérosexuels et homosexuels et un certain degré de bisexualité apparaît chez un grand nombre d'individus dans l'échantillonnage de Kinsey.

19.2 NOSOLOGIE

A mesure que la science progresse et que les notions se précisent, des réajustements dans la classification des maladies peuvent en découler.

19.2.1 Ancienne nomenclature

Dans l'ancienne nomenclature américaine, jusqu'en 1974, l'homosexualité siégeait dans le groupe des perversions sexuelles. Dans le DSM II (1968) l'étiquette de perversions est changée pour celle de déviations sexuelles, classées sous la rubrique de "Troubles de la personnalité et certains troubles mentaux non psychotiques".

19.2.2 Le référendum

En décembre 1973, le conseil d'administration de l'Association des psychiatres américains (APA) propose l'élimination du terme "homosexualité" pour lui substituer la dénomination de "TROUBLE DE L'ORIENTATION SEXUELLE", avec un sens beaucoup plus restrictif. Un référendum est tenu où tous les membres de l'American Psychiatric Association pouvaient se prononcer. Cinquante-huit pour cent des votants étaient en faveur d'exclure le terme d'homosexualité de la nosologie psychiatrique pour le remplacer par celui de trouble de l'orientation sexuelle qui se définit comme tel:

"Cette catégorie comprend des sujets dont les intérêts sexuels sont principalement dirigés vers des personnes du même sexe et qui sont soit troublés par le conflit de leur orientation sexuelle, soit désirent en changer l'orientation. Cette catégorie diagnostique diffère de celle de l'homosexualité, qui n'est pas nécessairement un trouble psychiatrique. L'homosexualité perverse n'est qu'une des formes du comportement sexuel et n'est pas cataloguée dans cette nomenclature à l'instar d'autres formes du comportement sexuel qui ne sont pas des troubles psychiatriques."

A la fin de l'année 1977, un sondage est conduit sous les auspices de Medical Aspects of Human Sexuality auprès de 10,000 psychiatres américains; 68% des 2,500 répondants considèrent l'homosexualité comme une adaptation pathologique (par opposition à une variation normale) ... et le débat n'est pas clos.

19.2.3   Le DSM III

Enfin, en janvier 1978, le DSM III regroupe sous la rubrique de DÉSORDRES PSYCHOSEXUELS quatre grandes catégories:

1- Troubles de l'identité du genre.

2- Les paraphilies ou perversions (sans mention de l'homosexualité ou de trouble de l'orientation sexuelle) (voir chapitre 20).

3- Les dysfonctions psychosexuelles (voir chapitre 18).

4- Les autres troubles psychosexuels, comprenant:

a) l'homosexualité ego-dystonique
b) trouble psychosexuel non classé ailleurs.

En fait, les deux critères pour justifier le diagnostic d'homosexualité ego-dystonique reposent:

1- sur l'état de détresse provoqué chez l'individu par l'expérience soutenue d'excitations homosexuelles non désirées et/ou

2- sur l'état de détresse du sujet dont l'inclinaison hétérosexuelle est absente ou insuffisante pour établir et maintenir des rapports hétérosexuels désirés.

Ainsi le DSM III ne retient pas dans sa nomenclature des désordres psychiatriques l'homosexuel bien adapté à son orientation sexuelle et qui ne désire pas la changer. Il rappelle que bon nombre d'homosexuels sont apparemment satisfaits de leur orientation sexuelle et démontrent une bonne capacité de fonctionnement, de travail et d'amour. Ces sujets ne présentent pas, en conséquence, les critères de détresse et d'incapacité inhérents à la notion de maladie mentale.

19.2.4   Commentaires

En somme, dans ce cheminement à travers la nomenclature nous pouvons relever les efforts pour faire disparaître le terme de "perversion" à connotation morale au profit de "déviation sexuelle" et finalement de "paraphilie". La disparition de l'homosexualité comme telle de la nomenclature met en cause l'influence psychanalytique prépondérante durant plusieurs décades, suscitant de chauds débats et des positions extrémistes (Judd Marmor, Charles W. Socarides). Ce n'est qu'à la suite d'enquêtes de masse, conduites avec la plus grande rigueur scientifique possible, qu'un renversement idéologique a pu s'opérer.

19.3   ÉTIOPATHOLOGIE

Les recherches sur l'étiopathologie de l'homosexualité, tant sur le plan biologique que psychologique, sont considérables et nous ne pouvons que mentionner sommairement les plus importantes constatations.

19.3.1   Point de vue génétique

Les recherches de Kallmann (1952) sur les jumeaux mono et hétérozygotes ont milité en faveur de cette étiologie. Cependant il apparaît difficile de donner tout le crédit aux conclusions de Kallman à cause du peu de rigueur scientifique de ses travaux, tels que critiqués par Gadpaille (1972).

Slater (1962) a enquêté sur une série d'homosexuels des deux sexes quant à leur rang dans la fratrie et l'âge de la mère à la naissance. Il en découle que les homosexuels occupaient les rangs inférieurs dans la fratrie et correspondent à une maternité tardive. Il subsiste une possibilité (non encore démontrée) de rapprochement, dans le sens d'anomalie chromosomique, avec les mères d'enfants présentant le syndrome de Down (mongolisme).

19.3.2   Point de vue endocrinologique

Jusqu'en 1950, les recherches furent nombreuses mais peu concluantes. On reconnaissait bien sûr le rôle primordial des stéroïdes androgéniques et oestrogéniques au développement des organes sexuels. On n'a pu cependant faire la preuve de l'influence hormonale spécifiquement androgénique ou oestrogénique dans le déterminisme du choix d'objet sexuel (Perloff, 1949).

Par contre, durant les 25 dernières années, plusieurs travaux de recherche commencent à s'articuler de façon significative. Jost (1953) a pu mettre en évidence l'existence d'une courte période foetale critique où l'imprégnation du cerveau en particulier de l'hypothalamus par les androgènes est nécessaire pour qu'apparaissent les caractéristiques du comportement mâle chez l'animal. Money (1956-65-68-70) a pu confirmer ces conclusions chez l'humain par l'étude exhaustive de patients présentant des anomalies chromosomiques (les syndromes: adrénogénital, Turner, insensibilité aux androgènes et Klinefelter). La plupart des chercheurs, tout en reconnaissant l'importance de ces découvertes sur la différenciation précoce du cerveau en mâle ou femelle au cours de la vie foetale liée à la présence ou absence d'androgènes, laissent beaucoup de place cependant à l'influence maternelle post-natale et aux contacts avec les pairs durant l'enfance.

Suite à l'apport de ces nombreuses recherches, qui font de plus en plus corps, il semble bien que:

1- il existe une courte période foetale critique où l'imprégnation androgénique du cerveau (hypothalamus) est nécessaire pour aboutir à un comportement et à des attitudes mâles;

2- si cette imprégnation fait plus ou moins défaut, le comportement de type femelle l'emportera (différentiation préférentielle femelle);

3- l'assignation du genre (par les parents) et l'éducation transcendent tous les autres déterminants de la sexualité humaine;

4- les jeux sexuels avec les pairs durant l'enfance semblent plus importants que le maternage pour aboutir à une performance de la fonction sexuelle adulte;

5- le mâle serait virtuellement plus vulnérable que la femelle quant à sa masculinité - comparativement à la féminité des femmes - et quant à sa fonction sexuelle: la femme peut se permettre passivement le coït malgré des craintes, des conflits, pouvant même remplir ses fonctions reproductives. Quant au mâle, la performance masculine s'établit à travers des conditions émotionnelles complexes pour lui rendre possible l'érection et la maintenir dans cet état jusqu'à l'éjaculation: cette plus grande vulnérabilité du mâle dans l'exercice de sa sexualité se traduit par une plus grande incidence d'homosexualité et par les perversions.

En somme, selon Gadpaille, l'homme est le sexe le plus faible.

19.3.3   Point de vue psychanalytique

Comme pour les névroses ou pour les perversions, le point nodal de l'homosexualité réside dans le complexe d'Oedipe. L'attachement trop intense du garçon à une mère surprotectrice ou dominatrice favorise la fixation et l'identification à la mère et la soumission au même choix objectal que celle-ci, le père, dans ses substituts. Une telle orientation peut être renforcée si le père offre une image peu satisfaisante, de faiblesse, ou s'il est absent (mort, divorcé, prisonnier). Fenichel remarque que ''la majorité des homosexuels présentent un amour oedipien pour leur mère (tout comme c'est le cas chez les névrosés), mais pour la plupart, l'intensité de la fixation à la mère est même plus prononcée''. Pour d'autres, les fantaisies incestueuses font naître des sentiments intenses de culpabilité et de crainte de punition, plus spécialement de mutilation, de castration. Pour abolir la **rétaliation** du père trop puissant, l'homosexuel renonce à la femme. L'homosexualité peut trouver aussi, de façon plus spécifique, ses racines à une fixation à un stade prégénital: la persistance trop importante de la phase auto-érotique, dite **narcissique** (correspondant à une faille dans le transfert de l'intérêt de l'enfant à son propre corps sur celui d'autres personnes). L'adulte recherche plus tard des objets d'amour lui ressemblant tel un garçon qu'il peut aimer comme sa mère l'aimait ou comme il aurait souhaité être aimé par elle. Pour Mélanie Klein (1952), certains homosexuels présentent une fixation au stade oral sadique: la fantaisie de dévorer l'être cher soulève des craintes d'être détruit par cet objet d'amour, d'où le fantasme du vagin ''denté'' dangereux. L'attitude méticuleuse, cérémonieuse, parcimonieuse et obstinée de certains homosexuels passifs, adeptes de la sodomie, révélerait une fixation à l'érotisme anal, déguisant des désirs refoulés tout à fait opposés à jouer avec les selles.

L'ensemble des données psychanalytiques situe les conditions déterminantes de l'orientation homosexuelle dans l'enfance. Les événements de l'adolescence mettent à jour les prédispositions. Certains psychanalystes considèrent l'homosexualité comme une perversion ou du moins comme une maladie. D'autres, comme Pasche (1977), la considèrent ''comme une option affective et sexuelle dont la forme infantile est, avec celle de l'hétérosexualité, constitutive de la personnalité dite normale où elle subsiste toujours mais, réprimée, refoulée ou sublimée''.

Dès le début de sa théorisation, et jusqu'à la fin de sa vie, Freud a cru au concept de bisexualité. La notion d'une bisexualité organique, qui avait cours en son temps, lui servit de fondement à la bisexualité psychologique, qui se retrouvait chez tous les humains: l'envie du pénis chez la femme et la crainte de l'attitude féminine chez l'homme y prennent leurs racines. Pour être bien comprise, cette bisexualité psychologique doit être insérée dans l'ensemble des données psychanalytiques comprenant les investissements précoces de l'enfant envers ses deux parents, les identifications, et l'élaboration de l'affirmation de son propre sexe quant à la rencontre du sexe opposé. L'hérédité, la constitution, les rapports neuroendocriniens et les attitudes parentales en sont également des éléments constitutifs. L'aboutissement normal s'exprime dans l'orientation du désir vers l'hétérosexualité et la rencontre de personnes du sexe opposé; l'homosexualité manifeste résulte de la déviation du désir vers la personne du même sexe, s'exprimant dans les rêves, les fantasmes et la rencontre corporelle jusqu'à l'orgasme. Entre ces deux pôles, comme Kinsey l'a montré, toutes les nuances sont possibles.

Pour Freud et ses disciples, cette disponibilité homosexuelle infantile subsiste chez tout être humain à l'âge adulte, manifeste et consciente, ou latente et inconsciente. Lorsque **latente** et inapparente (Pasche, 1977), c'est que l'homosexualité est soit réprimée (quand elle accède à la conscience, elle provoque honte et dégoût), soit refoulée (maintenue inconsciente par des systèmes de défenses révélateurs: névroses, paranoïa) ou soit dégénitalisée (elle s'intègre dans l'amitié, la camaraderie).

19.3.4 Données psychanalytiques récentes

Dans l'une des rares recherches structurées dans l'approche analytique, Bieber (1962) et ses collaborateurs concluent à l'existence d'une constellation familiale typique dans les antécédents des homosexuels mâles. La mère affiche des liens très étroits avec son fils, le surprotège, lui accorde du favoritisme par rapport à ses autres enfants et même à l'égard de son mari; elle décourage ses attitudes masculines et elle intervient dans ses intérêts hétérosexuels. Par ailleurs, le père est habituellement une figure distante, froide ou brutale, préférant ses autres enfants et exprimant ouvertement son mépris pour le fils déviant. La relation conjugale est habituellement pauvre et souvent l'épouse discrédite ou tente de dominer son mari. L'enfant subit souvent le rejet de ses frères et de ses pairs, de sorte que le défaut de rapports masculins le prive des figures nécessaires à son identification masculine. Il cherchera plus tard à compenser cette carence affective dans l'homosexualité, y cherchant réassurance et acceptation.

Pour Socarides (1968), l'homosexualité est de nature préoedipienne, l'enfant n'ayant pu suffisamment s'affranchir de l'unité mère-enfant pour accéder à l'individuation et établir son identité du genre (vers l'âge de 3 ans). La constellation parentale serait analogue à celle de l'hypothèse de Bieber.

19.3.5 Homosexualité féminine

La littérature sur l'homosexualité féminine (ou le lesbianisme) est moins exhaustive que celle sur l'homosexualité masculine. Cependant, l'ensemble des auteurs s'entendent pour souligner la quasi-absence des perversions chez les femmes, mis à part le comportement "déviant" de l'homosexualité et du sadomasochisme.

La société offre une plus grande tolérance à l'homosexualité féminine que masculine, chez laquelle d'ailleurs criminalité et scandales sont plus rares. L'incidence serait aussi, selon Kinsey, moindre (1-3%).

Les facteurs biologiques, héréditaires et glandulaires ne semblent pas jouer de rôle prédominant. Les explications psychologiques abondent, surtout d'ordre psychanalytique, et elles sont assez variées. Selon Freud, pour la petite fille tout comme pour le petit garçon, l'homosexualité prend racine au cours du développement psychosexuel jusqu'à la constellation oedipienne. Il serait cependant plus difficile pour la petite fille d'accéder à la résolution du complexe d'Oedipe; pour investir le parent du sexe opposé, elle doit d'abord se détacher de son premier objet d'amour, la mère. Le garçon garde toujours la mère comme objet d'amour, avant et pendant l'Oedipe. Si l'attachement oedipien à son père se fait trop intense, la petite fille revient à son premier objet d'amour, la mère, en raison des craintes et de la culpabilité engendrées par le tabou de l'inceste. Ainsi, le décours qualitatif de la phase préoedipienne, période de dépendance et de rapports exclusifs avec la mère, revêt une grande importance dans le déterminisme des attitudes sexuelles subséquentes.

Dans une étude comparative, Eva Bene (1965) mentionne que les lesbiennes étaient plus souvent hostiles et craintives à l'égard de leur père et moins affectueuses vis-à-vis leur mère que les femmes hétérosexuelles. Dans son expérience thérapeutique, Joyce Mc Dougall (1965) souligne que ces patientes perçoivent leur père comme brutal et dégoûtant, et maintiennent une relation idéalisée avec leur mère. Elle croit que certaines de ces homosexuelles se tournent vers d'autres femmes pour réagir à une identification totale avec leur mère. D'autres par contre, comme Helen Deutsch (1944), rapportent qu'une mère peu compatissante et criarde peut motiver sa fille à chercher amour et sécurité chez d'autres femmes et l'orienter ainsi vers le lesbianisme.

19.3.6 Commentaires

Les hypothèses étiopathogéniques sont donc multiples et aucune ne peut à elle seule expliquer l'éventail homosexuel. Si ces données explicatives se retrouvent chez de nombreux homosexuels, elles n'aboutissent pas nécessairement à l'homosexualité. Dans une perspective bio-psycho-sociale, l'hérédité et la prénatalité (période foetale critique) peuvent engendrer un **terrain** propice aux influences psychosociales qui aboutissent à l'homosexualité.

19.4 TABLEAU CLINIQUE

19.4.1 Introduction

L'éventail des types d'homosexualité est large et abondamment décrit. Les expériences homosexuelles de l'enfance et de l'adolescence tiennent plus du jeu, des découvertes, des "amitiés particulières" à caractère affectif; elles sont le plus souvent temporaires plutôt qu'un prélude à l'homosexualité définitive de l'âge adulte. Cependant, pour certains homosexuels, les gratifications sexuelles répétées durant leur enfance avec un ami ou un frère aîné ont pu être déterminantes. Chez l'adulte, l'expérience homosexuelle peut se présenter "par crises"; elle est dite alors compulsive, conflictuelle, et elle s'accompagne de remords. Elle s'expérimente surtout chez le sujet timide, timoré socialement, à faibles conquêtes féminines. Dans la littérature, on affuble souvent l'homosexuel de l'étiquette de passif ou d'actif, ou encore on qualifie les homosexuels mâles "d'efféminés" et les lesbiennes de "masculines". De fait, ces assertions sont plus que discutables. Depuis longtemps, les études anthropologiques (Margaret Mead, 1935) ont démontré que les caractéristiques de tempérament dit "masculin" ou "féminin" résultent de la formation culturelle et ne relèvent pas des distinctions biologiques sexuelles. Dans les interactions sexuelles, e.g. dans la pratique de la sodomie (coït anal), les jeux de rôles sont le plus souvent interchangeables. La plupart des homosexuels préfèrent l'activité sexuelle réciproque où aucun ne domine l'autre.

Bien que l'on ait beaucoup écrit sur l'homosexualité, il n'en demeure pas moins que le champ reste à explorer. Les hypothèses psychologiques s'appuient pour une bonne part sur des expériences psychothérapeutiques individuelles à partir d'une certaine clientèle d'homosexuels (surtout les types 1 et 2 dans l'échelle de Kinsey), c'est-à-dire ceux qui redoutent leur expériences homosexuelles et recourent habituellement au traitement. L'approche scientifique commence à peine à faire disparaître les préjugés et les mythes sur la question et à stimuler une réévaluation des concepts. Nous en rapportons les données les plus récentes.

19.4.2   Étude de Bell et Weinberg

Alan P. Bell et Martin S. Weinberg ont publié récemment (1978) un rapport détaillé sur l'adaptation sociale et psychologique des homosexuels. Ils ont choisi l'un des lieux géographiques des E.-U. le plus ouvert à l'homosexualité: la baie de San Francisco. L'étude porte sur près de 1,500 sujets choisis parmi les 5,000 candidats: 979 homosexuels et 477 hétérosexuels des deux sexes, de races blanche et noire. Environ 90% des sujets se situent aux types 5 et 6 de l'échelle Kinsey, tant sur le plan du comportement sexuel que sur celui des sentiments sexuels. Tous ont été interviewés individuellement à l'aide de questionnaires standardisés en vue d'évaluer leur adaptation sociale (travail, religion, politique, mariage, amitiés, activités sociales et difficultés sociales) et psychologique (santé en général, symptômes psychosomatiques, bonheur, exubérance, acceptation de soi, solitude, préoccupations, dépression, tension, paranoïa, idées et impulsions suicidaires et demandes de services professionnels).

La grande originalité du travail de Bell et Weinberg, est d'avoir relevé la grande hétérogénéité des styles de vie du monde homosexuel, pour en faire une **typologie** en cinq catégories.

1-   Couples unis (*close couples*): c'est le cas de quasi-mariage entre deux hommes ou deux femmes. De tous les homosexuels ils constituent le groupe le plus stable qui présente le moins de problèmes sexuels et ils sont vraisemblablement les moins portés à regretter leur homosexualité. Ils passent plus de soirées à la maison et s'accordent moins de loisirs individuels; les hommes de ce groupe vont rarement ''draguer'' (*cruising*) dans les bars ou les bains publics. Leur vie sexuelle leur est de toute évidence gratifiante, plus active que la plupart des répondants. Leur comportement sexuel leur apporte rarement des déboires judiciaires ou des troubles au travail. Ils sont moins tendus ou paranoïdes et plus exubérants que la moyenne.

2-   Couples ouverts (*open couples*): les sujets de ce groupe vivent avec un partenaire du même sexe, mais ne sont pas heureux de leur situation et recherchent des satisfactions en dehors du couple. Ils ont tendance à ''draguer'' et s'en inquiètent: ils craignent de se faire arrêter et sont tourmentés à l'idée que leurs aventures ne viennent aux oreilles de leur partenaire. Ces couples tendent à être moins émotionnellement attachés et dépendants l'un de l'autre. Ils rapportent une activité sexuelle plus grande que celle du répondant homosexuel moyen, et un répertoire d'activités sexuelles plus élargi auquel le partenaire répond difficilement. Tout en recherchant une homosexualité plus exclusive, ils sont portés à avoir plus de regrets quant à leur homosexualité.

3- Les homosexuels fonctionnels sont célibataires et se caractérisent par de nombreux partenaires sexuels ainsi qu'une activité sexuelle sans aucun regret ni remord. Ce sont les plus jeunes, les plus exubérants et les plus impliqués dans le milieu homosexuel. Ils présentent moins de troubles psychosomatiques. Leur homosexualité est plus ouverte, plus active, moins chargée de sentiments paranoïdes. Ils forment le plus haut pourcentage de la clientèle des bars "gais" et présentent une certaine insouciance quant aux conséquences de leur homosexualité. Les individus de ce groupe sont d'ailleurs souvent arrêtés pour atteinte à la pudeur publique.

4- Les dysfonctionnels: cette classe regroupe le stéréotype des homosexuels tourmentés qui manifestent une mauvaise adaptation sexuelle, sociale et psychologique. C'est chez les dysfonctionnels que l'homosexualité cause le plus de regrets et de remords. Malgré qu'ils "draguent" souvent avec des partenaires relativement nombreux, ils présentent davantage de problèmes sexuels que ceux des autres groupes. Ils s'inquiètent de leur performance sexuelle, éprouvent des difficultés à trouver un partenaire compatible et présentent souvent des problèmes d'impuissance et d'éjaculation précoce. Les comportements délictuels sont fréquents, vols, voie de faits, extorsions, etc. Une détresse générale les caractérise. Ils sont plus isolés, troublés, paranoïdes, déprimés et malheureux que les autres homosexuels. Ils donnent l'image de mésadaptés sociaux.

5- Les homosexuels asexuels: ce sont en général les plus âgés. Ils sont caractérisés par le manque de contacts avec les autres. Ce sont des isolés qui montrent peu d'intérêt sexuel. Ils se disent seuls et malheureux. Leur vie de retrait témoigne d'une apathie sous-jacente à l'égard de la panoplie des expériences humaines.

En conclusion, Bell et Weinberg font remarquer que leurs recherches démontrent qu'en tant que groupe, les homosexuels ne diffèrent pas des hétérosexuels. Les couples unis et les couples ouverts ont un comportement très analogue aux couples hétérosexuels mariés. Les fonctionnels étalent joie et exubérance à travers leur style de vie, comme tous ceux qui recherchent les aventures amoureuses avec le sexe opposé et "draguent" dans les bars ordinaires. Enfin, les dysfonctionnels et les asexuels présentent des difficultés, tout comme des groupes d'hétérosexuels équivalents.

Finalement, pour ces auteurs, la découverte la moins équivoque de leur enquête réside probablement dans le fait que l'homosexualité n'est pas nécessairement reliée à un comportement pathologique.

19.4.3 Étude de Masters et Johnson

L'approche scientifique rigoureuse et systématisée sur le comportement sexuel, initiée par Kinsey en 1948 se poursuit de façon spécifique sur le fonctionnement sexuel, *in vivo*, par l'équipe de Masters et Johnson ("Human

Sexual Reponse" - 1966 et "Human Sexual Inadequacy" - 1970). Avec "Homosexuality in Perspective" - 1979, ces auteurs complètent la troisième phase de leur étude.

Dans cette dernière publication, Masters et Johnson font état d'une étude expérimentale de quatre populations de base: des couples hétérosexuels 1- mariés et 2- assignés ainsi que des couples homosexuels d'hommes et de femmes 3- engagés et 4- assignés. Masters et Johnson entendent par **couple engagé** (*comitted couple*) l'union de deux personnes, d'orientation homosexuelle ou hétérosexuelle, qui se sentent proches l'un de l'autre et qui, pour des raisons qu'elles ne peuvent habituellement définir, ont choisi de partager une vie commune". Sur les 42 couples homosexuels mâles engagés, 11 couples avaient une vie commune de plus de 10 années et 14 autres couples vivaient ensemble depuis plus de 5 ans. **Les couples assignés** (*assigned couple*) étaient composés d'hommes et de femmes réunis en couples transitoires homosexuels, hétérosexuels ou ambisexuels par un processus de sélection par l'équipe de recherche. Aucune des personnes sélectionnées ne se connaissait avant leur accouplement en situation de laboratoire. Les sujets des quatre catégories avaient tous eu une vie sexuelle active. L'échantillonnage couvre l'étendue de l'échelle de Kinsey avec concentration des types 0, 3, 5 et 6. L'éventail des techniques observées en laboratoire comprend la manipulation du partenaire, la masturbation, la fellation, le cunnilingus et le coït, en plus de quelques expériences de coït anal et d'utilisation de substitut pénien. Les observations portent sur des milliers de cycles orgasmiques atteints et sur l'incidence des échecs.

L'étude comparative du comportement sexuel des différentes catégories de couples démontre certaines différences. De façon générale, **le couple homosexuel engagé,** comparé au couple hétérosexuel marié, affiche une implication subjective en apparence plus complète: les partenaires prennent davantage leur temps dans leur interaction sexuelle et leurs communications verbales et non verbales sont plus importantes. Ils progressent lentement dans la phase de l'excitation, ils apprécient l'augmentation de la tension et ils s'attardent à la phase du plateau. L'échange sur le plaisir à tous les niveaux de l'excitation sexuelle apparaît comme très importante. Par exemple, les lesbiennes accordent beaucoup plus de temps que les couples hétérosexuelles mariés au contact corporel entier (se serrer, embrasser et caresser tout le corps) avant de stimuler plus spécifiquement les seins et les organes génitaux.

Chez le couple marié, ces caresses spécifiques débutent en moins de 30 secondes à une minute. De façon contrastante, le couple marié est beaucoup plus orienté vers la performance, mettant en évidence une apparente tension dans "la réalisation de l'acte sexuel". Les jeux masturbatoires entre partenaires homosexuels engagés, mâles ou femelles, sont plus élaborés, avec stimulation des régions périgénitales (bas de l'abdomen, face interne des cuisses, scrotum/lèvres, mont de Vénus), avec temps de régression et répétition des "cycles d'agacement". Chez les gens mariés, la stimulation se fait plus spécifiquement au niveau génital (pénienne/clitoridienne). De fait, l'approche masturbatoire du stimulateur est la duplication de sa propre technique auto-érotique. On note quelques différences entre les deux populations de couples dans la pratique de la fellation; chez les homosexuels, **l'empathie intragenre** de l'activité masturbatoire se retrouve dans la performance cunnilinguale. L'époux se fait beaucoup moins expert à ce niveau; l'influence culturelle le ramène à l'efficacité coïtale comme objectif final de son rôle dans les rapports sexuels.

Cette différence marquée dans le comportement sexuel entre les couples homosexuels engagés et les couples hétérosexuels mariés s'estompe à l'étude comparative des comportements sexuels des **couples assignés,** homosexuels et hétérosexuels. Ces deux groupes accordent beaucoup moins de temps aux techniques préliminaires d'agacement et de stimulation de tout le corps. En général, dès le départ l'approche directe aux organes génitaux demeure manifestement la procédure de choix. Les auteurs relèvent aussi le manque d'implication subjective profonde chez les partenaires. En bref, ces deux populations de couples assignés démontrent essentiellement une orientation vers la performance, la réussite du but visé: la détente orgasmique.

Pour Masters et Johnson **l'ambisexuel** (Kinsey type 3)" est un homme ou une femme qui, sans réserve, apprécie, sollicite ou répond avec intérêt aux occasions sexuelles manifestées; il montre une égale aisance quel que soit le sexe des partenaires; comme adulte sexuellement mature, il n'a jamais montré d'intérêt dans une relation continue". Tous les partenaires présentés aux ambisexuels sont de type 0 ou 6 à l'échelle de Kinsey. Qu'il soit placé dans des rapports homosexuels ou hétérosexuels, l'ambisexuel ne démontre aucun signe de baisse dans ses réponses physiologiques, ni aucune différence dans son implication subjective. La femme ambisexuelle présente également des réponses multi-orgasmiques quel que soit le genre du partenaire. Enfin, l'efficacité fonctionnelle des ambisexuels se compare tout à fait à celle des trois autres catégories.

Pour expliquer le niveau apparemment plus élevé de l'implication subjective chez les couples homosexuels engagés, Masters et Johnson relèvent les trois éléments suivants: (1) d'abord les homosexuels ont un avantage sexuel immédiat, **l'empathie intragenre.** Qui peut être en effet meilleur expert dans l'anticipation et l'appréciation subjectives du plaisir de l'autre qu'un individu du même sexe? (2) La **sécurité** dans la performance sexuelle est un autre avantage sexuel immédiat pour les homosexuels, hommes et femmes. La réussite fonctionnelle n'est pas dépendante ni articulée à celle du partenaire, comme c'est le cas dans le coït. Chez les homosexuels, cette réussite fonctionnelle dépend plutôt de la bonne coopération volontaire du partenaire dans la perspective "mon tour, ton tour". Cela réduirait l'incidence des craintes de la performance. (3) Enfin l'homosexualité présente un désavantage à long terme du fait que les partenaires n'ont que deux techniques stimulantes de base, la manipulation du partenaire et la fellation-cunnilingus (peu de sujets ont pratiqué la masturbation mutuelle et les deux techniques pseudocoïtales: coït anal et substitut pénien). C'est pourquoi les homosexuels doivent, pour éviter une baisse de l'efficacité stimulante sur une longue période, constamment varier et raffiner ces deux techniques de **nécessité.**

Or, la caractéristique prédominante dans l'étude comparative des quatre groupes mentionnés en interaction sexuelle est justement l'implication subjective et mutuelle d'un haut niveau chez le couple homosexuel engagé. Leur communication émotive, verbale et non verbale, viendrait neutraliser le désavantage d'absence de coït et intensifier les aspects voluptueux de l'interaction sexuelle. La plupart des couples homosexuels assignés font peu d'effort pour établir cette communication; ils préfèrent un recrutement continuellement renouvelé de partenaires pour assaisonner leur satisfaction. Par ailleurs, les quelques couples mariés qui utilisaient librement la communication pour rehausser leurs satisfactions sexuelles étaient aussi subjectivement impliqués que la plupart des couples homosexuels engagés.

Masters et Johnson relèvent un autre fait intéressant qui ressort de la cueillette des fantaisies sexuelles les plus fréquentes exprimées par les membres des différentes catégories. La plupart des homosexuels, hommes et femmes, mentionnent entretenir des fantaisies d'activité hétérosexuelle tout comme la plupart des hétérosexuels des deux sexes imaginent des rapports homosexuels. Par ailleurs, ce genre de fantaisies n'apparaît pas chez les ambisexuels; ces derniers, hommes et femmes, savourent plutôt une opportunité sexuelle, ou ils se rappellent les détails d'épisodes sexuels antérieurs particulièrement stimulants, indépendamment du genre du partenaire.

19.4.4 Commentaires

L'homosexualité n'est pas un fait culturel singulier. Elle est présente dans toutes les classes sociales sans exclusion. De nombreux homosexuels ont une excellente adaptation sociale et certains occupent même des postes importants dans la société; ils sont capables de relations sociales chaleureuses mais ils doivent bien souvent garder secrète leur orientation sexuelle à cause de **l'opprobre public.** Cependant, dans l'ensemble, l'opinion publique évolue vers une tolérance et une meilleure acceptation de l'homosexualité en tant que telle. Plusieurs pays (Canada, France, Suède, Pays-Bas, Angleterre, huit états des Etats-Unis) ont décriminalisé l'homosexualité entre adultes consentants s'il n'y a pas atteinte à la pudeur publique.

19.5 TRAITEMENT

19.5.1 Généralités

Jusqu'à récemment, peu d'homosexuels éprouvant des dysfonctions sexuelles recouraient au traitement. Dans la communauté homosexuelle, on savait le peu de chance d'amélioration et on subissait en silence les pressions socio-culturelles et religieuses reliées au fait homosexuel. Mise à part cette donnée sociologique, trois craintes principales, selon Masters et Johnson, retiennent la clientèle homosexuelle de l'accès aux soins: (1) l'homosexuel masculin craint le rejet dans sa quête de support psychothérapeutique; (2) il craint l'échec du traitement, quel que soit le genre d'approche thérapeutique; (3) il craint l'exposition sociale au cours du traitement, et même après.

Depuis quelques années, l'évolution de l'opinion publique, une attitude législative moins discriminatoire et l'apparition de cliniciens mieux informés et habiles à traiter ce genre de problèmes font de plus en plus contrepoids. A cet égard, les travaux et les expériences thérapeutiques de Masters et Johnson sont au centre de ce renversement positif dans l'approche thérapeutique que nous décrivons.

19.5.2 Le thérapeute

Il se doit de posséder des attitudes de base. Il est évident que le thérapeute qui conserve des préjugés socio-culturels et religieux vis-à-vis de l'homosexualité aura très peu de succès thérapeutique. Les dispositions qui favorisent le rapport thérapeute-patient se résument à peu près ainsi: l'homosexualité n'est pas une maladie; les problèmes sexuels de tout homosexuel ne seront traités qu'à la demande du sujet; l'entreprise thérapeutique ne débute qu'après une évaluation globale du patient (l'historique du développement de la personnalité, l'histoire sexuelle, les traumatismes physiques et psychologiques), la connaissance détaillée des difficultés sexuelles encourues et l'établissement d'un diagnostic précis. Il importe aussi que le thérapeute soit familier avec les données récentes sur l'homosexualité et avec les techniques nouvelles d'approche thérapeutique.

En somme, le but de toute approche thérapeutique est formulé par le patient. Le système des valeurs du thérapeute n'a rien à faire dans le traitement; celui du patient doit être accepté et s'inscrire dans le processus thérapeutique.

19.5.3 Le patient

Il importe de distinguer dès le début les deux grandes catégories de pathologie qui font l'objet de consultation des homosexuels: (1) les **dysfonctions sexuelles,** primaires et secondaires, superposables aux dysfonctions sexuelles chez les hétérosexuels, et (2) les **insatisfactions sexuelles,** i.e. les homosexuels des deux sexes, non satisfaits de leur homosexualité, qui requièrent la **conversion** ou la **réversion** à l'hétérosexualité. Le terme de conversion à l'hétérosexualité s'applique à ceux qui désirent s'impliquer exclusivement dans l'hétérosexualité et qui rapportent peu ou aucune expérience hétérosexuelle antérieure (Kinsey type 5 ou 6); les Kinsey types 2, 3 et 4, ayant eu une plus ou moins grande expérience hétérosexuelle antérieure sont considérés comme requérant une réversion à l'hétérosexualité. Ces distinctions cliniques sont l'oeuvre de Masters et Johnson.

Enfin, il faut noter que des homosexuels(les) peuvent requérir un traitement pour n'importe quelle maladie physique ou mentale sans pour autant remettre en cause leur orientation sexuelle. Les problèmes de couple (ruptures, jalousies, insatisfactions affectives de la relation) peuvent parfois amener ces patients en consultation pour anxiété, dépression, gestes suicidaires. Il s'agit encore là de répondre à la demande du patient sans forcément remettre en question l'orientation sexuelle.

19.5.4 Prolégomènes

Certaines notions de base sont d'abord essentielles chez le thérapeute. L'impact des pressions culturelles sur la performance sexuelle joue un rôle identique dans l'établissement des troubles sexuels chez l'homosexuel comme chez l'hétérosexuel: réelles ou imaginées, ces pressions culturelles ont des conséquences immédiates. Quand les réponses physiologiques de l'érection ou de la lubrification s'estompent ou disparaissent, on peut voir apparaître la dissimulation (simulation sexuelle) et l'anxiété sévère (craintes de la performance et rôle de spectateur).

Le **syndrome de la simulation sexuelle** sert de refuge pour l'homme comme pour la femme, quelle que soit son orientation sexuelle, quand la performance devient inadéquate. Par exemple, l'homosexuel mâle devenu impuissant adoptera un rôle sexuel passif - sécurisant - dans ses rencontres sexuelles. Les rapports réguliers de couple l'amènent à chercher des prétextes: il lui est virtuellement impossible de cacher indéfiniment son insécurité liée à l'absence d'érection. Les phrases-clés de ce syndrome sont stéréotypées: "Je ne me sens pas bien ... j'ai eu une grosse journée au travail..." Quand l'impuissance est occasionnelle, l'homosexuel amène son partenaire à conclure rapidement un rapport sexuel au milieu de la nuit ou tôt le matin... avant que l'érection ne disparaisse. Ou encore, il évite ou il met un terme à la vie de couple pour multiplier les rencontres occasionnelles, le partenaire d'un soir étant plus facile à déjouer. Cette simulation est fréquente chez l'homosexuel âgé ou physiquement peu attirant. Quand l'impuissance est bien établie, la technique la plus rassurante de simulation sexuelle réside dans la négation de tout intérêt sexuel. Si l'impuissance totale se manifeste chez un sujet jeune, il tend à se retirer de plus en plus de la vie sociale: il vit davantage dans sa famille, conserve un cercle très restreint d'amis et s'engage plus intensément dans son travail. Il craint que son impuissance se sache et il fuit toute occasion d'engagements sexuels.

Chez les lesbiennes, ce syndrome est moins fréquent, moindre d'ailleurs que chez les femmes hétérosexuelles. La pression pour atteindre l'orgasme afin de satisfaire sa partenaire homosexuelle semble moins évidente. De plus, on retrouve chez les couples homosexuels féminins une plus grande liberté et capacité d'admettre franchement l'anorgasmie.

Selon Masters et Johnson, quelle que soit l'identité ou l'orientation du sujet, jeune ou vieux, les craintes liées à la performance sexuelle, si elles sont fermement établies, ne peuvent jamais sinon rarement être résolues, **avec** ou

sans support thérapeutique. Ces craintes demeurent indélébiles, profondément inscrites, particulièrement si la dysfonction sexuelle n'a pu être réduite dès son apparition.

Le dysfonctionnel, par ses craintes de la performance, est aussi amené à jouer le **rôle du spectateur.** Par exemple, l'homosexuel souffrant d'impuissance apparaît plein d'émoi si par chance l'érection lui survient au cours d'ébats sexuels: il devient préoccupé et n'a d'intérêt que sur la persistance de son érection; il se concentre uniquement sur cette érection et délaisse les interactions sexuelles avec son partenaire. Il est son propre spectateur.

19.5.5 Les thérapies

Pour les thérapeutes avertis, tout traitement d'homosexuel n'apparaît pas chose aisée: en effet le symptôme principal - l'homosexualité - entraîne un fort potentiel de gratification et peut se mobiliser du pôle ego-dystonique au pôle ego-syntonique. Les indices habituels de ''bon pronostic'' font longue liste, avec insistance sur une forte motivation du sujet pour le changement d'orientation sexuelle, la jeunesse du patient (moins de 35 ans), la présence de comportement ou de réponse hétérosexuelle antérieure, un début récent de l'activité homosexuelle, etc. Les techniques thérapeutiques s'étalent de l'approche psychodynamique avec la psychanalyse (4-5 entrevues par semaine durant plusieurs années) et la psychothérapie d'orientation analytique (1-3 entrevues par semaine durant de nombreux mois) à la thérapie de groupe et à l'approche behaviorale (stimuli aversifs et de renforcement). Les techniques psychodynamiques visent une amélioration plus globale et plus profonde de la personnalité du patient et pas simplement un changement de l'orientation sexuelle. Toutes ces approches sont longues et très peu de statistiques sont disponibles quant à leur succès.

L'approche behaviorale, par la technique de désensibilisation ou celle de l'aversion, ou punition-récompense, ne semble pas avoir beaucoup d'adeptes. Il apparaît présomptif d'appliquer une telle méthode à un sujet qui n'aurait pas déjà des moyens acceptables d'expression sexuelle. Le fait de réduire un attrait homosexuel ne favorise pas automatiquement une hétérosexualité substitutive. Certains peuvent sûrement en bénéficier, mais d'autres risquent d'être plus mal nantis après qu'avant.

L'approche de Masters et Johnson diffère des techniques précitées en ce sens qu'elle amalgame l'exploration psychodynamique, les tâches behaviorales et les données socio-culturelles qui correspondent au patient. Nous en rapportons les éléments fondamentaux qui sous-tendent le traitement, les techniques spécifiques étant les mêmes que celles utilisées dans le traitement des dysfonctions sexuelles (voir chapitre 18).

Il s'agit d'un traitement intensif de deux semaines, sept jours par semaine. Il n'y a pas **un** thérapeute, mais un **couple thérapeute,** homme et femme. Le patient doit être accompagné d'un partenaire compréhensif, habituel ou occasionnel, de même sexe dans les cas de dysfonction, et de sexe opposé dans les cas d'insatisfaction.

Masters et Johnson suivent un protocole thérapeutique relativement standardisé et identique pour les homosexuels comme pour les hétérosexuels. Chacun des deux membres du couple thérapeute a une entrevue initiale séparément et alternativement avec les deux partenaires, complétée par un bilan médical (examen physique et routine de laboratoire). Le couple thérapeute discute par la suite de leur perception personnelle du problème à partir de l'histoire sociale, psychosexuelle et du rapport médical. L'équipe soignante identifie les influences qui ont pu jouer un rôle étiologique dans le développement de la dysfonction ou de l'insatisfaction sexuelle. Ces influences seront reflétées au couple patient avec une approche réflexive impartiale, dépourvue de tout préjugé; tout au long du traitement, le couple thérapeute s'attaquera à ces influences-cibles pour renverser leurs effets, sinon les neutraliser.

Pour les cas de dysfonction sexuelle, Masters et Johnson abordent dès le début les deux éléments fondamentaux du traitement: (1) la confrontation directe et (2) la solution thérapeutique, en s'assurant de la compréhension et de la coopération maximales du partenaire du patient.

Le thérapeute de même sexe place d'abord le dysfonctionnel en confrontation directe avec sa dysfonction (e.g. une impuissance primaire, secondaire ou situationnelle chez l'homme, ou l'anorgasmie chez la femme) et ses craintes de la performance. Il importe que le caractère indélébile attaché à la crainte de la performance soit approché d'une façon très sereine et très habile par le thérapeute pour éviter toute panique, toute anxiété massive. Pour Masters et Johnson, la coopération et la compréhension du partenaire sont à cet égard un élément vital dans le traitement, et les rencontres quotidiennes du couple soigné et du couple soignant permettent une intervention rapide en situation de crise.

La solution thérapeutique constitue le deuxième élément de la charnière du traitement; même si ses craintes de la performance ne pourront probablement jamais s'effacer complètement, le dysfonctionnel peut être amené à en neutraliser leur influence. En plus du support, les principaux moyens thérapeutiques résident dans une approche éducative, l'initiation aux principes fondamentaux de la communication verbale et non verbale, le jeu de rôle du spectateur et l'attitude compréhensive du partenaire.

Il en résulte une accentuation de la coopération diadique de la rencontre sexuelle et l'utilisation d'un mot ou d'une phrase-clé sert de signal commun de renforcement de coopération lorsque l'envahissement par les craintes de la performance se fait sentir. Le partenaire est initié à une approche de plaisir non centrée à favoriser spécifiquement l'érection du dysfonctionnel: l'érection du pénis ne relève pas de la volonté; elle est une réponse aux stimuli physiologiques ou psychosexuels subjectivement appréciés. On apprend aussi au dysfonctionnel à délaisser son rôle de spectateur de sa propre érection pour concentrer son appréciation sur les signes apparents d'excitation sexuelle de son partenaire. Selon Masters et Johnson, cette technique d'observation du partenaire est un moyen thérapeutique de plus pour augmenter le niveau d'implication sexuelle du dysfonctionnel homosexuel.

Dans les cas d'insatisfaction sexuelle, les plus grandes embûches au traitement résident dans la problématique de l'attitude du thérapeute et de l'homme ou de la femme insatisfaits. Le thérapeute doit se départir de tous les préjugés, se maintenir constamment dans la neutralité; il se doit par contre d'aborder les systèmes de valeurs sociales et sexuelles du patient, les identifier, les évaluer et discuter ouvertement avec lui les conséquences positives et négatives sur son style de vie. Le schème de référence du patient, y compris ses propres restrictions psychosociales, s'impose comme étant le seul champ d'action. En plus de ces données essentielles au traitement, les deux autres points les plus importants portent sur la motivation du patient à changer son orientation sexuelle et sur la plus grande compréhension possible des raisons de son orientation homosexuelle. Enfin, le potentiel de satisfaction espérée dans la conversion hétérosexuelle joue un rôle important.

Dans le traitement spécifique comme tel de l'insatisfaction, on utilise la même stratégie thérapeutique que dans le traitement de la dysfonction. Il est intéressant de souligner que la majorité des gens requérant un traitement pour leur insatisfaction étaient mariés.

Les succès thérapeutiques des dysfonctionnels homosexuels se comparent avantageusement à ceux des dysfonctionnels hétérosexuels. Les cas d'éjaculation précoce chez les homosexuels, par exemple, ne nécessitent que deux ou trois entrevues de *counselling* tellement la difficulté est facilement réversible. Pour l'ensemble de leurs cas, Masters et Johnson ne rapportent que 12% d'échec dans leur traitement des dysfonctionnels homosexuels des deux sexes, comparativement à 20% d'échec chez les hétérosexuels. Les auteurs expliquent un tel écart du fait que 1- les homosexuels n'ont pas à faire face à une réalisation coïtale effective, 2- l'équipe soignante bénéficiait au départ d'une expérience clinique de dix ans dans le traitement des dysfonctionnels hétérosexuels. Par contre, ils trouvent désastreux le taux d'échec de 35% chez les insatisfaits. De plus, ils ne peuvent établir de parallèle avec les hétérosexuels insatisfaits: en 20 ans de clinique, seulement deux hommes (présentant une impuissance primaire comme hétérosexuels) ont sollicité des soins dans le but d'une conversion homosexuelle.

19.5.6 Commentaires

La littérature psychanalytique offre une compréhension en profondeur de l'homosexualité, en saisit les racines affectives précoces et leur destin chez l'être humain. Les recherches plus récentes dans le domaine de la psychobiologie ont pu démontrer qu'il n'y avait pas de normes physiologiques pouvant distinguer clairement la fonction homosexuelle de la fonction hétérosexuelle; on peut traiter de la même façon les dysfonctions sexuelles des homosexuels et des hétérosexuels. Vue sous l'angle scientifique, l'homosexualité comporte plus de similitudes que de divergences avec l'hétérosexualité. Toutes ces données portent bon nombre de psychiatres et de professionnels de la santé mentale à prendre une attitude pour le moins tolérante à l'égard de l'orientation homosexuelle, et les amènent à questionner de façon sereine les clichés, les préjugés et les mythes socio-culturels et religieux.

Au début du siècle, en réponse à une mère américaine qui avait découvert l'homosexualité de son fils, Freud écrivait:

"L'homosexualité n'est assurément pas un avantage mais il n'y a pas à en avoir honte; elle n'est pas un vice ni une dégradation; elle ne peut être classifiée comme une maladie; nous la considérons comme une variation des fonctions sexuelles produite par un certain arrêt du développement sexuel. En me demandant si je peux vous aider, vous voulez dire, je suppose, si je peux abolir l'homosexualité et la remplacer par l'hétérosexualité normale? La réponse est, dans un sens général, que nous ne pouvons promettre de la réaliser."

Une telle réalisation est de nos jours davantage possible pour ceux qui la recherchent. Elle repose sur le respect du requérant et sur la motivation de ce dernier. De nouvelles techniques thérapeutiques ont déjà démontré leur efficacité et les cliniciens intéressés se font plus nombreux. Pour d'autres, leur orientation sexuelle n'est pas remise en question. Leur style de vie leur est conforme. Il reste peut-être à la société de s'y conformer.

BIBLIOGRAPHIE

AUDIO DIGEST FOUNDATION: Psychiatry. *The Gay Adolescent.* Juil. 1978, vol 7 (13).

BELL A., WEINBERG, M. *Homosexualities.* New York: Simon and Schuster, 1978.

BENE, E. "On the Genesis of Female Homosexuality". *Brit J. Psychiat.* 1965, III, 815-821.

BIEBER, I. ET COLL. *Homosexuality: A Psychoanalytic Study.* New York: Basic Books, 1962.

BIEBER, I. "Homosexuality - An Adaptative consequence of Disorder in Psychosexual Development". *Amer. J. Psychiat.* Nov. 1973, 130 (11).

DEUTSCH, H. *The Psychology of Women.* New York: Grune and Stratton, 1944.

FENICHEL, O. *The Psychoanalytic Theory of Neurosis.* New York: W.W. Norton, 1945.

FREUD, S. *Trois essais sur la théorie de la sexualité.* Paris: Galimard, 1962.

GADPAILLE, W. "Research Into the Physiology of Maleness and Femaleness". *Arch. Gen. Psychiat.* March 1972, vol. 26.

HARLOW, H.F., HARLOW, M.K. "Social Deprivation in monkeys". *Sci. Amer.* 1962, 207, 136-146.

HARLOW, H.F., HARLOW, M.K. "The heterosexual affectional system in monkeys". *Amer. Psychol.* 1962, 17, 1-9.

HARLOW, H.F., HARLOW, M.K. "The effect of rearing conditions on behavior". *Sex Research: New Developments.* New York: Holt Rinehert and Winston, 1965.

JOST, A. "Problems of fetal endocrinology: The gonadal and hypophysal hormones". *Recent Prog. Hormone Res.* 1953, 8, 379-418.

KINSEY, A. ET COLL. *Sexual Behavior in the Human Male.* Philadelphie: Saunders, 1968.

KLEIN, M. ET COLL. *Development in Psychoanalysis.* London: Hogarth Press, 1952.

LAPLANCHE, J., PONTALIS, J.B. *Vocabulaire de la psychanalyse.* Paris: P.U.F., 1967.

MARMOR, J. "Introduction. The problem of Definition". *Sexual Inversion, The Multiple Roots of Homosexuality.* 2e éd. New York: Basic Books, 1965.

MARMOR, J. "Homosexuality and Cultural Value Systems". *Amer. J. Psychiat.* Nov. 1973, 130 (II).

MARMOR, J. "Homosexuality and Sexual Orientation Disturbances". *Comprehensive Textbook of Psychiatry II,* 2e éd. Freedman, Kaplan, Sadock, Baltimore: Williams & Wilkins, 1975.

MASTERS, W.H., JOHNSON, V.E. *Les réactions sexuelles.* Paris: Robert Laffont, 1966.

MASTERS, W.H., JOHNSON, V.E. *Les mésententes sexuelles.* Paris: Robert Laffont, 1970.

MASTERS, W.H., JOHNSON, V.E. *Homosexuality in Perspective.* Boston: Little Brown, 1979.

McDOUGALL, J. "Introduction à un colloque sur l'homosexualité féminine". *Revue française de psychanalyse.* 1965, 29, 357-376.

MEAD, M. *Sex and Temperament.* London: Gollancz, 1935.

MONEY, J., HAMPSON, J.G., HAMPSON, J.L. "Sexual incongruities and Psychopathology: The evidence of human hermaphrodis". *Bull. Hopkins Hosp.* 1956, 98, 43-57.

MONEY, J. "Influence of Hormones on sexual behavior". *Ann. Rev. Méd.* 1965, 16, 67-82.

MONEY, J. "Influence of hormones on psychosexual differentiation". *Med. Aspects Hum. Sexuality.* 1968, 2(II), 32-42.

MONEY, J. "Behavior genetics: Principles, methods and examples from XO, XXY and XYY syndromes". *Sem. Psychiat.* 1970, 2(I), 11-29.

PASCHE, F. "L'homosexualité masculine". *La revue du Praticien.* Mars 1977.

PERLOFF, W. "Hormones and Homosexuality". *Sexual Inversion, The Multiple Roots of Homosexuality.* 2e éd. New York: Basic Books, 1965.

ROSOLATO, G. "Homosexualité". *Encyclopédie médico-chirurgicale: Psychiatrie.* 37392 A 10, 1968.

SOCARIDES, C. *The Overt Homosexual.* New York: Grune and Stratton, 1968.

SOCARIDES, C. "The Sexual Deviations and the Diagnostic Manual". *Amer. J. Psychiat.* Juil. 1978, vol. 32 (3), 414-426.

SPITZER, R. "A Proposal About Homosexuality and the APA Nomenclature: Homosexuality as an Irregular Form of Sexual Behavior and Sexual Orientation Disturbance as a Psychiatric Disorder". *Amer. J. Psychiat.* Nov. 1973, 130, 11.

STOLLER, R." "The Bedrock" of Masculinity and Femenity: Bisexuality". *Arch. Gen. Psychiat.* March 1972, 26.

STOLLER, R. "Overview: The Impact of New Advances in Sex Research on Psychoanalytic Theory". *Amer. J. Psychiat.* March 1973.

The Task Force on Nomenclature and Statistics of the American Psychiatric Association. *DSM III.* Washington, 1980.

WEST, D.J. *Homosexuality.* Chicago: Aldine Publishing, 1968.

CHAPITRE 20

LES PARAPHILIES

Roland Boulet

20.1 INTRODUCTION

20.1.1 Synonymes

Déviations sexuelles, perversions sexuelles.

Ce sont surtout ces dénominations que l'on rencontre jusqu'à ce jour dans la littérature médicale. Le terme "paraphilies" (amours à côté) leur est substitué dans la nouvelle nomenclature américaine du DSM III - Diagnostic and Statistical Manual of Mental Disorders-. Nous utiliserons l'un ou l'autre de ces termes dans ce chapitre, par nécessité historique.

20.1.2 Généralités

Les déviations sexuelles sont de fait une réalité séculaire et commune à toutes les races. Elles sont indissociables des normes culturelles, mais ces normes présentent une variabilité d'une culture à l'autre, comme le "berdache" chez les Indiens d'Amérique (transvestisme mâle culturellement accepté chez le sujet non apte ou non disposé pour la lutte et la guerre). Elles peuvent varier également d'une époque à l'autre dans une même culture, comme la pédophilie dans la Grèce antique.

20.1.3 Définition

Il importe d'abord de souligner le caractère nettement sexuel de la perversion et la tolérance variable selon les sociétés, ce qui nous amène à retenir une définition dite opérationnelle en référence à la "normalité" sexuelle. Est perversion tout comportement sexuel aberrant qui est de façon prédominante préféré à, ou prend la place d'un comportement hétérosexuel normal. On entend par comportement hétérosexuel normal l'intégration des plaisirs préliminaires (activités prégénitales) vers l'aboutissement à l'union génitale (coït) dans l'obtention de l'orgasme chez deux partenaires adultes consentants.

20.1.4 Notions inhérentes à la perversion sexuelle

La notion de perversion sexuelle est, de fait, fort complexe et difficilement réductible pour compréhension en une simple définition:

- l'acte pervers a habituellement un aspect impulsif et compulsif;

- il a un caractère restrictif quant à la relation hétérosexuelle amoureuse (coït normal);

- la qualité (sadisme, masochisme) ou l'objet (pédophilie, zoophilie) de la pulsion sexuelle est anormal;

- certains actes déviants peuvent être considérés à l'intérieur de la normalité de l'expression sexuelle s'ils sont satisfaits sporadiquement ou comme préliminaires au coït normal, e.g. la fellatio, le cunnilingus;

- on ne considère pas comme pervers au sens strict de la définition les hétérosexuels habituels qui recherchent à l'occasion des gratifications par le biais des perversions, alors qu'ils sont séparés pour une longue période de personnes du sexe opposé (marins, prisonniers);

- la frigidité, le vaginisme, l'anorgasmie, l'éjaculation précoce ou retardée et l'impuissance sont des dysfonctions sexuelles, et non pas des perversions (voir chapitre 18);

- le transsexuel diffère fondamentalement du pervers; nous examinerons ce sujet en fin de chapitre;

- l'homosexualité est une orientation sexuelle déviante de l'hétérosexualité mais ne comporte habituellement pas les traits caractéristiques de la perversion: cf. le chapitre 19. Nous signalons néanmoins que l'homosexualité est incluse comme perversion dans bon nombre de publications.

20.2 ÉTIOPATHOGÉNIE

Jusqu'au XIXe siècle, les troubles du comportement sexuel n'intéressaient pratiquement que la morale religieuse et le système judiciaire. Ce sera d'ailleurs par le biais de ce dernier - aspect médico-légal - que la médecine s'appropriera les aberrations sexuelles dans une démarche d'abord descriptive (particulièrement Krafft-Ebing avec ses 447 observations) puis explicative dans le cheminement de la pensée positiviste: hérédité, congénitalité, constitution et trouble fonctionnel, sans substratum véritable, sont évoqués comme causalité.

20.2.1 Facteurs biologiques

Le plan biologique fournit évidemment le "terrain" à l'appareillage sexuel par le déterminant génétique et son conditionnement hormonal. Les progrès dans les sciences de l'embryologie, la génétique et l'endocrinologie ont favorisé des recherches multiples dans la quête de la compréhension des aberrations sexuelles; cependant elles portent toutes leur attention sur le phénomène homosexuel; nous avons évoqué les principaux travaux au chapitre traitant de l'homosexualité.

20.2.2 Facteurs psychologiques et d'environnement

La plupart des auteurs s'entendent pour accorder, du moins à date, la primauté de l'incidence psychologique et psychodynamique ainsi que de l'influence parentale pour l'édification de la sexualité dans le devenir du pervers. Nous retiendrons à cet égard les deux principales hypothèses: celle de Freud, fondateur de la psychanalyse, et celle plus récente de Stoller, psychanalyste et chercheur américain.

Point de vue freudien

C'est très tôt que Freud porta un intérêt à la perversion, un tel sujet étant d'ailleurs très à la mode avec la publication de "Psychopathia sexualis" de Krafft-Ebing (1893) et de "Studies in the Psychology of Sex" de Havelock Ellis (1897). Il remet en question les notions d'hérédité sans cependant les nier; il se situe à un autre registre. Avec ses "Trois essais sur la théorie de la sexualité" (1905), Freud élabore sa thèse du développement psychosexuel; thèse qui demeurera pratiquement inchangée jusqu'à la fin de sa vie. Il la complètera en cours de route de notions importantes, dont celle du déni (le désaveu de Lacan) dans l'"Abrégé de psychanalyse" en 1938.

Dans ses "Trois essais...", Freud met en lumière l'agir "sexuel" de l'enfant et lui trouve des similitudes et des différences avec le comportement recherché du pervers et les activités préliminaires de la sexualité normale; ainsi les activités "perverses" - les tendances voyeuristes, exhibitionnistes - de l'enfant demeurent polymorphes et sans atteindre l'orgasme; l'adulte pervers privilégie ces mêmes activités avec atteinte orgasmique tout en évitant l'union génitale; chez l'adulte normal elles jouent le rôle de préliminaires et s'intègrent vers l'union sexuelle orgasmique.

C'est par son élaboration de la *sexualité infantile* que Freud innove. Pour lui, elle est le lieu commun à tout être humain et le fondement du style de vie sexuelle du futur adulte. Elle s'élabore chronologiquement en différents stades, chacun étant lié à des situations conflictuelles particulières et bien individualisées, pour se résumer et se cristalliser en situation oedipienne.

Nous ferons d'abord un court rappel du développement psychosexuel et verrons par la suite de quelle façon s'ancre le décours pervers.

Freud donne d'abord au terme "sexuel" un sens plus large qu'au mot "génital". Il attribue à ce terme une qualité érotique, i.e. des sensations intenses de plaisir pouvant être satisfaites en différentes parties du corps. Il fait état du développement progressif de la sexualité de l'enfant, qui s'étaye sur des parties du corps qui ont d'abord une fonction physiologique favorisant la découverte du plaisir par simple stimulation: ce sont les zones érogènes, les muqueuses de la bouche, de l'anus et des organes génitaux (clitoris-pénis): recherche du plaisir par stimulation buccale avec la suce ou le suçage de pouce, la rétention des selles, la sensation de chaleur à la perte d'urine dans la couche, etc. De plus, l'enfant naissant biologiquement normal, est dans un état de dépendance telle qu'il sera lié et pour longtemps à un personnage de sexe féminin, la mère. A mesure que l'enfant commence à prendre conscience de lui-même et du monde extérieur, ces liens d'abord vitaux (conservation de la vie) vont se transformer en liens affectifs et s'érotiser (affection et désir érotique dirigés exclusivement sur la mère). C'est à l'intérieur de tels rapports que la maturation s'établit, que l'enfant passe d'un stade à l'autre - oral, anal, urétral, phallique - chaque zone correspondante devenant source de besoins libidinaux, jusqu'au stade final, génital, où toutes les coordonnées sont en place pour pouvoir atteindre à l'âge adulte une pleine capacité pour l'orgasme et les satisfactions amoureuses avec une personne de sexe opposé (résolution heureuse du complexe d'Oedipe).

Certaines étapes peuvent prendre plus d'importance, et de là devenir plus marquantes, soit par surgratifications ou excès de frustrations, e.g. l'enfant d'un an et demi encore au biberon, ou une très grande sévérité parentale face aux tendances exhibitionnistes de l'enfant de quatre ans. Ces temps d'arrêt en cours de développement deviennent des points de *fixation.*

Lorsque l'enfant, ou plus tard l'adulte, aura à faire face à des situations dépassant ses capacités d'adaptation, il aura tendance à se comporter sous un mode archaïque fixé dans sa personnalité: il s'agit alors d'une *régression* à un point de fixation.

La recherche des satisfactions libidinales chez le jeune enfant apparaît donc multiple, correspondant à plusieurs niveaux - oral, anal, phallique - visiblement sexuels mais non hiérarchisés ni intégrés à la relation péno-vaginale (ce qui a amené Freud à parler de l'enfant comme un "pervers polymorphe").

Ce sont les *pulsions partielles* qui correspondent à l'ensemble de ces besoins et désirs libidinaux infantiles. Elles se caractérisent par leur aspect:

- auto-érotique: l'enfant n'a pas besoin d'un objet autre pour atteindre la satisfaction (stimulation de ses lèvres ou de la langue pour l'oralité, les selles et le sphincter pour l'analité, caresses manuelles du pénis/clitoris pour les organes génitaux);

- prégénital: même si l'excitation se situe aux organes génitaux, toute procréation est exclue;

- narcissique et non objectal:par son autosuffisance l'enfant ne tire plaisir que par son propre corps;

- non hiérarchique: si certaines parties du corps témoignent d'un plaisir électif il n'y a pas de subordination entre les zones érogènes.

Comment cette organisation *prégénitale* de la sexualité infantile peut-elle tendre vers la *génitalité?* Pour Freud, c'est à travers la *situation oedipienne* que s'opère la transition de l'auto-érotisme à l'allo-érotisme, du non-objectal à l'objet d'amour, de l'anarchisme au hiérarchisme des pulsions partielles, de la prégénitalité à la génitalité. L'attrait de l'enfant à l'égard du parent de sexe opposé introduit l'objet d'amour et fait apparaître sa conséquence: l'interdiction de l'inceste.

Le *complexe d'Oedipe,* l'un des plus importants concepts de la théorie psychanalytique, joue un rôle capital dans l'organisation finale de la personnalité et entre autre de l'organisation perverse de la sexualité.

Ce complexe se joue chez l'enfant de trois à six ans, à l'acmé de la phase phallique. Les intérêts sexuels intenses chez le petit garçon sont dirigés vers un premier objet d'amour: la mère. De ce fait, il est amené à tenir compte de la présence d'un rival de taille, le père, ce qui situe alors l'enfant dans une relation triangulaire intense, alors que ses rapports antérieurs le maintenaient dans une relation à deux, mère-enfant, le père ayant un rôle plus distant et secondaire. L'introduction du père, en plus de jouer un rôle très important comme prélude à l'organisation sociale de l'enfant en intervenant dans cette relation dyadique, s'impose comme un obstacle puissant aux désirs amoureux de l'enfant. Cet obstacle paternel mobilise des fantasmes d'agressivité énorme chez l'enfant, agressivité dirigée contre cette figure interdictrice d'autorité, le père étant perçu comme l'instaurateur de la Loi. Cette hostilité vécue par l'enfant n'est pas sans retour (loi du Talion), et les menaces - ouvertes ou implicites - du père, rival trop puissant, sont perçues par l'enfant comme dirigées contre sa masculinité, ses organes sexuels.

En conséquence, une intense angoisse - *angoisse de castration* - apparaît, ce qui amène l'enfant à renoncer à sa satisfaction phallique, à ses désirs incestueux exclusifs pour sa mère, pour remettre à plus tard de telles satisfactions en faveur d'un autre objet sexuel idéal. Si la relation au père est satisfaisante, ce dernier devient alors un modèle d'identification quant à la masculinité, l'enfant ayant délaissé ses désirs interdits et de ce fait la rivalité père-enfant en étant d'autant réduite.

Le *complexe d'Oedipe* apparaît donc comme le point nodal dans l'organisation de la personnalité. Sa solution heureuse détermine le renoncement *(refoulement)* suffisant des pulsions partielles de la sexualité infantile et permettra plus tard l'accès à la génitalité hétérosexuelle. Si ce renoncement s'avère insuffisant, l'une ou l'autre de ces pulsions partielles sera électivement privilégiée comme satisfaction exclusive dans la sexualité adulte: la perversion. Si par contre ce renoncement s'avère trop marqué, ces pulsions partielles ne pourront trouver satisfaction dans la sexualité adulte que sous forme de compromis, de déguisement en symptôme névrotique. En somme, le pervers se permet ce dont le névrotique se défend, ou selon les termes mêmes de Freud *"la névrose est pour ainsi dire le négatif de la perversion".*

Chez le futur pervers, le complexe d'Oedipe apparaît comme un mur infranchissable, marqué par l'intensité de l'interdit de l'inceste et le complexe de castration. Rappelons-le, l'enfant est dans la phase la plus intense du stade phallique, son pénis est survalorisé et perçu comme essentiel à son intégrité corporelle. Si la menace de la castration venant du père à l'égard de ses voeux incestueux est prépondérante, cette menace, venant de l'extérieur, n'est pas la seule. La découverte de la différence des sexes - que les filles n'ont pas ce membre et que, bien plus, y existe une cavité, signe d'une mutilation "certaine" - fait en quelque sorte que le garçon qui n'imagine pas un corps sans phallus, lui attribue une existence - fantasmatique - préalable et une mutilation subséquente... *ce qui pourrait lui arriver.* Le pervers échappe à "l'horreur de la castration" par le *désaveu*, i.e. en récusant la perception d'une réalité traumatisante (la femme n'a pas de pénis) et en lui attribuant un substitut phallique imaginaire, e.g. l'objet fétiche (fétiche = phallus). Mais, en même temps, il se trouve progressivement confronté avec la reconnaissance de l'absence de pénis à l'appareil génital féminin et en éprouve les conséquences, i.e. l'angoisse. Dans l'"Abrégé de psychanalyse", Freud souligne que ces "deux attitudes psychiques différentes, opposées et indépendantes l'une de l'autre (à la fois perception du manque de pénis et reconnaissance de ce manque) persistent tout au long de la vie l'une à côté de l'autre sans s'influencer réciproquement. C'est ce qu'on peut nommer un *clivage du moi.* Tout se passe comme si d'une part, une partie du moi du pervers déjouait la réalité par le désaveu et sauvegardait l'accès au plaisir en hypertrophiant un instinct partiel, et d'autre part une autre partie maintenait la réalité au prix de l'angoisse (le pervers éprouve une aversion pour les organes génitaux féminins).

Notons que le désaveu porte sur la *réalité extérieure* et rapproche ainsi le pervers de la structure psychotique.

Donc clivage ou scission du moi chez le pervers, mais aussi scission du surmoi. Dans l'histoire infantile des pervers, nous retrouverons en effet une stimulation réelle (directe ou indirecte) d'un ou de quelques instincts partiels de la part d'un parent ou d'un substitut. Cette permissivité tacite ou stimulation séductrice réelle marque en quelque sorte cet instinct de façon particulière et plus investie (fixation). Cet avatar des interdictions parentales trouve sa configuration dans l'instance surmoïque de l'enfant, permissivité parentale qui s'intériorise permettant le scindement du surmoi. Le surmoi du pervers peut être de fait très rigide à maints égards tout en permettant l'agir déviant déjà sanctionné durant son enfance.

Dans le continuum du pervers, l'agir déviant peut être soumis à une polarité. Au moment de la décharge pulsionnelle de l'instinct partiel, le pervers éprouve le plaisir sans ressentir de culpabilité: le désaveu et le surmoi permissif triomphent et alors la perversion est *ego-syntone.* Lorsque le désaveu échoue et que le surmoi permissif achoppe (ou que les pressions sociales, judiciaires s'intensifient), le pervers éprouve l'angoisse et la culpabilité, se rapprochant ainsi du pôle névrotique: l'agir déviant est alors *ego-dystonique,* ce qui rend le sujet plus accessible au traitement.

En somme, la perversion trouve ses racines dynamiques au niveau phallique, en situation oedipienne, dont le complexe de castration vécu de façon sévère déclenche un retrait de l'Oedipe et une réorganisation sexuelle au niveau pré-génital au profit d'un instinct partiel privilégié. Les psychanalystes ont de plus perçu la perversion à travers les couches plus profondes de l'oralité (et de la dépression qui y est liée), de l'analité, de la scène primitive et de son impact, de même qu'à travers le mode de relation objectale (crainte de détruire l'objet) et la désintrication pulsionnelle libidinale et agressive. Ce serait une incursion dans les méandres psychanalytiques dont nous ne traiterons pas dans ce chapitre. Enfin, nous n'avons fait aucune allusion à la déviation chez la femme, dont le développement psychosexuel diffère bien sûr de celui de l'homme, et chez qui la perversion serait rare (masochisme et homosexualité mis à part).

Point de vue de Stoller

Freud s'est littéralement imposé par sa théorie psychanalytique du dévelop-pement psychosexuel et ses données psychodynamiques de la perver-sion. Depuis une vingtaine d'années, des idées nouvelles originant de la sociolo-gie et de nombreuses études cliniques prennent de plus en plus de poids. Cette nouvelle théorisation naît elle-même pour une bonne part de la psychanalyse, en souligne le bien-fondé, mais en modifie parfois certaines données théoriques, en rejette même certains concepts et en introduit des nouveaux. Margaret Mead (1961), Hampson (1955) ainsi que Stoller (1960-64-68-75) en sont les principaux architectes et c'est surtout à ce dernier que nous nous référons.

Robert J. Stoller est psychanalyste et professeur de psychiatrie à l'Université de Californie. Il est connu surtout pour ses recherches cliniques depuis plus de 20 ans sur la sexualité, particulièrement sur la masculinité et la fémi-nité, i.e. l'identité du genre et ses viscissitudes dont la perversion. Sa théo-risation s'étaye sur nombre de cas cliniques d'aberrations sexuelles de toutes sortes, observées à tout âge, y compris des enfants de 4-5 ans. Stoller et son groupe ont élargi systématiquement l'approche analytique du patient identi-fié à l'observation de la dynamique familiale et à l'analyse des parents, particulièrement de la mère. Fort de ce riche matériel clinique, il sort des sentiers battus pour déboucher sur des perspectives nouvelles et intéressantes.

Dans l'esprit de Stoller, la perversion est un scénario systématisé et répétitif repérable dans la fantaisie qui accompagne l'agir du pervers. Au centre de ce scénario se découvre une *hostilité* dirigée vers le partenaire dans une mise en scène où un *mystère* est résolu: le *risque* (danger de la castration ou dommage à l'identité du genre) a été surmonté et un *triomphe* (érection et orgasme) est célé-bré.

Ce scénario du sujet pervers renverse la situation traumatisante de son enfance: de victime, il devient maintenant le vainqueur, et les bourreaux de son enfance sont maintenant transformés en victimes. La perversion permet cette *revanche* avec l'accès au plaisir. Mais ce scénario est toujours à recommencer.

Pour Stoller, l'étude de la perversion est davantage celle de l'hostilité que de la libido. Et pour lui l'hétérosexualité est une réalisation à accomplir; elle n'apparaît pas d'emblée.

Revenons à l'enfance pour voir comment prennent racine les forces psycho-dynamiques qui vont soutenir la perversion.

L'identité du genre (*gender identity*), à savoir la conviction qu'un sujet appartient à la lignée du sexe masculin ou du sexe féminin, donne un sens bien intégré de la masculinité ou de la féminité. Le tout premier noyau de cette conviction se formule au cours de la première enfance (symbiose à la mère) et dès la deuxième ou troisième année cette conviction est plus ou moins bien établie de façon définitive. Différents facteurs, ou forces, contribuent à la formation de cette identité du genre, masculinité/féminité.

1) Le facteur biologique (embryologie et les centres du système nerveux): le garçon, à la différence de la fille, serait soumis à l'endrogénisation hormonale de son cerveau, *in utero*, , potentialisant déjà de façon constitutionnelle sa masculinité.

2) Le "signal" du sexe anatomique: les premières questions qu'une femme pose immanquablement après l'accouchement: "Qu'est-ce que c'est - un garçon ou une fille? Est-ce que tout est bien?" Ce "signal" du sexe anatomique - c'est un garçon ou une fille - peut répondre à l'expectative de la mère ou la décevoir, déterminant une série d'attitudes plus ou moins positives et pour une longue période dans la relation mère-enfant: tous ces aspects apparaissent avec évidence au fin observateur, e.g. certaines mères étreignent tendrement, nourrissent, manipulent et s'amusent affectueusement avec leur bébé-fille et agissent subtilement de façon différente dans leurs relations avec un bébé-garçon. L'enfant lui-même n'échappe pas à ce "signal" anatomique: les sensations génitales, qu'elles soient spontanées ou provoquées par l'environnement (couches, attentions hygiéniques de la mère) font prendre à l'enfant graduellement conscience de cette partie corporelle bien définie (comme la prise de conscience qu'il a *une* tête, *quatre* membres) comme sources de curieuses satisfactions plaisantes. Cette conscience grandissante à l'égard de ses organes génitaux l'amène à les considérer non seulement comme importants, mais déterminant deux - et seulement deux - classes de personnes: le mâle et la femelle.

3) L'assignation du sexe et l'éducation: c'est à ce facteur que Stoller accorde la plus grande importance. Il est intimement relié à l'entourage familial et, de façon plus particulière, à la mère, dès le départ au cours de la phase symbiotique. Si pour Freud l'enfant-garçon prend conscience très tôt d'une situation de relation hétérosexuelle primaire avec son premier objet d'amour, la mère, pour Stoller la perspective en est différente. Cette première phase de symbiose à la mère en serait une de protoféminité que l'enfant-garçon devra contrecarrer assez rapidement pour accéder à la masculinité. Cette béatitude symbiotique primaire qu'éprouvent à la fois mère et enfant garde bien sûr toute son importance pour le développement psychique de l'enfant; mais si cette phase paradisiaque, bien connue des psychanalystes, est surgratifiée, trop intense ou trop prolongée, elle peut tout aussi bien devenir une menace risquant *d'endommager* le développement de l'enfant.

Cette symbiose protoféminine, si elle se prolonge, empêche tout accès à la masculinité pour produire le "transsexualisme vrai" (cf. plus loin). Voyons de plus près cette relation intime mère-enfant.

La mère est une *femme,* avec une *identité du genre féminin;* elle apporte avec elle son propre bagage infantile, ses conflits de relation avec ses propres parents, sa relation épouse-époux. Elle a sa propre notion (et ses propres réactions) de ce qui est dénommé "masculinité". Ce qui importe c'est ce que *cette* mère conçoit de la masculinité, découlant de sa propre histoire et de sa propre dynamique. Tout ce bagage intime de la mère, plus inconscient que conscient, se joue dans ses rapports privilégiés avec l'enfant.

Au terme de sa première année, l'enfant-garçon, pour s'affranchir et accéder à une identité masculine, a besoin de support et d'encouragement dans les traits qui caractérisent le comportement masculin (le langage, les jeux, les jouets, la tenue vestimentaire, la motricité, le compagnonnage, le rapprochement avec le père, etc.), la mère devant y jouer, on le conçoit, un rôle de premier plan. Et ceci est un processus sans fin.

Bref, nous pouvons retenir que le sexe est de l'ordre biologique et fait partie de l'anatomie de l'enfant, et que l'identité du genre relève de l'ordre social, et est soumis à l'influence parentale (particulièrement à la mère). Les deux sont la plupart du temps relativement congruents, i.e. le mâle tend vers la masculinité et la femelle vers la féminité. Mais les deux peuvent être indépendants et diverger: certains parents peuvent littéralement "fabriquer" la masculinité ou la féminité de leur enfant indépendamment du sexe anatomique en assignant *tel* garçon en identité du genre féminin, ou l'inverse, par un système de punitions-récompenses, le jeu des frustrations, des menaces, des traumatismes subtiles ou grossiers. Les communications entre les parents et l'enfant moulent le comportement de ce dernier par une sorte *d'imprinting,* de conditionnement classique viscéral et opérant, et par l'identification. Voici un exemple clinique où l'identité du genre montre des failles au point d'aboutir à un court éclatement dépressif d'intensité psychotique.

Motif d'hospitalisation

Maurice, jeune homme dans les débuts de la vingtaine, est amené à l'hôpital par ses parents qui rentrent tout juste d'un voyage. Ils avaient découvert à leur arrivée leur fils dans un état de bizarrerie, de retrait, la maison en délabrement.Quelques jours avant ce voyage leur fils avait absorbé des médicaments dans un but suicidaire. Depuis plusieurs mois il ne travaille plus, écoute de la musique, écrit un roman d'amour. Il a l'impression que les gens se moquent de lui. Il est admis en cure fermée avec un diagnostic provisoire de schizophrénie incipiens. Le lendemain de son hospitalisation, il se coupe les deux poignets avec les débris d'un miroir.

Examen mental

Il s'agit d'un jeune adulte, de petite taille, cheveux frisés, intelligent, trop

*poli. Aucune prise de drogue. Bien orienté dans les trois sphères et non hal-
luciné. Humeur triste et affect concordant. La pensée est logique et le jugement adéquat: l'impression qu'il peut être la risée de son entourage repose
de fait sur la gêne, la honte de sa faillite: dans la vingtaine et sans amie, se
sentant mal à l'aise au milieu de quelques copains de collège, il a délaissé
ses études au niveau préuniversitaire. Il se sent incapable de satisfaire aux
ambitions parentales dont il prend les distances (attitude de retrait), et profondément insécure de sa propre identité: "Je suis une faillite!"*

Histoire personnelle

*Il est l'aîné de deux enfants (une soeur d'un an sa cadette). Il a été élevé en
exclusivité par des femmes (mère et tantes) jusqu'à l'âge scolaire; il y a absence de compagnonnage masculin. Pour le primaire, la mère l'habille à la
mode de la chemise, cravate et veston pour mieux le protéger des activités
sportives où il "pourrait être blessé". Même à sept ans, il n'a pas encore l'autorisation de traverser seul la rue. Les seuls sports permissibles se résument
à la natation et au tennis. Les sorties de fin de semaine et de vacances d'été
demeurent d'ordre familial. A 18 ans, il se fait une première amie: l'aventure
avec cette compagne de collège dure à peine six mois, au prix de discrédit
continu de la jeune fille par la mère du patient qui se radicalise de plus en
plus. A la période des fêtes, le père, jusqu'alors neutre, s'allie à l'épouse et
la rupture amoureuse éclate finalement... suivie de la rupture scolaire.*

*Les parents demeurent hautement idéalisés par le jeune adulte. Le père est
directeur d'une grande compagnie qui l'accapare de façon excessive. Il est
heureux de rapporter que le seul reproche qu'a osé lui faire son fils, c'est de
ne lui avoir jamais acheté des patins. La mère est perçue comme idéale, toute puissante, "non criticable". Elle-même est l'aînée de 5 enfants, toutes des
filles. Cependant, cinq ans la séparent de sa première soeur, deux frères é-
tant nés et morts entre-temps. Sa situation d'aînée lui a donné une importance privilégiée auprès des parents et de l'éducation de ses soeurs.*

*Le père me fait part d'une remarque de son fils le deuxième jour de son hospi-
talisation: "Maman a bloqué Béatrice (son amie à 18 ans), elle a bloqué Ca-
role (une voisine de son âge qui l'a fréquenté peu de temps), elle m'a habillé
en fille!" L'album familial révèle en effet quelques photos de son très jeune
âge (6 mois, 1 an et 1 1/2 an) en tenue et en pose incontestablement féminines.
La grande majorité des photos nous le montre seul, toujours en tenue excessivement soignée, ou aux côtés de sa soeur ou de sa mère, le père toujours
absent. La mère avait tant désiré une fille comme premier enfant...*

Dans l'histoire de tous les pervers, des situations vécues comme traumatisantes au cours de l'enfance sont repérables. Ces traumatismes sont
immanquablement d'ordre sexuel, visant le sexe anatomique ou l'identité du
genre (masculinité/féminité). Ils sont associés à la fois à l'intérêt, la curiosité de
l'enfant - l'excitation précoce de ses organes génitaux, la différence des sexes, la
scène primitive, les désirs oedipiens - et à l'attitude parentale frustrante, inhibitri-

ce, qui a pour effet d'augmenter l'excitation en même temps qu'un sentiment de danger, créant une atmosphère de *mystère* sur la chose sexuelle. La mystification de l'anatomie, des fonctions et des plaisirs sexuels est chose courante dans notre société et se reflète dans les attitudes parentales; quand cette mystification se fait trop intense ou bizarre, elle devient une plus importante source de frustration pour l'enfant et, de ce fait, contribue à la perversion future par son potentiel traumatique. Ces pressions sociales et parentales, perçues comme une *hostilité,* échappent à la compréhension de l'enfant, en font une *victime.* L'enfant ne sait comment échapper au *danger* (la punition) ni comment accéder au plaisir (la récompense). Plus tard, l'acte pervers sera précisément la reviviscence de la situation traumatique ou frustrante de son enfance qui avait fait démarrer le processus, mais, cette fois-ci avec un résultat merveilleux, échappant au danger et accédant au plaisir orgasmique, dans un revirement complet de la situation. Le mystère se dissout par de nombreux stratagèmes, la femme phallique, le désaveu, le clivage, le fétiche, etc. autant de mécanismes pour proclamer qu'il n'y a plus de mystère. Et le processus se renouvelle sans cesse.

La fantaisie sexuelle du pervers contient en son sein, cachées, les réminiscences des expériences douloureuses de l'enfant.

20.3 CLASSIFICATION

Des classifications différentes sont proposées selon les écoles de pensée. Par exemple, l'approche freudienne souligne les aberrations quant à l'objet (homosexualité, pédophilie, bestialité) et quant au but sexuel (fétichisme, voyeurisme et exhibitionnisme, sadomasochisme).

D'autres auteurs proposent de façon utilitaire les perversions dites agressives (viol, inceste, meurtre sexuel, pédophilie) et celles dites anonymes (frottage, voyeurisme et exhibitionnisme, fétichisme, lettres et téléphones obscènes). Quant à Stoller, il mentionne les perversions selon un ordre décroissant de l'hostilité, partant de l'hostilité crue (meurtre sexuel, mutilation, viol, sadisme physique, copro et urolagnie) suivie du sadisme non physique (exhibitionnisme et voyeurisme, lettres et téléphones obscènes) et ensuite la perversion où l'acteur semble être une victime (masochisme) et finalement celles où toute hostilité semble absente (fétichisme, nécrophilie).

Ce qui importe c'est que toutes les perversions présentent un dénominateur commun, que ce soit la crainte de la castration ou la menace à l'identité du genre (ou les deux), avec une intensité et un scénario différents qui réfèrent aux traumatismes anciens.

20.4 DIFFÉRENTES PARAPHILIES

- *Frottage:* Les adeptes en sont surtout les jeunes adultes. Le ''frotteur'' touche habituellement les seins ou les fesses d'une femme ou la frôle intentionnellement. Situation de risque dilué dans l'anonymat de la foule.

- *Exhibitionnisme:* Le sujet exhibe ses organes génitaux, le pénis flasque ou en érection, ou en se masturbant. La victime est habituellement une personne inconnue ou un groupe de femmes, parfois un enfant (les tendances pédophiliques sont alors présumées). Le lieu d'exposition varie, dans la rue, de l'auto (ici le risque est plus grand, vu l'identification possible par la plaque d'immatriculation), dans l'autobus, de la fenêtre de l'appartement, etc. Il s'agit, la plupart du temps, d'un adolescent dans la quinzaine ou d'un jeune adulte dans la vingtaine, souvent marié. Il est de type "masculin", ouvrier ou professionnel dans un métier ou une carrière bien masculine. Souvent la mère est une personne surprotectrice et dominante et le père absent (situation oedipienne menaçante). L'intentionnalité de l'exhibitionniste est la production d'une réaction de crainte chez la victime. Cette réaction de frayeur chez la victime rassure l'exhibitionniste de sa non-castration: il est un homme puissant. La relation sexuelle n'est pas recherchée.

Selon les statistiques (Kinsey, 1948), les exhibitionnistes sont de loin, en nombre, au premier rang parmi les cas de délits sexuels. De plus, le taux de récidive demeure très élevé. Pourquoi? La compulsion à s'exhiber serait plus grande la crainte de la police ou de la cour. Elle est plus intense par périodes, e.g. lors d'un mariage prochain ou récent, d'une grossesse en cours ou récente, cristallisant l'angoisse du sujet autour de son pénis. Stoller intègre l'étonnant taux élevé d'arrestations et de récidives à ses données psychodynamiques, l'intervention de la police représentant davantage un facteur d'un plus grand *triomphe* qu'un véritable risque à l'arrestation. Habituellement la compulsion exhibitionniste suit de près une situation d'humiliation au travail ou avec l'épouse, répétant ou ravivant des situations d'humiliation de son enfance. Sous tension et sans trop comprendre pourquoi il va s'exhiber, le risque est pris, la femme réagit avec frayeur et le triomphe survient: cette fois il y a renversement du traumatisme infantile en victoire. Il est l'attaquant et sa victime actuelle (substitut de son ancien assaillant) va connaître à son tour les sensations qui l'ont affligé quand il était l'enfant-victime. La revanche s'accomplit, et il est confirmé dans sa puissance et son plaisir. S'il est arrêté, cette confirmation s'accentue, prouvant qu'il est un homme important, puissant, en bonne possession d'un pénis. Ce n'est pas de la police qu'il cherche à s'échapper mais de la crainte intérieure et pressante d'être un homme inadéquat.

J'ai déjà eu à faire l'évaluation d'une jeune adulte exhibitionniste qui avait misé pour beaucoup dans son mariage avec la fille du chef de police d'une petite ville pour contrer "enfin" ses tendances exhibitionnistes. Mal lui en pris par ce double choix (le mariage et un beau-père chef de police): la compulsion fut exacerbée, jusqu'à "se faire prendre" pour la première fois.

Voyeurisme ou *Peeping Tom*: Il s'agit du plaisir érotique exacerbé par la vision d'ébats sexuels ou de la nudité d'une femme, particulièrement ses organes sexuels. La curiosité sexuelle, visuelle, est considérée comme normale, universelle dans l'excitation érotique. L'élément compulsif et privilégié dans les agirs sexuels en fait une perversion. Le voyeurisme, comme les autres paraphilies nous ramène au complexe de castration. à la différence des sexes et à la mystification. Les stimulations sexuelles trop précoces ou trop intenses de l'enfance, les interdictions trop rigoureuses, l'attitude de mystère que peuvent entretenir les parents sur la différence des sexes, la nudité, etc. peuvent être autant de situations traumatisantes et productrices de perversion, dont le voyeurisme.

> *Gilles a 30 ans. Depuis l'âge de 20 ans, il est fréquemment aux prises avec des difficultés judiciaires pour voyeurisme et introductions par effraction. Il entre la nuit dans un appartement, soulève les draps, touche les organes génitaux de la femme et se sauve, sans rien plus; il se retrouve très fréquemment dans les toilettes publiques pour dames et ne réussit à soutenir son érection qu'en voyant une femme uriner (sinon il "imagine" qu'elle urine). Ces expériences dépasseraient les 2,000 exemplaires, où qu'il soit comme il le dit "à Toronto, Montréal ou New York". Ces agirs sont d'ordre compulsif, irrésistibles, particulièrement s'il est sous tension (perte d'emploi, chicane parentale). Il est l'aîné de quatre enfants, une soeur de 6 ans sa cadette et deux autres frères plus jeunes. Il se décrit comme un habitué du lit parental durant ses jeunes années. Énurésie jusqu'à l'âge de 9 ans. Fortement réprimandé par la mère, à 5 ans, quand elle le surprend dans ses bas de nylon et ses sous-vêtements. De 10 à 16 ans, il partage la même chambre que sa soeur (âgée alors de 4 à 10 ans). Les jeux d'examens mutuels débutent tôt, et devant l'opposition grandissante de sa soeur, il va "vérifier" la nuit à son insu. S'ajoute à sa problématique sexuelle un éthylisme débutant à l'adolescence. Avec un certain humour il me dira: "Vous savez docteur mon cas n'est pas guérissable: des tavernes et des toilettes publiques, il y en a partout!"*

Pédophilie: L'aspect pervers dépasse la traduction littérale du terme (amour des enfants) et s'exprime par un intérêt sexuel pathologique envers les enfants pubères et prépubères. La masse populaire réagit avec beaucoup d'émotions bien compréhensibles au "monstre d'enfants" ou meurtrier sadique que publicisent sporadiquement les médias d'informations. Ces cas demeurent heureusement exceptionnels et représentent un fort petit pourcentage du monde pédophilique (un sur un million, selon Gebhard); il s'agit habituellement de l'oeuvre d'un psychotique. On relève également peu de pédophiles chez les déficients mentaux.

Contrairement à l'opinion publique, le pédophile est habituellement en relation étroite de longue date avec sa victime: ce peut être un voisin, un ami de la famille, le beau-père, le grand-père, ou l'épicier du coin, rarement un inconnu. Il s'agit souvent d'un personnage éprouvant de forts sentiments d'insécurité et des craintes de rejet, d'être ridiculisé dans des rencontres hétérosexuelles; il se comporte avec l'enfant comme il aurait voulu que sa mère le fît avec lui dans son jeune âge. La plupart du temps, il recherche des gratifications immatures et ses agirs sexuels se ramènent au niveau de l'âge de la victime, regarder et caresser: rarement il y a violence.

Statistiquement, trois groupes d'âge se repèrent chez les pédophiles: le premier groupe dans la quinzaine, très près de la puberté, montre en réalité un très faible écart d'âge avec la victime. Le deuxième groupe se situe dans la trentaine: il s'agit souvent d'un homme marié dont l'image est décriée par l'épouse ce qui le diminue dans son sentiment de mâle. L'alcool fait souvent partie du tableau. Enfin, un troisième groupe autour de la soixantaine (50 à 65 ans) aux prises avec la solitude, l'isolation sociale, émotionnelle et sexuelle; il s'inquiète du déclin sexuel et du problème de l'impuissance qui émerge.

En somme, le pédophile s'éloigne de la partenaire normale, choisit un objet moins menaçant, sous l'emprise de l'angoisse de castration et de la menace à son identité masculine. Le pédophile homosexuel, souvent un célibataire, serait plus perturbé par ces craintes que le pédophile hétérosexuel.

Le fétichisme: Il se réfère à l'excitation ou à la gratification sexuelle possible grâce à la substitution de l'objet humain d'amour par un objet inanimé (soulier, bas, sous-vêtement) ou par une partie de son corps (une mèche de cheveux). Ici, le pervers prend une plus grande distance de l'objet du désir sous l'impact plus menaçant du complexe de castration. L'objet substitutif, le fétiche, prend la signification du phallus de la femme, originellement de la mère comme moyen de désaveu de la castration. Il y aurait une relation entre le fétichisme et le sadomasochisme: le fétichiste peut salir, injurier, briser l'objet fétiche tout en sauvegardant intact l'objet réel, la mère. Sans son objet fétiche, le fétichiste ne peut obtenir l'orgasme en se masturbant.

Notons que certaines tendances fétichistes se reconnaissent dans la sexualité dite normale. Certains hommes, par exemple, encouragent leur partenaire à porter des vêtements particuliers, à utiliser tels parfums précis ou tel genre de coiffure, dans le but spécifique de renforcer leur puissance. Il s'agit là du "fétichisme auxiliaire", non considéré comme perversion, mais plutôt comme excitant dans les préliminaires au coït.

Sadisme sexuel: Il s'agit de la recherche d'excitations érotiques en infligeant des douleurs physiques au partenaire.

C'est par le biais de cette perversion que l'hypothèse de Stoller apparaît la plus claire, le plus facilement saisissable: le contenu manifeste, *l'hostilité* en est la caractéristique centrale. L'hostilité la plus crue (meurtre sexuel, mutilation comme élément d'excitation, le viol) et la plus grossière (enchaîner, attacher, uriner, déféquer sur le partenaire) traduit la rage consciente à l'égard du sexe de l'objet. Le but essentiel recherché, selon Stoller, c'est d'être supérieur, malfaisant envers l'autre, de *triompher*. Cependant, là où la cruauté est la plus manifeste, l'agir pervers n'est qu'une manifestation d'un désordre de personnalité plus profond (l'étrangleur de Boston).

L'intensité et la bizarrerie de l'hostilité du sadique dans ses efforts pour atteindre l'orgasme trouvent leur pendant dans les traumatismes historiques de son enfance.

Cas clinique:

Bernard, un célibataire de 20 ans, grand gaillard qui en impose, connaît sur le bout de ses doigts les lois des SS de son club de motards dont il était avec fierté le responsable de leur application. Il confie avoir des difficultés sexuelles. Il éprouve un plaisir à voir ou à entendre uriner les femmes. Il parle avec un contentement évident d'un sadisme agi avec les filles: battre une femme attachée et sans défense, la voir et l'entendre crier dans une situation d'impuissance est pour lui un élément d'importance pour un plaisir orgasmique.

Issu d'un milieu perturbé dont le père alcoolique et impulsif abandonne la famille quand il avait 4 ans 1/2, permettant aussitôt l'entrée définitive de l'amant de sa mère à la maison. Très tôt ce père substitutif force Bernard à des jeux sexuels avec sa soeur Linda de deux ans sa cadette: ieux de caresses mutuelles et d'embrassades. Il se rappelle avoir été héberlué, choqué et satisfait en même temps de voir sa jeune soeur Linda uriner sur lui alors qu'il n'avait que 5 ans. Placé en foyer vers l'âge de 6 ans, la dame en impose par son esprit d'autorité et de discipline et fait de lui rapidement une "victime".

Il dira: "Elle aimait me faire du mal; elle me réveillait la nuit, me pinçait les fesses. Elle voulait me circoncire, un couteau à la main, et ceci de nombreuses fois. Elle me battait continuellement..." Il rapporte en plus des jeux de séduction: elle s'organisait par exemple pour se faire surprendre nue à son retour d'école.

A 12 ans, Bernard revient au foyer familial et les mêmes jeux sexuels reprennent avec sa soeur sous l'instigation de l'amant de sa mère. Ce n'est qu'un an plus tard et par l'intervention d'une soeur aînée que les jeux incestueux prendront fin, la mère étant demeurée sourde aux plaintes antérieures de son fils.

Il s'agit de fait d'un personnage fragile, mal structuré, présentant des troubles profonds d'identité, un moi faible, en menace d'éclatement. Il présente des failles surmoïques sévères, liées aux images parentales très pathologiques qui ont été les siennes. Son monde pulsionnel est dominé par l'agressivité (identification à l'agresseur) qui submerge d'emblée toutes les pulsions libidinales. L'on dénote chez lui une tentative d'échapper à la psychose par des tendances psychopathiques, mal organisées cependant parce que, bien sûr, mal soutenues. La perversion s'inscrit sur des troubles plus profonds de l'"état limite".

Masochisme sexuel: Le masochisme se réfère au plaisir sexuel lié à la souffrance physique ou psychologique. Ici, le pervers semble une "victime" plutôt que d'assumer son hostilité. Mais cette hostilité chez le masochiste est déguisée et se découvre dans les fantaisies qui accompagnent ses rapports avec le partenaire sadique. D'être enchaîné, lié par des cordes, battu ou fouetté, le place dans une situation d'humiliation qui lui procure une gratification voluptueuse de martyr. Pour lui le scénario se passe devant un auditoire imaginé, fantasmé, qui reconnaît le partenaire sadique comme une brute, faisant de la victime le héros ou le vainqueur psychologique de son bourreau: "Comparez mon innocence avec ceux qui me blessent".

De fait, il s'agit d'une souffrance frauduleuse, car le masochiste n'est jamais véritablement une victime, il n'abandonne jamais le contrôle. Une sorte de contrat s'établit avec le ou la partenaire (souvent une prostituée payée qui exécute les désirs du masochiste), si bien qu'il y a fort doute qu'un masochiste (dans l'actualisation de sa perversion) choisisse un vrai sadique: l'un et l'autre intuitivement reconnaissent que leurs fantaisies individuelles ne s'articulent véritablement pas.

Travestisme (ou transvestisme): on entend par travestisme la recherche d'excitation sexuelle - assumée habituellement par la masturbation - engendrée par le port de vêtements du sexe opposé. Certains homosexuels efféminés et les transsexuels portent eux aussi des vêtements féminins, mais ils se distinguent nettement du travesti. Nous allons d'ailleurs en expliquer les différences.

Il y a des travestis qui se limitent au port d'un ou de quelques vêtements féminins pour accéder à l'excitation sexuelle et ils n'iront pas plus loin. D'autres connaîtront le même départ, mais vont l'amplifier au cours des années pour finalement aboutir avec satisfaction à l'habillage complet de vêtements féminins: s'ils en arrivent à se sentir comme un membre du sexe opposé, l'élément important et central demeure toujours l'excitation sexuelle produite par le port de vêtements féminins.

Le travesti est un homme de comportement typiquement masculin en dehors de ses heures frauduleuses: ses manières, ses goûts, son travail relèvent de la lignée masculine. Il n'est pas efféminé. Son choix sexuel est typiquement hétérosexuel: souvent il est marié et a des enfants. Il se considère comme un mâle, comme un homme, et son pénis est le centre de son intérêt sexuel: les sensations sexuelles éprouvées sous ses vêtements féminins sont excitantes et il s'en rappelle (son pénis caché). Le moment où la gratification connaît son acmé *(le triomphe)* correspond à celui où le secret est révélé, et ceci se produit à l'intérieur d'un scénario limité: car le danger d'être humilié, ridiculisé est grand et le *risque* calculé se joue dans une situation de contrôle, comme dans la mise en scène du masochiste. Le secret n'est dévoilé qu'à une partenaire complaisante: l'épouse ou l'amie bien coopérative. En effet, si le travesti éprouve un plaisir à passer pour une femme aux yeux de beaucoup de monde, il limite étroitement son audience lorsqu'il est question de faire la preuve de son pénis: il est la "femme phallique", en dénégation de la castration et par identification à l'agresseur. La revanche s'accomplit, la situation est renversée, la victime devient le vainqueur et le triomphe est savouré par la preuve de sa puissance: l'érection se manifeste exactement au moment de la plus grande faillite appréhendée (alors qu'il est habillé en femme et devrait être humilié).

Ce scénario du travesti ramène au traumatisme infantile. L'enfant *accède* à la masculinité au décours de la phase de l'identité du genre - 2 à 3 ans - contrairement au transsexuel qui n'y accède jamais. C'est justement cet acquis de la masculinité qui sera à l'origine du déclenchement du traumatisme. L'histoire révèle l'intervention d'une fille, d'une femme (tante, voisine, gardienne, soeur aînée) hostile et envieuse (une femme "phallique") à l'égard de ce qui est "masculin", qui habille le jeune enfant en fille - démarche non désirée par l'enfant alors âgé de 4-5 ans ou plus. L'enfant n'éprouve pas alors d'excitation sexuelle, au contraire il expérimente un sentiment d'humiliation. Ce fait se vérifie presque immanquablement par les souvenirs du patient ou la confirmation d'un parent ou même par une photo de l'album familial. Parfois cet événement se répétera. Cet événement, si important soit-il, n'est cependant pas suffisant pour asseoir l'étiologie d'une perversion permanente. Mais l'humiliation de l'enfant dans son apparence la plus visiblement vulnérable (l'attribut vestimentaire) demeure le facteur essentiel. Le père est habituellement un homme distant, passif, ou perçu par le garçon comme rigide, puissant, très masculin, mais inatteignable.

De toute façon, ce traumatisme de l'enfance ne détruit pas la masculinité, mais l'endommage, la menace, alimente le complexe de castration; et ce ne sera plus tard que par le moyen de la perversion que la puissance sévèrement compromise pourra s'affirmer. Et dans ces cas, le travestisme joue le rôle de fétiche.

20.5 TRAITEMENT

Lorsque les déviations sexuelles sont un accompagnement comportemental d'une psychose, de l'arriération mentale ou d'un syndrome cérébral organique, bien sûr le diagnostic principal prédomine et commande le traitement spécifique. D'autres déviants sexuels peuvent être d'une violence extrême, comme certains violeurs ou pédophiles sadiques (délinquants sexuels dangereux), et la société n'a d'autre choix que de les tenir "à l'ombre".

Mais pour la plupart, la paraphilie s'inscrit comme un trouble de la personnalité, plus précisément un trouble psychosexuel. De fait, peu de ces individus requièrent d'eux-mêmes le traitement. C'est davantage sous la pression familiale (les parents qui apprennent du voisin que leur fils est exhibitionniste, ou la jeune épouse enceinte qui découvre le comportement pédophilique de son mari) que le paraphile est amené en thérapie; plus souvent encore cette pression sociale est d'ordre judiciaire. La Cour, en effet, se montre plus libérale à l'égard de la plupart des déviants sexuels, lorsqu'ils ne présentent pas un danger; on ne les considère pas comme de véritables criminels ou délinquants, et l'emprisonnement, bien que punitif, offre peu de chance d'amélioration (Mohr, 1962). Une procédure plus humaine consiste à placer l'individu sous probation pour deux ou trois ans avec l'obligation de consulter une clinique spécialisée, comme alternative à l'emprisonnement. La mise sous probation joue le rôle d'une épée de Damoclès comme incitation restrictive à la déviance; la motivation au traitement cependant risque d'être complaisante, fort peu sentie. Et la motivation demeure le facteur crucial d'un pronostic heureux.

La psychanalyse apparaît d'emblée le mode de traitement idéal pour de tels sujets. Mais le traitement est fort long, très coûteux, et rares sont les déviants qui s'y prêtent ou qui persistent. La psychothérapie d'orientation analytique, plus souple, offre une solution mieux adaptée: elle favorise l'insight, vise l'amélioration du sentiment d'inadéquacité masculine et tend à réduire les inhibitions hétérosexuelles. La thérapie de groupe connaît aussi un certain succès: l'expérience commune de plusieurs patients dilue l'anxiété et offre le support et la pression par les pairs quant aux rechutes possibles, en présence d'un couple de thérapeutes, substituts parentaux plus tolérants et compréhensifs, plus ouverts et moins menaçants. L'approche behaviorale se veut plus spécifique du comportement déviant par la combinaison de techniques aversives et de renforcement. Il est possible qu'une approche mixte, à la fois behaviorale et psychodynamique, tenant compte et du symptôme et des troubles de personnalité sous-jacents, aboutisse à des résultats plus efficaces.

Lorsque l'agir pervers survient sporadiquement sous l'influence d'une situation stressante (e.g. une attitude ouvertement hostile et rejetante de l'épouse) ou de l'alcool et qu'il y a déjà eu implication dans l'hétérosexualité, le pronostic s'avère meilleur. Si l'acte pervers survient subitement comme mode régressif de fonctionnement sexuel associé à l'apparition d'une dysfonction sexuelle (impuissance, éjaculation précoce), l'adjonction d'une approche ad hoc (méthode de Masters et Johnson) s'avère fort bénéfique. Bien souvent le traitement ne guérit pas la perversion, la fixation prégénitale étant trop économiquement ancrée. La thérapie peut cependant aider le patient à établir de meilleurs contrôles et/ou adapter sa satisfaction sexuelle d'une façon plus socialement acceptable, lui permettant ainsi de réduire ses embêtements avec la loi. Ainsi un pédophile, irréductible à toute hétérosexualité, peut être aidé à un choix de partenaire adulte.

Le traitement pharmacologique soulève des problèmes d'éthique et son efficacité porte à discussion. Cette approche est fort peu, ou pas, utilisée dans notre milieu. Mentionnons brièvement que l'apport d'oestrogènes exogènes vient modifier l'équilibre androgènes/oestrogènes du sujet, diminuant la libido mais produisant des effets féminisants indésirables. L'acétate de cyprotérone inhibe spécifiquement la production d'androgènes endogènes et touche peu l'activité oestrogénique. Ces traitements, en fait, réduisent l'appétit sexuel mais n'altèrent aucunement la qualité pulsionnelle.

Enfin dans certains pays, le traitement chirurgical - la castration - est proposé comme alternative à une sentence d'emprisonnement indéterminé à certains psychopathes sexuels dangereux.

En somme, le traitement de la paraphilie s'avère dans l'ensemble décevant. Il importe de reconnaître que l'aspect sexuel ne peut être considéré de façon simpliste et comme un élément facilement malléable de la personnalité. Comme le résume Judd Marmor (1978): "La sexualité est un moyen à travers lequel les besoins de dépendance, la quête de puissance, la colère, la culpabilité, la solitude, l'inadéquacité, la haine, tout comme l'amour de soi, tout peut et doit trouver son expression. La plupart des déviations sexuelles ne sont pas des troubles mentaux discrets superficiels mais des façons par lesquelles les besoins humains et la psychopathologie ont adopté la charpente de la sexualité pour faire face à ces pulsions."

****

20.6 LE TRANSSEXUALISME

20.6.1 Introduction

Cette condition rare porte à confusion avec le travestisme et certains cas d'homosexualité (certains homosexuels "efféminés") du fait que ces individus cherchent à porter des vêtements féminins. Jusqu'à récemment même le transsexuel, au point de vue nosologique, était compris sous le vocable diagnostique du travestisme, et de ce fait reconnu comme un pervers. Le DSM III tient compte des différences psychodynamiques majeures de ces deux catégories et apporte la correction qui s'impose: le travestisme se situe dans le chapitre des paraphilies et le transsexualisme fait catégorie à part, à savoir celle de *trouble de l'identité du genre,* en faisant de la sorte une pathologie beaucoup plus fondamentale et spécifique.

20.6.2 Définition

L'expression "un esprit féminin dans un corps d'homme" s'y applique véritablement. D'une façon plus scientifiquement sophistiquée, le transsexualisme se définit comme une *déviation* dans laquelle la personne est physiquement normale mais présente une aversion totale à l'égard de son sexe anatomique depuis la tendre enfance. Le transsexuel se travestit, mais il n'est *pas* un travesti pour autant, dans le sens de la perversion, car il s'en distingue nettement. Pour tenter de mieux saisir la différence, nous décrivons le profil du transsexuel d'abord et sa causalité par la suite.

20.6.3 Profil du transsexuel

Le transsexuel mâle est le plus féminin des hommes: il est "féminin" comme certains homosexuels, et non efféminé, depuis sa plus tendre enfance, et cette féminité lui est d'un naturel remarquable. Il ne s'engage jamais dans un métier ou profession de la lignée masculine. Il affiche d'emblée une identité du genre féminin, n'a jamais éprouvé la valeur du sens de la masculinité. De là l'habillement féminin ne tient pas lieu de protection, de défense comme chez le travesti fétichiste mentionné plus haut: il ne recherche aucune excitation sexuelle provoquée par le port de vêtement féminin. L'habillement féminin représente une procédure beaucoup plus fondamentale: établir et maintenir son inébranlable conviction de son identité du genre. Son partenaire sexuel est un homme de tendances ouvertement hétérosexuelles. Le transsexuel est tout à fait incapable de relations sexuelles avec les femmes, dépiste aussi et rejette rapidement tout partenaire éventuel homosexuel. Pour le transsexuel le pénis n'est pas source de plaisir mais un avatar dont il cherche à se défaire, par une castration chirurgicale ou mieux, "l'implantation" d'un vagin par chirurgie plastique.

20.6.4 Etiopathogénie

Au fond le transsexualisme dépasse la nosologie de la perversion et s'en distingue par la précocité de son établissement et par une psychodynamique plus particulière. Stoller distingue d'ailleurs les "aberrations sexuelles" en deux grandes classes, à savoir les *perversions* comme moyen pour le sujet de se préserver du complexe de castration ou de sauvegarder son identité du genre, l'hostilité, la revanche et le triomphe en étant les éléments centraux; et les *déviations* ou variantes, l'hostilité y étant absente dans l'organisation des fantasmes primitifs; et de ce fait il conçoit le transsexualisme véritable comme une déviation, déviation fondamentale de l'identité du genre.

En effet, nous ne repérons pas dans l'histoire du futur transsexuel de traumatisme infantile dirigé contre son identité du genre, justement parce qu'il n'accède pas à ce sentiment précoce de masculinité, qui s'établit habituellement entre la 2e et la 3e année d'âge. La symbiose maternelle au contraire se prolonge et par la suite tout comportement de type féminin sera source d'un encouragement chaleureux - et redoutable - par la mère qui, dans sa liaison à *ce* fils trouve enfin la guérison à la désillusion, à la tristesse de toute sa vie.

Cette mère est de fait un personnage bien particulier, bien typique. Au cours de son enfance elle a connu fort peu d'encouragement par sa propre mère à l'égard de tout ce qui peut être considéré comme "féminité". Son père, par contre, a vite pris la relève en encourageant chez elle les allures de "masculinité" (vêtements et coiffure masculins, support dans sa compétition avec les garçons, particulièrement l'athlétisme). Au moment de l'adolescence, son père la délaisse, et elle-même laisse tomber ses espoirs de masculinité. Elle adopte une façade féminine et se trouve un jour un mari de type passif, habituellement bon pourvoyeur, mais qu'elle diminuera ou tournera facilement en dérision. Sa désillusion masculine va se raviver lorsque, au cours de sa vie maritale, surviendra un certain enfant.

Si un enfant mâle est perçu par elle comme gracieux et de toute beauté, *cet* enfant sera envoûté dans une symbiose étanche, à l'image du phallus parfait tant désiré. Son immense satisfaction lui fait perpétuer un contact physique et psychique excessivement intime avec ce fils pour des heures et des années. Elle s'identifie à l'enfant dans une tentative d'annulation de sa propre enfance malheureuse. Et cette intimité bienheureuse et symbiotique se perpétue dans un secteur précis, dans la transmission par la mère de la "femellité", permettant aux autres fonctions de devenir autonomes: accès au langage, motilité, etc. Dans ce fusionnement sectorisé à la "femellité" de la mère, l'enfant n'a pas d'accès à la masculinité. A l'âge où apparaît l'identité du genre (2 à 3 ans), la masculinité concordant à son sexe biologique n'apparaît pas. La mère continue à l'encourager dans son comportement féminin et ne permet aucune intrusion aux éléments qu'elle considère masculins. L'enfant se mêle aux filles, participe aux jeux des filles et est remarquablement bien accepté par ces dernières. A l'inverse du travesti, immanquablement il sera l'initiateur à l'habillement féminin, se vêtant spontanément de lui-même de garnitures féminines, et ce habituellement très tôt, autour de sa deuxième année d'âge. L'entourage lui reconnaît sa féminité et les étrangers se méprennent immanquablement. Ce processus féminisant se poursuit et au moment de l'entrée scolaire il est bien inscrit dans sa féminité et résiste à toute tentative de l'en dissuader. Il sait qu'il est physiquement mâle mais il a la conviction d'être une femme. Avec les années, il cherche les moyens de "corriger" l'anomalie pour être une femme entière. Et les moyens techniques existent à présent.

TABLEAU 20.1: Caractéristiques différentielles chez les trois conditions où le revêtement féminin est commun

	Fondement étiologique	Début	Comportement féminin	Valeur du pénis	Choix objectal
TRANSSEXUEL	Prolongement de la symbiose maternelle et encouragement dans le comportement féminin.	Dès les premières années de vie. Persistant.	Pratiquement tout le temps.	Aucune. Veut s'en débarrasser.	Mâle (se sent psychiquement hétérosexuel et physiquement homosexuel).
TRAVESTI	Pas de symbiose trop excessive. Séparation-individuation et accès à la masculinité. Attaque tardive à sa masculinité (vestimentaire) par une femme.	Parfois 4-5 ans. Souvent autour de l'adolescence. Intermittent.	Sporadiquement. Alterne masculinité et rôle féminin.	Grande source de plaisir.	Femelle (se sent hétérosexuel).
HOMOSEXUEL EFFÉMINÉ	Gratification excessive et punition par la mère surprotectrice. Masculinité de l'enfant sous-évaluée, non détruite.	Idem.	Comportement d'incitation.	Grande source de plaisir.	Mâle (se sent homosexuel).

Enfin, cette condition du transsexualisme le plus pur est rare: il correspond à une psychodynamique bien particulière, à l'intérieur de laquelle l'assignation du sexe par la mère vient en contradiction totale avec le sexe biologique et s'impose. Ce fusionnement dans la "femellité" de la mère ne permet pas la séparation de l'enfant comme objet de sexe opposé; ce qui amène Stoller à conclure que le jeune garçon échappe à la situation conflictuelle de l'Oedipe. Ce n'est qu'avec le traitement et l'apparition de la masculinité qui en découle que le conflit oedipien fait son apparition (l'enfant découvre sa mère comme objet sexuel différent de lui-même et source de désir, dans la mesure où la symbiose s'estompe et la figure du père se précise).

Ce tableau du transsexuel véritable est caractéristique. Il existe évidemment un continuum subtil dans l'organisation de la personnalité susceptible de présentation clinique imprécise, non nettement spécifique (comme le cas de Maurice, cité plus haut). C'est pourquoi l'investigation la plus complète s'impose - comprenant l'investigation parentale - pour établir avec le plus de certitude possible un diagnostic précis. Le traitement hormonal et chirurgical qui peut en découler risque d'aboutir à des résultats désastreux (suicide) s'il s'agit d'une erreur diagnostique majeure: certains homosexuels efféminés ou certains travestis peuvent aussi requérir "la correction anatomique", ce qui risque d'être pour eux un véritable désastre.

20.6.5 Traitement

Le transsexuel, qu'il soit enfant ou jeune adulte, nécessite une approche spécialisée. Le dépistage précoce (à 4, 5 ou 6 ans) offre sûrement un avantage thérapeutique favorable. La compréhension du problème de la part des parents et la qualité de leur implication sont également des facteurs d'importance. Le traitement de l'enfant s'étale habituellement sur deux à quatre années, avec une approche à la fois empathique, behaviorale et psychodynamique. Le même thérapeute, ou un cothérapeute, suit parallèlement les deux parents.

Brièvement, les principes généraux qui guident la thérapie visent (1) d'abord le développement d'une relation de confiance et affective de l'enfant avec le thérapeute mâle; (2) faire prendre suffisamment conscience aux parents de la problématique pour freiner et arrêter l'encouragement (ouvert ou subtilement secret) au comportement féminin de leur fils; (3) dissoudre la relation excessivement étroite de la mère avec son fils (4) tout en favorisant le rôle du père dans la famille et son implication avec son fils.

Quant au jeune adulte transsexuel qui veut absolument "corriger l'erreur anatomique", cette correction existe maintenant. Cette approche se doit cependant d'être fort judicieuse étant donné les conséquences irréversibles. Electrolyse, administration d'oestrogènes pour production de seins et féminisation corporelle, castration testiculaire, amputation du pénis et finalement création d'un vagin artificiel constituent la séquence habituelle qui s'étend sur environ deux ans. Cette approche multidisciplinaire nécessite des échanges entre l'endocrinologue, le chirurgien et le psychothérapeute, ce dernier étant à la fine pointe de l'évolution intrapsychique du *lui* qui devient anatomiquement *elle*. Ce traitement global fut largement publicisé avec le cas de Christine Jorgensen, ex-soldat de l'armée américaine. Benjamin (1966) rapporte que 34 patients sur un échantillonnage de 40, soigneusement évalués, ont obtenu une amélioration satisfaisante sur le plan émotionnel et leur ajustement à la vie. Depuis 1966, on procède maintenant aux Etats-Unis à de telles interventions chirurgicales, en tenant compte de critères très rigoureux. Au Canada, nous en sommes à nos débuts.

****

20.7 L'INCESTE

20.7.1 Introduction

Soulignons dès le départ que l'inceste n'est pas considéré nécessairement comme pathologique per se, du moins dans la psychiatrie américaine. Aucune mention n'en est faite dans la nomenclature du DSM III. Plutôt qu'une maladie, la littérature psychiatrique récente (Comprehensive Textbook of Psychiatry, 1975) décrit l'inceste comme un acte, ou une série d'actes, en violation d'impératifs moraux culturellement déterminés, ou comme le reflet d'un trouble psychologique sous-jacent, familial ou social (Judd Marmor, 1978).

20.7.2 Définition

Le terme d'inceste spécifie habituellement les rapports sexuels entre personnes d'une même famille, père-fille, mère-fils, frère-soeur, incluant aussi les liens parentaux grand-parent-petit enfant, oncle-nièce, tante-neveu et demi-frère-demi-soeur. Il est généralement admis d'entendre par rapports sexuels la relation génitale, le contact oro-génital et les caresses génitales. Vus sous cet angle, les rapports sexuels entre personnes de même sexe et d'une même famille sont compris comme étant d'ordre incestueux.

20.7.3 Le tabou de l'inceste

On considère le tabou de l'inceste comme universel si ce n'est pour de très rares exceptions. Dans son étude sur 250 sociétés primitives, Murdock (1949) rapporte que *toutes* ces sociétés banissaient l'inceste familial nucléaire et il décrit l'"'horreur effroyable'' que l'inceste inspirait à ces peuples qui prescrivaient la peine de mort aux contrevenants. Pour ceux qui n'avaient pas institutionnalisé de sanction légale, Murdock mentionne que le tabou était si fortement internalisé que la consommation de l'acte incestueux était impensable; s'il s'accomplissait malgré tout, les dieux ou les puissances surnaturelles puniraient les coupables de sorte que l'intervention humaine ne serait pas nécessaire. Parmi les rares exceptions à la règle, l'Egypte ptolémaïque est la plus connue, où les mariages entre frère et soeur étaient réservés surtout à la classe dirigeante (Cléopâtre).

Ce puissant tabou de l'inceste n'est pas inné, il s'apprend et il serait multidéterminé. Les données psychologiques, anthropologiques, sociologiques et biologiques, selon leur schème respectif, convergent vers des opinions semblables: le tabou de l'inceste a pour fonction majeure de protéger l'intégrité du noyau familial et il favorise les avantages culturels et économiques par des mariages intergroupes (exogamies). Des études récentes (Schull et Neel, Japon 1965,

Adams et Neel, E.-U. 1967, et Seemanova, Tchécoslovaquie 1971) donnent plus de crédibilité à la théorisation biologique: les sociétés primitives, dans leur évolution, auraient pu saisir, sans pouvoir les expliquer, la cumulation des tares dramatiques consécutives à la consanguinité (pairage de gènes récessifs et fréquence de la déficience mentale sévère, l'épilepsie, la surdi-mutité, les becs de lièvre et autres malformations congénitales). On croit que la création du tabou de l'inceste coïnciderait avec l'apparition du langage qui a permis l'expansion de la transmission culturelle du savoir. Quant à Freud (1913), il ramène à la horde primitive l'instauration du tabou de l'inceste qu'il reconnaît comme source de l'exogamie. Parce que le père tyrannique garde jalousement pour lui l'accès aux femmes, ses fils s'unissent pour le détruire. A cause de la rivalité et des querelles consécutives, les jeunes frères voient leur organisation sociale menacée. Par culpabilité et pour se protéger, les fils érigent le tabou de l'inceste.

20.7.4 Incidence

L'incidence de l'inceste demeure fort problématique. De nombreux auteurs mentionnent un à deux cas par année par million d'habitants: ces chiffres correspondent aux statistiques criminelles (les cas connus). Ces mêmes auteurs comprennent que l'incidence véritable est beaucoup plus grande. Dans la population délinquante, l'incidence varie entre 4 et 25% selon les auteurs. Dans des études sur une population plus générale, des chercheurs (Greenland 1958, Gebhard 1965) ont avancé une incidence de 0.2 ou 0.3%. Les meilleures informations disponibles nous sont fournies par Kinsey (1953) qui mentionne une incidence d'environ 4%. Nous pouvons retenir que l'inceste est un événement relativement rare; il serait "commun" seulement dans certains sous-groupes cliniquement définis. S'il est rarement déclaré, c'est que la famille évite une alternative qu'elle perçoit comme encore plus aversive: l'emprisonnement du père, la stigmatisation de la famille dans la communauté, le bouleversement chargé d'hostilité chez les membres de la famille, etc.

20.7.5 Inceste père-fille

La plupart des situations incestueuses ne sont pas spontanées: elles fermentent depuis plusieurs années. Fréquemment des facteurs sociaux les favorisent mais l'on ne peut leur accorder une spécificité. Toutes les nombreuses études ont souligné les éléments de pauvreté, de surpeuplement des quartiers défavorisés, de l'insuffisance de l'intimité des chambres à coucher, ou encore l'isolement rural.

Le drame de l'inceste père-fille se joue à trois personnages: la mère, quoique n'ayant pas un rôle apparemment actif, tient une place prépondérante dans l'organisation incestueuse. Plusieurs auteurs (Weiner 1962,64, Lustig 1966, Maisch 1972) ont souligné que la plupart du temps les deux parents n'ont pas eu l'occasion d'intégrer dans leur jeunesse des valeurs familiales suffisamment saines pour permettre de mieux internaliser le tabou de l'inceste. La pauvreté des apports affectifs marque très souvent l'enfance du futur père incestueux: il a dû quitter dès son jeune âge le foyer familial, ou encore son père désertait le foyer, où il s'affichait comme autoritaire et brutal. Souvent il adoptera plus tard une attitude compensatoire "patriarcale" dans sa famille en projetant une image de compétence. La mère également a connu dans son enfance les carences affectives familiales: souvent, jeune, elle a connu l'orphelinat, les institutions, la désertion des parents, ayant peu de chance d'apprendre de sa mère un rôle maternel suffisamment sain.

Dans les cas d'inceste père-fille, les difficultés conjugales, particulièrement sexuelles, ne sont pas rares: rapports sexuels inexistants, ou partenaires frustrés de part et d'autre. Il n'est pas rare non plus que la mère soit au courant des rapports incestueux de son époux mais demeure une complice tacite soit pour préserver son mariage ou pour échapper elle-même à des obligations sexuelles - qu'elle déteste. Sa faillite comme agent restrictif ou protecteur de ses filles est largement décrite dans la littérature: on lui attribue de façon répétitive les caractéristiques de passivité, de dépendance et de masochisme. Très souvent cette femme, dans son enfance, fut marquée par le rejet et l'hostilité de sa propre mère et elle a grandi avec son besoin de "bon maternage" qui lui a manqué. Elle déplacera éventuellement ses sentiments ambivalents à l'égard de sa mère sur sa propre fille, l'amenant à jouer le rôle de "petite mère" et favorisant la relation incestueuse de cette dernière avec son mari. Elle délaisse ainsi son rôle de femme de la maison au profit de sa fille aînée; elle se distancie de son époux comme partenaire sexuel et souvent elle faillit à son rôle de protection maternelle à l'égard de ses filles. Dans d'autres cas, la mère est absente, décédée ou gravement malade.

Environ 30% des pères incestueux présentent une personnalité psychopatique, psychotique ou pédophilique (K.C. Meiselman, 1978). La majorité cependant offre le tableau de la personnalité "endogamique". Pour l'un, il peut avoir des traits paranoïdes: il est égocentrique, belligérant avec ses employeurs et ses voisins; il soupçonne son épouse d'infidélité, il adopte une attitude surprotectrice envers ses filles, contrôlant même toutes leurs activités sociales. Souvent les rapports incestueux débuteraient avec sa fille prépubère qu'il délaissera vers ses 15-16 ans pour recommencer avec la suivante. Il en est un autre modèle endogamique qui relève davantage d'une sous-culture où coexistent pauvreté, isolement rural et défauts des restrictions personnelles (faible intensité du tabou de l'inceste). Souvent ce personnage se montre dévot et moraliste. Des périodes d'ivresse et de violence alternent avec l'expression d'un repentir à fond religieux. Sa victime est habituellement une fille post-pubère.

Dans son étude de 27 cas d'inceste père-fille de type endogamique (intra-familial), Bruno Cormier (1962) apporte la rationnelle psychodynamique suivante: le père est dans la trentaine ou au début de la quarantaine. D'intelligence normale, mise à part l'histoire incestueuse, il n'a pas d'antécédents criminels ou pervers, pédophilie comprise. Il se comporte avec sa jeune fille comme un adolescent maladroit, comme un frère aîné avec sa jeune soeur dans la recherche de jeux sexuels. Il peut lui montrer de la tendresse et de l'af-

fection, lui offrir des présents, ou bien s'imposer par force et menaces, expri-
mant dans l'un ou l'autre cas une très grande jalousie. Quand sa fille a at-
teint ses 16-17 ans, il la délaisse et recommence avec la suivante. Que la mè-
re ignore véritablement, cache ou refuse de voir ce qui se passe, elle démon-
tre une faillite de son rôle familial et de protectrice de sa fille. Selon Cormier,
ce type de père incestueux recherchait inconsciemment au moment de son
mariage aussi bien une mère qu'une épouse. Plus tard quand sa jeune fille
devient pubère, il retrouve chez elle la même image de la mère bienfaisante
de son rêve d'enfant, figure qu'il peut s'approprier maintenant parce qu'il
est puissant. Et le cycle recommence avec chacune de ses filles, recher-
chant de façon répétitive chez elles la mère de son enfance. Si le processus
incestueux n'est pas découvert, il s'éteint quand le père avance dans la
quarantaine et que de plus en plus l'épouse vieillissant devient pour lui
l'image de la mère inhibitrice.

La fille est rarement débile ou psychotique. En général, elle ne présente pas de charme particulier et n'accuse pas de développement précoce des caractè-res sexuels secondaires. Lorsqu'elle est amenée à jouer le rôle de ''petite mè-re'', l'accès précoce aux responsabilités lui donne l'allure d'une pseudo-matu-rité. Elle est habituellement une jeune fille docile et obéissante, qui se soumet à son père. Rarement utilise-t-elle la séduction pour tenter le père.

Même si à travers les nombreuses études, certains profils incestueux se des-sinent, il n'en reste pas moins que chaque drame incestueux conserve une cer-taine individualité; les variables sont en effet trop nombreuses pour réduire l'inceste à une description de type unique.

Le tabou de l'inceste *mère-fils* est le plus puissant de tous et l'infraction à cette barrière révèle une problématique habituellement plus sévère, comme la psychose, l'arriération mentale ou l'alcoolisme.

Par contre, l'activité incestueuse dans la *fratrie* serait relativement fréquente, correspondant à la poussée gonadique pubertaire et préadolescente associée à la curiosité exploratrice. Et un frère ou une soeur cadette représente une cible naturelle plus facile à la satisfaction de ces besoins, surtout s'ils sont facilités par le partage de la même chambre, ou du même lit.

20.7.6 Fin de l'inceste

Selon la littérature, dans environ 25% des cas, l'activité incestueuse se réduit à un seul incident: le père échoue dans sa tentative d'établir une relation sexuelle, ou ses contrôles interdicteurs se rétablissent, ou enfin l'intervention de d'autres membres de la famille suffit à y mettre le frein. Dans la majorité des cas, l'''aventure'' dure en moyenne trois ans et demi. Weinberg (1955) et Gebhard (1965) ont souligné que le père de type endogamique est celui qui prolonge le plus longtemps possible les rapports incestueux. Le silence de la fille serait mobilisé par l'impact des menaces du père, la honte et la crainte d'une solution encore pire, son expulsion du foyer.

Habituellement, l'inceste prend fin au cours de l'adolescence de la jeune fille, Il peut s'éteindre dans la perspective psychodynamique mentionnée plus haut (Cormier, 1962). Rarement la grossesse en est l'élément révélateur; Gligor (1966) rapporte 4 cas sur 57 dans son échantillonnage et K.C. Meiselman (1978) un seul cas sur 58. La confidence à la mère représente un grand risque. Parfois, la réaction se fait rapide: c'est la dernière goutte qui fait renverser le vase et la mère et la fille s'allient pour expulser le père du milieu familial; en conséquence, les liens familiaux, hors le père, se resserrent. Habituellement cette mère, en plus d'éprouver assez vivement le tabou de l'inceste, avait conservé une relation affective suffisante avec sa fille et n'accusait pas une trop grande dépendance à l'égard de l'époux. Mais de façon étonnante le déroulement ne s'opère pas ainsi. La plupart du temps la mère dénie ou refuse de croire sa fille et n'aboutit pas à une action effective. Elle va croire son mari qui nie, ou s'il avoue, elle va blâmer sa fille de son attitude séductrice; bien souvent alors le père et la mère vont faire alliance pour expulser leur fille du milieu familial. Habituellement, cette mère préfère préserver l'unité de la famille, affichant une dépendance importante envers son époux et éprouvant une semi-tolérance à l'inceste.

La plupart du temps l'aventure incestueuse prend fin par le départ de la jeune fille, avant ses 18 ans, soutenue par un ami ou un proche parent. Si le père démontre une attitude trop jalouse et trop revendicatrice, la jeune fille le dénonce aux autorités légales ou à une agence sociale.

20.7.7 Effets de l'inceste

Effets immédiats

L'effet le plus immédiat de la découverte de l'inceste porte sur la famille elle-même: sa dissolution et sa réorganisation. Le père ou la fille est expulsé de la famille, sinon la fille devient affectivement isolée de ses deux parents. Selon Cormier (1962) "une fois l'inceste connu, la récidive est rare", mais sûrement pas constante (Weinberg 1955, Meilselman 1978). Pour échapper à la culpabilité intense et à la dépression sévère, certains pères maintiennent le déni, même en prison après un procès où l'évidence n'offrait aucun doute. D'autres continuent leurs rationalisations et leurs projections. "Il fallait qu'elle apprenne... elle n'était pas vierge... C'est elle qui m'a séduit!". Parfois le père accède à la dépression, éprouve culpabilité et remords et il recherche le pardon de son épouse comme un enfant auprès de sa mère (Cormier 1962).

Quant à la jeune fille, elle a habituellement à faire face à l'hostilité et au rejet des membres de sa famille. Elle-même peut éprouver colère et ressentiment à l'égard des deux parents. Elle peut éprouver aussi la culpabilité et le remords si le père est humilié, incarcéré; Cormier (1962) souligne que "quelque soit la répugnance qu'elle ait pu avoir, une relation incestueuse n'est pas possible sans a-mour". L'étude la plus élaborée (Maisch 1972) sur les effets immédiats post-inceste rapporte surtout (70%) une sorte de trouble de personnalité; la dépression sévère, les troubles de caractère, la névrose traumatique et les symptômes psychosomatiques seraient moins fréquents. Dans son étude sur un petit nombre d'adolescentes postinceste, Bigras (1966) rapporte que 7 des 9 jeunes filles ont manifesté une réaction masochiste compulsive (acting out sexuels autodestructifs, fugues, tentatives suicidaires) et les deux autres sont devenues psychotiques. Dans quelques cas, il semble que les effets de l'inceste auraient été minimes et non spécifiques.

Effets à long terme

Il existe peu d'études sur les effets à long terme de l'expérience incestueuse. De toute façon, selon Meiselman (1978) "dans un sens absolu la question demeure sans réponse pour différentes raisons". Elle souligne qu'en fait les effets de ces événements sexuels sont indissociables de la pathologie familiale qui l'entoure, autant avant qu'après l'instauration de l'inceste. Si les parents présentent des troubles sévères, si la mère est absente ou si la jeune fille est amenée à jouer un rôle de "petite mère", et que l'expérience incestueuse ne survient pas, ces situations auront de toute façon une influence sur le devenir adulte de la jeune fille. Il apparaît fort difficile d'établir des rapports de cause à effet car l'inceste ne peut être isolé du contexte familial. Dans son étude comparative (une des très rares), Meiselman ne peut conclure à la nature précise d'un trouble (trouble de caractère, névrose ou psychose) qui serait conditionné par l'inceste. Ce dernier ne serait qu'un facteur parmi tant d'autres, génétiques et environnementaux. L'inceste prédisposerait plutôt à certaines sortes de problèmes, comme des difficultés relationnelles avec des hommes ou des troubles d'ajustement sexuel à l'âge adulte. Les premières études mentionnent surtout une incidence variée de promiscuité et de prostitution, alors que les recherches plus récentes (après 1960) parlent de dysfonction et plus rarement d'anorgasmie primaire ou d'homosexualité. Encore une fois il apparaît bien difficile d'établir un lien direct entre l'expérience incestueuse et les troubles sexuels tardifs.

20.7.8 Traitement

Traitement des effets immédiats

Il se situe au moment de la découverte de l'inceste. Nous avons déjà souligné que l'effet le plus dramatique est d'ordre familial: la menace de l'éclatement de la famille. Ainsi au cours des années 60, la thérapie familiale fut largement favorisée, mais une telle approche comporte plusieurs difficultés, dont le manque de coopération de la part du père, personnage fort affligé au milieu des membres de sa famille. Les verbalisations des problèmes sexuels sérieux chez le couple père-mère en présence des enfants ne peuvent être mésestimées. L'enfant victime risque d'éprouver, dans le processus thérapeutique, un plus grand sentiment de culpabilité. Une telle approche apparaît laborieuse et souvent fort longue (au-delà d'une année), susceptible de désistement fréquent en cours de route. L'intervention de crise offre une plus grande souplesse. Cette technique permet la ventilation des émotions et la correction des fausses conceptions en présence de tous les membres de la famille. Elle renforce aussi l'assurance qu'il n'y aura pas d'autre activité incestueuse (l'inceste une fois connu, la récidive est rare). Elle comprend des entrevues séparées avec l'enfant, les deux parents, la mère et la fille. Ces entrevues visent la réconciliation de la fille avec ses parents, la prévention des fugues ou d'un mariage précipité s'il s'agit d'une adolescente, à réduire l'incidence de la dépression et des tentatives de suicide.

Une telle approche familiale apparaît comme une tentative de solution beaucoup plus humaine à un problème qui touche tous les membres de la famille. Le recours à une clinique spécialisée favorisera la réorganisation de cette famille plutôt que sa dissolution.

La solution légale, à sanction pénale sévère pour le père incestueux, accentue plutôt le drame chez chacun des participants de l'"affaire incestueuse". Elle peut être parfois nécessaire si le père est un psychopathe sexuel irréductible. Plus souvent tel n'est pas le cas, et alors les prescriptions d'une probation qui tient compte du traitement familial semble plus adéquate. Si le père est psychotique, le traitement spécifique en milieu hospitalier s'impose.

Traitement des effets à long terme

Il s'agit de l'approche thérapeutique de la jeune fille ou femme dans les années qui suivent l'inceste. Il importe de souligner que certains thérapeutes peuvent se sentir inconfortables lorsque confrontés avec la révélation de l'inceste par leur patiente. La tendance à ne pas y croire, ou à réduire les souvenirs de l'inceste véritable aux fantaisies de la patiente risque de rompre le processus thérapeutique. L'acceptation comme telle du fait de l'inceste favorise la relâche cathartique et répond à la recherche d'une réassurance vis-à-vis un sentiment de responsabilité de la patiente au moment de l'"affaire incestueuse". Il peut être bénéfique de préciser à cette femme que "rien de ce que fait un enfant justifie des approches sexuelles de la part d'un parent, car les parents sont des adultes et ils sont sensés être pleinement responsables de leurs actions" (Meiselman 1978). Souvent cette femme au passé incestueux confond sexualité et affection, et cela se traduit assez rapidement dans la relation thérapeutique. Enfin le point majeur habituel qui l'amène en thérapie consiste surtout dans son orientation masochiste à l'égard de la vie en général, et aux partenaires sexuels en particulier. Si une dysfonction sexuelle s'avère importante, le recours à un traitement spécifique par un autre thérapeute peut s'avérer indiqué.

BIBLIOGRAPHIE

ADAMS, M.S., NEEL, J.V. "Children of Incest". *Pediatrics.* 1967, Vol. 40, 55-62.

BIGRAS, et COLL. "En deçà et au-delà de l'inceste chez l'adolescente". *Canad. Psychiatr. Assoc. J.* 1966, vol. II, 189-204.

CHAZAUD, J. *Les perversions sexuelles: introduction à leur approche psychanalytique.* Toulouse: Privat, 1973.

CORMIER, B., KENNEDY, M., SANGOWICZ, J. "Psychodynamics of Father-Daughter Incest". *Canad. Psychiatr. Assoc. J.* 1962, Vol. 7, 203-217.

FENICHEL, O. *The Psychoanalytic Theory of Neurosis.* New York: W.W. Norton, 1945.

FREUD, S. *Totem et tabou.* Paris: Payot, 1947 (publié originellement en 1913).

FREUD, S. *Trois essais sur la théorie de la sexualité.* Paris: Gallimard, 1962 (publié originellement en 1905).

GEBHARD, P.H. et COLL. *Sex Offenders: An Analysis of Types.* New York: Harper and Row, 1965.

GLIGOR, A.M. "Incest and Sexual Delinquency: A Comparative Analysis of Two Forms of Sexual Behavior in Minor Females". Unpublished doctoral dissertation, Case Western Reserve University, 1966 (cité par Meiselman, K.C., 1978).

GREEN, R., NEWMAN, L., STOLLER, R.J. "Treatment of Boyhood Transsexualism". *Arch. Gen. Psychiat.* March 1972, Vol. 26 (3), 213-217.

GREENLAND, C. "Incest". *Brit. Delinquency.* 1958, Vol. 9, 62-65.

HASLAM, M.T. "Psycho-Sexual Disorders and their Treatment. Part III: Sexual Deviation". *Current Medical Research and Opinion.* 1976, vol. 3 (10).

HENDERSON, J.D. "Incest". *Comprehensive Textbook of Psychiatry II.* 2e ed. Freedman, Kaplan, Sadock, Baltimore: Williams et Wilkins, 1975.

KINSEY, A. et COLL. *Sexual Behavior in the Human Female.* Philadelphie: Saunders, 1953.

KINSEY, A. et COLL. *Sexual Behavior in the Human Male.* Philadelphie: Saunders, 1968.

LANTERI-LAURA, G. *Lecture des perversions.* Paris: Masson, 1979.

LAPLANCHE, J., PONTALIS, J.B. *Vocabulaire de la psychanalyse.* Paris: P.U.F., 1967.

LASCHET, U., LASCHET, L. "Anti-androgens in the Treatment of Sexual Deviations of Men". *Journal of Steroid Biochemistry.* 1975, Vol. 6, 821-826.

LUSTIG, N. et COLL. "Incest: A Family Group Survival Pattern". *Arch. Gen. Psychiat.* 1966.

MAISCH, H. *Incest.* New York: Stein and Day, 1972.

MARMOR, J. "Sexual Deviancy". *The Journal of Continuing Education in Psychiatry.* 1978, Vol. 39-40, Part I and II.

MEISELMAN, K.C. *Incest.* San Francisco: Jossey-Bass, 1978.

MOHR, J.W., TURNER, R.E., JERRY, M.B. *Pedophilia and Exhibitionism.* Toronto: University of Toronto Press, 1964.

MURDOCK, G.P. *Social Culture.* New York: MacMillan, 1949.

ROSOLATO, G. "Perversions sexuelles". *Encyclopédie médico-chirurgicale*. 37392 A^{10} et C^{10}, Paris: 1968.

SADOFF, R.L. "Other Sexual Deviations". *Comprehensive Textbook of Psychiatry II*. 2e ed. Freedman, Kaplan, Sadock, Baltimore: Williams et Wilkins, 1975.

SCHULL, W.J., NEEL, J.V. *The Effects of Inbreeding on Japanese Children*. New York: Harper and Row, 1965.

SEEMANOVA, E. "A Study of Children of Incestuous Matings". *Human Heredity*. 1971, Vol. 21, 108-128.

STOLLER, R.J. *Perversion, The Erotic Form of Hatred*. New York: Pantheon Books, 1975.

STOLLER, R.J. "The Term "Transvestism" ". *Arch. Gen. Psychiat*. Mars 71, Vol. 24, 230-237.

The Task Force on Nomenclature and Statistics of The American Psychiatric Association. *DSM III Draft*, 3e ed. Washington: 1978.

WEINBERG, S.K. *Incest Behavior*. New York: Citadel, 1955.

WEINER, I.B. "Father-Daughter Incest; A Clinical Report". *Psychiatric Quaterly*. 1962, Vol. 36, 607-632.

WEINER, I.B. "On Incest: A Survey". *Excerpta Criminology*. 1964, Vol. 4, 137-155.

CHAPITRE 21

LA FAMILLE ET LE COUPLE

Georges Kekhwa et Pierre Lalonde

21.1 PRÉAMBULE

Bien que les sujets de thérapie familiale et de thérapie conjugale soient traités séparément dans les manuels de psychiatrie, nous avons délibérément choisi ici de les traiter ensemble, car nous croyons que le couple est en fait "le noyau de la famille" et qu'en définitive les problèmes de l'un et de l'autre ne forment en somme qu'un système relationnel ouvert selon Von Bartalanffy (24). C'est aussi parce qu'au cours des années, on a remarqué que plusieurs thérapeutes de couples finissent par faire de la thérapie familiale et vice versa.

21.2 INTRODUCTION

Nous espérons donner ici un guide aux cliniciens, afin de les inciter à prêter une oreille attentive aux plaintes physiques de leurs clients. Il est connu que plus des deux tiers de ces plaintes peuvent être causées par des difficultés relationnelles, soit conjugales ou familiales.

Définition de la thérapie familiale

Bien qu'il y ait plusieurs définitions et que chaque grand auteur ait fait la sienne, voici celle de N. Ackerman (1): "il s'agit d'une méthode de traitement des troubles émotionnels par des entretiens à caractère dynamique avec tous les membres qui composent cette famille". D'autres auteurs l'ont élargie à tous les membres qui vivent sous un même toit. Il est parfois utile d'inclure les parents influents du couple.

21.3 HISTORIQUE

En faisant le point sur le travail accompli jusqu'à ce jour dans la thérapie du couple et de la famille, on constate que la plus grande partie de la documentation pertinente a été publiée après 1960 (voir tableau 21.1).

TABLEAU 21.1

Date	Nombre d'articles publiés	
	Thérapie de couple	Thérapie de famille
Avant 1950	25	20
De 1950 à 1960	50	60
Après 1960	100	250

Il semble que, même si le traitement de la famille est encore plus récent dans son développement, le traitement du couple a connu une croissance étonnante (19).

Aux Etats-Unis, les premières cliniques à desservir les couples aux prises avec des difficultés ouvrirent leurs portes au début des années 1930 et elles fonctionnent encore aujourd'hui. A ce moment-là, on offrait des services de conseillers matrimoniaux beaucoup plus que de thérapeutes de couples. En 1942, un petit groupe de pionniers en ce domaine organisèrent l'American Association of Marriage Counselors (A.A.M.C.), afin de faciliter le développement de cette nouvelle profession. En 1970, l'A.A.M.C. étendit son champ d'action et modifia officiellement son nom en celui de l'American Association of Marital and Family Counselors (A.A.M.F.C.), afin d'inclure dans ses cadres les thérapeutes de familles qui n'avaient auparavant aucun groupement national à qui s'identifier. En général, les membres appartenant à l'A.A.M.F.C. proviennent d'une diversité de professions dont la psychologie (19%), le service social (19%), la théologie (14%), la sociologie (8%), etc; 25% s'identifient simplement comme thérapeutes conjugaux. Il est révélateur de constater que 75% des membres se perçoivent d'abord comme identifiés à un autre groupe professionnel, mais le traitement de couple fait aussi partie de leur pratique clinique.

Les pionniers de la thérapie familiale ont souvent été perçus comme des aventuriers qui étaient d'abord intéressés à traiter des familles dont un des membres souffrait. Le rapport du Group for the Advancement of Psychiatry (G.A.P., 1970) laissait voir que des dix thérapeutes de familles décrits par leurs collègues comme étant des sommités dans ce domaine, six étaient des psychiatres. A ces pionniers, s'est joint un nombre restreint mais grandissant de spécialistes de divers domaines qui, eux aussi, avaient perdu leurs illusions à propos des modes traditionnels de traitement individuel.

Ces thérapeutes constataient que, lorsque des patients ayant été traités avec succès, retournaient à leur domicile, ils régressaient souvent, ou bien un autre membre de la famille se mettait à présenter des symptômes.

Un des premiers et des plus vigoureux initiateurs de la thérapie familiale fut Nathan Ackerman. Même si celui-ci avait déjà procédé à des expériences de traitement avec des familles dans les années 1940, ce ne fut qu'en 1957 que la première "Family Mental Health Clinic" s'ouvrit à New York et il en devint le premier directeur. En 1960, le "Family Institute" fut fondé d'une façon plus solide. En 1954, Murray Bowen commence à traiter des familles au "National Institute of Mental Health". Il invitait les familles de schizophrènes à vivre à l'intérieur de l'hôpital pour mieux les observer et les soigner. Dans ce même hôpital, Lyman Wynne entreprit un travail de traitement et de recherche auprès des familles comptant un enfant perturbé d'après un concept relationnel qu'il appela la "pseudo-mutualité" (1958). Boszormenji-Nagy (1965) organisa et dirigea le "Family Therapy Project au Eastern Pennsylvania Psychiatric Institute" où l'on étudia les possibilités de la méthode d'approche psychanalytique en thérapie familiale. En 1958, Don Jackson organisa et dirigea le "Mental Research Institute" à Palo Alto, où l'on commença à étudier la thérapie familiale par entrevues conjointes et à former des professionnels dans cette discipline: Jackson lui-même est à l'origine du terme "conjoint family therapy" (Jackson 1959). Ce projet était en partie dérivé d'un projet antérieur, portant sur l'étude de la schizophrénie et du traitement familial et dirigé par Gregory Bateson (1952-1962). En 1962, le "Mental Research Institute" de Palo Alto et le "Family Institute" de New York fondèrent conjointement une revue: "Family Process" afin de faciliter la recherche et le développement de la théorie concernant le rôle de la famille dans la compréhension et le traitement des troubles émotifs. Au Canada, le centre pionnier et fondateur de la thérapie familiale est l'Institut de psychiatrie communautaire et familiale de l'hôpital juif de Montréal ayant à sa tête vers les débuts des années 60 Nathan Epstein et ses collaborateurs.

Par ailleurs, il existe dans certains hôpitaux quelques groupes de travailleurs sociaux, psychologues et psychiatres qui s'occupent de la thérapie conjugale ou familiale. On trouve aussi au Québec plusieurs organismes de conseillers matrimoniaux et de services sociaux aux familles.

21.4 ÉPIDÉMIOLOGIE

Parmi la prolifération de traitements psychiatriques au cours de la dernière décennie, la thérapie familiale et conjugale a acquis une importance grandissante. Il est vrai que les problèmes familiaux des patients ont toujours attiré la considération des psychiatres et des psychothérapeutes. Une enquête de C.J. Sager (21) a démontré que 50% des patients qui demandent une psychothérapie, le font souvent à cause des difficultés familiales et qu'un autre 25% ont des problèmes en rapport avec le mariage. Selon G. Gurin (12), les préoccupations conjugales viennent en premier lieu des consultations pour les problèmes émotionnels.

21.5 LES STADES DU DÉVELOPPEMENT INDIVIDUEL ET CONJUGAL

Il est vrai que c'est à S. Freud que nous devons les stades psychosexuels de l'individu. Par la suite, l'homme dans sa relation avec autrui, tout au long de la vie, fut très bien décrit par T. Lidz dans son livre "The Person". Mais nous donnerons ici un aperçu schématique, pour illustrer les âges critiques chez l'individu, ainsi que ses rapports conjugaux et familiaux, tels que décrits par E. Berman et H. Lief (5) (voir tableau 21.1, page 608).

21.6 LES THÉORIES DE BASE QUI ONT FAIT GERMER LA THÉRA-PIE FAMILIALE (Foley, 1974)

21.6.1 La double contrainte *(double bind)* décrite par G. Bateson et ses collaborateurs

C'est en 1950 que ce groupe de chercheurs commencèrent à étudier le mode de communications pathologiques qui existent dans les familles de schizophrènes. En 1956, ils ont publié le résultat de leur étude: "Le paradoxe est un modèle de communication qui mène à la double contrainte". C'est cette situation qu'ils trouvèrent dans les familles de schizophrènes sans conclure cependant qu'il s'agissait d'une causalité linéaire vers la maladie mentale.

Le paradoxe est un message qui, en même temps, nie ce qu'il affirme et affirme ce qu'il nie. Par exemple, l'injonction "sois spontané" est un paradoxe. La double contrainte est comme une injonction paradoxale autant au niveau cognitif qu'affectif et aucune réponse n'est possible. Quoique l'on fasse, l'on sera toujours puni. Ainsi pour que la double contrainte puisse exister, il faudrait avoir plusieurs conditions réunies durant une longue période de temps.

1) Il faudrait que deux personnes vivent ensemble et que l'une d'elles soit désignée comme "la victime".

2) L'expérience des injonctions paradoxales ou des doubles contraintes devrait être renforcée par leur répétition.

3) Une injonction négative première doit être présente. Paul Watzlawick l'explique ainsi: soit que l'on dise à la victime "ne faites pas ceci ou cela, sinon je vous punirai" ou bien "si vous ne faites pas ceci ou cela, je vous punirai".

4) Il faut qu'il y ait aussi une deuxième injonction qui contredise la première mais de façon très subtile et, comme la première, elle est renforcée par des signaux de punition qui menacent la vie. Cette deuxième injonction est habituellement communiquée d'une manière non verbale.

5) Une troisième injonction négative est imposée interdisant à la victime de fuir ou de rompre la communication et la relation pathologique, l'empêchant ainsi de sortir de la double contrainte imposée par les deux injonctions contradictoires précédentes.

Exemple: Un jeune homme qui venait à peine de s'améliorer d'un épisode schizophrénique aigu, reçoit la visite de sa mère à l'hôpital. Elle lui dit: "Pourquoi ne manifestes-tu pas ton affection à ta mère?" Heureux, il met son bras autour de ses épaules. La mère se raidit et se détourne. Perplexe, il retire son bras et la mère lui demande: "Tu n'aimes plus ta mère?" Il rougit de cette remarque. La mère continue de dire: "Mon chéri, tu ne dois pas te sentir embarrassé ni rougir de tes sentiments". Le patient n'a pu rester que quelques minutes avec sa mère et après son départ, il frappa un préposé.

Dans ce genre de communication, la victime a peur de critiquer la façon dont on lui parle car il s'agit d'une situation de vie ou de mort pour elle. C'est seulement une psychothérapie qui pourrait l'aider à métacommuniquer. La victime ne cesse de chercher la signification des mots qu'on lui dit et, dans sa recherche, elle devient de plus en plus confuse et sombre dans la maladie mentale.

Le thérapeute aura comme but en traitant ce genre de famille, de réajuster la communication, pour qu'il y ait de moins en moins de paradoxes, et d'aider la victime à métacommuniquer, c'est-à-dire critiquer ou commenter la manière de communiquer.

21.6.2 La pseudo-mutualité et la pseudo-hostilité

Ces deux concepts peuvent être traités ensemble, parce qu'ils ont été investigués et articulés entre eux par un groupe de chercheurs associés à Lymann Wynne et Margaret Singer.

Pseudo-mutualité

Le concept a été introduit d'abord par Wynne en 1958 et fut ensuite développé au cours des années 60: ''L'individu semble avoir deux besoins contradictoires. D'un côté, il sent le besoin de développer sa propre identité; d'un autre côté, il sent le besoin de se relier à autrui''. En ce qui concerne la famille, le premier besoin aurait une force centrifuge poussant l'individu à sortir de sa famille, tandis que l'autre besoin aurait une force centripète, le retenant au sein du système familial. Les deux besoins sont bien équilibrés lorsque la personne est normale. Mais, si elle a des difficultés de relation, elle ne pourra pas se rapprocher des autres, car elle aura la sensation de perdre son identité avec la sensation d'être absorbée par eux. Cette personne est souvent incertaine par rapport à ses frontières personnelles (10).

Comment un individu peut-il garder sa propre identité, tout en étant capable de se relier à autrui...? Wynne semble dire qu'il y a trois options à cela:

1) la mutualité: celle-ci est caractérisée par une reconnaissance de la diversité de ses propres besoins et de ceux des autres;

2) la non-mutualité: la relation a un but utilitaire sans tenir compte de façon authentique de la diversité des besoins de chacun des partenaires. Exemple: la relation du vendeur et de l'acheteur;

3) la pseudo-mutualité: cette relation est marquée par une forte attraction pour relier entre eux les membres de la famille, aux dépens de la différenciation des identités. La diversité et l'autonomie sont niées ou réprimées au profit d'une union familiale fallacieuse.

Ainsi la famille du schizophrène se trouve enchaînée dans des rôles très précis et il est bien difficile à l'un de ses membres de s'en échapper. Plus les rôles sont rigides, plus la famille est malade. Wynne déclare que la pseudo-mutualité familiale est caractérisée par quatre dimensions:

1) le rôle de chacun de ses membres est figé et rigide en dépit des modifications situationnelles qui surviennent;

2) le rôle est considéré approprié et désirable et on insiste pour qu'il ne change pas;

3) il y a une préoccupation majeure pour empêcher l'émancipation des membres de la famille;

4) dans ces familles, il y a une absence de spontanéité, d'humour et de joie de vivre.

Pseudo-hostilité

Ce concept démontre en surface une rupture ou une aliénation d'un membre de la famille par rapport aux autres. Mais la pseudo-hostilité, comme d'ailleurs sa contrepartie la pseudo-mutualité, cache un besoin de rapprochement et d'affection, même si de prime abord, c'est l'agressivité qui se manifeste.

21.6.3 Le schisme et le biais

Selon T. Lidz et ses collaborateurs (10), certains mariages échouent d'une façon chronique parce que les conjoints, en gardant un attachement excessif envers leurs propres parents, ont des difficultés à assumer leurs rôles de père et de mère. Ainsi, il n'y a pas vraiment d'union réelle dans ce genre de couple, que Lidz appelle "le schisme conjugal". La famille est divisée en deux clans qui s'affrontent.

Il y a parfois d'autres couples où l'on remarque qu'un des partenaires domine fortement l'autre jusqu'à contrôler ses idées; en d'autres termes, l'un a une influence énorme sur l'autre qui se soumet passivement. Il le fait ainsi souvent "biaiser" puisqu'il peut lui faire croire n'importe quoi. Lidz a remarqué que cette absence de réciprocité dans les rôles parentaux mène souvent à des tensions. Cette confusion des rôles est transmise tout doucement aux enfants qui finiront parfois par devenir eux-mêmes confus quant à leur propre identité.

T. Lidz a étudié les familles de schizophrènes et en a déterminé certaines caractéristiques:

1) il y a chez le père une déficience marquée dans son rôle de pourvoyeur. Cette déficience, en influençant le malade, l'empêcherait de devenir autonome et de se fier à lui-même;

2) il y a échec de la famille dans son rôle d'institution sociale, puisqu'elle a été incapable de donner au patient un modèle adéquat des rôles de père ou de mère;

3) les parents n'ont pas pu donner à leur enfant les instruments de base concernant la communication et la culture.

En définitive, Lidz a formulé une approche qui met la famille en cause dans la maladie de son enfant. Ce principe fondé sur la causalité circulaire est à la base de la thérapie familiale. Tous les auteurs de différentes écoles reconnaissent les influences réciproques des membres de la famille entre eux.

21.6.4 La mystification

Ce concept a été introduit par R. Laing en 1965 en Angleterre (10) et, bien que de conception différente de T. Lidz, il en arrive à la même conclusion.

Laing explique que, dans la mystification, la personne en autorité cherche à affirmer son influence en induisant quelques changements chez les autres. La mystification est, en effet, un grand moyen de manipulation qu'on retrouve très souvent dans les familles de schizophrènes. Laing soutient que le but de la mystification est de garder le statu quo. Plus la structure familiale est rigide, plus grand est le besoin de maintenir le contrôle sur les membres de cette famille.

Dans sa forme la plus claire, une communication qui mystifie s'exprime en ces termes: ''tout ce que tu vois, penses, écoutes ou sens est faux; c'est moi qui te dis comment sont les choses ou ce que tu vas écouter, penser ou sentir''. Un message de ce genre n'aura que très peu d'effet sur une personne qui est parvenue à se fier à ses propres perceptions de la réalité externe et interne. Mais quand il s'agit d'une question de vie ou de mort et dans une relation prolongée, spécialement entre l'enfant et ses parents ou bien chez les victimes de persécutions politiques, des messages de ce genre placent le sujet dans la ''situation intenable'' de ne plus pouvoir croire en ses perceptions. Par ailleurs, si le receveur du message est aussi incapable de ''critiquer'' la situation en métacommuniquant ou bien s'il ne lui est pas permis de le démystifier, il est alors pris dans un piège et devient confus.

Ainsi, l'enfant dans une famille de ce genre fait face à un dilemme: soit de croire ses parents, et ainsi garder sa relation nécessaire de dépendance avec eux, au détriment de sa perception de la réalité qui deviendra alors troublée; soit de croire en ses propres sentiments et perceptions, au risque d'altérer sa relation avec ses parents.

H. Searles (22) a décrit une variation très intéressante de la mystification comme suit: ''Une relation est bien définie au début mais, dès que le partenaire accepte cette définition, l'autre soudainement la définit autrement et, en même temps, accuse son partenaire d'être mauvais ou fou parce qu'il n'a pas pu entrevoir la nouvelle règle du jeu. Si le partenaire se conforme à la nouvelle relation, il se fait blâmer de n'avoir pas accepté la première. Dans une autre variante, il se peut aussi que la personne dominante change la ''qualité émotionnelle'' de sa communication sur le même sujet. Il y a ainsi plusieurs modèles de communication qui mystifient et qui peuvent ainsi rendre les autres confus''.

21.6.5 La théorie des systèmes

Ce concept est actuellement des plus importants dans le champ de la thérapie familiale. Pour traiter les problèmes d'une personne, le thérapeute se concentre sur la ''relation'' qui existe entre cette personne et le reste de sa famille, c'est-à-dire le système familial. Tous les thérapeutes de familles tentent de changer ''le système familial'' qui serait la cause des difficultés d'un de ses membres. Ainsi, une nouvelle théorie voit la genèse de la maladie mentale non pas tant chez l'individu lui-même, mais plutôt dans un système familial pathologique. Par exemple, on a remarqué que le schizophrène contribue à maintenir le système de communication pathologique de la famille.

C'est Von Bartalanffy (24) qui a dit: ''Les systèmes sont des complexes d'éléments en interaction'' et chaque système comprend les propriétés suivantes: l'unité dans l'ensemble, l'interrelation et l'équifinalité.

L'unité dans l'ensemble signifie que la famille n'est pas formée simplement par l'addition de chacun de ses membres, mais à cause de l'influence et de la rétroaction d'un membre sur l'autre, elle forme un tout complexe fondé sur l'interaction.

L'interrelation entre les membres est plus importante en thérapie familiale que la psychodynamique individuelle, car elle donne une idée, en entrevue, sur ce qui se passe dans la famille et ainsi, beaucoup de ce qui était caché se dévoile.

L'équifinalité veut dire que, peu importe de quoi on a commencé à parler durant l'entrevue, la conclusion sera la même, car le système relationnel ne fait que se répéter. En fait, le système familial se répète comme s'il était contrôlé par des règles et, toute déviation amènerait une contre-offensive des autres membres, dans le but de garder la stabilité du système établi.

On a découvert que le système familial est d'autant plus sain que son répertoire de règles est plus flexible, tandis que le système est plus pathologique lorsque ses règles sont plus rigides. D'après P. Watzlawick (25), un système malade ne peut pas générer en dedans de lui-même de nouvelles règles, lorsque la famille fait face à une situation nouvelle et pénible. La famille est vouée à s'engager dans un cercle vicieux qu'on pourrait appeler ''le jeu sans fin''. C'est par la thérapie familiale qu'on aidera la famille à se trouver de nouvelles règles plus souples et moins pathologiques en l'aidant à changer son système relationnel.

21.6.6 La théorie des communications

Watzlawick dans ''Une logique de la communication'' a synthétisé les idées de divers auteurs sur ce sujet et propose une série d'axiomes qui ont une implication fondamentale dans les relations interpersonnelles.

Axiome I: Tout comportement est une communication. Il est impossible de ne pas communiquer, car le silence et même le retrait total sont un commentaire sur une relation existant entre les personnes en présence.

Axiome 2: Toute communication comporte une implication et sert ainsi à définir une relation. Bateson souligne qu'une communication sert soit à apporter des informations - c'est le contenu du message - soit à commander - c'est la définition de la relation entre les interlocuteurs. La métacommunication est un commentaire sur le contenu de la communication qui sert aussi à préciser la nature de la relation.

Par ailleurs, on peut illustrer ces notions par l'exemple suivant: lorsqu'on dit à quelqu'un: "Voulez-vous, s'il-vous-plaît, ouvrir la fenêtre" ou bien "Ouvrez cette fenêtre", ces deux façons ont à peu près le même contenu du message, mais ils démontrent clairement deux manières différentes de commander, c'est-à-dire de définir la relation. Le premier message indique une relation entre des égaux, tandis que le second démontre plutôt une relation entre un supérieur et son inférieur. Habituellement, nous ne sommes pas conscients de l'aspect relationnel dans nos communications; en effet, les gens qui communiquent entre eux ne sont généralement pas conscients des ordres qu'ils donnent ou reçoivent, ni des ordres auxquels ils obéissent. Dans une relation saine, cet aspect relationnel existe aussi, mais demeure à l'arrière-plan. Par contre, les gens inquiets de leurs relations sont toujours en train de se tourmenter à propos de la nature de leurs relations en y détectant des ambiguïtés, des malentendus, de la mauvaise foi... mais surtout ils ne parviennent pas à métacommuniquer pour clarifier efficacement la relation.

Axiome 3: La nature d'une relation dépend de la ponctuation des séquences de communication entre les partenaires. Il serait simpliste de considérer la communication comme une séquence linéaire ininterrompue d'échanges basée sur un schéma behavioriste stimulus-réponse. En fait, la communication doit être comprise à l'aide de la théorie des systèmes et de la causalité circulaire. C'est ainsi qu'on constate que des couples tournent en rond parce qu'ils répètent sans cesse le même modèle de communication, chacun des conjoints maintenant sa propre ponctuation (i.e. sa façon personnelle de voir les "faits") et étant incapable de saisir la ponctuation de l'autre. Watzlawick donne un exemple amusant des différences de ponctuation en citant le rat de laboratoire: "J'ai bien dressé mon expérimentateur; chaque fois que j'appuie sur le levier, il me donne à manger". Ce rat refuse donc la ponctuation de la séquence que l'expérimentateur cherche à lui imposer. On conçoit aisément que de telles divergences de ponctuation puissent envenimer la communication entre humains.

Axiome 4: Les êtres humains utilisent deux modes de communication: verbale (digitale) ou non verbale (analogique). Le langage digital possède une syntaxe logique très commode pour transmettre des concepts mais est plutôt pauvre pour spécifier la relation. Par contre la communication analogique possède un ensemble de signes définissant de façon non équivoque la nature de la relation. Nous pouvons nous attendre à voir non seulement coexister, mais se compléter, les deux modes de communication dans tout message. Selon toute probabilité, le contenu sera transmis sur le mode digital, alors que la relation sera essentiellement de nature analogique. Il est en effet facile de professer quelque chose verbalement, mais il est difficile de mentir dans le domaine analogique. On comprend l'importance de l'observation directe de ces deux modes de communication quand on étudie le système familial en interaction.

Axiome 5: Tous les échanges dans une communication sont faits d'une façon symétrique ou complémentaire, selon qu'ils se fondent sur l'égalité ou la différence. La communication est symétrique lorsque la relation est égale entre les deux conjoints, c'est-à-dire lorsque chacun peut prendre l'initiative de la discussion.Elle est complémentaire lorsqu'un des deux conjoints mène la discussion et l'autre suit. Ces termes servent à décrire des relations humaines et n'impliquent pas nécessairement de pathologies. La relation devient pathologique lorsqu'il y a excès. Par exemple, lorsqu'une relation symétrique amène à une surenchère destructive, ou bien que la relation complémentaire devient trop rigide et se pétrifie tandis que le conjoint qui suit n'accepte plus sa position.

Les parents de schizophrène

La critique des théories qui au début avaient servi à expliquer la schizophrénie, a été formulée par S. Hirsch et J. Leff (13) suite aux recherches faites par plusieurs auteurs.

Elle se résume comme suit:

1) Les parents ayant des enfants schizophrènes sont beaucoup plus atteints de maladies mentales que les parents des enfants normaux. On trouve aussi beaucoup plus de mères ''schizoïdes'' dans les familles qui comptent un schizophrène.

2) Les schizophrènes, tout comme leurs parents, se servent de la ''pensée par allusion''.

3) Les parents de schizophrène paraissent beaucoup plus en mésentente et en conflit que les parents des patients présentant d'autres maladies psychiatriques.

4) Le schizophrène, pendant son enfance, a été affligé de maladies physiques et de dysfonctions mineures beaucoup plus que l'enfant normal.

5) Les mères de schizophrène sont plus inquiètes et surprotègent leur enfant.

6) Les parents de schizophrène communiquent d'une façon anormale.

7) Les schizophrènes qui maintiennent des relations très étroites avec leurs parents ou leur conjoint sont plus exposés à rechuter que ceux qui ont des relations moins intenses.

21.7 LA PSYCHODYNAMIQUE CONJUGALE

Les relations conjugales comprennent trois dimensions fondamentales semblables à celles qui existent dans la psychodynamique des groupes selon E.M. Berman et H.I. Lief (5).

1) *Le pouvoir:* Qui est vraiment en charge et qui mène dans le couple? La famille ou le couple est un lieu où l'on remarque comment et jusqu'à quel point le partenaire qui semble à première vue soumis, faible ou malade, exerce le contrôle et le pouvoir indirectement sur l'autre qui semble fort et maître de la famille.

2) *L'intimité:* Quel rapprochement? Quel éloignement? Les variations de la distance émotive et géographique, quand les partenaires luttent avec leur peur du rapprochement, sont des données importantes pour le thérapeute de couples ou de familles. Se rapprocher et se séparer, encore et encore, sont les particularités dialectiques qui forment la pierre d'angle des théories de O. Rank.

3) *L'inclusion versus l'exclusion ou la frontière familiale:* Qui d'autre est considéré comme faisant partie du système conjugal? Cet aspect s'applique non pas seulement aux beaux-parents ou à la famille élargie, mais aussi aux amis, à la carrière, aux activités sociales et même aux animaux familiers. C'est ici que se situe la dynamique de l'imposition des frontières ou des limites à la cellule familiale (voir tableau 21.1, page 608).

Les forces dynamiques du mariage découlent des besoins de chacun des conjoints de réaliser ses attentes, sous forme de certains niveaux du pouvoir, d'intimité et d'imposition de frontière à sa famille. Ceci est compensé et en même temps opposé par le besoin, sinon l'obligation, de faire des compromis et d'engloutir ainsi ses propres désirs, afin de permettre au partenaire d'atteindre ses buts. La balance entre la lutte pour l'accomplissement de soi-même et le besoin de plaire au partenaire, ou de faire croître la relation quand les forces en présence s'opposent, n'est pas seulement le coeur du mariage, mais se trouve aussi au centre de la thérapie conjugale et familiale.

21.8 CLASSIFICATION CONJUGALE ET DIAGNOSTIQUE

Les thérapeutes de couples et de familles n'ont pas encore de classification systématique et universelle des relations conjugales. On n'a pas encore formulé de schéma diagnostique couvrant tous les aspects. Cependant, une revue des systèmes actuels de classification nous permet de considérer un certain nombre de moyens d'examen du couple. Trois des classifications suivantes sont basées sur les dimensions fondamentales décrites dans la psychodynamique conjugale; tandis que la quatrième est basée sur les types de personnalités qui sont assez familiers aux psychiatres.

21.8.1 Classification I

Basée sur les règles de définition du pouvoir, cette classification a été proposée par W.J. Lederer et D.D. Jackson (1968).

1) *La relation symétrique:* Relation ou chacun des conjoints a besoin de prouver qu'il est aussi bon que l'autre. Il y a une bataille continuelle pour maintenir l'égalité. C'est donc un comportement compétitif - à l'opposé d'un comportement de collaboration - où chacun des conjoints veut montrer qu'il a, au moins, un contrôle égal de la relation. Cette forme de relation minimise les différences entre les partenaires. Souvent même ces gens ne divorcent pas, malgré leurs nombreuses querelles, parce qu'ils ne peuvent pas se mettre d'accord pour divorcer; ce serait admettre une supériorité inacceptable de l'autre.

2) *La relation complémentaire:* Cette forme de relation est le plus souvent décrite comme traditionnelle. L'un des conjoints est en charge, l'autre obéit. Il y a division des zones de responsabilité entre les partenaires; puis l'attitude d'un des conjoints complète ou renforcit l'attitude de l'autre... comme quand l'un souhaite recevoir et que l'autre, à ce moment, est prêt à donner. Il y a celui qui aide et celui qui est aidé. Ce type de relation amplifie les différences et chacun des conjoints adopte des comportements qui remplissent les besoins de l'autre. Cette relation est moins compétitive et la thérapie en est facilitée, spécialement lorsque la personne aidée se sent valorisée par certains secteurs dont elle a la charge.

3) *La relation parallèle:* Ici, les conjoints alternent entre une relation symétrique et complémentaire selon les variations de la situation. Ils peuvent ou bien se supporter mutuellement, ou bien se mettre en compétition sachant qu'aucun ne gagnera dans toutes les circonstances, au détriment de l'autre. Chacun des conjoints offre à l'autre des opportunités de définir la relation. Chacun des conjoints est en charge de certaines responsabilités et il y a discussion à propos des zones grises. Selon Lederer et Jackson, cette relation est la plus souhaitable pour notre culture égalitaire.

21.8.2 Classification II

Basée sur les stades parentaux, cette classification est une dimension de l'inclusion-exclusion ou de l'imposition de frontières telles que décrites par O. Pollak (1965).

Dans la famille nucléaire actuelle, l'inclusion des enfants tend à produire la principale cause de dislocation de l'union conjugale. Bien sûr, d'autres groupes comme les parents ou les amis laissent leur marque sur le couple, mais jamais avec la même intensité que les enfants. La période d'éducation des enfants est donc cruciale en termes de difficultés pour le couple. La classification de O. Pollak inclue les stades suivants:

- avant l'arrivée de l'enfant;

- les premières années de l'enfant;

- les enfants en âge de latence et d'adolescence;

- après le départ des enfants (le nid vide).

21.8.3 Classification III

Basé sur les niveaux d'intimité, ce système de classification est souvent utilisé. Il a été proposé par J.F. Cuber et P.B. Harroff (1966).

1) *Le mariage en conflit continuel:* Ce mariage est caractérisé par des contrôles sévères, des tensions et des conflits, souvent à peine cachés aux amis et à la famille. "Vous savez, c'est drôle, on s'est toujours battu depuis qu'on est allé au collège. Quand je regarde en arrière, je ne peux pas me rappeler de disputes en particulier; c'est plutôt comme une sorte de guérilla continuelle. En fait, on n'est jamais d'accord sur rien. Evidemment on ne règle jamais une discussion - c'est une sorte de question de principe". C'est précisément ce besoin profond de maintenir la bataille qui constitue le facteur de cohésion pour assurer la continuité du couple. L'infidélité n'est qu'une autre façon d'exprimer de l'hostilité. La fille d'une nuit n'est souvent qu'un symbole du ressentiment contre l'épouse.

2) *Le mariage dévitalisé:* Ce mariage a commencé par une idylle romantique parfois passionnée, mais il a perdu sa vitalité au cours des années. Les expressions de mécontentement sont rares, probablement à cause des activités et des intérêts différents de chacun des conjoints. Une femme de 40 ans raconte: "Les choses sont plutôt ennuyantes maintenant entre nous. On prend les choses pour acquises. Je ne dis pas ça pour me plaindre. Il y a des cycles dans la vie...". Ce type d'interaction est caractérisé par l'ennui et l'apathie où sont manifestement absents les conflits mais il est aussi dépourvu de piquant. Cette relation, très fréquente, comporte parfois des échanges de compagnonnage, mais la plupart du temps ne tient que sur des bases légales et morales et aussi à cause des enfants. L'infidélité survient souvent pour retrouver la passion du début.

3) *Le mariage passif depuis le début:* La passivité existe depuis le début du mariage. Il y a peu de désillusions et peu de conflits dans ce mariage considéré comme "plaisant" et où les deux partenaires se sentent confortablement à l'aise. La prudence est le principal aspect de cette relation qui n'a jamais été vraiment engagée. Une femme raconte: "Quand il m'a demandée en mariage, j'ai pris beaucoup de temps à me décider. Je me demandais si c'était l'homme qu'il me fallait; j'ai examiné l'histoire de sa famille. Je ne faisais pas qu'épouser un homme, je choisissais un père pour mes enfants". Les principaux supports sociaux viennent de l'extérieur du mariage et les moments intéressants se passent avec d'autres gens. Chacun des conjoints a ses intérêts propres. Les énergies créatrices sont dirigées ailleurs que dans la relation conjugale - par exemple dans la carrière ou, pour l'épouse, dans les enfants ou les activités com-

munautaires. Un homme raconte: "Le mariage, c'est convenable et ça règle un tas de problèmes. Mais il y a d'autres choses dans la vie. J'ai passé près de dix ans à me préparer à pratiquer ma profession. La chose la plus importante pour moi, c'est ma profession, c'est d'aider mes clients et leur famille". L'emphase est mise sur les responsabilités civiles et professionnelles. L'infidélité est une façon de combattre l'ennui.

4) *La relation vitale:* La chose la plus importante pour chacun des conjoints, c'est la relation conjugale qui est excitante et gratifiante. L'échange, le besoin d'être ensemble est authentique; c'est l'essence de la vie. Un homme dit: "Le bonheur c'est d'être ensemble pour faire quelque chose. Si ma femme n'était pas là, le bateau, le chalet et n'importe quel autre plaisir ne vaudrait plus rien". Le partenaire est perçu comme indispensable au plaisir de l'activité. Bien d'autres choses importantes sont mises de côté pour sauvegarder la relation: "J'ai refusé deux promotions, l'une parce que j'aurais eu à voyager loin de la maison, l'autre parce que j'aurais eu à travailler le soir et la fin de semaine - ça m'aurait enlevé du temps avec ma femme". La principale satisfaction est d'être ensemble; tout le reste est secondaire. Les conjoints cherchent à éviter les conflits ou, s'ils surviennent, ils sont rapidement réglés. L'infidélité peut survenir par une sorte du respect des besoins sexuels ou des droits du partenaire; souvent elle n'est pas ressentie comme une menace à la relation mais plutôt comme un renforcement de l'interaction. Par contre le divorce peut survenir parfois pour de petites déloyautés.

5) *Le mariage total:* Tous les intérêts sont partagés et le partenaire est perçu comme indispensable quelle que soit l'activité. Il y a peu de tensions. L'important n'est pas de savoir qui a raison ou tort, mais comment résoudre le problème pour éviter de ternir la relation. Tous les aspects de la vie sont partagés de façon enthousiaste. "J'amène toujours ma femme dans mes conférences autour du monde. Elle est indispensable pour moi. L'important dans nos vacances, ce n'est pas ce qu'on fait, c'est ce qu'on fait ensemble". Ce type de relation est rare et laisse souvent peu de place pour les enfants qui comprennent d'ailleurs vite que leurs parents ont besoin d'une intimité qu'il ne faut pas troubler.

21.8.4 Classification IV

Basé selon les différents types de personnalité et la terminologie psychiatrique, plusieurs groupes ont proposé, indépendamment, ce système de classification (5).

1) *Le mari obsessif-compulsif et la femme hystérique:* Cette dyade a aussi été décrite en termes de conflit entre le mari détaché et la femme demandante, ou encore l'homme froid et la femme languissante d'amour. Au départ, cette forme de relation implique un homme dépendant et obsessif, qui a une difficulté particulière à exprimer ses sentiments, mais qui est souvent perçu comme étant l'élément fort et silencieux du couple.

Ce type d'homme, qui est très préoccupé à ''bien faire les choses'', trouve souvent une femme qui est le stéréotype de la féminité dans notre culture. Elle apparaît assez passive et séductrice et possède une forte tendance à se présenter de façon dramatique. Il s'agit d'une hystérique dans la terminologie psychiatrique. Elle apporte beaucoup d'excitation dans la vie du mari au début, parce qu'elle exprime et évoque en lui des sentiments qu'il n'avait jamais ressentis auparavant. La libération de ses émotions l'excite et renforce l'appréciation plaisante qu'il a de sa femme. En prenant soin de cette dernière, il ajoute à son sentiment d'importance. L'épouse, de son côté, recherche un bon parent, quelqu'un qui va lui donner un sens de stabilité et de sécurité. Si le couple commence à subir des stress après la période de romance, le mari considérera la nature émotive et intuitive de sa femme, de même que sa façon de penser, comme très déplorable et désorganisée. L'épouse trouvera la distance émotive de son mari tout à fait déplaisante. A mesure que l'épouse augmente ses demandes agaçantes et à mesure que l'époux intensifie son détachement, chacun se blâme mutuellement alors qu'en fait c'est le système transactionnel qui est en défaut. La relation devient une interaction du style parent-enfant et elle peut dégénérer du bon parent-bon enfant, vers le parent distant - l'enfant agressif.C'est le conflit à propos de l'intimité qui arrive au centre du débat dans ce type d'interaction conjugale.

2) *Le mari passif dépendant et l'épouse dominatrice:* Dans cette forme de relation, le mari est au départ attiré par une femme sûre d'elle-même et cherche à incorporer sa force. Il se sent inadéquat parce qu'il manque de confiance et d'affirmation en lui-même. En plus, il peut être alcoolique ou obèse. Il réduit ses doutes à propos de sa masculinité en choisissant une femme qui prendra soin de lui. Il choisit souvent une femme qui a des conflits sérieux à propos de son rôle féminin et qui se sent très inconfortable dans une position dépendante. Elle choisit alors un homme qu'elle pourra contrôler. Si des conflits surviennent dans ce type de relation, ils seront dus à l'accroissement du comportement passif-agressif du mari, ou à sa dépression, en réaction aux tentatives de contrôle de sa femme. L'efficacité à contrôler son mari et à le dominer, mais aussi la frustration de ses propres besoins inconscients de dépendance, rendent l'épouse hostile et agressive. Le pouvoir est le thème central du système transactionnel.

3) *Le mari paranoïde et la femme dépressive:* Ce type de relation comprend souvent des éléments sado-masochistes significatifs.Le mari est un homme jaloux, suspicieux, hostile, agressif, préoccupé par sa masculinité et une crainte de désintégration de son moi. La femme a une pauvre estime d'elle-même et accepte facilement les blâmes; convaincue de sa pauvre valeur d'elle-même, ne pouvant trouver mieux, elle accepte de devenir sa femme. Son manque d'estime d'elle-même peut souvent remonter à des attitudes rejetantes de ses parents excessivement critiques.

Elle peut trouver un mari qui est une réplique psychologique de son parent le plus rejetant; elle cherche alors son approbation, qu'elle n'avait pu obtenir de son parent idéalisé et inatteignable. Ces mariages sont particulièrement tumultueux, parce que chaque conjoint a des mécanismes de défense et d'adaptation inadéquats, et une estime de soi très vulnérable. Les conflits sont multidimensionnels, mais surtout lorsqu'il s'agit d'élargir les frontières du mariage de façon à inclure d'autres personnes.

4) *Le mari dépressif et la femme paranoïde:* Ce type de relation est l'opposé du précédent: une femme suspicieuse et jalouse, mariée à un homme qui tend à se déprimer et à se déprécier. En plus des éléments masochistes dans la personnalité du mari, qui permettent la continuation de la relation douloureuse, la nature suspicieuse et hostile de l'épouse donne au mari une excuse, pour ne pas se hasarder dans le monde extérieur perçu comme menaçant. La dépression passive du mari permet à la femme de maintenir sa suspicion et son comportement agressif, sans avoir à se préoccuper d'un partenaire contrôlant. Les conflits surviennent surtout dans les tentatives d'élargir les frontières du mariage, de façon à inclure d'autres personnes.

5) *La relation orale dépendante:* Les deux conjoints sont ici passifs, dépendants, immatures et rivaux. Ils ont tous les deux un besoin intense d'affection et ils pensent toujours qu'ils donnent plus qu'ils ne reçoivent. Les relations de ce genre sont particulièrement tumultueuses, même si parfois les partenaires sont capables d'attention chaleureuse. Les deux se manifestent par des crises de colère et par un besoin de gratification infantile. Aucun des deux ne manifeste de l'intérêt pour le bien-être de l'autre. Dans ce type de relation, les conflits surviennent sur tous les thèmes de l'interaction conjugale.

6) *La femme névrotique et le mari tout-puissant:* Dans ce type de relation, la femme est minable, malade chronique et s'attend à ce que son conjoint soit tout-puissant en la soulageant de sa souffrance. Elle exprime son ressentiment inconscient par sa dépression et par l'exacerbation de ses symptômes. Le mari reste dans le mariage, d'abord parce qu'il désire aider, et ensuite parce qu'il se sent extrêmement inadéquat. Il est renforcé par l'idée d'aider une personne qui est plus faible que lui, mais son échec continuel entraîne une perte de confiance en lui-même. Le pouvoir est le principal champ de conflit.

Commentaires

Il est important de reconnaître que tous ces types de mariages ne finissent pas en conflits graves et en divorces. Ces couples s'unissent à cause d'un équilibre névrotique et, si le couple est suffisamment flexible, s'il utilise parfois d'autres façons de se comporter, le mariage peut se dérouler relativement bien. Ceci est particulièrement vrai du mari obsessif-compulsif et de la femme hystérique, quand le mari est capable d'accepter la personnalité plutôt charmante de sa femme et de vivre avec sa désorganisation. Les problèmes surviennent seulement quand le coût du maintien du système familial devient trop élevé. Par exemple, quand la dépression de l'un des conjoints amène une hospitalisation, incitant alors le désir réactionnel du partenaire de sortir de la relation; ou lorsque l'un des conjoints change, débalançant alors le système; ou encore lorsqu'un des partenaires n'accepte plus de vivre selon les règles établies, même si les deux s'étaient mariés en s'attendant à le faire.

21.9 ÉVALUATION DU FONCTIONNEMENT FAMILIAL (Chagoya, Guttman)

Epstein, Rakoff et Segal (8) définissent ainsi le **trouble familial:** C'est une situation qui, de l'opinion de cette famille ou d'un observateur bien entraîné, menace la santé physique et émotionnelle de l'unité familiale, ou son cheminement dans la vie comme entité fonctionnelle.''

Ils mentionnent que chaque famille, face à un danger quelconque, utilise des moyens différents pour le résoudre. Les dangers qui peuvent menacer la famille ont été classifiés en deux grandes catégories. Les problèmes **instrumentaux** lorsqu'il s'agit des aspects mécaniques de la vie, comme les problèmes économiques, la maladie physique, etc.; et les problèmes **affectifs** qui mettent en danger les aspects émotionnels de la famille.

Quand on évalue les problèmes d'une famille, il faut reconnaître par quel processus elle a pu, ou non, identifier son problème, et ensuite, comment elle a été capable, ou non, de le résoudre.

Les aspects suivants doivent être évalués:

1) *L'expression affective:* Se divise en deux groupes de sentiments: des émotions de bien-être comme la joie, la sympathie, l'amour, etc., ou des sentiments de souffrance comme la peur, la rage, la dépression, etc. Il faut évaluer la quantité de ces émotions et voir si elles sont appropriées ou non. Il faut aussi savoir de quelle manière ces émotions sont exprimées, soit d'une façon directe, indirecte, masquée ou déplacée.

2) *L'engagement affectif:* Se définit par rapport aux activités et intérêts de chaque membre dans la famille; on apprécie le degré de l'engagement, sa qualité et s'il est approprié.

3) *La communication:* Se précise par quel moyen les membres de la famille se relient les uns aux autres. Plus la famille est perturbée, plus le processus de communication est indirect, masqué et déplacé. La communication peut s'établir sur un mode affectif ou instrumental.

4) On évalue aussi comment chaque membre assume son *rôle* dans la famille. On distingue:

   a) les rôles traditionnels, comme celui du père, de la mère, de l'épouse, du fils, de la fille, etc.;

   b) les rôles idiosyncrasiques qui se surajoutent; comme le rôle du bouc émissaire, le rôle de celui qui maintient les membres de la famille ensemble, le rôle du criminel, le rôle de la brebis galeuse qui est la honte et le scandale de la famille, etc.

Ces deux types de rôles, soit traditionnels ou idiosyncrasiques, doivent être évalués selon leurs conséquences fonctionnelles, par rapport à chaque membre et par rapport à l'unité familiale.

5) *Les modes de contrôle du comportement:* Ils peuvent être soit rigides, flexibles, laisser-faire ou chaotique; il faudrait voir ensuite s'ils sont conséquents ou capricieux.

6) *Les psychopathologies:* On reconnaît une psychopathologie individuelle lorsqu'une personne ne fonctionne plus à un niveau optimum sur le plan psychosocial. On réserve le terme de psychopathologie familiale lorsque celle-ci implique les parents, soit le père et la mère et au moins un des enfants. Les sphères de psychopathologie familiale sont les suivants: la dépendance, la passivité, l'impulsivité, le comportement sexuel, l'identification sexuelle, les affects, l'affirmation de soi, le contrôle des pulsions, la réponse au danger, l'autorité et l'autonomie.

7) *L'interaction* des parents en tant que couple, s'intéresse surtout à préciser comment ils se partagent la tâche d'élever leurs enfants, les accords ou désaccords en matière d'éducation, et l'interaction parent-enfant. Il faut aussi observer comment les enfants communiquent entre eux sur le plan affectif, instrumental, relationnel, etc.

8) *Le degré d'autonomie* s'applique à la capacité pour chaque membre d'accomplir une action indépendante dans la vie. Enfin on évalue comment fonctionne la famille et chacun de ses membres en dehors de la maison. On apprécie ici surtout ''le degré d'autonomie'' qui a pu s'établir, en évaluant l'adaptation au travail, les activités sociales, les loisirs, etc.

21.10 LES INDICATIONS DE LA THÉRAPIE CONJUGALE ET FAMILIALE

Si, a priori, on accepte la théorie des systèmes et la théorie des communications qui expliquent les symptômes d'un individu comme étant le résultat d'un système relationnel familial pathologique, on peut donc dire que les indications de la thérapie individuelle peuvent aussi bien s'appliquer à la thérapie conjugale ou familiale (9).

Cette technique de traitement s'appuie sur l'observation suivante: lorsqu'on guérissait un membre de la famille en thérapie individuelle, on remarquait parfois qu'un autre membre devenait malade. Il est reconnu de plus en plus que certains gestes suicidaires ne sont en fait qu'un appel à l'aide; ainsi la pathologie de certaines familles peut être dévoilée par la dépression d'un de ses enfants adolescents. Le patient identifié en assumant lui-même les problèmes de la famille, essaie de garder l'unité familiale malgré toutes ses difficultés personnelles.

Plusieurs syndromes bien connus de troubles chez un malade, peuvent facilement n'être que l'expression de conflits familiaux non résolus (2). Par exemple: les réactions allergiques qui ont souvent une cause psychologique importante; les désordres du système digestif comme l'anorexie nerveuse, l'obésité et les céphalées de tension.chez les enfants, la thérapie familiale est indiquée dans les cas de phobies scolaires, de troubles du comportement, de la délinquance juvénile incluant la toxicomanie et l'inceste. Chez les adultes, les cas d'infidélité conjugale ou la désertion d'un des membres du couple nécessitent une telle thérapie. L'alcoolisme est de plus en plus reconnu comme étant dû à un trouble familial, du moins en partie.

A part la médication nécessaire, la thérapie familiale peut être très utile dans les dépressions en général, mais surtout dans les dépressions post-partum.

En définitive, la thérapie conjugale ou familiale est surtout indiquée dans les conditions suivantes:

1) Lorsqu'il y a des problèmes de communication entre les époux, ou lorsqu'il y a des conflits dans des domaines concernant la vie conjugale, comme les difficultés sexuelles et les difficultés d'établir un rôle social, économique, parental ou émotionnel, satisfaisant pour chaque membre.

2) Si l'un des symptômes ne peut être guéri, parce que quelqu'un dans la famille a besoin de ce symptôme pour garder un certain équilibre apparent.

3) S'il y a passage à l'acte dans la symptomatologie présentée. Ex.: vols, inceste, délinquance, etc.

4) Si d'autres formes de thérapies ont échoué.

Les contre-indications de la thérapie conjugale et familiale

La thérapie conjugale est contre-indiquée lorsqu'un membre du couple est franchement psychotique, particulièrement s'il est paranoïaque; ou lorsqu'un membre du couple refuse de participer à cause de sa grande anxiété (9).

Lorsque le couple est en pleine crise violente, il serait sage de commencer par quelques séances de thérapie individuelle afin de préparer chaque membre à la thérapie de couple. La thérapie familiale est contre-indiquée lorsqu'un membre est franchement de mauvaise foi et lorsque le système familial sert de protection contre la psychose, par exemple lorsque la famille comprend un membre qui pourrait être diagnostiqué ''état limite''.

21.11   LES DIFFÉRENTES TECHNIQUES DE THÉRAPIE FAMILIALE

C'est en 1969 que C.C. Beels et A. Ferber (3) ont entrepris une étude comparative de toutes les méthodes d'entrevues familiales faites par les pionniers de cette forme de traitement. En classifiant les méthodes de thérapie familiale, les deux catégories importantes de rôles thérapeutiques qu'ils définirent furent les *conductors* et les *reactors*. Les *conductors* interviennent activement et dirigent les entrevues de thérapie, alors que les *reactors* permettent généralement à la famille une activité plus libre et moins contrôlée. Ces derniers se subdivisent encore, en "analystes" qui se comportent à plusieurs points de vue comme les psychanalystes traditionnels, et en "puristes" qui fonctionnent rigoureusement dans le cadre de la théorie des systèmes et se préoccupent des normes familiales et des processus de communication. Les *conductors* sont: Nathan Ackerman, Virginia Satir, Murray Bowen, Salvador Minuchin, Roland Charp, Robert McGregor et Norma Paul. Les *reactors* d'inspiration psychanalytique sont: Carl Whitaker, Lyman Wynne, Alfred Friedman, Yvan Boszormenyi-Nagy et les *reactors* puristes sont: Don Jackson, Jay Haley et Gerald Zuk.

Gerald Zuk (27) a défini une méthode de thérapie familiale qu'il a appelé *the go-between process.* Ce terme ne peut pas vraiment se traduire par médiateur ni intermédiaire. Il s'agit plutôt d'une technique visant à contrôler le processus de changement dans le système familial en exerçant un pouvoir sur l'interaction entre les membres de la famille. Les étapes de ce processus se résument ainsi:

1) Présentation d'un sujet de discussion soit par le thérapeute ou un membre de la famille.

2) Polarisation du sujet de façon à créer un conflit soit explicite ou implicite; on peut alors identifier aisément les deux parties: le proposeur et l'opposant.

3) Intensification du conflit et début du mouvement d'une personne, soit le thérapeute ou un membre de la famille, pour prendre le rôle du *go-between.*

Tentatives par le proposeur et le *go-between* de définir et délimiter le rôle ou la position de chacune des personnes.

5) Récession ou diminution du conflit grâce à un changement dans les positions du proposeur ou une redéfinition du conflit ou les deux.

R. Bélanger et L. Chagoya dans leur livre "Techniques de thérapie familiale" (4) proposent que le but premier de la thérapie familiale soit de modifier le système d'interaction au sein de la famille et non de guérir ou de transformer un membre de la famille. Le changement du système familial amènera des changements chez tous les membres de la famille y compris la disparition des symptômes, ou des comportements indésirables chez l'individu-problème, pour lequel la famille vient en consultation.

Berman et Lief ont soumis certains concepts particulièrement utiles comme adjuvants thérapeutiques (5).

1) On a appris qu'il est très rare qu'un thérapeute puisse prédire de façon précise la personnalité ou le comportement du conjoint seulement à partir du rapport qu'en fait son partenaire. Les pressions de la réalité sont soit douces, soit accablantes quand elles sont décrites par l'un des conjoints. On insiste donc souvent pour que le partenaire vienne au moins à une entrevue.

2) Le rôle du thérapeute dans la décision à prendre est souvent compliqué et délicat. Devant un conflit à propos d'un divorce, la méthode habituelle est d'amener les partenaires à examiner les alternatives et à choisir celle qui leur paraît la meilleure. Par contre, il arrive parfois que, devant l'évidence de dysfonctions permanentes et accablantes, on peut supporter délibérément une séparation. Il est cependant notable que, même si on donne rarement des avis aussi précis, il est encore plus rare que les patients en tiennent compte et agissent en conformité.

3) Quand les partenaires ont une implication différente dans leur mariage (et conséquemment dans la thérapie conjugale), on peut suspendre la thérapie conjugale. Si l'un des conjoints n'est que partiellement impliqué dans son mariage ou si l'un ou les deux partenaires veulent mettre fin à leur mariage, le counseling marital standard n'est simplement pas possible. Il faut alors placer le focus sur la décision du couple de rester ou de sortir du mariage. Quelques couples, cependant, vont demeurer indécis pour plusieurs mois. Le thérapeute doit alors les confronter avec ce problème et avec les questions que pose leur indécision.

4) Peu importe les malheurs qu'ait apportés le mariage pour chacun des conjoints, la plupart des personnes divorcées trouvent que la solitude est atrocement pénible. Plusieurs divorcés font face à une période de dépression qui dure de quelques mois à un an. Il faut en effet accepter ce fait existentiel que, pour plusieurs couples mariés depuis longtemps, il n'y a pas de décision indolore. Rester dans le mariage est douloureux, mais vivre seul est encore plus douloureux; et il peut arriver que les autres options ne soient pas possibles.

5) Les styles de vie alternatifs, particulièrement les mariages de groupe, sont plus difficiles à maintenir que les relations monogames et requièrent plus de flexibilité et de maturité que de vivre seul.

6) On a constaté dans plusieurs cas que les partenaires en phase de séparation ou de divorce apprennent mieux à régler leurs problèmes en thérapie de groupe qu'en thérapie individuelle. Le focus dans la phase postséparation doit porter sur le support et sur l'apprentissage de nouveaux styles de vie. Plusieurs patients ne sont pas alors prêts à examiner les conflits qui les ont amenés au point de la séparation. Le groupe apporte beaucoup plus de support direct et, si le groupe est bien dirigé, il n'accroît pas l'amertume ressentie par les personnes séparées ou divorcées.

Quant à nous, et suite à notre pratique, nous croyons que le système relationnel de la famille changera, si le thérapeute arrive à amener chaque membre de la famille à communiquer d'une façon directe et claire, tant sur le plan du contenu des idées que sur les émotions qui les accompagnent. D'ailleurs, il a été prouvé par J. Haley, qu'il y a moins de pathologie dans une famille où il est permis à chaque membre de s'exprimer et de communiquer convenablement. Malgré tout ce qui a été dit préalablement, il apparaît que la thérapie familiale continue encore d'être, d'abord, une technique que l'on développe et que l'on applique expérimentalement, de plus en plus, mais sans procédé adéquat de validation. Ce qui importe, c'est de choisir la méthode la plus efficace que le thérapeute est capable d'employer en fonction du problème présenté. En d'autres termes, le thérapeute doit s'orienter à partir du problème, plutôt qu'à partir de la méthode.

21.12 LE DIVORCE ET L'AVENIR DU MARIAGE

Les psychiatres et les conseillers matrimoniaux sont devenus de plus en plus préoccupés par deux phénomènes sociopsychologiques complexes: l'accroissement des séparations et des divorces et les recherches pour des alternatives de style de vie. Selon M. M. Hunt (14), la question centrale autour de cette controverse est de savoir si ces phénomènes dérivent de nouveaux stress sociaux et conjugaux du XXe siècles, ou bien s'il s'agit simplement de nouvelles solutions à un vieux problème. De toute façon, on demande de plus en plus aux thérapeutes de prendre des positions idéologiques sur la convenance du divorce et des nouveaux styles de vie, tout en continuant de traiter les éclopés de ces batailles (11).

Il semble bien que le taux croissant de divorces et de remariages et l'augmentation de nouveaux styles et modes d'union (''échangistes'', contrat renouvelable, mariage de groupe), sont des phénomènes sociaux plutôt que psychopathologiques. On peut les considérer comme une résultante de la recherche d'hédonisme, d'autonomie et de collections d'expériences communes à notre siècle. En fait, ces modes peuvent avoir atteint leur sommet et, peut-être, sont elles-mêmes déjà dans leur déclin. D'autres chercheurs affirment, cependant, que l'accroissement des contrats ouverts ''open marriage'', et la formule de monogamie en série, sont une réponse normale et peut-être même saine au style de vie urbain. Ils prédisent même une augmentation de la quantité et de la qualité de ces nouvelles expériences (6, 23).

Il n'en demeure pas moins que nous faisons face à de nombreux patients souffrant de solitude, d'ambivalence et d'anxiété devant un divorce, déprimés après un divorce récent, ou encore cherchant à vivre plus pleinement leur existence. Ils peuvent exprimer fréquemment leurs plaintes en blâmant leur conjoint.

Il semble aussi que ces nouveaux styles de vie et la monogamie en série vont continuer à être le choix d'un certain nombre de personnes. En général, cependant, la plupart des gens, de culture nord-américaine, semblent préférer la monogamie, qui leur donne plus de sécurité à long terme. Le mariage, comme institution, semble donc en voie de survivre. Il apparaît cependant que l'accent sera porté sur l'égalité des droits pour la femme, sur une diminution du sentiment de propriété ou de possession vis-à-vis le conjoint, et donc d'une diminution des jalousies sexuelles. Le potentiel humain en mouvement et le développement de programmes communautaires pour l'enrichissement conjugal, montrent bien le besoin d'un grand nombre de gens à chercher une émancipation individuelle plus grande, dans une relation positive vivifiante qui favorise le développement.

21.13 LA FORMATION EN THÉRAPIE CONJUGALE ET FAMILIALE

Il n'est certainement pas obligatoire que les médecins apprennent à faire de la thérapie familiale; mais, apprendre la psychodynamique du couple et de la famille, et un peu de savoir-faire devant une famille malade, est sûrement un outil très utile pour le médecin omnipraticien.

TABLEAU 21.1:   Stades du développement individuel et conjugal

SUJET	Stade I: 18 à 21 ans	Stade 2: 22 à 28 ans	Stade 3: 29 à 31 ans
Stade individuel	S'ARRACHER DE SES RACINES	JEUNE ADULTE	PÉRIODE DE TRANSITION DE LA TRENTAINE
Tâche individuelle	Développement de l'autonomie.	Développement de l'intimité et de l'identification professionnelle.	Décision de s'impliquer dans le travail et le dans le mariage.
Tâche conjugale	Rupture de la famille d'origine vers de nouveaux engagements.	Implication conjugale transitoire.	Période de crise d'engagement - turbulence.
Conflits conjugaux	Les liens avec la famille d'origine entrent en conflit avec l'adaptation.	Incertitude à propos du choix du conjoint. Stress de la paternité et de la maternité.	Les doutes sur le choix du conjoint culminent. La croissance personnelle peut diverger surtout si un des conjoints est trop impliqué dans ses obligations parentales.
Intimité	Intimité fragile.	Intimité accrue mais ambivalente.	Distanciation des conjoints pendant que chacun se forme une opinion sur l'autre.
Pouvoir	Apprentissage du pouvoir.	Etablissement de schémas de résolution du conflit.	Disputes acerbes à propos du pouvoir et de la domination.
Frontières conjugales	Conflits à propos des beaux-parents.	Amis, amants, maîtresses, travail vs famille.	Ruptures temporaires infidélité ou captivité dans le mariage.

Stades 4: 32 à 39 ans	Stade 5: 40 à 42 ans	Stade 6: 43 à 59 ans	Stade 7: 60 ans et plus
ACCALMIE	TRANSITION DE LA QUARANTAINE	ADULTE MÛR	VIEILLESSE
Intensification des implications - poursuite de buts à long terme.	Recherche d'un compromis entre les aspirations personnelles et l'entourage.	Stabilisation et définition des priorités.	Accommodement satisfaisant avec le vieillissement, la maladie et la mort tout en retenant un zeste de vie.
Productivité: enfants, travail, amis, mariage.	Pause: évaluation des succès et échecs, recherche de nouveaux objectifs.	Résolution de conflits et stabilisation du mariage à long terme.	Support mutuel dans la lutte pour la productivité et la réalisation devant le vieillissement envahissant.
Le mari et la femme ont des moyens différents et conflictuels de réaliser leur productivité.	Les conjoints perçoivent le "succès" différemment; il y a conflit entre le succès individuel et le succès du mariage.	Conflits dans le rythme et la direction de la croissance émotive. La perte de la jeunesse peut conduire à la dépression ou au passage à l'acte.	Les conflits surviennent du réveil des peurs de désertion, de solitude et d'échec sexuel.
Accroissement de l'intimité dans les "bons" mariages; distanciation graduelle dans les "mauvais" mariages.	Atténuation de l'intimité à mesure que les doutes sur l'autre augmentent.	L'intimité est menacée par le vieillissement et par l'ennui d'une relation sécurisante et stable. Le départ des enfants peut augmenter ou diminuer l'intimité.	Lutte pour maintenir l'intimité devant la séparation que la mort va amener.
Etablissement de schémas définitifs de prises de décision et de domination.	Le pouvoir sur le monde extérieur est évalué en comparaison du pouvoir dans le mariage.	Les conflits s'accroissent souvent quand les enfants partent et que la sécurité apparaît menacée.	Les craintes à propos de la survie raniment les besoins de contrôle et de domination.
La famille nucléaire ferme ses frontières, se replie sur elle-même.	Rupture due à une réévaluation. Pulsion vs stabilité.	Les frontières sont habituellement établies sauf en cas de crises: maladie, mort, changement d'emploi, changement de rôle.	La perte de la famille et des amis amène une fermeture des frontières.

BIBLIOGRAPHIE

1- ACKERMAN, N. *The Psychodynamics of Family Life.* New York: Basic Books, 1958.

2- ALLAN, M., *A concizo Textbook of psychiatry for Primary care Physicians.* New York: KRAFT, A.R.C.O, 1977.

3- BEELS, C.S., FERBER, A. "Family therapy: a view". *Fam. Proc.* 1969, 8,280-318.

4- BELANGER, R., CHAGOYA, L. *Techniques de thérapie familiale.* Les Presses de l'Université de Montréal, 1973.

5- BERMAN, E.M., LIEF, H.I. "Marital Therapy from a Psychiatric Perspective: an Overview". *Amer. J. Psychiatry.* 1975, 132 (I, 583-592.

6- COMFORT, A. *Sexuality in a Zero Growth Society.* Californie: Santa Barbara, A report for the study of Democratic Institutions, CSDI, 1972.

7- CUBER, J.F., HARROFF, P.B. *Sex and the signifiant Americans.* Baltimore: Penguin Books, 1966, 43-65.

8- CHAGOYA, L., GUTTMAN, H. *Guide pour évaluer le fonctionnement de la famille.* Texte inédit de l'Institut de psychiatrie familiale et communautaire de l'Hôpital général juif de Montréal, Québec, 1971.

9- FREEDMAN, A.M., KAPLAN, H.I., SADOCK, B.J. *Comprehensive textbook of Psychiatry.* Williams & Wilkins, 1976.

10- FOLEY, V. *An introduction to family Therapy.* Grune & Stratton, 1974.

11- GARDNER, R.A. "Psychological Aspects of Divorce". *American Handbook of Psychiatry.* 2nd Edition, New York: Arieti, S. (Ed.), Basic Book, 1974, 496-512.

12- GURIN, G., VEROFF, J., FELD, S. *Americans view their mental health: a Nation Wide interview Survey.* New York: Joint Commission on Mental illness and health, Monograph Series 4, 1960.

13- HIRSCH, S., LEFF, J. *Abnormalities in parents of Schizophrenics.* Oxford University Press, 1975.

14- HUNT, M.M. *The world of the formely married.* New York: McGraw Hill Book Co., 1966.

15- KAPLAN, H. *Le bonheur dans le couple.* Alain Stanké, 1975.

16- LAING, R. "Mystification, confusion and conflict in Boszormenyi-nagy 1". *Frame J. Intensive Family Therapy.* New York: Harper & Row, 1965.

17- LEDERER, W., JACKSON, D.D. *The mirages of Marriage.* New York: W.W. Norton & G., 1968.

18- OLSON, D. *Thérapie conjugale et familiale: synthèse et critique - service social.* 21 (3), 1972, 44-82.

19- POLLAK, O. *Sociological and psycho-analytic concepts in family diagnosis in the psychotherapies of marital disharmony.* New York: Greene (Ed.), Free Press, 1965.

20- ROGERS, C. *Réinventer le couple.* Lafont, 1974.

21- SAGER, C.J., GUNDLACH, R., KREMER, M. & AL. "The married in treatment". *Arch. Gen. Psychiatry.* 1968, 19, 205-217.

22- SEARLES, H. "The effort to drive the other person crazy-an element in the aetiology and psychotherapy of schizophrenia". *Br. J. Med. Psychol.* 1959, 32, 1-18.

23- SMITH, J.R., SMITH, L.G. (Eds). *Beyond Monogamy: Recent Studies of sexual alterations in marriage.* Baltimore: Johns Hopkins Press, 1974.

24- VON BARTALANFFY, L. "General system theory and psychiatry". *American Handbook of Psychiatry.* New York: Arieti S. (Ed.), New York Basic Books, 1974, Vol. 1, 1095-1117.

25- WATZLAWICK, P., BEAVIN, J.H., JACKSON, D.D. *Une logique de la communication.* Paris: Ed. Du Seuil, 1972.

26- WATZLAWICK, P. WEAKLAND, J., FISCH, R. *Changements, paradoxes et psychothérapie.* Paris: Ed. Du Seuil, 1975.

27- ZUK, G.H. "The go-between process in family therapy". *Fam. Process.* 1966, 5, 162-178.

CHAPITRE **22**

LA PSYCHIATRIE DE L'ENFANT

Laurent Houde et Lise Brochu

22.1 CONSIDÉRATIONS GÉNÉRALES

Quand un enfant est amené à la consultation par ses parents, il n'est certes pas déplacé de se demander si le problème qu'on expose est bien le sien ou celui de ses parents. La société qui donnait jusqu'à récemment tous les droits aux parents sur leurs enfants leur permettait de ce fait dans bien des cas, de leur faire porter le fardeau de problèmes dont ils n'étaient pas responsables. L'intérêt grandissant porté à l'enfance et à la jeunesse, ''la plus grande richesse de la nation'', a conduit à la création d'une charte des droits de l'enfant, et au Québec, à une explication récente de ces droits dans la reformulation des lois de protection de la jeunesse.

Le praticien de la santé qui se pose la question n'a évidemment pas à y répondre pour déterminer les culpabilités ou prendre parti. L'interrogation demeure cependant valable parce qu'elle implique qu'avant d'en arriver à la prescription thérapeutique, l'évaluation de l'enfant ne peut se dissocier de celle de son contexte et de son système familial.

Le développement des services à l'enfance et toute l'information diffusée sur cette enfance et ses besoins par les médias de communication, témoignent de l'importance qu'on apporte à préparer l'enfant à ses tâches de demain et nous soulignent l'à-propos d'interventions précoces pour l'aider à atteindre l'équilibre affectif qui, on l'espère, en fera pour la vie un être satisfait et adapté, sinon un citoyen heureux.

Chaque enfant a une personnalité bien individualisée et il est difficile de lui prévoir un moule commun, ce qui explique parfois que plusieurs enfants réagissent bien à une méthode éducative familiale et que l'un d'entre eux ne puisse pas s'y conformer. Le milieu familial vient aussi mettre en valeur certains excès ou certaines carences chez un enfant et le parent doit être un éducateur averti pour veiller à favoriser les forces individuelles de chaque enfant, qui sont maintenant un fait reconnu: les dispositions constitutionnelles de l'enfant l'amènent dès la naissance à un type de réponse (exemple: bébé facile ou difficile) qui le met déjà dans une certaine forme d'interaction avec l'entourage.

Thomas, Chess et Birch ont repris cette description des dispositions constitutionnelles dans la notion de tempérament et de toutes les qualités qui la composent. On y tient compte de la passivité et de l'activité, de l'adaptabilité, de l'humeur, de l'émotivité, de l'irritabilité, c'est à dire d'un ensemble qui désigne déjà les qualités du tempérament d'un individu et lui dessine ses caractéristiques propres que le moule social contraindra ou aidera.

L'entourage lui prépare aussi un vécu qui peut déranger un cheminement individuel pourtant bien amorcé. Ainsi, une crise familiale courante comme un deuil, une maladie grave, un déménagement ou des difficultés du couple parental, dévie temporairement un enfant de sa course. Le rang de l'enfant dans une famille est aussi un facteur de stimulation très reconnu par des organisations comme la NASA (*), qui en tiennent compte dans les critères physiologiques de choix des astronautes pour certaines missions.

En somme, ces brèves considérations veulent souligner que dans l'étude de la psychiatrie de l'enfant, le praticien de première ligne profitera davantage de connaissances et d'une ouverture d'esprit vis-à-vis les facteurs sociaux, génétiques ou développementaux qui interagissent dans l'évolution de l'enfant, que d'un savoir de grande pathologie bien systématisé, plus rare chez l'enfant que ce qu'on rencontre en psychopathologie adulte. Ce point de vue plus positif aide aussi le soignant à s'attacher aux forces vives de l'enfant et de son milieu dans le but de réamorcer un cheminement, souvent interrompu à très court terme.

22.1.1 "Que demande le patient?"

Assez curieusement, le patient ne demande souvent rien directement au soignant. Il est amené par un parent ou tuteur qui demande pour lui; la nature de la demande porte déjà les stigmates de celui qui la formule et il est important de la décortiquer de cette enveloppe qui nous amène souvent à un noyau en bonne santé, malgré une enveloppe présentée comme déficiente ou déviante à souhait.

On peut aussi dire que la demande est imprégnée de l'ajout parental et de plus, notre réponse de traitement utilise et renforce cet intermédiaire du patient identifié.

De l'âge de 0 à 1 an

Après une phase d'adaptation au nouveau bébé qui peut durer un ou deux mois, l'on s'attend de l'enfant qu'il développe des habitudes stables de sommeil et d'alimentation, qu'il fasse montre d'un intérêt et d'un attachement croissants envers sa mère et les autres membres de la famille et qu'il utilise ses sens et sa motricité en démontrant des capacités croissantes dont le raffinement quotidien fait la joie des adultes.

(*) National Aeronautics and Space Administration (E.U.A.).

À cet âge, les demandes des parents concerneront le plus souvent les problèmes de sommeil, l'hyperirritabilité et les pleurs exagérés ou l'apathie, les difficultés d'alimentation et de digestion, la colique et les retards du développement moteur.

De l'âge de 1 à 3 ans

Avec la marche apparaît la capacité d'autonomie. Le contrôle de la motricité se raffine, la pensée et le langage prennent forme et l'enfant cherche à se définir comme individu. C'est l'âge de l'apprentissage du contrôle sphinctérien et de l'affirmation de soi bien caractérisée par la phase du non.

Les problèmes de cette période témoignent surtout de l'ambivalence et de l'insécurité dans l'accomplissement de ces tâches: difficulté de l'apprentissage à la propreté, négativisme, comportement opposant, crise de colère, problème de séparation, difficulté à se mettre au lit et terreur nocturne.

De 3 à 6 ans

L'enfant est plus sûr de lui, il est devenu habile et inventif au jeu, il recherche la compagnie des autres enfants, il prend conscience de son identité sexuelle, son imagination est vive et il a soif d'apprendre.

La pathologie observée à cet âge prend souvent la forme de régressions, l'enfant semblant perdre ce qu'il avait acquis. Les anxiétés se précisent sous forme de phobies, de cauchemars répétés, de terreurs nocturnes. Les difficultés de socialisation et de contrôle de l'agressivité peuvent devenir plus patentes. L'hyperactivité devient plus dérangeante ainsi que la recherche de satisfaction auto-érotique, tels le suçage du pouce ou la masturbation.

Dans l'investigation des problèmes du jeune âge, le clinicien doit être averti des échelles de développement de l'enfant (*) et des différences individuelles toujours possibles. Son information devra souvent se faire rassurante dans une explication bien détaillée qui guidera le parent, plutôt que dans la traditionnelle phrase: "ça passera avec l'âge", phrase d'un laconisme souvent désarmant et inutile pour le parent inquiet.

Du début de la scolarisation à l'adolescence

On attend de l'enfant la capacité de se structurer suffisamment dans une vie de groupe, pour répondre aux attentes parentales et sociales de l'apprentissage scolaire. Il doit intégrer les habiletés motrices, la sécurité affective, la capacité d'adaptation et la curiosité intellectuelle nécessaire à tout cet apprentissage social. Il doit souvent retenir des besoins plus individualisés de mouvement, de repos ou autre pour faire place à une demande plus globale.

Les demandes de consultation inhérentes à cet âge concerneront donc

---

(*) Gesell, échelles de développement, Test du Développement Denver (DDST).

tout ce qui devient inacceptable dans un tel contexte de pressions sociales. L'enfant qui n'a pas les prérequis à l'apprentissage scolaire devient une cible facile et peut même développer des problèmes affectifs surajoutés. L'enfant qui se signale dans toutes les batailles d'enfants de l'école est facilement isolé du groupe et rejeté d'un entourage s'attendant à une forme d'échange humain plus socialement acceptable. Un autre qui garde la trace des étapes de développement antérieures, en maintenant des symptômes d'énurésie, d'encoprésie ou de somnambulisme, sera vite référé à une aide médicale appropriée, souvent complétée par une aide psychiatrique.

À *l'adolescence*

Les problèmes prennent l'ampleur de l'ambivalence individuelle et sociale reliée à cette période (se référer au chapitre 23).

22.2 L'EXAMEN PSYCHIATRIQUE DE L'ENFANT

L'examinateur cherche d'abord à obtenir une histoire précise du développement de l'enfant depuis sa conception jusqu'au moment de l'examen; il établit ainsi les données biologiques lui permettant de connaître le rythme du développement de l'enfant et les accidents biologiques qui ont pu entraver sa course; à cela s'ajoutent les premières réactions de l'entourage à sa venue et les premières réponses affectives données ou reçues. Les fantasmes de la mère pendant la grossesse disent souvent beaucoup sur ce climat. L'histoire médicale antérieure et l'historique des autres consultations sociales ou psychologiques en milieu scolaire ou ailleurs, viennent souvent expliquer certaines réactions négatives d'un enfant craintif à l'examen et apportent un matériel important quant à l'intérêt que le milieu prend pour le soin de l'enfant.

Les données environnementales sur le contexte familial, scolaire, social et culturel deviennent utiles à comprendre afin de connaître le type d'exigences auquel l'enfant doit faire face au long des jours. On y retrouve généralement la description exhaustive de ses échecs et de ses points faibles et souvent le questionnaire doit s'orienter sur les points forts de l'enfant. Par exemple, un enfant qui n'a aucune réussite dans le sport malgré un intérêt certain, peut être un candidat sérieux aux troubles d'apprentissage d'origine neurologique; ses comportements, face à l'apprentissage scolaire, ne traduisent pas qu'un simple phénomène d'opposition comme l'exaspération des parents pourrait nous le présenter.

On accorde aussi une attention toute particulière à la description des goûts et des habitudes de l'enfant; souvent la demande faite aux parents de décrire une journée typique de l'enfant nous en apprendra beaucoup. On saura par exemple que tel enfant timide en maternelle, passe ses périodes de jeu seul au balcon de leur appartement du cinquième étage, pour éviter des accidents dans une circulation dangereuse, ce qui l'a nettement privé de lapprentissage à une vie de groupe avant l'entrée à l'école. On saura que tel autre enfant n'a aucun temps consacré à l'étude, ce qui explique une référence de l'école pour manque de motivation pour l'étude et un certain désintérêt des parents pour cette référence.

En lui-même, l'examen psychiatrique comportera la reprise de quelques éléments cités plus haut. Ainsi, un examen rapide du développement moteur, une première impression d'un bilan médical rapide et un examen neurologique sommaire permettront d'amorcer l'explication des réussites ou des difficultés apparentes de l'enfant dans ces domaines.

Le comportement de l'enfant face à un accompagnateur aussi significatif que l'un ou l'autre de ses parents, permet aussi de vérifier certains éléments de son contexte socio-culturel. On saura rapidement si l'enfant a appris à se séparer de ses parents, si ceux-ci lui laissent l'autonomie pour répondre à certaines questions, s'ils sont discrets dans les descriptions de sympômes qui peuvent être traumatisants pour l'enfant, et s'ils vont jusqu'à utiliser l'examinateur pour l'introduire dans un monde très pénalisant pour un enfant déjà signalé pour des problèmes plus rejetés que compris.

L'examinateur entrera en contact avec l'enfant selon des modalités qui tiennent compte de l'âge. Plus l'enfant est jeune, plus il y a de chances que l'examen se fasse presque entièrement en présence des parents et que le questionnaire se complète par leur intermédiaire seulement.

Plus l'enfant vieillit et plus le matériel devient l'ordre verbal. Pour l'enfant très jeune, l'examen aura recours à du matériel de jeu lui permettant d'exprimer spontanément ses pensées. Les jeux laissés à la disposition de l'enfant seront plutôt simples comme la pâte à modeler, le dessin, les marionnettes et les objets miniaturisés de la vie quotidienne qui permettent de reproduire un vécu sans avoir l'impression ou la conscience d'être examiné ou de trahir un secret tacitement interdit par le parent.

Avec l'enfant déjà en confiance et capable d'un contact gratifiant avec l'examinateur, on peut pousser le questionnaire sur la description de la vie intérieure, tel que les rêves récents, les projets d'avenir individuels ou les pensées menant au sommeil quotidien.

Tous ces éléments obtenus au questionnaire ou en salle d'examen permettent l'établissement d'un premier diagnostic.

22.3 CLASSIFICATION DIAGNOSTIQUE

Les classifications proposées des troubles diagnostiques de l'enfance ont beaucoup évolué au cours des récentes décennies, en particulier grâce aux efforts de groupes d'études dont ceux de l'Organisation mondiale de la santé, du Group for the advancement of Psychiatry et plus récemment du Task Force on Nomenclature and Statistics qui a préparé le Diagnostic and Statistical Manual III aux Etats-Unis. Dans la pratique toutefois, il est loin d'être toujours facile d'y situer l'évaluation diagnostique posée même au terme d'un examen approfondi.

La classification internationale des maladies (CIM 9)* marque un progrès

---

(*) RÉGIE DE L'ASSURANCE-MALADIE DU QUÉBEC. *Répertoires des diagnostics - diagnostics sélectionnés de la classification internationale des maladies (CIM 9)*. 1ère édition, avril 1979.

par rapport à l'édition précédente en ce qui concerne la classification des troubles spécifiques de l'enfance et de l'adolescence qui ne seraient pas couverts par la classification générale. Les catégories attribuées à l'enfance et à l'adolescence sont les suivantes:

299   Psychoses spécifiques de l'enfance

     299.0   Autisme infantile

     299.1   Psychose désintégrative

     299.8   Autres

     299.9   Sans précision

             Psychose de l'enfant SAI

             Schizophrénie forme de l'enfance SAI

             Syndrome schizophrénique de l'enfance SAI

313   Troubles de l'affectivité spécifiques de l'enfance et de l'adolescence

     313.0   A forme d'inquiétude et de crainte

     313.1   A forme de tristesse et de détresse morale

     313.2   Avec hypersensibilité, timidité et retrait social

     313.3   A forme de difficultés relationnelles

     313.8   Autres ou mixtes

     313.9   Sans précision

314   Instabilité de l'enfance

     314.0   Perturbation simple de l'activité et de l'attention

     314.1   Instabilité avec retard de développement

     314.2   Troubles de la conduite liés à l'instabilité

     314.8   Autres

     314.9   Sans précision

             Instabilité de l'enfance ou de l'adolescence SAI

             Syndrome d'instabilité SAI

315   Retards spécifiques du développement

     315.0   Retard spécifique de la lecture

     315.1   Retard spécifique du calcul

     315.2   Autres difficultés spécifiques de l'apprentissage scolaire

315.3   Troubles du développement de la parole et du langage

315.4   Retard spécifique de la motricité

315.5   Troubles mixtes du développement

315.8   Autres

315.9   Sans précision

Troubles du développement SAI

Quelques catégories générales sont également d'un intérêt particulier pour la pédopsychiatrie.

307   Symptômes ou troubles spéciaux non classés ailleurs:

Bégaiement, anorexie mentale, tics, mouvements stéréotypés, troubles du sommeil d'origine non organique, troubles d'alimentation, énurésie, encoprésie

309   Troubles de l'adaptation

312   Troubles de la conduite non classés ailleurs:

Troubles agressifs solitaires
Délinquance de groupe

317 - 319   Retard mental

Une autre classification, celle du Group for the Advancement of Psychiatry (GAP) recoupe celle de CIM et est souvent employée dans les milieux pédopsychiatriques.

Les grandes catégories sont les suivantes:

1- Variations de la normale

2- Troubles réactionnels

3- Déviation du développement

4- Troubles névrotiques: névroses

5- Troubles de la personnalité et du caractère

6- Troubles psychotiques

7- Troubles psychophysiologiques (psychosomatiques)

8- Syndrome organique cérébral

9- Déficience mentale

On remarque immédiatement, particulièrement dans la classification diagnostique de CIM, comment on diagnostique déjà chez l'enfant des pathologies décrites à l'âge adulte comme la psychose, la névrose et les troubles de la personnalité. On se différencie peu de la description de la pathalogie adulte jusqu'à ce qu'intervienne toute la lignée des diagnostics d'ordre adaptif comme les troubles d'adaptation, troubles du développement ou symptômes particuliers. Là, la classification semble refuser le diagnostic à long terme et tenir compte beaucoup plus de l'immense mobilité de l'enfant qui peut présenter un tableau grave à un moment donné et se réadapter presque sans séquelle face à une nouvelle poussée de croissance, à un réajustement de l'attitude parentale ou à un changement approprié de milieu au moment opportun.

Dans le DSM III (version non définitive) on propose une classification des troubles dont la manifestation débute habituellement durant l'enfance et l'adolescence. La classification doit être complétée par l'utilisation d'autres catégories de troubles qu'on regrouve également chez les adultes. Le manuel regroupe les entités nosographiques pédopsychiatriques sous cinq têtes de chapitre identifiant le secteur dominant perturbé.

I- Intellectuel

   Arriération mentale

II- Comportemental

   Troubles caractérisés par des déficiences de l'attention

   Troubles de la conduite

III- Emotionnel

   Troubles de l'anxiété de l'enfance et de l'adolescence

   Autres troubles de l'enfance et de l'adolescence

   Troubles caractéristiques de l'adolescence avancée

IV- Physique

   Troubles de l'alimentation

   Troubles du langage

   Troubles caractérisés par des mouvements stéréotypés

V- Développemental

   Troubles étendus du développement

   Troubles spécifiques du développement

On aura noté dans cette classification la catégorie de troubles étendus du développement qui remplace la désignation de psychose quand ce trouble (ex.: autisme) se manifeste avant l'âge de 30 mois. La désignation de troubles caractérisés par des déficiences de l'attention, distingués selon qu'ils s'accompagnent ou non d'hyperactivité, s'applique aux entités connues sous divers vocables tels que: syndrome hyperkinétique, dysfonction cérébrale légère, etc. La rédaction du DSM III a nécessité des efforts considérables de réflexion; ce qu'on y propose dans le domaine de la psychopathologie infanto-juvénile reflète sur plusieurs points tant l'évolution des connaissances que l'incertitude des explications en cours en rapport avec des phénomènes observables dont le regroupement recherche un consensus et une utilité en devenir.

Dans ce contexte où les limites propres du champ clinique de la pédopsychiatrie ne sont pas toujours précises, le présent chapitre retient certaines pathologies pouvant présenter un intérêt particulier en pratique médicale générale.

22.4 DESCRIPTION CLINIQUE

22.4.1 Troubles d'adaptation

On appelle également ces troubles, troubles transitoires situationnels ou troubles réactionnels pour souligner la limite de leur présence dans le temps, et le lien de causalité qui les unit à des situations stressantes. A la différence des troubles névrotiques, ils ne témoignent pas de structures psychopathologiques établies. Dans leur symptomatologie extérieure, ces difficultés d'adaptation peuvent prendre le visage de la névrose et parfois un caractère d'intensité inquiétant. Ils témoignent cependant le plus souvent d'une régression face à des situations particulièrement stressantes compte tenu de la phase de développement que traverse l'enfant, de ses ressources psycho-affectives et de celles de son milieu au moment où il doit s'aventurer dans des adaptations nouvelles ou réagir à des événements qu'il vit comme traumatisants: maladies physiques, séparation, arrivée dans un milieu nouveau, troubles familiaux, divorce des parents, perte d'êtres chers, etc. Certains de ces troubles peuvent finir par acquérir un certain caractère de permanence si les facteurs qui les entretiennent ne parviennent pas à être modifiés ou éliminés. Le diagnostic de ces états implique l'identification des facteurs qui les ont fait naître, leur situation dans le contexte d'un développement jusque-là plutôt normal et d'un fonctionnement global de la personnalité dans l'ensemble satisfaisant. Le retour à la normalité et la poursuite d'un développement psycho-affectif progressif viendra confirmer le caractère transitoire et réactionnel de ces troubles d'adaptation, que ces résultats aient été obtenus grâce à des changements dans le milieu de l'enfant ou par sa propre capacité à se ressaisir. Une juste évaluation de la situation lors d'une première consultation permettra souvent de trouver avec l'enfant et ses parents, les réaménagements souvent mineurs pour éviter que le trouble ne devienne autre chose que temporaire.

22.4.2 Troubles de développement

Ici on fait appel aux notions de dysfonction, déviation ou retard. Le problème peut être plus ou moins étendu et est parfois dû à un manque de stimulations; il peut toucher certaines sphères du développement tout en permettant l'évolution normale d'autres aspects de la personnalité.

Les déviations spécifiques du développement peuvent se retrouver au plan moteur, sensoriel, du langage, des fonctions cognitives, du développement social, psychosexuel ou affectif. Ces troubles qui sont plus que des variations de la normale, méritent d'être suivis de près car leur évolution dépend beaucoup de l'attitude du milieu à leur égard. Quelle qu'en soit la cause, l'enfant qui les manifeste a besoin de stimulations appropriées à ses capacités pour atteindre un équilibre optimal dans son évolution. S'il faut stimuler davantage là où un retard est lié à des carences de stimulations, il faut par contre respecter chez d'autres un rythme plus lent de développement, si on ne veut pas engendrer chez eux un sentiment de dévalorisation consécutif à une incapacité réelle de répondre aux attentes ou exigences du milieu. Ainsi, un milieu où on parle à l'enfant et où l'on est attentif à ce qu'il tente d'exprimer par la parole stimule le langage. Par contre, trop d'exigence à ce qu'il prononce correctement quand il en est encore incapable risque de le faire se sentir incompétent et peut être à l'origine d'un bégaiement. La tendance des parents à comparer ces enfants à d'autres, leur besoin exagéré de les voir se conformer à une norme évolutive particulière, peut les empêcher de saisir leurs modalités fonctionnelles propres et ils auront besoin d'aide pour le faire et répondre aux vrais besoins de l'enfant. Les retards psychomoteurs et du langage par exemple, sont loin d'être toujours bien compris du milieu. Le besoin de comprendre l'enfant tel qu'il est si on veut trouver les moyens de bien l'aider à se développer, s'avère très utile là où les dispositions tempéramentales s'écartent particulièrement de la moyenne. Certains bébés et jeunes enfants réagissent par exemple avec intensité à des stimuli minimes, alors que d'autres sont hypostimulables. Certains manifestent une réaction de retrait négatif face à la nouveauté et sont lents à s'y adapter; d'autres parviennent difficilement à régulariser leurs besoins d'alimentation, d'élimination ou de sommeil et manifestent une humeur négative à la moindre tension. Ces enfants sont perçus comme difficiles par leurs parents qui n'ont pas tous le sens de l'observation qui leur permettrait de saisir les modalités comportementales propres de l'enfant, ainsi que les réactions du milieu les plus propices à réduire ou éliminer le stress qui résulte de l'inadéquation entre la façon d'être et les besoins de celui-ci, et la capacité de s'y adapter. Dans de tels cas, la démarche diagnostique s'attachera avec profit à comprendre comment les choses sont, plutôt que d'essayer de jauger l'importance de leur écart de la norme.

Le DSM III regroupe les entités suivantes sous la catégorie de troubles spécifiques du développement:

Dyslexie

Dyscalculie

Troubles du développement du langage

Troubles du développement de la parole

Enurésie

Encoprésie

Troubles spécifiques mixtes du développement

Autres troubles spécifiques du développement

Ces troubles spécifiques peuvent être l'expression symptomatique d'autres problèmes de la personnalité ou les accompagnent. Ils sont parfois cependant relativement isolés de toute pathologie bien discernable. Pour les traiter adéquatement, il importera donc de les bien situer dans le contexte du fonctionnement global de la personnalité.

L'*énurésie* se définit par l'existence de mictions habituellement nocturnes, involontaires et inconscientes, sans lésion de l'appareil urinaire, persistant ou apparaissant après l'âge de 3 ou 4 ans, les avis étant partagés quant à l'âge où le contrôle vésical est normalement acquis. L'énurésie est dite secondaire quand elle survient habituellement en rapport avec un stress affectif et alors que le contrôle mictionnel semblait bien acquis. Le symptôme traduit alors une régression et peut accompagner d'autres symptômes. Dans ce cas, le traitement verra à remédier à la situation stressante.

Dans le cas de l'énurésie primaire, il faut distinguer entre une énurésie qui n'est que l'un des signes d'une immaturité plus globale ou d'une atteinte de la personnalité, et l'énurésie qui se présente comme relativement isolée de toute psychopathologie vraiment notable. Chez la fillette surtout, ce symptôme isolé peut traduire une instabilité vésicale et on retrouvera alors les autres caractéristiques de cette condition: pollakiurie diurne et urgence mictionnelle. Quoiqu'il en soit, la persistance d'une énurésie nocturne isolée traduit en général une tolérance de l'habitude conservée pour la satisfaction qu'elle procure, que ce soit au plan érotique ou dans le maintien d'une certaine relation à la mère où se jouent régression et agressivité. Dans ces cas, la cure de l'énurésie suppose que l'enfant est vraiment motivé à renoncer à cette habitude et qu'il assume la prise en main de son traitement, ce qui sera favorisé par l'existence d'une relation positive avec le médecin, celui-ci faisant appel à la compétence du patient et soutenant sa confiance au besoin par un anxiolytique léger, de l'Imipramine ou l'usage d'un appareil avertisseur.

L'*encoprésie* est une incontinence fécale sans lésion organique, persistant ou survenant également après l'âge où la propreté est acquise. D'une façon générale, ce trouble manifeste des troubles affectifs plus importants que l'énurésie. Le symptôme est souvent associé à de la constipation et un megacôlon psychogène et s'inscrit alors dans le cadre d'une relation mère-enfant ambivalente et sado-masochiste où l'entraînement à la propreté a marqué le début d'oscillations entre culpabilité-indulgence et hostilité-sévérité. Le symptôme d'encoprésie devient rapidement surinvesti non seulement par la mère mais également par le milieu familial élargi, ce qui entraîne des bénéfices au plan de l'attention reçue. Même si cette condition traduit souvent une organisation pathologique inquiétante, on peut la faire disparaître de façon rapide dans un grand nombre de cas, surtout quand on intervient à la demande spontanée de la famille. L'entrevue d'évaluation devrait alors impliquer conjointement l'enfant et ses parents et conduire à un changement d'attitudes tant chez l'enfant que chez les parents. L'infantilisme et l'agressivité du symptôme seront dévoilés

chez l'enfant, et les parent seront amenés à transformer des attitudes de complicité ambivalente envers le symptôme en des attitudes plus saines, basées sur un
meilleur respect du droit de l'enfant à grandir. Dans bien des cas, la poursuite
du traitement impliquera d'abord une aide aux parents dans leur recherche d'attitudes positives et cohérentes, pour remplacer la relation d'opposition où ils é-
taient enlisés avec l'enfant.

La *dyslexie:* Longtemps méconnue des milieux scolaires, des parents et
des professionnels de la santé, cette condition, responsable d'échecs scolaires
chez les enfants par ailleurs jugés intelligents, est encore à l'origine chez plusieurs
enfants de sentiments de dévalorisation, de troubles de comportement, d'opposition à la scolarité et de divers agirs liés à ce qu'on se perçoit différent des autres
et qu'on se sent incompris. La dyslexie fait souvent partie du tableau clinique
de la dysfonction cérébrale légère, mais elle peut exister sans autre manifestation
clinique à première vue apparente.   La dyslexie est une incapacité de saisir le
sens du langage écrit, le dyslexique ne parvenant pas à établir spontanément la
corrélation entre le langage oral qu'il possède et sa transcription dans les symboles écrits.   Cette incapacité paraît résulter de lacunes dans les processus perceptuels, elles-mêmes basées sur des dysfonctions neuropsychologiques. Classiquement, le dyslexique confond les sons du langage à consonnance voisine
tels que f et v, p et b; il confond également les lettres dont la configuration ne se
distingue que par une orientation ou une disposition différente des parties comme u et n, p et g, b et d; il saisit mal l'ordre de succession des lettres et même
des mots, tout ceci faisant de sa lecture un déchiffrage de signes imprécis formant eux-mêmes des regroupements confus dont l'évocation verbale n'a pas de
sens.   A la dyslexie s'associe invariablement la dysorthographie, le cahier de dic-
tée de l'écolier présentant les mêmes phénomènes de confusion, inversion,
transposition et omission de la graphie. Pour ajouter au problème, ces enfants présentent également assez souvent des difficultés de contrôle moteur fin
entraînant de la dysgraphie.   Bien qu'aujourd'hui, les écoles soient plus aptes à
dépister cette condition, il arrive encore qu'elle y soit méconnue, le manque de
progrès de l'enfant pouvant être attribué de façon erronée à des troubles de la
vision et de l'ouïe, ou à une autre condition pour laquelle on cherchera une évaluation médicale.

22.4.3   Troubles névrotiques

Le concept de névrose se réfère à une structure psychopathologique
dont on retrouvera la définition au chapitre 5.   Bien que l'existence de la
névrose soit généralement acquise chez les enfants, du moins à partir de 6 ou 7
ans, son diagnostic est souvent difficile à cause du caractère essentiellement
évolutif de l'enfance. Comme il a été souligné précédemment, la distinction entre la névrose, un trouble relativement fixe et un trouble réactionnel qui se prolonge, est souvent malaisée. Par ailleurs, bien qu'on retrouve chez les enfants
des réactions névrotiques semblables aux types classiques rencontrés chez les
adultes, la symptomatologie y est en général plus polymorphe et changeante, et
tient compte des possibilités comportementales liées à l'âge pour canaliser les

tensions affectives. Ainsi le conflit névrotique se manifeste fréquemment dans des troubles de comportement tels qu'hyperactivité ou agressivité. Il peut également se cacher sous de l'inhibition et expliquer certains échecs dans les apprentissages scolaires. Nous ne traiterons ici que de deux conditions de type névrotique: le refus scolaire et la dépression.

Le refus scolaire qu'on désigne aussi sous le nom de phobie scolaire exprime généralement une angoisse de séparation d'avec la mère. Dans ses formes bénignes, cette difficulté est réactionnelle et transitoire et manifeste une régression de l'enfant provoquée par des facteurs variés qui ont entraîné chez lui de l'insécurité et accentué sa dépendance affective à l'égard de la mère. Chez un enfant où l'adaptation antérieure était satisfaisante et là où la situation stressante n'est vraiment pas traumatique, il suffit de ne pas laisser prise aux adaptations régressives en insistant pour un retour immédiat à l'école. On supportera alors les forces de l'enfant en le rassurant sur sa santé physique, en lui indiquant qu'on comprend les motifs de son anxiété et en plaçant l'accent sur la conviction qu'on a qu'il possède les ressources voulues pour continuer d'aller de l'avant. Comme il arrive fréquemment que l'angoisse de séparation de l'enfant soit partagée par sa mère, il ne faut également pas négliger d'apporter à cette dernière le soutien voulu. Le tableau des malaises physiques par lesquels l'enfant motive habituellement son refus d'aller à l'école, peut se retrouver avec des difficultés plus marquées de laisser le foyer dans la phobie scolaire qui est symptomatique d'une véritable névrose dont ces manifestations ne marquent que l'accentuation. Ces cas deviennent plus difficiles à régler par de simples manipulations de la situation et peuvent exiger des traitements spécialisés.

Dans les névroses de l'enfant, on a coutume de mettre en cause des conflits générateurs d'angoisse. Bien qu'elle soit facilement méconnue, *la dépression* existe de fait souvent chez les enfants où elle prend surtout un caractère névrotique. Chez l'enfant plus jeune où la dépendance au milieu est marquée, la dépression peut davantage s'exprimer dans la tristesse et des sentiments d'incapacité et de désespoir. Le sentiment est alors généralement réactionnel à des carences affectives véritables et plus ou moins étendues. A mesure que l'enfant vieillit (vers 8 ou 9 ans), il peut développer une estime de soi négative, traduisant dans ses pensées des sentiments jusque-là plus vagues de non-valeur, de ne pas être aimé ou d'être exploité. C'est à l'approche de l'adolescence que les sentiments de culpabilité commenceront à s'affirmer, entraînant parfois des idées et des tentatives suicidaires. Il faut habituellement une attention particulière pour distinguer ces signes de la dépression chez l'enfant, car elle se présente d'habitude par des voies non spécifiques et souvent somatiques. L'hyperactivité qui est une voie de décharge fréquente de l'angoisse peut tout aussi bien cacher de la dépression. L'agressivité directe ou détournée peut être une réaction de l'enfant au mal qu'il ressent. Il peut ainsi s'engager dans un comportement rebelle qui provoque l'agressivité des autres enfants et des adultes; une image de rejet autopunitive semble alors devenir une attitude nécessaire comme pour confirmer le sentiment intériorisé de dévalorisation qu'il vit. Certains prennent peu soin d'eux-mêmes, se mutilent, se retrouvent souvent blessés ou prennent inutilement des risques dans des situations dangereuses. Avant l'adolescence, le suicide est rare chez l'enfant, mais il existe. Dans le tout jeune âge, Spitz a décrit la dépression anaclitique chez l'enfant en institution. Cette dépression, où l'enfant perd littéralement le goût à la vie pour parfois tomber dans un marasme allant jusqu'à la mort, est liée à la déprivation maternelle prolongée. A des degrés moindres, on retrouve ce genre de réaction dépressive chez les jeunes enfants séparés de leur mère pour hospitalisation.

22.4.4 Troubles de la personnalité et du caractère

La formation de la personnalité et du caractère est un long processus dont la durée dépasse la période de l'enfance. À cette époque cependant et surtout à partir de l'âge prépubertaire, il est déjà possible d'identifier des modes d'être caractéristiques de l'individu, qui soient déjà assez fixés pour être reconnus comme des traits dominants et passablement stables de sa personnalité: ex.: une agressivité ou des conduites opposantes tenaces. Ces façons d'être représentent un équilibre adaptatif entre les ressources dont a disposé l'individu dans le passé et les exigences auxquelles il a eu à faire face de la part de la réalité. Elles expriment également ses capacités et ses moyens de faire face aux situations de la vie, particulièrement dans le domaine des relations avec autrui. On parle de troubles de la personnalité et du caractère quand l'adaptation à la réalité qui résulte de l'équilibre atteint est trop rigide ou restrictive, limite le développement de l'enfant, entretient des conflits avec l'entourage ou dévie de façon trop marquée et soutenue des normes sociales acceptées. Les troubles de la personnalité et du caractère sont difficiles à modifier autant chez l'enfant que chez l'adulte, car leurs racines sont profondes et sont le plus souvent nourries par des milieux eux-mêmes peu faciles à changer.

On aura une certaine idée des possibilités d'organisation pathologique de la personnalité et du caractère qu'on peut retrouver chez l'enfant à la lecture du chapitre 8 qui traite de ce sujet chez l'adulte.

Il y a lieu d'insister ici sur ces caractères perçus comme particulièrement difficiles à cause de leurs conduites antisociales et souvent délinquantes. Chez certains, l'agressivité est dominante: intimidation, brutalité, langage abusif envers les autres jeunes, agressions physiques, extorsions, vols, vandalisme. Chez d'autres, l'agressivité est généralement moins manifeste mais on retrouve l'habitude du vol, du mensonge, de l'absence ou de la fugue du foyer familial, la désobéissance chronique et une tendance à exploiter les autres. Sous ces comportements bien évidents, on retrouve des déficiences importantes dans la capacité d'établir avec autrui des attachements ainsi que l'affection et l'empathie qui en découlent. Selon le DSM III, le diagnostic de ces déficiences se déduit de la présence d'au moins trois des caractères suivants:

1- Absence d'une amitié ayant duré plus de six mois dans le groupe des pairs.

2- Ne se met pas à la disposition des autres à moins d'un avantage immédiat et évident pour lui.

3- Se comporte comme un parasite qui demande des faveurs et ne fait aucun effort pour les retourner.

4- Donne peu ou pas d'indication qu'il se sent coupable ou a du remord quand la chose serait appropriée.

5- Dénonce facilement ses compagnons pour des gestes délinquants pour lesquels il essaie de les blâmer.

L'école perçoit vite ces jeunes comme des mésadaptés socio-affectifs. Ils ont souvent des troubles d'apprentissage et les Services aux étudiants ou les Services sociaux sont fréquemment appelés à intervenir pour trouver l'aide spécialisée que leur mésadaptation requiert: programmes ou classes spéciales, placements en familles d'accueil ou en centre d'accueil ou de réadaptation.

Trop souvent ces jeunes sont issus de milieux familiaux instables, perturbés et aux prises avec des problèmes multiples. Ils ont fréquemment été l'objet de placements et de séparations et ont souffert de carences affectives, d'incohérence ou d'absence de limites en rapport avec l'expression de leurs instincts quand ce n'est pas d'encouragements tacites ouverts à agir ce qui est généralement réprimé. A l'évaluation, on pourra retrouver que le milieu familial leur a servi de modèle pour les comportements qu'on leur reproche. Dans un certain nombre de cas, l'origine de ces comportements difficiles se trouve en partie liée à des maladies ayant nécessité de fréquentes hospitalisations ou à des atteintes cérébrales, deux ordres de facteurs ayant perturbé le développement précoce et les modalités d'interrelation parent-enfant.

Il y a une distinction à faire entre ces troubles de la conduite de caractère antisocial qui sont le fait de personnalités incapables d'aimer, d'autres troubles en apparence semblables mais où le jeune manifeste des capacités relationnelles qui lui permettent de s'attacher à autrui et d'éprouver pour ses amis de l'affection et de l'empathie véritable. Souvent dans ce dernier cas, les troubles de la conduite sont moins évidents à la maison qu'à l'école ou ailleurs. Le pronostic pour une évolution favorable est meilleur et les adolescents sont plus aptes à bénéficier d'une aide spécialisée utilisant la relation thérapeutique. Chez eux, l'évaluation psychiatrique pourra plus facilement mettre en évidence une souffrance affective soit de nature dépressive (sentiment de rejet, d'abandon, de dévalorisation, d'incompétence ou de culpabilité) soit de nature anxieuse qui donne à leurs agirs un caractère de décharge tensionnelle répétitive où des demandes d'aide peuvent être décelées.

22.4.5 La psychose chez l'enfant

Parler de psychose chez l'enfant peut paraître surprenant et dans son ensemble, la psychiatrie a été lente et rébarbative à reconnaître cette condition dans le jeune âge. C'est surtout avec Kanner au début des années 1940, que cette entité psychopathologique a pris corps. Les causes et la nature véritable de la psychose infantile demeurent encore aujourd'hui mystérieuses et on est loin d'être d'accord sur le fait que les formes cliniques décrites recouvrent un ou plusieurs processus psychopathologiques. Pour fin de classification, on peut retenir les catégories suivantes:

psychose à développement précoce,

psychose ressemblant à la schizophrénie,

psychose à composante déficitaire importante.

Les psychoses à développement précoce

L'autisme infantile précoce qu'a décrit Kanner peut se manifester dès les premiers mois de la vie, principalement par l'absence chez l'enfant du développement de relations affectives avec son entourage.   Les parents pourront rapidement noter que quelque chose ne va pas chez le bébé, qu'il est étrange, qu'il soit par ailleurs perçu soit comme très tranquille et facile, soit comme très irritable. Dans d'autres cas, le développement sera perçu comme relativement normal jusqu'à 18-24 mois, alors que les symptômes commencent à devenir notables. Quel que soit l'âge du début, l'évolution clinique subséquente est grossièrement la même, les déficits développementaux étant cependant plus marqués si la maladie s'est manifestée plus précocément.

Si on retient le vocable d'autisme infantile pour désigner les psychoses dont le développement a été précoce, avant l'âge de 30 mois selon le DSM III, les caractéristiques principales de ce tableau clinique sont les suivantes:

A. Grave déficience dans le contact avec l'entourage. L'enfant ne manifeste pas de relation aux personnes, même très familières, en tant que personne. Ceci se manifeste par la fuite du regard, une insensibilité au langage parlé, des contacts limités à des parties du corps d'autrui, comme ses mains, et souvent un traitement des personnes comme si elles n'étaient pas distinguées des objets inanimés. La relation au monde inanimé peut être variable, ténue ou intermittente, les jouets étant souvent utilisés de façon stéréotypée et tenant peu compte de leur usage habituel.

B. Troubles graves du langage surtout dans son usage pour la communication sociale.

Cette difficulté peut se manifester par une absence complète de langage, mais elle peut aussi être partielle. Ainsi, un enfant n'utilisera jamais le "je" et parlera à la deuxième ou troisième personne; parfois il commencera ses phrases en utilisant son propre nom en écholalie, c'est-à-dire en répétant la phrase telle que dite par l'adulte. Pour d'autres enfants, le langage utilisera un vocabulaire très riche et dénotant une intelligence normale, mais d'une façon mécanique et peu communicative.

C. Déficience des affects et de leur expression.

L'expression affective peut être monotone et plate, ou bien se manifester de façon bizarre dans des émotions incongrues dont l'origine purement subjective déroute l'observateur. Il n'est pas rare de voir ces enfants ne témoigner aucune émotion à des personnes dont ils sont extrêmement dépendants. Leurs changements brusques d'humeur sont également assez caractéristiques.

D. Perturbation grave du sens de l'identité personnelle. Ces enfants psychotiques agissent comme s'ils ne se percevaient pas comme sujet de leurs propres sentiments ou actions. Ils peuvent s'identifier à des objets non humains et agir comme eux, et témoignent d'une confusion importante en regard de l'image corporelle, avec une inconscience des parties de leur propre corps et de celui d'autrui.

E. Inégalité et manque d'intégration du développement. On peut retrouver chez eux des habiletés surdéveloppées, parfois précocément, dans le domaine de la mémoire, de la musique, de la manipulation des objets et ce, à côté de retards grossiers et étendus, ce qui permet souvent de les distinguer de déficients mentaux où les retards sont plus homogènes. Le développement se caractérise en général par un manque d'organisation et un tableau d'incohérence.

Les psychoses ressemblant à la schizophrénie

Ces psychoses peuvent survenir à partir de 3 ou 4 ans et se manifestent nettement par une régression, compte tenu du développement antérieur. Elles surviennent davantage chez des enfants où on retrouve des antécédents d'une sensibilité extrême, entraînant chez eux des régressions marquées à des stress tels que la séparation, les rejets modérés ou le malfonctionnement des parents. La vulnérabilité de ces enfants semble donc parfois reliée à une fragilité qui paraît innée mais elle peut résulter également de l'exposition à des stress répétés du milieu familial. Dans d'autres cas, la régression psychotique s'installe rapidement suite à un événement ou une situation vécus comme particulièrement traumatiques par l'enfant qui lui attribue une signification d'anéantissement. À partir de 7 à 8 ans, la présence de délires et d'hallucinations, en sus des bizarreries de comportement permet de comparer davantage ces états psychotiques parfois tenaces à la schizophrénie.

Les psychoses à composantes déficitaires importantes

Dans ces cas, la psychose est associée à une déficience mentale importante où les facteurs organiques sont facilement démontrables. Quoi qu'il en soit de l'état réel de la déficience mentale, les signes d'une atteinte organique cérébrale sont présents sous des formes diverses: signes neurologiques, dysfonction électrique cérébrale avec ou sans épilepsie, troubles du langage, impulsivité, labilité affective, etc.

Le diagnostic de psychose chez l'enfant ne doit pas être posé à la légère. Dans l'approche des parents de l'enfant autiste, il est important de distinguer ce qui peut témoigner de leur propre psychopathologie de ce qui reflète les problèmes qu'ils ont développé face à l'échec éprouvé dans l'éducation d'un enfant étrange qui portait avec lui, dès la naissance, ses propres limites. Dans l'état actuel de nos connaissances, l'explication de l'autisme paraît devoir se situer bien davantage dans un processus neuro-patho-physiologique que dans des carences de la relation maternelle. Ces données pourront aider à déculpabiliser et revaloriser des parents dont toutes les ressources seront nécessaires pour assumer une collaboration à un plan de traitement à long terme qui, s'ils sont disponibles, impliqueront des traitements intensifs et suivis dans des services spécialisés de pédopsychiatrie et la fréquentation de classes ou écoles spéciales. Sauf rares exceptions, ces traitements se situent dans la perspective non d'une véritable cure mais d'une adaptation marginale sinon d'une incapacité d'adaptation sociale.

22.4.6 Les troubles psychosomatiques

Plus l'enfant est jeune, plus les tensions qu'il subit dans son entourage se déchargent par la voie somatique et plus ces symptômes risquent d'insécuriser le milieu qui ne sait comment les expliquer. La maladie de l'enfant et ses symptômes physiques méritent toujours d'être approchés dans une perspective globale qui examine d'une part, tant les facteurs d'ordre biologique que psychosocial qui ont contribué à leur origine, leur développement et leur maintien, que d'autre part, les émotions et réactions qu'ils suscitent chez l'enfant et sa famille.

Cette approche globale de l'enfant malade utilisée même dans les cas de maladies aiguës s'avère particulièrement indiquée face à des symptômes mal explicables, réapparaissant plus ou moins périodiquement ou qui prennent un certain caractère de chronicité. Qu'on pense, par exemple, à des maux de ventre ou des céphalées qui peuvent fort bien traduire un malaise d'être qu'une exploration psycho-affective permettra souvent de mettre à jour. Dans certains cas, la famille a besoin d'un enfant malade ou qui joue ce rôle. Cette situation est d'autant plus possible quand dans le passé, l'enfant a effectivement suscité de graves inquiétudes. Chez cet enfant, la maladie ou une supposée fragilité nécessitant une protection particulière, devient un moyen de maintenir un équilibre familial pathologique et essayer de modifier cet équilibre peut susciter de fortes résistances et expliquer des échecs thérapeutiques.

Dans une perspective thérapeutique, l'approche globale de l'enfant malade qui permet de déceler l'ensemble des facteurs qui concourent à sa maladie, a par le fait même plus de chance de conduire à des interventions efficaces. Ceci est vrai quelle que soit la signification réelle des symptômes somatiques qui représentent la maladie ou le malaise de l'enfant.

L'enfant utilise divers moyens pour exprimer son insécurité ou les conflits affectifs qu'il ne sait ou ne peut traduire ouvertement dans des paroles ou comportements appropriés. Chez lui, la conversion hystérique peut fort bien se traduire sous forme de dysphagie de faiblesse musculaire dans les membres, de sensations prurigineuses aux organes génitaux, de troubles de vision, etc. L'enfant peut simuler un état de nausée, un mal de ventre, des vomissements pour arriver à certaines de ses fins; il peut traduire son insécurité dans de l'hyperactivité, des tics ou autres troubles à expression motrice. Comme l'adulte, certaines de ses tensions affectives peuvent se manifester dans les organes ou système du corps dépendant du système nerveux autonome. Les dysfonctions physiologiques transitoires telles que l'indigestion ou la diarrhée par exemple, que beaucoup d'adultes éprouvent dans des situations de stress, sont relativement fréquentes chez certains enfants. Certains vomissent à chaque fois qu'une situation particulière les excitent tandis que d'autres répondent à des stress d'origine variée (angoisse de séparation, conflits entre parents, etc.) par de l'insomnie, des céphalées, de l'anorexie, des coliques, de la constipation pour n'en nommer que quelques-unes. S'il arrive que les situations stressantes ou les conflits intériorisés de l'enfant perdurent, ce qui n'était au début qu'une dysfonction physiologique transitoire peut entraîner des altérations tissulaires pour constituer ce que classiquement on désigne comme maladie psychosomatique. L'ulcère gastrique ou duodenal, certaines affections cutanées, des colites, des cas d'asthme peuvent entre autres faire partie de cette catégorie. Le choix de l'organe par où se traduit le stress résulte habituellement d'une prédisposition biologique innée ou acquise; la composante affective comme facteur déclenchant ou aggravant doit être prise en considération pour expliquer certaines des caractéristiques de la maladie et son évolution naturelle ou une réponse à la thérapeutique.

Dans ce domaine si important mais encore mal connu des troubles psychosomatiques de l'enfance, il importe peu de trouver que la cause en est ou psycho-affective ou organique pour ensuite se permettre une thérapeutique qui exclurait l'un de ces aspects. Ce qui importe vraiment c'est de toujours considérer l'enfant malade comme une personne souffrante dont la maladie survient et évolue toujours dans un contexte bio-psycho-social seul capable de donner la clé d'une évaluation complète et d'une thérapeutique judicieuse.

22.4.7 Les troubles organiques cérébraux

Plusieurs études épidémiologiques sérieuses récentes démontrent que les lésions ou atteintes du tissu nerveux cérébral sont associées à une augmentation très marquée du taux de troubles psychiatriques chez les enfants. Il est facile de comprendre en effet que les handicaps neurologiques résultant habituellement de ces lésions et qui peuvent entre autres affecter le langage, le comportement moteur et les états de conscience, peuvent entrainer par le fait même des difficultés d'adaptation et des troubles de la personnalité. Par ailleurs, l'altération de la fonction cérébrale peut avoir des répercussions directes sur le psychisme de l'individu, tels qu'en témoignent les syndromes organiques aigus ou chroniques bien connus chez les adultes.

La littérature américaine surtout décrit chez l'enfant le syndrome de dysfonction cérébrale légère, une entité où ordinairement les atteintes cérébrales ne seraient pas décelables anatomiquement ou à l'examen neurologique conventionnel. Le syndrome que l'on peut rencontrer chez des enfants de tous les niveaux d'intelligence, se caractérise habituellement par la présence d'une hyperactivité diffuse, accompagnée d'impulsivité et de troubles de l'attention. Fort judicieusement le DSM III souligne que le symptôme le plus important de la dysfonction est la déficience de l'attention, l'hyperactivité pouvant être un élément absent de syndrome. L'hyperactivité et l'impulsivité entraînent l'enfant dans des agirs mal tolérés du milieu et sont source de conflits répétés avec les parents. Le manque de concentration et la distractivité à quoi s'ajoutent souvent des troubles de mémoire, un développement déficient des notions de temps et d'espace, des retards du langage, rendent l'éducation de ces enfants difficile et les conduisent aux troubles d'apprentissage scolaire. Si on ajoute à ce tableau des déficits dans l'établissement de la coordination motrice, une variabilité et imprévisibilité du fonctionnement général et une labilité de l'humeur, on comprend que certains de ces enfants sont particulièrement vulnérables à des échecs graves d'adaptation. Les parents ont besoin d'une aide soutenue pour comprendre les besoins particuliers de ces enfants et leur fournir le milieu qui leur permettra de s'épanouir selon leurs capacités.

Le traitement suppose d'abord un diagnostic exact qui ne sera surtout pas posé sur la seule présence d'hyperactivité. Il faut prendre le temps et les moyens de bien évaluer le fonctionnement de ces enfants pour apprécier avec justesse leurs ressources et limites; c'est par cette connaissance qu'on pourra suggérer aux parents ou autres personnes qui ont charge de l'enfant les mesures éducatives correspondant à ses capacités. Il ne faut pas par exemple exiger de ces enfants plus de calme et d'attention qu'ils peuvent en fournir mais on doit veiller à être bien consistant dans ce qu'on exige d'eux en leur proposant des lignes d'actions simples et bien claires. Le praticien qui ne se sent pas la capacité d'évaluer ces enfants comme il le faudrait ne devrait pas hésiter à les référer aux spécialistes appropriés; une prise en charge adéquate au moment opportun pouvant influencer grandement leur devenir.

Plusieurs de ces enfants réagissent très positivement aux amphétamines ou au méthylphénidate par une baisse de l'hyperactivité et une augmentation de l'attention, ce qui accroît leur capacité d'adaptation au milieu, tout en rendant par le fait même celui-ci beaucoup plus positif à leur égard. Le méthylphénidate qui est actuellement le plus employé ne doit cependant pas être prescrit à la légère. Il faut se rappeler en effet que l'hyperactivité n'est pas en soi synonyme de dysfonction cérébrale légère, et que ce symptôme peut traduire chez l'enfant bien d'autres malaises psychologiques. La médication est une mesure de soutien pour l'individu et sa famille qui ont également d'autres besoins; par ailleurs, son utilité doit être revisée périodiquement.

22.4.8 La déficience mentale

(Voir le chapitre 14 à ce sujet.)

22.5 LE TRAITEMENT CHEZ L'ENFANT

Le praticien de première ligne a un rôle important à jouer dans la thérapeutique des troubles psycho-affectifs de l'enfant. Ce rôle est lié de près au soin qui sera apporté à évaluer les problèmes présentés dans le cadre du contexte familial et dans la perspective de la continuité du développement. C'est d'ailleurs le temps qu'ils prennent à écouter parents et enfants, et à les observer qui permet surtout aux psychiatres pour enfants d'identifier la plupart des facteurs à l'origine des troubles relationnels parent-enfant. C'est de cette même écoute qu'on peut également très souvent déduire les moyens pour remédier aux problèmes présentés, surtout quand l'approche thérapeutique se fonde sur la périodicité continue de consultations qui favorisent l'établissement d'une relation famille-médecin où la participation s'instaure par la voie d'un soutien éclairé et persistant. On ne saurait trop insister sur les effets préventifs d'une telle approche, surtout en rapport avec l'enfant plus jeune.

L'observation soignée et continue du développement ou de l'évolution de comportements jugés anormaux permet de mieux mesurer la capacité qu'on a de répondre aux besoins qu'ils posent. A mesure que se précisent ces besoins, peut s'affirmer l'indication du recours à diverses disciplines spécialisées pour les enfants: neurologie infantile, psychologie, orthophonie, pédopsychiatrie. Ces spécialistes pourront dans certains cas rechercher la collaboration d'autres disciplines avec lesquelles ils sont plus familiers. Les praticiens du service social que l'on retrouve dans les Centres de services sociaux (CSS) et dans certains hôpitaux constituent également une ressource de premier plan pour aider les familles en difficulté que ce soit au plan matériel ou psychosocial. Dans les cas d'enfants carencés, de ceux qui ont besoin de protection, là où se pose la question du recours à des substituts parentaux, les CSS constituent l'élément de nos systèmes communautaires où se font l'évaluation des besoins et l'orientation vers les ressources spécialisées. Pour les enfants dont une partie des problèmes est liée à la scolarité, le système scolaire est doté de services spéciaux de plus en plus répandus: psychologie scolaire, orthopédagogie, éducation spéciale.

À côté de ces ressources professionnelles existe une variété d'organismes ou d'associations bénévoles qui peuvent apporter une aide précieuse tant à certains enfants qu'à leurs parents. Certaines de ces associations sont très bien structurées, en particulier celles qui oeuvrent dans les secteurs de la déficience mentale et des troubles d'apprentissage. Elles sont en mesure de fournir des renseignements fort utiles aux praticiens dont elles souhaitent la collaboration en plus du soutien moral et des services pratiques qu'elles mettent à la disposition des familles.

Selon l'importance et la nature des problèmes, l'évaluation et le traitement des troubles psychopathologiques de l'enfant peuvent exiger un investissement personnel surtout en temps, que bien des praticiens ne se sentent pas capables de consentir. On peut alors être tenté de recourir à une médication sans trop prendre le soin d'évaluer les facteurs psychosociaux sur lesquels une action serait souhaitable. L'usage pratiquement exclusif de médication est très rarement indiqué en pédopsychiatrie et a de fortes chances de constituer un abus thérapeutique. De façon générale, la médication ne devrait être utilisée que dans un but précis de soutien temporaire dans le cadre d'une aide plus globale. L'utilisation prolongée du méthylphénidate dans certains cas de dysfonction cérébrale légère peut s'avérer utile mais nécessite une surveillance continue et ne doit pas dépasser les besoins de l'enfant. L'usage des neuroleptiques chez les enfants ne devrait être envisagé que dans le cadre de traitements spécialisés. Quant aux antidépresseurs et aux anxiolytiques, ils n'ont pas encore fait leur preuve chez les enfants; la prudence conseille de les prescrire avec parcimonie (*).

On peut affirmer que l'omnipraticien qui consent à investir le temps qu'il faut peut avec l'expérience offrir des services fort adéquats dans le cas de psychopathologie infanto-juvénile mineure ou de gravité modérée. Il lui sera difficile de répondre de façon appropriée aux pathologies névrotiques et caractérielles marquées, à la psychose, à certains troubles psychosomatiques rebelles. Il s'agit là entre autres de conditions où l'arsenal spécialisé de la pédopsychiatrie est généralement requis. Les services pédopsychiatriques constitués d'équipes multidisciplinaires ont en général une orientation communautaire. On y utilise des formes variées de thérapies adaptées à l'enfant et à sa famille, dispensées en général dans le cadre de consultations externes de périodicité variée. Certains services disposent de soins en hospitalisation de jour pour les cas nécessitant une approche intensive et l'hospitalisation complète est également disponible sur référence appropriée dans quelques centres. Quelques hôpitaux sont en mesure d'offrir des placements en foyers thérapeutiques, alors que le rôle communautaire de la pédopsychiatrie se développe dans les soins à domicile et dans la consultation structurée aux services à l'enfance de la communauté.

(*) Voir à ce sujet dans la bibliographie sélective: Mises et Peret.

BIBLIOGRAPHIE SELECTIVE

Le lecteur désireux d'approfondir certaines des données qui ont été sommairement exposées dans ce chapitre pourra consulter avec profit l'un des ouvrages suivants:

AJURIAGUERRA, J. de. *Manuel de psychiatrie de l'enfant.* 2ᵉ édition, Paris: Masson et Cie, 1974.

Ce manuel est un ouvrage de références et pratiquement tous les sujets relatifs à la pédopsychiatrie sont traités. L'auteur a un esprit de synthèse remarquable et fait l'état de la question sur tous les sujets importants. Le style du manuel est classique, dans la tradition des grands ouvrages.

ARFOUILLOUX, J.C. *L'entretien avec l'enfant.* Toulouse: "Educateurs", collection Privat, 1975.

Le sous-titre de cet ouvrage s'intitule: "L'approche de l'enfant à travers le dialogue, le jeu et le dessin". Cet ouvrage est plus qu'un livre portant sur la technique de l'entretien. On y présente l'enfant avec qui l'adulte cherche à communiquer véritablement. L'enfant y est donc décrit dans sa manière de s'exprimer mais également dans l'évolution de cette manière de s'exprimer, que ce soit par le langage ou d'autres modalités. Rédigé d'abord pour les éducateurs dans le but pratique de faciliter l'approche éducative à partir des données fournies par les sciences humaines et cliniques, on y trouvera des exposés très accessibles en même temps que très utiles sur la communication, la psychologie du développement et de la relation et les techniques de l'entretien.

FREEDMAN, A.M., KAPLAN, H.I., SADOCK, B.S. *Modern Synopsis of Comprehensive Textbook of Psychiatry.* 2ᵉ édition, Baltimore: Williams & Wilkins Co., 1976.

La portion de ce manuel consacrée à la pédopsychiatrie offre une revue d'ensemble du sujet assez élaborée pour être considérée comme source de référence. La partie consacrée au traitement est importante de même que celle sur l'évaluation. Les entités pathologiques y sont présentées selon la classification officielle en usage en Amérique.

GROUP FOR THE ADVANCEMENT OF PSYCHIATRY (G.A.P.) *Psychopathological Disorders in Childhood: Theoretical Considerations and a Proposed Classification.* Group for the Advancement of Psychiatry, 419, Park Avenue South, New York, 10016, 1966.

Ce rapport a eu un impact important pour clarifier la situation de la classification des troubles psychopathologiques de l'enfance. Les concepts de la classification y sont discutés et une classification avec description de chaque catégorie est proposée. Une liste détaillée de symptômes rencontrés en pédopsychiatrie est également offerte.

KREISLER, L. *L'enfant psychosomatique.* Collection Que Sais-je?, P.U.F., 1976.

L'auteur est pédiatre et pédopsychiatre et possède une vaste expérience clinique. Il dégage le concept de la maladie psychosomatique chez l'enfant en le distinguant de l'ensemble des états où le corps est utilisé comme véhicule pour traduire et manifester divers états de tension affective.

LAUNAY, C., DAVY, C. *Les enfants difficiles: dans l'exercice journalier de la médecine praticienne.* Paris: Maloine, 1969.

Texte de lecture facile, reflet d'une vaste expérience décrivant et expliquant les conduites de l'enfant telles que le médecin les entend à la consultation. A certains égards, le texte colle davantage au contexte français et il faut alors faire la part des choses. Conçu dans un but très pratique, on y souligne fréquemement la conduite à tenir face à divers problèmes pédopsychiatriques.

LEMAY, M. *Psychopathologie juvénile.* 2 tomes. Paris: Fleurus (Ed.), 1973.

Il ne s'agit pas d'un manuel à proprement parler mais d'un effort de synthèse et d'explication de la psychopathologie infanto-juvénile. Le point de vue psychodynamique y est très développé et les chapitres sur les carences affectives et les troubles du caractère sont particulièrement intéressants.

MISES, R., PERET, J.M. "L'emploi des neuroleptiques chez l'enfant". *Confrontations psychiatriques no 13. Neuroleptiques: vingt ans après.* Paris: 1975, Société parisienne d'expansion chimique, 21, rue Jean Goujon, Parie 8e.

Une discussion fort intéressante sur un sujet où on possède peu de données solidement établies.

SAFER, D.J., ALLEN, R.P. *Hyperactive children: Diagnosis and Management.* Baltimore: University Park Press, 1976.

Cet ouvrage présente une excellente vue d'ensemble du sujet de la dysfonction cérébrale légère. La littérature scientifique actuelle y est revue avec beaucoup de clarté, ce qui permet de se faire une idée des concepts explicatifs courants de cette condition. Par ailleurs, l'ouvrage se révèle pratique pour le traitement en fournissant des moyens concrets pour aider ces enfants dans le cadre de leur vie quotidienne, que ce soit à la maison, à l'école ou ailleurs. Il fournit ainsi au médecin des moyens pour répondre à un appel à l'aide des parents qui le supplient de faire quelque chose.

STEINHAUER, P.S., RAE-GRANT, Q. *Psychological Problems of the Child and His Family.* MacMillan of Canada, 1977.

Ce volume, surtout préparé pour les étudiants en médecine, est également d'un grand intérêt pour le praticien. Ecrit surtout dans une perspective de psychologie médicale, une grande part est consacrée aux aspects psycho sociaux de la maladie chez l'enfant et l'adolescent.

THOMAS, A., CHESS, S. *Temperament and Development.* New York: Bruenner/Mazel, 1977.

Cet ouvrage fait le point sur le concept de tempérament développé par ces auteurs au cours de leurs recherches longitudinales des 20 dernières années. Cette notion de tempérament s'avère très utile dans l'étude du développement et des problèmes de comportement. L'ouvrage présente l'évolution du concept et de ses applications tant pratiques que théoriques, et contient la description des outils cliniques à l'usage du praticien.

CHAPITRE 23

PSYCHIATRIE DE L'ADOLESCENCE

Jean-Jacques Bourque

23.1 LA PSYCHOLOGIE DE L'ADOLESCENCE

L'adolescence est la période d'adaptation à la puberté. Cette définition vient de Peter Blos qui a contribué à nous faire mieux comprendre le processus dynamique de l'adolescence. Erik Erikson perçoit l'adolescence comme une régression au service d'une progression. Avant de pouvoir se réaliser pleinement, l'adolescent doit s'immuniser contre son passé séduisant et se détacher de sa grande dépendance vis-à-vis ses parents. Le but de l'adolescent est de réaliser ce que Erikson nomme son identité et ce que Blos appelle sa "seconde individuation". Les deux termes veulent dire que l'adolescent est à la recherche d'une bonne connaissance de lui-même lui permettant d'accepter sa complexité intérieure et de se relier aux autres membres de la société. La principale question que l'adolescent doit se poser est celle-ci: "Qu'est-ce que je veux devenir et comment faire pour y arriver?"

23.1.1 Le style de relation de l'adolescent

Au début de l'adolescence, plusieurs changements contribuent à diminuer l'estime de l'adolescent pour lui-même. Les changements physiques sont imprévisibles, soudains et mal équilibrés. Les compulsions à faire des actes défendus, inacceptables, et le besoin de sous-estimer ses parents augmentent son angoisse. Il a grand besoin de se lier à d'autres humains pour réparer ses blessures psychiques.

23.1.2 Les phases du développement de l'adolescent

Pour mieux comprendre l'adolescence, Blos l'a divisée en quatre phases.

1) la préadolescence est caractérisée par une décharge non spécifique de tension avec une augmentation des pulsions;

2) le début de l'adolescence se reconnaît par l'idéalisation d'un ami du même sexe;

3) l'adolescence proprement dite est la phase où l'adolescent s'intéresse à l'autre sexe;

4) la fin de l'adolescence est la phase de consolidation et de la crise d'identité.

L'adolescence peut aussi être divisée en deux phases majeures. La première débute avec la puberté et est caractérisée par une augmentation des instincts et de la force physique. Soudainement, l'enfant a de fortes pulsions érotiques et agressives; le jeune adolescent est pris par surprise et ne sait pas comment y faire face. C'est après l'âge de 15 ans que débute la seconde phase, c'est-à-dire au moment où il contrôle mieux ses pulsions, soit parce qu'elles sont moins fortes ou encore parce qu'il possède plus de moyens pour les maîtriser.

La première adolescence

Durant cette première phase, l'adolescent devient plus difficile à contrôler et nous avons de la peine à le comprendre. Il n'est plus aussi docile et montre des signes de résistance aux attentes de ses parents. Les tensions produites par les pulsions ressenties trouvent souvent une accalmie temporaire grâce à une dépense énergétique plus grande (v.g. les activités sportives). Avec ce stade se manifestent les premiers signes pubères. Le rythme de croissance et de volume qui était relativement stable depuis plusieurs années, augmente progressivement pour atteindre un sommet quelques années plus tard. La vrai puberté physique débute au moment où les seins, les ovaires, l'utérus, les testicules, la prostate et les vésicules séminales commencent à prendre soudainement du volume.

C'est le moment où l'adolescent commence à se séparer de ses parents dont la valeur diminue à ses yeux. Il a de moins en moins besoin de leur support affectif, c'est pourquoi leur influence sur lui s'atténue. Il recherche de nouveaux supports d'adultes auprès de ses professeurs, de ses entraîneurs... Cette retraite nécessaire amène cependant une certaine dépression et un sentiment de solitude. Il en découle un besoin de gratification qui est parfois comblé par l'ingestion immodérée de nourriture et par la masturbation. Ces gratifications amènent de la culpabilité et augmentent le sentiment dépressif.

A cet âge, l'ennui, les plaintes, les insatisfactions exprimées sont des défenses contre les trop grandes tensions intérieures. Ainsi, l'adolescent peut s'intéresser rapidement à une activité pour l'ignorer complètement peu de temps après. Certains ont une réaction compensatoire en s'exaltant lors d'une découverte de nombreux objets d'amour. La formation ou la fin, réelle ou pas, de relation d'amitié provoque chez le jeune adolescent de fortes sautes d'humeur. Durant cette période, les pulsions sont si fortes que parfois l'adolescent craint de perdre contrôle et de devenir fou. Aussi, il n'est pas rare qu'à cet âge, l'adolescent soit très actif pour diminuer les tensions intérieures et qu'il soit rigide pour maintenir le contrôle sur ses pulsions, par voie de conséquence, il y perd une certaine spontanéité.

Selon Piaget, la capacité intellectuelle d'opération formelle se développe au début de l'adolescence. Cette ouverture aux pensées abstraites permet à l'adolescent de manipuler des idées par lui-même pour la première fois. Ceci l'amène à construire des théories générales d'interrelation entre différents faits, problèmes et idées. Il va utiliser cette nouvelle acquisition comme un nouveau jouet; il est fasciné et l'emploie abondamment, ce que lui donne un sentiment d'omnipotence et il croit souvent que tous les problèmes peuvent facilement être résolus par la logique.

La deuxième adolescence

Après l'âge de 15 ans, la lutte de force entre le moi et le ça balancera en faveur du moi. Il est probable que ceci se réalise en partie par une régulation hormonale et biologique. De plus, la confiance acquise renforce le moi de l'adolescent. A cet âge, il utilisera davantage le raisonnement et la logique pour obtenir ce qu'il désire. Il s'intéressera à l'amour et fera des rendez-vous amoureux. La distance émotionnelle avec ses parents s'accomplira avec moins de heurts.

Les variations d'humeur et de comportement sont quand même fréquentes et sont l'expression d'un être pas complètement habitué à son nouvel état. Mais, "après la pluie, le beau temps", et après les explosions et les crises, des périodes d'accalmies suivent durant lesquelles il est réceptif à recevoir de l'aide. C'est pourquoi à cet âge, la psychothérapie individuelle devient plus facile si elle est nécessaire.

A mesure que l'adolescent vieillit, les attentes de la société grandissent à son égard. Plus il se distancie de sa famille, plus ses contacts avec la société augmentent. Celle-ci essaie de l'influencer en l'encourageant à suivre les sentiers battus. Certains se conforment, d'autres pas, mais tous réagissent aux mêmes réalités sociales. Chacun essaie à sa manière de maîtriser cette réalité soit en acceptant de jouer le jeu proposé afin d'y dépasser les adultes, soit en refusant de participer à ce jeu social. Ces "drop out" ont peur de devenir des marionnettes et d'y perdre leur individualité.

A cet âge, l'adolescent a un sens du dramatique. Un peu comme les comédiens, il peut jouer un rôle qui a toute sa véracité au moment où "ça se joue" mais qui n'a plus son sens quelques instants plus tard. Ceci explique les nombreuses contradictions qu'observent ceux qui côtoient les adolescents. Ce ne sont pas de vraies contradictions parce que l'adolescent vit des sentiments contradictoires d'un moment à l'autre. Pour lui, ce qu'il dit et fait est vrai à ce moment-là. Sa perspective temporelle est déficiente. Il est impatient et veut réaliser ses désirs au présent parce que le futur est très lointain et que de toute façon, il le perçoit d'une manière fantaisiste et irréaliste. C'est donc dans la perspective du *here and now* qu'il faut approcher l'adolescent. Il sera alors plus facile de comprendre les adolescents qui décident de quitter l'école en ne pensant pas aux conséquences futures de cet acte, qui s'engagent dans des relations sexuelles multiples sans penser aux moyens anticonceptionnels, qui conduisent dangereusement une voiture sans penser au danger de tuer des personnes, qui prennent des drogues pouvant être dangereuses éventuellement pour leur santé.

La fin de l'adolescence

L'adolescence se termine quand l'instabilité psychologique est remplacée par un équilibre relativement stable. C'est la résultante d'un état d'équilibre entre les forces du moi, du ça et du surmoi. Idéalement, le surmoi facilite l'adaptation à la réalité sans une restriction excessive des forces instinctives du ça. Les économies énergétiques ainsi conservées peuvent être consacrées à la création et à l'adaptation à la réalité.

Certains adolescents sont considérés comme des modèles par les adultes parce qu'ils sont très inhibés. Ils deviendront des adultes immatures parce que la trop grande rigidité du surmoi ne leur aura pas permis d'entreprendre les changements constructifs qui se produisent durant les phases du développement de l'adolescence. D'autres semblent prolonger leur adolescence parce que les mêmes conflits et les mêmes comportements persistent durant la seconde décade de leur vie. En réalité, ceux-ci ont converti leur adolescence en un style de vie, ils sont devenus des adultes qui conservent une allure d'adolescent. Parfois, l'adolescence se termine avec l'établissement d'une névrose, d'un trouble de la personnalité ou d'un trouble psychotique. Il va sans dire que ce genre d'équilibre a pour conséquence une diminution de souplesse, d'adaptabilité et de productivité.

Idéalement, la fin de l'adolescence se caractérise par: (1) une indépendance aux influences parentales, (2) la formation d'une identité sexuelle, (3) l'engagement dans une occupation, (4) le développement d'un système personnel de valeurs morales, (5) la capacité d'entretenir des relations intimes et durables, (6) l'établissement de relations d'amitié avec les parents. En conclusion, on peut dire que le début de l'adolescence est biologique et que sa fin est psychologique.

23.1.3 L'adolescence et la société

La société a tendance à se fier aux apparences. Par exemple, un adolescent délinquant qui est proprement vêtu et qui a de bonnes manières n'attirera pas facilement les foudres des adultes. Par contre, celui qui a les cheveux longs, qui est vêtu d'une façon négligée et qui prend de la drogue dirigeant ainsi son agression contre lui-même est perçu comme une menace pour la société alors qu'il a toutes les chances d'être moins dangereux que le premier.

Il n'est pas surprenant que l'adolescent se sente rebuté par une société qui ne semble pas se préoccuper de ses sentiments et ses sensibilités. Les adultes ont tendance à oublier également que les oppositions des adolescents peuvent être saines et que celles-ci ne signifient pas toujours un rejet total de leurs opinions par les adolescents. C'est souvent une tentative de différenciation. Il faut admettre cependant qu'il n'est pas facile pour un critique de ne pas irriter la sensibilité de l'auteur. Les adultes qui réussissent à comprendre ce phénomène auront plus de facilité avec les adolescents.

23.1.4 L'adolescent et l'adulte

L'échange entre adultes et adolescents soulève de fortes émotions chez l'adulte à qui souvent l'adolescent fait peur. Cette crainte est provoquée par les changements rapides physiques et psychologiques visibles chez l'adolescent: il est grand, fort et exprime des opinions qui découlent d'une intelligence de plus en plus perfectionnée. L'adulte anxieux peut alors réagir de deux façons: attaquer pour mieux soumettre cet adolescent dangereux, en utilisant de fortes contraintes, ou encore, tenter de le séduire en jouant avec lui le rôle d'adolescent. Ces deux façons de réagir ne donnent pas de bons résultats. Dans le premier cas, les punitions apparaissent disproportionnées à la faute ou aux transgressions commises par le jeune. L'insécurité manifeste de l'adulte qui adopte la seconde attitude ne trompera pas l'adolescent qui le sentira aussi immature que lui-même.

Durant les premières années de la vie, l'enfant arrive à se séparer de ses parents en incorporant leur système de valeurs. Ceci lui permet de se séparer physiquement d'eux mais leur présence est maintenue par le truchement du surmoi. A l'adolescence, une séparation plus importante est recherchée, l'adolescent doit alors modifier le système de valeurs emprunté aux parents pour former son propre système. Celui-ci sera formé à partir de ses expériences, de ses besoins particuliers et de l'influence de son milieu. Cette prise de distance par rapport aux valeurs parentales provoque chez l'adolescent une grande insécurité et c'est pour y faire face qu'il se joint à d'autres adolescents aussi insécures que lui et forme avec eux un groupe. Ainsi il n'est plus seul pour affronter la difficile tâche qui l'attend.

23.1.5 L'adolescent et ses parents

Il semble que la plupart des adultes ont des lacunes de mémoire au sujet de leur propre adolescence. De plus, certains parents, pour des raisons multiples, n'ont pas bien maîtrisé les phases du développement durant leur adolescence. Ces deux raisons expliquent peut-être pourquoi certains parents paniquent facilement face au comportement de leur adolescent. Plusieurs expériences sont difficiles pour l'adolescent; par exemple, lorsqu'il développe son autonomie, l'adolescent doit séparer et différencier ses goûts des attentes parentales. Et si les parents interprètent ces tentatives de l'adolescent à se distancier comme des actes dirigés contre eux, ils vont lui résister et ainsi créer des tensions très fortes pour leur adolescent.

Il est important de faire la distinction entre l'adolescent qui utilise ses énergies pour agir différemment de ses parents et celui qui les utilise pour s'opposer à ses parents. Le comportement d'opposition est névrotique alors que le premier fait partie du développement normal de l'adolescence.

Il arrive que les parents se comportent comme un pilote d'avion qui dirait à ses passagers: "Nous sommes perdus, je ne sais pas quoi faire. Est-ce qu'il y a quelqu'un qui peut m'aider à lire les commandes?" Lorsque certains parents persistent à exprimer très ouvertement leur confusion, leurs doutes, leur anxiété à leurs enfants, ceci crée une situation fort embarrassante où les enfants doivent se comporter de façon à rassurer les parents inversant ainsi les rôles. Il n'est pas surprenant alors que certains adolescents, face à cette insécurité, manifestent de la peur et de la colère vis-à-vis des adultes de qui ils auraient toutes les raisons de dépendre.

Plusieurs de ces adolescents vont développer une dépression, ils vont décider de vivre seulement pour le présent. Un adolescent de 16 ans me disait un jour: "Je peux patiemment attendre en ligne à la cafétéria si je sais qu'il y aura suffisamment de nourriture lorsque mon tour viendra, mais si je pense qu'il n'y en aura pas suffisamment, je vais m'organiser pour me faufiler afin d'en obtenir. C'est ainsi que je me sens quand mes parents me disent: "Je ne sais s'il y aura quelque chose pour toi dans le monde, le monde est de plus en plus difficile et je suis heureux de ne pas avoir ton âge"." Et c'est alors que certains adolescents ont besoin de drogue pour oublier ce qu'ils auront à vivre.

23.1.6   La sexualité et l'adolescence

Durant les dernières années, nous observons des changements distinctifs dans les attitudes sexuelles et les valeurs sexuelles chez les jeunes de notre culture. Ces changements concernent l'augmentation de la liberté, des activités sexuelles à un âge plus jeune avec moins de sentiments de culpabilité. Ceci est particulièrement vrai pour les adolescents de la classe moyenne et de la classe supérieure. Une étude récente a démontré qu'il y a 15 ans, 27% des jeunes hommes avaient leur première expérience sexuelle avec des prostituées alors que maintenant il n'y en a que 2%.

Les adultes ont tendance à condamner ces comportements de la jeunesse d'aujourd'hui. Il ne faut pas oublier, en fait, qu'ils sont responsables de ce changement. Pour les générations précédentes, la peur de la sexualité était très grande; elle causait beaucoup d'angoisse et aussi des difficultés psychiatriques. Ces attitudes répressives ont amené plusieurs parents des dernières générations à épargner leurs enfants de leur propre difficulté en créant une atmosphère où la sexualité était beaucoup plus naturelle. C'est ainsi que les adultes ont préparé le chemin à la libération sexuelle d'aujourd'hui avec les meilleures intentions amenant ainsi une complication non voulue et non désirée.

Un autre facteur important pour expliquer ces changements est le fait que nos voisins les Américains ont été impliqués dans de longues guerres et que ceci a augmenté l'insécurité de la jeunesse américaine. Pour contrer cette menace de mourir au Vietnam, la jeunesse américaine a décidé de faire l'amour plutôt que la guerre, de fuir la maison et de se grouper avec d'autres jeunes de leur âge pour se supporter mutuellement. Ceci augmente les contacts physiques et il n'est pas rare de rencontrer des adolescents qui ont des relations sexuelles sans amour et sans émotion dans une tentative de briser l'isolation qui les envahit et d'essayer d'entrer en contact avec une autre personne humaine.

Un troisième facteur, également important, concerne le fait que la jeunesse a beaucoup plus de liberté qu'elle en avait autrefois même si les jeunes sont aussi dépendants qu'autrefois. Il arrive souvent par exemple qu'une jeune adolescente de 15 ans va laisser indirectement savoir à sa mère qu'elle a ou va avoir des relations sexuelles. C'est souvent une façon détournée de demander aux parents de déterminer pour elle les limites qu'elle ne peut pas s'imposer elle-même. Dans plusieurs familles, les parents discutent de la sexualité trop librement avec leurs enfants, ils se promènent nus dans la maison et discutent ouvertement de leur vie sexuelle avec les enfants. Ceci est très stimulant sexuellement pour l'enfant et cause chez lui de la confusion et de l'anxiété.

Il faut se demander s'il est sain pour une adolescente d'avoir des activités sexuelles. Est-ce que nous devons prescrire et encourager la pilule ou d'autres modes de contraception? Chaque situation doit être évaluée individuellement. On doit essayer de déterminer le climat émotif dans lequel la jeune fille se trouve. Il ne faut pas oublier que les adolescentes d'aujourd'hui ne sont pas nécessairement plus matures émotivement et physiologiquement que les adolescentes d'autrefois. Par contre, elles ont moins de culpabilité au sujet de leurs impulsions sexuelles et plus d'occasions de les gratifier. Quand une adolescente est en conflit, il est important de comprendre ses doutes et ses hésitations et de l'aider à éviter des situations qui l'amèneraient à se détester et à devenir déprimée. Presque toujours, la vie sexuelle précoce est un signe de dépression chez les jeunes adolescentes. Alors il est possible d'aider celles qui sont immatures à ne pas avoir de relations lorsqu'elles ne sont pas prêtes. En général, les adolescents ont besoin d'adultes qui puissent les aider à définir les frontières de leur comportement.

La plupart du temps, les médecins ne sont pas consultés avant qu'il soit question de contraception. A ce moment, les adolescents ont déjà eu des relations sexuelles ou sont déterminés à en avoir. Si une adolescente demande la pilule contraceptive, je pense que nous devons la lui prescrire même si les parents ignorent cette demande. Si les relations sexuelles sont sporadiques, il est préférable de recommander l'utilisation de condoms. Il est important pour un médecin de traiter cette demande confidentiellement. Si un individu est déterminé à avoir des relations sexuelles, nous ne pouvons pas l'arrêter, nous pouvons simplement le guider dans le but d'éviter des complications sérieuses. Si l'adolescente semble avoir des problèmes psychologiques ou que le médecin a l'impression que ces activités sexuelles sont prématurées, il est important alors d'offrir à l'adolescente une aide psychiatrique.

Il arrive parfois que les mères demandent au médecin de recommander à leur fille un moyen de contraception. Il faut refuser d'intervenir de cette manière là. Il faut plutôt suggérer à la mère d'inciter sa fille à venir en consultation.

Les garçons sont également affectés par les changements survenus dans les valeurs sexuelles. La pression sociale tend à les obliger à gratifier leurs désirs sexuels alors qu'ils n'ont pas la maturité pour le faire. Le résultat étant qu'au lieu d'être pris en charge par leurs parents, ils deviennent pris en charge par leur amie. Ils risquent alors de s'attacher à une amie d'une façon précoce et de développer une relation où celle-ci devient davantage une mère ou un parent qu'une compagne de l'autre sexe. Ceci perturbe le développement de l'identité sexuelle.

La masturbation

La masturbation est commune à l'adolescence. Presque tous les garçons et la majorité des filles en font l'expérience. La masturbation associée aux fantasmes sexuels est une phase préparatoire à une relation sexuelle significative avec un autre humain. En elle-même la masturbation est normale, c'est la qualité des fantasmes et la compulsion qui l'accompagne qui peuvent la rendre pathologique. D'ailleurs P. Blos souligne que son absence chez l'adolescent est un indice de blocage du développement psychosexuel. La masturbation est donc utile et constructive lorsqu'elle permet à l'adolescent de progresser vers la phase ultérieure de relation objectale. Par contre, elle est nuisible et régressive si elle contribue à l'établissement d'une personnalité compulsive ou narcissique.

23.1.7 L'anxiété et l'adolescence

Il serait juste d'appeler l'adolescence l'âge de l'anxiété. La capacité de composer avec les frustrations doit se développer durant l'adolescence parce que ces jeunes personnes doivent faire face à des changements importants du point de vue psychologique, anatomique et physiologique. La force de caractère leur vient de leur bagage génétique, de leur relation avec la famille nucléaire et de l'environnement. Celui-ci apporte aux enfants le stress ou le support économique et social, les pairs et les adultes non parentaux. Bowlby souligne l'importance des contacts avec les parents, les pairs et les adultes non parentaux dans le développement de la personnalité. Miller souligne la prime importance des parents durant l'enfance mais l'adolescent se fie davantage à ses pairs et aux adultes non parentaux. La perte d'un de ses supports produit de l'anxiété chez l'adolescent. La famille nucléaire ne peut à elle seule être suffisante pour assurer un sain développement de la personnalité.

Le jeune adolescent est particulièrement fragile à l'anxiété. Les pressions extérieures et intérieures sont nombreuses et les compétitions avec ses pairs sont intenses. Il est capital pour cet adolescent de pouvoir compter sur le support émotionnel d'un ami pour contrebalancer les nombreuses tensions ressenties. C'est rassurant pour lui de pouvoir vérifier avec son ami le bien-fondé de ses anxiétés. Les parents remarquent d'ailleurs qu'à cet âge l'adolescent est plus secret et se confie de moins en moins. De plus, il est hypersensible aux remarques de ses parents. Ainsi les parents ne peuvent pas apporter facilement la réassurance dont l'adolescent a besoin.

Autant l'activité intense peut diminuer le stress à l'adolescence, autant l'inactivité peut l'augmenter et causer des problèmes émotionnels sévères. La sublimation des sentiments de tension par l'activité physique contribue à maintenir le niveau d'anxiété à un niveau raisonnable tout en étant socialement acceptable. De plus, c'est rassurant pour l'adolescent de sentir qu'il contrôle son propre corps.

23.1.8   L'agression et l'adolescence

Lorenz souligne que le comportement agressif est la source du succès et des échecs de l'adaptation de l'homme à son environnement. L'attitude agressive peut être accompagnée de sentiment de colère et l'intensité de l'agression est très variable. Tout acte agressif est une tentative d'éviter une expérience nocive de tension. Les expressions d'agressivité varient de l'usage contrôlé ou pas du langage et d'activités physiques jusqu'aux actes destructeurs de soi ou des autres.

Chaque famille et chaque société détermine ses propres limites et ses propres techniques de contrôle des actes agressifs. Il est important de trouver des formes acceptables d'expressions de la colère. Les parents qui condamnent toutes formes d'expressions de la colère donnent le message que la colère est très dangereuse et peut produire des enfants qui manquent d'initiative et du sens d'affirmation ou encore des enfants qui ont une crainte morbide de leur colère (Miller).

Si la colère n'est pas exprimée physiquement, elle doit se manifester par des mots chez les personnes bien équilibrées. Les jurons sont en fait les moins dangereux et les moins cruels des expressions de rage. La sécurité personnelle peut en effet être détruite plus efficacement par des mots polis et tranchants que par des mots violents. Les parents qui n'utilisent jamais de violence verbale devant leurs enfants pour ne pas donner le mauvais exemple ne leur rendent pas service parce qu'ils les privent de la possibilité d'utiliser un moyen non dangereux d'exprimer de l'agression et ils perdent l'occasion de démontrer à leurs enfants qu'eux aussi ont des imperfections.

L'adolescent a besoin de défier les normes de la société. Si les parents acceptent l'usage courant d'un mauvais langage, ils le privent d'un moyen simple d'opposition. Par contre, s'ils l'empêchent totalement d'utiliser ce mauvais langage, il est probable qu'il va se conformer mais devra trouver d'autres façons d'exprimer son agression. Idéalement, le mauvais langage devrait être désapprouvé mais toléré implicitement à certains moments pour que l'adolescent puisse l'utiliser comme exutoire d'agressivité. En effet, les mots n'ont jamais causé de fracture.

23.1.9   La régression et l'adolescence

Fuir constitue un moyen d'éviter des tensions psychologiques trop fortes. La fuite peut être accomplie par un retrait physique ou émotionnel. La régression peut également être un moyen de fuir en recréant une situation plaisante de l'enfance. C'est souvent ce qui arrive pour ceux qui prennent de la drogue. Ce retour en arrière permet de vivre émotionnellement sans angoisse.

Certaines activités régressives au cours de l'adolescence font partie d'une structure défensive normale. Le sommeil, la masturbation, l'oisiveté, les fantasmes, l'imagination, l'isolation sociale ou l'isolation dans un groupe de pairs sont souvent utilisés par l'adolescent comme mécanisme régressif de défense contre le stress.

Jusqu'à l'âge de cinq ans, les enfants ont de la difficulté à séparer les fantasmes de la réalité. L'adolescent garde cette capacité de déformer la réalité lorsque celle-ci apporte une tension intolérable. Les déformations de la réalité sont souvent perçues par l'entourage comme des mensonges. Ces pseudo-mensonges sont en réalité des manoeuvres régressives dont le but n'est pas de mentir à l'autre mais de se mentir soi-même pour rendre la vie présente plus acceptable.

23.1.10   Les mythes au sujet de l'adolescence normale

John C. Coleman (1978) a fait une excellente analyse des contradictions actuelles au sujet des théories sur l'adolescence: la première théorie exprime le point de vue classique à l'effet que l'adolescence est une période agitée et très anxiogène. La seconde théorie défend le point de vue empirique qui vient de nombreuses études récentes démontrant qu'une forte proportion de la population adolescente était stable et sans forte anxiété. D'une part, la théorie classique nous vient de Platon qui a décrit la période postpubertaire comme étant très agitée. Anna Freud (1937), Spiegel (1951), Ackerman (1958), Greenacre (1970) souscrivent tous aux mêmes conclusions. Anna Freud l'explique par le fait que les mécanismes de défenses acquis durant l'enfance ne sont pas suffisants pour composer avec l'éruption des forces instinctives à la puberté. D'autre part, Westley et Elkin (1957), Douvant et Adelson (1966), Offer (1969) et Rutter (1976) démontrent d'une façon empirique que la plupart des adolescents n'ont pas de grandes difficultés à l'adolescence à moins d'avoir des troubles psychiatriques.

Ces contradictions peuvent s'expliquer du fait que la population étudiée au départ par les analystes et les psychiatres était celle qui consultait. Ceci a pu biaiser leur opinion sur le développement normal. De plus, certains aspects du comportement des adolescents comme le vandalisme et la délinquance, la drogue et la promiscuité sexuelle sont menaçants pour les adultes. La minorité responsable reçoit donc une publicité importante. Une troisième raison expliquant la divergence d'opinion est le fait que les investigateurs empiriques ont probablement surestimé la capacité et l'acceptation de l'adolescent à parler de ses sentiments.

En conclusion, il est probable qu'il y a différentes routes normales pour traverser l'adolescence et les deux positions avancées sont probablement vraies toutes les deux mais à des degrés variables. Ainsi, certains adolescents passent à travers l'adolescence avec peine et d'autres sans difficulté apparente. Peut-être que ceux-ci s'attaquent à une difficulté à la fois de sorte qu'ils peuvent composer avec une stabilité relative.

23.2 L'APPROCHE CLINIQUE

23.2.1 L'étiologie

Facteurs communs qui favorisent les perturbations à l'adolescence

1) *Distance avec le passé*

L'adolescent doit accepter une nouvelle situation où il est moins dépendant, moins protégé. Il avait l'habitude de tout recevoir comme enfant sans avoir à donner en retour. L'adolescent doit donc faire le deuil de son passé pour pouvoir se réaliser. On ne perd pas tant de gratifications sans ressentir une certaine amertume.

2) *Affirmation de l'indépendance*

Pour devenir indépendant, l'adolescent dépendant doit prouver à lui-même et aux autres qu'il est capable d'être autonome. Pour y arriver, il doit parfois faire des actes d'éclats comme se révolter contre ses parents, l'école et la société.

3) *Impulsions sexuelles et agressives*

Les changements endocriniens, physiques et psychologiques contribuent à l'intensité de ses impulsions émotionnelles. L'adolescent peut accomplir des actes sexuels et des gestes agressifs. Il est impatient d'exercer ses nouveaux pouvoirs mais des conséquences sérieuses sont possibles v.g. grossesse, maladie vénérienne, blessure ou mort.

4) *Méfiance de l'adulte*

L'adulte est un modèle d'identification mais il est aussi perçu comme dangereux parce qu'il est puissant et envahissant. C'est pourquoi il existe chez l'adolescent une hésitation à se confier à l'adulte.

5) *Conformité et individualité*

La société enseigne les bienfaits de la conformité et de l'individualité. On presse l'adolescent à se conformer pour réussir mais on loue également les héros du passé qui ne se sont pas conformés aux normes de leur temps. Il y a là un dilemme qui le fera hésiter.

6) *Pression des pairs*

L'adolescent dans sa solitude a besoin du support des pairs et pour gagner leur acceptation, il est prêt à payer le prix correspondant à son besoin.

7) Identité et avenir

Non seulement l'adolescent plus âgé a comme tâche de découvrir ce qu'il est mais il doit aussi préparer son avenir. L'inquiétude au sujet de ses possibilités de réaliser un métier ou une profession est courante.

8) Masturbation et culpabilité

La masturbation est presque universelle chez les garçons et chez les filles à l'adolescence. La culpabilité y est presque toujours présente. L'inquiétude imaginée face aux dommages physiques et mentaux résultant de la masturbation contribue à des sentiments de gêne, d'insuffisance, de timidité, de méchanceté ou de retrait.

9) Menstruation

Le début des menstruations amène l'adolescente à réaliser qu'elle est en train de devenir une vraie femme et elle réagit selon la préparation qu'elle a reçue pour cet événement. Il semble que le confort de la mère dans son rôle de femme et l'impression que le père a des femmes contribuent à la réaction de l'adolescente.

10) La sensibilité aux différences

L'adolescent réagit fortement aux différences réelles ou imaginées chez les pairs ou dans son environnement immédiat. Elles peuvent être physiques: l'acné, l'obésité, la stature, ou encore économiques: comme la pauvreté et la richesse.

11) Attributs masculins et féminins

Les garçons s'inquiètent beaucoup d'être suffisamment viril, i.e. fort, brave, athlétique vs faible, peureux, efféminé, inefficace. Par contre, c'est surtout durant la deuxième adolescence que les filles s'inquiètent d'être suffisamment féminine, i.e. attrayante, tendre, maternelle, sexuellement attirante...

La mort et le divorce

La mort d'un parent ou la perte d'un parent par divorce augmente considérablement l'anxiété de l'adolescent et il lui est souvent impossible de pouvoir maîtriser une de ces pertes sans être aidé par des adultes autre que le parent qui demeure.

Pour garder un équilibre psycho-émotionnel, il faut faire le deuil de la mort d'une personne aimée. Le deuil se fait traditionnellement en pleurant, en parlant du mort, en discutant ses défauts et ses qualités et en le blâmant de nous avoir laissé tomber. Nous célébrons sa mort par une cérémonie funéraire suivie d'une réunion de famille et d'amis. Cette occasion permet aux adultes d'exprimer des sentiments de culpabilité, de colère, de chagrin, de désespoir et de perte. Tous ces sentiments complexes sont présents chez l'adolescent qui perd un parent mais le rituel utilisé par les adultes n'est pas aussi disponible à l'adolescent. N'ayant pas les moyens pour se défendre par lui-même, il a besoin de l'aide d'un adulte non parental. En effet, le parent restant a suffisamment de travail à accomplir pour faire son propre deuil, il n'est pas disponible affectivement pour aider son adolescent à faire le sien. Souvent l'adolescent va tenter d'utiliser la négation pour mettre de côté les sentiments incontrôlables qui l'envahissent. L'entourage s'étonne mais croit que c'est parce qu'il prend bien la mort du parent: son besoin d'aide est alors ignoré.

Des sentiments semblables se produisent chez l'adolescent lors du divorce de ses parents. La difficulté peut être même plus grande pour le jeune qui perd ainsi un parent parce que, pour obtenir un développement émotionnel sain, il lui faut sentir qu'il est aimé par son père et sa mère. L'entourage le force à prendre position pour déterminer que l'un des parents est mauvais et que l'autre est bon alors que lui, intérieurement, il est très confus dans ses sentiments de chagrin, de désespoir et de colère. Il est bien important pour le thérapeute appelé à venir en aide à l'adolescent de ne pas prendre position pour l'un ou l'autre des parents.

23.2.2 Évaluation de l'adolescent

Pour Meeks, six points sont primordiaux lors de l'évaluation d'un adolescent:

1) **Connaître son meilleur niveau de fonctionnement**

Cette recherche est importante parce qu'elle indiquera si l'adolescent est actuellement en état de régression ou s'il a une fixation dans son développement psychologique. Cette distinction est cruciale pour le pronostic. En effet, une régression a plus de chance de s'améliorer qu'une fixation.

2) **Déterminer la relation établie par l'adolescent avec ses parents**

Le genre de relation établi par l'adolescent avec ses parents renseigne sur les capacités et les conflits potentiels de l'adolescent. En général, plus un enfant a été dépendant de ses parents, plus il aura de peine à devenir indépendant. Plus il proteste fortement contre le fait que ses parents le traitent comme un bébé, plus il est probable qu'il se défend contre ses propres désirs de dépendance.

3) **Pourquoi le patient est-il perturbé actuellement?**

Il arrive souvent que le patient que nous voyons à l'adolescence a un problème qui existe depuis fort longtemps. Par contre, il peut également réagir à un événement traumatisant récent ou avoir une difficulté importante causée par son développement. Il ne faut pas oublier que tous les adolescents font face à l'anxiété associée aux phases du développement. Il est donc important de faire la part des responsabilités étiologiques.

4) *L'adolescent souffre-t-il?*

Est-ce qu'il souffre de son état, de sa maladaptation ou de son comportement? La plupart des adolescents ne disent pas facilement qu'ils souffrent de leur état; ainsi il est important de découvrir des indices qui permettent de se faire une opinion. La découverte de l'évidence d'un conflit intérieur doit amener le thérapeute à offrir de l'aide mais il ne faut pas être surpris de l'ambivalence de l'adolescent qui ne peut être motivé à une forme d'aide qu'il ne connaît pas.

5) *L'adolescent a-t-il une aptitude à l'auto-observation et est-il disposé à la communiquer au clinicien?*

Une certaine aptitude intellectuelle est nécessaire pour accomplir cette tâche. Une réponse positive à cette question permet à l'évaluateur d'orienter l'adolescent vers une psychothérapie dynamique si une intervention est nécessaire.

6) *La famille va-t-elle permettre à l'adolescent de changer?*

Parfois, des parents veulent maintenir un lien pathologique avec leur enfant même si l'adolescent fait de grands efforts pour défaire ce lien malsain. Les parents nous demandent alors de nous allier à eux pour forcer l'adolescent à demeurer sous leur contrôle infantilisant.

Après avoir répondu à ces questions, il est plus facile pour l'évaluateur de préciser le diagnostic et de proposer un traitement approprié.

L'adolescent en état de crise psychiatrique

Un adolescent en état de crise manifeste des changements de comportement comme l'utilisation de la drogue, la promiscuité, l'échec scolaire, la délinquance, la fugue, les difficultés avec les gens de son âge, la grossesse, la maladie vénérienne, l'avortement, l'alcoolisme et le vagabondage. Les adolescents sont très sensibles aux relations conjugales de leurs parents. Il est donc important au moment où l'adolescent est en crise de s'enquérir de la relation de couple des parents. Est-ce qu'il a été question de divorce ou de séparation? Si l'adolescent apparaît psychotique, il faut se rappeler que les psychoses à l'adolescence ne sont pas toutes schizophréniques. Une réaction psychotique peut être provoquée par la drogue ou par un surplus d'anxiété. Il est important alors de vérifier s'il a eu dans son enfance une histoire de troubles du comportement, de phobie, d'énurésie ou d'épilepsie. Est-ce qu'il a été récemment en conflit avec ses parents ou avec ses frères et soeurs? Est-ce que ses parents abusent de l'alcool? Est-ce qu'il y a eu une perte récente pour le patient ou ses parents: perte de travail, d'argent, ou la mort d'un proche? Est-ce qu'un nouveau membre s'est ajouté à la famille? S'il y a des troubles de la pensée, de l'émotion et du comportement, est-ce que le patient est un solitaire chronique et bizarre? Enfin, est-ce qu'il y a eu des changements à l'école, soit de structure, soit hiérarchiques?

Il est utile de rencontrer les parents lors de ces évaluations de crise qui sont des moments privilégiés de changements et il importe de savoir bien les utiliser. Comme les relations parents-adolescents sont souvent associées à la situation de crise, le thérapeute aura l'occasion d'utiliser son talent à désamorcer le conflit. Il pourra alors juger si l'adolescent peut retourner avec ses parents.

23.2.3 Le diagnostic différentiel

Les nombreuses classifications qui se succèdent n'ont pas encore réussi, à mon avis, à s'adapter à la réalité psychopathologique de l'adolescent. Je vais tenter de vous présenter quelques-uns des syndromes les plus souvent rencontrés sans m'attacher à une classification particulière.

1) Les réactions d'adaptation

La plupart des troubles qui apparaissent à l'adolescence pourraient être réactionnels puisque l'adolescence est une période d'adaptation et les difficultés présentées peuvent être analysées du point de vue du développement. C'est pourquoi il faut bien préciser le rôle d'adaptation dans la perturbation rencontrée. Si les réactions sont passagères et relativement peu sévères, elles font partie de cette catégorie. Elles peuvent inclure une variété de symptômes tels que la transgression occasionnelle; les sensations d'angoisse, les problèmes scolaires, académiques ou disciplinaires, les plaintes somatiques, la confusion, l'agitation, la tristesse et même certains gestes suicidaires. Le symptôme peut être assez violent et intense mais transitoire. Un événement précipitant est habituellement présent: une chicane avec un parent, la perte d'un ami, le rejet par le groupe, une action disciplinaire à l'école ou une humiliation. De tels symptômes réagissent bien à une intervention compréhensive qui porte sur l'incident tout en permettant à l'adolescent de ventiler ses sentiments.

2) Les névroses

Les névroses classiques à l'adolescence ont les mêmes caractéristiques que celles des adultes. Par contre, celles-ci sont plus rares à l'adolescence qu'à l'âge adulte. Le caractère répétitif et continu des symptômes permet de faire le diagnostic différentiel entre une réaction d'adaptation et une de névrose. La dépression est l'entité la plus fréquente à l'adolescence, elle se présente sous forme de névrose, de somatisation ou de transgression. Au début de l'adolescence, la dépression se manifeste par l'ennui, le besoin de bouger, l'incapacité de demeurer seul et la recherche continuelle de nouvelles activités. L'adolescent peut chercher à se grouper avec d'autres aussi déprimés et à prendre de la drogue et de l'alcool pour tenter d'échapper à son sentiment dépressif. Il peut aussi s'engager dans des activités sexuelles intenses pour oublier sa dépression. Les gestes délinquants sont aussi utilisés pour nier la dépression car pour ces adolescents, mieux vaut être mauvais et forts que d'être déprimés et faibles. Tous les gestes ci-haut mentionnés peuvent donner un sentiment subjectif d'amélioration et c'est pour cela qu'ils sont répétés parce que l'effet plaisant n'est que transitoire.

L'adolescent déprimé qui devient transgresseur peut faire des actes défendus pour exprimer son ressentiment et son hostilité au monde qui l'a privé de ce qu'il avait besoin pour ne pas être déprimé. Il est plus facile à l'adolescent d'exprimer ses sentiments agressifs que d'exprimer ses sentiments dépressifs.

Le clinicien doit savoir que les plaintes physiques peuvent être un symptôme de dépression chez l'adolescent comme c'est souvent le cas chez l'adulte. La fatigue et la céphalée accompagnent souvent des préoccupations somatiques persistantes. L'évaluation des rêves et des fantasmes est un moyen efficace pour déceler ces dépressions masquées.

Hill (1969), dans une étude sur le lien entre le suicide en général et le décès d'un parent, a trouvé que les tentatives suicidaires étaient plus fréquentes chez les hommes et les femmes qui ont perdu leur mère durant les dix premières années de leur vie. Cependant, le suicide était plus fréquent chez les femmes qui ont perdu leur père entre 10 et 14 ans et également à un moindre degré pour celles qui l'ont perdu entre 15 et 19 ans. Cette étude suggère la possibilité que ces personnes ont développé une dépression à la mort du parent et que la dépression s'est maintenue. Il est donc probable que leur état dépressif soit passé inaperçu à l'adolescence.

3) Le suicide et les tentatives suicidaires

Chez l'adolescent, la fréquence du suicide a beaucoup augmenté ces dernières années et le suicide réussi est plus fréquent vers la fin de l'adolescence qu'au début. Les garçons réussissent plus souvent que les filles mais ces dernières font beaucoup plus de tentatives suicidaires. Les préoccupations et les tentatives suicidaires peuvent faire partie d'une dépression névrotique ou psychotique ou de n'importe quelle névrose ou psychose. Ils peuvent représenter un mécanisme hystérique pour attirer l'attention. Une menace ou un geste suicidaire est une tentative pour communiquer un message et on doit essayer de le comprendre. Il faut différencier une réaction exagérée à quelques frustrations ou désappointements mineurs, un essai pour attirer l'attention ou, plus sérieux, un indice d'une dépression sévère ou d'un découragement.

S'il y a des signes évidents de dépression comme la tristesse, les pleurs, le retrait, la perte d'intérêt pour les études ou le travail, la désapprobation de soi, l'auto-accusation, l'insomnie, la perte d'appétit, une consultation avec un professionnel est sûrement recommandable. Une dépression est plus inquiétante chez un jeune qui n'a pas auparavant démontré des changements d'humeur fréquents. Les menaces suicidaires sont aussi plus inquiétantes chez un adolescent qui n'est pas porté vers les démonstrations dramatiques telles que les pleurs, et les accès de colère.

Accomplir les gestes suicidaires, à un moment ou à un endroit où il est peu probable que ce soit rapidement découvert ou sans aviser quelqu'un à l'avance de son intention, augmente l'aspect sérieux de la tentative. Quant aux tentatives mutilantes ou bizarres, si elles sont vraiment tentées sérieusement, elles indiquent normalement un processus psychotique tel qu'une réaction schizophrénique ou une réaction dépressive psychotique.

Il ne faut pas oublier également que certains comportements délinquants sont des équivalents suicidaires. Par exemple, l'adolescent qui déclare que les conséquences de ses gestes délinquants ne le dérange aucunement peut suggérer par son comportement qu'il espère que quelque chose de terrible va arriver. Les préoccupations suicidaires à l'adolescence sont fréquentes et il est possible que plusieurs adolescents soient protégés contre la destruction d'eux-mêmes par l'intérêt que leurs parents leur portent et aussi par la facilité relative qu'ils ont de développer de nouvelles relations.

4) Les psychoses

La psychose fonctionnelle de l'adolescent ne se distingue pas de celle de l'adulte mais il faut être prudent lors du diagnostic différentiel et envisager d'abord la possibilité d'un état d'agitation psychotique passager qui est une manifestation d'adaptation. Le diagnostic de schizophrénie à l'adolescence doit être posé avec la plus grande prudence, étant donné qu'un syndrome réactionnel et transitoire qui calque la schizophrénie, sauf qu'il ne dure que quelques jours à quelques mois, peut lui ressembler.

5) Les troubles de la personnalité (voir section 8.1.11)

Ce diagnostic est établi lorsque le comportement de l'adolescent démontre de façon répétitive les signes suivants: gestes antisociaux, vandalisme, délinquance, obstructionisme. Cependant, les délinquants à répétition méritent d'être étudiés attentivement pour faire la distinction entre une transgression primaire ou secondaire. Le transgresseur primaire a des troubles de personnalité alors que le second est névrotique. Le transgresseur primaire est celui qui est égocentrique, qui présente une froideur affective et qui a une grande difficulté à se sentir coupable. Pour le transgresseur secondaire, les actes délinquants sont une manifestation de la névrose reconnaissable d'ailleurs à d'autres symptômes.

6) Les troubles psychosomatiques (voir chapitre 15)

Durant l'adolescence, il y a beaucoup de changements physiques, ainsi le garçon est très préoccupé par son apparence physique, sa grandeur, ses muscles et sa peau. La fille est préoccupée par sa silhouette, ses seins, sa grandeur, sa peau et ses cheveux. L'adolescent réagit fortement à ses défauts physiques, à ses incapacités ou ses limitations de toutes sortes qui menacent l'image qu'il a de lui-même. L'adolescent souffre souvent d'acné et s'en sent humilié, honteux, comme si ses secrets intimes devenaient visibles. Plusieurs adolescents, cependant, reconnaissent l'acné comme étant un changement transitoire et apprennent à vivre avec cette difficulté.

Tout le monde ressent de l'anxiété mais l'intensité en est plus importante à l'adolescence.

L'adolescent éprouve des perturbations émotives causées par des tensions internes importantes reliées à des variations physiologiques expliquant souvent pourquoi il attache beaucoup d'importance à un problème somatique mineur. Les adolescents sont sujet à tous les désordres psychosomatiques; je vais discuter ici de ceux qui sont les plus spécifiques à l'adolescence.

1. Anorexie nerveuse

L'anorexie nerveuse est une maladie rencontrée surtout chez l'adolescente. Celle-ci arrête volontairement de manger, perd beaucoup de poids et son flux menstruel disparaît. Cliniquement, elle est dans un état dépressif et présente une grande résistance au traitement médical ou psychiatrique. L'adolescente veut demeurer petite fille, ne veut pas de seins, exprime du dégoût pour le sexe, elle est très préoccupée par son abdomen et craint la grossesse. Le degré d'anxiété est très grand chez tous les membres de la famille et cette tension est provoquée par l'apparence cachectique de l'adolescente. Habituellement, l'adolescente contrôle la famille par son refus de manger. L'aménorrhée et l'extrême minceur de l'adolescente lui font perdre des caractéristiques féminines ce qui la protège peut-être contre ses désirs sexuels. L'approche médicale dans l'anorexie nerveuse ne suffit pas. Il est important pour le médecin de demander une consultation psychiatrique et diététique.

2. Obésité

Il est important de savoir que chez les obèses la nourriture est utilisée pour diminuer les tensions non nutritionnelles. Celles-ci sont interprétées par l'obèse comme un désir de manger. L'histoire de l'adolescent obèse va souvent démontrer que cette jeune personne n'a jamais fait l'expérience de la diminution des frustrations, des tensions ou de l'anxiété par la réassurance naturelle de la mère. L'adolescent obèse est souvent l'objet de rejet, il est malheureux, déprimé, découragé après de multiples tentatives infructueuses pour maigrir. Il y a chez-lui très peu de tolérance à la frustration et à l'anxiété et il mange pour diminuer cette tension. Souvent il mange en dehors des repas, seul durant la nuit et c'est à l'heure du repas qu'il mange très peu. Rarement va-t-il exprimer sa colère parce qu'il a trop besoin d'être aimé. Il est important de noter qu'il ne faut pas forcer un adolescent à suivre un traitement amaigrissant sans s'exposer à un échec certain. Au contraire, il faut que celui-ci prenne la décision lui-même de suivre un traitement qui lui a été proposé. C'est alors que l'on peut s'attendre à de bons résultats à la condition de maintenir une bonne relation avec l'adolescent.

3. L'asthme

L'anxiété provoque ou augmente une crise asthmatique mais ne la cause pas. Lorsque les difficultés de respiration sont sévères, l'anxiété est augmentée et l'attaque peut devenir de plus en plus sévère. A l'adolescence, une attaque asthmatique est souvent précipitée par l'anxiété et la colère causées par une menace de séparation. L'adolescent fait face à un dilemme: d'une part il désire la liberté, d'autre part, il a besoin du support maternel. Ceci explique pourquoi l'attaque asthmatique diminue habituellement lorsque le médecin ou une personne familière apparaît. Il est important pour le médecin de bien évaluer la situation familiale afin de vérifier si l'attaque a été provoquée par une tension entre la mère et son adolescent.

4. Retard menstruel

Le retard menstruel n'est pas rare chez les adolescentes qui nient leur féminité. Par exemple, une adolescente de 16 ans qui n'avait pas eu ses menstruations malgré des signes secondaires évidents de caractères sexuels, n'aimait pas être une fille. Elle était une excellente sportive; ne portait jamais de robes et essayait par tous les moyens de cacher ses seins sous des vêtements amples. Après discussion avec son médecin de famille, ses menstruations sont apparues mais les problèmes qu'elle avait au sujet de la sexualité l'ont finalement amenée à demander de l'aide psychiatrique.

L'aménorrhée secondaire peut être causée par une grossesse, par une maladie chronique, la malnutrition, l'anorexie nerveuse, l'obésité et par plusieurs variétés de troubles émotifs. Il n'est habituellement pas indiqué de provoquer les menstruations avec des hormones sauf s'il est clairement défini qu'il y a un déficit hormonal. La correction du trouble émotif ou physique va provoquer un retour des menstruations.

5. Dysménorrhée et tension prémenstruelle

La plupart des crampes menstruelles des adolescentes n'ont pas de causes organiques. Il faut leur expliquer que ces crampes sont physiologiques et bien les informer du processus de menstruation tout en donnant un traitement symptomatique analgésique. Dire que c'est imaginaire est absurde, les crampes sont réelles et l'adolescente en souffre. Il est important de vérifier si l'adolescente a de la difficulté à accepter son rôle féminin.

23.2.4 Le traitement

Le clinicien qui traite les adolescents doit bien comprendre l'adolescence normale, l'adolescent traité et sa famille, ainsi que les changements sociaux et culturels qui affectent la jeunesse. Il doit connaître l'attitude de tolérance actuelle au sujet de l'avortement, de la grande utilisation de cannabis, de l'alcool et de l'augmentation des maladies vénériennes. Il lui sera plus facile d'établir un bon rapport si son attitude est tolérante, chaleureuse et s'il a un bon sens de l'humour. Il ne lui faut ni juger ni faire des sermons. Lorsque l'intensité des symptômes dépasse l'importance des signes physiques, ou lorsque la maladie est très sévère comme l'anorexie nerveuse, le clinicien doit investiguer les sphères psychologiques de l'adolescent et consulter un psychiatre s'il a des doutes. Le m   cin n'est pas le seul à référer un adolescent au psychiatre; l'école, l'agence sociale, la Cour, le centre d'accueil, la famille et l'adolescent lui-même le font.

Professionnels aptes à traiter les adolescents

Il y a plusieurs catégories de professionnels qui peuvent travailler avec les adolescents. L'adolescent n'est pas toujours un individu facile à traiter. Le thérapeute devrait donc avoir une formation spécifique et de l'expérience dans le travail avec ce groupe d'âge. Les professionnels qui éprouvent un trop grand besoin de guérir les gens ne sont pas de bons candidats puisque ce désir cache probablement un besoin d'omnipotence. De même, ceux qui ont un grand besoin de dominer n'auront pas la souplesse nécessaire lorsque les conflits du type parent-adolescent se dérouleront en situation thérapeutique. Le thérapeute doit être à la fois souple et ferme et doit pouvoir communiquer sa pensée et son opinion d'une manière directe. Ces qualités sont nécessaires afin de réussir le test d'acceptation que va faire passer l'adolescent. L'adolescent en difficulté a habituellement vécu des déceptions avec les adultes de son entourage et il n'est pas prêt à faire confiance sans savoir si le thérapeute est digne de sa confiance. En effet, celui-ci avant de s'engager dans le processus thérapeutique, va vérifier la solidité et la sécurité des thérapeutes. L'adolescent accepte de se faire un ami d'une personne aussi anxieuse que lui mais il n'en va pas ainsi à l'égard d'un thérapeute. Si le thérapeute a les qualifications mentionnées plus haut, il peut travailler avec la plupart des problèmes des adolescents quel que soit son statut professionnel spécifique. Si le trouble émotionnel de l'adolescent est jugé d'intensité moyenne ou sévère, et qu'une thérapie intensive ou prolongée est indiquée, le psychiatre qui est spécialisé en adolescence est alors le professionnel de choix.

C'est après avoir rencontré l'adolescent et ses parents et l'adolescent seul que le clinicien aura à formuler une opinion et à recommander un traitement à l'adolescent et à ses parents. Il est bien important d'être conscient que cette rencontre avec les parents et l'adolescent a un potentiel thérapeutique non négligeable. Ainsi, l'évaluateur fera tout en son pouvoir pour être l'allié de l'adolescent et sera empathique au problème des parents. Si nous ne démontrons pas clairement que nous sommes l'allié de l'adolescent, il n'acceptera pas notre aide. Par contre, si nous ne gagnons pas la sympathie des parents, ceux-ci peuvent intervenir négativement dans le processus thérapeutique.

Durant la première adolescence, il est préférable que le thérapeute du jeune patient soit du même sexe que lui. Un thérapeute du même sexe à cet âge est préférable parce que le patient se servira souvent de cette personne comme un modèle pour déterminer ce que devrait être un homme ou une femme. De plus, la jeune adolescente a une difficulté majeure à désexualiser la relation avec un homme thérapeute et empêche ainsi le processus thérapeutique de s'établir.

Modes de thérapie utilisés dans le traitement des adolescents

A) Psychothérapie individuelle

1) *Psychothérapie de support:*

Ce type de thérapie est indiqué pour les réactions d'adaptation à l'adolescence, les troubles réactionnels dans les désordres plus sévères lorsque la psychothérapie intensive est contre-indiquée ou inaccessible. Les thérapies intensives et dynamiques sont contre-indiquées lorsque les résultats ont plus de chance de troubler davantage l'adolescent que de l'aider.

Pour la thérapie de support, il faut se présenter au patient comme une personne compréhensive, chaleureuse et sympathique qui l'écoutera, l'encouragera, répondra à ses questions et fera des suggestions durant une période de stress jusqu'à ce que l'adolescent puisse faire face à des problèmes internes ou externes sans aide. Les sessions de thérapie peuvent varier en fréquence d'une fois par semaine à une fois par mois ou être données selon le besoin et la demande de l'adolescent.

2) *Psychothérapie dynamique:*

Ce type de thérapie est particulièrement indiqué dans les cas de névrose modérée ou sévère et dans les cas de désordres psychosomatiques où le patient est adéquatement motivé à s'améliorer et où la condition physique du patient n'est pas critique.

Le but de cette psychothérapie intensive est d'aider le patient à comprendre pourquoi il réagit comme il le fait aux tensions internes et externes et l'amener à utiliser cette compréhension dans des situations appropriées de sa vie quotidienne. Ceci s'accomplit en essayant de comprendre par les expériences vécues et les associations émotionnelles la signification sous-jacente d'une anxiété particulière. Une formation en thérapie analytique ou en thérapie d'orientation analytique est nécessaire pour ce genre d'approche. Le thérapeute doit à l'occasion jouer un rôle de support en même temps. La fréquence de ces sessions peut varier d'une à plusieurs fois par semaine et sa durée est indéterminée.

B) Thérapie de groupe

La thérapie de groupe peut être utilisée dans la plupart des troubles de l'adolescence. La thérapie collective est soit brève ou à long terme, hétérogène ou homogène, mixte ou pas. La thérapie de groupe est homogène lorsque les adolescents ont un même type de problème. La thérapie collective homogène est utilisée pour les adolescents en psychose, les débiles et les transgresseurs primaires. Ces trois types d'adolescents ne réagissent pas à une approche hétérogène: le transgresseur primaire rend difficile la cohésion thérapeutique à cause de son égocentricité, de sa froideur affective et de sa grande difficulté à se sentir coupable; le psychotique répond mal aux pressions de ses pairs particulièrement en période aiguë; enfin le débile ne s'intègre pas dans un groupe hétérogène à cause de la pauvreté de ses habiletés sociales. La thérapie de groupe aide le patient à vérifier, auprès de ses pairs, ses inquiétudes et lui permet de mieux se connaître en se regardant agir à l'intérieur du groupe.

C) La thérapie familiale

La thérapie familiale est particulièrement indiquée dans les cas où les problèmes de l'adolescent découlent d'une façon prédominante d'une perturbation impliquant le système familial. Elle est aussi indiquée dans les cas de refus scolaire, chez les transgresseurs primaires et les psychoses fonctionnelles.

D) La psychopharmacologie

Les neuroleptiques, les anxiolytiques et les antidépresseurs peuvent être donnés au même dosage que pour l'adulte si le corps est adulte. La médication est particulièrement utile chez les adolescents hyperactifs, chez ceux qui ont de très grandes anxiétés, les déprimés et les psychotiques. Il faut être prudent dans l'utilisation des anxiolytiques parce que l'anxiété étant un élément normal durant le développement de l'adolescence, il est dangereux de développer une dépendance.

Les neuroleptiques semblent être aussi efficaces chez l'adolescent que chez l'adulte. Par contre, on note des variations importantes des réponses aux dosages des phénothiazines. Parfois, la réponse est très forte avec de petites doses alors que dans d'autres cas, il faut utiliser des doses maxima pour obtenir un résultat thérapeutique. Il est donc prudent de débuter avec de petites doses et d'augmenter progressivement jusqu'à ce que l'effet thérapeutique apparaisse. Les antidépresseurs tricycliques sont peu utilisés chez les adolescents parce qu'ils sont considérés moins efficaces que chez l'adulte.

E) L'hospitalisation

La décision d'hospitaliser un adolescent doit être prise avec la plus grande prudence. Il y a là danger de régression et d'augmentation des conflits de dépendance. Selon Easson (1969) seuls les adolescents qui ont perdu tout contrôle de leurs impulsions et ceux qui n'ont pas dans leur entourage des personnes pouvant les aider devraient être hospitalisés. Ce qui signifie que même un adolescent avec un moi faible mais qui peut compter sur le support des membres de sa famille, peut espérer une adaptation favorable grâce à ce support externe.

Les hospitalisations brèves peuvent être utilisées dans des situations de crises aiguës. Ceci se produit dans les états aigus de confusion, dans les réactions passagères au stress avec des impulsions suicidaires et homicidaires. Le jeune suicidaire est souvent hospitalisé pour une courte période de temps afin de favoriser la formation d'un bon lien thérapeutique et pour désamorcer les conflits qui existent habituellement entre le patient et ses parents. On doit s'assurer qu'au moment du congé, il existe une communication ouverte et positive entre les parents et l'adolescent. Pour les adolescents qui ne peuvent rester à la maison et qui ne nécessitent pas l'hospitalisation, il est préférable de les diriger vers un centre d'accueil pour adolescents.

Le pronostic

Lors de l'évaluation du pronostic, il faut être prudent. Autant l'adolescent peut régresser rapidement, autant il peut faire des progrès remarquables en peu de temps. C'est parce que sa personnalité est en formation que ces changements se produisent. Il ne faut donc pas juger sa condition avec les mêmes critères que pour l'adulte. La capacité de l'adulte à modifier sa personnalité a été réduite au moment où il a terminé son adolescence. A l'adolescence, les symptômes aigus même d'intensité sévère et surtout lorsqu'un facteur précipitant est identifiable impliquent un pronostic favorable. Le pronostic s'améliore si la possibilité de modifier l'environnement existe. Il est bon également si l'adolescent a réussi à établir une relation intense, positive et durable avec une autre personne. En d'autres mots, l'adolescent qui s'est senti aimé par une personne importante à ses yeux et qui a pu aimer en retour a de meilleures chances de s'en sortir.

Par contre, le pronostic est plus réservé si le symptôme est de longue durée et qu'il succède à une histoire de troubles émotionnels prolongés depuis l'enfance, si la famille est perturbée depuis longtemps, si l'entourage est nocif et s'il n'a pas eu de relations stables.

23.3 LE RÔLE DE L'OMNIPRATICIEN

L'omnipraticien est souvent le premier consulté lorsque l'adolescent est en difficulté, ce qui lui permet de jouer un rôle crucial dans l'orientation thérapeutique. L'adolescent va décider d'accepter ou pas de l'aide et de faire confiance en fonction du contact qu'il aura avec son médecin. Contrairement à plusieurs adultes, l'adolescent demande au clinicien de prouver s'il est capable de l'aider. Sinon, il va trouver sa solution lui-même en utilisant des méthodes en vogue parmi les jeunes de son âge comme la drogue. Le médecin de famille est particulièrement bien placé pour recevoir cette première demande d'aide avec les professionnels de la santé parce qu'il connaît la famille et l'adolescent depuis de nombreuses années. Sa personnalité, sa sensibilité, sa patience, sa perception du monde de l'adolescence, ses connaissances de base en psychiatrie seront les facteurs qui vont l'aider à réussir auprès de l'adolescent.

Il faut reconnaître que le généraliste trouve souvent difficile de s'occuper des problèmes psychiatriques parce qu'il est pris par une surcharge de travail. Kalogérakis (1973) propose aux généralistes de contourner cette difficulté en planifiant leur horaire de travail. Réserver une demi-journée pour rencontrer tous les adolescents et leurs parents, si nécessaire, peut permettre au généraliste de consacrer plus de temps à l'adolescent sans être poussé dans le dos par d'autres occupations urgentes. L'entrevue initiale peut durer le temps d'un examen complet. Durant la période d'examen physique, le médecin peut s'informer de la situation scolaire, familiale et sociale de l'adolescent.

23.3.1　Le diagnostic

La présentation du problème est souvent somatique. Une fois qu'il est établi qu'un traitement médical n'est pas nécessaire, il est utile de chercher la cause psychologique du problème. Une fausse réassurance à la suite d'un examen physique négatif risque d'être interprétée comme étant une incapacité de la part de l'omnipraticien d'aider ou un désir de ne plus s'occuper de l'adolescent. Lorsqu'il a des symptômes qui persistent, deux options sont possibles: le traiter ou le référer. Il ne faut pas minimiser la valeur du symptôme même si l'adolescent semble être neurasténique, hystérique ou simulateur. En plus d'un bon examen physique et de laboratoire, une exploration complète de la situation du patient peut être nécessaire avant de poser un diagnostic. Le médecin doit d'abord connaître l'état émotionnel de l'adolescent. Cet état est plus facile à préciser lorsque le clinicien est seul avec l'adolescent. Les émotions les plus souvent ressenties par l'adolescent lors de sa première visite sont: 1) l'anxiété ou la peur 2) la honte 3) la dépression 4) l'irritation 5) la haine 6) l'hostilité. Comme l'adolescent est souvent fier, il peut cacher ses sentiments. Ainsi, la timidité peut cacher la dépression, l'anxiété peut passer sous le couvert de l'hyperactivité normale d'adolescent. Si le médecin lui parle des sentiments qu'il perçoit chez l'adolescent, celui-ci va généralement collaborer. Par exemple, lui dire: "Tu as l'air triste aujourd'hui" est une bonne façon d'amener l'adolescent à parler de lui-même.

Selon Kalogérakis, il y a 6 fonctions vitales de l'adolescence qui doivent être investiguées:

1) L'école: s'informer de son niveau de fonctionnement académique, disciplinaire et social. Ses résultats scolaires sont-ils compatibles avec sa capacité intellectuelle?

2) Ses amis: quand a-t-il rencontré son plus grand ami la dernière fois? Le genre de relations qu'il entretient avec ses amis?

3) Ses loisirs: lesquels, leurs fréquences, pratiqués seul ou avec d'autres?

4) Les adultes: recherche-t-il la compagnie des adultes?

5) La situation familiale et ses relations avec ses parents: C'est parfois la fonction la plus difficile à explorer. Il faut demander à l'adolescent: "Je suppose que tes parents se chicanent comme tous les parents?" au lieu de lui dire: "Tes parents se chicanent-ils?"

6) Sa sexualité et ses amours: où en est-il dans cette sphère, quels sont ses difficultés et ses succès?

23.3.2　La référence

Avant de décider de traiter lui-même, le médecin doit déterminer quels sorit les patients qui doivent être référés rapidement.

1) Est-ce que l'adolescent est dans un état de crise qui demande une hospitalisation d'urgence?

   a) comportement franchement psychotique avec hallucinations, délire, comportement bizarre;

   b) intoxication aiguë avec de sévères perturbations émotionnelles;

   c) sévère dépression avec des préoccupations suicidaires et souvent sans pouvoir identifier la source de la dépression;

   d) le patient qui a fait une tentative suicidaire importante; distinguer avec un geste suicidaire dont le but est la manipulation de l'entourage;

   e) patient qui a une grande crainte de perdre le contrôle et de commettre des actes de violence.

2) L'adolescent coopère-t-il? Recherche-t-il de l'aide?

3) Est-il en traitement avec quelqu'un d'autre? Ici, il serait important de contacter le thérapeute afin de pouvoir coordonner les efforts s'il y a indication d'un traitement simultané.

4) Y a-t-il des signes de perturbations névrotiques importantes ou de troubles caractériels sévères?

Dans tous ces cas où le généraliste doit référer au psychiatre, il est bien important que l'adolescent soit bien préparé à accepter cette référence. Si l'adolescent a peur d'être fou ou d'être manipulé par une autre autorité, il peut refuser le rendez-vous ou ne pas s'y présenter ou encore résister à l'intervention du psychiatre. Il est donc approprié de rassurer l'adolescent en lui indiquant clairement les raisons qui motivent la référence et en l'orientant vers un psychiatre connu du médecin et si possible, un psychiatre qui est familier avec les problèmes de l'adolescence.

23.3.3 Le traitement

Il ne faut pas oublier que le traitement commence au moment où l'adolescent entre dans le bureau et parfois même au moment où la décision de voir un médecin a été prise. Lorsque la décision de ne pas référer a été arrêtée, voici quelques techniques que le généraliste peut utiliser avec son patient:

1) L'écoute de l'adolescent: une oreille attentive, compréhensive peut accomplir beaucoup chez l'adolescent qui pour la première fois peut-être, fait l'expérience d'un contact avec un adulte qui ne le censure pas, ne le sermone pas et qui n'essaie pas de le dominer.

2) La clarification: si l'adolescent est peu verbal, il sera nécessaire de poser des questions qui demandent des réponses courtes. S'il parle beaucoup,

les questions occasionnelles permettront de clarifier et de localiser le problème.

3) La réassurance: ici, il ne s'agit pas de fausse réassurance, au contraire, elle doit être scrupuleusement honnête. Il est mieux de dire que l'on ne connaît pas la solution immédiate au problème que de dire "Tout va s'arranger" basé sur un espoir peu fondé. La meilleure réassurance va se percevoir dans la façon de procéder du médecin. L'adolescent sera en effet réassuré s'il perçoit que son médecin est intéressé à continuer à s'occuper de lui, même s'il ne connaît pas actuellement la solution.

4) La médication: il y a certains dangers d'utiliser trop rapidement la médication: le danger d'encourager une dépendance à la drogue, d'accentuer l'espoir d'une solution magique sans efforts, le danger également de s'occuper uniquement du symptôme et d'oublier la cause du problème. Une utilisation rationnelle des anxiolytiques peut aider à diminuer l'anxiété mais les neuroleptiques doivent être réservés pour les anxiétés sévères et les agitations. Les antidépresseurs ne sont pas considérés d'une grande utilité chez les adolescents dépressifs par la plupart des psychiatres de l'adolescence.

5) L'intercession: représenter le point de vue de l'adolescent auprès de sa famille, l'école et la Cour peut être d'une grande utilité. Rétablir le dialogue entre l'adolescent et ses parents après un affrontement important contribue à améliorer grandement la situation de l'adolescent. Un contact avec l'école peut aider les enseignants à s'ajuster aux difficultés de l'adolescent. Par contre, il ne faut pas lui éviter de routine les complications avec les autorités, ce serait lui rendre un mauvais service. Il s'agit d'être un allié de l'adolescent mais pas son avocat. Le premier but n'est pas de lui éviter les conséquences disciplinaires mais de faire comprendre aux autorités les raisons pouvant influencer le comportement de cet adolescent.

En terminant, je pense que le généraliste a un rôle important et déterminant lorsqu'il reçoit dans son bureau un patient adolescent. C'est une pratique qui diffère un peu de la routine mais qui est très enrichissante parce qu'elle permet de connaître mieux les adultes de demain.

BIBLIOGRAPHIE

ACKERMAN, N.W. *Psychodynamics of Family Life: Diagnosis & Treatment of Family Relationships.* New York: Basic Books, 1958.

BOWLBY, J. "Attachment". *Attachment & Loss.* Vol. 1, New York: Basic Books, 1969.

BLOS, P. *On adolescence: A Psychoanalytic Interpretation.* New York: Free Press, 1962.

BLOS, P. "The second Individuation Process of Adolescence". *Psychoanalytic Study of the Child.* 1967, 22, 162-186.

COLEMAN, J.C. "Current contradiction in adolescent theory". *Journal of Youth and Adolescence.* 1978, Vol. 7, 1-11.

DOUVAN, E., ADELSON, J.B. *Adolescent Experience.* New York: Wiley, 1966.

EASSON, W.M. *The Severely Disturbed Adolescent: Inpatient, Residential & Hospital Treatment.* New York: International Universities Press, 1969.

ERIKSON, E.H. *Adolescence et crise; la quête de l'identité.* Paris: Flammarion, 1972.

FREUD, A. *Le moi et les mécanismes de défense.* Paris: P.U.F., 1973.

GROUP FOR THE ADVANCEMENT OF PSYCHIATRY — COMMITTEE ON ADOLESCENCE. *Normal Adolescence: Its Dynamics & Impacts.* New York: Charles Scribner's Sons, 1968.

GREENACRE, P. "Youth, growth and violence". *Psychoanalytic Study of the Child.* 1970, 25, 340-359.

HILL, O.W. "The Association of Childhood Bereavement with Suicidal Attempts in Depressive illness". *British Journal of Psychiatry.* 1969, 115, 301-304.

KALOGERAKIS, M.G. *The Emotionally Troubled Adolescent and the Family Physician.* Springfield: Charles C. Thomas, 1973.

LORENZ, K. *L'agression; une histoire naturelle du mal.* Paris: Flammarion, 1977.

MEEKS, J.E. *The Fragile Alliance: An Orientation to the Outpatient Psychotherapy of the Adolescent.* Baltimore: Williams & Wilkins, 1971.

MILLER, D. "Parental Responsability for Adolescent Maturity". *The Family and its Future.* Londres: Elliott K. (Ed.), J. & A. Churchill, 1970.

MILLER, D. *Adolescence: Psychology, Psychopathology and Psychotherapy.* New York: Jason Aronson, 1974

OFFER D. *The Psychological World of the Teenager.* New York: Basic Books, 1973.

PIAGET, J. *Six études de psychologie.* Paris: Gonthier, 1964.

SOLOMON, P., PATCH, V.D. (Eds). *Handbook of Psychiatry.* 3e édition, Los Altos: Lange, 1974.

SPIEGEL, L.A. "A Review of Contribution to a Psychoanalytic Theory of Adolescence". *Psychoanalytic Study of the Child.* 1951, 6, 375-393.

WESTLEY, W.A., ELKIN, F. "The protective Environment and Socialisation". *Social Forces.* 1957, 35, 243-249.

CHAPITRE 24

PSYCHIATRIE DU TROISIÈME ÂGE

Michel Fréchette

24.1 INTRODUCTION

Dans les pays industrialisés de l'hémisphère occidental, le pourcentage des personnes âgées s'accroît progressivement. Au Québec, environ 8% de la population est constituée par des personnes ayant atteint l'âge de 65 ans et plus. En l'an 2,000, ce sera 12 à 15% de la population totale.

Il est évident que les changements sociaux qui se produisent depuis les dernières décennies ont un impact sur la population âgée. Qu'il suffise de mentionner, par exemple, le phénomène de la mise à la retraite obligatoire, les pensions de vieillesse, le développement des foyers pour personnes âgées, la gratuité des services sanitaires et des services sociaux. Le nombre de foyers d'hébergement s'accroît d'année en année et une grande proportion des lits d'hôpitaux est occupée par des malades gériatriques. Un bon nombre de ces derniers souffrent de troubles psychiatriques. Les facilités d'hébergement et de traitement sont progressivement saturées et il devient de plus en plus évident que la gériatrie doit se développer et surtout s'exercer en dehors de l'hôpital. Ce sont les médecins de famille et les autres professionnels de la santé impliqués avec les personnes âgées qui ont et auront de plus en plus la tâche de développer et d'appliquer leurs connaissances en gériatrie. L'importance des aspects biologiques, psychologiques et sociaux dans l'évaluation diagnostique et dans l'intervention thérapeutique n'est plus à démontrer.

24.2 CARACTÉRISTIQUES PSYCHOLOGIQUES

24.2.1 L'anxiété

Les insuffisances physiologiques reliées au vieillissement de l'organisme entraînent une diminution de la capacité d'adaptation; cette incapacité physique, cette perte d'autonomie, engendrent de l'anxiété. La mise à l'écart du monde du travail, les décès multiples dans l'entourage, l'éparpillement de la famille, tout cela contribue à l'isolement de la personne âgée et à sa perte de contacts quotidiens avec la réalité sociale qui l'entoure. L'individu se tournera alors naturellement sur lui-même, se préoccupera beaucoup plus de sa santé physique, portera une grande attention à ses habitudes quotidiennes de vie, s'intéressera de plus en plus à ses souvenirs; il deviendra facilement égocentrique.

La détérioration du niveau socio-économique et de la capacité d'apprentissage entraînent souvent chez le vieux de l'insécurité, de l'inquiétude, de l'anxiété. Le moindre changement est alors susceptible de provoquer de l'anxiété. Pour maîtriser cette anxiété, il aura tendance à recourir à des modes de comportement qui étaient dans son passé satisfaisants et sécurisants; il deviendra facilement rigide, traditionnaliste et conservateur. Cette rigidité et ce conservatisme sont donc d'une certaine manière des mécanismes de défense contre l'anxiété. Cependant peut s'installer ici un cercle vicieux mal adapté qui contribue à augmenter l'anxiété: dans un monde en perpétuel changement, celui qui s'immobilise se trouve à se mettre à part, à s'isoler, et partant à devenir plus insécure et plus anxieux. C'est donc ce vieillard isolé, rigide et anxieux qui est le plus susceptible de bénéficier d'une intervention médicale et sociale. Pour le médecin, la tentation de prescrire un médicament anxiolytique est grande, d'autant plus qu'il est souvent soumis à des pressions en ce sens par son patient âgé et par l'entourage immédiat de celui-ci. Il est bien sûr que les benzodiazépines (Tranxène ® , Valium ® , Sérax ®) sont des médicaments efficaces et utiles. Il faut cependant se rappeler qu'ils peuvent entraîner l'aggravation d'un syndrome dépressif en plus de causer une diminution du niveau de vigilance et une hypotonie musculaire, ce qui peut provoquer des chutes et ainsi augmenter le risque de fracture de la hanche entre autres. On doit utiliser les anxiolytiques avec précaution: choisir les benzodiazépines dont la demi-vie est la plus brève (Sérax ® , Ativan ®) afin d'éviter l'accumulation dans l'organisme; ajuster régulièrement la posologie pour maintenir autant que possible la dose minimale efficace. L'intervention préventive sur la réorganisation du mode de vie au moment de la retraite, les mesures favorisant l'intégration sociale et le maintien de l'activité physique et intellectuelle sont évidemment d'une importance primordiale.

24.2.2 Le comportement alimentaire

L'alimentation est évidemment une partie importante du comportement humain. Il s'agit d'une activité qui est indispensable à la vie dès la naissance et jusqu'à la mort. Chez le tout jeune enfant, le fait de s'alimenter est associé à l'attention, la tendresse, l'amour. Chez l'adulte, le fait de prendre un bon repas constitue une circonstance particulière favorisant la socialisation et l'alimentation est alors souvent associée aux grands événements et aux réjouissances. Chez la personne âgée, on retrouve souvent des inquiétudes au sujet des repas. Cela devient souvent une préoccupation qui prend une grande importance dans la vie quotidienne.

En rapport avec les associations que l'on vient de mentionner, il est bien compréhensible que le repas devienne le symbole de la sécurité affective et matérielle, de la socialisation, de l'affection, de la vie. Ainsi on retrouve souvent chez les personnes déprimées une anorexie et même une répugnance pour l'alimentation; c'est une manifestation de l'incapacité de jouir de la vie. Chez certaines personnes âgées, il arrive d'observer des épisodes d'abus alimentaires compulsifs, mais il arrive encore plus fréquemment d'observer des épisodes d'anorexie et de refus alimentaire. Il est toujours important dans ces cas de se référer à l'aspect symbolique de ces comportements pour être plus en mesure de les modifier de façon thérapeutique. Une situation fréquemment rencontrée: le veuf qui devient complètement démuni quant à son alimentation après la mort de sa femme; il a toujours été habitué à se faire servir et n'a jamais eu à se préoccuper de choisir un menu et encore moins de préparer les repas. En plus du deuil qu'il a à traverser, il doit apprendre à modifier profondément son comportement alimentaire.

24.2.3 Le sommeil (voir chapitre 16)

La structure du sommeil varie en fonction de l'âge. Comparativement à l'enfant et à l'adulte, on observe chez la personne âgée une diminution quantitative et une modification qualitative du sommeil: essentiellement, sa durée totale est moindre; le sommeil est moins profond et les réveils plus fréquents; par contre pendant la journée le vieux fera souvent un petit somme très reposant qui ne dure souvent que quelques minutes. Alors que chez l'adulte, la durée moyenne du sommeil se situe autour de 8 heures par nuit, on évalue cette durée moyenne à 6 heures chez le vieillard. Souvent, parce qu'il s'ennuie, le vieux sera porté à dormir le jour ou à se coucher tôt le soir; il se plaint alors de s'éveiller tôt le matin. S'il parvient à augmenter son intérêt et ses activités, il pourra mieux dormir la nuit.

Les Stades III et IV que l'on identifie dans chaque cycle de sommeil sont de moins en moins abondants à mesure qu'on avance en âge. Ce sont des stades qui correspondent au sommeil profond. Face à cette insomnie relative, l'utilisation d'un somnifère ou autre médicament en vue de ''normaliser'' le sommeil est une pratique grandement critiquable. La personne âgée a normalement besoin de moins d'heures de sommeil pendant la nuit et il est surprenant de voir comment on peut rassurer un patient gériatrique et son entourage en lui donnant des explications simples et claires au sujet de cette pseudo-insomnie.

24.2.4 Le comportement sexuel

Au sens large du terme la sexualité implique les désirs, les pulsions et les émotions qui sont étroitement reliés au corps en général et aux organes génitaux en particulier; l'obtention du plaisir est le but de la sexualité.

La sexualité génitale est une forme de sexualité, en fait, c'est la forme principale. Il existe aussi des formes prégénitales: la sexualité orale comporte une focalisation sur la bouche et les activités orales; la sexualité anale focalisée sur l'anus, l'urètre et les comportements associés aux fonctions excrétoires. Au cours du développement de l'être humain, la sexualité génitale apparaît la dernière et disparaît la première. La sexualité prégénitale existe avant et persiste après la sexualité génitale. Chez le vieux, il peut y avoir moins d'emphase sur la sexualité coïtale et plus d'intérêt aux autres activités sexuelles. Certaines personnes se comportent comme si la performance sexuelle se devait d'être parfaite pour exister. L'individu n'accepte pas d'être confronté avec une performance partielle et se retire complètement de toute activité sexuelle. Certains accordent trop d'importance à la sexualité coïtale. L'attitude du partenaire est souvent déterminante. Par exemple, certaines femmes peuvent réagir d'une façon culpabilisante devant l'impuissance partielle et occasionnelle de leur mari qu'elles considèrent comme un signe de rejet.

Les personnes qui ont eu des activités sexuelles de façon régulière et qui y ont trouvé du plaisir dans leur vie adulte ont plus de chance d'avoir une vie sexuelle active et agréable lorsqu'elles atteignent le troisième âge. Il est bien évident qu'à partir d'un certain moment le sexe n'a plus de fonction de procréation mais qu'il est exclusivement récréatif. Chez les personnes âgées, l'activité sexuelle peut passer du génital à d'autres formes et son but est souvent de développer et de maintenir l'excitation plutôt que de décharger la tension sexuelle.

Problèmes sexuels fréquents

L'impuissance chez l'homme et la diminution de l'intensité de la pulsion chez la femme sont évidemment les problèmes qui sont les plus fréquents. La perte de la capacité sexuelle peut mener à des préoccupations anxieuses concernant la rupture éventuelle d'une relation de couple. La perte de cette fonction importante peut être vécue comme une blessure narcissique entraînant une baisse de l'estime de soi. Pour maîtriser l'anxiété et restaurer l'estime de soi-même, plusieurs mécanismes psychologiques peuvent être utilisés:

Le déni: L'individu dénie la diminution de capacité sexuelle et se comporte comme s'il avait 20 ou 30 ans de moins; il donne parfois l'impression d'être hypersexuel. Un certain degré de recrudescence d'intérêt dans la sexualité est une forme quand même assez bien adaptée de déni qui permet une préservation de l'estime de soi chez la personne qui arrive à un âge avancé. On observe souvent que moins il y a d'activités sexuelles plus on en parle. Ainsi, dans les groupes de personnes âgées on est souvent surpris de la forte propension pour les blagues grivoises et à double sens. C'est une activité de compensation.

La jalousie: L'individu qui voit sa capacité sexuelle diminuer peut avoir des craintes de perdre l'amour de son conjoint. Ceci entraîne éventuellement une attitude de jalousie; ce comportement pathologique s'accompagne le plus souvent de méfiance et de soupçons. Le sujet utilise la projection et identifie son conjoint ou un présumé rival comme étant la cause du problème.

La somatisation: Une autre façon est d'adopter une attitude de régression plus ou moins hypochondriaque; ainsi les malaises physiques servent de prétexte pour éviter la confrontation avec l'incapacité sexuelle.

Dans les couples où le mari est beaucoup plus âgé, la diminution de l'intérêt sexuel de celui-ci entraîne fréquemment chez la femme une frustration. Elle n'arrive souvent pas à exprimer à son mari sa déception et sa colère par crainte de perdre l'affection de ce dernier. Elle devient plutôt déprimée. Elle se reproche d'avoir épousé un homme beaucoup plus vieux qu'elle, en même temps qu'elle s'en veut d'éprouver des désirs d'aventures extra-maritales.

Il existe des problèmes sexuels reliés à des maladies mais non nécessairement causés par la maladie. Ainsi le patient souffrant d'une maladie invalidante au niveau d'un système peut en arriver à généraliser son invalidité et se sentir sexuellement fini. Ainsi la patiente hystérectomisée qui en arrive à la conviction que puisqu'elle est stérile, elle ne peut jouir sexuellement. La même chose se produit souvent chez l'homme ayant subi une prostatectomie ou souffrant de diabète. Enfin faut-il mentionner que certains patients ayant une pathologie organique cérébrale manifestent à l'occasion des troubles du comportement sexuel: exhibitionnisme, masturbation en public, manque de jugement dans les approches relationnelles.

24.3 LA MORT

24.3.1 L'attitude face à la mort

La maladie et la vieillesse confrontent l'homme à la réalité de sa propre mort. Les pensées et les préoccupations au sujet de la mort sont plus fréquentes et plus intenses chez les gens d'âge avancé et particulièrement chez ceux dont l'état de santé est médiocre. L'anxiété est la réaction émotive la plus fréquente en rapport avec l'idée de la mort. Il est évidemment difficile de refouler cette anxiété par le déni, particulièrement lorsqu'on a atteint un âge avancé: la personne vieillissante est quotidiennement confrontée avec le déclin de ses capacités ainsi qu'avec la maladie et la mort dans l'entourage. Certains vont faire usage d'alcool ou de médicaments en espérant atténuer leur angoisse. D'autres auront tendance à être très actifs et ils continueront à produire et à créer. D'autres encore vont procéder calmement à une revue de leur vie: ils feront un bilan de ce qu'a été leur vie, se réjouissant de leurs réussites et s'attristant de leurs échecs. Selon que leur vie aura été plus ou moins satisfaisante et réussie, il en résultera soit un état dépressif ou hypochondriaque, soit un sentiment de quiétude et d'accomplissement.

24.3.2 Le deuil

Le deuil est ce phénomène qui survient à la suite du décès d'une personne affectivement importante pour le survivant. Celui-ci éprouve une douleur morale profonde accompagnée de pensées et de souvenirs intenses se rapportant au disparu, ainsi que d'une perte d'intérêt pour ses préoccupations et ses activités habituelles. Le processus de deuil consomme beaucoup d'énergie psychique; l'épuisement peut survenir lorsque les deuils se succèdent à un rythme trop rapide. Le deuil peut prendre une allure pathologique surtout lorsque le survivant éprouve des sentiments ambivalents ou même de la rancune envers la personne disparue; lorsque refoulée et retournée contre soi-même, cette hostilité engendre un vécu dépressif constitué par des remords, de l'autodévalorisation et de l'anxiété. Le deuil peut prendre d'autres formes pathologiques comme l'hyperactivité intense ou le déni catégorique; dans ces cas une intervention thérapeutique est nécessaire afin de faire passer le patient à travers le processus de deuil. Il est à noter que les illusions et les hallucinations visuelles et auditives concernant le disparu sont des phénomènes fréquents et normaux chez la personne en deuil. Il ne faut pas les considérer comme étant des symptômes psychotiques. Le deuil proprement dit est associé à la mort d'une personne; on peut parler de deuil symbolique lorsqu'il s'agit de la perte d'une situation, d'un objet, de biens matériels, d'argent, de prestige.

Le deuil est une période à travers laquelle le survivant doit passer. L'aide qu'on peut lui apporter consiste d'une part à le supporter de manière empathique afin qu'il exprime sa douleur, son chagrin. Il est primordial que l'endeuillé pense intensément à la personne disparue et qu'il en parle. D'autre part, il doit envisager de nouvelles activités et de nouvelles relations interpersonnelles afin d'éviter de se préoccuper exagérément du disparu; ainsi lui deviendra-t-il possible d'utiliser l'énergie qui était attachée auparavant à l'objet perdu, et de reprendre goût à la vie. Les pleurs sont une réaction normale au deuil et le médecin doit justement aider le patient à verbaliser sa peine (voir section 25.4.2).

Le médecin devra toujours être prudent quant à l'utilisation de médicaments. Le deuil ressemble beaucoup à une réaction dépressive mais les antidépresseurs ne sont pas utiles en général. Les anxiolytiques et les somnifères devraient être prescrits pour des périodes brèves.

24.3.3 Le suicide

On a généralement tendance à sous-estimer l'importance du suicide chez les personnes âgées. Le risque de suicide varie avec l'âge: l'incidence maximale chez la femme se produit entre 35 et 64 ans alors que chez l'homme elle atteint son maximum dans le groupe des 85 ans et plus. Une tentative de suicide est plus susceptible d'être fatale chez un homme que chez une femme. Alors que chez les jeunes et les adultes, le geste suicidaire a souvent un aspect de manipulation sur l'entourage et un caractère ambivalent, chez les personnes âgées, ce geste a une signification beaucoup moins ambiguë et représente beaucoup plus profondément un réel désir de mourir. Les personnes âgées sont particulièrement sensibles aux difficultés économiques et à l'altération de leur statut social. Contrairement à ce que l'on peut penser, le taux de suicide est plus bas chez les économiquement faibles, mais s'accroît significativement dans les groupes privilégiés de la population âgée.

La perte d'une personne importante est habituellement reconnue comme un des facteurs les plus importants dans l'élaboration d'une idée et d'une conduite suicidaires. La mort du conjoint représente habituellement la perte la plus importante; la solitude, la perte de la sécurité affective et la rupture d'une relation d'interdépendance de longue date sont des facteurs majeurs dans l'apparition d'une maladie physique ou dans l'éclosion d'un état dépressif accompagné d'idées suicidaires. La vulnérabilité à la maladie et au suicide est plus grande au cours de la première année après la perte du conjoint.

La dépression endogène et réactionnelle joue un rôle très important dans le risque suicidaire. Malgré une relation très étroite entre le suicide et la dépression, il s'agit de deux entités indépendantes. La maladie physique en soi représente un stress important qui a une influence directe sur le risque suicidaire. En effet, la douleur physique chronique, l'invalidité, la dépendance, l'isolement social, l'inactivité et le désespoir sont des facteurs significatifs qui contribuent au développement de la dépression et des idées suicidaires. Ainsi observe-t-on assez souvent comment une crise suicidaire est résolue par l'instauration d'un traitement analgésique efficace chez un malade souffrant d'une douleur intense.

Il est évidemment très important de reconnaître et de bien identifier les patients suicidaires. La grande majorité de ceux-ci sont habituellement ambivalents à propos de leur désir de mourir. Pour la plupart ils ressentent le besoin de communiquer aux autres le dilemme dans lequel ils se trouvent. Cependant l'entourage est souvent sourd à cette communication: il refuse d'écouter de telles préoccupations, réagissant alors avec beaucoup d'anxiété et éprouvant un sentiment d'impuissance. Le médecin qui reçoit de telles confidences d'une personne âgée ressent souvent une tension douloureuse lorsque le patient exprime ses sentiments de crainte, de désespoir et de découragement. Il peut avoir parfois l'impression que de discuter de tels sujets peut engendrer chez son patient un désir plus intense de poser le geste suicidaire. Il aura donc le réflexe d'éviter de s'informer des idées précises du patient. En réalité, un patient déprimé est vraiment rarement surpris lorsqu'on lui demande quelle est la nature de ses pensées en rapport avec son découragement; si on s'informe précisément de ses idées suicidaires le patient sera habituellement reconnaissant au médecin de s'intéresser ainsi à sa souffrance et il se sentira soulagé de parler à quelqu'un qui le comprend et lui offre de l'aide. Une tentative antérieure est un facteur qui augmente le risque. Un mauvais état de santé ou un état d'invalidité ainsi que toutes les autres modifications défavorables dans la vie de l'individu représentent une augmentation du risque. La perte d'une personne chère ou d'un statut social sont également des facteurs très importants. Le risque est souvent accru au cours de la période d'amélioration qui suit la symptomatologie dépressive aiguë. Dans l'évaluation du risque suicidaire il est toujours utile d'avoir recours à la collaboration du patient; c'est souvent lui qui est le plus en mesure d'évaluer l'évolution de ce risque dans son cas. Lorsque c'est possible, il est important de prendre contact avec l'environnement familial et social afin d'obtenir des informations plus complètes et surtout pour établir un réseau d'intervention afin d'assurer un meilleur support pour le patient. Les proches pourront fournir une présence ou une disponibilité permanente au patient et ainsi diminuer le vécu de solitude et d'abandon (voir section 17.6.3).

24.4 PATHOLOGIE PSYCHIATRIQUE

Nous retrouvons en psychiatrie gériatrique tous les genres de symptomatologie que l'on rencontre chez l'adulte plus jeune en plus des symptômes cérébro-organiques plus fréquemment associés au vieillissement. Le diagnostic est la base du traitement. Plus il est précis, plus le traitement est susceptible d'etre spécifique et efficace. En gériatrie, il est souvent difficile de faire la distinction entre une maladie mentale et un processus réactionnel d'adaptation à une situation stressante. Les personnes âgées tolèrent moins bien le stress, et la fatalité veut que les stress soient plus nombreux dans leur vie. L'individu réagit le plus souvent de façon globale, c'est-à-dire aussi bien de façon psychologique que de façon somatique. Ainsi faut-il toujours évaluer globalement toutes les pathologies qui se présentent.

Nous nous bornerons ici à souligner certains aspects caractéristiques des pathologies les plus fréquentes, sachant que la psychopathologie générale a été abordée plus en détails dans d'autres chapitres.

24.4.1 Les troubles de la personnalité (voir chapitre 8)

Les personnes souffrant de troubles de la personnalité ont un mode de comportement inadapté et ceci de façon habituelle tout au long de leur vie; cette mésadaptation est flagrante face à leur environnement. Par opposition à ce que l'on remarque dans les névroses, il n'y a pas de malaise intérieur, ni d'anxiété importante en général. Il s'agit d'un diagnostic que l'on retrouve assez rarement chez les personnes âgées. On pourrait penser que les troubles de la personnalité s'améliorent avec les années pour disparaître à peu près complètement au cours du troisième âge. Il est probablement plus réaliste de considérer que ces troubles évoluent avec le temps vers des syndromes pathologiques plus graves: dépression, état paranoïde, alcoolisme.

L'individu qui a un trouble de la personnalité ne se rend pas compte que la cause de ses difficultés se trouve à l'intérieur de lui, qu'il s'agit de ses propres comportements qui sont mal adaptés dans les situations de la vie courante. Puisqu'il ne reconnaît pas ses propres déficiences, il ne va pouvoir identifier que les déficiences qui se trouvent dans l'entourage; ainsi sera-t-il porté à blâmer les autres pour tout ce qui lui arrive de désagréable. A la période du troisième âge, on verra ces gens déçus, revendicateurs, insatisfaits, d'humeur aigrie, le plus souvent mal acceptés par leur entourage et pour cause.

Chez *les personnalités schizoïde* et *paranoïde,* on remarque habituellement une accentuation des traits caractéristiques: l'isolement, le retrait, le repli sur soi chez l'un, la méfiance et la projection chez l'autre. Cette accentuation peut aller même jusqu'aux idées délirantes paranoïdes et à la paraphrénie.

Chez *la personnalité hystérique* qui a utilisé pendant de longues années la séduction et la dramatisation pour qu'on s'occupe d'elle, pour qu'on satisfasse à ses besoins de dépendance, on constate souvent une plus grande indifférence de l'entourage et une tendance à décompenser sur un mode hypocondriaque ou dépressif. Le déclin de la beauté physique chez la femme et la diminution de la force chez l'homme sont vécus comme des blessures narcissiques qui peuvent prendre une grande importance chez certains sujets et la dépression peut alors s'installer.

Chez *le passif agressif* qui vieillit, on remarque souvent d'abord une accentuation des traits et des comportements agressifs et enfin un effondrement dépressif où les besoins de dépendance submergent complètement l'individu. Ces personnes ont en quelque sorte réagi pendant toute leur vie de façon agressive aux immenses besoins de dépendance qu'ils avaient; lorsqu'ils sont confrontés à la dépendance indéniable de la vieillesse, il devient très difficile de conserver la façade agressive. Il en est tout autrement de la personnalité passive dépendante qui s'adapte enfin beaucoup plus facilement à la situation de dépendance de la vieillesse, à condition de trouver les ressources suffisantes.

La personnalité obsessionnelle est caractérisée par la rigidité morale et le contrôle exigeant de soi-même et de l'entourage. A la période d'involution, il se produit inévitablement une diminution des performances de toute nature, une perte de contrôle sur l'entourage et sur soi-même (diminution de la capacité intellectuelle). Ce genre de personnalité est particulièrement susceptible de développer un état dépressif involutif.

24.4.2 L'alcoolisme (voir chapitre 7)

Beaucoup d'alcooliques meurent des complications de leur maladie avant d'avoir atteint le troisième âge. De plus en plus d'éthyliques cependant se rendent à un âge vénérable et continuent de traîner leurs problèmes. Chez ces alcooliques de longue date, on retrouve assez fréquemment des troubles neuropsychiatriques tel que le syndrome de Korsakoff qui est caractérisé par des troubles mnésiques et aussi le plus souvent par de la fabulation. L'alcoolisme peut débuter aussi à un âge avancé. Dans les cas d'alcoolisme tardif, on retrouve souvent une problématique d'anxiété chronique ou de dépression que le sujet essaie de maîtriser à l'aide de l'alcool; il se produit alors un cercle vicieux qui vient compliquer le problème. Il est bien évident que dans ces cas, la désintoxication n'est utile que si elle est combinée à une intervention thérapeutique visant à résoudre les problèmes de base.

24.4.3 La toxicomanie (voir chapitre 7)

Les problèmes de toxicomanie sont fréquents. Les anxiolytiques et les hypnotiques sont des médicaments souvent en cause. La dépendance aux benzodiazépines est fréquemment en rapport avec la perturbation du sommeil qui survient lorsqu'on cesse la médication; le sujet tolère mal la modification de son sommeil et continue à prendre ses médicaments, avec les conséquences néfastes sur son humeur et son tonus musculaire.

24.4.4 Les névroses

On peut dire qu'en général les névroses se présentent relativement rarement d'une manière classique. En effet, lorsque l'on fait la comparaison avec les névroses typiques de l'adulte, on remarque que les symptômes apparaissent souvent de façon insidieuse; ils ont nettement moins d'éclat et tendent à provoquer chez l'individu un handicap plus important.

On constate en général que les troubles phobiques et obsessionnels ainsi que la névrose d'angoisse sont plutôt rares; la dépression et l'hypocondrie sont les formes névrotiques les plus fréquentes.

La dépression névrotique

A cause de la quantité de pertes d'objets qu'elle doit vivre, la personne â- gée est susceptible de réagir de manière dépressive. L'identification et l'in- trojection en rapport avec un objet investi de manière ambivalente (aimé et dé- testé à la fois) conduisent à des sentiments de remord et d'anxiété; le patient devient alors inconsolable, triste, aigri, anxieux, insomniaque, irritable, anorexi- que et anhédonique; il conserve cependant une autocritique convenable et un bon contact avec la réalité.

L'hypocondrie (voir section 15.3)

Les préoccupations excessives qu'entretient l'hypocondriaque à propos de son corps font qu'il s'intéresse de moins en moins à son entourage, qu'il in- vestit de moins en moins d'intérêt et d'énergie dans les objets extérieurs. L'hy- pocondriaque est souvent triste, solitaire, anxieux et hostile. L'isolement social et la fréquence des malaises physiques contribuent à favoriser le développe- ment de ce syndrome chez le sujet âgé. L'individu qui se sent insatisfait de ce qu'a été sa vie se retrouve dans une position inconfortable; il est anxieux face à ce qui lui apparaît être l'échec de sa vie. L'identification d'une ''cause physique'' à cet échec vient prévenir un effondrement complet de l'estime de soi-même; c'est ce qui explique pourquoi l'hypocondriaque tient absolument à conserver sa ''maladie''. Cette maladie devient sa raison de vivre, mais il s'agit bien là d'une raison de vivre douloureuse et pénible. Après le syndrome dépressif, le syndro- me hypocondriaque est probablement celui que l'on retrouve le plus fréquem- ment chez les personnes âgées.

L'intervention thérapeutique est difficile. Il est inutile d'expliquer au pa- tient qu'il n'a aucune maladie physique et que ses malaises sont dus à des con- flits psychologiques. Rappelons-nous que l'hypocondriaque a besoin de ses symptômes pour maintenir son estime de lui-même et qu'en même temps il souffre de ses symptômes. Dans sa relation avec le patient, le médecin a avan- tage à reconnaître qu'il y a un problème sérieux dont la cause n'est pas évidente au premier abord et qu'il va faire ce qu'il peut pour aider le malade. Une dis- ponibilité suffisante à écouter et en même temps une position claire et ferme quant aux demandes répétées d'examens et de médicaments sont rassurants pour l'hypocondriaque. L'objectif de la thérapie est d'amener le patient à dé- velopper plus d'intérêts face à son entourage et à investir plus d'énergie dans des activités intéressantes; ainsi le problème du repli sur soi diminuera progres- sivement. Les médicaments devraient toujours être prescrits avec précaution puisque le moindre effet secondaire est susceptible de constituer un nouveau symptôme.

La somatisation (voir section 15.3.2)

Lorsque les manifestations physiologiques d'une émotion ou d'une maladie affective sont au tout premier plan, la dimension psychologique demeurant cachée, on parle de somatisation. Dans ce mode de réaction, l'expérience émotionnelle subjective est pratiquement inexistante alors que les manifestations physiologiques sont très marquées. Les symptômes somatiques deviennent en quelque sorte des équivalents émotionnels. Ainsi rencontre-t-on les équivalents dépressifs caractérisés par la dominance des symptômes physiologiques: insomnie, fatigue, symptômes digestifs, syndrome douloureux, tout ceci en absence de souffrance morale, de tristesse, de découragement ou de dévalorisation. L'intervention thérapeutique doit alors se diriger vers la problématique dépressive.

La conversion hystérique

Il s'agit d'un phénomène qui est assez rare chez les personnes âgées. Dans ce genre de réaction, un conflit psychologique est converti en un symptôme physique. Ce mécanisme de conversion a pour effet de diminuer l'anxiété liée au conflit psychique (bénéfice primaire) et d'apporter un bénéfice secondaire: l'attention et la compassion de l'entourage. Les symptômes sont surtout constitués par une diminution ou une perte fonctionnelle reliée au système moteur volontaire ou au système perceptuel sensoriel. Le symptôme hystérique réalise l'expression symbolique du conflit. Puisque par la conversion hystérique une pulsion inacceptable est en quelque sorte exprimée et qu'en même temps le patient souffre de la perte fonctionnelle que représente le symptôme, il se produit un équilibre se manifestant souvent par ce qu'on appelle ''la belle indifférence''. Le diagnostic de conversion hystérique se fait sur la base de l'évidence d'un conflit psychique et son expression somatique symbolique d'une part et l'élimination d'une pathologie physique d'autre part.

Ainsi cette dame de 66 ans qui vivait avec sa fille, son gendre et leurs enfants étaient devenue subitement aphone le jour où elle avait découvert que sa fille avait une liaison amoureuse secrète avec un autre homme. La paralysie des cordes vocales lui permettait de résoudre le conflit: déclarer la vérité à son gendre risquait de faire éclater le couple et elle aurait pu ainsi se retrouver elle-même sans famille... Le symptôme de conversion disparut lorsqu'elle put se rendre compte que la situation avait été clarifiée et réglée entre sa fille et son gendre.

Exagération hystérique d'une maladie physique

Ce phénomène se retrouve fréquemment chez les personnes âgées. L'exagération hystérique est tout à fait différente de la manipulation volontaire et consciente qu'est la simulation; cet aspect dramatique qui caractérise le phénomène est inconscient, même si le patient a bien conscience de sa maladie et de ses symptômes. Les motifs inconscients de l'exagération sont: d'abord obtenir rapidement un traitement efficace de la maladie et ensuite bénéficier de l'attention, la sympathie et la compassion de l'entourage et à l'occasion d'obtenir une assistance financière.

24.4.5 La dépression (voir chapitre 12)

Se sentir déprimé et triste est un phénomène normal lorsqu'il se produit en rapport avec une perte d'objet ou une déception importante. La dépression est anormale et on la dit pathologique lorsqu'elle devient disproportionnée par rapport aux circonstances dans lesquelles elle est apparue.

La dépression est la pathologie psychiatrique la plus fréquente et heureusement aussi la mieux traitable. Selon la classification de Robins & Guze, on considère la dépression comme primaire ou secondaire; en effet lorsque le syndrome dépressif est causé par une maladie physique, une drogue, une substance médicamenteuse ou une maladie psychiatrique, on parle de dépression secondaire. Dans les autres cas, on qualifie la dépression de primaire. La dépression primaire peut être unipolaire ou bipolaire. La dépression bipolaire correspond à la psychose maniaco-dépressive; la dépression unipolaire comprend les états dépressifs d'intensité variable allant de la dépression légère situationnelle jusqu'à la dépression psychotique mélancolique. Chez les personnes âgées, ce sont les personnalités de type obsessionnel qui sont les plus prédisposées à la décompensation dépressive.

Les principaux symptômes que l'on peut observer dans la dépression sont les suivants: anergie, irritabilité, anxiété, anorexie, insomnie, anhédonie. Souvent le déprimé est triste, découragé et désespéré; il a tendance à se dévaloriser et à se sentir coupable. Les préoccupations hypocondriaques sont fréquentes. Habituellement dans les dépressions légères et modérées, le patient est lucide et ne présente pas de confusion. Dans les dépressions graves, il devient parfois désorienté et la performance intellectuelle globale se détériore sensiblement. Les idées délirantes de responsabilité et de culpabilité, les idées paranoïdes et les hallucinations auditives se retrouvent dans les formes psychotiques graves. On peut retrouver le vieillard déprimé dans une position de retrait avec inhibition psychomotrice; on peut aussi le retrouver dans un état d'agitation et d'anxiété catastrophique.

La dépression psychotique est caractérisée par un profond désespoir, un sentiment de culpabilité intense, une autodévalorisation importante et une tristesse immense; au niveau de son comportement le patient est soit anxieux et agité, soit figé et inhibé. Son contact avec la réalité est rompu. Les hallucinations sont fréquentes de même que les idées délirantes. Le vécu dépressif devient tellement intense qu'il s'inscrit dans le fonctionnement psychologique et même neurologique du patient. Au point de vue environnement mental nous avons souligné déjà que l'isolement, les deuils fréquents et la situation socio-économique déclinante contribuent à favoriser son déclenchement et à entretenir la dépression. Au plan neurophysiologique il est maintenant assez bien reconnu que chez le vieillard, l'agencement des neurotransmetteurs est tel qu'il existe une propension à la dépression. Au plan psychologique, nous pouvons observer chez les personnes âgées la tendance à retourner sur soi l'agressivité plutôt que de l'orienter vers l'extérieur, ceci en grande partie à cause de la position de dépendance du vieillard dans son milieu; en effet, il devient dangereux d'exprimer son hostilité et son mécontentement envers quelqu'un de qui on dépend.

Il est important de ne pas confondre les patients déprimés avec ceux qui souffrent de démence. Par contre, il arrive que des patients souffrant de démence présentent un état dépressif; il est alors indispensable d'identifier ces symptômes dépressifs et il faut en tenir compte dans le traitement du malade.

Traitement de la dépression

Dans la dépression situationnelle, une approche globale donne les meilleurs résultats. Souvent il y a eu des pertes importantes pour le patient; il faut donc le mettre dans la situation où il pourra graduellement remplacer ces pertes. Il est important de mobiliser la famille et l'entourage en vue du soutien le plus adéquat possible pendant les mois de récupération. L'intervention du médecin doit comporter une bonne dose de support et des conseils visant à stimuler la socialisation et l'activité. La situation déprimante doit être identifiée et modifiée autant que possible.

Il faut aider le patient à prendre contact avec les ressources de son milieu, faciliter autant que possible l'entrée aux activités de l'âge d'or de son quartier, aux cours de préparation à la retraite, à un travail bénévole, etc. Le but de cette démarche est double:

1- S'assurer que le patient (ou le couple) soit dans une situation où il peut se faire de nouveaux amis, découvrir de nouveaux intérêts qui lui permettront de mieux accepter les pertes et de mieux planifier son avenir.

2- S'assurer que par une petite activité, aussi banale soit-elle, le patient se sente utile et par là valorisé. La dévalorisation est en effet très fréquente chez ces personnes qui n'ont plus de travail, ni de rôle pour se sentir utile. Les enfants se débrouillent maintenant seuls et les parents vieillissants sont de plus en plus isolés.

Lorsque la symptomatologie dépressive est plus grave, le traitement pharmacologique s'avère utile. Il s'agit alors essentiellement des antidépresseurs tricycliques et tétracycliques. Les inhibiteurs de la monoamine-oxydase sont rarement employés. Il faut être prudent dans l'administration de ces médicaments à cause des effets secondaires et toxiques. On doit utiliser une dose plus faible que chez l'adulte pour les tri et tétracycliques: 75 à 100 mg par jour suffisent habituellement. Il est utile de surveiller les effets anticholinergiques tout particulièrement sur le tube digestif et la fonction cardiaque. Parfois même une faible dose entraînera un syndrome anticholinergique central avec confusion importante; dans ce cas, il faut cesser immédiatement la médication. Les contre-indications sont les arythmies cardiaques, particulièrement les blocs auriculo-ventriculaires, le glaucome non traité, l'hypertrophie de la prostate et l'obstruction intestinale.

Les antidépresseurs qui donnent le moins d'effets anticholinergiques sont les plus sécuritaires (doxépine: Sinequan $^{®}$, maprotiline: Ludiomil $^{®}$). Au début du traitement, il est préférable d'utiliser une posologie fractionnée; par la suite, une dose unique au coucher est souvent plus pratique et aussi efficace. Il faut compter de 2 à 4 semaines avant de constater l'effet thérapeutique. Les associations médicamenteuses sont à éviter mais il est parfois nécessaire de prescrire un somnifère pendant quelques semaines (Flurazepam: Dalmane ®, Triazolam: Halcion ®) et un laxatif doux.

Dans le cas d'une dépression qui dure depuis longtemps ou lorsque le patient a vécu plusieurs épisodes dépressifs répétitifs, il est préférable de continuer à administrer le médicament antidépresseur pendant plusieurs mois et même plusieurs années; on doit utiliser la dose thérapeutique efficace et une surveillance médicale attentive s'impose.

Chez certains patients présentant un syndrome dépressif avec idées délirantes et hallucinations, une médication antipsychotique est souvent indiquée avant de commencer le traitement antidépresseur. Il est alors préférable d'hospitaliser le patient. L'association antipsychotique-antidépresseur est peu souhaitable à cause de l'inhibition enzymatique réciproque de ces deux médicaments et de l'augmentation des effets secondaires de type atropinique.

Le syndrome dépressif profond que constitue la mélancolie exige fréquemment un traitement rapide et efficace à cause du danger pour la vie du patient. L'électrochoc est alors utilisé.

24.4.6 La manie

La réaction maniaque est rare chez les personnes âgées. Face à une perte d'objet ou autres situations pénibles, le vieillard aura plutôt tendance à adopter un comportement dépressif plutôt que d'agitation maniaque; il faut en effet beaucoup d'énergie pour utiliser efficacement l'excitation maniaque dans le but de refouler les pensées pénibles et intolérables; cette énergie n'est souvent pas disponible au vieillard. La maladie affective bipolaire apparaît généralement au début de l'âge adulte. Lorsqu'on se trouve en présence d'un état psychotique avec excitation psychique et motrice chez un sujet âgé, on doit se demander s'il s'agit d'un état dépressif agité ou d'un syndrome confusionnel (délirium). Chez les patients âgés qui souffrent de maladies affectives bipolaires (psychose maniaco-dépressive), on observe la plupart du temps une diminution qualitative et quantitative des épisodes maniaques alors que se produit une augmentation des épisodes dépressifs. Il n'est à peu près jamais indiqué de commencer un traitement au lithium chez un patient gériatrique. Certains malades doivent cependant continuer une lithothérapie jusqu'à un âge avancé.

24.4.7 Les psychoses schizophréniques

Les différentes formes de schizophrénie se manifestent pour la plupart au début de l'âge adulte. La forme paranoïde débute pour sa part le plus souvent vers 30 ans, mais pratiquement jamais au-delà de 45 ans. Lorsque rendus à un âge avancé, les malades schizophrènes peuvent présenter encore les caractéristiques de leur maladie telles que l'autisme, le retrait social et les troubles de la pensée. On note cependant une diminution dans l'intensité des hallucinations, une atténuation de l'anxiété et une cristallisation des idées délirantes qui deviennent de moins en moins éclatantes. Il est bien évident cependant que "le vieux schizophrène" aura tendance à réagir aux situations de stress par une exacerbation de sa symptomatologie schizophrénique plutôt qu'autrement. On retrouve souvent chez ces schizophrènes qui ont vieilli des séquelles du traitement avec les neuroleptiques; dans l'état actuel de nos connaissances, il est difficile de traiter efficacement ces dyskinésies tardives qui se sont installées depuis longtemps. Habituellement, un traitement d'entretien avec de faibles doses d'antipsychotiques suffit et on parvient assez souvent à cesser complètement la médication sans aucun problème. Il faut éviter d'utiliser la thioridazine (mellaril ®) parce qu'elle cause des troubles du rythme cardiaque.

24.4.8 Les états paranoïdes

Dans l'état paranoïde, une idée délirante bien structurée, habituellement de type persécutoire ou grandiose, est à la base des troubles de comportement. L'idéation délirante apparaît en général brusquement à la suite d'un événement précipitant. Le patient est habituellement anxieux et irritable; il n'y a pas de trouble au niveau du processus de la pensée et la méfiance ainsi que l'hostilité sont en rapport avec les idées délirantes paranoïdes; le comportement qui y est associé est souvent aberrant et peut même représenter un danger pour le patient lui-même ou pour son entourage. Souvent l'événement précipitant est une perte d'objet et la dépression sous-jacente est évidente. Le sujet souffre fréquemment d'isolement social et il est important au plan thérapeutique d'améliorer ses conditions de vie dans ce sens. La médication antipsychotique est habituellement efficace et la thérapie de support convient particulièrement bien.

24.4.9 Les syndromes cérébro-organiques (voir chapitre 13)

Les syndromes cérébro-organiques sont des manifestations d'un fonctionnement cérébral défectueux causées par une maladie physique. On a l'habitude de les opposer aux syndromes psychiatriques fonctionnels qui eux n'impliquent pas de maladie physique comme telle au niveau des neurones cérébraux.

On peut subdiviser les syndromes cérébro-organiques en deux types: ceux qui impliquent une détérioration sélective et ceux qui impliquent une détérioration globale du fonctionnement mental. Dans le premier type on retrouve des syndromes causés par un dysfonctionnement localisé à une certaine région du cerveau; par exemple le syndrome amnésique qui implique des lésions des corps mamillaires et de certaines autres structures avoisinantes. Dans le second type, on retrouve les syndromes de dysfonctionnement global qui sont caractérisés par:

- des troubles de la mémoire récente;

- des troubles de l'orientation dans le temps, l'espace et les personnes;

- une diminution des performances intellectuelles;

- un jugement diminué;

- un affect superficiel ou labile.

Il s'agit essentiellement du délirium et de la démence.

Le délirium: consiste en un fonctionnement diffus du cerveau, d'une provenance souvent extra-cérébrale (systémique), en plus des manifestations des syndromes cérébro-organiques de type global (mentionnés plus haut). Ce syndrome est caractérisé par:

a) un début brusque et une durée en général limitée;

b) des fluctuations de la vigilance au cours de la journée avec tendance à l'agitation nocturne;

c) une diminution de l'attention et de la capacité de concentration;

d) fréquemment (mais non obligatoirement) des illusions, hallucinations, idées délirantes.

Face à un patient qui présente un délirium, le clinicien doit intervenir rapidement et de façon efficace pour identifier et corriger le trouble qui a entraîné l'apparition du syndrome confusionnel. Si l'intervention n'est pas suffisamment rapide et efficace, des complications surviendront, des séquelles pourront persister ou même l'évolution pourra se faire vers un syndrome chronique et irréversible. Parmi les causes fréquentes de délirium chez la personne âgée, mentionnons les surdosages et synergies médicamenteuses, la déshydratation et la mauvaise alimentation, les infections (pulmonaires, urinaires), les troubles cardiaques (infarctus, insuffisance cardiaque) et le diabète. Le délirium survient fréquemment la nuit: c'est le syndrome confusionnel nocturne. Il faut autant que possible fournir au patient qui en souffre une stimulation sensorielle suffisante, particulièrement au niveau visuel et sonore: il est souvent assez facile et en tout cas très efficace de laisser une lumière allumée et un appareil de radio ou de télévision en marche; la présence d'une personne familière auprès du patient est sécurisante et évite souvent une escalade confusionnelle catastrophique.

La démence consiste en une diminution ou perte du nombre de cellules cérébrales.

Ici s'ajoutent aux caractéristiques générales des syndromes cérébro-organiques de type global, certaines particularités:

a) un début souvent insidieux et une évolution progressive;

b) un niveau de vigilance plutôt stable;

c) la détérioration de la performance intellectuelle se situe au niveau de la capacité d'abstraction, de généralisation et du raisonnement logique;

d) fréquemment, surtout en début d'évolution, des réactions émotives comme l'irritabilité, l'agressivité ou la dépression; plus tard au cours de l'évolution peuvent survenir des idées délirantes et des hallucinations.

La démence est donc ce syndrome clinique qui reflète un déficit acquis du fonctionnement du cortex cérébral. Il existe une multitude de causes de démence dont plusieurs sont potentiellement traitables. Il existe plusieurs types différents de démence, types qui correspondent à des étiologies différentes.

1- **La démence dégénérative de type Alzheimer:** cette maladie du cortex cérébral se manifeste au début par des troubles de la mémoire de fixation. Le sujet oublie à mesure; il devient de plus en plus difficile pour lui d'acquérir et de conserver de nouvelles informations. Ces troubles mnésiques évoluent en général très lentement sur une période de plusieurs années. La désorientation temporo-spatiale apparaît progressivement, associée à une détérioration des performances intellectuelles. Par exemple, cette vieille dame qui perd son chemin et qui se trompe d'appartement dans son immeuble. Des troubles aphasiques, apraxiques et agnosiques s'ajoutent à la phase avancée de la maladie. Ils commencent par une difficulté à exécuter certains gestes courants comme faire la cuisine, le bricolage, la couture; avec le temps on pourra se trouver devant un vieillard démuni, complètement désorganisé, alité et incontinent.

La dégénérescence neuronale et l'atrophie cérébrale corticale qui s'ensuit sont responsables du tableau clinique. Les lésions histologiques assez typiques sont les plaques séniles et les lésions neurofibrillaires. La cause précise de la maladie est encore inconnue. On invoque une maladie auto-immune, une maladie à virus lent, une intoxication à l'aluminium. À noter qu'il existe une forme de cette démence qui apparaît à la période présénile (entre 50 et 65 ans): la maladie d'Alzheimer. Cette forme précoce est caractérisée par une évolution beaucoup plus accélérée dans le temps.

Au début de l'évolution de la démence dégénérative de type Alzheimer, il arrive souvent que le patient se sente désemparé par les troubles mnésiques auxquels il se trouve confronté et on observe alors fréquemment des réactions anxieuses et dépressives assez catastrophiques. A l'occasion on retrouve une élaboration délirante souvent à thème paranoïde; ainsi ce patient qui oubliait où il avait déposé son porte-monnaie et qui avait la conviction qu'on le volait.

2- **Les démences vasculaires:** même encore aujourd'hui on entend parler de démence causée par l'artériosclérose. Quoique cette particularité des artères cérébrales soit observée fréquemment à l'autopsie, il n'y a pas de corrélation étiologique entre ce phénomène d'artériosclérose et la démence. Ce sont les destructions neuronales causées par les accidents vasculaires cérébraux qui sont responsables du syndrome démentiel. Le plus souvent il s'agit d'infarctus cérébraux disséminés: ils réalisent un tableau clinique caractérisé par une évolution par à-coups, les rémissions partielles succédant aux aggravations brusques, une variation diurne du niveau de vigilance, des signes neurologiques sensitifs et moteurs de localisation, et la présence fréquente d'une hypertension artérielle de longue date. Selon le territoire cérébral atteint, on distingue:

a) **L'état lacunaire:** les infarctus multiples engendrent des petits trous (lacunes) dans la substance cérébrale, particulièrement le tronc cérébral et les noyaux gris centraux. Cet état est pratiquement toujours associé à l'hypertension artérielle. En plus de la détérioration intellectuelle, les troubles de la déglutition, la dysarthrie, la marche à petits pas, les rires et pleurs spasmodiques et l'incontinence urinaire sont les manifestations cliniques typiques.

b) **Les infarctus de jonction:** ils sont causés par une brusque diminution de la perfusion cérébrale; un état de choc, un arrêt cardiaque, une thrombose de la carotide interne peuvent en être la cause. L'infarctus siège habituellement à la jonction des territoires artériels irrigués par les artères cérébrales antérieure, moyenne et postérieure. Le plus souvent on observe des signes neurologiques déficitaires sensitifs ou moteurs au niveau du membre supérieur, associés au tableau démentiel.

Le seul véritable traitement des démences vasculaires est la prévention des infarctus cérébraux par le contrôle de la tension artérielle. On doit être particulièrement prudent avec les patients qui ont déjà une démence par infarctus multiples et envisager une réduction modérée et progressive de l'hypertension.

3) **Les démences associées à des maladies neurologiques:** certaines maladies neurologiques peuvent inclure un syndrome démentiel parmi leurs manifestations cliniques: mentionnons simplement la maladie de Parkinson, la chorée de Huntington, la sclérose en plaques, ainsi que certaines tumeurs intracrâniennes. Assez souvent le traitement efficace de la maladie va entraîner une amélioration significative de la démence.

Mentionnons enfin l'hydrocéphalie à pression normale. Sa présentation clinique est variable; les cas les plus typiques sont caractérisés par un trouble de la démarche, une incontinence urinaire et une démence. Une perturbation dans l'absorption du liquide céphalo-rachidien serait la cause de la dilatation des ventricules intracérébraux et de l'atrophie corticale. On retrouve assez souvent chez les patients qui souffrent de cette affection une histoire de traumatisme crânien, de méningite ou d'hémorragie sous-arachnoïdienne. Une dérivation chirurgicale du liquide céphalo-rachidien peut entraîner une amélioration spectaculaire.

4) **Démence associée à des problèmes métaboliques, nutritionnels et toxiques:** dans l'étiologie des démences, on doit tenir compte de nombreux facteurs métaboliques sur lesquels une intervention thérapeutiques est souvent possible: ainsi les déséquilibres électrolyliques de longue date, l'hypo et l'hyperglycémie, l'hypothyroïdie, l'insuffisance cardiaque, hépatique et rénale, les encéphalites.

Certaines carences nutritionnelles entraînent parfois une démence: vitamine B 12, thiamine, acide nicotinique.

L'intoxication chronique aux médicaments est une cause souvent méconnue de démence: les médicaments particulièrement dangereux en ce sens sont les antispasmodiques, les antihistaminiques, les barbituriques, la digitale, les anticonvulsivants, les antipsychotiques. Il faut évidemment mentionner aussi l'intoxication chronique à l'alcool.

5) **Autres démences:**

a) **La maladie de Pick:**

C'est une démence qui débute de façon insidieuse entre 40 et 70 ans et qui évolue sur une période de 5 à 10 ans. En plus des caractéristiques générales des démences, on observe des comportements stéréotypés, faisant penser à des rituels obsessionnels.

À l'autopsie on retrouve une atrophie corticale localisée aux lobes frontaux et temporaux.

b) **La maladie de Creutzfeldt-Jakob:**

On appelle encore cette maladie encéphalopathie spongiforme; elle se présente cliniquement comme une démence à évolution très rapide (en général moins d'une année). On observe chez les malades qui souffrent de cette forme de démence des myoclonies ainsi qu'un électro-encéphalogramme comportant des pointes périodiques typiques. Il y a une incidence familiale élevée et les recherches récentes ont démontré que la maladie est transmissible et que l'agent infectieux en cause est un virus d'un type non conventionnel: un virus lent.

c) **La pseudo-démence:**

Il s'agit d'un syndrome qui se manifeste cliniquement à la manière d'une démence mais dont l'étiologie n'est pas organique. En fait, c'est beaucoup plus une caricature qu'une réplique exacte de la symptomatologie démentielle. Il ne s'agit cependant pas d'une imitation consciente de la part du sujet. Les patients pseudo-déments ont souvent une histoire psychiatrique antérieure et ils ont tendance à démontrer avec beaucoup d'emphase la détérioration de leurs performances intellectuelles: trouble de la mémoire et de l'orientation, difficulté à effectuer des activités courantes, trouble du jugement. Souvent ils se plaignent de nombreux symptômes alors que les patients déments sont en général beaucoup moins conscients de leur déficience. Il y a un malaise et une détresse assez manifestes chez ces malades; la dépression est souvent sous-jacente. Ce qui caractérise la pseudo-démence c'est évidemment la réversibilité du syndrome déficitaire d'allure organique, syndrome représentant la manifestation clinique de certains états dépressifs, de certains troubles chroniques de la personnalité et même de certaines réactions de conversion.

Il est donc bien important d'en faire le diagnostic puisqu'il s'agit d'une pathologie qui peut répondre à un traitement psychiatrique approprié; par exemple les antidépresseurs lorsqu'il s'agit d'un état dépressif (voir section 13.14).

24.5 L'ÉVALUATION PSYCHIATRIQUE GÉRIATRIQUE

Lorsqu'on fait l'évaluation de l'état mental, on doit considérer certaines caractéristiques particulièrement importantes chez la personne âgée. On devra par exemple tenir compte de la fatigabilité et de la moins grande rapidité d'expression; assez souvent le médecin se trouve face à une personne démunie ayant tendance à régresser; il faut bien comprendre qu'il n'y a vraiment aucune raison d'adopter une attitude infantilisante et souvent humiliante sous prétexte d'être empathique. Le respect a toujours sa place. Il arrive qu'un vieillard dont le rendement intellectuel est altéré réagisse de façon désemparée lorsqu'on lui pose beaucoup de questions auxquelles il n'arrive pas à répondre convenablement: le niveau d'anxiété monte, l'humeur change brusquement et toute collaboration devient impossible. Il faut savoir doser ses exigences en rapport avec la capacité du patient. Plus particulièrement chez la personne âgée, il est nécessaire de bien évaluer les facteurs organiques responsables de symptômes psychiatriques, par un examen neurologique.

La mémoire des faits anciens et récents et la capacité de garder en mémoire de nouvelles informations sont relativement faciles à mesurer. Il suffit de demander au patient comment il s'est rendu à la clinique, puis de vérifier auprès de ceux qui l'accompagnent. Ainsi en est-il de l'orientation dans le temps et le lieu; à ce sujet, il faut se rappeler que l'individu qui ne sait ni la saison, ni l'année est significativement plus perturbé que celui qui confond le mardi avec le jeudi. La performance intellectuelle est tributaire d'un ensemble de fonctions diverses; l'évaluation globale sommaire est cependant facile à faire. Le patient dont la mémoire et l'orientation sont convenables, qui est capable de soustraire 3 de 20 et ainsi de suite jusqu'à zéro, ne souffre certainement pas de détérioration organique significative. Même chez les patients dont la collaboration à l'examen est médiocre, on peut rechercher les signes neurologiques qui reflètent une atteinte organique: le réflexe de préhension forcée (*grasping*), le réflexe glabellaire, le réflexe oral et l'hypertonie d'opposition par exemple. L'évaluation de la sensibilité verticale permet souvent la discrimination; lorsque l'examinateur touche du doigt simultanément la main et la jambe et ensuite la joue et la main du sujet et que celui-ci peut sentir les deux stimulations simultanées, on peut éliminer avec une assez grande certitude la présence d'un syndrome cérébro-organique. Chez le sujet qui souffre d'une détérioration organique, on observe une extinction verticale de la sensibilité: des deux stimulations simultanées il n'a connaissance que de celle qui est le plus près de son cerveau.

24.6 APPROCHES THÉRAPEUTIQUES

On rencontre souvent un certain pessimisme quant à l'utilité du traitement pour les malades âgés, particulièrement ceux qui ont des troubles psychiatriques. Il existe évidemment des pathologies, des démences par exemple, dans lesquelles les efforts thérapeutiques sont assez peu efficaces. Il faut cependant réaliser que la plupart des affections sont traitables. En psychogériatrie, tous les moyens thérapeutiques habituels sont utilisables; il s'agit de bien choisir ce qui est utile pour chaque patient. L'avantage du travail en équipe est évident: les aspects biologiques, psychologiques, familiaux et sociaux des problèmes gériatriques nécessitent une approche pluridisciplinaire. La prévention devra prendre une place de plus en plus grande dans les interventions de l'équipe qui se préoccupe du bien-être global de la personne âgée.

24.6.1 La psychothérapie

Le but est de comprendre pourquoi et comment le patient réagit d'une façon qui lui cause des problèmes, ensuite l'aider à modifier ses attitudes et ses comportements. La psychothérapie de support est fréquemment utilisée alors que la psychothérapie dynamique d'inspiration psychanalytique s'avère pour sa part plus rarement indiquée. Avec les patients gériatriques, il est habituellement facile d'identifier, de clarifier et de comprendre les conflits qui tournent autour de la dépendance, de la crainte de la mort, de la baisse de l'estime de soi-même. Souvent en cours de thérapie, le vieillard aura tendance à répéter les mêmes formulations et les mêmes discussions; il faudra se rappeler sa tendance à interpréter tout mouvement d'impatience de son thérapeute comme un rejet. Son estime de lui-même est souvent vacillante et les attitudes surprotectrices et paternalistes du thérapeute sont fréquemment néfastes en ce sens. Au cours des entretiens, le thérapeute ne doit pas hésiter à s'exprimer chaleureusement et à s'approcher tout près de son patient et à le toucher à l'occasion. Une certaine quantité d'activité verbale du thérapeute sera également nécessaire pour conserver l'attention et l'intérêt du patient. Il est souvent approprié de poursuivre une relation thérapeutique pendant très longtemps, même si la fréquence des entretiens est progressivement réduite.

24.6.2 Pharmacothérapie

Certaines caractéristiques propres à la personne âgée doivent guider le médecin dans le traitement pharmacologique. Le métabolisme et l'excrétion rénale des médicaments sont en général ralentis. Les effets secondaires et toxiques sont plus susceptibles de survenir. Les erreurs dans la prise des médicaments sont particulièrement dangereuses. L'administration de substances pharmacologiquement actives pendant de longues périodes est rarement utile. Les antipsychotiques ne doivent être utilisés que s'ils sont nécessaires, les dyskinésies tardives étant des complications non négligables. Il est en général préférable d'utiliser les antipsychotiques qui entraînent le moins d'effets sédatifs et anticholinergiques, par exemple l'Halopéridol. Les antidépresseurs doivent être utilisés avec précaution à cause de leurs effets secondaires et toxiques. L'efficacité des anxiolytiques diminue avec le temps. Il faut se garder d'utiliser les médicaments psychotropes pour contrôler les troubles de comportement qui sont modifiables autrement.

En général, en ce qui a trait à la posologie, on doit considérer que le malade âgé a besoin d'une dose beaucoup moindre que l'adulte jeune pour un effet thérapeutique équivalent. En pratique, tout patient qui prend des médicaments et qui présente tout à coup des troubles du comportement est susceptible de souffrir d'un surdosage.

24.6.3 La sismothérapie

L'âge avancé n'est pas une contre-indication au traitement des états dépressifs par l'électrochoc. Lorsque le traitement est appliqué avec les précautions habituelles, le risque de complications est minime. La sismothérapie est indiquée dans les états dépressifs graves avec inhibition ou agitation; elle est alors un moyen efficace d'éviter la mort du patient soit par suicide, soit par épuisement; ce traitement est également indiqué dans les états dépressifs qui n'ont pas répondu aux autres formes de traitement. La confusion post-ECT est souvent assez importante, mais sa durée est brève; les troubles mnésiques disparaissent habituellement quelques semaines après la fin du traitement.

24.6.4 Thérapie behaviorale

Jusqu'à maintenant les techniques classiques comme la désensibilisation systématique, le conditionnement opérant, le renforcement négatif ont été assez peu généralisés dans le traitement des malades psychogériatriques. Il n'en demeure cependant pas moins vrai que certains comportements mal adaptés peuvent être modifiés avec succès grâce à des méthodes jusqu'à maintenant utilisées abondamment chez des adultes. En général, la relaxation musculaire fréquemment utilisée dans ces techniques est particulièrement difficile à atteindre avec les personnes âgées. Particulièrement chez les patients qui présentent des troubles de la mémoire et de l'attention, il est difficile d'obtenir la collaboration minimale nécessaire pour utiliser ces techniques.

24.7 CONCLUSION

Le vieillard qui souffre de troubles psychiatriques est trop souvent négligé autant par lui-même que par son entourage. Quand un adulte de 40 ans ne se présente pas à son travail, qu'il ne sort pas de chez lui pendant plusieurs jours et qu'il manifeste de l'anxiété, on reconnaît rapidement qu'il y a quelque chose qui ne tourne pas rond. Le sujet se présente assez vite chez son médecin avec ou sans la pression de son entourage. Un comportement semblable chez une personne de 70 ans est beaucoup moins susceptible d'entraîner une intervention rapide et le risque d'évolution vers des problèmes plus complexes et plus chroniques est évidemment accru. L'évolution sociale et le progrès des connaissances médicales permet de plus en plus des interventions appropriées chez les personnes âgées. Particulièrement en ce qui concerne les troubles psychiatriques, nous pouvons espérer que l'intervention précoce et efficace du médecin de famille aura un impact de plus en plus perceptible sur la qualité de vie des personnes âgées.

BIBLIOGRAPHIE

BUSSE, E.W., PFEIFFER, E. (Eds). *Behavior and Adaptation in Late Life.* Boston: Little Brown and Co., 2e édition, 1977.

CORSELLIS, J.A. "On the Transmission of Dementia". *Brit. J. Psychiatry.* 1979, 134, 553-559.

EISDORFER, C., FRIEDEL, R.O. *Cognitive and Emotional Disturbance in the Elderly.* Chicago: Year Book Medical Publishers, 1977.

HOWELLS, J.G. (Ed.) *Modern Perspectives in the Psychiatry of Old Age.* New York: Brunner Mazel Inc., 1975.

KRAL, V.A. "Twenty years of Progress in Geriatric Psychiatry". *Psychiatric Journal of the University of Ottawa.* 1979, 4(1), 81 - 84.

LIPOWSKI, Z.J. "Organic Brain Syndromes: a Reformulation". *Comprehensive Psychiatry.* 1978, 19(4), 309-322.

MARTIN, E., JUNOD, J.P. *Précis de gériatrie.* Berne: Hans Huber (Ed.), 1973.

NANDY, K. (Ed.) *Senile Dementia: a Biomedical Approach.* New York: Elsevier North-Holland, 1978.

PITT, B. *Psychogeriatrics.* Edinburg and London: Churchill Livingstone, 1974.

VERWOERDT, A. *Clinical Geropsychiatry.* Baltimore: Williams & Wilkins, 1976.

CHAPITRE **25**

LA PSYCHOLOGIE DE LA MORT

Brian Bexton et Henri-Paul Villard

> *"Ne chantez pas la mort,*
> *c'est un sujet maudit.*
> *Le mot seul jette un froid*
> *aussitôt qu'il est dit."*
>
> *Léo Ferré*

25.1 INTRODUCTION

La mort, le mot même est tabou. Il est souvent plus facile d'en parler en utilisant une autre langue. Comme il est parfois plus facile de dire "I love you" que "Je t'aime". Pourtant, les professionnels de la santé cotoient quotidiennement la mort, celle de l'autre, qui leur renvoie l'image de leur propre mort. C'est la seule chose au monde dont on soit certain, la seule qui soit juste.

Mort comme négation, négation de la mort. Que vient faire le psychiatre dans la compréhension du processus de la mort biologique? Est-ce que le fait d'être confronté avec la mort psychologique, la mort volontaire, le suicide, l'a rendu plus apte à réfléchir sur le phénomène? Sûrement pas du fait de sa formation psychiatrique, psychanalytique ou autre, au contraire. On peut se demander, avec Serge Leclaire, "comment le sujet qui au cours de sa formation analytique n'a jamais pu aborder la question de la mort qu'en s'entendant répondre agressivité, castration ou intellectualisation, comment un tel sujet se croyant familier d'un inconscient qu'il ignore peut-il connaître plus que la peur névrotique de la mort ou l'agressivité de certains fantasmes de mort".

Ce sont quand même des psychiatres, des psychanalystes qui ont écrit sur la psychologie du malade mourant: Deutsch, Eissler, puis Kübler-Ross. Freud lui-même, à une époque où il était aux prises avec des deuils dans son entourage et les premières manifestations de son propre cancer, a introduit la notion controversée d'un "instinct de mort". Il revient ensuite sur la conviction inconsciente de chaque individu de sa propre immortalité.

Tous les jours cependant le médecin est confronté avec des malades qui meurent et dont l'angoisse prend des allures paranoîdes, maniaques ou qui tombent dans un état dépressif avec des accès de colère, de découragement, de panique. Il rencontre aussi des personnes en deuil d'un être cher.

Que sait-on de ce processus inévitable? Comment peut-on les aider à traverser cette période difficile et prévenir chez les proches des complications psychologiques ou somatiques?

Que doit-on dire au malade mourant? Il faudrait plutôt dire: Que peut-on apprendre du malade mourant sur cette peur de la mort afin de l'intégrer à notre propre vie pour mieux faire face à nos "mille morts avant la mort" et enfin à notre mort biologique ultime?

On peut se demander si la peur de la mort avec ses équivalents inconscients n'est pas aussi génératrice de troubles psychiatriques d'aujourd'hui que le refoulement de la sexualité avant la révolution freudienne.

25.2 LES ATTITUDES FACE À LA MORT

25.2.1 Le plan culturel

Rollo May parle de notre ère comme d'une période de transition où les anciennes valeurs et traditions sont devenues vides de sens pour la plupart des gens. Les attaches familiales, sociales, les valeurs patriotiques, religieuses ont été fracturées par ce monde technologique, mécanisé, impersonnel que nous connaissons. L'homme se retrouve de plus en plus isolé dans ce monde qu'il a fabriqué et dont il a perdu le contrôle. Il doit subir les événements, il a perdu le sens de sa vie et de sa propre identité et souvent il se sent impuissant, confus, il devient apathique. Paradoxalement, à une époque où l'on pourrait envisager des relations interpersonnelles plus honnêtes, plus profondes, plus sincères du fait que les restrictions, les contraintes sont "disparues", on observe que ces mêmes relations sont plus difficiles, plus ambiguës, plus instables. Pour déguiser son angoisse existentielle, l'homme prône sa liberté, son indépendance. Il défoule sa sexualité dans une "génitalité de performance" où la quantité, la fréquence voire la mécanisation l'emportent sur la vraie relation de partage. Les points de repère traditionnels qui donnaient un sens historique de continuité sont bouleversés. Si bien que l'homme risque davantage de se retrouver seul devant sa mort.

Wahl souligne aussi que l'homme moderne a mis toute sa confiance dans le **succès** de la science et de la technologie. On a vaincu la plupart des maladies, on vit plus longtemps, les limites géographiques n'existent plus et même le système solaire est à notre portée. Mais il reste une exception flagrante où toute notre assurance, notre intelligence et notre ingéniosité font défaut.

Devant la mort, l'homme de science doit vivre son dernier échec. C'est ici qu'il doit recourir à la magie, à l'irrationnalité, à la négation et à l'évitement pour aménager cette angoisse.

On connaît les euphémismes et les rites (maquillage de cadavres, fleurs et gazon de plastique pour cacher la terre nouvellement remuée, etc.) pour masquer la mort, afin de pouvoir mieux continuer à la nier.

Même en psychiatrie - et c'est peut-être un facteur de motivation pour devenir psychiatre - on se montre réticent à toucher le corps, à regarder la mort comme si on croyait avec LaRochefoucauld qu'''on ne peut regarder en face ni le soleil, ni la mort''.

25.2.2 Le plan intrapsychique: la peur de la mort

S'il n'y a pas de représentation inconsciente de la mort, selon Freud, d'où vient notre peur de la mort?

Les psychanalystes orthodoxes ont généralement considéré la peur de la mort comme un déplacement de la peur de la castration. Cette interprétation se vérifie en partie chez le névrotique bien organisé, et alors l'angoisse diminue en thérapie quand les éléments oedipiens triangulaires sont éclaircis. Cependant, cette théorie n'explique pas la genèse de la thanatophobie chez les enfants, ni les angoisses de tous nos patients, ni les phénomènes qu'on observe auprès des patients mourants. Ernest Becker, à la suite de Kierkegaard et Otto Rank, pose l'angoisse de la mort comme fondamentale à la condition humaine.

Wahl décrit une angoisse de mort chez les enfants dès leur troisième année. Son apparition est liée à la capacité de conceptualisation et à l'avènement de la culpabilité, qui tous deux précèdent l'organisation du complexe d'Oedipe. Pour le jeune enfant, ses besoins et ses désirs sont nécessairement suivis par la satisfaction. Il distingue incomplètement le dedans et le dehors. Il vit dans sa toute-puissance narcissique immortelle. Graduellement, cette vision du monde est pondérée par les frustrations réelles qu'il doit subir. L'enfant normal qui a des parents "suffisamment bons" (Winnicott) développe un sentiment de confiance en son entourage. Ce noyau de toute-puissance infantile, pondéré, puis associé plus tard par l'identification, à la force des parents, persiste et lui permet de se défendre contre son angoisse de mort. Cependant, si l'enfant a subi trop précocement ou d'une façon exagérée l'hostilité de l'environnement ou le rejet ou l'absence de parents, ce sentiment de toute-puissance devient inefficace.

Paradoxalement, si nos sentiments magiques de toute-puissance sont notre défense majeure contre l'angoisse de mort, ces mêmes sentiments sont responsables de son apparition. En effet, si l'enfant croit avoir le pouvoir magique de changer les événements, se sentant ainsi invincible, de la même façon il se sent responsable de ses sentiments de haine, de ses idées destructrices, de ses souhaits de mort envers la personne frustrante.

L'enfant de trois à cinq ans ne perçoit pas la mort comme étant définitive mais plutôt comme un départ, un bannissement temporaire. Plus tard, il apprend avec le développement du sens du temps que la mort n'est pas réversible, et il devient effrayé et préoccupé par ses souhaits de mort envers ses objets d'amour ambivalents. Il tente de les réprimer, de les annuler par des mots ou des rites. Ces idées destructrices sont doublement effrayantes parce que l'enfant ne craint pas seulement la perte de ses parents par ses souhaits de mort, mais aussi en vertu de la loi du talion (la justice immanente) il craint sa propre mort. Normalement, le refoulement immédiat et efficace permet de masquer ce processus dans sa forme pure.

Alors, le concept de la mort chez l'enfant est une combinaison de paradoxes mutuellement contradictoires. Premièrement, la mort n'est pas conçue comme possible pour soi, mais si les adultes qui sont plus forts meurent, comment un enfant plus faible peut-il survivre? Deuxièmement, la mort ne peut pas arriver par hasard et il doit y avoir une cause personnifiée à tout. L'enfant se sent le meurtrier secret. Au même moment, il éprouve une rage contre la personne morte qui l'a abandonné délibérément.

Il y a un troisième aspect qui intensifie sa peur de la mort. Souvent il est incapable de trouver des réponses réelles à ses questions. L'adulte aux prises avec ses propres angoisses rationnalise son attitude défensive en se disant que l'enfant ne peut concevoir la mort de toute manière et n'a pas besoin d'être rassuré. On se souvient de la même attitude face à la sexualité infantile!

Enfin, la peur de la mort est d'une part une préoccupation au sujet de la réalité de l'existence et d'autre part l'équivalent symbolique d'autres angoisses refoulées et inconscientes (abandon, punition selon la loi du talion, etc.).

Chez l'adulte, cette peur de la mort peut être refoulée efficacement jusqu'à ce que l'angoisse soit réveillée lorsqu'il sera confronté à sa propre mort, ses conflits infantiles n'ayant jamais été complètement résolus. Tous les auteurs soulignent que l'intensité de l'angoisse augmente avec l'isolement, la solitude, le manque de support par l'entourage. Chacun doit faire son deuil à la disparition d'un être cher, mais le mourant doit faire le deuil de toutes ses relations, il doit dissoudre tous ses liens libidinaux jusqu'à la séparation ultime. Or, comme l'enfant a besoin d'une présence pour se séparer de sa mère et apprendre à être seul, le patient mourant aussi a besoin d'une présence, une "dernière dyade" (De M'Uzan) pour affronter sa séparation ultime. Winnicott a écrit: "Le fondement de la capacité d'être seul est paradoxal puisque c'est l'expérience d'être seul en présence de quelqu'un d'autre". Le patient mourant comme l'enfant qui vit sa première séparation, affronte ses angoisses, son impuissance et ses mauvais objets intériorisés.

Enfin, le dernier aspect de la peur de la mort, c'est la peur de mourir seul (Roose).

25.3 LE MOURIR

Si pendant la vie on évite le sujet de la mort, qu'est-ce qui arrive au patient quand il apprend qu'il est atteint d'une maladie terminale et que cette idée vague se concrétise subitement dans une mort imminente? Les auteurs qui ont écrit sur ces patients arrivent parfois à des conclusions très contradictoires.

Elisabeth Kübler-Ross pendant plus d'une dizaine d'années a étudié et travaillé avec des centaines de patients (atteints d'une maladie terminale) en train de mourir. D'après ses expériences, elle a pu décrire plusieurs stades à travers lesquels passent les patients mourants. Les cinq stades qu'elle décrit sont très utiles pour comprendre les différentes phases que peut traverser un mourant. Cependant ils ne sont pas des absolus car tous les patients ne passent pas par tous les stades, ni dans le même ordre, ni au même rythme. On peut ajouter que parmi ces patients, il y avait des gens "normaux" aussi bien que des patients pour lesquels on avait demandé une consultation psychiatrique pour des troubles de comportement, dépression, difficultés familiales, psychose, etc. Alors son paradigme, appliqué de façon flexible et intuitive, est utile pour la compréhension générale des patients mourants.

25.3.1 Dénégation et isolation

La première réaction d'un patient lorsqu'il apprend qu'il est atteint d'une maladie terminale est le choc et la dénégation: "Non, pas moi". Cette réaction est presque universelle et nécessaire dans sa vie. Ce stade peut être accompagné par des comportements variés: le patient peut consulter plusieurs médecins pour vérifier et infirmer si possible le diagnostic, il peut demander d'autres analyses, il peut insister sur le caractère passager de sa maladie, sur la nature bénigne de sa tumeur.

Cette dénégation peut glisser subtilement vers une forme d'isolation où le patient parle de sa maladie, son cancer, sans intégrer l'idée de la mort dans sa vie affective. Weisman parle de 3 niveaux de négation: négation complète de la maladie, négation des implications ("j'ai le cancer, mais on peut vaincre le cancer"), puis négation de l'issue fatale.

25.3.2 Colère

Si le patient passe le stade de dénégation et commence à se confronter à sa mort, il réagit typiquement par la colère: "Pourquoi moi?" Il commence à exprimer sa colère, sa rage face à son sort et son envie envers ceux qui y échappent. Ce stade est souvent difficile pour l'entourage car le patient a tendance à déplacer et à projeter sa colère contre le médecin qui n'a pas diagnostiqué la maladie à temps, les infirmières qui ne répondent pas assez vite à ses demandes et ne s'occupent pas assez de lui, Dieu qui a imposé arbitrairement la sentence de mort, etc. Souvent il provoque la colère du personnel qui, malheureusement, commence à l'éviter car c'est justement à ce stade qu'il fait face à ses pertes, ses limitations, sa frustration, sa mort, et a besoin d'être écouté et "compris". Cette colère doit être exprimée. Elle est pratiquement inévitable si le patient doit évoluer vers une acceptation de sa mort. Il est confronté à sa solitude, ses conflits internes, sa culpabilité et le non-sens de la vie.

25.3.3 Marchandage

Lentement, le patient accepte le **fait** de la mort - "oui, moi, mais..." - tout en essayant de gagner une extension de la vie, une diminution de la douleur, de meilleurs soins, etc., en marchandant son "bon comportement" avec Dieu, son entourage, et l'équipe médicale. Il va suivre plus soigneusement son traitement médical, commencer un régime plus "sain", faire le don de ses organes, promettre d'être plus compréhensif avec autrui, pratiquer plus fidèlement sa religion, etc., en échange d'une semaine, d'un mois ou d'une année de vie. Peu importe ce qu'il promet, il ne tient habituellement pas ses promesses, ce qui augmente sa culpabilité et son anxiété.

25.3.4   Dépression

Graduellement, il y a une prise de conscience des conséquences réelles de sa maladie, ce qui provoque une période de dépression: "Oui, c'est moi". D'abord, il y a une période de dépression réactionnelle où le patient est verbal et actif. Il pleure sur les épreuves du passé, ses péchés par pensées, par paroles, par actions, et sur les déceptions de sa vie.

Puis, il entre dans une période de silence, un état de "deuil préparatoire" et s'apprête à l'arrivée de la mort. Il devient plus calme et ne veut plus de visiteurs. La communication est surtout non verbale et le patient ne désire plus qu'une présence, le toucher d'une main. C'est un signe qu'il a résolu ce qu'il avait à résoudre et le docteur Ross décrit cette étape comme une "bénédiction".

25.3.5   Acceptation

Finalement, le patient arrive au stade de l'acceptation de la mort: "Mon heure est arrivée et tout est bien". Ce stade est décrit comme étant "ni heureux, ni malheureux". Le patient serait "vide de sentiments".

Le patient manifeste moins d'intérêt pour l'extérieur. Cette période peut être plus difficile pour la famille qui se sent rejetée et pour l'équipe médicale qui fait face à son angoisse d'échec et qui va faire plus d'efforts pour sauver le patient. Le malade est prêt à mourir et commence à en parler clairement. L'équipe médicale tente de rassurer le malade et de se rassurer elle-même en tentant un dernier effort de chimiothérapie, d'antibiothérapie, de stimulation; on force le malade à faire sa séance au fauteuil, on négocie son transfert en neurologie pour métastase cérébrale alors qu'il agonise, veut rester au lit et mourir. Cependant, pour le patient, ce n'est pas une résignation mais plutôt une "victoire". Le docteur Ross décrit un désinvestissement des objets avec un retour vers la passivité et le narcissisme primaire où le soi est tout. Kohut parle d'un stade de narcissisme "cosmique" que l'homme peut atteindre quand il fait face à la mort.

A tous ces stades, il y a la présence d'espoir qui sert à une forme de déni mais aussi au soulagement d'une réalité existentielle difficile.

Roose, plutôt que cette description du moi conscient, décrit les aspects plus intrapsychiques et les mouvements transférentiels de ses patients mourants. D'abord, il souligne l'importance de la dénégation qui serait nécessaire pour permettre l'élaboration par le patient de son désir ultime.

Cette dénégation facilite la régression jusqu'au fantasme de **réunion** et d'immortalité. Les frontières intrapsychiques sont progressivement oblitérées en faveur d'une fusion du moi et du surmoi et d'une expression plus directe des pulsions du ça. (Cette fusion moi-surmoi permet la régression et la réunion sans culpabilité, ainsi que la répétition de la fusion extatique originelle avec le sein.)

Ce processus est possible dans le transfert où le patient perd le sens de la temporalité et où le thérapeute est perçu comme la mère archaïque, immortelle, qui protège et donne tout. Alors, la mort se transforme en une vie éternelle.

Janice Norton décrit ce transfert régressif très intense qui protège le patient contre tout sentiment de perte objectale. S'il y a un retrait des relations avec son entourage, la libido libérée, exaltée même, s'engage avec le thérapeute jusqu'au point de l'incorporation de l'objet qui permet au patient d'halluciner sa présence constante.

De M'Uzan reprend les travaux de Norton, Kübler-Ross et Eissler et ajoute ses propres réflexions dans son étude sur "Le travail du trépas". Pour lui, ce travail du trépas commence après la dépression avec le stade d'acceptation. Mais loin d'être une période "vide de sentiments", il est caractérisé par une expansion libidinale et une exaltation de l'appétence relationnelle. Il remet en question aussi l'idée du "deuil" que doivent faire les patients de leurs relations objectales, comme le voudrait Eissler, Norton et Ross. Car s'il y a un certain retrait face à l'entourage chez ces patients, il n'est nullement question de faire le deuil d'une personne-clé (thérapeute) comme personne réelle ou finalement comme une représentation d'objet au niveau fantasmatique.

Cette période est marquée par un engagement réciproque du patient et du thérapeute dans une ultime expérience relationnelle. Alors, paradoxalement lorsque les liens libidinaux sont sur le point de se défaire, il y a un surinvestissement presque passionnel de la relation dans une "dernière dyade" (allusion évidente à la première relation dyadique de l'enfant) avec un retour vers l'indifférenciation originaire du "je" et du "non-je". Il y a une distension progressive de l'être psychique et le mourant englobe, absorbe et digère l'objet (thérapeute) dans son espace érotique, parfois si totalement qu'il n'en ressent plus l'absence.

Pour que ce processus se réalise, il faut qu'une personne réelle soit incluse dans l'orbite funèbre - position difficile à tolérer pour l'entourage car elle réveille la crainte ancestrale d'être entraîné, dévoré, et dissous par le moribond.

Il y a des intervalles où le patient peut fonctionner normalement, mais on constate la formation d'un clivage du moi qui est un peu comparable à la psychose. Il y a le moi-réalité qui fonctionne normalement et qui "sait" qu'il est malade, qu'il va mourir, et le moi-plaisir qui "ne sait pas" et qui permet au ça de continuer à désirer, à vivre. Mais lentement les limites entre le dedans et le dehors tendent à s'effacer comme si la distance entre le sujet et le monde extérieur n'existait plus. La représentation de l'objet est presque entièrement investie par la libibo narcissique que le patient ne cesse d'engager dans son mouvement "phagocytant". En même temps, il y a une extraordinaire condensation des données temporelles, comme si le patient était progressivement affecté par la loi d'intemporalité (et d'immortalité) qui gouverne l'inconscient - le temps n'existe plus.

Puis finalement, au lieu de parler de désinvestissement comme dernier mouvement, De M'Uzan décrit une exaltation à la fin, un surprenant élan pulsionnel et une avidité régressive.

Alors, comment comprendre ces points de vue parfois très contradictoires entre l'acceptation presque stoïque "vide de sentiments", la dénégation nécessaire avec fantasme de réunion et le travail du trépas avec expansion libidinale et exaltation de l'appétence relationnelle?

D'abord, on peut considérer l'échantillonnage de patients décrits par les auteurs. Il y a des descriptions de mort exemplaire, mais on sait que les patients ne meurent pas tous au même stade. Il y en a qui restent fixés à la dénégation, d'autres qui s'enfoncent dans la dépression ou la psychose, et seulement quelques-uns arrivent à l'acceptation. Imara, qui a travaillé avec Kübler-Ross, décrit ces derniers comme étant ceux qui peuvent parler en profondeur avec des personnes significatives, qui présentent un dialogue réel, et qui acceptent le bien avec le mal. Autrement dit, ce sont ceux qui ont atteint une plus grande maturité et une vie intérieure et interpersonnelle plus féconde.

Une deuxième différence à souligner est l'orientation différente des auteurs. Kübler-Ross décrit surtout la partie consciente du moi, tandis que Norton, Roose, De M'Uzan analysent davantage les aspects intrapsychiques. Ne risque-t-on pas derrière cette acceptation stoïque, de trouver les mêmes mouvements pulsionnels? De fait, les derniers travaux de Kübler-Ross présentent l'acceptation comme un mouvement plus dynamique, une étape de la croissance. Imara décrit "l'engagement" de ses patients dans un mouvement vers l'augmentation de la conscience de soi et des contacts avec autrui. Il s'y produit une "transformation radicale" et une "expérience originale". Ces formulations se rapprochent plus de celles de De M'Uzan.

Récemment, Kübler-Ross a étudié les fantasmes des patients à l'instant de la mort (bien sûr, ceux qui ont été réanimés et pouvaient en parler!). L'expérience presque ubiquiste, rapportée aussi par beaucoup d'autres auteurs, est le sentiment de détachement du corps et un mouvement vers une rencontre, une réunion. Ainsi, on retrouve le même fantasme de réunion et d'immortalité rapporté par Roose.

On peut ajouter que depuis ces observations, Kübler-Ross, qui avait commencé son travail de façon essentiellement non religieuse, basée sur la "réalité", a fait le "Saut Kierkegaardien". Je la cite: "Mon travail avec les mourants m'a aussi aidée à trouver ma propre identité religieuse, à savoir qu'il y a une vie après la mort et que nous renaîtrons un jour pour terminer les tâches que nous n'aurons pas pu ou voulu terminer dans cette vie."

On devrait peut-être reconsidérer le sens des mots dénégation, acceptation et espoir. On peut reprendre l'observation de Freud sur la mort comme fin inconcevable pour soi. Ainsi, "l'acceptation" ne serait qu'une tentative du moi pour intégrer dans son fonctionnement une réalité inconcevable, et une "soumission intuitive" à la première loi de thermodynamique où "rien n'est perdu, tout est transformé". Donc la mort ne serait plus une fin, mais une transformation.

En conclusion, on peut dire que le tableau clinique présenté par le patient mourant dépend de sa personnalité - on meurt comme on a vécu. Il y a des patients qui ont besoin de la dénégation et d'autres qui arrivent à une certaine accalmie et à une acceptation de leur **mort** - surtout ceux qui sont arrivés à une "intégrité du moi" (le dernier stade de maturation d'Erik Erikson) et à une acceptation de leur **vie**. Tillich a dit que "le courage d'être (et de non être) est le courage de s'accepter comme étant accepté malgré le fait qu'on soit inacceptable".

Cette "acceptation" permet au patient supporté par la quintessence de son narcissisme de vivre pleinement jusqu'à sa mort, et à la fin de régresser vers la réalisation fantasmatique de son désir ultime.

25.4 THÉRAPIE

Comment peut-on aider les patients mourants et leurs familles à passer cette période difficile? L'approche thérapeutique dépend à la fois de la personnalité du thérapeute, et de ses bases théoriques. Cependant, il y a des points communs qui nous aident dans notre orientation. La première question qu'un médecin se pose ne devrait pas être: "Est-ce que je dis ou non la vérité au patient?" Mais plutôt: "Comment vais-je partager ce savoir avec lui?"

25.4.1 Le patient mourant

Kübler-Ross met l'accent sur la maturité du thérapeute qui peut regarder ses propres attitudes face à la mort, et est prêt à partager cette expérience dans une communication sans peur ni anxiété. Souvent une seule entrevue avec le patient peut permettre une ventilation et une diminution de la peur et de la culpabilité. On peut parfois envisager une thérapie brève, irrégulière au début et plus fréquente à la fin. L'auteur souligne l'importance pour le patient d'une personne-clé qui sache partager "le silence au-delà des mots". Elle discute aussi de la possibilité de travailler avec un groupe de patients qui partagent ensemble leurs expériences.

Aronson décrit quelques règles dans le traitement du patient mourant:

1- Ne rien dire qui puisse provoquer la psychopathologie chez le patient. Autrement dit, respecter les défenses et les limites du patient.

"La consultation est demandée pour investiguer la situation familiale de ce malade qui vient de faire une scène bruyante à son épouse, et dont tout l'étage a eu connaissance. Il nie sa maladie, le pronostic et toute espèce de problème. A une question d'apparence anodine sur sa vie familiale, il éclate dans un état paranoïde flamboyant où il chuchote qu'il est tout à fait inconvenant de poser de telles questions en présence de deux compagnons de chambre."

2- L'espoir ne doit pas mourir avant le patient car il en a besoin. Ce peut être un espoir d'amélioration, de guérison ou simplement celui d'une conversation, d'une présence pour maintenir ses liens libidinaux.

3- Ne pas diminuer la gravité de la maladie. Ceci veut dire ne pas confronter le patient avec les faits de façon brutale, mais plutôt répondre honnêtement lorsque celui-ci est prêt à en discuter. Il n'est pas soulagé quand on minimise sa maladie et la plupart du temps il ressent nos angoisses à travers ce masque et risque de perdre sa confiance en nous.

4- Il est nécessaire d'évaluer le "présent psychologique" du malade et ses possibilités d'intégrer l'éventualité de sa mort dans le délai qu'il lui reste. "Je ne vais pas mourir, n'est-ce pas?" - (Il n'en a plus que pour quelques jours) - "Je continue de m'occuper de vous."

Roose souligne l'importance de la confiance du malade envers son thérapeute, ce qui implique une relation sincère et honnête où on partage les peurs et les anxiétés. Il est important de maintenir l'estime de soi du patient, de lui donner un support narcissique par l'identification avec le thérapeute ou d'autres personnes admirées. On essaie de souligner ses ressources, ses habilités, les choses accomplies pour maintenir le sens de son identité et de son rôle. Roose suggère qu'on ne devrait pas combattre la dénégation qui serait la défense première du patient, nécessaire à la facilitation de la régression dans le transfert. Ce point est peut-être fort discutable car d'autres auteurs décrivent la même relation transférentielle sans dénégation complète. Pour Eissler, le fait de discuter de la mort entre le thérapeute et le patient importe peu, chacun sachant au niveau inconscient que l'autre "sait". Aussi, une dénégation complète peut présenter des problèmes majeurs si le patient est chef de famille et refuse de régler ses affaires familiales (testament, sécurité pour la famille, etc.). Alors, il devient difficile de concilier la sécurité de la famille et les défenses du patient.

Finalement, le travail thérapeutique se base sur la manipulation du transfert et non sur l'interprétation de l'inconscient. Le thérapeute essaie de faciliter la régression vers la réunion où le patient le perçoit comme la mère archaïque qui protège, donne tout, et où le temps n'existe plus, on est immortel.

Eissler aussi, écrit que le thérapeute devrait essayer de reconnaître et de combler les souhaits du patient avant leur expression - de donner l'impression d'une "disponibilité absolue". Ceci peut sembler un peu utopique étant donné la structure hospitalière et les demandes adressées aux thérapeutes, mais de façon pratique, cela peut se réaliser par des visites courtes et fréquentes pour préserver la "présence" du thérapeute chez le patient.

Pour résumer, la thérapie se base sur une relation sincère et honnête avec le patient, sans trop d'interprétation de l'inconscient, et à travers laquelle on essaie de reconnaître et de respecter ses désirs, ses besoins, ses limitations et ses défenses.

25.4.2 La famille

La famille aussi, évidemment, passe une période difficile lors de la maladie terminale d'un de ses membres. Elle est confrontée à la solitude, à la diminution de sa sécurité ainsi qu'à la dépendance, et elle y répond par la dénégation, la colère, la culpabilité, des symptômes somatiques et la peur de communiquer directement ses sentiments au patient. Ceci ne facilite pas la tâche au patient et augmente le sentiment d'isolement des deux côtés. Ces difficultés peuvent s'atténuer si le thérapeute intervient pour favoriser la communication, l'acceptation et une meilleure relation de partage entre les membres de la famille. Il est important de trouver un équilibre entre les services que la famille veut offrir et ses propres besoins. On devrait encourager son besoin de ventilation, son besoin de nier de temps en temps et de "vivre" un peu sans culpabilité - comme ils auront à vivre de toute façon après la mort de leur proche.

Au moment du décès, il y a une première occasion pour la famille en deuil de répéter, au salon funéraire, les faits et gestes qui ont entouré la fin, d'exprimer ses sentiments face à cette perte en présence de parents et d'amis. Dans les meilleures conditions, cette présence "supportive" aide au processus de deuil et d'acceptation et doit être encouragée.

Souvent la famille se trouve subitement seule après les funérailles et on verra réapparaître la solitude, la rage, la colère et le désespoir. C'est à ce moment qu'elle a le plus besoin de support, de ventilation, de parler et pleurer pour arriver à l'acceptation graduelle de la perte. Elle a besoin de quelqu'un qui soit disponible (ami, prêtre, travailleur social, thérapeute, etc.), qui puisse écouter et accepter l'expression de ses sentiments, ce qui permettra de diminuer sa culpabilité, sa honte et sa peur de punition, et favorisera ainsi la résolution progressive du deuil et de la colère.

25.4.3 Le milieu hospitalier et le patient mourant

De plus en plus on meurt dans un milieu hospitalier isolé de nos familles. Mauksch analyse l'hôpital du point de vue sociologique et constate que c'est au patient de se conformer à la structure hospitalière et non l'hôpital aux besoins du patient. Si ceci est vrai pour le patient "normal", la situation pour le patient mourant est d'autant plus grave qu'il représente l'échec du système et un signe de notre propre mortalité. On a tendance à l'éviter, à l'isoler et on répond mal à ses besoins. Alors, dans ce milieu, le rôle du thérapeute est d'autant plus important et précieux pour l'aider à traverser cette expérience avec l'inconnu, les angoisses et la solitude. Malheureusement notre temps est limité et notre travail est partiel et individuel.

Sans offrir de solution à ce problème, on peut mentionner certaines expériences dans les soins aux patients mourants. Il existe un centre à Londres, l'hospice St-Christopher's, fondé par le docteur Cicely Saunders, dédié uniquement aux soins palliatifs des patients mourants et de leur famille. Et récemment, à Montréal, on a vu l'ouverture d'unités de soins palliatifs à l'Hôpital Royal Victoria et à l'Hôpital Notre-Dame qui offrent ces mêmes services aux malades terminaux et à leur famille. Mentionnons aussi à Montréal, l'Association d'entraide Ville-Marie, un service de soins infirmiers à domicile auprès des malades mourants et de leur famille, qui mériterait sans doute plus de ressources et de moyens.

25.5 CONCLUSION

Nous avons considéré la mort et le "mourir", les attitudes face à la mort, la peur de la mort et la thérapie possible avec les patients mourants. Nous pouvons peut-être conclure qu'il est possible de regarder la mort, et de l'intégrer davantage à notre vie. La mort n'est pas nécessairement une expérience pénible si on la partage avec quelqu'un qui parvient à assumer ses propres angoisses. Jung a écrit que: "Seul celui qui est prêt à mourir dans sa vie reste vivant de façon vitale". N'a-t-on pas des leçons à apprendre en étudiant la mort et le mourir? Ne peut-on pas espérer diminuer certaines angoisses et psychopathologies en discutant ouvertement de nos peurs et de nos anxiétés? L'occasion de servir d'objet-clé à un malade faisant face à sa mort peut nous permettre d'atteindre à une plus grande maturité et de mieux réussir notre propre mort (De M'Uzan). Pour Jean Ziegler, c'est en raison de cette maturation, reliée à une meilleure intégration de la mort dans notre vie, que les sociétés capitalistes résistent tant à lever le tabou de la mort.

En terminant, citons Erikson à propos de la relation entre l'intégrité adulte et la confiance des enfants. "Les enfants sains ne craindront pas la **vie** si leurs parents ont assez d'intégrité pour ne pas craindre la **mort**."

BIBLIOGRAPHIE

ARONSON, G.J. "Treatment of the Dying Person". *The Meaning of Death*. New York: McGraw-Hill Book Co., 1959, Ch. 14.

BECKER, E. *Denial of Death*. New York: Free Press, 1973.

DE M'UZAN, M. "Le travail du Trépas". *De l'Art à la mort*. Paris: Gallimard, Connaissance de l'Inconscient, Chap. IV, 1977.

EISSLER, K. *The psychiatrist and the Dying Patient*. New York: Int. University Press, 1955.

ERIKSON, E. "Eight Ages of Man". *Childhood*. New York: W.W. Norton & Co., 1950.

FEIFEL, H. *The Meaning of Death*. New York: McGraw-Hill Book Co., 1959.

FERRÉ, L. "Ne chantez plus la mort". Du disque *Il n'y a plus rien*. Barclay.

FREUD, S. "Considérations actuelles sur la guerre et la mort". *Essais de psychanalyse*. Paris: Payot, 1951.

IMARA, M. "L'acte de mourir, dernière étape de la croissance". *La mort: dernière étape de la croissance*. Montréal: Ed. Québec/Amérique, 1977.

JUNG, C. "The soul and Death". *The Meaning of Death*. New York: McGraw-Hill Book Co., 1959, Ch. 1.

KOHUT, H. "Forms and transformations of narcissism." *J. Amer. Psychoanal. Assoc.* 1966, 14, 243-272.

KUBLER-ROSS, E. *On Death and Dying*. New York: McMillan Publishing Co., 1969.

KUBLER-ROSS, E. *La mort: dernière étape de la croissance*. Montréal: Ed. Québec/Amérique, 1977.

LECLAIRE, S. "La mort dans la vie de l'obsédé". *La Psychanalyse*. Vol. 2, 112-140.

MAUKSCH, H. "Le contexte organisationnel de la mort". *La mort: dernière étape de la croissance*. Montréal: Ed. Québec/Amérique, 1977.

MAY, R. *Psychology and the Human Dilemma*. New York: Van Nostrand Co., 1967.

NAGY, M.H. "The child view of Death". *The Meaning of Death*. New York: McGraw-Hill Book Co., 1959, Chap. 6.

NORTON, J. "TREATMENT of a Dying Patient". *Psychoanal. Study of the Child*. 1963, Vol. XVIII, 541-560.

ROOSE, L. "To die Alone". *Mental Hygiene*. 1969, Vol. 53(3).

ROOSE, L. "The Dying Patient". *Int. J. Psychoanal.* 1969, Vol. 50, 385.

ROYAL VICTORIA HOSPITAL. Service des soins palliatifs, projet pilote, janvier 1976-1977.

SANDERS, C. *The moment of truth: car of the dying person in Death and Dying.* Cleveland: Case Western Reserve University Press, 1969, pp. 49-78.

TILLICH, P. *The courage to be*. London: The Fontana Library, 1962.

WAHL, C. "The Fear of Death". *The meaning of Death*. New York: McGraw-Hill Book Co., 1959, Chap. 2.

WEISMAN, AV.D. *On Dying and Denying.* New York: Behavioral Public., 1972.

WINNICOTT , D.W. "La capacité d'être seul". *De la pédiatrie à la psychanalyse.* Paris: Petite Bibliothèque Payot, 1969.

CHAPITRE 26

LES ANXIOLYTIQUES ET

HYPNOTIQUES

Guy Chouinard et Jean-François Denis

26.1 INTRODUCTION

La découverte des substances anxiolytiques telles qu'on les connaît aujourd'hui, a été en grande partie le fruit du hasard. Depuis de nombreuses années, les barbituriques étaient employés dans le traitement de l'anxiété et de l'insomnie; cependant, leur marge d'efficacité par rapport à leur toxicité était faible. Après l'introduction des neuroleptiques au début des années 50, c'est en 1955 avec l'apparition du méprobamate, que l'on vit surgir un espoir dans le traitement de l'anxiété. Cependant, cet espoir quoique prometteur fit place à la déception puisque l'efficacité du méprobamate à des doses non toxiques demeure douteuse. Ce n'est vraiment qu'avec l'apparition des benzodiazépines que l'on situe le début de l'ère des anxiolytiques avec une efficacité plus grande et une toxicité plus faible. Le noyau benzodiazépinique avait été synthétisé par Sternbach en Pologne dans les années 30; mais ce n'est qu'en 1955, en voulant faire une réaction chimique avec l'une de ses quinazolines (benzophénones) et la méthylamine, qu'il obtint une substance à laquelle il ne s'attendait pas, le chlordiazépoxide (Librium®). Comme tous les dérivés benzophénoniques antérieurs étaient inactifs, ce nouveau produit fut abandonné.

En 1957, Randall fit l'essai du RO5-0690 et il trouva un effet hypnotique sédatif dans les tests de pharmacologie animale. Les essais cliniques commencèrent peu de temps après cette découverte, et le chlordiazépoxide fut employé dans le traitement de diverses maladies psychiatriques. On l'utilisa au début dans le traitement de la schizophrénie, mais c'est dans le traitement de l'anxiété que la nouvelle substance se révéla le plus efficace et elle fut approuvée aux États-Unis puis au Canada par le FDA en 1960, avec la publication de sa pharmacologie dans la revue "Disease of the Nervous System". Le diazépam (Valium®) fut synthétisé en 1959 et approuvé en 1963 par le FDA américain et canadien. Le diazépam présentait un net avantage sur le chlordiazépoxide, à cause de sa puissance de 10 fois supérieure dans les tests d'antianxiété chez l'animal pour une même toxicité. C'est dans les années 1970 seulement que le diazépam devint une des substances les plus prescrites sur le marché nord-américain. Depuis ce temps on vit apparaître plusieurs benzodiazépines, notamment l'oxazépam (Sérax®) qui est un des métabolites actifs du diazépam, synthétisé par Bell aux États-Unis en 1961, et c'est la même compagnie qui récemment mettait sur le marché le lorazépam (Ativan®), un dérivé de l'oxazépam par une substitution avec un atome de chlore en position 2 sur le noyau benzodiazépinique. Qu'est-ce qui explique le si grand succès du diazépam? On pourrait répondre que c'est parce qu'il est supérieur à tout ce qu'on avait auparavant pour traiter l'anxiété, que sa toxicité est faible et qu'il est virtuellement à l'épreuve du suicide par surdosage. On peut noter également une faible tolérance métabolique ainsi que peu d'interaction médicamenteuse. Enfin, ce médicament ne produit pas d'assuétude physique ni de dépendance psychologique probablement à cause d'une longue durée d'action, et il provoque peu de changements sur le sommeil normal.

Cependant, son succès a engendré dans le public le problème du "Valium" tel qu'on le connaît aujourd'hui. Nous y reviendrons plus loin.

Le regain d'intérêt dans les benzodiazépines vient de la possibilité que le cerveau contienne ses propres substances tranquillisantes. En effet, on a identifié des récepteurs spécifiques pour les benzodiazépines; cette découverte a entraîné des recherches intenses pour isoler des benzodiazépines endogènes, et un groupe de chercheurs aurait réussi récemment. L'existence des récepteurs benzodiazépiniques dans le cerveau expliquerait la faible toxicité des benzodiazépines, puisque ces substances auraient une contrepartie endogène. Les benzodiazépines constituent sans doute une des grandes découvertes pharmacologiques du vingtième siècle; elle a été faite par hasard et ce n'est que maintenant que nous pouvons en saisir toute l'ampleur.

Les benzodiazépines sont devenues un sujet de controverse aux yeux du public à cause de leur emploi répandu. On estime qu'un Canadien sur dix a reçu au cours d'une année au moins une prescription de benzodiazépine et la proportion de malades hospitalisés qui reçoivent des benzodiazépines est de 30%. Aux États-Unis, 20% de la population reçoit une prescription de benzodiazépine au cours d'une année et 10% pour plus d'une semaine . Cependant, si l'on compare l'emploi des benzodiazépines aux problèmes engendrés par l'abus d'alcool ou de cigarettes, nous constatons que le profil des benzodiazépines est différent. On note dans les pays industrialisés une augmentation de 20 à 200% des problèmes engendrés par l'abus d'alcool ou de nicotine. Par contre, si l'on considère l'utilisation des benzodiazépines, on note une tendance à une diminution après un pic aux États-Unis en 1970, avec 108 millions de prescriptions par rapport à 70 millions en 1978. L'augmentation des prescriptions jusqu'en 1970 s'explique par le remplacement graduel des autres substances anxiolytiques telles que les barbituriques. Les benzodiazépines ne sont pas des substances qui entraînent de l'assuétude comme l'alcool et la nicotine. L'alcool est une substance qui n'est pas aussi susceptible de créer l'assuétude que la nicotine mais, une fois que la dépendance s'est développée, les complications peuvent être sévères (voir chapitre 7). On note donc une augmentation de la consommation d'alcool et de nicotine contrairement à une baisse de l'utilisation des benzodiazépines. Ces faits sont importants si l'on considère que ces deux substances sont beaucoup plus toxiques que les benzodiazépines.

Par ailleurs, on pourrait penser que l'emploi des benzodiazépines limite la solution des problèmes qui engendrent l'anxiété. Il n'existe toutefois aucune preuve objective par une étude contrôlée que les benzodiazépines empêchent de résoudre les problèmes ou le stress qui augmentent ou créent l'anxiété. Notre expérience montre le contraire. Les benzodiazépines sont des substances efficaces, surtout lorsque employées lors d'une psychothérapie, et elles permettent au malade de comprendre les problèmes qui aggravent son anxiété. Il est intéressant de noter qu'une étude récente montre un taux de survie plus élevé chez les malades cardiaques qui ont reçu des anxiolytiques que chez ceux qui n'en ont pas reçus. De plus, les benzodiazépines présentent l'avantage de pouvoir protéger les malades souffrant de certaines maladies physiques telles l'hypertension, l'ulcère gastro-intestinal etc., contre les effets néfastes du stress. Il y a en effet une diminution importante des ulcères de stress chez les animaux dans le groupe traité aux benzodiazépines par rapport à ceux qui ne le sont pas. De plus, on a démontré que les benzodiazépines diminuent l'élévation des stéroïdes, subséquente au stress engendré par une situation nouvelle (il existe toutefois un plateau pour cet effet). Une approche globale au problème de l'anxiété et de l'insomnie est nécessaire. Si une personne ne dort pas à cause du bruit dans l'appartement voisin, il est préférable d'essayer de trouver une solution à ce problème que de donner un hypnotique. Ou encore si une personne de 23 ans ou de 63 ans est anxieuse à cause du milieu où elle travaille, la solution ne sera pas la même. Il sera préférable de donner des anxiolytiques pour une courte période et de recommander à la personne de 23 ans de changer de travail. Quant à la personne de 63 ans, un anxiolytique pourra être donné, par exemple jusqu'à la retraite, sans suggérer de changer d'emploi.

TABLEAU 26.1: Classes d'anxiolytiques et d'hypnotiques

	Phénobarbital	(Luminal)
	Amobarbital	(Amytal)
BARBITURIQUES	Pentobarbital	(Nembutal)
	Sécobarbital	(Séconal)
	Amobarbital &	
	sécobarbital	(Tuinal)
PROPANEDIOL	Méprobamate	(Équanil)
	Prométhazine	(Phénergan)
ANTIHISTAMINIQUES	Diphenhydramine	(Bénadryl)
	Hydroxyzine	(Atarax)

β-ADRÉNERGIQUE   { Propranolol   (Indéral)

	Chlordiazépoxide	(Librium)
	Diazépam	(Valium)
	Clorazépate	(Tranxène)
	Flurazépam	(Dalmane)
BENZODIAZÉPINES	Lorazépam	(Ativan)
	Oxazépam	(Sérax)
	Bromazépam	(Lexotan)*
	Alprazolam	(Xenax)*
	Triazolam	(Halcion)

	Hydrate de chloral	(Noctec)
	Glutéthimide	(Doriden)
DIVERS	Méthyprylon	(Noludar)
	Éthchlorvynol	(Placidyl)
	Méthaqualone	(Tualone)

*   Non disponible sur le marché canadien actuellement.

26.2   CLASSES D'ANXIOLYTIQUES ET HYPNOTIQUES

Il existe six grandes classes de substances proposées comme anxiolytiques ou hypnotiques (tableau 26.1), et les produits diffèrent considérablement en efficacité et toxicité.

1°   Les benzodiazépines sont de loin les anxiolytiques les plus efficaces et les plus sûrs. Elles provoquent moins fréquemment de la somnolence que les barbituriques et le méprobamate, ont un potentiel d'assuétude relativement peu élevé et ont une toxicité faible dans les cas de surdosage. Il a été démontré qu'elles étaient significativement supérieures au placebo et aux barbituriques. Le nombre d'études n'est pas suffisant pour établir clairement leur supériorité sur le méprobamate mais il semble que ce dernier soit à peine supérieur au placebo. Il n'existe aucune évidence à l'effet que les antidépresseurs ou les neuroleptiques leur soient supérieurs dans les cas d'anxiété, et ces derniers entraînent plus fréquemment des effets secondaires sévères. L'association de benzodiazépines et d'antidépresseurs tricycliques ou de neuroleptiques est plus hasardeuse tout en n'étant pas plus efficace que l'utilisation des benzodiazépines seules.

2°   On a d'abord présenté les propanédiols comme des médicaments quasi miraculeux contre l'anxiété, mais des études contrôlées ont par la suite démontré que le méprobamate n'était que douteusement supérieur au placebo et certainement pas plus efficace que les barbituriques. De plus, leur potentiel d'assuétude et leur toxicité sont assez importants.

3° Certains antihistaminiques sont également employés comme anxiolytiques. Leur utilisation n'est pas plus rationnelle comme anxiolytiques que comme hypnotiques, et ils comportent un risque particulièrement élevé d'effets anticholinergiques chez les vieillards. Leur effet primaire est l'induction de somnolence par le blocage des récepteurs d'histamine (H_1). Une tolérance se développe rapidement à cet effet secondaire et nous ne connaissons pas les conséquences à long terme de ce blocage. À notre avis, leur emploi n'est pas rationnel.

4° Plusieurs manifestations somatiques de l'anxiété résultent de l'excès de l'activité bêta-adrénergique. Aussi, le propranolol est-il efficace chez les sujets où prédominent les manifestations somatiques telles la tachycardie, les palpitations, l'hyperventilation et les tremblements. Il est toutefois contre-indiqué chez les patients qui souffrent de maladies cardiaques organiques, où la compensation cardiaque dépend de la stimulation sympathique, et chez les patients atteints d'asthme ou de maladie pulmonaire obstructive. Cependant, il n'existe pas suffisamment d'études contrôlées pour conclure à sa supériorité sur le placebo dans le traitement de l'anxiété.

5° On employait souvent les barbituriques d'action intermédiaire ou de longue durée comme anxiolytiques, mais une telle pratique ne se justifie plus. Ils produisent une dépression généralisée du système nerveux central, sans avoir beaucoup d'effet anxiolytique spécifique. Ils entraînent fréquemment de la somnolence durant la journée en plus d'être dangereux en cas de surdosage, et induisent de l'assuétude, de la dépendance physique et de la tolérance. Prescrits comme hypnotiques, ils présentent aussi les mêmes risques et désavantages.

6° Enfin, on peut rassembler dans un sixième groupe diverses substances employées surtout comme hypnotiques. Ces médicaments présentent un potentiel d'assuétude élevé, une efficacité limitée et un risque toxique sérieux par surdosage. Mentionnons le glutéthimide, le méthyprylon, la méthaqualone et l'ethchlorvynol. Cette dernière substance est un alcool et certains patients peuvent véritablement se comporter comme des alcooliques (abus, ébriété, usage pathologique). L'hydrate de chloral ne possède pas les mêmes inconvénients, mais il y a des réserves quant à son efficacité. La plupart de ces substances ont été impliquées dans l'induction de plusieurs cas d'assuétude; la seule exception est l'hydrate de chloral, et c'est probablement à cause de l'irritation gastrique qu'il provoque. En plus, ces médicaments peuvent être dangereux dans les cas de surdosage, puisque de petites doses peuvent produire un coma profond et la mort. La plupart de ces substances stimulent les micro-enzymes hépatiques, entraînent une induction enzymatique et ainsi augmentent le métabolisme de substances qui pourraient être données de façon concomitante. Quant à l'hydrate de chloral, il n'entraîne pas d'induction enzymatique mais a une grande affinité pour les protéines plasmatiques, et ainsi peut déplacer d'autres substances liées aux protéines; ceci entraîne une augmentation de l'effet thérapeutique des autres médicaments qui peuvent être donnés de façon concomitante (et tout particulièrement pour la warfarine ou le dihydroxycoumarin).

Le principal désavantage de ce groupe d'hypnotiques est qu'ils ne sont plus efficaces après deux semaines. Habituellement, 20-25% du sommeil est passé dans le stade REM et la plupart de ces substances provoquent une diminution importante du sommeil REM, ce qui entraîne un effet rebond du sommeil REM. Lorsque l'effet rebond du sommeil REM se manifeste, il est associé à de l'insomnie et des cauchemars. Le malade tend alors à augmenter la dose pour améliorer son sommeil. L'effet rebond du REM peut durer plusieurs jours et il est donc normal que le malade se plaigne de mal dormir lorsque ces médicaments sont arrêtés. Pour l'hydrate de chloral, les études rapportent des résultats contradictoires quant à son effet sur le sommeil REM.

26.3 PHARMACOLOGIE DES BENZODIAZÉPINES

26.3.1 Absorption

L'absorption par voie orale est rapide en particulier pour le chlordiazépoxide et le diazépam. Les concentrations plasmatiques atteignent un pic une heure après l'ingestion orale. L'absorption rapide du diazépam explique le sentiment de somnolence, d'absence (space-out) et l'atteinte motrice que l'on observe après son ingestion. L'oxazépam est absorbé plus lentement et atteint un pic 2 à 3 heures après son ingestion. La biodisponibilité de l'oxazépam pris par la bouche est d'environ 50 à 70% par rapport à 90-100% pour le diazépam. Quant au clorazépate, il est converti par une hydrolyse en milieu acide dans l'estomac en sa forme active, le desméthyldiazépam. Les antacides, les anticholinergiques ou l'achlorhydrie diminueront donc le taux de conversion et le pic de la forme active du médicament. Cependant, le clorazépate pourrait avoir l'avantage de ne pas induire ce sentiment "d'absence" induit par le diazépam, et pourrait ainsi diminuer la tendance à l'abus qui pourrait exister chez certains individus susceptibles. D'autre part, l'absorption intramusculaire du diazépam et du chlordiazépoxide est lente et erratique, le pic de concentration étant de 10 à 12 heures. En conséquence, on note un effet clinique imprévisible. Nous croyons que ni le diazépam ni le chlordiazépoxide ne devraient être donnés par voie intramusculaire. Par contre, le lorazépam présente une excellente absorption intramusculaire et constituera un avantage thérapeutique lorsqu'il sera disponible pour administration sous cette forme.

Le diazépam, administré par voie intraveineuse, a un effet immédiat mais de courte durée. Il doit être administré lentement et la respiration doit être monitorée. On injecte habituellement en bolus 5-10 mg par minute. Les aliments réduisent le pic d'absorption et ainsi diminuent l'effet hypnotique inducteur lorsque les benzodiazépines sont employées comme hypnotiques. De plus, l'absorption complète du médicament, même en présence d'aliments, entraîne une plus grande accumulation qui pourrait être dangereuse si le malade prenait une deuxième dose en même temps que d'autres dépresseurs du système nerveux central.

Distribution. Toutes les benzodiazépines sont liées d'une façon extensive à l'albumine sérique. Cette liaison à l'albumine diminue les concentrations de la forme libre du médicament, ce qui réduit et prolonge l'effet, en plus de diminuer l'élimination. La filtration glomérulaire des benzodiazépines non métabolisées est faible à cause de cette liaison aux protéines sériques. Ainsi, chez les malades avec cirrhose ou hypoalbuminémie, la concentration de la forme active du médicament sera plus élevée et les effets secondaires seront plus marqués. Le diazépam peut être déplacé de l'albumine sérique par ses métabolites, le desméthyldiazépam et l'oxazépam. Cependant, il n'existe aucune interaction importante en ce qui concerne cette liaison aux protéines sériques avec d'autres médicaments. La distribution des benzodiazépines se fait de façon extensive dans l'organisme. Les concentrations tissulaires dans le cerveau, le foie et la rate sont de beaucoup plus élevées que celles de la forme non liée dans le sérum. Le diazépam est plus lipophyle que le chlordiazépoxide et a un volume de distribution beaucoup plus large dans l'organisme. La distribution du chlordiazépoxide et du diazépam est plus importante chez les femmes et chez les gens âgés, ce qui pourrait expliquer son accumulation plus grande chez ces sujets. Le chlordiazépoxide et le diazépam traversent le placenta et apparaissent dans le lait maternel.

26.3.2 Métabolisme et excrétion

La biotransformation varie beaucoup d'une benzodiazépine à une autre. Le diazépam et le chlordiazépoxide ont deux métabolites importants qui expliquent leur effet et leur toxicité (tableau 26.2). Le chlordiazépoxide est préalablement converti en desméthylchlordiazépoxide, puis en démoxépam, tandis que le diazépam est directement converti en desméthyldiazépam qui est métabolisé en oxazépam (Sérax). Le desméthyldiazépam a une demi-vie plus longue que la substance mère avec une moyenne de 50 heures. La demi-vie du diazépam est en forte corrélation avec l'âge du malade, mais il existe beaucoup de variabilité. Toutefois, avec l'emploi prolongé, la demi-vie du diazépam augmente de même que celle de son métabolite, le desméthyldiazépam, et l'on peut dire qu'il y a accumulation. Il est important de savoir qu'à l'administration chronique, la demi-vie de ces substances est d'environ 5 fois plus grande: le chlordiazépoxide a une demi-vie de 3 jours, le diazépam, 7 jours, le desméthyldiazépam, 10 jours. Nous croyons que l'ajustement de la dose ne devrait être fait qu'après l'accumulation du médicament de façon à donner une dose thérapeutique minimale. L'élimination des benzodiazépines ou de leurs métabolites est lente, et il est inutile de donner ces substances plus de deux fois par jour, sauf pour l'oxazépam et le lorazépam. La biotransformation du chlordiazépoxide et du diazépam est diminuée chez les malades avec une maladie hépatique et la demi-vie peut être augmentée jusqu'à 6 fois. La biotransformation du chlordiazépoxide et du diazépam est également inhibée par l'administration simultanée de disulfiram (Antabuse). Les gens âgés ont plus de difficulté, surtout les hommes, à métaboliser ou à éliminer les benzodiazépines, et les doses doivent être ajustées en conséquence. Certains auteurs suggèrent, chez le vieillard,

TABLEAU 26.2: . Voies métaboliques du diazépam et ses dérivés

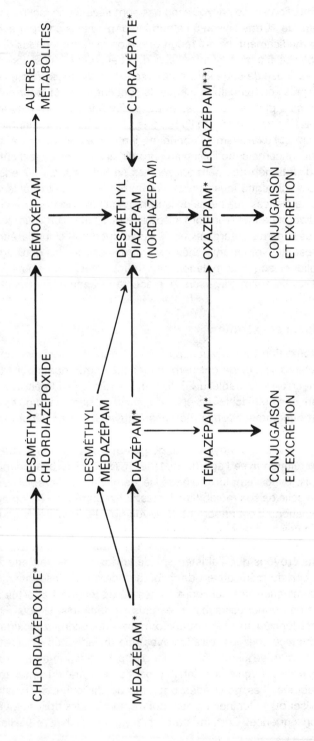

CHLORDIAZÉPOXIDE*

DESMÉTHYL
CHLORDIAZÉPOXIDE

DÉMOXÉPAM

AUTRES
MÉTABOLITES

CLORAZÉPATE*

DESMÉTHYL
DIAZÉPAM
(NORDIAZÉPAM)

OXAZÉPAM*   (LORAZÉPAM**)

CONJUGAISON
ET EXCRÉTION

DESMÉTHYL
MÉDAZÉPAM

DIAZÉPAM*

TÉMAZÉPAM*

MÉDAZÉPAM*

CONJUGAISON
ET EXCRÉTION

Voies métaboliques principales

Voies métaboliques secondaires

*   Disponible sur le marché nord-américain ou européen

**   Dérivé chloridré de l'oxazépam

l'emploi de benzodiazépines qui ne doivent pas être métabolisées par hydroxylation ou déméthylation par le foie. Nous ne sommes pas de cet avis à cause de la plus grande dépendance créée par ces substances. L'oxazépam n'a pas de métabolite et est éliminé par conjugaison avec l'acide glucuronique, sa demi-vie est d'environ 5 à 7 heures, son accumulation est minime et la réponse thérapeutique maximale survient après quelques doses tandis que la sédation excessive disparaît rapidement. Cependant, à cause de l'absorption lente de l'oxazépam, ce médicament ne gagne pas à être employé comme hypnotique. Également, à cause de sa courte durée d'action, on note une anxiété rebond lorsque l'on arrête le médicament, ce qui peut entraîner une dépendance psychologique chez le malade. Le lorazépam est semblable à l'oxazépam sauf qu'il s'agit d'un dérivé chlorhydrique et sa biodisponibilité par voie intramusculaire est complète. À cause de sa courte demi-vie, il présente les mêmes désavantages que l'oxazépam; toutefois, le lorazépam est un anxiolytique beaucoup plus puissant. Quant au flurazépam qui est employé comme hypnotique mais avec peu de propriétés pour le qualifier comme tel, son métabolite actif, le désalkyl flurazépam, a une accumulation importante avec une demi-vie qui peut atteindre 10 jours. Le début de son effet hypnotique est lent, i.e. après quelques jours, et il engendre de la somnolence. Les malades âgés sont particulièrement sensibles au flurazépam, et la dose maximale qui devrait être employée est de 15 mg. Le flurazépam serait un excellent anxiolytique avec une longue durée d'action.

26.3.3 Mécanisme d'action

Chez l'animal, les benzodiazépines ont des effets pharmacologiques spécifiques. Elles diminuent le comportement agressif de même que le comportement secondaire à la frustration, à la peur et à la punition. Leur mécanisme d'action est inconnu. Cependant, on croit qu'elles agissent au niveau du système limbique. Les benzodiazépines produiraient une sorte d'inhibition en réduisant la transmission de l'amygdale à l'hypocampe. Également, elles diminueraient la transmission nerveuse de l'hypothalamus et permettraient ainsi une diminution de la décharge du système nerveux autonome. Même si son site d'action semble être connu, le mécanisme par lequel les benzodiazépines produisent leur effet est inconnu. Il existe deux théories actuellement. La première suggère l'existence de substances endogènes benzodiazépiniques comme les endorphines, i.e. que le cerveau aurait ses propres substances tranquillisantes. Cette hypothèse a été émise à la suite de la découverte des récepteurs spécifiques dans le cerveau pour les benzodiazépines. Kales et ses collaborateurs ont proposé que le cerveau ne pourrait pas produire ses propres substances tranquillisantes à la suite de la prise continue de benzodiazépines, ce qui expliquerait l'insomnie rebond au retrait des benzodiazépines à courte action. La deuxième théorie propose que leur effet thérapeutique dans l'anxiété est en relation avec leur action GABA-agoniste. Il existe une controverse quant au mécanisme d'action des benzodiazépines dans la relaxation musculaire, à savoir s'il s'agit d'un effet central ou périphérique. Enfin, on croit que leur effet agoniste de la GABA ou de la sérotonine pourrait expliquer leurs propriétés anticonvulsivantes.

26.4   INDICATIONS

26.4.1   L'anxiété

On peut définir l'anxiété comme une réaction de peur semblable à celle que nous avons pu avoir, qui s'accompagnait de palpitations et d'angoisse. L'anxiété peut être situationnelle lors d'une entrevue, de tests, d'intervention chirurgicale, etc. D'une certaine façon, elle est nécessaire au fonctionnement de l'être humain et s'inscrit sur une sorte de courbe où la performance augmente avec un certain niveau d'anxiété et diminue en l'absence d'anxiété. Cependant, si l'anxiété devient trop grande, il y a une diminution de la performance. Elle devient pathologique quand elle est une peur sans objet ou une réponse exagérée à un stress réel. Les anxiolytiques agissent sur les deux aspects de l'anxiété, sur l'aspect psychologique ou appréhension, et également sur les comportements acquis associés à l'anxiété. L'anxiété est accompagnée de plusieurs manifestations physiques que l'on appelle somatisations et qui peuvent, comme nous allons le voir, affecter toutes les parties du système nerveux autonome. Il importe de bien distinguer le syndrome d'anxiété et les symptômes physiques associés à l'anxiété. De plus, il est important de distinguer l'anxiété primaire ou secondaire. L'anxiété secondaire peut accompagner la plupart des maladies psychiatriques comme la dépression, la schizophrénie, la manie, etc., et également plusieurs maladies physiques, notamment l'hyperthyroïdie, l'hypoglycémie, l'hypertension, l'obésité, l'asthme, le côlon irritable, l'ulcère peptique, l'eczéma, les névroses cardiaques, l'hyperventilation, etc.

On distingue habituellement deux sortes d'anxiété primaire (DSM III): une anxiété généralisée sans attaque de panique et une anxiété accompagnée d'attaques de panique. Il est important de différencier ces deux formes d'anxiété car le traitement peut être différent. Les benzodiazépines constituent le traitement pharmacologique idéal pour réduire ou éliminer les symptômes des patients qui souffrent d'anxiété généralisée d'une durée d'au moins 1 mois. Quant à l'anxiété situationnelle ou de courte durée, la psychothérapie brève et les anxiolytiques ont la même efficacité thérapeutique.

L'anxiété généralisée constitue la première grande indication des benzodiazépines. Il s'agit d'une sorte d'appréhension, de peur irrationnelle, accompagnée habituellement de quatre symptômes, et d'une durée minimale de 4 semaines: 1) tension musculaire; incapacité de se détendre, de rester en place, douleurs musculaires; 2) hyperactivité autonomique: palpitations, diarrhée, transpiration profuse, pollakiurie, difficulté à avaler, boule dans l'estomac, sueurs, chaleurs; 3) appréhension: tracasserie pour un rien, anticipation du pire, etc.; 4) troubles du sommeil et de la vigilance: insomnie, difficulté de se concentrer, etc. (DSM III).

Les benzodiazépines ne possèdent aucun effet antidépresseur propre mais peuvent être utiles dans le cas de dépression où l'anxiété joue un rôle important, pendant les deux premières semaines de traitement en attendant que les antidépresseurs agissent. A ce sujet il n'est pas exact que les benzodiazépines peuvent aggraver ou provoquer un syndrome dépressif chez les malades anxieux. Il se peut en effet que l'angoisse et l'anxiété masquent la symptomatologie d'une dépression sous-jacente. Dans ce cas l'administration des benzodiazépines en agissant sur l'anxiété enlève le masque à la dépression qui était toujours présente et qui devient alors plus manifeste dans le tableau clinique.

Une nouvelle benzodiazépine, l'alprazolam, a été rapportée comme ayant un effet antidépresseur. Nous avons trouvé cette dernière benzodiazépine également efficace dans le traitement de l'anxiété accompagnée d'attaques de panique. Les antidépresseurs tricycliques constituent un traitement efficace des attaques de panique. Des études sont requises pour établir l'efficacité des benzodiazépines dans le traitement de celles-ci. Les attaques de panique sont des crises d'anxiété soudaines, récurrentes, et s'accompagnent de dyspnée, palpitations, douleurs thoraciques, difficultés respiratoires, étourdissements, paresthésies, sentiment d'irréalité. Habituellement, pour établir le diagnostic, il faut observer au moins trois de ces symptômes. D'autres symptômes sont des sentiments de chaleur, frissons, sudation, perte de connaissance, tremblements, peur de mourir ou de perdre le contrôle. Cette anxiété est souvent accompagnée d'agoraphobie dans 5% des cas.

Il se tient actuellement une campagne visant à décourager l'emploi des anxiolytiques, alléguant une surprescription de ces médicaments. On soutient que les anxiolytiques empêchent les individus d'assumer leurs problèmes existentiels, d'y faire face et de chercher une solution à ce qui cause l'anxiété. Les anxiolytiques n'ont pas d'effets sur la psychodynamique du malade ni sur les facteurs de milieu qui peuvent provoquer de l'anxiété. Pour plusieurs médecins, la prescription abusive de ces médicaments pourrait servir de substitut à une relation humaine significative. Nous reconnaissons qu'il y a pu avoir surprescription, mais nous croyons qu'une telle campagne nuit beaucoup aux personnes qui bénéficient de ces médicaments, en les culpabilisant sans raison valable.

26.4.2 L'insomnie (voir chapitre 16)

Comment définir un hypnotique idéal? La principale cause d'insomnie étant l'anxiété, la prolongation de l'action du médicament durant la journée peut être souhaitable. Cependant, l'effet hypnotique devrait être de courte durée et à début rapide, puisque l'induction du sommeil est importante. De plus, l'hypnotique idéal ne devrait pas avoir d'effet secondaire de somnolence le lendemain matin, ni interférer avec les activités de la journée. Cependant, une demi-vie prolongée ne signifie pas nécessairement une longue durée d'action après administration d'une dose unique au coucher. Lorsqu'une pharmacothérapie hypnotique est nécessaire, les benzodiazépines comportent des avantages certains sur les hypnotiques antérieurs. Les benzodiazépines semblent moins interférer dans le sommeil REM que les barbituriques, la glutéthimide (Doriden), le méthyprylon (Noludar) et possiblement aussi l'hydrate de chloral; elles entraînent rarement une réelle assuétude contrairement aux barbituriques, au glutéthimide et au méprobamate. Elles comportent un danger faible de toxicité par surdosage et demeurent efficaces durant une thérapie à long terme, à l'encontre des hypnotiques traditionnels qui cessent d'être efficaces après quelques jours seulement de traitement. Lors d'une étude incluant 1689 malades hospitalisés dans un département de médecine, qui avaient eu besoin d'un hypnotique, le diazépam fut considéré comme l'hypnotique de premier choix.

26.4.3 Sevrage alcoolique

Dans le traitement du sevrage alcoolique, les benzodiazépines, notamment le chlordiazépoxide, sont aussi efficaces que les autres tranquillisants et moins dangereuses. Elles ne présentent pas de risques d'hypotension et de convulsions comme les phénothiazines, beaucoup moins de risques de dépression respiratoire que les barbituriques, ni de problèmes dans l'administration comme le paraldéhyde qui a une odeur désagréable ou qui cause des complications au site d'injection. Le désavantage des benzodiazépines est qu'il faille les administrer en très grande quantité pour avoir un effet thérapeutique. Des changements aux sites récepteurs qui se produiraient durant le sevrage seraient responsables des doses importantes requises.

26.4.4 Relaxants musculaires

La relaxation musculaire des benzodiazépines a été démontrée dans plusieurs études cliniques. Le diazépam est souvent prescrit comme thérapie adjuvante dans les spasmes lombaires douloureux et dans certains troubles spastiques. En clinique, on observe qu'il réduit de façon marquée la tension musculaire chez les anxieux.

26.4.5 Anticonvulsivants

Les benzodiazépines ont leur utilité dans le traitement des troubles convulsifs: le diazépam par voie intraveineuse dans le "status epilepticus", et le clonazépam dans la prévention des crises de myoclonie.

26.4.6 Préanesthésie

Les benzodiazépines - et plus particulièrement le diazépam - peuvent être utilisées avec avantage pour produire une certaine sédation avant de procéder à une cardioversion, pour faciliter une gastroscopie, une sigmoïdoscopie, une péritonéoscopie ou une bronchoscopie. Elles peuvent également être administrées en concomitance avec des analgésiques locaux et systémiques durant les accouchements, et comme prémédication avant une anesthésie générale. Dans ce dernier cas, elles sont aussi efficaces que les opiacés et moins toxiques. Nous les recommandons également en préélectrochoc. Le diazépam est alors employé par voie intraveineuse à la dose de 10-20 mg qui rend alors le malade somnolent.

26.4.7 Troubles du sommeil autres que l'insomnie

Les benzodiazépines diminuent de façon généralement consistante le stade IV du sommeil (ondes lentes), et cet effet peut être employé de façon thérapeutique dans des conditions où le stade IV est anormal, en particulier dans des cas de somnambulisme, d'énurésie et de cauchemars. Cependant, leurs effets à long terme sur ces troubles du sommeil restent à être démontrés.

26.5 CONTRE-INDICATIONS ET PRÉCAUTIONS

L'emploi des benzodiazépines est contre-indiqué dans le traitement de la schizophrénie car elles ne possèdent aucun effet sur la psychose elle-même bien qu'elles puissent parfois améliorer l'agitation et l'anxiété. Certains cas de détérioration ont été rapportés après un traitement chronique au diazépam et au chlordiazépoxide. Le chlordiazépoxide pourrait antagoniser dans une certaine mesure l'effet de certains neuroleptiques. L'emploi des benzodiazépines est également contre-indiqué chez les patients dont l'anxiété est due à l'hypoxie, la douleur, l'hypoglycémie ou l'oedème cérébral. En début de traitement, les benzodiazépines peuvent interférer avec la conduite de l'automobile ou d'autres véhicules, ou l'emploi d'outils mécanisés, et le patient doit en être averti. De plus, elles potentialisent l'effet de l'alcool et autres dépresseurs du système nerveux central, ce qui les rend alors dangereuses dans les cas de surdosage. Enfin, leur emploi à long terme doit être justifié puisque leurs effets secondaires lors d'une administration prolongée sont inconnus. Il n'est pas exclu que les benzodiazépines aient un effet tératogène lorsque administrées durant le premier trimestre de la grossesse. Elles doivent donc être administrées avec précaution dans cette période car le risque, tout en étant faible, pourrait exister.

26.6 ADMINISTRATION ET CHOIX DU MÉDICAMENT

Il n'existe aucune évidence à l'effet qu'une benzodiazépine soit plus efficace qu'une autre à des doses équivalentes. Leur efficacité dépend de la façon dont elles sont prescrites et de leurs propriétés pharmacocinétiques (tableau 26.3). Les besoins de chaque individu varient énormément ainsi que la façon dont ils absorbent et transforment le médicament; aussi la dose doit-elle être adaptée aux besoins de chaque malade et selon la réponse clinique. L'efficacité dépend également des propriétés pharmacocinétiques. Le chlordiazépoxide, le diazépam, le flurazépam et le clorazépate sont des produits à longue action qui ne nécessitent pas plus de deux doses par jour. Une seule dose au coucher peut même suffire et favoriser du même coup le sommeil. Si une thérapie à courte action et sans accumulation est désirée, il est recommandé de prescrire alors les dérivés 3-hydroxy-benzodiazépines (oxazépam ou lorazépam) à raison de 3 ou 4 doses par jour.

Contrairement à la plupart des médicaments, les benzodiazépines sont absorbées plus rapidement et peut-être aussi plus complètement après une administration orale qu'après une administration intramusculaire. L'absorption du chlordiazépoxide administré par voie intramusculaire n'est équivalente à l'absorption du même médicament administré par voie orale qu'après 72 heures. Quant à l'administration par voie intraveineuse, elle assure un accès complet et rapide du médicament, mais requiert une procédure incommode en plus de provoquer des douleurs locales et des inflammations chez plusieurs patients. Certains cas de phlébites et d'arrêts respiratoires ont même été rapportés à la suite d'injections intraveineuses de benzodiazépines.

TABLEAU 26.3: Classification des benzodiazépines et des barbituriques selon leurs propriétés pharmacocinétiques

Durée d'action longue (t $\frac{1}{2}$ ⩾ 24 h)

Benzodiazépines	Barbituriques
Chlordiazépoxide (24 h)	Phénobarbital (96 h)
Diazépam (40 h)	
Clonazépam (40 h)	
Prazépam* (desméthyldiazépam) (60 h)	
Clorazépate* (desméthyldiazépam) (60 h)	
Flurazépam* (désalkylflurazépam) (100 h)	

Durée d'action intermédiaire-brève (t $\frac{1}{2}$ ⩾ 5-24 h)

Benzodiazépines	Barbituriques
Oxazépam (8 h)	Sécobarbital (24 h)
Lorazépam (12 h)	Amobarbital (28 h)
Alprazolam (14 h)	Pentobarbital (30 h)
Bromazépam (16 h)	

Durée d'action très brève (t $\frac{1}{2}$ ⩽ 5 h)

Benzodiazépines	Barbituriques
Triazolam (2.5 h)	Thiopental (3 h)
	Méthohéxital (4 h)

*   Substances qui ne se retrouvent pas dans la circulation systémique.
   Leur principal métabolite actif est donné entre parenthèses.

Le triazolam est une benzodiazépine à action ultra-courte et constituerait l'hypnotique idéal pour un emploi à court terme. Cependant, son emploi continu pour une période de plus de 2 semaines peut entraîner une insomnie rebond, ce qui pourrait favoriser une dépendance psychologique. Quel serait l'hypnotique idéal pour le médecin de garde la nuit? Certainement pas le triazolam; il s'agit d'une benzodiazépine très puissante qui rend la personne somnolente pendant sa durée d'action de 8-10 heures et l'empêche alors de prendre des décisions adéquates. D'ailleurs, les malades à qui on prescrit le triazolam devraient être avertis de ne pas se lever la nuit. En conclusion, jusqu'à maintenant nous ne connaissons que les effets des benzodiazépines à longue action; les benzodiazépines à très courte action trouveront sans doute une indication thérapeutique précise, tout comme ce fut le cas pour les barbituriques.

Nous avons étudié deux benzodiazépines à durée d'action intermédiaire (alprazolam et bromazépam; voir tableau 26.3) et nous croyons qu'elles pourront, chez certains malades, remplacer les benzodiazépines à longue action à cause de leur plus grande puissance comme anxiolytiques.

Le tableau 26.4 donne les doses habituelles, employées pour chaque benzodiazépine. Cependant, dans le traitement de l'anxiété aiguë et des réactions adverses au LSD ou amphétamines, nous recommandons l'emploi de mégadoses de diazépam à cause de sa grande liposolubilité. La dose initiale est de 10-20 mg répétée aux 20 minutes jusqu'à sédation. Parfois 100 mg de diazépam sont requis en dedans de 2 heures pour contrôler une crise d'anxiété aiguë.

TABLEAU 26.4: Anxiolytiques benzodiazépiniques

| Nom générique | Posologie[1] en mg | | |
	minimale[2]	habituelle	maximale
Lorazépam	0.5	1 - 3	6
Oxazépam	15	30 - 60	120
Chlordiazépoxide	5	10 - 100	150[3]
Diazépam	1	10 - 60	100
Clorazépate	7.5	15 - 30	60
Alprazolam	0.125	0.25 - 3	----
Bromazépam	3	6 - 18	----
Triazolam	0.25	0.5 - 1.5	----

[1] En doses divisées. Sauf pour le lorazépam et l'oxaxépam, la posologie B.I.D. est habituellement suffisante, et même la posologie I.D. si on ne recherche qu'un effet hypnotique.

[2] Malades âgés ou affaiblis.

[3] Peut être plus élevée, jusqu'à 400 mg/jour et plus, dans le traitement du delirium tremens.

26.7 EFFETS SECONDAIRES

26.7.1 Neurologiques

Un dosage trop élevé peut entraîner une dépression excessive du système nerveux central, qui se traduit généralement par de la fatigue, de la somnolence, de la faiblesse musculaire, de l'ataxie, des étourdissements, de la dysarthrie et du nystagmus. Ces effets peuvent être atténués en diminuant le dosage et disparaissent lorsque la médication est interrompue. Une tolérance se développe rapidement à ces effets secondaires et plus particulièrement à la somnolence. Les benzodiazépines, comme les autres anxiolytiques, sont des dépresseurs non spécifiques du système nerveux central, et leurs effets secondaires principaux sont en relation avec cet effet. Dans nos propres études, nous avons trouvé une incidence relativement élevée de somnolence entre 10 et 50% dépendant de l'évaluateur. Cependant, nous n'avons pas été capables de différencier les étourdissements en relation avec l'anxiété de ceux induits par les médicaments. Greenblatt et Shader rapportent une incidence de 3.9% pour la somnolence et de 1.7% pour l'ataxie.

26.7.2 Psychiatriques

Les benzodiazépines peuvent entraîner des réactions telles l'excitation, la rage, la violence, et des comportements destructifs pouvant aller jusqu'à l'idéation autodestructrice. Certains rapports anecdotiques suggèrent qu'elles pourraient également entraîner des troubles du sommeil. La fréquence de ces réactions n'a toutefois pas encore été établie. Ces réactions sont plutôt considérées comme idiosyncrasiques et non comme des effets secondaires.

26.7.3 Autres

Les effets hématopoïétiques et hépatiques, si jamais il existent, sont excessivement rares. De rares cas de pancytopénie et de leucopénie ont été rapportés mais doivent être interprétés avec réserve. De rares cas de réactions allergiques ont également été rapportés incluant des réactions urticariennes, de l'oedème angioneurotique et des éruptions maculopapulaires.

26.8 ASSUÉTUDE ET SURDOSAGE

Tous les médicaments utilisés dans le traitement de l'anxiété ont été suggérés comme pouvant entraîner une dépendance physique. Les anxiolytiques qui auraient un pic d'action très rapide pourraient être sujets à plus d'abus. Le cas des benzodiazépines est cependant controversé. Des études animales ont montré une tolérance certaine aux benzodiazépines et des cas de symptômes de sevrage ont été rapportés chez les humains. Cependant, de tels cas demeurent extrêmement rares et l'on peut se demander dans quelle mesure ces symptômes ne sont pas confondus avec ceux de l'anxiété pathologique qui refont surface après l'arrêt de la médication. Quoiqu'il en soit, le risque de dépendance est certainement plus bas avec les benzodiazépines qu'avec les sédatifs-hypnotiques, les barbituriques, le glutéthimide, la méthaqualone et le méprobamate. Par mesure de prudence, les doses élevées devraient être évitées et les prescriptions, réévaluées régulièrement. Les séquelles importantes à la suite de surdosage sont aussi plus rares de même que les empoisonnements fatals.

C'est un sujet à la mode de parler des abus de benzodiazépines, mais il est utile de faire les distinctions suivantes pour une meilleure compréhension du problème. Abus est un terme général qui comprend trois situations où l'on peut parler d'usage abusif.

Il y a d'abord l'utilisation par un trop grand nombre de malades, soit la surutilisation (*overuse*). Cet aspect dépend surtout du patient. La surutilisation survient lorsque le malade se présente pour une condition triviale et vise à être soulagé de son anxiété. Les gens endurent moins leur anxiété, ne veulent pas souffrir. Qui peut les blâmer? L'argument principal contre cet emploi est qu'il empêche le malade de voir ses problèmes. Bien souvent, lorsqu'on parle d'abus, on cherche un bouc émissaire qui peut être le médecin qui prescrit, le malade qui demande ou encore l'industrie qui fabrique le médicament.

Le deuxième type d'abus consiste dans le mauvais usage (*misuse*). Ce mauvais usage peut signifier l'emploi de ces médicaments chez des gens qui n'en ont pas besoin, comme par exemple dans le traitement de la dépression au lieu des tricycliques, ou encore de façon non appropriée, sur une période prolongée, en donnant au malade des prescriptions pour des semaines, voire des mois, sans vérifier périodiquement s'il a toujours besoin de médicament. Ce type d'abus est celui sur lequel les médecins pourraient plus facilement exercer un contrôle en se montrant plus vigilants.

Enfin, le troisième point est l'abus proprement dit (*abuse*). Il y a les gens qui abusent des benzodiazépines comme ils abusent des narcotiques, amphétamines et barbituriques. Ce sont les polytoxicomanes qui existeront toujours et les benzodiazépines, comme beaucoup d'autres médicaments, continueront d'être trafiquées sur le marché noir. Nous pouvons cependant dire qu'il n'y a pas plus d'abus des benzodiazépines que des autres psychotropes, et on pourrait même penser que c'est le contraire.

26.9 SEVRAGE

L'arrêt brusque des benzodiazépines après emploi prolongé entraîne trois sortes de réactions. Les premières sont d'ordre psychiatriques et consistent en une anxiété ou une insomnie *rebond* qui peut être soudaine et prolongée. Le deuxième groupe de réactions inclut de légers symptômes du système nerveux autonome (nausées, vomissements, etc.). Enfin, on peut noter des symptômes du système nerveux central comme des tremblements et des convulsions. Les symptômes de sevrage dépendent en grande partie de la durée d'action de la benzodiazépine. Plus elle est courte, plus les symptômes de sevrage peuvent être sévères après emploi prolongé.

26.10 CONCLUSION

Chaque année, plusieurs milliers de personnes consultent leur médecin pour avoir un soulagement de leur tension et de leur anxiété. La plupart des médecins ont trouvé que les anxiolytiques étaient des substances pouvant aider ces malades. Cependant, les agents psychopharmacologiques ne constituent pas une cure pour tous les problèmes névrotiques. Mais, en diminuant les symptômes d'anxiété et de tension, ces médicaments aident le malade à contrôler son stress intra ou extra-psychique, et peuvent lui permettre de mieux comprendre les causes de sa détresse.

Avant de prescrire des anxiolytiques, il faut chercher à savoir s'il s'agit d'une anxiété primaire ou secondaire. Lorsque l'anxiété est le principal problème du malade, les benzodiazépines sont les seules recommandées parmi la classe des anxiolytiques à cause de leur plus grande efficacité et de leur faible risque d'effets secondaires et d'assuétude. Les benzodiazépines sont indiquées en administration courte (4-5 jours) pour les gens normaux qui traversent une situation de stress aigu (décès d'un parent, faillite financière, etc.), et en emploi prolongé après consultation avec un psychiatre qui déterminera si la psychothérapie, la thérapie de comportement ou une thérapie familiale n'est pas plutôt indiquée.

Le problème des benzodiazépines et en particulier du diazépam résulte de son succès: il est efficace et peu toxique. Le diazépam reflète en même temps le problème de la communication médecin-malade. Il est prescrit dans 75% des cas par le médecin généraliste ou interniste. Bien souvent, on reproche à ces derniers de ne pas prendre le temps de parler au malade.

Dans le traitement de l'anxiété aiguë, la psychothérapie à court terme et le diazépam sont plus efficaces que le placebo. Toutefois, le médecin généraliste n'a pas le temps de mener avec succès une psychothérapie à court terme sans adjuvant médicamenteux. Quant à l'anxiété chronique, on peut l'aborder de deux façons, soit par psychothérapie (voir chapitres 31, 32, 33) ou encore par le traitement pharmacologique. Autant existe-t-il des cas interminables de psychanalyse ou psychothérapie, autant existe-t-il également des cas interminables d'emploi des benzodiazépines. Les malades nécessitant un traitement à long terme ont droit à être soulagés de leur anxiété.

De plus, comme il existe des cas de dépendance ''chronique'' à des psychothérapeutes (psychothérapies et psychanalyses interminables), il existe des cas de dépendance ''chronique'' aux anxiolytiques pour certains individus qui ne peuvent fonctionner sans cet appoint. Favoriser une forme d'approche plutôt qu'une autre tient plus à un jugement de valeur qu'à un jugement scientifique.

BIBLIOGRAPHIE

BRAESTRUP, C., NIELSEN, M., KROGSGAARD-LARSEN, P., FALCH, E. "Partial agonists for brain GABA/benzodiazepine receptor complex". *Nature*. 1979, 3, 361-368.

CHOUINARD, G., ANNABLE, L., FONTAINE, R., SOLYOM, L. "Alprazolam, a new benzodiazepine, in the treatment of anxiety and panic disorders: a double-blind placebo-controlled study" *Psychopharmacology* (sous presse).

COHEN, S. (ed). "Valium: its use and abuse". *Drug Abuse & Alcoholism*. News letter, 1976, 4.

FABRE, L.F. "Pilot open label study with alprazolam (U-31, 889) in outpatients with neurotic depression". *Curr. Ther. Res.* 1976, 19, 661-668.

FREEBURY, D.R., BROWN, G.M., MOLDOFSKY, H., HOWLEY, T. "Growth hormone and cortisol responses, tranquilizer usage, and their association with survival from myocardial infarction". *Psychosomatic Medicine*. 1978, 40(6), 462-477.

GREENBLATT, D.J., ALLEN, M.D., MacLAUGHLIN, D.S., KARMATZ, J.S., SHADER, R.I. "Diazepam absorption: effect of antacids and food". *Clin. Pharmacol. Ther.* 1978, 24(5), 600-609.

GREENBLATT, D.J., MILLER, R.R. "Rational use of psychotropic drugs". *I. Hypnotics*. J. Maine Med Assoc. 65 (8), 192-197.

GREENBLATT, D.J., SHADER, R.I. *Benzodiazepines in clinical practice*. Raven Press Books, Limited, 1974.

GREENBLATT, D.J., SHADER, R.I., KOCH-WESER, J. "Psychotropic drug use in the Boston area: A report from the Boston Collaborative Drug Surveillance Program". *Arch. Gen. Psychiatry*. 1975, 32, 518-521.

HOLLISTER, L.E. "Benzodiazepines, a critical review". *International Symposium*. Bruxelles, 1980, December 1-2.

KALES, A., KALES, J.D. "Sleep disorders". *New Eng. J. Med.* 1974, 290, 487-499.

KALES, A., SCHARF, M.G., KALES, J.D. "Rebound insomnia: A new clinical syndrome". *Science 201*. 1978, 1039-1041.

KESSON, C.M., GRAY, J.M.B., LAWSON, D.H. "Benzodiazepine drugs in general medical patients". *Br. Med. J.* 1976, 1, 680-682.

KOZHECHKIN, S.N., OSTROVSKAYA, R.U. "Are benzodiazepines GABA antagonists?" *Nature*. 1977, 269, 72-73.

MacLEOD, S.M., SELLERS, E.M., GILES, H.G., BILLINGS, B.J., MARTIN, P.R., GREENBLATT, D.J., MARSHMAN, J.A. "Interaction of disulfiram with benzodiazepines". *Clin. Pharmacol. Ther.* 1978, 24(5), 583-589.

MARANGOS, P.J., CLARK, R., MARTINO, A.M., PAUL, S.M., SKOLNICK, P. "Demonstration of two "Benzodiazepine-like" compounds from brain". *Psychiatry Res.* 1979, 1, 121-130.

MOHLER, H., OKADA, T. "Benzodiazepine receptor: Demonstration in the central nervous system". *Science*. 1977, 198, 849-851.

RANDALL, L.O. "Pharmacology of methaminodiazepozide". *Dis. Nerv. Syst. 21*.1960, 7-10.

SELLERS, E.M. "Clinical pharmacology and therapeutics of benzodiazepines". *Can. Med. Assoc. J.* 1978, 24(5), 600-609.

SEPINWALL, J., COOK, L. "Behavioral pharmacology of antianxiety drugs". *Handbook of Psychopharmacology*. Vol. 13, Iversen LL Eversen SD, Snyder SH (eds), Plenum Publishing Corporation, 1978.

SHADER, R.I., GREENBLATT, D.J. "Clinical implications of benzodiazepine pharmacokinetics". *Amer. J. Psychiatry.* 1977, 134 (6), 652-656.

SQUIRE, R.F., BRAESTRUP, C. "Benzodiazepine receptors in rat brain". *Nature.* 1977, 266(5604), 732-734.

UHLENHUTH, E.H., BALTER, M.B., LIPMAN, R.S. "Minors tranquilizers: Clinical correlates of use in an urban population". *Arch. Gen. Psychiatry.* 1978, 35, 650-655.

WOO, E., GREENBLATT, D.J. "Massive benzodiazepine requirements during acute alcohol withdrawal". *Amer. J. Psychiatry.* 1979, 136(6), 821-823.

ZIMMERMANN-TANSELLA, C., TANSELLA, M., LADER, M. "Psychological performance in anxious patients treated with diazepam". *Prog. Neuro-Psychopharmacol.* 1979, 3, 361-368.

CHAPITRE 27

LES NEUROLEPTIQUES

Guy Chouinard et Jean-François Denis *

27.1 INTRODUCTION

La psychopharmacologie moderne a débuté avec la découverte, au début des années 50, de l'action sur les maladies psychiatriques de deux médicaments très différents: la chlorpromazine et la réserpine. On avait observé que la réserpine avait des effets anxiolytiques chez les patients hypertendus. De plus, la racine de Rauwolfia Serpentina, la source de la réserpine, était utilisée dans la médecine hindoue pour le traitement des maladies mentales. La découverte de la chlorpromazine est liée au fait qu'un chirurgien français, Henri Laborit, ait ajouté ce médicament à son "cocktail lytique", une combinaison de médicaments qu'il donnait en préopératoire pour contrecarrer les réponses excessives du corps humain au stress chirurgical. Il observa que ce médicament produisait chez ses patients un changement de comportement qui amenait un calme, une tranquillisation sans sédation vraiment importante. Peu après, deux psychiatres français, J.P. Delay et P. Deniker, ont donné ce médicament à des malades schizophrènes et ont observé non seulement un effet tranquillisant mais aussi une réduction frappante des symptômes psychotiques. Ceci a été le point de départ d'une révolution dans le traitement des malades psychotiques.

Une kyrielle de substances à la fois de la classe de la chlorpromazine, des phénothiazines et d'autres classes, ont été synthétisées et essayées, d'abord en laboratoire, puis chez des malades schizophrènes. On s'est rendu compte que ces substances, lorsqu'elles étaient efficaces dans le traitement de la psychose, se distinguaient entre elles non pas par les différences d'effets thérapeutiques mais par les différences d'effets secondaires. Ceci a amené leur classification en deux classes: les incisifs et les sédatifs. En fait, un médicament en particulier peut se situer n'importe où sur le continuum entre le pôle incisif et le pôle sédatif. Ainsi, il est plus précis de parler de prédominance des effets extra-pyramidaux de type parkinsonien liés au blocage dopaminergique au niveau des noyaux gris centraux (les incisifs), et de symptômes liés à l'action sur le système nerveux autonome, dus à une action anticholinergique et (ou) alpha-adrénolytique (les sédatifs). La dose nécessaire à l'obtention d'un effet thérapeutique diffère également en-

---

* Les auteurs désirent remercier Diane Ross pour sa collaboration à la préparation de ce texte.

tre les incisifs et les sédatifs. Les incisifs se prescrivent à une dose moindre pour les mêmes effets thérapeutiques. Il n'y a pas de différence entre eux quant à leur spectre d'activité thérapeutique sur les symptômes positifs ou négatifs de la schizophrénie.

La supériorité des antipsychotiques ou neuroleptiques sur les anxiolytiques et le placebo a largement été démontrée dans le traitement de la schizophrénie (20). Une étude du NIMH impliquant neuf hôpitaux a montré que 75% des schizophrènes aigus présentaient une amélioration marquée ou modérée après 6 semaines de traitement aux neuroleptiques comparativement à 23% pour le groupe placebo (22). Le traitement de la schizophrénie par les neuroleptiques s'est de plus révélé significativement supérieur aux autres formes de traitement (psychothérapie, thérapie de groupe, thérapie de milieu et électrochocs) chez le schizophrène nouvellement hospitalisé (21).

27.2 INDICATIONS

Il est fortement recommandé de limiter l'administration des neuroleptiques aux seuls malades psychotiques en raison du danger que ces médicaments présentent. Ils sont en effet à l'origine d'effets secondaires dont certains (les dyskinésies tardives) peuvent être irréversibles. Les seules indications reconnues pour l'emploi des neuroleptiques sont la schizophrénie, la phase maniaque des psychoses affectives bipolaires et les cas d'agitation des psychoses toxiques lorsque les benzodiazépines se sont avérés inefficaces. Leur emploi est déconseillé dans les cas de dépression, de névrose et de réactions adverses aux psychodysleptiques. En effet, dans ce dernier cas, il arrive très souvent que les malades, ayant pris des psychodysleptiques, aient en fait ingurgité des substances anticholinergiques, de sorte que cette réaction adverse peut être au moins en partie due à une psychose atropinique. L'usage de neuroleptiques dans ce cas pourrait exacerber l'état du malade et entraîner une tachycardie ventriculaire qui pourrait être fatale.

27.3 ADMINISTRATION

27.3.1 Polypharmacie

La pratique de la polypharmacie est fortement déconseillée. Il n'a pas été démontré qu'une association de médicaments soit supérieure à un seul médicament employé adéquatement. Un seul neuroleptique est plus efficace qu'une combinaison de faibles doses. L'emploi conjoint d'antidépresseurs, d'anxiolytiques et d'hypnotiques est également déconseillé. Ces substances n'augmentent en rien l'effet des neuroleptiques et peuvent possiblement interférer dans l'action de ces derniers. La dépression, l'anxiété et l'insomnie que l'on observe chez les malades psychotiques peuvent être corrigées par les neuroleptiques, ces symptômes étant reliés à leur psychose.

27.3.2 Choix du médicament

Il semble que les divers produits proposés soient à peu de choses près aussi efficaces les uns que les autres. Le tableau 27.1 présente la posologie des principaux neuroleptiques et leur équivalence par rapport à la chlorpromazine. Le choix du neuroleptique peut se faire en fonction de la susceptibilité du malade à certains effets secondaires. En effet, certains malades sont par exemple susceptibles à l'effet adrénolytique de certains de ces médicaments (Nozinan, Largactil, Mellaril, Tarasan), ce qui se traduit par de l'hypotension posturale importante ou de la somnolence, alors que d'autres sont sensibles aux effets extra-pyramidaux parkinsoniens (surtout produits par Haldol, Moditen, Stélazine). Personnellement, nous recommandons de se familiariser particulièrement avec la fluphénazine et les diphénylbutylpipéridines. La fluphénazine présente un net avantage sur les autres neuroleptiques car elle peut être administrée sous plusieurs formes différentes: orale: comprimés ou élixir — injectable: A- à courte action (moditen HCL i.m.) et B- 2 formes à longue action (moditen énanthate et modécate). Les diphénylbutylpipéridines présentent également certains avantages, le pimozide (Orap ®) pouvant être administré une fois par jour par voie orale et le fluspirilène (Imap ®) une fois par semaine par voie intramusculaire. Les phénothiazines administrées de façon intramusculaire toutes les 2 ou 4 semaines constituent présentement le traitement antipsychotique le plus fiable et le plus commode. L'introduction du décanoate d'halopéridol constituera une excellente alternative aux esters de la fluphénazine.

27.3.3 Régime

Un régime t.i.d. ou même q.i.d. peut être nécessaire durant la phase aiguë de la maladie. Il est cependant recommandé d'adopter le régime q.d. ou b.i.d. aussitôt que la stabilisation est atteinte. Aucune étude n'a démontré la supériorité des doses multiples sur ces deux derniers régimes (1). L'action des neuroleptiques est suffisamment prolongée pour permettre une telle pratique. Ils peuvent être prescrits avec avantage en une dose unique au coucher, la léthargie et la somnolence qu'ils provoquent devenant alors un effet hypnotique souhaitable. Les dérivés pipéraziniques et l'halopéridol doivent parfois être administrés en une dose unique le matin car ils peuvent provoquer de l'akathisie et conséquemment de l'insomnie.

27.3.4 Phase aiguë

Le dosage doit parfois être augmenté durant la phase aiguë, et ceci jusqu'à l'obtention d'une amélioration clinique marquée ou jusqu'à la manifestation d'effets secondaires inacceptables. La dose quotidienne de chlorpromazine peut se situer entre 800 et 1500 mg et peut même dépasser 1500 mg chez les malades très agités. Le sous-dosage est fortement déconseillé à ce stade de la maladie. La chlorpromazine administrée de façon intramusculaire ou par voie orale sous forme liquide est le médicament le plus souvent utilisé. La dose initiale peut consister en 50 à 100 mg administrés toutes les demi-heures ou toutes les heures mais ne doit pas dépasser 75 à 100 mg lorsque la médication est administrée par voie intramusculaire. Le dosage peut être réduit à 100 à 300 mg q.i.d. lorsque le niveau de sédation souhaité est obtenu. Si cette dose n'est pas

TABLEAU 27.1:   Posologie des principaux neuroleptiques et équivalence par rapport à la chlorpromazine

		ÉCARTS DE LA DOSE QUOTIDIENNE TOTALE (MG)		ÉQUIVA- LENCE §
		Phase aiguë	Dose d'entretien	
Phénothiazines				
Aliphatiques	Chlorpromazine (Largactil)	200 - 1200 (2000)	50 - 400	1 : 1 (100)
	Méthotriméprazine (Nozinan)†	25 - 200 (300)	25 - 50	1 : 1 (100)
Pipéridines	Thioridazine (Mellaril)†	200 - 600 (800)	50 - 400	1 : 1 (100)
Pipérazines	Chlorhydrate de Fluphénazine (Moditen)	10 - 80 (120)	2 - 10	1 : 55 (1.8)
	Enanthate de fluphénazine (Moditen i.m.)	25 - 100 (200)	2.5 - 200/2 sem.	25 i.m.: 300
	Decanoate de fluphénazine (Modécate i.m.)	25 - 100 (150)	2.5 - 150/4 sem.	25 i.m.: 150
	Trifluopérazine (Stélazine)	10 - 60 (80)	2 - 10	1 : 20 (5)
Butyrophénone	Halopéridol (Haldol)	10 - 40 (80)	2 - 10	1 : 40 (2.5)
Thioxanthènes	Chlorprothixène (Tarasan)	200 - 800 (1200)	50 - 400	1 : 1 (100)
	Thiothixène (Navane)	10 - 60 (80)	2 - 10	1 : 25 (4)
Diphénylbutylpipéridines	Pimozide (Orap)	10 - 80 (120)	2 - 10	1 : 15 (6.7)
	Fluspirilène (Imap i.m.)	6 - 18 (36)	2 - 6/1 sem.	i.m. : 71.4

* La dose inscrite entre parenthèses est une dose maximale qui ne doit être employée que dans les cas de non-réponse aux doses habituelles. Cette dose maximale peut être dépassée pour un malade sauf pour la thioridazine et la méthotriméprazine. La dose limite pour la chlorpromazine, si elle est dépassée, présente le risque de convulsions. Quant aux neuroleptiques puissants tels l'halopéridol ou la fluphénazine, il y a danger de réaction parkinsonienne fatale avec laryngospasme ou d'hyperthermie fatale. Ces deux effets peuvent être facilement prévenus par l'administration d'un antiparkinsonien pour le premier, et la prise de température quatre fois par jour pour le second.

§ Équivalence signifie que, par exemple, 1 mg d'Haldol a le même effet antipsychotique que 40 mg de Largactil, ou que 2.5 mg d'Haldol équivaut à 100 mg de Largactil selon les équivalences entre parenthèses. Par ailleurs, pour les injectables, on constate, par exemple, que Moditen 1 cc (25 mg)/2 semaines équivaut à une prise quotidienne de 300 mg de Largactil per os.

† Ces médicaments ne sont plus recommandés dans la phase aiguë, le Mellaril à cause de sa toxicité, et le Nozinan parce qu'il n'a jamais été démontré supérieur au placebo.

suffisante, il est possible d'y ajouter, en p.r.n., 75 à 100 mg administrés de façon intramusculaire. Nous avons constaté, lors d'études portant sur la phase aiguë, qu'une dose initiale de chlorpromazine de 150 à 300 mg b.i.d. ou l'équivalent p.o. était suffisante dans 90% des cas pour contrôler les symptômes psychotiques. En effet, des doses plus élevées peuvent provoquer de l'hypotension posturale, de la somnolence ou des symptômes parkinsoniens sans améliorer l'état psychiatrique du patient. Il peut même arriver qu'une augmentation de la médication, si elle diminue les hallucinations et les délires, puisse augmenter les symptômes d'autisme et de retrait social en les confondant avec les symptômes akinétiques parkinsoniens. Ceci bien sûr ne veut pas dire que ce sont les doses maximales efficaces (3,9,13). Par la suite, le dosage doit être ajusté selon la réponse thérapeutique et les effets secondaires. Le pimozide peut également être employé avec succès en dose unique, à la condition d'utiliser une dose initiale de 20 mg (l'équivalence pour le traitement aigu étant de 1:15 de chlorpromazine). Une étude récente (15) a montré que les malades agités souffrant d'un syndrome cérébral organique peuvent être traités avec 5 mg d'halopéridol i.m. toutes les heures jusqu'à l'obtention de la sédation désirée. Les autres agitations psychotiques peuvent aussi bien sûr être traitées de la même façon. L'halopéridol donne moins d'hypotension que la chlorpromazine mais plus de réactions extra-pyramidales, de sorte qu'il est utile d'ajouter de la procyclidine (Kémadrin) à raison de 5 mg per os liquide ou du chlorhydrate de diphénydramine (Bénadryl) 25 mg i.m. Ceci rendra le patient plus confortable, préviendra les réactions dystoniques qui pourraient être fatales et, ce qui est plus habituel, préviendra l'akathisie et l'agitation extra-pyramidale associée qui est souvent difficile à distinguer de l'agitation psychotique.

27.3.5 Traitement à long terme

Il a été démontré que 80% des malades traités au placebo rechutaient à l'intérieur d'une période de 2 ans lorsque leur médication était interrompue après leur sortie de l'hôpital et que cette proportion n'était plus que de 48% lorsque les malades continuaient à recevoir une médication antipsychotique (19). Nous avons néanmoins observé que certains malades développaient une tolérance à l'action antipsychotique et plus particulièrement lorsqu'ils étaient traités à de fortes doses (5,8,12). Une révision périodique de la médication s'impose car le processus schizophrénique est dynamique et les besoins du malade sont par conséquent sujets à variation. Un effort doit continuellement être fait de façon à obtenir la dose thérapeutique minimale. En effet, un patient peut entrer en période de rémission pour quelques années ou peut être placé dans une situation de vie lui apportant moins de stress qu'auparavant, de sorte que le maintien d'une dose thérapeutique d'entretien trop élevée ne fera qu'accroître son inconfort quant aux effets secondaires et, ce qui est plus important, accroîtra ses risques d'être atteint éventuellement de dyskinésie tardive. Ce syndrome que nous décrivons plus loin est souvent irréversible. S'il est clair que le patient souffre de schizophrénie chronique et que l'épisode psychotique n'est pas isolé, il n'est pas conseillé de cesser complètement ses médicaments puisqu'on augmente ainsi de beaucoup son risque de rechute.

SCHÉMA 27.1: Mécanisme d'action des neuroleptiques *

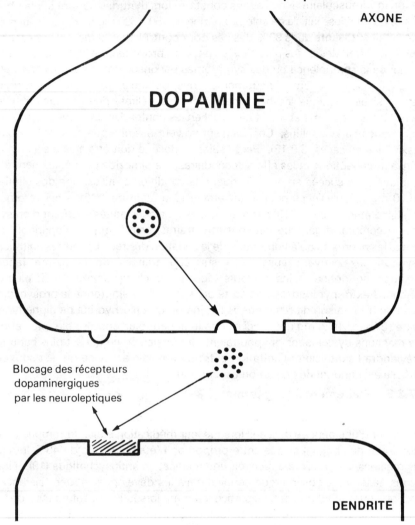

Pour une illustration détaillée du fonctionnement synaptique dopaminergique, voir le tableau 28.1, à la page 747. Faire toutefois abstraction de la dernière étape de synthèse, soit celle de la noradréline.

De la même façon, un *follow-up* régulier pourra nous amener à augmenter la médication pour un certain temps, lorsque le patient subit un stress spécial (comme par exemple débuter un nouvel emploi, subir des pressions familiales ou sociales) et ramener la médication graduellement aux doses antérieures si son ajustement est bon. Il n'est cependant pas impossible, à cause de cette tolérance à l'action antipsychotique que nous avons observée, qu'un malade requière graduellement sur une période se calculant en mois ou en années des doses progressivement plus élevées.

27.3.6   Mécanisme d'action

Il est généralement accepté que l'effet thérapeutique des neuroleptiques dans la schizophrénie soit en relation avec leur action bloquante sur les récepteurs dopaminergiques postsynaptiques possiblement dans les régions mésolimbiques (schéma 27.1). Le mécanisme exact de ce blocage dopaminergique est encore inconnu. Certains auteurs ont cependant suggéré qu'il puisse s'agir d'une inhibition de l'activation par la dopamine de l'adénylcyclase. Cependant, comme les butyrophénones, et plus particulièrement l'halopéridol, ont peu d'effet sur l'adénylcyclase, on a donc cherché une autre preuve de la relation entre l'effet thérapeutique des neuroleptiques et leur activité bloquante dopaminergique. Par la suite, Snyder et coll. ont rapporté une corrélation hautement significative entre l'effet thérapeutique des neuroleptiques en termes de mg et leur habileté à se lier aux sites récepteurs dopaminergiques, tel que mesuré par la méthode des radiorécepteurs (26).

27.4   EFFETS SECONDAIRES

27.4.1   Sur le système nerveux central

Une très forte proportion de malades traités aux neuroleptiques souffrent de divers effets secondaires. Les plus caractéristiques d'entre eux sont les effets secondaires de type parkinsonien. Les phénothiazines pipéraziniques et les butyrophénones sont les médicaments les plus souvent associés à de tels effets. L'effet anticholinergique des phénothiazines aliphatiques et des pipéridines pourrait expliquer leur moins grande incidence d'effets secondaires parkinsoniens.

27.4.2   Réactions extra-pyramidales réversibles

Les réactions extra-pyramidales réversibles se divisent en trois catégories: 1) les réactions dystoniques, 2) les réactions parkinsoniennes hyperkinétiques (akathisie et tremblements), et 3) les réactions parkinsoniennes hypokinétiques (akinésie et rigidité).

1) Les réactions dystoniques apparaissent et disparaissent spontanément et elles ont une durée allant de quelques minutes à plusieurs heures. Elles consistent en des contractions soutenues et anormales de groupes de muscles, en des positions bizarres et en des expressions faciales étranges. Leur début est soudain ou progressif et elles causent souvent un handicap majeur aux patients. La dystonie aiguë demande un traitement immédat et se voit rarement durant un examen de routine. La seule exception est la crise oculogyre qui peut être précipitée par le stress de l'entrevue. La dystonie chronique consiste en une position anormale des mains, des bras, des pieds ou du tronc, qui se produit habituellement après quelques années de traitement aux neuroleptiques. Elle peut être facilement confondue avec le maniérisme. La position anormale est alors de courte durée, d'amplitude légère, et elle n'handicape pas le patient.

2) L'akathisie, se caractérisant par le besoin de bouger et de changer de position, est souvent accompagnée de mouvements des mains et des jambes (taper du pied, balancer la jambe, piétiner sur place, marcher sans but précis) et cause souvent de l'insomnie. Elle est à distinguer de l'anxiété ou de l'agitation psychotique. Le tremblement classique (*pill-rolling*) se voit habituellement tardivement (après 2 ans de traitement) et se manifeste au repos ou à la marche. Au début du traitement avec les neuroleptiques, on décèle habituellement un tremblement de haute fréquence (10-12 cycles/seconde), i.e. de petite amplitude, qui apparaît lorsque les bras sont étendus. Plus tard, ces tremblements peuvent progresser jusqu'à une plus grande amplitude, i.e. les tremblements parkinsoniens classiques (4-5 cycles/seconde). Le tremblement peut commencer dans un membre avant d'être généralisé et peut être augmenté par l'anxiété du patient.

3) Quant aux réactions parkinsoniennes hypokinétiques, elles se manifestent par une diminution des mouvements expressifs automatiques, de l'akinésie ou de la bradykinésie, des modifications de la posture et de la démarche, de la rigidité et de la sialorrhée. L'akinésie est un symptôme qu'il est souvent très difficile de distinguer d'un état schizophrénique résiduel avec retrait émotionnel et affect plat, d'une dépression ou d'un état de démoralisation, ou de la faiblesse avec étourdissement relié à l'effet antiadrénaline de médicaments comme la chlorpromazine. Le syndrome est caractérisé par une diminution de la spontanéité des gestes et du débit verbal, une diminution de la conversation, de l'apathie et de la difficulté à initier des mouvements et à s'adonner aux activités habituelles. Les formes les plus sévères d'akinésie s'observent durant le début d'un traitement aux neuroleptiques ou quand les patients cessent de prendre des médicaments antiparkinsoniens. Rifkin et ses collaborateurs ont démontré que ce syndrome pouvait être traité par les antiparkinsoniens ou en diminuant la dose de neuroleptiques (23). On observe assez fréquemment une augmentation du tonus musculaire secondaire à la prise de neuroleptique. Cette rigidité peut toucher les quatre membres quoique de façon différente entre les côtés gauche et droit ou entre les bras et les jambes. Comme dans la maladie de Parkinson, les articulations proximales sont plus affectées dans le parkinsonisme induit par les médicaments. On observe souvent une diminution des mouvements pendulaires des bras même durant les traitements à long terme aux neuroleptiques et cela semble augmenter avec l'âge. Les formes les plus sévères d'anomalies de la démarche et de la posture s'observent chez les patients qui ne reçoivent pas de médicament antiparkinsonien. On croit que la sialorrhée serait due en grande partie à une diminution du réflexe de déglutition chez le patient à cause de la bradykinésie ou encore de la rigidité de la musculature de la mâchoire.

Ces différents symptômes peuvent généralement être enrayés ou réduits soit en interrompant ou en diminuant la médication, soit par l'administration d'un antiparkinsonien qui, tout en soulageant ces effets secondaires, permet de maintenir le dosage de neuroleptiques au niveau souhaité.

TABLEAU 27.2: Échelle des symptômes extra-pyramidaux (G. Chouinard, A. Ross-Chouinard)

1. Symptômes parkinsoniens/et dystoniques: Questionnaire

Évaluer les symptômes rapportés par le malade	absent	léger	modéré	sévère
1. Lenteur ou faiblesse, difficulté à exécuter les tâches routinières	0	1	2	3
2. Difficulté à marcher ou équilibre incertain	0	1	2	3
3. Difficulté à avaler ou à parler	0	1	2	3
4. Raideur	0	1	2	3
5. Crampes ou douleurs dans les membres, le dos ou le cou	0	1	2	3
6. Besoin de bouger continuellement, nervosité, incapacité de rester immobile	0	1	2	3
7. Tremblements	0	1	2	3
8. Crises oculogyres ou réactions dystoniques	0	1	2	3
9. Sialorrhée	0	1	2	3

II. Symptômes parkinsoniens: Examen

1. Mouvements expressifs automatiques
(masque facial, élocution)

0 : normal
1 : très légère diminution de l'expression faciale
2 : légère diminution de l'expression faciale
3 : rare sourire spontané, voix légèrement monotone, diminution du clignement des yeux
4 : absence de sourire spontané, fixité du regard, faiblesse et monotonie de l'élocution
5 : masque facial marqué, incapacité de froncer les sourcils, bredouillement
6 : masque facial extrêmement sévère accompagné d'une élocution inintelligible

2. Bradykinésie

0 : normal
1 : impression générale de lenteur des mouvements
2 : lenteur des mouvements certaine
3 : légère difficulté à amorcer un mouvement
4 : difficulté modérée à amorcer un mouvement
5 : difficulté à amorcer ou à interrompre quelque mouvement que ce soit ou à poser un geste volontaire
6 : rares mouvements volontaires, immobilité presque complète

3. Rigidité

bras droit _____
bras gauche _____

0 : tonus musculaire normal
1 : à peine perceptible, très légère
2 : légère (certaine résistance au mouvement passif)
3 : modérée (résistance clairement présente au mouvement passif)

jambe droite _____   4 : modérément sévère (résistance modérée mais encore facile
jambe gauche_____   de bouger le membre)
                            5 : sévère (résistance marquée avec difficulté à bouger le
                                membre)
                            6 : très sévère (presque gelé)

4. Démarche et posture

0 : normales
1 : légère diminution des mouvements associés des bras,
    pas normaux
2 : diminution modérée des mouvements associés des bras,
3 : absence des mouvements associés des bras
    tête fléchie, pas encore plus ou moins normaux
4 : posture rigide (cou, dos), démarche à petits pas
5 : plus marqué, grande difficulté à tourner
6 : triple flexion, à peine capable de marcher

5. Tremblement

bras droit _____ tête _____

bras gauche _____ menton_____

jambe droite _____ langue _____

jambe gauche_____

		occa-sionnel	fréquent	presque continu
absent	: 0			
douteux	: 1			
petite amplitude		2	3	4
amplitude modérée		3	4	5
grande amplitude		4	5	6

6. Akathisie

0 : absent
1 : douteux
2 : semble agité, nerveux, impatient, inconfortable
3 : besoin de bouger souvent ou de changer de position
4 : besoin presque continuel de bouger les membres si
    assis ou de piétiner si debout
5 : incapacité de rester assis plus longtemps qu'une courte
    période de temps
6 : bouge et marche continuellement

7. Sialorrhée

0 : absent   3 : modéré (altère   5 : sévère
                         l'élocution)

1 : très léger

                     4 : modérément   6 : très sévère
2 : léger   sévère   (bave)

III. Dystonie: Examen

1. Dystonie aiguë 0 : absent 1 : très léger 2 : léger 3 : modéré 4 : modérément 5 : sévère 6 : très
   Localisation _____   sévère   sévère

2. Dystonie non 0 : absent 1 : très léger 2 : léger 3 : modéré 4 : modérément 5 : sévère 6 : très
   aiguë Localisation_____   sévère   sévère

IV. Mouvements dyskinétiques: Examen

1. Mouvements de la langue   occasionnel * fréquent** presque continuel***
   (mouvements latéraux lents ou de
   torsion de la langue)

	occa-sionnel*	fréquent**	presque continuel***
normaux : 0			
douteux : 1			
clairement présents à l'intérieur de bouche :	2	3	4
avec protrusion partielle occasionnelle :	3	4	5
avec protrusion complète :	4	5	6

2. **Mouvements de la mâchoire**
   (mouvements latéraux, mâchon-
   nement, serrement des dents,
   mordillement)

absents : 0			
douteux : 1			
clairement présents mais de légère amplitude :	2	3	4
amplitude modérée mais sans ouverture de la bouche :	3	4	5
grande amplitude avec ouverture de la bouche :	4	5	6

3. **Mouvements bucco-labiaux**
   (plissement, claquement des
   lèvres, moue, etc.)

absents : 0			
douteux : 1			
clairement présents mais légers :	2	3	4
amplitude modérée, mouvement des lèvres vers l'avant :	3	4	5
grande amplitude, claquement bruyant des lèvres :	4	5	6

4. **Mouvements du tronc**
   (balancement, torsion, giration pelvienne)

absents : 0			
douteux : 1			
clairement présents mais de lé-gère amplitude :	2	3	4
amplitude modérée :	3	4	5
grande amplitude :	4	5	6

	occasionnel	fréquent	presque continuel

5. Mouvements des membres supérieurs
(seulement mouvements choréoathétoïdes des bras, poignets, mains, doigts)

	occasionnel	fréquent	presque continuel
absents : 0			
douteux : 1			
clairement présents, de légère amplitude n'impliquant qu'un membre :	2	3	4
mouvements d'amplitude modérée impliquant un membre ou de légère amplitude impliquant deux membres :	3	4	5
mouvements d'amplitude plus marquée impliquant les deux membres :	4	5	6

6. Mouvements des membres inférieurs
(n'incluant que les mouvements choréo-athétoïdes des jambes, genoux, chevilles, orteils)

	occasionnel	fréquent	presque continuel
absents : 0			
douteux : 1			
clairement présents, de légère amplitude (n'impliquant qu'un membre) :	2	3	4
mouvement d'amplitude modérée impliquant un membre ou de légère amplitude impliquant les deux membres :	3	4	5
mouvements d'amplitude plus marquée impliquant les deux membres :	4	5	6

7. Autres mouvements involontaires
(avaler, froncer les sourcils, cligner des yeux, soupirer, dyspneumie, etc.)

	occasionnel	fréquent	presque continuel
absents : 0			
douteux : 1			
clairement présents mais de petite amplitude :	2	3	4
amplitude modérée :	3	4	5
amplitude plus grande :	4	5	6

SPECIFIER_____	* occasionnel de façon spontanée et présent lorsque activé ** fréquent de façon spontanée *** très fréquent ou presque continuel

V. Sévérité de la dyskinésie tardive: impression clinique globale

Considérant votre expérience clinique, quelle est présentement la sévérité de la dyskinésie tardive?

1 : absente	3 : très légère	5 : modérée	7 : marquée	9 : extrêmement sévère
2 : douteuse, discutable	4 : légère	6 : modérément sévère	8 : sévère	

27.4.3 Réactions extra-pyramidales non réversibles

La dyskinésie tardive est un syndrome neurologique hyperkinétique potentiellement irréversible, de nature extra-pyramidale, associé à l'utilisation des neuroleptiques. Contrairement au parkinsonisme et à la dystonie, sa neuropharmacologie est l'opposé: les médicaments qui soulagent les symptômes parkinsoniens exacerbent ou découvrent la dyskinésie. Elle se caractérise par des mouvements involontaires, répétitifs et sans but, qui varient de lieu et de forme et qui impliquent le plus souvent la bouche, les lèvres, la langue et la mâchoire (dyskinésie bucco-linguo-masticatoire) et par des mouvements choréo-athétoïdes du cou, du tronc ou des membres. Ces mouvements diminuent pendant le sommeil ou lorsque le patient est somnolent. Comme les tremblements et l'akathisie, la dyskinésie tardive est un syndrome hyperkinétique qui est répétitif mais, contrairement aux tremblements, il n'est pas rythmique. Comme tout autre trouble hyperkinétique du mouvement, les mouvements dyskinétiques sont habituellement augmentés par la tension émotionnelle et (ou) par les mouvements volontaires d'autres groupes musculaires. Toute procédure qui utilise ces deux caractéristiques est très utile pour mettre en évidence la dyskinésie. Cependant, les deux meilleures procédures de mise en évidence sont pharmacologiques: les médicaments antiparkinsoniens anticholinergiques et la diminution des neuroleptiques.

Il y a trois types de dyskinésie: manifeste (*overt*), couverte ou masquée (*covert*) et de retrait (*withdrawal*) (16). Des symptômes de retrait peuvent apparaître fréquemment lorsqu'il y a arrêt brusque des médicaments antipsychotiques. En plus de différents symptômes somatiques, des dyskinésies qui émergent au moment même du retrait peuvent se présenter. La dyskinésie couverte se distingue cliniquement de la dyskinésie tardive en ce qu'elle demeure camouflée sous traitement neuroleptique, alors que la dyskinésie tardive se manifeste par des mouvements anormaux observables même en présence d'un neuroleptique. La dyskinésie couverte, non décelable pendant le traitement, apparaît lors d'une réduction de la dose ou d'un arrêt du traitement neuroleptique, ne disparaît pas spontanément et peut, en fait, devenir permanente. La dyskinésie de retrait apparaît dans les mêmes circonstances mais elle disparaît spontanément en 6 à 12 semaines. La pathophysiologie de ces trois types cliniques de dyskinésie, tardive proprement dite ou manifeste, couverte et de retrait, consisterait en une supersensibilité des récepteurs dopaminergiques dans les ganglions de la base, consécutive à une adaptation de ces récepteurs au médicament antipsychotique qui les bloque. Cette supersensibilité est d'autant plus évidente lorsqu'on diminue ou cesse le neuroleptique. Dans le cas de la dyskinésie de retrait, la supersensibilité ne serait que temporaire. On croit que les différentes formes de dyskinésie s'étendent sur un continuum à partir des cas légers complètement réversibles, soit la dyskinésie de retrait, aux cas plus évidents, persistants et quelquefois irréversibles de dyskinésie tardive. La dyskinésie couverte se situerait au milieu dans ce continuum. Cette dernière forme, même si elle est difficile à distinguer de la dyskinésie de retrait, présente un intérêt important sur le plan de la prévention. La présence de dyskinésie couverte fournirait un bon indice du développement, chez le patient, d'une dyskinésie tardive qui pourrait devenir éventuellement manifeste. Cette situation suggère alors, lorsque c'est possible, une réduction de la dose de neuroleptique et une plus grande vigilance en ce qui a trait aux tout premiers signes de la dyskinésie manifeste. On peut se référer au tableau 27.3 pour une classification des trois types de dyskinésie secondaire aux neuroleptiques.

Nous avons confirmé, lors d'une étude récente, que ce syndrome apparaissait chez au moins 31 % des schizophrènes traités aux neuroleptiques (10). Nous avons également constaté que son incidence était supérieure chez les sujets âgés, les malades qui ont connu les périodes d'hospitalisation les plus longues, les malades pour qui la médication neuroleptique est peu efficace et les malades traités à la fluphénazine. Pour ce qui est de la fluphénazine, comme une forte proportion de malades étaient traités avec les formes injectables et que l'examen neurologique était fait à la fin de la période active de la médication, une incidence plus élevée s'expliquerait par le fait que les dyskinésies n'étaient plus masquées par les neuroleptiques. Les malades atteints de dyskinésie tardive présentent moins fréquemment des symptômes parkinsoniens que ceux qui n'en sont pas atteints, plus particulièrement lorsque l'on ne tient pas compte des symptômes hyperkinétiques, soit les tremblements et l'akathisie. Les hommes et les patients ayant subi des lésions cérébrales semblent être sujets aux formes les plus sévères de la maladie, bien que ces facteurs ne jouent aucun rôle dans son apparition. Les antiparkinsoniens anticholinergiques se sont révélés inefficaces pour réduire les mouvements dyskinétiques. Ils peuvent cependant être utilisés pour les faire apparaître lorsqu'ils sont sous-jacents (ainsi éviter possiblement qu'ils ne deviennent irréversibles), et comme test pour découvrir la forme masquée de la dyskinésie ou encore la partie masquée de la dyskinésie manifeste. Dans notre expérience, les anticholinergiques influencent peu les dyskinésies de retrait. Ils diminuent l'inhibition rétroactive des neurones cholinergiques sur les neurones dopaminergiques. La supersensibilité dopaminergique se trouve ainsi découverte si elle est présente. Les mouvements dyskinétiques peuvent être ré-

TABLEAU 27.3: Les 3 types de dyskinésie secondaire aux neuroleptiques

Type	Début	Symptômes	Facteurs contributifs	Test anticholinergique	Évolution	Traitement
Dyskinésie de retrait *(withdrawal)*	Premières 6 semaines, souvent la première, du sevrage aux neuroleptiques	Instabilité motrice Mouvements choréathétoïdes de la face, du tronc et des extrémités	Peut se développer plus tard et demeurer plus longtemps chez les femmes	Inchangé par les anticholinergiques	Limitée, rémission totale	Aucun
Dyskinésie masquée *(covert)*	Premières 6 semaines du sevrage	Ceux de la dyskinésie tardive	Ceux de la dyskinésie tardive	Mis à découvert par les anticholinergiques	Amélioration graduelle dans la plupart des cas	Aucun ou neuroleptique, si sévère
Dyskinésie manifeste ou tardive proprement dite *(overt)*	Pendant le traitement, de 1 mois à 2 ans du début	- Choréoarthétose - Tics - Grimaces	- Emploi prolongé des neuroleptiques - Age - Non réponse au traitement - Longue hospitalisation	Aggravé par les anticholinergiques	Irréversible dans la plupart des cas Plus marquée en l'absence de neuroleptiques	Maintien ou augmentation des neuroleptiques si handicap sérieux pour le malade

versibles chez certains patients à la condition de cesser le traitement aux neuroleptiques. Lorsque la vie du malade est menacée, dans de rares cas de dyskinésie de l'oesophage ou du diaphragme, on doit alors éviter les médicaments anticholinergiques (antiparkinsoniens ou autres) et remplacer la médication par des neuroleptiques du type des pipérazines (fluphénazine, halopéridol).

Pour une évaluation systémique des réactions extra-pyramidales, on peut se servir de l'Échelle d'évaluation des symptômes extra-pyramidaux de Chouinard et Ross-Chouinard (10,11) (voir tableau 27.2).

27.4.4 Sur le système nerveux autonome

Les principaux effets secondaires sur le système nerveux autonome sont: la tachycardie, la congestion nasale, la constipation, la sécheresse de la bouche, les troubles visuels d'accommodation, la rétention urinaire et la psychose toxique atropinique. Ces effets sont dus à l'action anticholinergique de certains neuroleptiques.

27.4.5   Réactions sur le métabolisme et le système endocrinien

L'action des neuroleptiques sur le métabolisme et le système endocrinien peut se manifester par un gain de poids, des irrégularités du cycle menstruel, de l'aménorrhée, de la glucosurie, de la galactorrhée, de l'impuissance, une diminution de la libido et une perturbation de la régulation de la température du corps. Elle peut également faire apparaître les symptômes d'un diabète latent ou l'aggraver.   Un taux de prolactine trop élevé provoque habituellement de l'aménorrhée, des vomissements matinaux et une diminution de l'activité sexuelle, ce qui peut d'ailleurs être évalué en mesurant la prolactine plasmatique. Cette élévation de la prolactine se fait via le blocage par les neuroleptiques des récepteurs dopaminergiques du faisceau tubéroinfundibulaire qui a une action inhibitrice sur sa sécrétion.

27.4.6   Réactions cardio-vasculaires

Plusieurs neuroleptiques et plus particulièrement la thioridazine (Mellaril ®) et la mésoridazine (Serentil ®) entraînent des anomalies à l'électrocardiogramme. Nous avons constaté, lors d'études antérieures, que 34.1% des malades traités à la chlorpromazine présentaient des anomalies de l'onde T (repolarisation) (2) et que l'incidence de ces anomalies était supérieure après l'ingestion de glucose (4).   Nous ne recommandons pas l'emploi de la thioridazine à cause de ses effets sur le rythme cardiaque.   La thioridazine est la seule phénothiazine à avoir produit des arythmies ventriculaires qui entraînèrent la mort de malades;   c'est la phénothiazine la plus dangereuse dans les cas de surdosage (14).   Elle peut induire des arythmies fatales lorsqu'elle est prise avec des produits contenant des substances ressemblant à l'éphédrine (décongestionnants nasaux) (6), et avec des antidépresseurs tricycliques; on note également des hypotensions.

27.4.7   Réactions dermatologiques et ophtalmologiques

Des prurits, des dermatites, des érythèmes multiformes, des urticaires, des réactions de photosensibilité, le syndrome oeil-peau et la rétinopathie pigmentaire peuvent survenir quelques semaines après le début du traitement. Les réactions dermatologiques et l'ictère par cholangite de supersensibilité sont plus fréquents lorsque l'on emploie la chlorpromazine.

27.4.8   Somnolence

Environ 80% des malades traités aux neuroleptiques souffrent de somnolence au début du traitement.   Cette réaction ne dure habituellement qu'une à deux semaines, la plupart des malades développant une certaine tolérance à cet effet secondaire.   L'action alpha-adrénolytique des neuroleptiques serait ici en cause.

27.4.9   Psychoses induites par les neuroleptiques

Il existe trois types de psychoses associés à l'emploi des neuroleptiques.

La première (psychose extra-pyramidale) se manifeste sous forme de dépression, d'irritabilité et d'exacerbation de la psychose. Il a été démontré lors d'une étude contrôlée que les antiparkinsoniens constituaient un excellent traitement pour les exacerbations de psychoses consécutives à l'absorption de neuroleptiques. Ce phénomène est probablement lié à une réaction extra-pyramidale et doit par conséquent être traité comme tel (27).

Le deuxième type de psychose consiste en des psychoses toxiques d'origine atropinique qui surviennent principalement lorsque l'on emploie de fortes doses de chlorpromazine (Largactil ®) et de thioridazine (Mellaril ®).

Quant au troisième type, il s'agit de psychoses schizophréniformes semblables à la schizophrénie et que nous avons appelées psychoses de supersensibilité à cause de leur ressemblance pharmacologique avec les dyskinésies tardives. Tout comme ces dernières, elles apparaissent relativement lentement et lors de la diminution ou de l'arrêt des neuroleptiques. Ce type de psychose est probablement causé par une supersensibilité des récepteurs postsynaptiques dopaminergiques dans les régions mésolimbiques (5,8,12), secondaire à une adaptation compensatrice de ces récepteurs à leur blocage par les neuroleptiques. Le résultat net, lors du retrait partiel ou total des neuroleptiques, est un hyperfonctionnement dopaminergique, i.e. le substratum biophysiologique de la psychose schizophrénique.

27.4.10 Autres

Il existe deux effets secondaires graves qui peuvent entraîner la mort du malade. D'abord l'agranulocytose, dont l'incidence est rare, mais qui peut être difficilement prévenue, sauf peut-être en procédant à des analyses de sang (formule blanche et différentielle) tous les ans pour les malades qui suivent un traitement à long terme et toutes les 2 ou 3 semaines au début de tout traitement aux neuroleptiques. Un deuxième effet secondaire grave non mentionné précédemment et qui a été qualifié de "syndrome malin" ou réaction hypothalamique se manifeste par de l'hyperthermie, de la tachycardie, de la sudation profuse et des tremblements sévères. Cette réaction peut entraîner la mort du malade si le traitement n'est pas interrompu immédiatement.

27.4.11 Grossesse

Les phénothiazines et les butyrophénones ne sont pas généralement considérées comme tératogènes (17). La trifluopérazine (Stélazine ®) est le neuroleptique qui a le plus souvent été mis en cause. Les neuroleptiques traversent la barrière placentaire et passent dans le lait maternel (18).

27.5 ANTIPARKINSONIENS

Les antiparkinsoniens anticholinergiques sont les médicaments indiqués pour prévenir ou contrecarrer les effets secondaires neurologiques. Ils préviennent ou diminuent l'apathie, l'akinésie, les dystonies alarmantes, la rigidité et les tremblements et concourent ainsi à rendre plus acceptable pour le malade la poursuite du traitement. Ils ne doivent toutefois être utilisés qu'avec prudence. Outre le fait qu'ils puissent possiblement réduire l'action des neuroleptiques, ils sont aussi susceptibles d'entraîner des effets secondaires anticholinergiques tels la confusion mentale, des troubles visuels, la sécheresse de la bouche, la rétention urinaire et la constipation. Ils sont de plus contre-indiqués en cas de glaucome à angle fermé et de prédisposition aux rétentions urinaires. Plusieurs auteurs soulignent que les antiparkinsoniens ne doivent être administrés qu'aux seuls malades chez qui se manifestent des symptômes extra-pyramidaux. Nous recommandons cependant de les administrer de façon prophylactique aux malades qui reçoivent des neuroleptiques tels l'halopéridol et la fluphénazine, dont l'action sur les récepteurs dopaminergiques est particulièrement importante. Certains auteurs pensent qu'une période de traitement de 3 mois peut être suffisante, les malades développant possiblement une certaine tolérance aux effets extra-pyramidaux provoqués par les neuroleptiques. La tolérance aux effets parkinsoniens existe fort probablement mais elle n'élimine pas complètement les symptômes parkinsoniens telle l'akinésie. Nos études révèlent que 85% des malades traités en clinique externe avec de la fluphénazine ont besoin d'antiparkinsoniens (7). Un autre avantage des antiparkinsoniens anticholinergiques réside dans le dépistage précoce des dyskinésies tardives. Nous croyons qu'ils peuvent rendre plus manifestes les dyskinésies déjà induites par les neuroleptiques sans toutefois augmenter leur incidence. Le choix des antiparkinsoniens est assez réduit. Des trois antiparkinsoniens les plus souvent utilisés, soit la procyclidine (Kémadrin®), la benztropine (Cogentin®) et la trihéxyphénidyle (Artane®), nous ne recommandons vraiment que le premier. Une étude contrôlée a démontré que l'administration du Cogentin ® pouvait entraîner une détérioration clinique chez les malades ayant reçu de l'halopéridol (25). Le Cogentin ® serait l'antiparkinsonien le plus susceptible d'entraîner des psychoses atropiniques et des psychoses hallucinatoires. Quant à l'Artane ® , il pourrait interférer avec l'action thérapeutique de la chlorpromazine en diminuant les niveaux sanguins (24). La dose de Kémadrin ® recommandée est de 5 à 10 mg pour chaque 400 mg de chlorpromazine ou leur équivalent. Le Kémadrin ® peut être administré à des doses assez élevées, étant peu toxique et possédant une courte durée d'action (45-60 mg/jour).

En conclusion, les neuroleptiques ont permis à plusieurs malades schizophrènes d'être traités en clinique externe. Toutefois, leur emploi prolongé entraîne des effets secondaires neurologiques qui demandent une évaluation constante.

BIBLIOGRAPHIE

1- AYD, E.J. (éd). "Once-a-day neuroleptic and tricyclic antidepressant therapy". *International Drug Therapy Newsletter.* 1972, 7, 33-40.

2- CHOUINARD, G., ANNABLE, L., MELANCON, J., CHABOT, M. "Chlorpromazine-induced electrocardiogram abnormalities". *Int. J. Clin. Pharmacol.* 1975, 11, 327-331.

3- CHOUINARD, G., ANNABLE, L. "Penfluridol in the treatment of newly admitted schizophrenic patients in a brief therapy unit". *Am. J. Psychiatry.* 1976, 133, 820-823.

4- CHOUINARD, G. ANNABLE, L. "The effect of a glucose load on phenothiazine-induced electrocardiogram abnormalities". *Arch. Gen. Psychiatry.* 1977, 34, 951-954.

5- CHOUINARD, G., JONES, B.D. "Schizophrenia as dopamine-deficiency disease". *Lancet.* 1978, 99-100.

6- CHOUINARD, G., GHADIRIAN, A.M., JONES, B.D. "Death attributed to ventricular arrythmia induced by thioridazine in combination with a single Contact C capsule". *Can. Med. Assoc. J.* 1978, 119, 729-731.

7- CHOUINARD, G., ANNABLE, L., ROSS-CHOUINARD, A. "A double-blind controlled study of fluphenazine decanoate and enanthate in the maintenance treatment of schizophrenic outpatients, in Depot Fluphenazines". *Twelve Years of Experience.* Baltimore: Frank J. Ayd, Jr., M.D., Ayd Medical Communications, 1978, chapitre 9, 111-123.

8- CHOUINARD, G., JONES, B.D., ANNABLE, L. "Neuroleptic-induced supersensitivity psychosis". *Am. J. Psychiatry.* 1978, 135, 1409-1410.

9- CHOUINARD, G., ANNABLE, L. "Pimozide in the treatment of acute schizophrenia". *Comptes rendus de la 132ᵉ Réunion annuelle de l'American Psychiatric Association.* 1979, 128, 247-248.

10- CHOUINARD, G., ANNABLE, L., ROSS-CHOUINARD, A. "Facteurs reliés à la dyskinésie tardive". *Un. Méd. Can.* 1979, 108, 356-368.

11- CHOUINARD, G., ANNABLE, L., ROSS-CHOUINARD, A., KROPSKY, M. "Ethopromazine and benztropine in neuroleptic-induced parkinsonism". *J. Clin. Psychiatry.* 1979, 40 (3), 147-152.

12- CHOUINARD, G., JONES, B.D. "Neuroleptic-induced supersensitivity psychosis: clinical and pharmacologic characteristics". *Amer. J. Psychiatry.* 1980, 137 (1), 16-21.

13- DENIS, J.F., CHOUINARD, G., ANNABLE, L. "Fluspirilene in the treatment of acute schizophrenic patients". *A être présenté à la 30ᵉ Réunion annuelle de l'Association des psychiatres du Canada.* Toronto, Ont., septembre 1980.

14- DONLON, P.T., TUPIN, J.P. "Successful suicides with thioridazine and mesoridazine". *Arch. Gen. Psychiatry.* 1977, 34, 955.

15- FAUMAN, M.A. "Treatment of the agitated patient with an organic brain disorder". *JAMA 240.* 1978, 4, 380-382.

16- GARDOS, G., COLE, J.O., TARSY, D. "Withdrawal syndromes associated with antipsychotic drugs". *Am. J. Psychiatry.* 1978, 135 (11), 1321-1324.

17- GELENBERG, A.J. (ed). "More on phenothiazines during pregnancy". *Biological Therapies in Psychiatric Newsletter.* 1978, 1 (2), 7-8.

18- GELENBERG, A.J. (ed). "Of human milk". *Biological Therapies in Psychiatric Newsletter.* 1979, 2 (12), 45-46.

19- HOGARTY, G.E., GOLDBERG, S.C., THE COLLABORATIVE STUDY GROUP. "Drug and sociotherapy in the aftercare of schizophrenic patients. Two Years relapse rates". *Arch. Gen. Psychiatry.* 1974, 31, 603-618.

20- KLEIN, D.F., DAVIS, J.M. *Diagnosis and drug treatment of psychotic disorders.* Baltimore: The Williams & Wilkins Company, Md, 1969.

21- MAY, P. "The hospital treatment for the schizophrenic patient". *Int. J. Psychiatry.* 1969, 8, 699-722.

22- THE NATIONAL INSTITUTE OF MENTAL HEALTH PSYCHOPHARMACOLOGY SERVICE CENTER COLLABORATIVE STUDY GROUP. "Phenothiazine treatment in acute schizophrenia". *Arch. Gen. Psychiatry.* 1964, 10, 246-261.

23- RIFKIN, A., QUITKIN, F., KLEIN, F.D. "Akinesia". *Arch. Gen. Psychiatry.* 1975, 32, 672-674.

24- RIVERA-CALIMLIM, L., CASTANEDA, L., LASAGNA, L. "Effects of mode of management on plasma chlorpromazine in psychiatric patients". *Clin. Pharmacol. Ther.* 1973, 14, 978-986.

25- SINGH, M.M., SMITH, J.M. "Reversal of some therapeutic effects of an antipsychotic agent by an antiparkinsonism drug". *J. Nerv. Ment. Dis.* 1973, 157, 50-58.

26- SNYDER, S.H., CREESE, I., BURT, D.R. "The brain's dopamine receptor: labeling with (^{3}H) dopamine and (^{3}H) haloperidol". *Psychopharmacol. Communications.* 1975, 1, 663.

27- VAN PUTTEN, T., MUTALIPASSI, I.R., MALKIN, M.F. "Phenothiazine-induced decompensation". *Arch. Gen. Psychiatry.* 1974, 30, 102-105.

CHAPITRE 28

LES ANTIDÉPRESSEURS

Guy Chouinard et Jean-François Denis *

28.1 INTRODUCTION

La dépression est une maladie à cours cyclique où les rémissions sponta-nées sont fréquentes et la réponse thérapeutique variable, aussi est-il assez difficile d'évaluer l'efficacité de son traitement. De 1920 à 1930, 40% des malades hospitalisés pour une dépression guérissaient en moins d'un an et 60% en moins de deux ans (9). En 1940, l'emploi de la thérapie électroconvulsive a réduit la durée des hospitalisations et le taux de mortalité. Grâce à l'emploi des antidépresseurs tricycliques, 50 à 75% des malades déprimés présentent maintenant une amélioration significative. Il a également été démontré que le lithium et l'imipramine possédaient un effet prophylactique dans le traitement de la dépression (14). Quant aux inhibiteurs de la MAO, leur emploi n'est plus recommandé à cause de leur forte toxicité et de leur faible efficacité (15).

28.2 TRAITEMENT DES DIFFÉRENTS TYPES DE DÉPRESSION

La classification des dépressions la plus généralement acceptée est celle de Robins et de Guze (16). Elle propose 3 types de dépressions: les dépressions primaires ou idiopathiques, les dépressions secondaires et les dépressions normales.

28.2.1 Dépressions primaires

Dépressions unipolaires

Les dépressions primaires unipolaires, répondant aux critères du DSM III ou Research Diagnostic Criteria, nécessitent habituellement un traitement médicamenteux. Les dépressions unipolaires endogènes comprennent les trois formes suivantes de dépressions: dépressions psychotiques récurrentes, mélancolie d'involution et réaction dépressive psychotique. Le risque suicidaire est élevé dans les trois cas et l'hospitalisation du malade peut s'avérer nécessaire. Il se peut aussi que l'on ait à employer le traitement électroconvulsif si la réponse aux antidépresseurs n'est pas satisfaisante. Les antidépresseurs tricycliques peuvent également être utilisés pour prévenir les épisodes dépressifs des dé-

* Les auteurs désirent remercier Diane Ross pour sa collaboration à la préparation de ce texte.

pressions récurrentes unipolaires. Leur effet préventif est alors aussi efficace que celui du carbonate de lithium. Les dépressions unipolaires névrotiques recouvrent, quant à elles, les dépressions chroniques, les dépressions atypiques et les réactions dépressives. Les antidépresseurs tricycliques constituent le meilleur traitement pour les dépressions névrotiques graves ou chroniques (2-4-12-19). Quant aux dépressions névrotiques légères, elles peuvent être traitées par la psychothérapie et les anxiolytiques.

Dépressions bipolaires

L'emploi du carbonate de lithium est préférable à celui des antidépresseurs tricycliques dans le traitement des épisodes dépressifs des dépressions bipolaires, car les antidépresseurs tricycliques, bien qu'aussi efficaces que le lithium, peuvent précipiter des épisodes maniaques. Il est cependant parfois nécessaire de les associer au carbonate de lithium lorsque ce dernier ne s'est pas avéré efficace pour prévenir les épisodes dépressifs.

28.2.2   Dépressions secondaires

Dépressions d'origine médicamenteuse

Certains médicaments tels la réserpine, les amphétamines, l'alpha-méthyldopa, l'A.C.T.H., la cortisone et le LSD peuvent entraîner des réactions dépressives (11). Ces réactions peuvent être traitées avec des antidépresseurs tricycliques dans les cas des antihypertenseurs et des amphétamines et par l'arrêt de la médication dans la plupart des autres cas. Dans le traitement de l'hypertension artérielle associée à la dépression, nous recommandons l'emploi de diurétiques et de propranolol (Indéral ®) à cause de leur absence d'interaction avec les tricycliques. D'autre part, il est contre-indiqué d'employer la guanéthidine (Ismelin ®) avec les antidépresseurs tricycliques parce que les tricycliques bloquent les effets de celle-ci.

Dépressions associées à des maladies physiques ou psychiatriques

Ce type de dépressions qui accompagne souvent la névrose d'angoisse, l'hystérie, la sociopathie et l'alcoolisme n'est pas traité avec les tricycliques. Si un malade schizophrène souffre de dépression, la dépression est considérée comme secondaire à la maladie et c'est le processus schizophrénique qui est traité. La même approche thérapeutique s'applique aux autres dépressions associées aux maladies psychiatriques ou physiques.

28.2.3   Dépressions situationnelles ou normales

Les sentiments de tristesse, de frustration et de dépression font partie de l'adaptation humaine, aussi existe-t-il un type de dépressions transitoires considérées comme normales et que l'on qualifie de dépressions situationnelles. Les benzodiazépines sont les médicaments les mieux adaptés à ce genre de dépressions. Elles présentent cependant le désavantage de pouvoir aggraver la dépression chez certains malades. Lorsqu'un tel phénomène se produit, on peut supposer qu'il ne s'agissait pas vraiment d'une dépression situationnelle mais plutôt d'une forme plus sévère de dépression mise à jour par la désinhibition provoquée par les anxiolytiques.

28.3 CLASSIFICATION DES ANTIDÉPRESSEURS

Il existe trois catégories d'antidépresseurs: les antidépresseurs tricycliques et tétracycliques, les inhibiteurs de la MAO et les amphétamines.

TABLEAU 28.1: Les antidépresseurs

1. Antidépresseurs tricycliques et tétracyliques

Dibenzazépines
- imipramine (Tofranil)

- désipramine (Pertofrane, Norpramin)

- trimipramine (Surmontil)

- clomipramine (Anafranil)

Dibenzocycloheptènes
- amitriptyline (Élavil)

- nortriptyline (Aventyl)

- protriptyline (Triptil)

Dibenzoxépine
- doxépine (Sinéquan)

Dibenzobicyclooctodiène (tétracyclique)

- maprotiline (Ludiomil)

2. Inhibiteurs de la Mono Amine Oxydase (IMAO)

Hydrazine
- phénelzine (Nardil)

Benzylcarbamyle

- nialamide (Niamid)

Phényléthylamine
- tranylcypromine (Parnate)

3. Amphétamines

Nous ne traiterons ici que des antidépresseurs tricycliques, car les inhibiteurs de la MAO ne sont pas recommandés dans le traitement de la dépression, en raison de l'importance de leurs effets secondaires et de la qualité douteuse de leur effet thérapeutique. Quant aux amphétamines, elles sont maintenant déconseillées dans le traitement de la dépression à cause de la tolérance que développent les malades, et de la forte probabilité de rechute lorsque le traitement est interrompu.

L'imipramine (Tofranil ®) est une dibenzazépine qui ne diffère des phénothiazines que par la liaison de ses deux noyaux benzéniques par une chaîne éthylénique, alors que les phénothiazines présentent un lien sulfurique. La désipramine (Norpramin ® , Pertofrane ®), dérivé déméthylé de l'imipramine, est considérée comme un métabolite actif de l'imipramine. Il existe également deux autres antidépresseurs dibenzazépiniques, la trimipramine (Surmontil ®) et la clomipramine (Anafranil ®). Les dibenzocycloheptènes comprennent l'amitriptyline (Élavil ®), son dérivé déméthylé, la nortriptyline (Aventyl ®) et la protriptyline (Triptyl ®). Les dibenzocycloheptènes sont les dérivés tricycliques des thiozanthènes. La doxépine, une dibenzoxépine, est obtenue, quant à elle, par la substitution d'un atome d'oxygène sur le noyau central de l'amitriptyline.

28.4 MÉCANISME D'ACTION

Le mécanisme d'action des antidépresseurs tricycliques ou trétracycliques le plus souvent avancé consiste dans le blocage de la recaptation des neurotransmetteurs par les terminaisons présynaptiques. Ce blocage de la recaptation des amines biogènes aurait pour conséquence d'augmenter les concentrations de noradrénaline ou de sérotonine au niveau du récepteur postsynaptique.

TABLEAU 28.2: **Activités relatives des antidépresseurs quant au blocage de la recaptation des amines biogènes (5-HT = Sérotonine NA = Noradrénaline)**

	5-HT	NA
Clomipramine	+ + + +	0
Amitriptyline	+ + + +	0
Nortriptyline	+ +	+ +
Imipramine	+ + +	+ +
Désipramine	0	+ + + +
Maprotiline	0	+ + + +

Comme on peut le constater au tableau 28.2, il existe des différences importantes entre les différents tricycliques quant à leur habilité à bloquer la recaptation de la noradrénaline et de la sérotonine. Il est actuellement difficile de savoir si ces différences peuvent avoir des implications thérapeutiques. La découverte de substances antidépressives telles la miansérine et la nomifensine, qui ont peu d'effets sur la recaptation noradrénergique ou sérotoninergique, a conduit les chercheurs à proposer d'autres mécanismes d'action. Les immenses progrès faits en neurophysiologie ont permis de mettre de l'avant de nombreux mécanismes d'action pour expliquer l'effet thérapeutique des tricycliques dont

SCHÉMA 28.1: Fonctionnement synaptique (Noradrénaline)

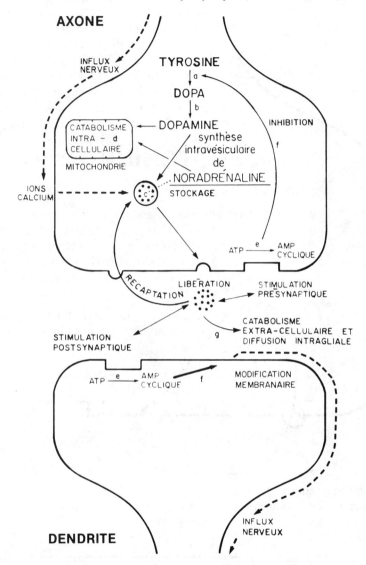

ENZYMES CATALYSEURS

a) TYROSINE HYDROXYLASE
b) DOPA DECARBOXYLASE
c) DOPAMINE ß-HYDROXYLASE
d) MONOAMINE-OXYDASE (MAO)
e) ADENYLCYCLASE

f) PROTEINE KINASE
g) CATHECOL-O-METHYL
TRANSFERASE (C-OMT)

SCHÉMA 28.2:   Mécanisme d'action des tricycliques

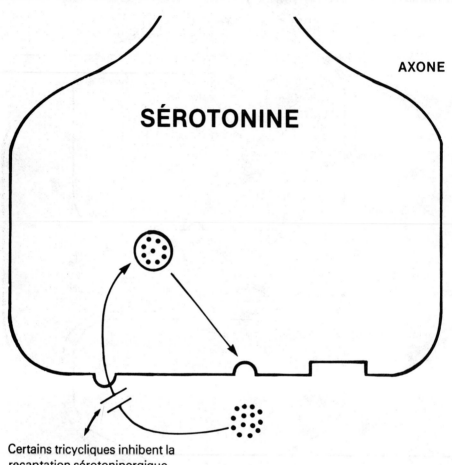

SÉROTONINE

AXONE

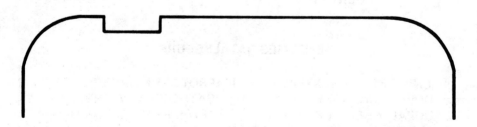

Certains tricycliques inhibent la
recaptation sérotoninergique

DENDRITE

SCHÉMA 28.3: Mécanisme d'action du lithium et des tricycliques

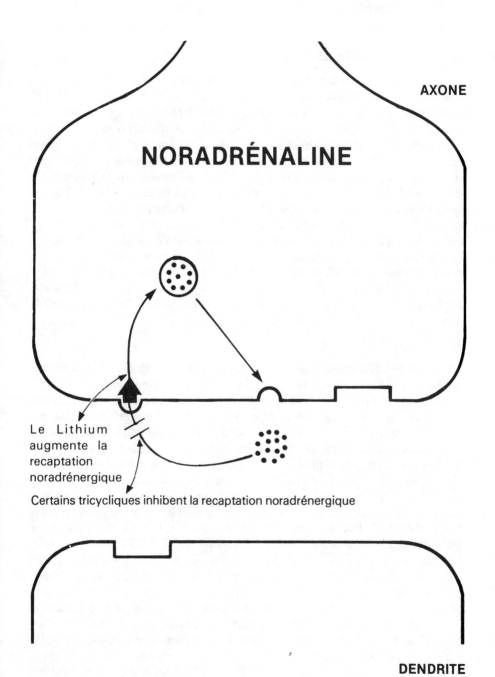

AXONE

NORADRÉNALINE

Le Lithium augmente la recaptation noradrénergique

Certains tricycliques inhibent la recaptation noradrénergique

DENDRITE

ceux de la sensibilisation des récepteurs sérotoninergiques postsynaptiques (5), du blocage de la recaptation dopaminergique (7) et de l'hyposensibilisation des récepteurs présynaptiques α-adrénergiques (17), etc.

28.5 ADMINISTRATION

28.5.1 Choix de l'antidépresseur

Aucun des antidépresseurs tricycliques n'est reconnu être plus efficace que les autres. La réponse antérieure du malade à tel antidépresseur peut toutefois guider le médecin dans le choix qu'il fera. Il est maintenant reconnu que certains malades répondent mieux à telle catégorie d'antidépresseurs tricycliques, alors que certains autres répondent mieux à telle autre (1). Maas a proposé deux types de dépressions (10), à la suite de l'analyse de résultats biochimiques et pharmacologiques. Le premier type inclurait les malades dont le taux de 3-méthoxy-4-hydroxyphénéthylène glycol urinaire (MHPG) est peu élevé. Ces malades répondraient bien à l'imipramine mais ne répondraient pas à l'amitriptyline. Le second type de dépression inclurait les malades dont le taux de MHPG urinaire est normal ou élevé. Ces malades répondraient à l'amitriptyline mais ne répondraient pas à l'imipramine. La susceptibilité des malades aux effets secondaires anticholinergiques peut également aider le médecin à choisir tel médicament plutôt que tel autre. L'amitriptyline est la substance dont les effets anticholinergiques sont les plus importants. Viennent ensuite la nortriptyline, l'imipramine, la doxépine et la désipramine.

28.5.2 Dosage

Les antidépresseurs tricycliques peuvent être administrés une fois par jour au coucher durant toute la durée du traitement, sauf chez le vieillard. L'administration des antidépresseurs tricycliques par voie intraveineuse ou intramusculaire ne s'est pas avérée plus efficace que l'administration par voie orale. Klein et Davis recommandent un dosage de 75 mg par jour lors de la première semaine de traitement, de 150 mg par jour lors de la deuxième semaine, de 225 mg par jour lors de la troisième semaine et de 300 mg par jour lors de la quatrième semaine (8). Ce dosage peut cependant varier selon la réponse thérapeutique et les effets secondaires (tableau 28.3). Les doses mentionnées plus haut s'appliquent à tous les antidépresseurs tricycliques à l'exception de la nortriptyline (Aventyl ®) et de la protriptyline (Triptil ®), la dose de nortriptyline étant de 20 à 150 mg par jour et celle de protriptyline de 15 à 60 mg par jour. Ces derniers médicaments doivent être pris au plus tard au souper car ils peuvent causer de l'insomnie. Il est généralement accepté que la courbe dose-effet soit curvi-linéaire dans le cas des amines secondaires (nortriptyline, désipramine), ce qui signifie que les concentrations sanguines trop faibles ou trop élevées n'ont pas d'effet thérapeutique. Les concentrations sanguines variant beaucoup d'un individu à l'autre, la dose devra être ajustée à l'aide de la mesure de ces concentrations. Les effets secondaires (sécheresse de la bouche) et la mesure du complexe QRS à l'électrocardiogramme peuvent également servir à ajuster la dose.

TABLEAU 28.3: **Posologie des antidépresseurs tricycliques et tétra-cycliques**

NOM GÉNÉRIQUE	NOM COMMERCIAL	DOSE mg/die
Désipramine	Norpramin ® Pertofrane ®	75-200
Imipramine	Tofranil ®	75-300
Nortriptyline	Aventyl ®	20-150
Doxépine	Sinéquan ®	75-300
Amitriptyline	Elavil ®	75-300
Protriptyline	Triptil ®	15-60
Maprotiline	Ludiomil ®	75-200

28.5.3 Durée du traitement

La dose maximale est habituellement prescrite pour une période d'un mois. Une fois la rémission clinique obtenue, il est fortement recommandé de poursuivre le traitement durant une période d'environ six mois à raison de 75 mg d'imipramine ou d'amitriptyline par jour. Un traitement d'entretien continu peut être nécessaire dans les cas de dépression unipolaire récurrente et de dépression névrotique chronique.

28.5.4 Polypharmacie

Il est fortement recommandé d'éviter d'administrer plusieurs médicaments à la fois. Il n'est pas nécessaire de prescrire d'hypnotique lorsque les antidépresseurs tricycliques sont administrés en une dose unique au coucher. L'association de benzodiazepines aux tricycliques n'est pas non plus à recommander surtout dans le cas d'un traitement à long terme, et ceci même s'il ne semble pas y avoir d'interaction entre les deux classes de médicaments (16-18). La gravité des effets secondaires causés par les neuroleptiques et plus particulièrement de la dyskinésie tardive élimine également leur emploi en association avec les tricycliques dans le traitement de la dépression. On ne devra employer qu'un seul antidépresseur à la fois. Il est essentiel de rechercher le dosage adéquat et d'attendre suffisamment longtemps avant de songer à changer de médicament. Les antidépresseurs tricycliques nécessitent en effet un certain laps de temps avant de produire l'effet recherché (environ 2 semaines). Les dérivés déméthylés de l'amitriptyline (nortriptyline) et de l'imipramine (désipramine) peuvent toutefois être administrés respectivement avec l'amitriptyline et l'imipramine lorsque ces derniers se sont avérés toxiques ou insuffisamment efficaces, ainsi qu'avec le carbonate de lithium à cause de leur faible toxicité atropinique.

28.6 PRÉCAUTIONS ET MISES EN GARDE

Les antidépresseurs tricycliques sont contre-indiqués chez les malades souffrant d'hypertrophie prostatique et de glaucome (exception faite du glaucome chronique simple). Ils doivent être administrés avec prudence chez les vieillards, les malades possédant des antécédents de schizophrénie, de manie ou de psychose paranoïde involutive ainsi que de maladie cardiovasculaire. Les antidépresseurs tricycliques étant toxiques, il est recommandé de demander aux membres de la famille du patient de conserver le médicament hors de sa portée lorsqu'il existe un risque de suicide. On considère en effet qu'une dose supérieure à 1000 mg puisse être mortelle. Aussi, la prescription ne doit-elle être faite, au début du traitement, que pour une période n'excédant pas une semaine.

28.7 EFFETS SECONDAIRES

28.7.1 Atropiniques

Les antidépresseurs tricycliques peuvent causer des effets secondaires atropiniques ou anticholinergiques tels que la sécheresse de la bouche, la diminution ou la perte de l'accommodation visuelle, la constipation, la rétention urinaire, la tachycardie, des sueurs profuses et de l'hypotension orthostatique habituellement accompagnée de vertiges et de lipothymies.

28.7.2 Sur le système nerveux central

Les effets secondaires sur le système nerveux central consistent en des tremblements, de la confusion, des spasmes, des convulsions, de la dysarthrie, des paresthésies, de la paralysie et de l'ataxie. Les tricycliques peuvent également précipiter une psychose maniaque ou schizophrénique chez les psychotiques latents [13]. Le meilleur traitement de ces effets consiste en la réduction de la dose.

28.7.3 Autres

Des cas de réactions cutanées, d'insuffisance cardiaque congestive, de thrombose coronarienne, d'arythmie cardiaque, de mort soudaine [3], d'anomalies de la repolarisation à l'électrocardiogramme (onde T aplatie ou inversée) ainsi que, plus rarement, d'agranulocytose, d'ictère cholostatique et d'iléus paralytique ont également été observés lors de traitements aux antidépresseurs tricycliques.

28.8 CONCLUSION

Bien qu'ils jouissent d'une faible marge de toxicité et qu'ils mettent du temps à agir, les antidépresseurs tricycliques demeurent le traitement le mieux indiqué pour les dépressions qui nécessitent un traitement pharmacologique. Il existe cependant une proportion non négligeable de malades qui ne répondent pas à ces médicaments, d'où la nécessité de pousser plus avant la recherche d'autres substances.

BIBLIOGRAPHIE

1- BECKMANN, H., GOODWIN, F.K. "Antidepressant response to tricyclics and urinary MHPG in unipolar patients". *Arch. Gen. Psychiatry.* 1975, 32, 17-21.

2- BLACKWELL, B. "Psychotropic drugs in use today". *JAMA.* 1973, 225, 1637-1641.

3- COULL, D.C., CROOKS, J., DINGWALL-FORDYCE, I. & COLL. "Amitriptyline and cardiac disease, risk of sudden death identified by monitoring system". *Lancet.* 1970, II, 590-591.

4- DOWNING, R.W., RICKELS, K. "Predictors of response to amitriptyline and placebo in three outpatient treatment settings". *J. Nerv. Ment. Dis.* 1973, 156, 109-128.

5- GOODWIN, F.K., EBERT, M.H., BUNNEY Jr, W.E. "Mental effects of reserpine in man: a review". *Psychiatric Complications of Medical Drugs.* Richard I. (Ed.), New York: Raven Press, 1972, 73-101.

6- GRAM, L.F., OVER, K.F., KIRK, L. "Influence of neuroleptics and benzodiazepines on metabolism of tricyclic antidepressants in man". *Am. J. Psychiatry.* 1974, 131, 863-866.

7- HIRSCH, S.R., GAIND, R., ROHDE, P.D. & COLL. "Outpatient maintenance of chronic schizophrenic patients with long-acting fluphenazine: double-blind placebo trial". *Br. Med. J.* 1973, 1, 633-637.

8- KLEIN, D.F., DAVIS, J.M. *Diagnosis and drug treatment of psychiatric disorders.* Baltimore: Williams & Wilkins, 1969.

9- KLERMAN, G.L. "Pharmacological aspects of depression". *Separation and depression.* American Association for the Advancement of Science Publication 94. Washington: Scott JP, Senay EC (Eds), DC, A.A.A.S., 1973, 69-89.

10- MAAS, J.W. "Biogenic amines and depression". *Arch. Gen. Psychiatry.* 1975, 32, 1357-1361.

11- "Drugs that cause depression". *Med. Lett. Drugs Ther.* 1972, 14, 35-36.

12- MINDHAM, R.H.S., HOWLAND, C., SHEPHERD, M. "An evaluation of continuation therapy with tricyclic antidepressants in depressive illness". *Psychol. Med.* 1973, 3, 5-17.

13- NEWMAN, R.A., FISHER, W.R. "Imipramine as a psycho-mimetic drug in borderline schizophrenics". *Am. J. Psychiatry.* 1964, 121, 77-78.

14- PRIEN, R.F., KLETT, J., CAFFEY, E.M. Jr. "Lithium carbonate and imipramine in prevention of affective episodes". *Arch. Gen. Psychiatry.* 1974, 30, 66-75.

15- RASKIN, A., SCHULTERBRANDT, J.G., REATING, N. & COLL. "Depression subtypes and response to phenelzine, diazepam, and a placebo". *Arch. Gen. Psychiatry.* 1974, 30, 66-75.

16- ROBINS, E., GUZE, S.B. *Classification of affective disorders: The primary-secondary, the endogeneous-reactive, and the neurotic-psychotic concepts.* Recent Advances in the Psychobiology of the Depressive Illness: Proceedings of a Workshop sponsored by NIMH. Williams T.A., Katz M.M. et Schield J. Jr (Eds), Washington: U.S. Govt. Printing Office, 1972.

17- SCHILDKRAUT, J.J. "Neuropharmacology of the affective disorders". *Annual Review of Pharmacology.* Okun R. et George R. (eds), Palo Alto California: Annual Reviews Inc., 1973, 13, 427-454.

18- SILVERMAN, G., BRAITHWAITE, R.A. "Benzodiazepines and tricyclic antidepressant plasma levels". *Br. Med. J.* 1973, 3, 18-20.

19- WEISSMAN, M.M., KASL, S.V., KLERMAN, G.L. "Follow-up of depressed women after maintenance treatment". *Am. J. Psychiatry.* 1976, 133, 757-760.

CHAPITRE **29**

LE LITHIUM

Guy Chouinard et Jean-François Denis *

29.1 INTRODUCTION

Introduit en médecine il y a environ un siècle comme hypotenseur, diurétique, anticonvulsivant et sédatif, le lithium ne connut jamais une très grande popularité, la plupart de ses applications s'étant rapidement avérées inefficaces ou même contre-indiquées. Les recherches effectuées sur le lithium connurent cependant un regain d'intérêt lorsqu'il fut introduit en psychiatrie à la fin des années 40. C'est en 1949 que l'Australien Cade traita avec succès l'excitation maniaque aiguë et chronique en employant du citrate de lithium. Quelques années plus tard, le Danois Schou confirmait l'efficacité du lithium dans le traitement des états maniaques.

29.2 STRUCTURE CHIMIQUE

Le lithium est un cation monovalent qui fait partie des métaux alcalins et qui est situé dans la famille 1A du tableau périodique. On ne le retrouve pas à l'état brut à cause de l'arrangement spécifique de ses électrons et de la haute densité de la charge positive de son noyau.

Les principaux sels de lithium sont: le carbonate, le chlorure, le citrate et le sulfate. Le carbonate est la forme la plus utilisée en raison des avantages pratiques qu'elle présente par rapport aux autres formes. Un comprimé de carbonate de lithium peut en effet contenir une quantité de lithium environ deux fois plus grande que les autres sels.

Le carbonate de lithium (Li_2CO_3), dont le poids moléculaire est de 73.89, est habituellement présenté sous forme de comprimé Lithane ® , ou de capsule Carbolith ® contenant 300 mg équivalant à 8.1 mEq ou millimoles de lithium. Le lithium étant monovalent, un milliéquivalent égale une millimole.

29.3 PHARMACOLOGIE

29.3.1 Absorption

Le lithium est absorbé facilement et presque complètement par le tractus gastro-intestinal tout comme le sodium et le potassium auxquels il peut d'ail-

* Les auteurs désirent remercier Diane Ross pour sa collaboration à la préparation de ce texte.

leurs se substituer dans une proportion de 60 à 70%. Le lithium intracellulaire n'est toutefois pas renvoyé hors de la cellule aussi efficacement que le sodium. La substitution du sodium par le lithium dans les cellules intestinales diminuerait l'absorption d'eau et de glucose (dont le transport cellulaire serait lié au sodium), ce qui expliquerait l'apparition d'effets secondaires et de symptômes d'intoxication d'ordre gastro-intestinal.

29.3.2 Distribution

La distribution du lithium est comparable à celle du sodium et du potassium. Il possède certaines propriétés du sodium extra-cellulaire et du potassium intracellulaire, et sa distribution extra-cellulaire n'est pas liée aux protéines plasmatiques. Elle est cependant plus uniforme que celle du sodium et du potassium. Contrairement au sodium, le lithium s'accumule à l'intérieur de la cellule. Il traverse la barrière hémo-encéphalique et atteint un pic dans le liquide céphalorachidien 24 heures après avoir été ingéré. Sa concentration au niveau du liquide céphalorachidien est environ la moitié de sa concentration plasmatique. La captation du lithium par les différents tissus n'est pas uniforme; il est capté rapidement par le rein mais plus lentement par le foie, les os et les muscles et encore plus lentement par le cerveau.

29.3.3 Excrétion

Le lithium est excrété presque complètement par voie rénale et se comporte de façon très semblable au sodium au niveau du glomérule et du tubule proximal. Une proportion de 60 à 70% des deux ions est réabsorbée au niveau du tubule proximal à l'encontre des gradients électriques et de concentrations. Il existe un danger d'intoxication lorsque le malade à qui l'on administre du lithium doit suivre une diète sans sel ou absorbe des diurétiques. Dans ce dernier cas, le sodium est excrété en plus grande quantité. Le tubule proximal n'absorbe presque plus que du lithium, ce qui peut provoquer une intoxication. Au-delà du tubule proximal, le lithium et le sodium sont toutefois traités de façon différente par l'organisme. Contrairement au sodium, le lithium n'est pas réabsorbé dans les parties distales du néphron. Chez le 1/3 des malades traités au lithium, on observe une diabète insipide néphrogène qui ne répond pas à l'hormone antidiurétique.

Il existe une très grande variation individuelle au niveau de l'excrétion. Elle peut effectivement varier de 200% d'un individu à l'autre. La *clearance* du lithium est en corrélation avec celle de la créatinine. Les dosages du lithium doivent donc être ajustés selon le taux d'excrétion de chaque individu. Il est recommandé d'administrer le lithium après les repas aux malades qui présentent une légère intolérance. Cette pratique a pour avantage de minimiser les effets secondaires en diminuant les pics d'absorption. L'absorption se fait plus lentement et plus régulièrement de cette façon et l'efficacité thérapeutique demeure inchangée. Il est possible de retrouver dans l'urine d'un malade ayant absorbé une dose unique de carbonate de lithium le 1/3 ou même les 2/3 de cette quantité entre 6 et 12 heures après son administration. Le reste peut subsister dans l'organisme de 10 à 14 jours avant d'être complètement éliminé. La demi-vie du lithium varie beaucoup d'un individu à l'autre. On estime qu'environ la moitié du lithium ingéré est excrété après 24 heures, soit durant la phase rapide d'excrétion, et 90% après 48 heures. La concentration plasmatique maximale de lithium est obtenue de 2 à 4 heures après son ingestion. L'absorption de 300 mg de carbonate de lithium entraîne une augmentation de 0.4 mEq/l après 2 heures et de 0.2 mEq/l après 4 heures, alors que celle de 600 mg en entraîne une de 0.6 à 0.3 mEq/l après les mêmes périodes de temps. Lorsqu'il est pris après le repas, sa concentration maximale est habituellement atteinte après 4 ou 6 heures et est plus soutenue bien que moins élevée. On considère que la période d'absorption varie de 3 à 6 heures. Si un malade prend une capsule de lithium avant sa prise de sang pour lithémie, les valeurs mentionnées précédemment doivent être ajustées en tenant compte de la dose ingérée (300 ou 600 mg) et de l'heure du prélèvement pour obtenir un niveau de base. Si un malade a une lithémie 2 heures après avoir pris 300 mg de lithium, on devra alors soustraire 0.4 mEq/l de la valeur obtenue.

29.4 FACTEURS POUVANT FAIRE VARIER LA CONCENTRATION PLASMATIQUE DU LITHIUM

Les niveaux sanguins demeurent d'autant plus stables quand le lithium est administré de façon fractionnée (t.i.d. ou q.i.d.) au cours de la journée. Il existe cependant des facteurs qui doivent être connus en vue d'éviter toute intoxication. Mentionnons d'abord le fait que la *clearance* du lithium est très influencée par l'âge. Plus le malade est âgé, plus les doses devront être faibles pour obtenir l'effet thérapeutique souhaité et éviter la toxicité. L'irrégularité dans la prise du médicament est le facteur qui fait le plus souvent varier les niveaux sanguins du lithium. De plus, les diurétiques augmentent de façon significative les taux plasmatiques de lithium. Les changements dans la prise des liquides peuvent également provoquer des variations dans les concentrations plasmatiques. Si un malade absorbe une plus grande quantité de liquides, il en résultera une diminution de la perméabilité tubulaire tant pour le sodium que pour le lithium ce qui entraînera une augmentation de l'excrétion du lithium. Trois phénomènes peuvent amener un changement dans la prise de liquides: l'induction d'un diabète néphrogène par le lithium, les gastro-entérites qui ont pour effet de réduire l'apport en liquides et les polydipsies de tension que l'on rencontre chez certains malades anxieux. La variation de la prise de sodium provoque, tout comme la prise de diurétiques, un changement dans l'excrétion du lithium. Une diminution de la prise de sodium entraîne une augmentation de la réabsorption du lithium. En effet, une diminution de la prise de sodium entraîne un changement de perméabilité cellulaire dans le but d'en augmenter la réabsorption. Le lithium participe également à cette réabsorption étant un cation monovalent semblable au sodium. Quant aux diurétiques, ils provoquent une augmentation de l'excrétion de sodium qui elle-même entraîne une réabsorption rénale plus importante de lithium. D'autres substances sont connues pour augmenter l'excrétion du lithium, et parmi celles-ci figurent les xanthines qui incluent l'aminophylline, la théophylline et la caféine. Ces substances peuvent augmenter l'excrétion du lithium et diminuer les concentrations plasmatiques; il est donc possible qu'une ingestion importante de café, de thé ou de cola diminue les concentrations du lithium et que le fait d'en cesser la consommation augmente la toxicité du lithium. D'autres facteurs peuvent aussi modifier la *clearance* du lithium: l'exercice, la température ambiante, la posture et la grossesse.

29.5 MÉCANISME D'ACTION

Le déficit biochimique de la psychose maniaco-dépressive étant encore inconnu, il nous est impossible de déterminer avec exactitude la façon dont le lithium agit dans cette maladie.

Certains auteurs ont avancé l'hypothèse que le lithium agit dans la manie à cause de son action au niveau des catécholamines. Le lithium augmente en effet la recaptation de la noradrénaline et pourrait, de ce fait, entraîner une diminution du taux de noradrénaline au niveau synaptique (voir tableau 28.3).

Une autre hypothèse suggère que le lithium peut interférer dans la conduction nerveuse en se substituant au sodium ou au magnésium. Tout comme le sodium, le lithium entre dans le neurone suivant des gradients de concentrations, mais contrairement au sodium, son transport hors de la cellule n'est pas aussi efficace. Le lithium peut également se substituer au magnésium car il possède la même stéréochimie. Même si le magnésium est en très faible concentration, une faible variation du rapport magnésium-calcium peut entraîner un changement de conduction nerveuse. Il serait bon de procéder au dosage du magnésium sanguin lorsque des patients traités au lithium, et plus particulièrement des sujets âgés, présentent des signes de confusion afin d'éliminer la possibilité d'une déficience en magnésium.

La dernière hypothèse concerne l'adénylcyclase. Le lithium agirait au niveau du système nerveux central (SNC) par inactivation de l'adénylcyclase, elle-même activée par les neurotransmetteurs (acétylcholine, sérotonine et catécholamines). Il agirait donc de la même façon qu'il agit au niveau de la glande thyroïde et du rein, c'est-à-dire en inhibant l'adénylcyclase activée par la TSH et l'ADH.

29.6 INDICATIONS

29.6.1 Maladies affectives récurrentes unipolaires et bipolaires

Le lithium peut être considéré à la fois comme agent thérapeutique et comme agent prophylactique dans le traitement des maladies affectives récurrentes. Il possède un effet thérapeutique sur la manie aiguë. On a cependant constaté que la chlorpromazine (Largactil ®) était plus efficace dans les cas de manies très agitées (4) bien qu'elle n'agisse pas de façon spécifique. L'efficacité du lithium dans le traitement de la dépression aiguë n'est pas généralement acceptée. Il peut être utilisé en tant qu'agent prophylactique dans les cas de manie (6) et de dépression (7) des maladies affectives récurrentes unipolaires et bipolaires. L'imipramine (Tofranil ®) serait cependant aussi efficace pour prévenir les épisodes dépressifs de la maladie affective unipolaire. Le lithium serait par contre supérieur chez les malades bipolaires (7), l'imipramine pouvant précipiter des épisodes maniaques chez ces derniers.

29.6.2 Maladies schizo-affectives et schizophrénie

Les résultats obtenus pour la manie aiguë s'appliquent également dans le cas de schizophrénie affective de forme agitée. Ici encore la chlorpromazine s'est révélée significativement supérieure au lithium chez les malades très agités (5). L'effet thérapeutique de ces deux médicaments s'est toutefois avéré semblable chez les malades moins agités. Les malades diagnostiqués comme étant schizo-affectifs qui répondent à un traitement au lithium devraient cependant être plutôt considérés comme des malades souffrant de maladie affective récurrente (9). Quant à l'emploi à long terme du lithium dans le traitement des psychoses schizophréniques, il n'existe actuellement aucune raison de croire qu'il puisse être efficace.

29.6.3 Autres

Il n'a pas encore été démontré que le lithium puisse être efficace dans d'autres cas que ceux mentionnés plus haut. Il a été utilisé dans le traitement de l'agressivité, de l'épilepsie, des réactions phobiques, de l'alcoolisme, de la tension prémenstruelle et de divers troubles du comportement. Ces études ne sont, pour la plupart, que des rapports anecdotiques. Le nombre de sujets utilisés est trop peu élevé pour que nous puissions considérer ces applications comme démontrées.

29.7 CONTRE-INDICATIONS

Le lithium doit être employé avec beaucoup de prudence chez les malades qui absorbent des diurétiques, ont déjà souffert de goître thyroïdien ou présentent des troubles de l'équilibre électrolytique et de déshydratation, chez les malades qui absorbent des extraits thyroïdiens, souffrent d'hypertension, et chez les femmes enceintes. Les facteurs favorisant l'accumulation du lithium tels: la fonction rénale réduite, l'insuffisance cardiaque, les diètes pauvres en sel ainsi que les facteurs influençant le système nerveux central (maladies comportant des atteintes cérébrales, vieillesse) sont des contre-indications qui doivent nous faire évaluer les risques par rapport aux bénéfices. Il est préférable d'éviter l'emploi du lithium chez les femmes susceptibles de devenir enceintes à moins de force majeure. Lorsque le lithium doit être employé, il faut alors éviter les concentrations sanguines élevées en l'administrant en doses fractionnées, en s'assurant d'un apport suffisant en sel et en évitant les diurétiques.

29.8 ADMINISTRATION

Il est très important avant le début du traitement de procéder à un examen physique complet incluant la palpation de la glande thyroïde. Les analyses de routine suivantes doivent être faites avant de commencer un traitement:

hémoglobine, hématocrite, compte absolu et relatif des globules blancs, azotémie, créatinine, électrolytes, taux de lithium, analyse d'urine, électrocardiogramme et bilan thyroïdien (T_3R, T_4, FT_4, FT_4I, TSH, anticorps antithyroïdiens). Ces analyses doivent être répétées annuellement. En présence de polyurie lors du traitement, on doit effectuer périodiquement des tests de concentration urinaire. Les malades ayant présenté des symptômes d'intoxication franche doivent être soumis à la mesure périodique de leurs concentrations urinaires. Quant à l'évaluation de la fonction thyroïdienne, nous conseillons la procédure suivante: mesure de la TSH tous les 3 mois durant la première année de la thérapie au lithium, puis annuellement (pour plus de détails, voir 29.9.5 sur l'atteinte de la fonction thyroïdienne).

29.8.1   Emploi thérapeutique dans la manie aiguë

Le dosage recommandé est de 900 mg le premier jour et de 1200 à 1800 mg le deuxième jour. La dose doit ensuite être adaptée selon la condition clinique du malade. Lorsque la stabilisation est atteinte, nous suggérons d'utiliser une dose prophylactique. Le malade tolère une quantité de lithium 2 à 3 fois plus grande durant la phase aiguë que durant la période de rémission. Il est recommandé d'associer les neuroleptiques (Haldol ® ou Largactil ®) au carbonate de lithium lorsque les malades sont très agités. Les niveaux sanguins doivent se situer entre 1.0 mEq/l et 1.5 mEq/l. Il existe un risque d'effets secondaires entre 1.5 mEq/l et 2.0 mEq/l, et un risque de toxicité au-dessus de 2.0 mEq/l. Ce risque est accru lorsque le carbonate de lithium est employé en association avec les neuroleptiques. La concentration plasmatique recherchée doit être inférieure à celle de la manie aiguë lorsque le lithium est associé aux neuroleptiques. Une fois l'épisode aigu contrôlé, le traitement doit être poursuivi à une dose prophylactique durant 1 à 2 mois, c'est-à-dire durant la période qu'aurait duré un épisode aigu non traité. Dans le cas d'un premier épisode et même dans celui d'un deuxième, lorsqu'il se produit longtemps après le premier, le traitement au lithium est habituellement interrompu après la stabilisation.

29.8.2   Emploi prophylactique

La dose initiale recommandée est de 300-600 mg par jour mais elle peut être augmentée à raison de 300 mg par semaine jusqu'à l'obtention des niveaux sanguins désirés. La dose prophylactique peut se situer entre 900 et 1200 mg par jour. Il existe cependant une grande variation selon l'âge du malade: un malade jeune peut nécessiter une dose quotidienne allant jusqu'à 2700 mg, alors qu'un sujet âgé ne nécessitera que 300 mg par jour. Les niveaux sanguins devraient normalement se situer entre 0.6 et 1.2 mEq/1 et ne devraient jamais dépasser 1.5 mEq/l. Cependant, une lithémie inférieure à 0.6 mEq/l peut être parfaitement adéquate chez certains malades. Les niveaux sanguins varient selon le laps de temps écoulé entre l'ingestion et le moment où le prélèvement a été effectué. Il est recommandé de faire analyser les niveaux sanguins de lithium une fois par semaine jusqu'à la stabilisation, puis tous les mois. Il n'est pas nécessaire de faire la lithémie à jeun et l'on recommande de la faire 12 heures après la prise du médicament. Il n'existe aucun inconvénient à faire le prélèvement 18 heures après la dernière prise de médicament si le malade vient l'après-midi; on peut alors évaluer la lithémie de base en sachant que la lithémie n'est que de 0.1 - 0.2 mEq/l plus basse à ce moment. D'autre part, si le prélèvement est fait entre 6 et 12 heures après la prise du médicament, on soustrait alors 0.1 - 0.2 mEq/l pour obtenir le taux de base. Les fonctions rénales et cardiaques doivent être contrôlées de façon périodique dans le cas d'un traitement à long terme. On doit attendre une semaine après un changement de dose pour faire une lithémie car l'état d'équilibre du lithium prend environ une semaine avant d'être atteint.

29.9 TOXICITÉ (voir tableau 29.1)

29.9.1 Effets secondaires

Certains malades peuvent souffrir, durant les premières semaines de traitement, d'irritation gastro-intestinale, de nausée, de douleur abdominale, d'une légère faiblesse musculaire, de soif, de polyurie et de goître non toxique, avoir des selles plus fréquentes et présenter un léger tremblement des mains. Les symptômes gastro-intestinaux et la faiblesse musculaire coïncidant habituellement avec l'augmentation des taux sanguins de lithium, sont probablement dus à une absorption rapide et sont en relation avec le pic d'absorption. Ils disparaissent lorsque l'on cesse l'administration du lithium. La plupart de ces effets peuvent être minimisés si l'on échelonne l'administration de la dose sur 24 heures. Les tremblements fins persistants (et non pas les tremblements grossiers dus à une intoxication) peuvent être réduits par l'emploi de 10-25 mg de propranolol (Indéral ®) le matin et le midi (3). Des atteintes rénales ont récemment été observées chez des patients traités au carbonate de lithium (1,2,8). Certains malades peuvent également présenter des crampes abdominales et de la diarrhée qui peuvent persister durant toute la durée du traitement. Cet effet secondaire est probablement attribuable au lactose qui est employé comme excipient dans la fabrication du comprimé de carbonate de lithium. Il s'agit alors de changer de produit, espérant en trouver un qui ne produise pas cet inconvénient.

29.9.2 Symptômes précurseurs d'intoxication

Il existe un certain nombre de symptômes précurseurs d'intoxication. Ils peuvent se manifester au niveau du système nerveux central (somnolence, confusion légère), au niveau du système cérébelleux et musculaire (dysarthrie, tremblements grossiers, contraction musculaire, ataxie) et au niveau gastro-intestinal (anorexie, vomissement et diarrhée). Il est nécessaire de faire analyser les niveaux sanguins et de procéder à un examen complet chaque fois qu'un malade présente de tels symptômes. Ces phénomènes peuvent cependant être prévenus si l'on procède régulièrement à l'analyse des niveaux sanguins.

29.9.3 Symptômes d'intoxication

Les symptômes d'intoxication au lithium se manifestent au niveau du système nerveux central par une atteinte de l'état de conscience pouvant aller de la confusion grave au coma avec absence complète de réponse. On peut égale-

TABLEAU 29.1 Effets secondaires et symptômes d'intoxication

EFFETS SECONDAIRES

- irritation gastro-intestinale
- nausées
- douleur abdominale
- selles plus fréquentes
- légère faiblesse musculaire
- léger tremblement des mains
- goître non toxique
- soif
- polyurie

SYMPTÔMES PRÉCURSEURS D'INTOXICATION

A) Système nerveux central

- somnolence
- confusion légère

B) Cérébelleux et musculaire

- dysarthrie
- tremblements grossiers
- contraction musculaire
- ataxie

C) Gastro-intestinal

- anorexie
- vomissements
- diarrhée, incontinence fécale

SYMPTÔMES D'INTOXICATION

- atteinte de l'état de conscience (confusion-coma)
- hypertonie
- ridigidé
- hyperréflexie
- hyperextension des membres
- tremblements musculaires ou fasciculations généralisées
- convulsions généralisées

ment observer de l'hypertonie, de la rigidité au niveau des muscles, une augmentation des réflexes profonds, des tremblements musculaires ou des fasciculations généralisées. Des convulsions peuvent aussi apparaître ainsi que des attaques d'hyperextension des bras et des jambes. Les malades souffrant d'intoxication au lithium doivent être traités dans une unité de soins intensifs où l'on doit d'abord déterminer le taux sérique de lithium, puis procéder immédiatement à l'administration de solutés physiologiques (de 5 à 6 litres d'une solution d'eau et de 0.9% de NaCl durant une période de 24 heures). Si le taux sérique est supérieur à 4 mEq/l ou s'il se situe entre 2 et 4 mEq/l et que la condition clinique du malade est grave, il faut alors procéder le plus tôt possible à une hémodialyse afin d'éviter la mort du malade ou des lésions neurologiques irréversibles. Les diurétiques sont à proscrire car l'excrétion sodique qu'ils provoquent entraîne une réabsorption plus importante de lithium par le rein qui tente alors de préserver l'équilibre ionique.

29.9.4 Atteintes rénales

Des études récentes font état de la toxicité du lithium au niveau de la fonction rénale. La première étude sur le sujet date de 1977 et relate le cas de 14 malades traités au lithium qui subirent une biopsie rénale (2). Huit de ces malades avaient une histoire d'intoxication au lithium et six une histoire de diabète néphrogène. Les biopsies ont montré que les lésions dues au lithium ressemblaient à celles des glomérulonéphrites et des pyélonéphrites chroniques. On a également observé une atrophie focale du néphron avec fibrose interstitielle.

Dans une autre étude comportant 60 malades (8) traités au lithium (19 traités au lithium et 41 au lithium et aux neuroleptiques) et 25 sujets témoins traités aux neuroleptiques durant des périodes allant de 2 mois à 11 ans, on a observé une diminution significative de la concentration rénale lors du test à l'ADH chez les malades traités au lithium et même deux mois après l'arrêt du médicament. La diminution de la fonction rénale était de beaucoup inférieure chez les malades qui recevaient du lithium et des neuroleptiques. Les patients qui recevaient seulement des neuroleptiques présentaient également une certaine diminution de leur concentration rénale. L'existence d'une relation entre les taux sanguins élevés de lithium (sans intoxication) et le degré de perturbation des tests de concentration à l'ADH a également été démontrée. Cependant, cette étude n'a pas déterminé si la perturbation de la concentration rénale induite par le lithium existe encore après une période de plus de deux mois.

Une troisième étude a décrit 5 malades traités au lithium durant des périodes allant de 4 mois à 9 ans, à qui on avait fait subir une biopsie rénale (1). Chez tous les malades on a pu noter des lésions des tubules distaux et des canaux collecteurs. La lésion était typique et n'était pas positive quant aux granules intracellulaires. Chez les 3 malades traités au lithium durant une période de plus de 6 ans, on observa, en plus des lésions tubulaires, de la sclérose glomérulaire, de l'atrophie tubulaire et de la fibrose interstitielle. On confirma également les résultats au test de concentration rénale à l'ADH de l'étude précédente.

Il n'existe donc aucun doute que le lithium provoque des lésions rénales tubulaires et des lésions glomérulaires à plus long terme mais ces lésions ne sont pas suffisantes pour s'abstenir de prescrire le lithium. Même si les malades possèdent de 10 à 20% moins de glomérules à l'âge de 60 ans, il n'existe aucun danger d'insuffisance rénale. Ces lésions sont probablement plus importantes chez les malades qui ont souffert d'une intoxication au lithium ou de polyurie.

Pour le moment, nous pouvons faire les recommandations suivantes: (1) questionner d'une façon plus précise les malades pour vérifier s'il existe une histoire de problèmes rénaux, d'infections urinaires, etc., procéder au calcul des ingesta et excreta avant de commencer la thérapie au lithium; (2) vérifier durant la thérapie s'il existe un changement par rapport à l'état antérieur; (3) s'assurer que le malade consomme suffisamment de sel de table pour que ne soit pas altérée la perméabilité cellulaire au niveau du tubule proximal. L'insuffisance en sodium provoque une plus grande perméabilité à la fois au sodium et au lithium, ce qui entraîne évidemment une plus grande concentration de lithium et probablement aussi des lésions au niveau tubulaire; (4) atteindre une concentration plasmatique suffisante pour prévenir les rechutes; (5) ne pas prescrire de lithium s'il n'est pas efficace. On devra prescrire des tricycliques dans les cas de dépressions unipolaires récurrentes, mais en se rappelant que certaines dépressions unipolaires récurrentes ne répondent ni aux tricycliques ni aux électrochocs mais au lithium. Il faut être très conservateur pour prescrire du lithium après un premier épisode maniaque car les malades peuvent n'avoir un autre épisode maniaque que 20 ans après le premier. Le bénéfice par rapport aux risques n'est donc pas certain chez les malades; (6) enfin, associer le moins possible de neuroleptiques au lithium.

29.9.5 Atteintes thyroïdiennes

Le lithium modifie la fonction thyroïdienne de plusieurs façons: d'abord en inhibant la captation de l'iode par la glande thyroïde puis l'iodation de la tyrosine, la libération de T_3 et T_4 de la glande thyroïde et la dégradation périphérique des hormones thyroïdiennes. Le lithium bloque, ainsi que nous l'avons mentionné antérieurement, la stimulation de la thyroïde par la TSH en interférant avec l'adénylcyclase sensible à la TSH. Il en résulte une diminution de la fonction thyroïdienne mais la plupart des malades sont capables de compenser et demeurent euthyroïdiens. Environ 5% des malades traités au lithium développent cependant de l'hypothyroïdie, bien qu'habituellement légère, et environ 3% développent un goître bénin non toxique. Même si seulement 5% des malades développent une hypothyroïdie franche, environ 30% montrent une augmentation de la TSH durant la première année de traitement, ce qui donne à penser qu'il pourrait se produire une très légère diminution de l'hormone thyroïdienne. Le lithium aurait donc des effets antithyroïdiens chez tous les patients. Ces effets sont toutefois réversibles lorsque l'on discontinue la médication. Il a été prouvé que les malades dont le nombre d'anticorps antithyroïdiens est élevé avant le début du traitement sont plus vulnérables au développement de l'hypothyroïdie. Il n'existe aucune évidence à l'effet que le lithium stimule en soi le système auto-immunitaire. Le lithium agirait plutôt en démasquant une forme auto-immune de thyroïdite subclinique déjà présente. C'est pour cette raison que nous conseillons de procéder au dosage des anticorps antithyroïdiens avant de commencer un traitement au lithium. Il n'y a aucune raison de croire qu'il existe un risque plus élevé de cancer de la glande thyroïde chez les malades traités au lithium. E-tant donné que la TSH demeure le meilleur indice d'hypothyroïdie, nous conseillons de faire, durant la première année du traitement au lithium, un dosage de la TSH tous les 3 mois. Si un malade devient hypothyroïdien, on pourra lui prescrire des extraits thyroïdiens en même temps que le lithium. Le dépistage de l'hypothyroïdie est primordiale. L'hypothyroïdie se manifestant fréquemment sous forme de dépression, il est très important de la diagnostiquer afin de ne pas confondre sa manifestation avec les dépressions dont peuvent souffrir la plupart des malades traités au lithium. Précisons que le test thyroïdien appelé T_3R est le test de captation à la résine avec du T_3 radioactif. Il ne s'agit pas du dosage de la triiodothyrosine (T_3). Les résultats sont supérieurs lorsqu'il y a une diminution des protéines sériques (ex. androgènes, stéroïdes, salicylates ou diphénylhydan-toin) et inférieurs lorsqu'il y a augmentation des mêmes protéines (ex. grossesse, oestrogènes, contraceptifs oraux ou une dysfonction hépatique). S'il y a une modification du T_3R, il devient alors plus important de connaître la thyroxine libre (FT_4I ou Free T_4 Index) que la thyroxine totale (T_4).

29.10 CONCLUSION

Le carbonate de lithium constitue un progrès dans le traitement des maladies affectives récurrentes unipolaires et bipolaires, et plus particulièrement dans le traitement prophylactique des maladies bipolaires. L'importance des effets secondaires qu'il provoque à long terme nous oblige à l'employer chez les seuls patients qui en bénéficient vraiment, et à s'abstenir de l'utiliser dans les autres cas. Cependant, la gravité de ces effets n'est pas telle qu'elle doive nous faire hésiter à le prescrire lorsqu'il y a indication précise.

BIBLIOGRAPHIE

1- BURROWS, G.D., DAVIES, B., KINCAID-SMITH, P. "Unique tubular lesion after lithium". **Lancet.** 1978, 1, 1310.

2- HESTEBECH, J., HANSEN, H.E., AMDISEN, A., OLSEN, S. "Chronic renal lesions following long-term treatment with lithium". **Kidney Int.** 1977, 2, 205-213.

3- LAPIERRE, Y.D. "Control of lithium tremor with propranolol". **CMA J.** 1976, 114, 619-620.

4- PRIEN, R.F., CAFFEY Jr, E.M., KLETT, C.J. "Comparison of lithium carbonate and chlorpromazine in the treatment of mania". **Arch. Gen. Psychiatry.** 1972, 26, 146-153.

5- PRIEN, R.F., CAFFEY Jr, E.M. "A comparison of lithium carbonate and chlorpromazine in the treatment of excited schizo-affectives". **Arch. Gen. Psychiatry.** 1972, 27, 182-189.

6- PRIEN, R.F., CAFFEY Jr, E.M., KLETT, C.J. "Prophylactic efficacy of lithium carbonate in manic-depressive illness". **Arch. Gen. Psychiatry.** 1973, 28, 337-341.

7- PRIEN, R.F., KLETT, C.J., CAFFEY Jr, E.M. "Lithium carbonate and imipramine in prevention of affective episodes". **Arch. Gen. Psychiatry.** 1973, 29, 420-425.

8- SINANIOTIS, C.A., HARATSARIS, M.N., PAPADATOS, C.J. "Impairment of renal concentrating capacity by lithium". **Lancet.** 1978, 1, 778.

9- TAYLOR, M.A., ABRAMS, R. "The phenomenology of mania". **Arch. Gen. Psychiatry.** 1976, 29, 520-620.

CHAPITRE 30

LA SISMOTHÉRAPIE:

THÉRAPIE ÉLECTROCONVULSIVE

Guy Chouinard *

30.1 INTRODUCTION

La thérapie convulsive a été introduite en psychiatrie par Von Meduna après qu'il eut observé qu'il semblait exister une relation entre la schizophrénie et l'absence d'épilepsie, et que les malades psychiatriques semblaient moins perturbés à la suite de convulsions. Les premiers traitements convulsifs consistaient en des convulsions provoquées par des médicaments et en particulier par le pentylènetétrazol (métrazol). Ce sont les Italiens Cerletti et Bini qui, en 1938, ont remplacé la thérapie convulsive pharmacologique par la thérapie électroconvulsive. D'abord utilisée dans le traitement de la schizophrénie, la thérapie électroconvulsive est devenue le principal traitement des dépressions psychotiques et endogènes.

L'apparition des antidépresseurs tricycliques dans les années 50 a introduit une nouvelle forme de traitement des dépressions unipolaires endogènes et bipolaires. Les antidépresseurs tricycliques et la thérapie électroconvulsive sont actuellement considérés comme des traitements efficaces. L'action de la thérapie électroconvulsive est plus rapide que celle des antidépresseurs tricycliques, et il semble qu'elle soit efficace chez un plus grand nombre de sujets (6,11). Les antidépresseurs sont toutefois utilisés plus fréquemment à cause de la forte probabilité de rechute. Il a en effet été récemment démontré que les antidépresseurs tricycliques possédaient un effet prophylactique dans les cas de dépression récurrente (12). L'association antidépresseurs tricycliques-thérapie électroconvulsive souvent utilisée en milieu hospitalier, comporte le désavantage de rendre très difficile l'appréciation de l'effet thérapeutique des antidépresseurs tricyclique. Certains malades répondent mieux à un type de tricycliques alors que d'autres répondent mieux à un tricyclique différent. Il est donc très important de déterminer, en milieu hospitalier, quel médicament convient le mieux au malade de façon à pouvoir prévenir les rechutes. L'utilisation concomitante des deux trai-

* L'auteur désire remercier Diane Ross pour sa collaboration à la préparation de ce texte.

tements rend ce choix presque impossible. D'autre part, la thérapie électrocon-vulsive présente l'intérêt d'apporter une amélioration plus rapide et ceci cons-titue certainement un avantage lorsque le risque suicidaire est élevé.

Une étude s'est attachée à comparer le taux de mortalité chez des déprimés hospitalisés de 1959 à 1969 ayant reçu des traitements différents (2). Cette étu-de montre que le taux de mortalité des malades traités avec la thérapie électro-convulsive est significativement inférieur à celui des malades traités de façon inadéquate avec les tricycliques et à celui des malades n'ayant reçu ni thérapie é-lectroconvulsive ni antidépresseurs tricycliques. Il ne semble pas exister de dif-férence entre le taux de mortalité des malades traités avec la thérapie électrocon-vulsive et ceux traités de façon adéquate avec les tricycliques. Les décès attri-buables à des causes autres que le suicide, et en particulier aux infarctus du myocarde, étaient significativement plus fréquents chez le groupe traité de façon inadéquate que chez le groupe traité adéquatement avec des tricycliques. Cette étude montre également que les malades traités à la fois avec des antidé-presseurs tricycliques et la thérapie électroconvulsive ont un taux de mortalité re-lativement élevé, ce qui confirme qu'il est préférable d'identifier la médication tricyclique à laquelle le malade présente la meilleure réponse thérapeutique plutôt que d'associer les deux formes de traitement.

30.2 CHANGEMENTS PHYSIOLOGIQUES

La thérapie électroconvulsive provoque des changements physiologiques importants. Elle entraîne notamment des changements électro-corticographiques. L'électrocorticographie passe d'une configuration désyn-chronisée à l'état de repos à une synchronisation de grande amplitude propor-tionnelle au degré d'anesthésie. Un enregistrement en profondeur montre que la convulsion vient de la partie centrale du cerveau et se répand vers le cortex. On peut également observer une augmentation importante de la circulation cé-rébrale consécutive à l'augmentation de la tension artérielle systémique qui est caractéristique des convulsions induites par la thérapie électroconvulsive. Elle produit, au niveau du métabolisme cérébral, une réduction importante d'adé-nosine tri-phosphate (ATP) et de phosphocréatine et une accumulation de lac-tate. Une bonne oxygénation peut cependant prévenir l'anoxie qui risque d'ag-graver ces effets. L'implication du cortex moteur, lors de crises convulsives de type grand mal, provoque des effets musculo-squelettiques. Ces effets périphé-riques moteurs peuvent être éliminés par l'emploi de succinylcholine. Les effets parasympathico-mimétiques causés par la thérapie électroconvulsive se manifes-tent, quant à eux, par de la bradycardie, de l'hypertension et de la tachycardie. La bradycardie peut être éliminée complètement par l'emploi d'une substance anticholinergique. L'hypertension et la tachycardie résultent de la libération des catécholamines dans la circulation à la suite de la périphérisation de la convul-sion sur les fibres de la surrénale. Les concentrations de noradrénaline et d'a-drénaline sont de 10 à 50 fois plus élevées que normalement, ce qui augmente le risque d'accident cérébro-vasculaire chez les malades hypertendus. On note éga-lement une augmentation des corticoïdes consécutive à son action sur le cortex surrénalien. Quant à son influence sur l'hypophyse, elle provoque une augmentation des concentrations plasmatiques d'ACTH. Elle ne produit cependant aucun effet au niveau de l'hormone de croissance et des autres hormones hypophysaires. On peut toutefois observer un effet hypothalamique qui entraîne une augmentation de la concentration plasmatique de prolactine dans les 15 minutes qui suivent la convulsion.

30.3 MÉCANISME D'ACTION

La thérapie électroconvulsive constitue véritablement un traitement pharmacologique car elle modifie l'action des amines cérébrales. Il a été démontré que les mêmes modifications pharmacologiques se produisaient quelle que soit la façon dont les traitements étaient administrés (bilatéralement ou unilatéralement, sur l'hémisphère dominant ou non dominant), à la condition que la transmission nerveuse soit affectée dans les deux hémisphères. L'effet thérapeutique de la thérapie électroconvulsive pourrait être attribué à l'augmentation de la noradrénaline au niveau du récepteur ainsi que le suggèrent les résultats obtenus en pharmacologie animale (7,18). Ce mécanisme d'action confirmerait d'ailleurs l'hypothèse d'une déficience relative de noradrénaline cérébrale dans la dépression. Une étude récente a cependant montré que la thérapie électroconvulsive pouvait agir en sensibilisant les récepteurs sérotoninergiques postsynaptiques (5).

30.4 INDICATIONS

30.4.1 Dépression

Les types de dépressions qui répondent le mieux à la thérapie électroconvulsive sont les dépressions unipolaires endogènes et bipolaires. Les dépressions que l'on rencontre chez les personnes âgées répondent également assez bien à la thérapie électroconvulsive, lorsqu'elles ne sont pas associées à l'artériosclérose ou à la sénilité. Les dépressions unipolaires réactives (névrotiques) y répondent peu et les dépressions associées à la schizophrénie n'y répondent habituellement pas.

30.4.2 Autres

La thérapie électroconvulsive est parfois associée aux neuroleptiques dans le traitement de la manie lorsque les malades sont très agités. Ses effets sont encore mal connus lorsqu'elle est associée au carbonate de lithium. Il semble que les épisodes confusionnels soient alors plus prolongés après le traitement. Son efficacité n'a pas encore été démontrée dans le traitement de la schizophrénie chronique, mais elle pourrait être indiquée en association avec les neuroleptiques lors du premier épisode schizophrénique. Elle peut également être employée dans le traitement de l'agitation schizophrénique lorsque le traitement pharmacologique s'est avéré inefficace et peut "potentialiser" l'effet des neuroleptiques. Certains cliniciens l'emploient dans le traitement de la stupeur catatonique; nous croyons cependant que la majorité de ces cas peuvent être traités uniquement avec les neuroleptiques et qu'elle ne devrait être employée que lorsque la vie des malades est mise en danger.

30.5 PRÉCAUTIONS

La seule contre-indication absolue au traitement électroconvulsif est la tumeur cérébrale à cause de l'augmentation soudaine de la pression intracrânienne lors des traitements. Certaines précautions doivent être prises chez les malades souffrant de maladie cardiaque artériosclérotique et chez les malades ayant fait récemment un infarctus du myocarde. Il est préférable, dans de tels cas, de ne pas employer de barbituriques en prétraitement à cause de l'effet qu'ils peuvent avoir sur le muscle cardiaque. Certaines précautions doivent également être prises chez les malades souffrant de glaucome à angle fermé à cause de la succinylcholine (Anectine®) qui leur est donnée comme relaxant musculaire. Il est recommandé, avant le traitement, de faire passer au malade un électro-encéphalogramme, un électrocardiogramme, des radiographies du crâne et de la colonne vertébrale ainsi que des analyses biochimiques (SMA-12) et sanguines de routine (hémoglobine, hématocrite, compte absolu et relatif des globules blancs). On recommande également, chez les individus à risque (histoire familiale ou individuelle d'hypo-pseudo-cholinestérasémie), de mesurer l'activité hydrolysante pseudo-cholinestérasique avant d'administrer des traitements. Une histoire concernant des réactions allergiques aux substances employées durant le traitement devrait également être obtenue de tout candidat à la thérapie électroconvulsive.

30.6 TECHNIQUE

30.6.1 Appareillage

L'appareil le plus fréquemment employé est un appareil qui utilise le courant alternatif. La fréquence utilisée peut varier de 50 à 60 cycles. Un voltage de 70 à 150 volts est appliqué durant une période allant de 0.1 à 1 seconde. Le voltage minimum est de 70 volts. Un voltage inférieur ne produit pas d'inconscience et un voltage se situant entre 70 et 80 volts peut ne pas produire de convulsions. Le seuil de convulsion varie beaucoup d'un individu à l'autre. Le seuil de convulsion des sujets jeunes est inférieur à celui des personnes âgées et celui des femmes est supérieur à celui des hommes. La résistance de la peau peut être diminuée par l'application d'une solution saline ou d'une gelée. L'efficacité thérapeutique ne dépend ni du choix des électrodes ni de celui de l'appareil. Il n'a pas été démontré qu'un type d'électrodes ou d'appareil soit supérieur à un autre. Certains appareils peuvent cependant avoir des effets nocifs sur le cerveau lorsque l'énergie électrique employée est trop élevée. L'appareil MECTA est un excellent appareil à faible énergie et à stimulation brève qui permet l'enregistrement simultané d'électrocardiogrammes et d'électro-encéphalogrammes. Nous recommandons fortement l'enregistrement simultané d'électro-encéphalogrammes car ces enregistrements permettent: 1) de voir immédiatement s'il y a eu convulsions; 2) de vérifier l'intensité du stimulus électrique; 3) d'évaluer la durée de la convulsion; 4) de "monitorer" l'administration d'oxygène pendant toute la durée du traitement, et 5) de déterminer si le malade a besoin d'autres traitements électroconvulsifs (le malade aurait encore besoin d'autres traitements lorsque la convulsion se termine brusquement) (3).

30.6.2 Position des électrodes

La technique classique consiste à placer les électrodes de façon bilatérale sur les régions fronto-temporales. La seule innovation réside dans la stimulation unilatérale sur l'hémisphère non dominant. Cette technique a la réputation d'être moins efficace. Bien que des études danoises aient contesté cette assertion (14, 15), certains cliniciens ont rapporté que cette technique ne semblait pas aussi efficace que la technique bilatérale, contrairement à ce que laissaient croire les études contrôlées. La raison en est qu'il est plus difficile d'obtenir un effet convulsif avec une stimulation unilatérale et que certains traitements ont pu être inefficaces par manque de convulsion. Il est en effet parfois assez difficile de déterminer s'il y a eu convulsion ou non. La seule façon de la déterminer avec certitude est de procéder à un enregistrement électro-encéphalographique simultané. Il ne fait pas de doute que la stimulation unilatérale diminue la confusion et les troubles de mémoire qui suivent immédiatement le traitement. Une étude récente n'a pu démontrer l'existence de déficits de mémoire à long terme chez les sujets ayant reçu des traitements électroconvulsifs unilatéraux sur l'hémisphère non dominant (13), tandis que les malades ayant reçu la thérapie électroconvulsive bilatérale se plaignaient significativement de plus de troubles de mémoire. Une étude a montré que la thérapie électroconvulsive unilatérale pariétale non dominante a un effet négatif sur la mémoire visuelle, alors que la thérapie électroconvulsive sur l'hémisphère dominant a un effet négatif sur la mémoire verbale, ce qui est tout à fait compréhensible étant donné le rôle primordial de l'hémisphère non dominant dans la mémoire visuelle et de l'hémisphère dominant dans la mémoire verbale (4). On peut conclure de cette étude que les sujets qui se servent surtout de leur mémoire visuelle devraient recevoir des électrochocs sur l'hémisphère dominant, cependant que ceux qui se servent davantage de leur mémoire verbale auraient intérêt à recevoir des traitements sur l'hémisphère non dominant. La technique unilatérale sur l'hémisphère non dominant (hémisphère droit) est la technique la plus fréquemment utilisée. Il suffit, dans la majorité des cas, de demander au patient s'il est droitier ou gaucher pour identifier l'hémisphère non dominant. Les électrodes peuvent être placées unilatéralement sur les régions fronto-temporales (8) ou pariétales (4).

30.6.3 Procédures

Le malade doit être gardé à jeun durant une période d'au moins quatre heures avant le traitement proprement dit (préférablement depuis minuit si les traitements sont administrés le matin), et ne doit recevoir aucune médication et à plus forte raison une médication pouvant avoir un effet hypotenseur. Le sulfate d'atropine (0.5 - 1.0 mg) est injecté intramusculairement environ 30 minutes ou immédiatement avant le traitement par voie intraveineuse. Il est toutefois préférable d'administrer un agent anticholinergique quaternaire (scopolamine, methylbiomide, methscopolamine ou parmine) plutôt que l'atropine, de façon à éviter une psychose toxique, ces agents ne passant pas la barrière hémo-encéphalique. Le dernier rapport du Task Force de l'Association américaine de psychiatrie recommande l'emploi d'un anticholinergique (methscopolamine) par voie intraveineuse; cette pratique a l'avantage de pouvoir ajuster la dose administrée de façon à obtenir une augmentation du rythme cardiaque de 10% (1). Cet ajustement de dose est important puisque la plupart des malades psychiatriques prennent des substances ayant une activité anticholinergique. Le but recherché n'est pas tant de diminuer la salivation que de prévenir la bradycardie et les troubles du rythme cardiaque qui peuvent en résulter. Une anesthésie superficielle est causée par l'administration intraveineuse de 1.00 à 1.25 mg de méthohéxital (Briétal®) par kilogramme (50 - 100 mg). Nous croyons toutefois qu'il y aurait avantage à employer 10 mg de diazépam (Valium®) en infusion lente de 90 secondes administrée par voie intraveineuse, ce qui permettrait d'obtenir un effet amnésique supérieur et d'éviter les désavantages des barbituriques sur le myocarde (16, 17). Certains malades nécessitent cependant des quantités énormes de diazépam. La solution à ce problème pourrait résider en une administration plus rapide. La succinylcholine (Anectine®) est habituellement employée comme relaxant musculaire à raison de 5 - 50 mg selon l'activité pseudo-cholinestérasique. La thérapie électroconvulsive utilisant la succinylcholine a été qualifiée de thérapie électroconvulsive modifiée. Cette technique est maintenant généralisée. Lorsque le diazépam est utilisé, le malade devient somnolent mais n'est pas endormi. On doit alors attendre 2 à 4 minutes avant de lui injecter la succinylcholine. Le diazépam est couramment employé dans la cardioversion où le voltage est supérieur. L'oxygène pur est administré manuellement à l'aide du masque Ambu. Lorsqu'un tracé électro-encéphalographique est enregistré simultanément, l'oxygène est administré pendant toute la durée du traitement. Il est fortement conseillé d'administrer de l'oxygène avant et immédiatement après la convulsion afin de prévenir les arythmies cardiaques. Les arythmies cardiaques sont significativement moins fréquentes lorsque cette technique est employée (9). Les principales complications de la technique modifiée sont surtout reliées aux barbituriques administrés en prétraitement.

30.6.4 Fréquence

La fréquence des traitements électroconvulsifs se situe aux environs de trois par semaine. Il est possible d'observer une amélioration après 3 ou 4 traitements seulement dans les cas de dépression, bien que 2 ou 3 autres traitements puissent être nécessaires mais à intervalles plus espacés. Dans les cas de manie aiguë, il peut parfois être nécessaire de donner des traitements tous les jours. Lorsque la thérapie électroconvulsive multiple est employée, 3 à 5 minutes doivent s'écouler entre la fin de la convulsion et la prochaine stimulation. Une étude récente a montré que les traitements unilatéraux pouvaient être donnés quatre fois par semaine sans augmenter les troubles de mémoire (13). En ce qui concerne la technique unilatérale, le maximum de traitements varie entre 12 et 16. Un nombre plus élevé de traitements n'augmenterait pas l'effet thérapeutique.

30.6.5 Complications

Les complications graves sont plutôt rares. Elles sont surtout reliées aux problèmes cardiaques qui peuvent aller jusqu'à l'arrêt cardiaque et augmentent avec l'âge et les antécédents cardiaques du malade. L'emploi de barbituriques, de succinylcholine et l'anoxie augmentent le risque d'arythmie cardiaque. Des cas de thromboses coronariennes ont été observés immédiatement ou environ une heure après le traitement. L'incidence des arythmies cardiaques varie beaucoup (8-41 %). La majorité des arythmies rapportées sont des arythmies ventriculaires ou consistent en une bradycardie avec bloc auriculo-ventriculaire. Lors de la tachycardie induite physiologiquement par la thérapie électroconvulsive, une ischémie myocardique absolue ou relative peut se produire. C'est pourquoi il est nécessaire de garder le malade sous observation durant au moins une heure. La principale complication rencontrée avant l'introduction de la technique modifiée consistait en des fractures de la colonne dorsale se situant entre la quatrième et la huitième vertèbre, et en des fractures de la tête de l'humérus ou du fémur. On expliquait ces fractures par le fait que les convulsions commencent soudainement, contrairement à celles de la crise d'épilepsie qui commencent graduellement. Les cas de fractures sont pratiquement inexistants depuis l'introduction de la technique modifiée. L'emploi de la technique bilatérale entraîne de la confusion et une atteinte de la mémoire récente et immédiate qui peut persister de 4 à 6 semaines. On peut également noter une période de confusion et d'agitation postictale qui peut cependant être plus ou moins éliminée par l'emploi du diazépam en pré - ou post-traitement. L'induction de crises d'épilepsie spontanée de même que des psychoses confusionnelles ont été rapportées. Cependant, ces complications sont considérées comme rares et pourraient être reliées à une mauvaise technique d'anesthésie. Pour ce qui est de savoir si la thérapie électroconvulsive cause des lésions cérébrales, nous sommes d'avis que celles-ci, lorsqu'elles existent, sont en relation avec une hypoxie qui peut être prévenue par une bonne oxygénation. Certains malades se plaignent d'une atteinte permanente de la mémoire mais il s'agit, en général, de malades ayant reçu un nombre considérable de traitements.

30.7 ASPECT ÉTHIQUE

Outre les changements au niveau de la mémoire, la thérapie électroconvulsive provoque, comme nous venons de le voir, des changements physiologiques importants. Elle ne saurait donc être utilisée qu'avec une extrême prudence et le consentement du patient. Le Task Force de l'American Psychiatric Association recommande, dans le but de protéger les malades, que les items suivants apparaissent au dossier: nature et histoire de la condition clinique qui exige l'emploi de la thérapie électroconvulsive, examen détaillé des traitements antérieurs, raisons pour choisir ce type de traitement, opinions professionnelles concordantes ou contradictoires lorsqu'elles existent, consentement écrit du malade et description détaillée du ou des traitements électroconvulsifs. La protection du malade exige de plus que les traitements soient administrés dans les meilleures conditions, c'est-à-dire dans un centre bien équipé et par du personnel qualifié.

L'enregistrement simultané de tracés encéphalographiques rationalise sans aucun doute l'utilisation de la thérapie électroconvulsive. La formule de consentement devrait inclure, toujours selon le Task Force, la nature et la sévérité de la maladie pour laquelle on envisage ce type de traitement ainsi que l'évolution probable de la maladie avec ou sans thérapie électroconvulsive, une description des procédures, une explication brève des complications possibles et des possibilités d'atteintes de la mémoire, une description des alternatives de traitements, les raisons pour lesquelles on désire employer la thérapie électroconvulsive et une clause stipulant que le malade a le droit de refuser ou d'accepter la thérapie électroconvulsive ou de retirer son consentement. Il existe au Québec une formule de consentement que recommande le ministère des Affaires sociales où le consentement à la thérapie électroconvulsive est différencié du consentement à l'anesthésie. Cette formule est très simple et comporte le consentement du malade à la thérapie électroconvulsive ainsi que l'affirmation selon laquelle le médecin l'a informé de la nature des effets du traitement. Lorsque le malade est jugé incapable de comprendre ou de donner son consentement, le ministère a recommandé, en 1976, à la suite du rapport du Comité de la santé mentale du Québec, que la thérapie électroconvulsive ne soit administrée que dans les cas urgents ou semi-urgents (10).

BIBLIOGRAPHIE

1 - AMERICAN PSYCHIATRIC ASSOCIATION. *Electroconvulsive therapy.* Task Force Report, 1978, 14.

2 - AVERY, D., WINOKUR, G. "Mortality in depressed patients treated with electroconvulsive therapy and antidepressants". *Arch. Gen. Psychiatry.* 1976, 33, 1029-1037.

3 - BLACHLY, P., CASEY, D. "Multiple monitored ECT: (MMECT)". *Convulsive Therapy Bulletin with Tardive Dyskinesia Notes.* 1976, 1, 23-24.

4 - D'ELIA, G., LORENTZSON, S., RAOTMA, H. et WIDEPALM, K. "Comparison of unilateral dodinant and non dominant ECT on verbal and non verbal memory". *Acta Psychiatr. Scand.* 1976, 53, 85-94.

5 - GRAHAM, E., SMITH, D.G., GREEN, A.R. et COSTAIN, D.W. "Mechanism of the antidepressant action of electroconvulsive therapy". *The Lancet.* 1978, 1, 254-257.

6 - GREENBLATT, M., GROSSER, G.H. et WECHSLER, H. "Differential response of hospitalized depressed patients to somatic therapy". *Am. J. Psychiatry.* 1964, 120, 935-943.

7 - HENDLEY, E.D. "Electroconvulsive shock and norepinephrine uptake kinetics in the rat brain" *Psychopharmacology Communications.* 1976, 2, 17-25.

8 - LANCASTER, N.P., STEINERT, R.R., FROST, I. "Unilateral electroconvulsive therapy". *J. Ment. Sci.* 1958, 104, 221-227.

9 - McKENNA, G., ENGLE Jr, R.P., BROOKS, H., DALEN, J. "Cardiac arrhythmias during electroshock therapy: signifiance, prevention and treatment". *Am. J. Psychiatry.* 1970, 127, 530-533.

10 - MINISTÈRE DES AFFAIRES SOCIALES. *Psychochirurgie & Sismothérapie.* Comité de la santé mentale du Québec, Direction générale de la planification, 1977.

11 - MEDICAL RESEARCH COUNCIL. "Clinical trial of the treatment of depressive illness". *Br. Med. J.* 1965, 1, 881-886.

12 - PRIEN, R.F., KLETT, J. et CAFFEY Jr, E.M. "Lithium carbonate and imipramine in prevention of affective episodes". *Arch. Gen. Psychiatry.* 1973, 29, 420- 425.

13 - SQUIRE, L.R., CHACE, P.M. "Memory functions six to nine months after electroconvulsive therapy". *Arch. Gen. Psychiatry.* 1975, 32, 1557-1564.

14 - STRÖMGREN, L. SAND. "Therapeutics results in brief-interval unilateral ECT". *Acta Psychiatr. Scand.* 1975, 52, 246-255.

15 - STRÖMGREN, L., SAND, CHRISTENSEN, A.L., FROMHOLT, P. "The effects of unilateral brief-interval ECT on memory". *Acta psychiatr. Scand.* 1976, 54, 336-346.

16 - WEHLAGE, D.F. "Letters". *Convulsive Therapy Bulletin with Tardive Dyskinesia Notes.* 1976, 1, 27.

17 - WEHLAGE, D.F. "Letters to the editor". *Am. J. Psychiatry.* 1973, 130, 1293.

18 - WELCH, B.L., HENDLEY, E.D., TUREK, I. "Norepinephrine uptake into cerebral cortical synaptosomes after one fight or electroconvulsive shock". *Science.* 1974, 183, 220-221.

CHAPITRE 31

LES ASPECTS GÉNÉRAUX

DE LA PSYCHOTHÉRAPIE

Jacques Gagnon

31.1 INTRODUCTION

On reconnaît généralement que plus de la moitié des consultations de l'omnipraticien comporte un aspect psychologique suffisamment important pour avoir une incidence sur le déroulement de l'entrevue, sur la conclusion diagnostique et sur l'évolution du traitement. Beaucoup de ces cas requièrent un traitement à la fois médical et psychologique, ce qui amène l'omnipraticien à considérer son malade dans son intégrité bio-psycho-sociale dont chacune des composantes interagit avec les autres. Bien que cette conception devrait être universelle, les praticiens des différentes spécialités ont tendance à segmenter les fonctions biologiques et psychologiques au détriment de l'une ou de l'autre.

En pratique, le médecin en vient à se demander auxquels de ses patients il peut offrir une approche psychologique et quelle serait la nature de cette aide psychologique.

En ce qui concerne le psychiatre, une bonne partie de sa formation vise à lui apprendre la maîtrise du contre-transfert et l'utilisation de ses propres fonctions psychologiques pour aider le malade chez qui il reconnaît une dysfonction de l'appareil mental. La psychothérapie sous toutes ses formes devient donc un élément essentiel à sa pratique courante.

Quant aux autres professionnels de la santé, et en particulier les psychologues, les travailleurs sociaux, les ergothérapeutes et tous ceux qui sont reliés de près ou de loin à la réhabilitation des malades mentaux, chacun estime poser des actes de psychothérapie et l'on accorde également le vocable de thérapie à une foule de situations dans lesquelles on place le malade mental: par exemple la thérapie occupationnelle, la milieu thérapie, les thérapies de groupe, les thérapies familiales, etc.

Il est difficile de limiter le champ de la psychothérapie et nous insisterons davantage sur les techniques qui s'adressent plus particulièrement aux médecins.

31.2 DÉFINITION

Le concept de psychothérapie se rapporte habituellement à une situation dans laquelle une personne entraînée à cet effet établit d'une façon délibérée une relation professionnelle avec un patient, dans le but d'améliorer la condition psychologique de celui-ci. Les principales conditions psychologiques auxquelles s'adresse la psychothérapie consistent soit à combattre, à modifier ou à retarder les manifestations de symptômes psychologiques ou psychophysiologiques, soit à modifier des comportements pathologiques ou à promouvoir une croissance saine de la personnalité.

31.3   LES FACTEURS THÉRAPEUTIQUES

Plusieurs facteurs interviennent en même temps dans la relation thérapeutique. Certains de ces facteurs sont fonction des qualités humaines et d'autres sont en rapport plus étroit avec la technique utilisée. Aussi est-il difficile d'isoler les éléments pour leur attribuer une valeur curative particulière.

1) **La rencontre:** La présence des êtres chers auprès de celui qui souffre atténue déjà la souffrance. Il se produit un partage de la souffrance au moyen d'un échange verbal ou non verbal et ce processus constitue la base d'une foule de rituels que l'on observe dans les moments de grandes émotions: naissances, décès, hospitalisations, etc. Dans cette optique, le médecin devrait être sensible à la détresse psychologique des malades chroniques délaissés par leur famille et des malades en phase terminale. Les visites de la famille sont très importantes dans le support moral que ces patients peuvent attendre.

2) **L'expérience affective:** certaines techniques favorisent l'expression des émotions refoulées et la catharsis a la propriété de libérer le patient d'une partie de la charge émotionnelle qu'il subissait auparavant. La décharge émotionnelle a un effet thérapeutique en soi et on l'observe dans la plupart des psychothérapies.

3) **La compréhension:** les ressources intellectuelles du patient et du thérapeute peuvent s'allier pour mieux comprendre les facteurs qui précipitent le malade dans un état de détresse psychologique. Cette prise de conscience peut se limiter à des facteurs existentiels et contribue tout de même à la modification de certains comportements du malade. Par exemple, le malade qui éclaircit la nature de ses conflits avec son conjoint ou avec son patron pourra plus facilement trouver des solutions de compromis; son anxiété en sera diminuée et ses chances de s'adapter à la réalité seront plus grandes.

4) **Le transfert:** la psychothérapie n'est pas une simple rencontre entre deux individus qui sont axés sur une tâche. En effet, le thérapeute est investi de façon particulière comme un écran qui reçoit les images projetées par le malade. Ces images reflètent des expériences affectives vécues antérieurement. Par ce phénomène, le thérapeute devient tout à tour le représentant des images parentables à des niveaux parfois très archaïques. Cela permet donc au patient de vivre des émotions intenses qui dépassent la relation d'une simple rencontre. En contrepartie, le thérapeute réagit par un phénomène semblable, c'est-à-dire par le contre-transfert. Le contenu de son propre inconscient intervient dans cette

rencontre thérapeutique pour favoriser, bloquer ou biaiser l'expression des conflits inconscients du malade. La maîtrise du contre-transfert lui permet d'interpréter ou de corriger les attentes du patient qui sont irréalistes à son égard.

La reconnaissance des phénomènes transférentiels est une des acquisitions les plus importantes que puisse faire le médecin dans sa fonction de thérapeute.

5) **L'introspection:** la cure analytique a pour objet de remonter aux racines inconscientes des conflits qui sont exprimés au moyen des symptômes névrotiques. Aussi les psychanalystes reconnaissent-ils l'importance pour le malade de connaître et d'analyser les conflits refoulés dans l'inconscient. En général, cette prise de conscience entraîne des changements plus profonds et plus définitifs dans le vécu du malade.

6) **L'apprentissage:** dans le déroulement d'une psychothérapie, le malade a tendance à s'identifier au thérapeute en modelant sa pensée et son comportement sur ceux du thérapeute. Dans la thérapie comportementale, on utilise délibérément ce processus.

Les facteurs thérapeutiques décrits précédemment sont fonction du processus thérapeutique. Les facteurs humains qui relèvent davantage de la personnalité du malade, de sa motivation aux changements, de sa force du moi, ainsi que les facteurs reliés à la personne du thérapeute seront décrits plus loin.

31.4   LE PROCESSUS THÉRAPEUTIQUE

L'élaboration du plan de la psychothérapie suit un processus analogue à celui d'un traitement biologique. Il comporte les étapes suivantes:

a)   **Évaluer le besoin du malade**, la nature de sa souffrance et sa motivation à changer. Il convient de bien distinguer le besoin psychologique de la détresse physique et de la demande d'intervention à un niveau plus social ou environnemental.

b)   **Fixer l'objectif thérapeutique;** l'objectif doit être accessible et proportionné aux moyens employés.

c)   **Choisir le type d'intervention thérapeutique,** c'est-à-dire la technique, sa durée, sa fréquence et les conditions dans laquelle elle sera utilisée.

d)   **Évaluer le résultat de l'intervention:** les symptômes ont-ils augmenté, diminué, ou se sont-ils transformés en d'autres symptômes? Cette évaluation est utile aussi bien au cours d'une thérapie qu'à la fin de celle-ci, et elle permet d'intervenir pour modifier le processus thérapeutique.

Pour fixer l'objectif de la psychothérapie, il faut examiner certains aspects propres au malade et d'autres concernant le médecin thérapeute.

31.5 LE MALADE

a) Quelle est la **nature de ses symptômes et de sa maladie?**

La maladie est à dominance psychique dans les cas des névroses, des psychoses, des troubles d'adaptation et des troubles de la personnalité. Fréquemment, des symptômes psychophysiologiques sont également reliés à ces maladies. Dans ces conditions, la psychothérapie jouera un rôle primordial associé ou non avec des méthodes biologiques.

D'autres maladies conjuguent une dysfonction somatique importante avec une composante psychique intervenant soit dans l'étiologie ou soit comme facteur accompagnant. Il s'agit en particulier des maladies dites psychosomatiques et de certains troubles fonctionnels reliés à des habitudes de vie comme l'obésité, l'anorexie mentale, l'alcoolisme et les troubles de la fonction sexuelle. Le médecin devra étudier et traiter aussi bien la composante physique de la maladie que sa composante émotionnelle.

Finalement, la maladie peut être principalement somatique mais comporter des conséquences psychologiques importantes. Mentionnons ici toutes les maladies chroniques et fatales, le phénomène de la douleur chronique, l'anxiété soulevée par les troubles respiratoires ou par la douleur angineuse, etc.

b) Quelle est la **personnalité du malade?**

Le choix de la thérapie et le pronostic seront déterminés en fonction de l'état psychologique général du malade. Il s'agit ici de la structure mentale, c'est-à-dire de sa personnalité, de ses principaux traits de caractère, de son ajustement social habituel et de l'importance des facteurs déclenchants dans l'origine de ses symptômes actuels. Le médecin pourra décrire la personnalité dans des termes simples comme extraverti ou intraverti, actif ou passif, dépendant ou autonome, confiant ou méfiant; il pourra aussi faire allusion aux personnalités pathologiques à savoir les personnalités hystériques, obsessionnelles, paranoïdes, antisociales, etc.

c) Quelle est la **motivation** du malade?

Les auteurs s'accordent pour dire que le succès d'une psychothérapie est en relation étroite avec le degré de motivation du patient à changer. Cette corrélation a été démontrée par Sifneos aussi bien dans une thérapie à long terme que dans une thérapie à court terme.

31.6 LE MÉDECIN

Le médecin offrira à son malade une approche qui tiendra compte de ses qualités personnelles, de sa formation et de sa disponibilité.

La personnalité du médecin joue un rôle important dans l'évolution de la thérapie. Gunderson étudie une hypothèse intéressante à savoir le mariage entre des traits de personnalité du patient et ceux du thérapeute. Ainsi, la passivité du patient devrait se marier harmonieusement avec un thérapeute actif, énergique et "intrusif". Même si l'étude porte sur des patients schizophrènes, il est intéressant de noter qu'il y a une corrélation nettement positive dans l'évolution de la thérapie selon qu'il y a ou non un heureux mariage entre les qualités du thérapeute et du patient. Apfelbaun analysant des styles thérapeutiques, distingue entre le thérapeute nourricier, le modèle (permissif et non critique) et le thérapeute moralisateur. Il souligne que les patients plus défensifs augmentent leurs défenses avec un thérapeute directif. Ces différentes études atténuent la portée des enseignements de Carl Rogers qui définissait le bon thérapeute comme étant congruant, c'est-à-dire non conflictuel, acceptant le malade inconditionnellement et ayant toujours une attitude empathique et respectueuse. On a tenté d'évaluer objectivement l'empathie des thérapeutes, mais l'évolution des thérapies était favorable avec l'empathie du thérapeute mesurée par le client et non pas celle mesurée par les observateurs extérieurs.

L'entraînement du thérapeute a aussi son importance. Les études à ce sujet sont contradictoires, mais en général on peut dire que parfois un thérapeute non entraîné peut avoir autant de succès que des thérapeutes bien entraînés. En règle générale toutefois, l'évolution de la thérapie est plus favorable avec un thérapeute entraîné.

Le médecin omnipraticien ne peut habituellement pas offrir à son malade une disponibilité pour une psychothérapie à long terme. Toutefois, son action thérapeutique peut se renouveler au cours des années et dans des circonstances des plus diverses.

31.7 CLASSIFICATION

Toute classification impose une simplification et un aménagement des concepts qui risquent de trahir l'originalité des méthodes thérapeutiques. Nous nous inspirons principalement de Karasu qui les regroupe sous trois chapitres: "Dynamic", "Behavioral", "Experiencial".

Soulignons après Karasu que les thérapies ont plus de points en commun que de différences. Certaines méthodes ont une technique plus développée et plus précise, d'autres sont plus existentielles et finalement quelques-unes sont orientées vers l'exploration de l'inconscient.

Dans ce chapitre, nous utilisons une classification en 5 groupes:

a) les thérapies de soutien;

b) les thérapies d'introspection;

c) les thérapies comportementales;

d) les thérapies d'expression émotionnelle;

e) les thérapies familiales, de groupe et de milieu.

31.7.1 La thérapie de soutien

Il s'agit de la forme de thérapie la plus fréquemment pratiquée aussi bien par le médecin omnipraticien que par les thérapeutes en milieu psychiatrique. C'est en quelque sorte la prose que l'on fait sans le savoir; c'est le mode d'approche qui correspond le mieux à la demande exprimée par le malade ainsi qu'à la possibilité d'intervention du thérapeute. La thérapie de soutien peut se définir comme un dialogue qui s'établit entre deux personnes en face à face; le dialogue a pour fonction de faire revivre le vécu émotionnel refoulé, de clarifier les problèmes, d'utiliser les défenses du patient, de modifier son environnement et de lui donner le support nécessaire pour opérer tous ces changements.

1) La ventilation

Cette opération consiste à faire raconter dans ses menus détails les circonstances d'un deuil, d'un accident ou d'une maladie; l'évocation des événements produit habituellement une abréaction ou décharge émotionnelle ayant un pouvoir thérapeutique en elle-même. La ventilation sera utile en particulier pour soulager les symptômes qui sont secondaires à un événement traumatisant. C'est le cas par exemple d'un jeune homme dans la vingtaine qui avait développé une phobie des transports et s'avérait incapable de conduire son automobile à la suite d'un accident de la circulation. Après avoir raconté en détails les circonstances de son accident, la décharge émotionnelle diminua son anxiété et il fut capable de conduire à nouveau.

2) La clarification des problèmes

Il s'agit d'examiner avec le malade les différents éléments qui l'empêchent de résoudre son problème. Le patient a souvent tendance à prendre le médecin à témoin de ses conflits en essayant d'en faire un allié et en accusant injustement la partie adverse. Aussi le médecin doit-il éviter le piège de trop s'identifier à un des pôles du conflit et doit plutôt tenter de mettre en évidence les éléments infantiles et irrationnels qui empêchent la résolution du conflit. C'est souvent le cas dans les conflits avec l'employeur ou avec des membres de la famille; l'agressivité puise souvent sa source dans des conflits antérieurs qui ont été refoulés, et elle est déplacée sur des personnes qui jouent un rôle similaire.

3) L'utilisation des ressources du patient

Le médecin agit alors comme un substitut parental qui soutient le malade dans ses démarches pour obtenir une vie plus satisfaisante. Son rôle consiste à diminuer la culpabilité liée à certains fonctionnements sociaux, à encourager les comportements plus adaptés et parfois à suggérer certaines attitudes où certains comportements au patient. Ce type d'action est particulièrement indiqué chez le malade dépendant ou démuni.

4) La manipulation de l'environnement

Le médecin est parfois amené à agir dans l'organisation de la vie courante du patient. Parfois il doit suggérer une séparation, un changement d'emploi, une cessation d'emploi, etc. Il s'agit d'un type d'intervention des plus risqué puisqu'il est difficile pour le médecin de pouvoir analyser à leur juste valeur tous les éléments qui entrent en jeu dans les choix névrotiques du patient. Celui-ci a peut-être exagéré l'importance de son drame pour avoir un peu plus de pitié de la part du médecin; il manifeste une attitude ambivalente parce que sa situation comporte tout de même des avantages. Avant d'être aussi directif, il est important de connaître bien objectivement toute la situation.

5) La gratification des besoins de dépendance

La consultation médicale comporte souvent une demande explicite ou implicite de prise en charge affective, alors que le symptôme offert par le patient n'est qu'un leurre. Lorsque le médecin identifie la nature de ce besoin de dépendance, le fait de voir le patient régulièrement suffit très souvent pour diminuer ou même pour faire disparaître les autres symptômes. Dans certains cas, le patient demande à être vu régulièrement durant une longue période, mais le plus souvent, il arrive par lui-même à un sevrage dans la mesure où il peut réinvestir à l'extérieur. Par exemple, une dame dans la quarantaine manifestant des symptômes dans tous les systèmes et en particulier des paralysies, des troubles urinaires et gynécologiques, des troubles digestifs fonctionnels, présentait également une personnalité hystérique. Le fait de lui accorder 15 minutes d'entrevue à toutes les semaines a diminué tous les symptômes et la malade fut capable de reprendre une vie fonctionnelle; elle cessa de consulter un peu partout.

6) L'éducation

Grâce à ses connaissances médicales et à son expérience de la vie, le médecin est appelé à enseigner l'hygiène mentale et physique pour que ses patients en arrivent à prévenir la maladie. Cette éducation est particulièrement importante lorsqu'il s'agit d'enseigner les habitudes de vie telles que la nutrition, les effets du tabac, de l'alcool et de l'usage des drogues et des médicaments; le médecin doit parfois renseigner la famille sur les effets ou sur le traitement d'une maladie pour en diminuer les complications psychologiques. Lorsque le médecin accède à une plus grande sagesse, il est en mesure d'enseigner une philosophie de la vie orientée vers une diminution du stress, vers des relations plus harmonieuses avec l'entourage et vers une certaine humilité dans les ambitions personnelles.

31.7.2 La thérapie d'introspection ("insight") (voir chapitre 32)

Il s'agit de la psychanalyse et des techniques qui en sont dérivées. Ainsi, Malan, Sifnéos, Marmor et d'autres ont décrit les indications des psychothérapies d'orientation analytique brèves. Les connaissances de la dynamique de l'inconscient peuvent servir de base à la plupart des approches de psychothérapie. Toutefois, la psychanalyse classique demande un tel investissement de la part des deux protagonistes que son accessibilité en est très limitée. La psychothérapie focale ou brève ainsi que les autres formes de psychothérapie d'orientation analytique sont indiquées particulièrement chez le patient névrotique intelligent, jeune et possédant une bonne motivation. On l'utilise parfois dans les états limites, en psychosomatique et dans la psychose, mais cela demande des modifications techniques ainsi qu'une sélection rigoureuse des patients et une formation spéciale du thérapeute. Le mode analytique s'applique aussi dans des thérapies de groupe et dans le psychodrame modifié.

31.7.3   La thérapie comportementale (behaviorale) (voir chapitre 35)

Dans son schéma conceptuel, le behavioriste conçoit les symptômes comme une conséquence d'un mauvais apprentissage. Il applique des techniques visant à modifier les comportements sociaux en renforçant les comportements adaptés et en éteignant les comportements inadaptés. La thérapie comportementale est particulièrement efficace dans les phobies d'objet, dans les dysfonctions sexuelles et dans les troubles maritaux. On l'applique également dans les phobies d'impulsion, dans les obsessions et dans les rituels obsessionnels. Finalement, ces techniques peuvent faire évoluer le comportement des groupes de patients institutionalisés.

31.7.4   Les thérapies d'expression émotionnelle (voir chapitre 33)

On peut regrouper sous ce vocable les formes de thérapies qui provoquent l'émergence rapide des émotions refoulées par une mise en situation. Ainsi, la **Gestalt** utilise une foule de techniques qui ont pour but d'actualiser le vécu intérieur en le faisant vivre au moyen d'exercices ou de jeux de rôles où le client s'impliquera beaucoup sur le plan émotionnel.

L'analyse transactionnelle est une autre forme de compréhension des interactions qui se produisent entre les personnes et à l'intérieur de la même personne. L'individu est appelé à jouer successivement des rôles d'enfant, d'adulte et de parent, et toutes ces transactions avec les autres sont entachées par la persistance de certains de ces rôles.

Le **psychodrame** et le **jeu de rôles** constituent une mise en scène d'un épisode de la vie de l'individu, ce qui mène soit à une catharsis, soit à une analyse de l'inconscient au travers des conflits qui ont été mis à jour.

La **bioénergie** est une autre approche qui utilise l'énergie du corps pour générer les émotions et les utiliser à des fins d'actualisation. **Le training autogène** de Schultz est une forme de relaxation passive qui a pour effet de provoquer d'abord une relaxation profonde; dans un deuxième temps, le système parasympathique corrige les effets neurovégétatifs créés par le stress et finalement, cette thérapie peut ouvrir sur une fantasmatique faisant l'objet par la suite d'une psychothérapie verbale (voir chapitres 33 et 34).

Ces différentes formes de thérapies peuvent être utiles chez des gens qui n'ont pas de pathologie psychiatrique sérieuse et qui sont relativement bien adaptés à leur vie sociale. On les entreprend dans un but d'actualisation et de croissance personnelle.

Ces différentes approches sont développées plus loin dans ce chapitre.

31.7.5 Les thérapies de groupe

La psychothérapie de groupe peut être orientée vers la connaissance des mécanismes inconscients et elle s'apparente à la psychanalyse classique. L'analyste recherche le fantasme dénominateur commun, interprète les interactions entre les membres du groupe ou transfert latéral, et il interprète également le transfert vertical (patient-thérapeute). D'autres groupes sont orientés vers la discussion d'un sujet donné ou vers l'exploration de la dynamique entre les membres du groupe. L'avantage de cette forme de thérapie est de renforcer les mécanismes du moi par une identification collatérale avec les autres membres du groupe, et elle est particulièrement utile chez le patient souffrant des troubles du caractère, chez certains malades psychosomatiques et chez les enfants.

31.8 LA THÉRAPIE FAMILIALE

La thérapie familiale est une approche particulièrement indiquée dans les troubles d'adaptation chez l'enfant et chez l'adolescent. On y évalue les troubles de la communication et le phénomène du bouc émissaire. Ces techniques servent également dans **LA THÉRAPIE CONJOINTE.** On aborde les problèmes d'adaptation à la vie de couple par l'étude des échanges affectifs, par les troubles de la communication et par une modification des comportements. Cette approche est développée au chapitre 21.

31.9 LA THÉRAPIE DE MILIEU

Dans les pathologies graves, telles que la schizophrénie, les dépressions endogènes et les troubles sévères de la personnalité, le milieu est de première importance comme adjuvant thérapeutique aux autres traitements biologiques. Aussi, le milieu hospitalier peut être néfaste à l'évolution de la maladie en provoquant la passivité, le retrait social et l'anomie, comme on le rencontre dans le processus d'institutionnalisation. La thérapie de milieu vise à structurer le milieu de vie du patient pour favoriser son accession à une plus grande autonomie, à une meilleure prise de conscience de ses lacunes et à une normalisation de ses comportements.

31.10 CHOIX DE LA THÉRAPIE

La meilleure forme de thérapie est celle qui s'adapte le mieux à la personne du malade, à sa maladie et à sa motivation aux changements. A l'aide du tableau 31.1, nous avons tenté de synthétiser la philosophie d'approche en coordonnant le diagnostic de la maladie avec les principales possibilités d'approche thérapeutique. Ce tableau ignore les différences individuelles et ne prétend que donner un aperçu d'ensemble.

A titre d'exemple, les traitements de premier choix de la schizophrénie et des psychoses paranoïdes sont les neuroleptiques et la thérapie de milieu. Une thérapie de support ou une thérapie familiale peuvent compléter l'approche globale du traitement. Certains malades pourraient bénéficier d'une approche psychanalytique, mais il s'agit là d'exception et nous ne l'avons pas incluse dans le tableau.

TABLEAU 31.1

Diagnostic	Traitement de 1er choix	Traitement complémentaire
Schizophrénie et psychoses paranoïdes	- Neuroleptiques - Thérapie de milieu	- Thérapie de support - Thérapie familiale
Psychoses affectives primaires - PMD	- Biologique: Lithium, antidépresseurs, neuroleptiques, etc	- Thérapie de support pour le conjoint
- Mélancolie d'involution	- Idem	- Thérapie de milieu
- Dépression psychotique	- Idem	- Thérapie de soutien
Psychoses organiques: - Syndrome organique cérébral aigu:	Traitement médical	- Pharmacothérapie - Thérapie de milieu
- S.O.C. chronique	Idem	- Thérapie de milieu
Etats limites + trouble de la personnalité **Névrose de caractère**	Thérapie de milieu Thérapie de groupe	- Neuroleptiques - Thérapie individuelle
Dépression névrotique **et réactionnelle**	Thérapie individuelle - d'orientation analytique - de soutien	- Antidépresseurs - Thérapie de groupe et de milieu
Névroses - Hystérie - Obsessionnelle - **Hystéro-phobie** - **Angoisse** Phobie simple Rituel, Obsession	Thérapie d'orientation analytique - techniques behaviorales (immersion, désensibilisation systématique)	- Benzodiazépines
Maladies psychosomatiques et désordres psychophysiologiques **ex.: Ulcère duodénal**	Traitement biologique de la maladie ex.: Antiulcéreux	- Thérapie de support - Training autogène - Thérapie d'orientation analytique. (antidépresseurs anxiolytiques)
Croissance personnelle **Actualisation** (sans pathologie)	- Thérapie d'orientation analytique - Gestalt - Analyse transactionnelle - Thérapie de groupe - Bioénergie	

Enfants et adolescents	- Approche familiale - Thérapie de groupe et psychodrame - Thérapie individuelle	
Troubles situationnels	Thérapie de soutien	

31.11 CONCLUSION

Dans un nombre considérable de consultations médicales, la psychothérapie est une arme thérapeutique aussi importante que les méthodes biologiques de traitement. Le médecin est investi du rôle de thérapeute et il a tout avantage à acquérir les connaissances, les habilités et les attitudes qui conviennent à sa fonction de thérapeute.

BIBLIOGRAPHIE

APFELBAUM, B. *Dimensions of Transference in Psychotherapy.* Berkeley, Calif.: Un. California, 1958.

BALINT, M., BALINT, E. *Techniques psychothérapeutiques en médecine.* Payot, 1966.

BALINT, M., ORNSTEIN, P.H., BALINT, E. *La psychothérapie focale.* Payot, 1975.

BALINT, E., NORELL, J.S. *Six minutes par patient.* Payot, 1976.

BERNE, E. *Des jeux et des homes.* Stock, 1975.

BERNE, E. *L'analyse transactionnelle et psychothérapie.* Payot, 1971.

CALLEN, K., DAVIS, D. "The General Practitioner: How much psychiatric education?" *Psychosomatics.* 1977.

GUNDERSON, J.G. "Patient-Therapist Matching: A research Evaluation". *Am. J. Psychiatry.* 1978, 135,10.

HARPER, R.A. *Les nouvelles psychothérapies.* Privat, 1978.

HUSSAIN TUMA, A., PHILIP R.A. MAY, YALE, C., FORSYTHE, A.B. "Therapist Characteristics and the Outcome of Treatment in Schizophrenia". *Arch. Gen. Psychiatry.* Jan. 1978, 35, 81-85.

KARASU, T.B. "Psychotherapies: An Overview". *Am. J. Psychiatry.* 1977, 134(8), 851-863.

LAMONTAGNE, Y., LAVALLEE, H.-J., ANNABLE. L. "La rétroaction biologique: réalités et illusions". *Lyon Médical.* 1977, 238(14), 97-103.

LOWEN, A. *La Bio-Energie.* Edition du Jour TCHOU, 1975.

MALAN, D.H. *The Frontier of Brief Psychotherapy.* New York: Plenum Press, 1976.

MARMOR, J. "Short-Term Dynamic Psychotherapy". *The American Journal of Psychiatry.* 1979, 136(2), 149-155.

PERLS, F., HEFFERLINE, R.E., GOODMAN, P. *Gestalt thérapie.* Stanké, 1977.

ROBERTS, J.P. "The Problems of Group Psychotherapy for Psychosomatic Patients". *Psychother, Psychosom.* 1977, 28, 305-315.

SAKINOFSKI, I. "Evaluating the Competence of Psychotherapists". *Can. J. of Psychiatry.* 1979, vol. 24.

SCHULTZ, J.H. *Le training autogène.* PUF, 1974.

SCHWARTZ, L.H., MARCUS, R., CONDOR, R."Multidisciplinary group therapy for rheumatoid arthritis". *Psychosomatics.* 1975.

SIFNEOS, P.E. *Short-Term Psychotherapy and Emotional Crisis.* Cambridge: Harvard University Press, 1972.

SIFNEOS, P.E. "Motivation for Change. A Pronostic Guide for Successful Psychotherapy". *Psychother, Psychosom.* 1978, 29, 293-298.

WOLBERG, L.R. (ed.) *Short-Term Psychotherapy.* New York: Grune & Stratton, 1965.

CHAPITRE 32

LA PSYCHANALYSE

Pierre Gagnon

32.1 DÉFINITION

Selon le "Vocabulaire de la Psychanalyse" qui résume les définitions que Freud, son fondateur, en a donné, la psychanalyse est:

a) **Une méthode d'investigation** consistant essentiellement dans la mise en évidence de la signification inconsciente des paroles, des actions, des productions imaginaires d'un sujet. Cette méthode se fonde principalement sur les libres associations du sujet qui garantissent la validité de l'interprétation.

b) **Une méthode psychothérapeutique** fondée sur cette investigation et spécifiée par l'interprétation contrôlée de la résistance, du transfert et du désir.

c) **Un ensemble de théories psychologiques et psychopathologiques** où sont systématisées les données apportées par la méthode psychanalytique d'investigation et de traitement.

Dans le contexte du présent traité, nous ne croyons pas possible ni défendable d'essayer de résumer la théorie psychanalytique. A peine pourronsnous esquisser les grandes lignes de la psychanalyse comme thérapie en espérant ainsi dégager ce qui la caractérise.

Avant tout, il nous paraît très important de souligner à quel point l'expérience vécue de sa propre analyse est nécessaire pour celui qui veut utiliser cette méthode. En effet, des milliers de pages n'apporteront jamais la même conviction de la réalité de l'inconscient et de ses vicissitudes. L'analyse exige aussi une technique très spéciale de l'écoute de l'autre qui s'enseigne difficilement. Cette technique favorise une certaine régression ainsi que le transfert, lieu privilégié des interventions. Non seulement donc, l'analyse personnelle qui s'étend habituellement sur plusieurs années (± 5 ans) est un prérequis, mais encore une longue préparation théorique et clinique (cas d'analyses contrôles sous supervision) est nécessaire pour l'exercice du métier de psychanalyste.

Cette remarque nous paraît justifiée, même si elle revêt un caractère dogmatique, par notre expérience de supervision de cas de psychothérapies effectuées par des praticiens généraux. Certains d'entre eux, très intéressés à juste titre par les aspects psychologiques des difficultés de leurs malades risquent, sans le savoir ou le vouloir, de faire de la psychanalyse "sauvage" s'ils ne font qu'en appliquer certaines techniques. Des interprétations intempestives, souvent à allure de clichés, même si elles ne sont pas totalement fausses, sont non seulement inefficaces et nocives mais également contribuent à les décourager quant à l'application des découvertes de la psychanalyse. Même avec les excellentes discussions de groupe type Balint, c'est souvent toute une remise en question des relations malades thérapeutes qu'il conviendrait d'envisager y compris tout le concept d'une certaine médecine conventionnelle, voire occidentale...

32.2   MÉTHODE D'INVESTIGATION DE L'INCONSCIENT

Ce qui caractérise sans doute le plus les séances de psychanalyse (4-5 par semaine) mis à part l'utilisation du divan - eh oui! -, c'est l'invitation qui est faite au malade de suivre la règle fondamentale de l'association libre. La psychanalyse est la seule des méthodes psychothérapeutiques qui engage le malade à employer ce type de communication de façon systématique par lequel il "essaie de dire ce qu'il pense et ressent sans rien choisir et sans rien omettre de ce qui lui vient à l'esprit, même si cela lui paraît désagréable à communiquer, ridicule, dénué d'intérêt ou hors de propos".

Cette règle fondamentale, avec les rêves et les actes manqués, favorisent un discours où l'inconscient, son déterminisme, sont plus accessibles. En fait, il s'agit plus que d'une technique d'investigation; elle structure l'ensemble de la relation analytique qu'on peut dès lors imaginer très différente des autres psychothérapies, surtout si l'on y ajoute sa contrepartie pour l'analyste: l'attention flottante. En effet, le pendant de la règle de la libre association proposée à l'analysé veut que l'analyste "ne doit privilégier a priori aucun élément du discours, ce qui implique qu'il laisse fonctionner le plus librement possible sa propre activité inconsciente et suspend les motivations qui dirigent habituellement l'attention".

L'interprétation, c'est-à-dire la mise en évidence du sens latent ou de l'inconscient dans ce que le malade dit, est l'intervention par excellence en psychanalyse. Bien sûr, l'encouragement à parler, la réassurance, l'explication de certains mécanismes psychologiques symboles, etc., les reconstructions de l'enfance, font aussi partie des interventions dans une analyse. Mais c'est l'interprétation qui demeure la communication la plus importante du point de vue de l'investigation de l'inconscient et du processus dynamique du progrès thérapeutique. Tout l'art et la technique s'y rencontrent, tant par la préparation, le moment approprié (timing) et le grand respect des défenses et de l'intensité des émotions du malade. En particulier, l'art d'interpréter le transfert assure l'émergence de ce phénomène capital et sa résolution éventuelle.

En effet **le transfert,** qu'il soit d'ordre narcissique ou névrotique au sens classique, est l'événement majeur de toute psychanalyse. Alors qu'il peut être systématiquement évité ou pour le moins limité dans les autres formes de psychothérapie, le transfert est l'aboutissement logique des règles de la situation analytique décrites plus haut lorsque l'atmosphère des séances respire l'empathie et la neutralité bienveillante de l'analyste. Plus spécifiquement, le phénomène du transfert se réfère au fait que dans une analyse, et ceci d'une façon bien spéciale, intense et privilégiée, les désirs inconscients s'actualisent sur la personne de l'analyste (exemple: patient: "Vous êtes bien comme mon père," etc.). C'est tout l'aspect infantile de la nature de l'inconscient qui se déploie et se manifeste en tant que répétition du passé cette fois cependant ressenti comme vécu, très actuel.

Or, le transfert constitue en même temps cet outil indispensable du travail analytique, "ce terrain où se joue la problématique de la cure". Ses manifestations et les interprétations qu'il suscite sont véritablement ce qui va convaincre sans équivoque le malade de la réalité de son inconscient. Ceci est loin d'aller de soi cependant. Tout un long et difficile travail - pendant des années - est nécessaire afin que le malade accepte certains éléments refoulés (très souvent douloureux, violents) et se dégage finalement de l'emprise des mécanismes répétitifs de son caractère et de sa névrose.

C'est en ce sens que l'objectif d'une cure analytique est plus grand que dans les autres formes de psychothérapie. C'est non seulement tel ou tel conflit que l'on veut dénouer mais c'est aussi la liberté du sujet vis-à-vis le déterminisme inconscient qui l'habite que l'on espère établir. L'entreprise est d'ailleurs tellement de taille que Freud avait recommandé ce qui est depuis convenu d'appeler des tranches additionnelles d'analyse lorsque les forces de l'inconscient tendent à reprendre le dessus, ou lorsque les vicissitudes de la vie se chargent de menacer l'équilibre durement acquis d'une première analyse.

En termes plus théoriques, on peut tenter de rendre compte de ce qui se passe pour qu'une psychanalyse, cette méthode d'investigation de l'inconscient, devienne véritablement "thérapeutique". Nous mentionnerons très brièvement l'altération qui s'opère d'une part du côté des forces qui assuraient la répression: le "surmoi" devient plus bénin, souple, adapté à la réalité de l'adulte et du monde réel qui l'entoure. Le "moi" lui, devient plus fort, ce qui est une façon bien schématique d'illustrer des changements dynamiques complexes. Aussi, les forces de l'inconscient, du "ça", se transforment, se neutralisent de façon progressive, sont apprivoisées et intégrées par le sujet. Enfin, tout le domaine de l'estime du "soi", qui débouche sur la créativité, subit également une profonde amélioration dans une analyse réussie...

32.3 INDICATIONS

Les indications citées dans les manuels font souvent sourire les praticiens et même les psychothérapeutes d'expérience qui peuvent y voir des cas tellement sains qu'ils ne paraissent pas avoir besoin de traitement. Bien sûr, lorsqu'on mentionne les critères de: "personnalité relativement mûre, une situation de vie favorable, une motivation pour une longue entreprise psychologique, la capacité de tolérer la frustration et d'établir une alliance thérapeutique stable, une attitude d'ouverture d'esprit aux phénomènes psychologiques", on décrit déjà un individu qui ne court pas les urgences psychiatriques. Malheureusement, la souffrance réelle de tant d'individus qui réunissent tous ces critères peut passer inaperçue en même temps que les effets néfastes de leurs conflits sur leur vie personnelle, familiale et professionnelle.

Le champ d'intervention de la psychanalyse s'est élargi depuis ses débuts alors que les névroses classiques représentaient l'indication privilégiée. Maintenant, les personnalités narcissiques et les cas frontières entre la névrose et la psychose bénéficient de l'analyse peu ou pas modifiée dans sa technique. Mais de toute façon, il est important de souligner à quel point il est parfois pratiquement impossible de juger d'une indication d'analyse au cours d'une ou plusieurs entrevues d'évaluation, même pour un analyste de grande expérience. Seulement quelques mois d'expérience de la situation analytique et l'émergence du transfert peuvent poser l'indication définitive tout en délimitant de façon suffisamment nette les rôles respectifs des conflits et des déficits, des problèmes oedipiens et préoedipiens. A ce moment, une technique différente avec modifications plus ou moins importantes ou une limitation des objectifs s'imposent parfois.

32.4 PSYCHOTHÉRAPIE ANALYTIQUE BRÈVE

32.4.1 Définition

Psychothérapie d'orientation analytique limitée dans le temps et dans le champ d'intervention. La durée s'inscrit littéralement dans un contrat thérapeutique qui varie autour de 10 sessions hebdomadaires (Sifneos, Mann), allant jusqu'à 40 pour Malan. Cette limite dans le temps a d'énormes implications psychodynamiques autant pour le malade que pour le thérapeute. L'identification d'un "focus" ou foyer conflictuel par le thérapeute dès le début lui sert de guide pour son activité d'interprétation par opposition à la névrose de transfert en analyse, ce qui ne veut pas dire que le transfert n'est pas utilisé. Au contraire dit Malan: "la démonstration est probante que a) l'interprétation du transfert en général et b) en particulier l'interprétation du lien entre les sentiments de transfert et la relation avec les parents, non seulement a entraîné peu de dangers dans ces thérapies, mais encore a joué une part très importante pour amener une issue favorable".

32.4.2 Indications

L'attitude du malade dans sa demande d'aide ainsi que vis-à-vis ses problèmes est aussi importante à considérer que la nature de sa psychopathologie à laquelle elle est d'ailleurs reliée.

a) La motivation à se faire traiter (par ex. non pas parce qu'il a une menace de divorce ou de congédiement mais parce qu'il reconnaît qu'il a un conflit personnel) est en rapport direct avec le succès de la thérapie. Un bon contact avec le thérapeute et la possibilité de travailler dans une thérapie interprétative (versus de support) sont des éléments très importants dans les critères de sélection.

b) Une psychopathologie modérée dans une personnalité de base non psychotique avec une anamnèse d'au moins une relation interpersonnelle satisfaisante sont requises. Par ailleurs, il n'est plus juste de croire que cette approche thérapeutique ne s'adresse qu'aux problèmes oedipiens comme Sifneos le prétendait au début. Comme nous avons pu nous-mêmes le constater, Malan démontra que bien des pathologies dépressives plus sévères pouvaient bénéficier de la thérapie brève. Mann, insistant sur la notion de durée limitée avec son incidence sur les conflits de séparation, confirme également ce point. Cependant, les problèmes d'homosexualité, de dépendance sévère, ''d'addiction'' ne devraient pas être abordés par cette approche. Enfin, nous croyons que les bons candidats pour la thérapie analytique brève représentent de 10 à 15% d'une population régulière de clinique externe psychiatrique.

32.4.3 Technique

1) Le thérapeute, dans une à trois sessions d'évaluation doit pouvoir formuler pour lui-même une hypothèse dynamique centrale du conflit inconscient du patient, lequel lui occasionne les problèmes qui l'ont amené à consulter. L'identification de l'origine infantile de ces *patterns* répétitifs mal adaptés aux réalités de ses relations interpersonnelles est souhaitable, mais survient parfois seulement comme confirmation d'un début d'interprétation du vécu actuel du patient ou à partir d'un rêve. Un élément important à la fois pour le pronostic et la décision de se lancer dans cette aventure psychologique intense qu'est la thérapie analytique brève, consiste dans la réaction du patient à une interprétation, souvent dès la fin du premier entretien. C'est à ce moment que le thérapeute et le patient vont sentir qu'ils ont déjà démarré dans leur entreprise commune: ''They hit off... (Malan)''. A l'opposé, un pronostic défavorable qui indiquerait une mauvaise sélection serait une demande pour une médication ou une insistance sur la disparition du symptôme comme unique priorité.

2) Puis, le contrat thérapeutique conclu, le travail très actif commence avec l'examen minutieux de ce pattern répétitif, signe du conflit sous-jacent. Le thérapeute donne le ton de l'orientation psychologique nécessaire à cette investigation et fait ''travailler'' le patient très fort dans cette optique, e.g.: ''Est-ce que cela vous rappelle d'autres circonstances où vous avez éprouvé les mêmes sentiments?'' etc.

3) Souvent, lorsque l'hypothèse psychodynamique se confirme et s'élabore, l'intérêt du patient vis-à-vis son propre fonctionnement psychologique est tel que d'importants *insights* surgissent. Et ceci d'autant plus que l'intensité de l'effort thérapeutique est activé par la limitation dans le temps. En d'autres termes, il est impérieux que le thérapeute soit toujours très conscient

que chaque session est précieuse et vitale pour l'accomplissement de son travail thérapeutique ou de son programme interprétatif. Aussi, sachant qu'il n'a pas tout le temps devant lui, il doit veiller à sélectionner le matériel et ramener la démarche autour du conflit visé du mieux qu'il peut.

4) La période la plus critique et la plus délicate, mis à part le premier contact, survient lorsque le thérapeute rappelle au patient qu'il ne reste plus que quelques sessions. Mann recommande même d'écrire la date de la dernière session sur le calendrier dès le début... La lune de miel est terminée; la confusion, les symptômes réapparaissent. C'est ici que l'art du thérapeute à terminer coûte que coûte et respecter son contrat d'intervention brève et à but limité est mis à rude épreuve. Il ne s'agit surtout pas de transformer la thérapie brève en thérapie à long terme, même si à première vue cela pourrait sembler être à l'avantage du patient et, avouons-le, du thérapeute. Au contraire, il faut simplement espérer qu'au moins l'intervention dynamique principale laissera sa marque, ou encore au pis-aller que l'approche psychologique à elle seule restera. Le *working throught*, i.e. les expériences de confrontations dans la réalité quotidienne des *insights* acquis devra se faire en grande partie après la thérapie. Le patient doit au plus être assuré de sa capacité de se prendre en charge à ce niveau malgré l'inévitable anxiété de séparation.

5) La toute dernière intervention est l'annonce d'une entrevue de "follow-up" fixée trois mois après la dernière session. Il devient à ce moment très intéressant pour les deux parties de vérifier ce qui reste de l'aventure thérapeutique vécue ensemble. Au besoin cette visite contrôle peut servir d'injection psychologique de rappel (*booster shot*). Encore une fois, s'il est besoin de le répéter, la tentative de réouvrir, au premier appel téléphonique, la relation avant ce contrôle doit être évitée sauf si évidemment la situation clinique l'exige. Notre expérience à ce moment nous fait opter pour une réévaluation complète du cas et au besoin une recommandation en vue d'une autre approche avec possiblement mais non pas obligatoirement un autre thérapeute.

32.5 CONCLUSION

En somme, nous ne pouvons que souligner si besoin est l'importance théorique et pratique de cette application des découvertes de la psychanalyse à la psychothérapie. Les résultats cliniques obtenus continuent de surprendre les plus conservateurs sinon les plus pessimistes vis-à-vis les vicissitudes des conflits inconscients qui tourmentent la personne humaine. Cela ne signifie pas pour autant que la psychothérapie d'orientation analytique à long terme ne conserve pas une place primordiale à côté de la psychanalyse elle-même pour venir à bout de nombreuses psychopathologies. D'ailleurs, une formation et une expérience prolongées avec supervision des techniques de thérapie à long terme, sinon de l'analyse, sont absolument nécessaires avant d'entreprendre des thérapies brèves qui sont d'autant plus difficiles qu'elles ne laissent à peu près pas de place ou de temps pour faire de mauvaises interprétations ou encore pour négliger d'en faire devant un matériel qui ne se représentera plus.

Enfin, il est capital de distinguer l'approche que nous venons de décrire avec toute autre intervention thérapeutique de support ou de nature purement introspective qui a également sa place, par exemple pour le praticien généraliste. Les autres approches psychologiques peuvent et devraient s'inspirer de l'approche décrite ici pour ce qui est de la répercussion dynamique provenant des limitations de temps et de but visé. Le danger d'une thérapie "sauvage" demeure toujours présent sans la formation requise.

BIBLIOGRAPHIE

LAPLANCHE, J., PONTALIS, J.-R. *Vocabulaire de la psychanalyse.* Paris: PUF, 1967.

MALAN, D.-H. *La psychothérapie brève.* Paris: Payot, Coll. Sciences de l'Homme, 1975.

MANN, J. *Time Limited Psychotherapy.*

PETER, E., SIFNEOS. *Short-term Psychotherapy and Emotionnal Crisis.* Cambridge: Harvard University Press, 1972.

CHAPITRE 33

LES NOUVELLES

PSYCHOTHÉRAPIES

Nicolaï Buruiana

Les patients rencontrent à l'heure actuelle un nombre énorme de formes de traitement. À côté des thérapies traditionnelles: chimiothérapie, psychanalyse behaviorale, hypnose, etc., on trouve des approches les plus diverses comme la nirvana-thérapie, zen-thérapie, "rolfing", gestalt, analyse transactionnelle, psychodrame, bioénergie existentielle-expérientielle, thérapie de groupe, thérapie familiale, cri primal, "feeling", etc.

Pour ceux qui s'occupent de statistiques en ce qui concerne les nouvelles thérapies et surtout si ces statistiques sont faites en Californie, pays d'une grande créativité dans le mouvement humaniste, le nombre de 150 manières différentes de "guérison" sera dépassé.

Quelques questions se posent: sont-elles vraiment nouvelles ou plutôt des formes renouvelées de concevoir l'être humain, son rôle et son fonctionnement dans l'univers?

S'adressent-elles à ce que dans le langage psychiatrique on appelle "maladie" ou plutôt à des "difficultés" de fonctionnement personnel et interpersonnel?

Le changement que ces thérapies provoquent est-il de longue ou de courte durée?

On pourrait continuer ainsi à poser beaucoup de questions sorties du désir d'être "professionnel" mais aussi peut-être de la méfiance face à la nouveauté.

Nous présentons ici d'une manière concise quelques-unes de ces formes "nouvelles" de thérapie dans leurs concepts de base, leurs techniques propres et le rôle spécifique des thérapeutes:

gestalt, analyse transactionnelle, psychodrame et bioénergie.

33.1 GESTALT THÉRAPIE

33.1.1 Définitions des objectifs

Le terme Gestalt, qui signifie à la fois forme et structure, fut utilisé pour la première fois par F. Perls pour désigner ce que l'on connaît aujourd'hui sous le nom de Gestalt thérapie. Médecin en psychanalyse, F. Perls est une des personnalités les plus originales du mouvement thérapeutique. Il définit la thérapie de la Gestalt comme une approche existentielle qui met l'accent sur l'expérience totale de la personne et moins sur la structure du symptôme. La compréhension intellectuelle est reléguée au deuxième plan; ce qui est essentiel est **ce qu'on est, ce qu'on fait, ce qu'on vit, ce qu'on ressent.** On vise à exprimer et à faire jaillir l'existence réelle de la personne dans le présent, permettant ainsi l'épanouissement et la libération du corps (Perls 1972).

Les objectifs thérapeutiques de la Gestalt cherchent à rendre la personne présente à elle-même, entière, mûre et en contact avec le monde. Ces objectifs sont liés aux trois principes de base: la personne, le présent et la conscience.

La personne

Chaque personne est différente et c'est à tout petits pas dans le travail psychothérapeutique qu'elle apprend qui elle est: une structure complexe où chaque partie influence l'autre partie. Le patient demeure une personne tout au long de la relation thérapeutique et n'est jamais catalogué par des étiquettes de type diagnostique. Il existe peu de personnes entières et ce qui est rejeté dans une relation humaine, ce sont certains comportements et non la personne dans sa totalité.

La conscience

Dans la Gestalt, le terme *awareness* (prise de conscience) comprend ''conscience psychophysiologique'' et ''conscience cognitive''. Un des buts de la thérapie est de coordonner les deux, parce que l'une sans l'autre mène à l'aliénation. Il faut donc prendre conscience de soi et de l'autre, ce qui demande une vrai présence à soi.

Le contact, le sensible, l'excitation et la formation gestaltique caractérisent la conscience. Même si le contact est possible sans conscience, pour qu'un vécu soit conscient, le contact est indispensable. Le sensible détermine la nature du contact, qu'il soit proche, dans le corps même ou à distance. L'excitation se rapporte tant au plan physique qu'au niveau des émotions.

Le présent

C'est ce que la personne vit dans le moment présent (dans le temps et dans l'espace); c'est être conscient et s'identifier à ses pensées, sensations, émotions, sentiments et actions. Il faut prendre conscience de ce qui se passe dans son corps, des différentes émotions que l'on ressent *(awareness)* et de l'expression active de ses émotions *(experiencing)*. L'interprétation étant bannie, c'est le "awareness" et "l'experiencing" qui permettent une meilleure prise de conscience, donc des changements qualitatifs en thérapie. On pourrait dire à ce stade que le "gestaltisme" se propose de saisir les phénomènes psychiques dans leur totalité, sans dissocier les éléments de l'ensemble où ils s'intègrent et hors duquel ils ne signifient plus rien. Étant donné que la gestalt considère "l'organisme comme un système qui est en équilibre et qui doit fonctionner convenablement" (Perls 1972), toute perturbation sera ressenti comme un besoin de rétablir cet équilibre.

La thérapie gestaltiste est un processus "vivant et créateur" qui vise à restaurer la vitalité et le fonctionnement naturel de l'individu. L'accent est surtout mis sur le processus qui lui permet de se réaliser et de s'assumer dans sa totalité.

Au cours de son éducation, l'individu a perdu le contact avec sa totalité; il a rejeté certaines parties de lui-même pour les remplacer par des règles de conduite dictées par son environnement social. Il en résulte une lutte entre ses besoins et les restrictions qu'il a appris à s'imposer. Vue sous cet angle, la thérapie est une entreprise de rééducation qui passe par la prise de conscience et la réappropriation de soi.

33.1.2 Théorie de la personnalité

L'organisme humain est un tout organisé et vécu comme tel par l'individu. Le comportement humain est gouverné par le processus d'homéostasie, c'est-à-dire qu'il est orienté vers le maintien de l'équilibre de l'organisme. Le processus homéostatique, c'est le processus d'autorégulation de l'organisme (Perls, 1973). Un déséquilibre est ressenti par l'organisme lorsqu'il y a émergence d'un besoin. C'est la satisfaction de ce besoin qui rétablira l'équilibre momentanément rompu. C'est un jeu continuel entre l'équilibre et le déséquilibre, puisqu'il y a toujours émergence d'un besoin, à un moment donné. L'organisme a des besoins physiologiques et des besoins psychologiques, chaque besoin ayant une composante physiologique et une composante psychologique.

Aucun individu n'est autosuffisant, il ne peut exister qu'en faisant partie d'un champ environnemental, c'est-à-dire un tout incluant l'organisme et l'environnement. L'organisme a besoin de son environnement pour satisfaire ses besoins et c'est dans le contact organisme-environnement que les événements psychologiques prennent place. Plus nous sentons intensément nos besoins, plus nous nous identifions à eux, et plus intensément et directement nous dirigeons nos actions vers leur satisfaction. C'est la nature de la relation organisme-environnement qui détermine le comportement de l'individu. Si cette relation est mutuellement satisfaisante, le comportement de l'individu sera "normal", si cette relation est conflictuelle, le comportement sera qualifié "d'anormal".

Un besoin devient dominant, à un moment donné, et les autres besoins passent à l'arrière-plan. La satisfaction de ce besoin constitue la fermeture d'une "gestalt" et conduit l'individu au point zéro, jusqu'à l'émergence d'un nouveau besoin. C'est la clarté plus ou moins grande de ces gestalts qui constitue l'indice de la santé mentale de l'individu (Perls, 1975).

33.1.3 La névrose

La névrose n'est pas définie par des symptômes, mais par "l'absence de vitalité". Pour Perls, le névrotique est celui qui est incapable de vivre dans le présent et de se voir tel qu'il est. C'est lorsque l'individu devient incapable d'adapter ses techniques de manipulation et d'interaction avec son environnement qu'il devient névrotique. Ce dysfonctionnement organisme-environnement se produit lorsque l'individu est incapable de distinguer le besoin dominant, (le sien face à son environnement) et de maintenir l'équilibre entre lui-même et son environnement. Si de façon habituelle, régulière, l'individu satisfait ses besoins propres au détriment des demandes de son environnement, il devient délinquant ou caractériel. Si au contraire, l'individu néglige habituellement ses propres besoins au profit des demandes de son environnement, il devient névrotique.

Pour survivre, pour éviter la souffrance, l'individu a appris à se désensibiliser, à perdre le contact avec lui-même et avec son environnement, ce qui trouble son processus naturel de croissance et de maturité.

Mécanismes de défense

Les mécanismes de défense sont des résistances au contact de soi-même avec son milieu. Si l'interaction organisme-environnement est conflictuelle, non satisfaisante, l'excitation conséquente à cette interaction entraînera de l'anxiété, que l'individu cherchera à éviter. Une excitation bloquée se décharge sous forme d'anxiété; c'est une énergie précieuse que l'individu doit apprendre à utiliser d'une façon intégrée.

33.1.4 L'approche psychothérapeutique

La thérapie de la gestalt développe des objectifs spécifiques à partir de ses principes de base.

Le premier objectif est de trouver ou retrouver sa **vitalité** en remettant en marche le processus de développement et de maturité.

Le deuxième objectif n'est en fait qu'une facette du premier, c'est-à-dire se redonner à soi-même non seulement sa vitalité mais aussi **sa totalité,** et son intégrité. Selon Perls, pour retrouver son intégrité, il faut de plus en plus "perdre la tête et retrouver ses sens", valoriser le corps et l'imagination plutôt que la raison, le jeu plutôt que le devoir, la spontanéité plutôt que le contrôle.

Le troisième objectif vise à ce que l'individu soit **"présent à soi"** ; il importe de ne pas confondre avec l'introspection où on s'observe, on s'analyse et où on cherche à se comprendre. Être présent en santé mentale consiste à respecter et faciliter sa vitalité, à se laisser aller, à s'abandonner à ce que l'on ressent sans chercher les causes, escomptant qu'en son temps le sens de ce vécu apparaîtra.

Un quatrième objectif serait d'amener l'individu à se prendre en charge et à évoluer vers la **maturité**. Pour Perls, la maturation vise à rendre l'individu capable de ne pas dépendre de l'autre et l'amène à découvrir qu'il peut faire beaucoup pour lui-même.

Un cinquième objectif vise **l'amélioration des contacts**. Même si la personne est de plus en plus en contact avec elle-même, elle n'est pas pour autant autosuffisante; l'autre est là pour satisfaire certains de ses besoins.

Perls donne certains critères du bon contact: "la simplicité, la clarté, la grâce, la force du mouvement, la spontanéité et l'intensité du sentiment" (1969). Ainsi, pour vivre l'amour, l'amitié, la colère, etc, "j'ai besoin du contact avec l'autre mais pas avant d'établir le contact avec moi-même. Pour que mes besoins soient vraiment satisfaits, il faut que le contact avec l'autre soit authentique. C'est l'autre que je dois rejoindre et non pas mes projections et mes appréhensions."

La Gestalt thérapie a surtout été utilisée dans les névroses, avec des individus d'intelligence moyenne ou supérieure, de milieux socio-économiques moyens ou aisés. Son application dans la psychothérapie des psychoses est très problématique, puisque cette technique est loin d'être acceptée par la psychiatrie traditionnelle.

33.2 ANALYSE TRANSACTIONNELLE

33.2.1 Historique

Éric Berne, le fondateur de l'analyse transactionnelle et structurale, est né à Montréal en 1910. Psychiatre, il utilise au début de sa pratique l'approche psychanalytique. Parallèlement à sa pratique, il s'intéresse activement à des recherches sur l'intuition. Ses réflexions portent surtout sur les perceptions intuitives du thérapeute, en tenant compte des comportements verbaux et non verbaux observés chez le patient.

Outre l'intuition, Berne subit l'influence des travaux neurophysiologiques de W. Penfield sur la mémoire, ce qui l'amène à conclure que les souvenirs sont conservés intacts dans le cerveau et qu'il suffit d'une stimulation adéquate pour qu'ils surgissent à la conscience, renforçant sa conception structurale de l'individu. Petit à petit, il délaisse les notions et catégories psychiatriques pour développer un système global de la personnalité.

L'analyse transactionnelle (AT) vise à rendre à l'individu son autonomie émotive et relationnelle, sa spontanéité et sa créativité, en lui permettant d'accéder à l'intimité, laissant libre cours à l'énergie psychique pour circuler dans sa personnalité.

L'AT porte sur l'ensemble des transactions possibles entre deux ou plusieurs personnes, à partir d'états du moi définis.

La structure de la personnalité d'après Berne

Organes	Déterminants	État du moi	
Archéopsyché	Internes	Enfant	(E)
Néopsyché	Probabilistes	Adulte	(A)
Extéropsyché	Externes	Parent	(P)

Structuralement, l'AT postule l'existence de trois organes ou organisateurs psychiques de la personnalité dont la fonction est d'organiser les trois déterminants et les trois états du moi (ensemble cohérent des sentiments et comportements) d'un individu.

La néopsyché est l'organe qui agit en fonction d'informations actuelles et qui détermine l'état du moi ''adulte''. L'archéopsyché est l'organe qui, par des déterminants internes, fait revivre un état du moi antérieur à une situation actuelle, état que l'on reconnaît chez ''enfant''. L'extéropsyché programme l'état du moi ''parent'' à partir d'éléments venus d'un ou plusieurs individus contrôlant le sujet.

L'AT postule chez tout être humain la nécessité d'être stimulé de l'extérieur, d'être valorisé par les autres et d'être capable de structurer le temps. Les stimuli les plus indispensables et satisfaisants sont de nature socio-affective, des ''strokes'', qu'on pourra traduire par marques d'attention. La structuration du temps est un besoin qui correspond à celui de donner un sens aux mouvements intra et interpersonnels.

33.2.2   L'approche psychothérapeutique

Pour James (1977), c'est rendre le patient ''authentique'' et en faire un être qui ''agit spontanément d'une façon rationnelle et confiante, traitant les autres avec considération''.

Il s'agit d'après Berne d'enseigner à l'individu à vivre selon son moi Adulte grâce au support du moi Adulte du thérapeute qui initie et renforce une sorte de gymnastique psychologique thérapeutique.

Un tel objectif nécessite une phase pédagogique au traitement, dans laquelle le thérapeute fait prendre conscience au patient de ses catégories existentielles: le Parent, l'Adulte et l'Enfant.

Cette étape est celle dite de l'analyse structurale, qui débute le traitement et précède l'analyse transactionnelle proprement dite, l'analyse de la structuration du temps et, successivement, l'analyse des scénarios. Le processus thérapeutique est ainsi clairement divisé en étapes, ce qui fournit un encadrement général au plan des traitements individuels.

33.2.3   Analyse structurale: les états du moi

Berne a développé trois concepts qui décrivent phénoménologiquement trois séries distinctes de comportements verbaux et non verbaux observés chez ses patients. Il s'agit du Parent, de l'Adulte et de l'Enfant.

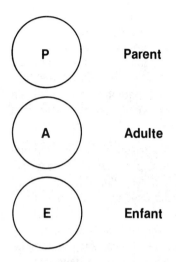

P — **Parent**

A — **Adulte**

E — **Enfant**

En analyse structurale, le Parent, l'Adulte et l'Enfant ne sont que trois manifestations observables du moi et ne relèvent explicitement que du domaine conscient. L'analyse structurale vise, en observant les transactions du patient, à identifier ces trois éléments du moi.

L'état du moi Parent

En observant ses comportements verbaux et non verbaux, on constate que l'individu reproduit des schèmes culturels et familiaux qui lui ont été transmis par l'éducation et l'apprentissage. Dans ce contexte, la personne pense, agit, parle, sent et réagit exactement comme le faisait l'un de ses parents quand elle était enfant. Le Parent est tantôt prêt à aider, à épauler (chaleureux, stimulant, permissif) tantôt contraignant et critique (autoritaire). Ces deux faces du même être ont pour fonction de statuer efficacement sur ce qui est bien et ce qui est mal, et agissent à titre de conscience morale. Le rôle du moi Parent consiste à assurer la continuité culturelle et familiale des traditions, des normes, des valeurs et des attitudes sociales. Il représente donc un point de repère stable et sécurisant pour tout individu.

L'état du moi Enfant

Cet état est principalement constitué de sensations et sentiments. La personne vit son moi Enfant, pense, agit, parle, s'émeut et réagit exactement comme lorsqu'elle était enfant. L'état du moi Enfant comprend trois parties distinctes: l'Enfant naturel, l'Enfant adapté et le petit Professeur. L'Enfant naturel ou libre est impulsif, spontané, créateur, curieux, etc. L'Enfant adapté modifie son comportement sous l'influence parentale. Il peut être soumis s'il se conforme à la volonté parentale. Il peut être rebelle s'il décide de s'y opposer. Le petit Professeur est l'aspect adulte de l'état enfant du moi qui démontre alors une aptitude à manipuler les autres.

L'état du moi Adulte

Cet état analyse et synthétise les données provenant de l'environnement et de son vécu. Sa fonction est de les recueillir et de produire de l'information. En fait, il teste la réalité et estime les probabilités. L'Adulte réglemente les activités des états du moi Parent et Enfant en jouant le rôle de médiateur objectif. Il est à l'oeuvre lors des décisions logiques, non émotives, où les conséquences sont pesées.

Les états du moi Parent, Adulte et Enfant remplissent des fonctions diverses. Ensemble, ils forment une unité homéostatique propre à satisfaire les activités psychiques et relationnelles nécessaires à la survie d'un individu. Pour être en accord avec soi et avec les autres, l'énergie psychique doit circuler librement d'un état à l'autre afin de fournir une réponse adéquate aux stimulations du milieu. Cet équilibre peut être rompu ou endommagé dans la mesure où l'énergie psychique stagne ou est centralisée sur un état du moi, ou encore si un état du moi empêche un autre de s'exécuter librement. On parle dans ces cas d'exclusion ou de contamination.

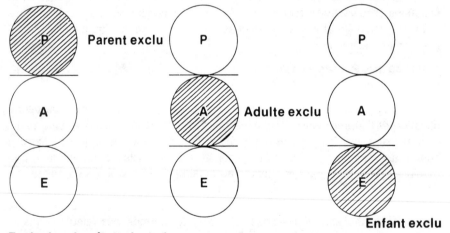

Exclusion des états du moi

L'exclusion signifie qu'un des états du moi est tenu hors de la prise de décision exécutoire. L'exclusion de l'Enfant se rencontre par exemple dans la personnalité obsessive-compulsive. Lorsque le Parent est exclu, la personne n'a plus de lois, normes ou valeurs, comme dans le cas des psychopathes. Lorsque l'Adulte est exclu, il y a perte de contact avec la réalité, et la prise de décision n'est plus valable, comme chez le psychotique. Finalement, si le Parent et l'Enfant sont exclus, la personne devient froide, ennuyeuse et mécanique.

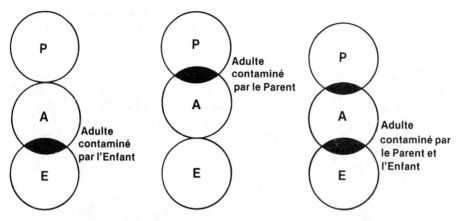

Contamination des états du moi

Nous rencontrons la contamination quand le Parent, l'Enfant, ou les deux empiètent sur l'Adulte. On reconnaît l'intrusion du Parent dans les décisions prises à partir de préjugés, et l'intrusion de l'Enfant quand la conduite est guidée par une illusion. Enfin, il peut y avoir contamination et exclusion simultanées; par exemple, le psychopathe organisé n'a pas de P et son A est fortement contaminé par son E.

33.2.4 L'analyse des transactions

L'analyse transactionnelle vise essentiellement à identifier les changements qui surviennent entre personnes qui interagissent. Elle s'intéresse particulièrement aux transactions verbales et non verbales entre individus ou groupes d'individus.

La transaction constitue l'aspect privilégié et manifeste des échanges sociaux; elle est définie comme l'unité d'action sociale, verbale ou non.

Les transactions simples sont à leur tour parallèles ou croisées. Les transactions parallèles, souvent nommées complémentaires, sont celles où la personne-stimulus est dans un état du moi reconnu et accepté par le répondant, qui est lui-même touché là où l'autre voulait effectivement l'atteindre; les deux s'entendent et la communication peut continuer.

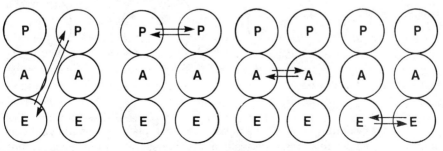

Transactions complémentaires ou parallèles

Dans les transactions croisées, au contraire, ce n'est pas la composante à qui s'adresse l'autre qui répond; il s'agit d'un dialogue de sourd et la communication est interrompue.

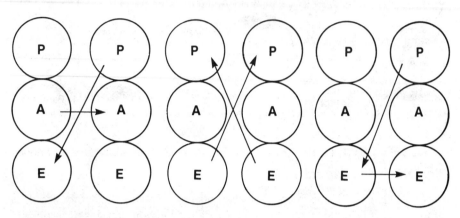

Transactions croisées

Les transactions cachées impliquent chez un même intervenant l'action simultanée de deux états du moi, situant ainsi la communication à deux niveaux: l'un ouvert ou social, l'autre dit psychologique, qui est celui qui dirige effectivement la communication.

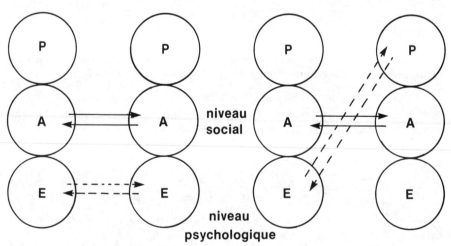

Transactions cachées

Il est évident que seules les transactions complémentaires peuvent contribuer à établir des relations ouvertes et authentiques avec autrui. Elles permettent l'établissement des liens intimes ou fonctionnels basés sur le respect des individus en interaction. En outre, elles procurent aux individus les éléments nécessaires à la satisfaction du besoin d'attention et de reconnaissance.

33.2.5 Analyse de la structuration du temps

Une chaîne de transactions se produit parce que les gens commencent à se sentir mal à l'aise dès qu'ils sont en face d'un laps de temps non structuré. Il existe six formes possibles de comportement social propre à structurer le temps.

Dans le **retrait**, les individus ne communiquent pas ouvertement les uns avec les autres. Comme dans un wagon de métro, chacun reste drapé dans ses propres pensées. Il y a absence de marques d'attention.

Un rituel est une série stéréotypée de transactions simples complémentaires programmées de l'extérieur par la tradition et l'usage social: ce sont les bonnes manières.

Les passe-temps sont des séries de transactions simples complémentaires à demi ritualisées. On les reconnaît dans les conversations sportives, dans les cocktails ou au début d'une rencontre de groupe.

L'activité est ce qu'on appelle habituellement ''travail''. Les transactions y sont programmées par les matériaux avec lesquels on agit, donc de type Adulte, puisqu'orientées vers la réalité extérieure. Préparer un repas, jouer au golf, résoudre un problème de mathématique, sont autant d'exemples d'activités.

Berne définit **le jeu** comme ''le déroulement d'une série de transactions cachées, complémentaires, progressant vers un résultat bien défini, prévisible''. Le jeu (game) comporte donc un niveau social acceptable de transactions, un niveau psychologique qui voile l'objectif réel visé, deux ou plusieurs joueurs consentants et la satisfaction de besoins qui constitue la gratification attendue. Le jeu comporte des avantages psychologiques et sociaux évidents. Il permet de satisfaire nos besoins fondamentaux de stimulation, de structure et de statut. En outre, il permet d'éviter l'établissement de relations ouvertes, intimes et honnêtes entre les joueurs. Ce que visent les joueurs dans le jeu c'est de relâcher une tension, d'éviter les situations nuisibles et traumatisantes, d'obtenir des marques d'attention, de maintenir un équilibre somatique et psychique stable et de confirmer leur destin. Ces objectifs sont louables, mais dans le jeu ils peuvent subir l'influence d'une personnalité hypothéquée. Pour un temps, le jeu va satisfaire les joueurs. Mais tôt ou tard, il aboutira à une transaction croisée qui mettra un terme au jeu, et éventuellement à la relation. En fait, dans le jeu, tout le monde se croit gagnant et finalement tout le monde est perdant, à moins qu'un joueur dénonce le jeu, y mette un terme et rétablisse une relation plus ouverte, intense, intime et honnête.

L'intimité est un objectif important de l'analyse transactionnelle. Elle permet la satisfaction idéale des besoins sociaux. L'intimité implique des relations ouvertes, réalistes, créatrices, spontanées et autonomes des individus.

Dans l'intimité, les défenses tombent. L'ennui est absent. L'Adulte est autonome et l'Enfant naturel émerge librement. Le Parent est relativisé et reconnu comme archaïque. Cette expérience transcende toutes les autres (retrait, rituel, etc.). Seul le jeu est contradictoire. Les personnes qui visent l'intimité se débarrassent de tout élément du jeu, car ce dernier menace leur intégrité.

33.2.6　Les positions de vie

Nous avons vu que lors de son développement, l'enfant vit un certain nombre d'expériences relationnelles avec les personnes significatives en position d'autorité. Il s'agit habituellement de ses parents. Il reçoit un certain nombre de messages et des marques d'attention. Par exemple, ses parents prennent soin de lui, l'encouragent, le réprimandent, lui ordonnent de faire ou de ne pas faire telle chose, etc. À travers ces transactions, l'enfant développe une vision du monde et de lui-même qui va se cristalliser dans certaines décisions archaïques déclenchées par une ou des expériences qu'il ressent comme significatives. Par exemple, l'enfant pourra se percevoir comme incompétent, inadéquat et sans valeur car il est l'objet constant des critiques de sa mère perçue comme toute puissante et infaillible, car elle a toujours raison.

Ces décisions archaïques forment le cadre dans lequel l'enfant s'établira dans une position de vie. Globalement, la position de vie représente la valeur que l'on accorde à soi et aux autres. Donc, la position de vie comporte deux volets: moi et l'autre. Pour un même individu, ces positions sont variables, mais il y en a une qui domine. En analyse transactionnelle, Harris distingue 4 positions de vie: (1) je suis O.K. - vous êtes O.K.; (2) je suis O.K. - vous n'êtes pas O.K.; (3) je ne suis pas O.K. - vous êtes O.K.; (4) je ne suis pas O.K. - vous n'êtes pas O.K.

La position "Je suis K.O. - Vous êtes O.K." (O.K. signifie essentiellement être confiant dans sa propre valeur) est celle de l'autonomie et de la santé. Il n'y a pas de jeu. Les marques d'attention données et reçues sont positives, inconditionnelles, fréquentes et honnêtes. C'est la position qui possède un potentiel élevé de santé mentale.

La position "Je suis OK - Vous n'êtes pas OK" est celle de l'autoritarisme qui se complaît dans un rôle de persécuteur et dont les sentiments préférés sont: la colère, le triomphe et la suffisance. Les marques d'attention dominantes sont agressives et sarcastiques. L'individu se sent victime et persécuté mais se défend par la projection. C'est le cas du délinquant et du psychopathe.

La position "Je ne suis pas OK - Vous êtes OK" est celle de l'insécure perpétuel qui cherche à sauver les autres. Il vit dans la honte, la culpabilité et le ressentiment. Ses marques d'attention sont obséquieuses, flatteuses et superficielles. C'est une position de dépendance où l'individu surestime le pouvoir d'autrui. Le névrotique adopte souvent cette position.

La position "Je ne suis pas OK - Vous n'êtes pas OK" est, enfin, celle d'un individu renfermé qui n'est à l'aise que dans le rôle de victime. Ses sentiments sont désespérés et ses marques d'attention rares, froides, calculatrices et indifférentes. La vie offre très peu d'intérêt, la réalité n'a plus de sens. Dans cette position, on observe les comportements schizoïdes.

33.2.7 Analyse des scénarios

Chaque individu possède un plan de vie préconscient, ou scénario, qui permet de structurer de plus longues périodes de temps: mois, années, ou vie entière, en les meublant d'activités, de rituels, de passe-temps et de jeux qui avancent le scénario et procurent en même temps des satisfactions immédiates, le tout entrecoupé de retraits et d'intimité. Berne définit le scénario par la décision que chaque individu prend dans sa petite enfance de son projet de vie conçu à partir de directives parentales. Le scénario se met en train durant l'enfance sous une forme primitive appelée protocole, et peut être transmis de génération en génération. L'analyse du scénario a pour objectif de retourner à ces décisions archaïques afin de permettre à l'individu de renouer contact avec un Adulte autonome, analysant objectivement les données de la réalité en tenant compte de l'Enfant naturel, spontané et créateur et en relativisant le Parent critique. L'objectif ultime de l'analyse du scénario est de permettre à l'individu de remettre en question ses décisions archaïques de projet de vie.

L'analyse transactionnelle est essentiellement une approche de groupe. Le travail en groupe rend plus réels les événements rapportés ou vécus, et sert à maintenir concrètement la dimension sociale de toute expérience humaine. Il faut que ce qui est dit soit vu et entendu.

Avant le groupe, la relation patient-thérapeute relève de l'analyse structurale, élément central d'une phase préparatoire au travail de groupe, préparation qui comprend aussi l'exploitation de l'histoire sociale du patient, et l'établissement du contrat thérapeutique. Ce dernier est une entente claire et réaliste relative à un changement spécifique désiré par le patient et accepté par le thérapeute. Il s'agit d'opérationnaliser les objectifs thérapeutiques de façon à préserver l'autonomie du patient, et à permettre de reconnaître quand le changement est intervenu. Implicitement, le patient s'engage aussi à utiliser l'analyse structurale pour étudier son vécu quotidien.

Le thérapeute d'AT est essentiellement un humaniste qui croit en la valeur des hommes et en leur capacité de changement. Il travaille à stimuler le patient dans son présent réel en se centrant sur l'intégration cognitive actuelle des éléments de son scénario, et sur la dynamique transactionnelle résultante. La seule condition d'admission au traitement est un minimum de motivation au changement personnel.

33.3 LE PSYCHODRAME

33.3.1 Historique

Le psychodrame est né chez Jacob Levy Moreno à la suite d'une accumulation d'expériences et de prises de conscience effectuées au cours de son enfance, de son adolescence et des débuts de l'âge adulte. Né à Bucarest en

1892, il émigre avec sa famille à Vienne où il entreprend des études en médecine, puis en psychiatrie. Plusieurs affirment que sa première session de psychodrame eut lieu alors qu'il était âgé de 4 ans, ce qui constitue une de ses histoires favorites. Moreno avait organisé un jeu de groupe impromptu impliquant Dieu et les anges. Il rapporte qu'il vécut l'expérience d'une manière satisfaisante jusqu'à ce qu'un des enfants lui suggère de voler, ce qu'il tenta de faire, se retrouvant par terre avec une fracture du bras. Déjà cet incident illustre les éléments de base qui sont devenus des concepts clés et propres au psychodrame, à savoir la créativité, la spontanéité, la catharsis et la prise de conscience.

Entre 16 et 19 ans, Moreno parcourt les jardins publics de Vienne, organisant des jeux impromptus avec les enfants dont il est frappé par la spontanéité et la liberté d'expression.

Après avoir obtenu son diplôme de médecin en 1917, il poursuit ses recherches sur le jeu spontané, renouant ainsi une ancienne tradition selon laquelle le théâtre dispose de grands pouvoirs sur l'esprit humain, et favorise l'accès au monde du sacré, aussi bien qu'à la connaissance et à la maîtrise de soi. Dans le Théâtre de la spontanéité, qu'il crée en 1921, il met plutôt l'accent sur l'aspect artistique que sur l'aspect du drame improvisé. Progressivement, son intérêt se centre autour d'une perspective plus thérapeutique, et il donne naissance au théâtre thérapeutique du psychodrame.

Mis à part les concepts de créativité et de la théorie des rôles qui lui sont propres, ses recherches ont influencé le développement de la sociométrie et de techniques thérapeutiques telles que le psychodrame et le sociodrame. On lui attribue aussi le crédit d'avoir introduit le terme de thérapie de groupe et d'avoir joué un rôle prépondérant dans l'élaboration des techniques de groupe.

33.3.2   Objectifs

Le psychodrame est une thérapie en profondeur du groupe. Il commence là où s'arrête la psychothérapie de groupe et l'élargit pour la rendre plus efficace" (Moreno 65). Pour lui, "grouper des individus en une société miniature" demeure le but de la thérapie du groupe. Pour y parvenir, l'entretien ou l'analyse ne suffisent pas. Moreno vise à "créer des expériences vécues intérieures et extérieures" et à dépasser le domaine de l'abréaction et de l'entretien. Pour lui, il faut "ordonner les paroles des patients, laisser les sentiments et les pensées du groupe gagner de la consistance et les orienter vers les membres concrets du groupe".

Le psychodrame est donc une approche thérapeutique, planifiée pour évoquer l'expression de sentiments impliqués dans des problèmes personnels, ceci à l'intérieur d'un jeu de rôle spontané et dramatique. Dans sa forme la plus pure, le psychodrame consiste en une thérapie de groupe centrée autour de l'expression de scènes significatives sur le plan émotif. Le but est d'obtenir une catharsis et l'acquisition de nouveaux comportements.

Les membres du groupe jouent des rôles provenant de situations conflictuelles passées, présentes ou anticipées, afin de soulager des sentiments pénibles et pour tenter d'obtenir un comportement mieux adapté. Le but principal de cette méthode est d'aider les participants à revivre et à reformuler leurs problèmes dans une forme dramatique afin de faire face à leurs préoccupations de façon directe et immédiate dans le vécu actuel. L'expérience dans l'action plutôt que la récapitulation en mots et en pensées est la caractéristique de cette méthode.

33.3.3 Déroulement du jeu

Moreno rappelle qu'il arrive souvent, au cours d'une séance de groupe essentiellement verbale et transactionnelle, qu'un membre vive un problème avec une intensité telle que les mots deviennent insuffisants. Ce membre a besoin de faire vivre la situation, d'en reconstituer un épisode, et souvent de lui donner une structure plus conforme à ses attentes que ne le permet la vie quotidienne. Or, le problème d'un individu est souvent partagé par les membres du groupe. L'individu devient donc le "représentant en action". À ces moments, le groupe lui cède la place spontanément, place dont l'individu a besoin et qui lui permet d'agir physiquement dans le présent.

Il se déplace vers le centre ou devant le groupe de façon à pouvoir faire des échanges avec chacun. "L'un ou l'autre des membres peut, de la même façon, lui donner la réplique dans un rôle et entrer en scène, s'opposer à lui ou s'unir à son action" (Moreno 1965).

En mettant en action la psyché, le psychodrame permet soit une thérapie par le dégel et la libération des sentiments refoulés ou inhibés (la **catharsis**, suivie de **prise de conscience**, et d'un nouvel apprentissage à l'interaction et aux rôles sociaux), soit une pédagogie des relations interpersonnelles par un entraînement à la spontanéité, à une meilleure perception d'autrui et à une meilleure relation avec l'autre.

En somme, il s'agit de vivre en groupe une situation passée, présente ou future, non pas en la racontant (comme en psychothérapie ou en psychanalyse), mais dans un jeu improvisé s'appliquant à une situation vécue: le protagoniste exprime ses sentiments et met en scène la situation avec l'aide de tous les personnages nécessaires à l'action, qui lui donneront la réplique. Ces "moi-auxiliaires" réagissent spontanément en se fondant un peu sur ce que le protagoniste a dit de la situation et de la personne qu'ils incarnent, mais surtout sur les réactions ou les sentiments que provoque le protagoniste, ou suivant les indications fournies par le thérapeute-psychodramatiste.

Moreno a voulu construire un ensemble thérapeutique utilisant la vie comme un modèle afin d'y intégrer toutes les modalités de la vie, allant des facteurs universels du temps, de l'espace et de la réalité, jusqu'aux détails et aux nuances de la vie.

Le temps

Sur le plan du temps, l'homme vit dans le présent, le futur et le passé, et il peut souffrir d'une pathologie reliée à chacune de ces dimensions du temps. Le problème est de savoir intégrer dans un processus thérapeutique ces trois dimensions dans des opérations thérapeutiques significatives. Dans le psychodrame, l'acteur peut jouer un événement passé, mais l'accent sera mis sur ses émotions présentes.

Pour Moreno, le futur autant que le présent et le passé est important, puisque l'on vit une bonne part de la vie avec un oeil sur le futur plutôt que sur le passé. Or, il est différent de considérer rationnellement les attentes du futur et de les simuler en construisant des techniques permettant de vivre par le jeu de rôles des situations à venir ou anticipées. Il s'agit d'une sorte de répétition de la vie.

L'espace

Le facteur espace qui jusque-là aurait été négligé dans le cabinet du psychanalyste, fait partie ici du processus thérapeutique. Ici, l'espace thérapeutique est défini par une description précise faite par le protagoniste qui relate la configuration de l'espace où est vécu en réalité l'expérience.

Le contact établi entre le thérapeute et le patient n'est pas un dialogue authentique, mais plutôt une sorte d'entrevue, une situation de recherche ou un test de projection. Quoi qu'il arrive au patient lors de la thérapie (par exemple, une idée de suicide ou un plan de fuite), ceci ne constitue pas une phase d'actualisation directe et de confrontation, mais demeure au niveau de l'imagination, de la pensée, du sentiment. Lorsque le vécu réel de la vie quotidienne est inadéquat ou que les relations avec les personnes significatives sont perturbées, le patient peut vouloir changer et atteindre de nouveaux styles de vie. Le changement peut être extrêmement menaçant et difficile, et une situation thérapeutique où la réalité peut être simulée est nécessaire afin de pouvoir développer de nouvelles démarches de vie, sans risquer d'encourir un désastre ou des conséquences sérieuses.

33.3.4   Concepts de base

Les concepts-clés sur lesquels repose la théorie de la personnalité du psychodrame de Moreno sont la spontanéité, la créativité, l'action, le télé. Ces éléments sont interreliés et lorsqu'ils sont dirigés adéquatement dans un groupe, un changement prend invariablement place à travers l'expression de matériel refoulé ou supprimé, à travers la compréhension de problèmes passés sur la rééducation en vue d'obtenir des comportements nouveaux.

Comparaison avec la psychanalyse

À plusieurs points de vue, les concepts d'action et d'activité semblent être les notions de base de Moreno. Tout comme la psychanalyse, le psychodrame a été développé à Vienne, quelques années après que Freud eut commencé son oeuvre. Moreno dénigre la passivité de la technique psychanalytique et, à certains moments, il semble avoir choisi l'action parce qu'elle représente le rôle opposé à l'immobilité demandée par le psychanalyste durant l'entrevue, afin que le patient se confine à la pensée et à la fantaisie plutôt qu'à l'action.

Il a perçu la méthode psychanalytique comme extrêmement contraignante, encourageant une sorte de rumination, favorisant la médiocrité, le manque d'inspiration et de créativité. Moreno croyait que l'emphase mise sur l'action ouvrait et élargissait la conscience, rendant possible aux participants la prise de conscience d'éléments jusque-là inconscients.

Pour Moreno, le fait de jouer ouvertement ses rêves, ses désirs et ses aspirations représentait un pas vers la possibilité de rendre l'homme plus semblable à Dieu. Cette notion implique la capacité de devenir ouvert et en contact avec ses sentiments et ses émotions, de devenir créateur et animé, de façon à être capable d'étendre son moi aux limites de l'émotion et de la réalisation de soi-même. On retrouve chez lui une conviction d'actualisation de soi, illustrée entre autres par une de ses phrases célèbres en réponse à Freud qui lui demandait quel genre de travail il faisait: "Eh bien, Docteur, je commence là où vous arrivez. Vous rencontrez les individus dans le cadre artificiel de votre cabinet, je les rencontre dans la rue, ou chez eux, dans leur milieu habituel. Vous analysez les rêves, j'essaie de leur insuffler le courage de rêver encore, j'apprends aux gens comment jouer Dieu" (Moreno, 1946).

Spontanéité et créativité

Moreno avait été frappé par la facilité des enfants à jouer qui, contrairement aux adultes, sont beaucoup plus en contact avec leurs fantaisies et leurs émotions, ainsi que bien plus capables d'entrer dans une situation de jeu de rôle. De plus, il constata que les enfants n'avaient pas encore étouffé leur imagination et leur créativité. Ce sont ces caractéristiques des enfants que Moreno a voulu réactiver chez les adultes, par la méthode du psychodrame.

La créativité réside dans cette faculté de faire émerger dans la fiction dramatique un rôle nouveau, absolument libre de toute causalité réelle. La capacité de créer un tel rôle et de l'animer dépend du degré de spontanéité auquel peut arriver l'acteur.

La notion de spontanéité chez Moreno comporte deux composantes primordiales: 1- l'habilité d'une personne à vivre son état d'être et de sentir avec un minimum d'obstacles provenant d'entraves extérieures et d'inhibitions internes; 2- les moyens de répondre à de nouvelles situations de façon immédiate, appropriée et pourtant créatrice. Une des fonctions importantes à l'apprentissage de la spontanéité vise à libérer la personne de comportements stéréotypés enracinés dans son passé, et à l'aider à développer des approches nouvelles et plus créatrices face au vécu.

Le présent dans le temps et l'espace

L'important c'est l'expérience spontanée, le comportement en rapport avec les émotions actuelles et présentes. Le psychodrame met l'emphase sur le vécu dans le présent et sur la réaction à la situation telle qu'elle est créée dans le psychodrame, plutôt que sur un **événement réel** antérieur ou anticipé dans le futur. L'emphase est toujours mise sur l'apprentissage provenant de la réalité de **l'expérience présente** ainsi que la réaction à cette expérience, à l'opposé de réchauffement verbal d'événements passés ou d'émotions refoulées.

Afin de susciter la créativité, le thérapeute suggère au patient de faire du temps son serviteur et non son maître, de jouer comme si l'incident se produisait dans le présent de façon à ce qu'il puisse sentir, percevoir et agir comme si cela lui arrivait pour la première fois.

Catharsis ou abréaction

Moreno a développé ce concept de catharsis dans une extension de l'idée originale d'Aristote, qui croyait que le drame, particulièrement la tragédie, avait le pouvoir d'éveiller des émotions fortes dans l'auditoire. Dans le psychodrame, ce sont les acteurs plutôt que l'auditoire qui sont en meilleure position d'expérimenter la catharsis totale, quoique l'auditoire, s'il y en a un, peut aussi bénéficier de l'effet cathartique.

La conception de la catharsis chez Moreno est intimement reliée aux concepts d'action et de spontanéité mentionnés ci-haut. La catharsis totale est plus susceptible de se produire dans une situation où il est permis de transiger avec les expériences et les préoccupations de la vie réelle, en utilisant une technique orientée vers l'action qui facilite l'expression et la spontanéité. Le psychodrame constitue la situation idéale pour la décharge émotionnelle complète, puisque le patient sert à la fois d'auteur qui formule l'expérience et apporte ses propres préoccupations émotionnelles, et aussi d'acteur qui vit l'expérience avec d'autres acteurs qui, à leur tour, expérimentent la détente émotionnelle à partir de leur propre implication dans le jeu de rôle.

La conjugaison de ces deux aspects, ainsi que le rôle facilitateur du thérapeute et la réceptivité de l'auditoire servent à créer la scène pour vivre l'expérience cathartique la plus complète.

L'efficacité thérapeutique du psychodrame repose dans une très grande mesure sur la catharsis, où la reviviscence du passé cède la place à une re-création symbolique de l'événement passé et la création de scènes imaginaires.

La rencontre et le télé

Au centre du processus de groupe se retrouve le concept de rencontre (encounter) qui couvre plusieurs moments de la vie; la rencontre signifie être ensemble, le contact de deux corps, voir, observer, toucher, sentir l'autre, l'éloignement et la réunion, la compréhension mutuelle, la prise de conscience à travers le silence ou le mouvement, le langage ou les gestes, devenir un. Le mot "encounter" n'inclut pas seulement des relations d'amour mais aussi d'hostilité et de rejet. La rencontre est une expérience unique, inédite, qui se produit une seule fois et qui est irremplaçable. Dans le psychodrame, la rencontre vient en premier; elle en est le centre alors que l'analyse interprétative vient en second.

Moreno a introduit le terme télé pour désigner la stabilité du groupe, sa cohésion et son intégration. La relation thérapeutique et l'effet cathartique dépendent du télé dans le groupe.

Notion de rôle

Le thème du rôle constitue un des concepts fondamentaux de Moreno. Il distingue soigneusement les rôles réels que l'existence nous impose et les rôles fictifs de la situation psychodramatique. Mais, à travers ces derniers, les premiers peuvent être réduits à leur dimension symbolique. Le rôle peut être défini comme étant la **forme actuelle et tangible prise par le moi de l'individu.** Le rôle est la forme de fonctionnement qu'une personne assume au moment où elle réagit à une situation spécifique, à l'intérieur de laquelle d'autres personnes ou d'autres objets sont impliqués. La représentation symbolique de cette forme de fonctionnement est créée par les expériences passées, et par les modèles culturels d'une société. Tout rôle est une fusion d'éléments personnels et collectifs. Ce qui se passe lors du psychodrame où des rôles fictifs sont créés, nous informe de l'origine de nos rôles réels.

33.3.5   Les instruments du psychodrame

Il y a, selon Moreno, cinq instruments indispensables pour le psychodrame: la scène, le protagoniste, le thérapeute-psychodramatiste, les moi-auxiliaires, l'auditoire.

La scène

La scène psychodramatique (circulaire de préférence) est une simple aire de jeu, endroit "où l'on va naître", un lieu privilégié où l'on se sent "bien au chaud", le centre de l'action. Le psychodrame peut aussi avoir lieu "in situ", n'importe où, là où se trouvent les personnes qu'on veut atteindre ou rencontrer, dans la rue, chez soi, dans un parc, etc.

Le protagoniste ou le héros principal de l'action

On exige du protagoniste qu'il se présente lui-même sur scène, qu'il décrive son propre univers. On lui recommande d'être lui-même et non un comédien. Ce commentaire de P. Bour (1972), l'illustre bien: "Au théâtre, il s'agit de l'engagement dans un rôle préétabli jusqu'à l'oubli de soi-même: nous cheminons du réel à la fiction. Au psychodrame, au contraire, il s'agit de l'engagement de soi-même jusqu'à l'oubli du rôle: nous cheminons de la fiction au réel".

Une fois mis en train, il devient assez facile au protagoniste de faire émerger son "problème", sa véritable vie intérieure dégagée du "paraître". Il doit agir librement, selon son humeur, ce qui implique que sa liberté d'expression, sa spontanéité doivent être totales. Comme le déclarait une adolescente qui connaissait l'envers du décor: "Ce n'est qu'au psychodrame qu'on ne joue pas". À ce propos, Moreno (1965) insiste sur le principe de concrétisation: "Le patient est mis dans une situation telle qu'il rencontre non seulement des éléments de son propre moi, mais aussi des éléments de tous ceux qui jouent un rôle dans ses conflits psychiques".

Le thérapeute-psychodramatiste (ou meneur de jeu)

Son rôle est capital mais prête cependant à une certaine ambiguïté. Il définit le sens d'un psychodrame **directif** (le psychodrame de Moreno au sens strict, où le psychodramatiste est un véritable "accoucheur de situations conflituelles") ou d'un psychodrame **non directif.**

Pour Moreno, le psychodramatiste doit être thérapeute, analyste et meneur de jeu: il faut qu'il soit vigilant et en même temps effacé, plein de tact et de perspicacité; il se situe au carrefour des inconscients de chaque membre du groupe; il guette l'abréaction et favorise ce qui dans le jeu peut l'entraîner; il force et il contrôle. Inutile de dire ce que ce rôle comporte de paradoxal et la formation qu'il nécessite. Cependant, pour Moreno, le psychodramatiste doit rester en dehors du jeu. Pour d'autres, il doit lui aussi s'engager avec les autres pour qu'il puisse être dedans et dehors - l'idéal -, ce qui implique une connaissance approfondie de soi, de ses propres problèmes, de ses propres fantasmes, bref de ses limites. Se pose alors le problème de la formation des psychodramatistes, du psychodrame "didactique", comme il y a une analyse didactique.

Autre question: le psychodramatiste doit-il traiter un sujet au sein du groupe, ou le groupe dans sa totalité? Il doit être aux aguets, savoir tirer parti de toute sa perspicacité et de toute son expérience pour utiliser le moindre indice que lui donne tel ou tel participant et l'intégrer à l'action dramatique. Et Bour (1972) ajoute: "Il doit être présent et réceptif à toutes les tensions mobilisées par le jeu, tout en gardant toujours conscience des points de plus grande vulnérabilité du groupe".

Par ailleurs, de façon plus pratique, c'est le psychodramatiste qui doit faire démarrer la séance, tâche difficile; c'est à lui qu'incombe d'arrêter le jeu, point encore plus délicat, car il peut conditionner la frustration de certains membres du groupe; il est en quelque sorte le détonateur des bénéfices d'une séance. Cette phase du jeu requiert une bonne expérience de la dynamique des groupes, et une grande spontanéité, car le psychodramatiste est la cible éventuelle des attaques du groupe; c'est lui qui détient le privilège redoutable de passer du plan de l'imaginaire à celui de la réalité et vice versa.

Les moi-auxiliaires (coacteurs et assistants-thérapeutes)

Pour Moreno, la signification de la fonction du moi-auxiliaire est double: premièrement, assister le psychodramatiste dans l'analyse de la situation et du traitement, et en second lieu représenter pour le patient des personnes réelles ou symboliques de son milieu, l'incarnation de n'importe lequel des personnages de la vie fantasmatique du sujet. De façon pratique, les moi-auxiliaires sont les partenaires qui vont donner la réplique au protagoniste et jouer les rôles nécessaires à l'action; le rôle de moi-auxiliaire devrait être tenu par des personnes formées pour cela.

Il y a parfois un secrétaire et observateur de la séance, qui aide le psychodramatiste à observer ce qui se passe dans le groupe; il établit des diagrammes d'action, les fréquences des interventions, il étudie le style des participations; il fait l'analyse du contenu (les thèmes principaux du groupe), note les résonnances affectives, le processus d'interaction, le choix des protagonistes, les préférences dans le groupe, les rapports entre le psychodramatiste et le groupe, l'effet réel de chaque intervention.

L'auditoire (le public): un groupe généralement restreint de participants

L'auditoire aide le sujet par ses échos, par l'expression des sentiments éprouvés à propos de l'action, par ses réactions. En les entendant s'exprimer en fin de séance, le protagoniste s'aperçoit qu'il n'est pas le seul à avoir subi telle frustration, tel choc, ou éprouvé tel sentiment (dont il se sentait honteux ou coupable). Le partage des sentiments dédramatise souvent les situations les plus pénibles ou les plus frustrantes.

33.3.6 Techniques spécifiques au psychodrame

Soliloque: monologue où le protagoniste s'adresse à l'audience dans l'expression spontanée de ses émotions et de ses sentiments.

Présentation de soi: le protagoniste se présente, ainsi que sa mère, son père, son frère ou toute personne significative. Il joue tous ces rôles de façon complètement subjective, tels qu'il les expérimente et tels qu'il les perçoit.

Doublage: le patient se personnifie lui-même et un moi-auxiliaire représente le patient en établissant une identité avec lui, en se comportant comme lui et en jouant avec lui.

Rôles renversés: le protagoniste et un moi-auxiliaire échangent leurs rôles. Le protagoniste a souvent assumé ou extériorisé avec plus ou moins de succès des situations, des expériences et des perceptions de personnes dont il souffre. Afin de vaincre ces distorsions et ces manifestations de déséquilibre, il doit les réintégrer par le jeu. Dans la technique des rôles renversés, il peut réintégrer, revivre et surmonter ces expériences qui ont un impact négatif, se libérant et devenant plus spontané à partir de voies plus positives.

Miroir: lorsque le patient est incapable de se représenter lui-même en termes d'actions, un moi-auxiliaire peut être désigné pour jouer le rôle en termes d'actions, un moi-auxiliaire peut être désigné pour jouer le rôle du patient, ce qui aide ce dernier à se voir comme dans un miroir, tel que les autres le voient.

Il existe plusieurs autres techniques dans le psychodrame, toutes ayant pour objet d'accroître les possibilités d'expression et de spontanéité, de l'*insight* et de la créativité.

À l'heure actuelle, le psychodrame morénien comme tel constitue l'une des méthodes parfois utilisée comme technique complémentaire dans divers types de thérapie de groupe.

33.4　LA BIOÉNERGIE

33.4.1　Historique

Alexandre Lowen connut W. Reich (qui mourut en prison en 1957 aux États-Unis) en 1940 et le quitta en 1952. L'intuition de base de Reich était le concept de "cuirasse" dont s'entoure le névrosé pour éviter de ressentir les tensions musculaires empêchant l'énergie de circuler dans le corps. Mais Reich fut pris à partie par la critique, se découragea et essaya plutôt de se consacrer à la construction d'un appareil permettant de charger l'organisme d'énergie. Lowen ne partagea pas le découragement de Reich et se lança dans sa propre approche corporelle. Il expérimenta sur lui-même tout ce qu'il demandait à ses clients. De là naquit la bioénergie.

Lowen découvrit que tous les sentiments humains ont leur équivalent corporel. Le déplacement des fluides dans notre corps a un sens vers l'avant: le désir, vers l'arrière: la colère, vers le bas: la sexualité. La santé suppose un flux d'énergie vers l'extérieur, la maladie, un retrait à l'intérieur.

33.4.2　Les canaux de circulation d'énergie

L'énergie part du coeur, ou plus précisément du centre du corps.

a)　Le premier canal passe par la gorge et la bouche. La gorge contractée et un cou tendu peuvent empêcher toute communication de l'énergie par le baiser ou la parole.

b)　Le second canal passe par les bras et les mains lorsqu'elles se tendent pour toucher. Les mains qui aiment vraiment sont très chargées énergétiquement. La circulation d'émotion ou d'énergie dans les mains peut être bloquée par les tensions de l'épaule et les spasticités des muscles de la main.

c)　Le troisième canal descend vers la taille et le pelvis jusqu'aux organes génitaux. Le blocage du pelvis en avant ou en arrière empêche la circulation libre de l'énergie sexuelle.

d)　Le quatrième canal se rend jusqu'aux pieds, ce qui donne la sensation d'être bien enraciné, relié au sol.

Plus on est contact avec le sol, plus on peut supporter de charges et mieux on peut assumer ses émotions. C'est pourquoi le travail bioénergétique est essentiellement poussé vers le bas, ce qui permet au sujet d'être dans ses pieds et dans ses jambes.

33.4.3 Principes fondamentaux de la bioénergie

Le but principal de la thérapie consiste à améliorer le contact avec la ''réalité''. Mais pour Lowen, il y a trois niveaux de réalité et pour assurer un bon fonctionnement à l'individu, ces trois niveaux ne peuvent se dissocier:

1. Le moi (ou psychique); 2. la société, l'environnement et les relations interpersonnelles; 3. enfin, et c'est là l'élément de base de la bioénergie, il y a le corps de l'individu, c'est-à-dire ses réactions physiques.

TABLEAU 33.1 Les trois niveaux de la réalité selon Lowen

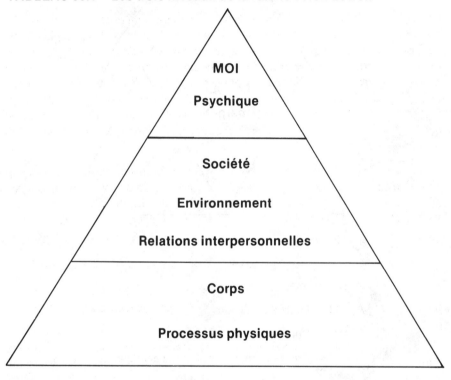

Ainsi, devant un individu qui fonctionne mal, il est important de voir ces trois niveaux. Si seulement l'un ou l'autre des paliers est traité, il y aura toujours dysfonctionnement. La bioénergie de Lowen se veut donc complète: elle traite simultanément les différents aspects. C'est ainsi qu'elle utilisera la psychanalyse pour le niveau du moi (Ego Psychology), la psychothérapie proprement dite pour les interrelations et enfin la thérapie de Reich pour l'élément corporel. L'intensité de la démarche thérapeutique se fait surtout au niveau du corps, mais les autres niveaux ne doivent pas pour autant être mis à part. Pour comprendre l'idée de Lowen sur le principe de réalité, il s'agit de voir comment il illustre l'individu dans sa totalité, et comment il interprète les différentes parties reliées les unes aux autres.

TABLEAU 33.2

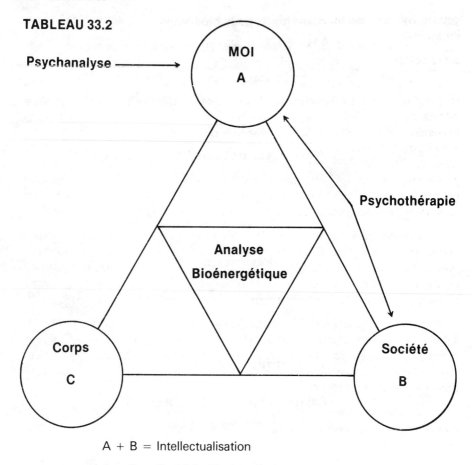

A + B = Intellectualisation

A + C = Fantaisie, illusion

C + B = Comportement animal

A + B + C = Comportement émotionnel et rationnel

33.4.4   Objectifs thérapeutiques

Mobilité du corps

L'individu doit avoir une coordination entre ce qu'il ressent intérieurement et ce qu'il veut exprimer avec son corps. Pour ce faire, il doit y avoir spontanéité dans l'expression de la personne. S'il y a blocage, causé par un problème de refoulement par exemple, l'individu ressent intérieurement ses émotions mais ne pourra les exprimer correctement avec son corps et de ce fait, on notera un vécu émotif déficient ou de moindre qualité.

Or, la mobilité du corps et les différents mouvements exprimés par le corps sont directement reliés à l'énergie qu'un individu possède. Si le corps ne possède qu'une faible énergie, sa mobilité en sera affectée. Ainsi, il est important de voir qu'il existe un lien direct entre énergie, mobilité, spontanéité et expression de soi.

La respiration

Le principal conducteur d'énergie est la respiration. L'air qui entre dans les poumons est diffusé par la suite dans tout le corps, et permet d'augmenter le niveau d'énergie de la personne. La preuve est facile à démontrer: lorsqu'on ressent une forte émotion ou qu'on doit fournir un effort physique marqué, immédiatement notre respiration augmente. Nous inspirons plus profondément pour que l'organisme puisse satisfaire ses besoins. Or, s'il y a problème, la respiration ne suit pas les fluctuations de l'émotion. En somme, Lowen pense que pour qu'une personne s'exprime complètement, il est nécessaire que toutes les tensions musculaires chroniques soient éliminées.

Prendre plaisir à respirer profondément est malheureusement une expérience rare de nos jours. Or, la vie est une question de respiration: fatigue et dépression sont les résultats directs d'une respiration réduite. Au lieu de rayonner de vie, celui qui respire mal est froid, terne, sans vie. Il manque de chaleur et d'énergie. Une respiration défectueuse rend anxieux, irritable, tendu.

Chez les schizoïdes, l'inspiration est faible, l'alimentation en oxygène insuffisante, et le métabolisme réduit. Quant au névrosé, il a du mal à expirer complètement; il se cramponne à sa réserve d'air comme à une bouée de sauvetage. L'acte de laisser l'air s'échapper est ressenti comme un abandon du contrôle, ce dont le névrosé a peur.

La respiration saine présente un caractère d'unité, d'équilibre. L'inspiration commence par une expansion de l'abdomen allant de pair avec une dilatation du diaphragme et le relâchement des muscles abdominaux. L'onde d'expansion se propage ensuite vers le haut pour englober le thorax. Elle ne s'interrompt pas à mi-chemin comme cela se produit chez les gens perturbés. L'expiration, elle, commence par un affaissement de la poitrine et se poursuit jusqu'au bassin sous forme d'une onde de contraction. Ceci produit l'impression d'un flux s'écoulant le long du corps jusqu'aux parties génitales.

L'agressivité

D'après Lowen, l'individu dans son état naturel regorge d'agressivité, et il est naturel, même plus, il est nécessaire que celui-ci s'exprime. Il n'y a qu'à regarder les enfants agir ou encore observer les animaux pour s'apercevoir du phénomène. Si un adulte n'extériorise plus son agressivité, on doit chercher la cause dans la peur qu'il a ressentie ou encore dans le conditionnement négatif qui lui a été imposé. Plusieurs personnes peuvent paraître agressives, mais il faut bien reconnaître que c'est de la violence anormale ou encore de la cruauté qui dépasse une agressivité normale. Le comportement violent est naturel lorsqu'il s'agit pour l'individu de protéger sa liberté ou sa vie, sinon il s'agit tout simplement d'une réaction pathologique.

Les causes amenant une pathologie de l'agression sont souvent reliées à l'enfance. Dans sa jeunesse, l'individu a été forcé de supprimer sa rage et sa violence envers ses parents qui le restreignaient dans sa liberté, ou bien il n'a pas appris à l'exprimer autrement que d'une façon aberrante. Cette agressivité demeure en lui mais elle se localise dans le corps, et on remarque alors de fortes tensions musculaires chez lui.

La formation de la tension

La tension résulte de l'imposition d'une force ou d'une pression sur un organisme qui s'en défend en mobilisant son énergie. On ne peut résister très longtemps à une pression continue. Mais l'habitude de la tension peut développer des déformations de compensation: genoux barrés, colonne rigide, pieds affaissés.

Par rapport à la sexualité, le point important réside dans la souplesse du pelvis qui peut spontanément se déplacer d'avant à l'arrière. L'aisance de la mobilité des genoux et du bassin jouent alors un grand rôle dans l'amplitude de la circulation d'énergie lors d'activités sexuelles. Lowen distingue orgasme et paroxisme chez la femme, orgasme et éjaculation chez l'homme. L'orgasme comporte des mouvements involontaires du pelvis et parfois des jambes qui sont ressentis comme très satisfaisants parce qu'ils évacuent la tension et amènent un état de relaxation paisible et doux.

La santé suppose une circulation libre d'énergie au gré des émotions. La maladie suppose le blocage de l'énergie et l'accumulation de la tension, puisque l'énergie bloquée ne disparaît pas du corps et continue de faire pression pour sortir. La thérapie consiste à débloquer, par des techniques spécifiques, l'énergie emprisonnée, en dénouant les points de tension et en permettant ainsi au corps de vibrer et sentir à nouveau en toute aisance.

BIBLIOGRAPHIE

BERNE, E. *Principles of Group Treatment.* New York: Lippincott, 1968.

BERNE, E. *What do You Say after You say Hello?* New York: Crove, 1972. *Que dites-vous après avoir dit bonjour?* Paris: Tchou, 1977.

BOUR, P. *Le psychodrame et la vie.* Neuchâtel: Delachaux et Niestlé, 1972.

FAGAN, J. & SHEPHERD, I. *Gestalt Therapy Now.* New York: Harper, 1970.

FELDMANN, R.A. & WODARSKI, J.S. *Contemporary Approaches to Group Treatment.* San Francisco: Jossey-Bass publishers, 1975.

FENICHEL, O. *The Psychoanalytic Theory of Neurosis.* New York: Norton, 1945.

GALINSKY, D. & SCHAFFER, U.D. *Models of Group Therapy and Sensitivity Training.* N.J.: Englewood Cliff, Prentice Hall, 1974.

HARRIS, T. *I'm OK, You're OK.* N.Y.: Harper and Row, 1969. *D'accord avec soi et les autres.* Paris: Epi, 1969.

JAMES, M. & JONGEWARD, D. *Born to Win.* London: Addison-Wesley, 1972.

JAMES, M. & JONGEWARD, D. *Techniques in TA for Psychotherapists and Counselors.* London: Addison-Wesley, 1977.

LATNER, J. *The Gestalt Therapy Book.* New York: The Julian Press, 1972.

LOWEN, A. *Amour et orgasme.* Ed. du Jour, 1976.

LOWEN, A. *La Bioénergie.* Paris: Tchou, 1976.

LOWEN, A. *Lecture et langage du corps.* Ed. St-Yves, 1977.

LOWEN, A. *Le corps bafoué.* Ed. du Jour, 1977.

MORENO. *Psychothérapie de groupe et psychodrame.* Paris: PUF, 1965.

PERLS, F. *Ego, Hunger and Aggression.* New York: Random House, 1969.

PERLS, F. *Gestalt Therapy Verbatim.* New York: Bantam Books, 1969.

PERLS, F. *In and Out the Garbage Pail.* New York: Bantam Books, 1969.

PERLS, F. *Rêves et existence en Gestalt thérapie.* Paris: Epi, 1972.

PERLS, F., HEFFERLINE, R. & GOODMAN, P. *Gestalt Therapy.* New York: Dell, 1965.

REICH, W. *Character Analysis.* 3rd Édition. New York: Orgone Institute Press, 1947.

SCHUTZENBERGER, A. *Précis de psychodrame.* Paris: Éditions Universitaires, 1970.

CHAPITRE 34

LA RELAXATION

Gilbert Pinard

34.1 INTRODUCTION

Le fil directeur de ce chapitre, qui peut sembler hétéroclite, se retrouve dans la notion d'intervention thérapeutique non organique, sans toutefois traiter de la dimension psychodynamique de la personnalité. Même si nous souscrivons à l'idée que toutes les formes de psychothérapies présentent des dénominateurs communs, nous n'aborderons pas dans ce chapitre les thérapies qui reposent sur des notions telles que conflit inconscient, refoulement, interprétation, association libre et analyse du transfert. Ces importantes contributions des écoles dynamiques psychanalytiques, rogériennes ou autres, ainsi que les nombreuses propositions actuelles telles que la Gestalt seront discutées ailleurs (chapitre 33). Les contributions théoriques des chapitres 34, 35, 36 et 37 reposent sur une conception de l'anxiété vue comme manifestation purement psychophysiologique et les thérapies décrites s'adressent directement à sa réduction.

Les différentes techniques de relaxation visent en premier lieu la diminution de l'anxiété. Elles constituent également la première étape du cheminement thérapeutique des autres méthodes de traitements psychophysiologiques. Ces méthodes de détente sont partie intégrante de plusieurs thérapies comportementales telles que la désensibilisation systématique; elles viennent donc créer un lien logique entre ces deux premières parties. Il en est de même pour la troisième partie, la rétroaction biologique, qui, dans une certaine mesure, met de l'avant plusieurs techniques qui visent principalement la réduction de l'angoisse. Il est bien évident que certaines modalités de rétroaction biologique proposent des modifications de paramètres physiologiques sans relation directe avec l'anxiété, mais la réduction de celle-ci est souvent une conséquence souhaitée du traitement.

Même si certaines méthodes de relaxation datent de plusieurs siècles, voire de millénaires, l'intérêt médical pour ces techniques est relativement récent et remonte au début du siècle. Elles connaissent un nouvel essor depuis les années 50. Deux autres composantes de cette section, à savoir les thérapies comportementales et la rétroaction biologique, sont également de conception très récente. Une de leurs caractéristiques est l'insistance de leurs proposants sur la quantification objective préalable au traitement et pendant la poursuite de la cure. La plupart des travaux s'y référant reposent sur des données statistiques et s'appuient sur des preuves scientifiques.

Il faudrait donc voir dans ces techniques une addition à l'arsenal thérapeutique psychiatrique, et non une proposition exclusive de traitement, quoiqu'en disent certains de leurs promoteurs.

34.2 GÉNÉRALITÉS

Nous abordons ce chapitre dans une optique médicale qui ne tiendra pas compte de l'engouement actuel pour les états d'altération de la conscience, ni de l'interprétation culturelle et religieuse de certaines méthodes que nous proposons. Nous ne toucherons donc pas les impressions d'amélioration de la créativité, du fonctionnement intellectuel accru, des prises de conscience cosmiques. Le nirvana, le satori, quoique apparentés à un état de détente, s'inscrivent dans un contexte plus philosophique que médical. Nous tenterons plutôt de donner avec Benson, une interprétation physiologique à ce qu'il a appelé la réponse de relaxation (2).

Hess en 1957 avait décrit une réponse intégrée trophotrope qui s'appuyait sur une notion de baisse du tonus sympathique, c'est-à-dire un ensemble de réactions de récupération, qui serait secondaire à une activation hypothalamique antérieure (4). Sans être anatomiquement isolée, une "région" trophotrope anatomique comprendrait, outre les régions supra et préoptique, le septum et la région thalamique latérale inférieure. La stimulation électrique centrale de ces régions est exprimée au niveau périphérique par une augmentation de l'influence parasympathique résultant en une diminution de tonus musculaire, de la pression artérielle, des rythmes respiratoires et cardiaque. Hess voyait là une réponse protectrice de l'organisme par comparaison à une réaction opposée qui serait orientée vers l'utilisation d'énergie: augmentation des métabolismes oxydants, voire réaction d'urgence "fight or flight" telle que postulée par Cannon. Il s'agit donc d'une opposition entre, d'une part, un groupe de réponses qui préparent au combat ou à la fuite, système sympathique, et d'autre part, un ensemble qui dispose à la réparation et à la restauration, système parasympathique.

Selon Benson, cette réponse de relaxation est induite dans des conditions communes à la majorité des méthodes de relaxation. Quatre éléments de base sont ordinairement présents dans ces méthodes:

1. un stimulus constant, un son, une phrase, qui vient favoriser une réorientation de la pensée logique extéroceptive vers l'intérieur; par exemple: le "OM" des méditants;

2. une attitude passive, une acceptation qui vient à l'encontre d'un mécanisme de concentration ou de direction de l'attention;

3. une diminution du tonus musculaire encouragée par une position allongée ou assise confortable qui réduit au minimum le travail postural;

4. un environnement tranquille qui favorise la diminution des stimuli.

En somme, toute distraction, toute activité physique, toute pensée logique et cohérente sont réduites à leur minimum. L'efficacité des différentes techniques serait accrue par l'apprentissage avec un instructeur qualifié qui guide les réponses de l'individu et interprète les perceptions inquiétantes pouvant résulter de l'altération de la conscience.

34.3 MÉTHODES

34.3.1 Relaxation musculaire progressive de Jacobson (5)

C'est en 1929 que Jacobson, un médecin préoccupé par la notion que les pensées et les sentiments sont influencés par la perception de la musculature périphérique, décrit sa technique visant à augmenter le contrôle sur les muscles squelettiques et à réduire le tonus au maximum. Ceci aboutirait à la réduction de l'anxiété. Quoique l'auteur préconise une activité importante de la part du sujet dans le contrôle de ses muscles, il faut ajouter qu'une attitude mentale passive joue un rôle important dans l'atteinte de la détente.

Dans cette technique, le sujet est en position couchée ou assise et le thérapeute l'invite à se concentrer sur un groupe musculaire qu'il peut facilement contrôler, par exemple, les muscles de l'avant-bras. On demande au patient de contracter au maximum ses muscles pendant quelque 5 à 10 secondes pour ensuite les détendre, tout en se concentrant sur la sensation de relâchement plutôt que de contraction. Par la suite, on répète ce cycle de contraction et de décontraction en demandant au patient de réduire progressivement la force de la tension musculaire.

En général, on progresse des muscles de l'avant-bras vers ceux du bras et de l'épaule, puis successivement aux autres membres. Finalement, les muscles de tout le corps sont impliqués par groupe musculaire. Personnellement, je trouve qu'il est important d'inclure les muscles du visage et du front, muscles qui me semblent particulièrement sensibles à l'anxiété. De même, dans certains cas, il est utile d'inclure les muscles périnéaux, muscles qui sont contractés en général sans que l'individu en ait une perception bien définie. Cette détente locale est particulièrement utile chez la femme dans les problèmes de tension associés aux activités sexuelles.

On invite ensuite le patient à questionner son organisme au niveau de tous ses muscles, afin de comprendre et de rechercher des zones de tension, de les apercevoir, de les contracter pour ensuite les détendre.

34.3.2 "Training autogène" de Schultz et Luthe (6)

Cette thérapie a été proposée d'abord par J.H. Schultz, un psychiatre et neurologue allemand qui, dès 1905, lors d'études sur l'hypnose, a observé une impression de lourdeur et de chaleur chez ses malades. De telles constatations étaient rapportées lors d'un état de détente posthypnotique et sont à la base des exercices du training autogène. L'oeuvre initiale a été complétée, traduite et rendue populaire par Wolfgang Luthe dont les publications principales datent des années 60.

La base théorique se réfère à deux aspects thérapeutiques qui selon ces auteurs distinguent le training autogène des autres méthodes: le passage de l'organisme d'un état de vigilance à un état autogène (Umschaltung), état psychophysiologique d'origine cérébrale qui vient faciliter le processus d'adaptation autorégulatoire homéostatique récupératif. Cette normalisation est générée par le travail du patient lui-même.

Plusieurs modalités autogènes complexes ont été décrites par Luthe. A part la première étape constituée des exercices dits "standards" du training autogène, lesquels visent une détente psychophysiologique, l'auteur a ajouté des exercices organo-spécifiques qui s'adressent aux modifications psychosomatiques précises. Les deux autres activités requièrent une formation plus poussée et atteignent le niveau méditatif véritable ou encore la neutralisation par verbalisation ou abréaction sous détente. Nous ne traiterons que des exercices de base.

Les proposants de cette méthode insistent sur la passivité de la concentration, sur l'acceptation cénesthésique de façon à ne pas forcer l'individu à vouloir réussir une performance, ce qui pourrait aboutir à une plus grande tension. L'individu adopte une attitude insouciante et cherche à établir ce que ces auteurs appellent un contact mental avec certaines parties ou fonctions du corps.

Six exercices de base sont axés sur des réponses physiologiques telles que la relaxation musculaire, la vasodilatation périphérique, la régulation cardiaque, le ralentissement du rythme respiratoire, l'homéostasie intra-abdominale et la vasoconstriction frontale accompagnée de détente musculaire.

Le sujet peut être allongé ou assis confortablement et détendu. Les exercices sont intentionnellement très courts au début afin de ne pas provoquer de tension.

- Le premier exercice se pratique en répétant: "Mon bras droit est lourd" et progresse aux autres membres jusqu'à l'obtention d'une détente musculaire générale.

- Le deuxième exercice se dit: "Mon bras droit est chaud" et suit le premier exercice dans sa progression à tous les membres.

- Le troisième exercice encourage un rythme cardiaque lent et régulier: "Mon coeur bat doucement et bien".

- Le quatrième exercice se concentre sur la respiration qui doit devenir calme et satisfaisante. La formule: "Je respire calmement et bien", démontre une attention particulière sur l'automaticité.

- Le cinquière exercice est souvent plus difficile et les auteurs originaux suggèrent la phrase: "Mon plexus solaire est chaud". D'après notre expérience personnelle, il est souvent préférable d'expliquer au sujet qu'il recherche une sensation diffuse, profonde, de calme et de chaleur abdominale. Il est intéressant de noter qu'une méditation Taoïste dirige également l'attention au niveau ombilical et favorise une vitalité ventrale.

- Le dernier exercice vise plutôt une vasoconstriction frontale et la formule répétée est: "Mon front est détendu". Il est particulièrement utile dans le traitement de la migraine quoique difficile à réussir.

Les sujets sont encouragés à accomplir ces exercices trois à quatre fois par jour dans un contexte calme, peu bruyant. Les progressions suggérées par Schultz prennent plusieurs mois. Il en est de même pour les recommandations de Jacobson. Par contre, actuellement, plusieurs thérapeutes ont abrégé et concentré considérablement ces deux méthodes et rapportent l'obtention d'un état de détente dès les premières séances thérapeutiques.

34.3.3 Autres méthodes dérivées de concepts culturels et religieux

Plusieurs méthodes de méditation existent depuis des millénaires et sont reliées en somme à un principe d'altération de la conscience, de tranquillité, de sérénité. Même la chrétienté a produit ses méditants, entre autres, Sainte-Thérèse d'Avila et Thomas à Kempis, auteur de l'Imitation du Christ. La Cabale du rabbin Aboulafia, le Zazen du boudhisme, le Sufi, sont autant de méthodes méditatives que d'autres religions ont apportées.

Le yoga physique, appelé aussi Hatha, comprend plusieurs étapes qui concentrent sur des postures de plus en plus complexes. Une régulation de la respiration favorise un état de détente et une perception corporelle qui amènent la relaxation. Nous retrouvons dans le yoga la notion de contrôle musculaire et de passivité commune aux méthodes décrites ci-haut.

La méthode actuellement la plus populaire, dérivée d'un phénomène culturel plutôt que médical, est également basée sur la civilisation hindoue. **La méditation transcendantale** a été introduite en occident en 1948 par Maharashi Mahesh Yogi et connaît une vague de popularité sans cesse croissante. On affirme qu'en 1974 plus de 10,000 personnes commençaient chaque mois le programme intensif de méditation.

Le "maître" décrit l'activité comme "une intériorisation de l'attention vers les niveaux subtils d'une pensée jusqu'à ce que l'esprit transcende l'état le plus subtil de cette pensée et en atteigne la source". Selon ce "gourou", la pensée peut générer divers niveaux et quantités d'énergie et ajouter ainsi à une intelligence créatrice qui serait l'expression ultime d'un champ de potentialité propre à chacun. L'état transcendantal amènerait une dissipation des tensions profondément enracinées dans notre être et laisserait l'esprit accéder à des états de conscience plus subtils.

La méthode est simple et consiste à être confortablement assis, les yeux fermés, 20 minutes deux fois par jour, et à répéter mentalement un "mantra" ("outil à penser" en sanskrit). Ce "mantra" aura été donné aux méditants après un bref entraînement et une cérémonie quasi religieuse par un maître à penser formé lui-même par le Maharashi. Entouré de mystère, ce "mantra" s'est révélé plutôt relié à l'âge physique de l'individu qu'à d'autres dimensions.

L'étude objective des paramètres physiologiques nous permet de voir au cours de la méditation transcendantale, des modifications de l'électro-encéphalogramme, de l'électrocardiogramme, de la réponse galvanique de la peau, en somme de tous les paramètres autonomes associés au stress de la vie. Pendant l'état méditatif, l'électro-encéphalogramme montre une synchronisation de la région occipitale vers la région frontale et une activité thêta et alpha entremêlée à une activité à très haute fréquence (> 20 Hertz). Ces phénomènes sont accompagnés d'un ralentissement cardiaque et respiratoire, un changement de la concentration CO_2 et acide lactique interprété comme une réduction métabolique importante (7).

Selon Glueck, le "mantra" pourrait être un signal euphonique appris qui éventuellement déclenche par résonnance un état de détente et de sérénité par médiation du lobe limbique (3).

34.4 INDICATIONS

Il faut diviser en deux, les types de problèmes auxquels s'adressent les méthodes de détente.

EN PSYCHIATRIE

1. Les troubles névrotiques

- Névrose d'angoisse: plusieurs méthodes ont été utilisées seules ou en combinaison dans cette affection. Personnellement il nous semble que la détente obtenue avec la méthode de Schultz est plus profonde mais chez certains sujets, l'effort actif étant impossible à enrayer pour avoir une passivité nécessaire au training autogène, la méthode de Jacobson offre une alternative plus facile à réussir.

- Névrose phobique: la relaxation est généralement combinée à une autre technique thérapeutique comme la désensibilisation (voir section 35.4.1).

- Névrose obsessionnelle: les exercices de détente peuvent aider le sujet à contrôler l'anxiété qui aboutit aux compulsions et de plus, être combinés à d'autres techniques telles que la prévention de la réponse. Par exemple: chez un obsessionnel qui ressentait le besoin de vérifier constamment le numéro de sa chambre, nous avons contré cette compulsion, empêché le patient de se déplacer pour vérifier tout en l'aidant à se détendre avec la relaxation type Schultz. Le Jacobson favorise parfois un comportement stéréotypé et une idée obsédante de réussite technique chez les malades atteints de névrose obsessionnelle. Pour les vrais obsessifs avec compulsions, le Jacobson est relativement contre-indiqué.

- Névrose hystérique: bien que dite bénéfique par certains, notre expérience personnelle n'est guère concluante. Les sujets semblent trop mal percevoir leur réalité corporelle pour profiter de ce traitement.

2. Le bégaiement

Nos propres études ont démontré un effet bénéfique en ce qui a trait à la composante phobique et anxieuse de cette affection, mais peu d'amélioration aux mesures objectives du débit verbal ou du taux d'hésitation (1).

3. Insomnie

La relaxation peut être utilisée comme méthode d'induction du sommeil à cause de son effet sur l'anxiété. Cependant l'insomnie matinale du déprimé semble plus rebelle. Luthe croit que le training autogène, même s'il ne réussit pas à induire le sommeil, constitue une substitution valable.

4. Alcoolisme et toxicomanie

Les méthodes de détente constituent des adjuvants au traitement des addictions, en particulier lorsque des pathologies sont reliées à une forte anxiété.

5. Psychose

Il est commun de lire que la relaxation est difficile à induire à cause du manque de coopération des sujets. Par contre, certaines études ont démontré que les schizophrènes chroniques pouvaient bénéficier d'un long apprentissage mettant l'accent sur un phénomène corporel qui permet une reprise en charge des perceptions et des limites du corps. Faut-il souligner la mise en garde contre les dangers de décompensation suite à une diminution de l'apport extéroceptif des stimuli, ce qui peut aboutir à des fantasmes et des perceptions proprioceptives intolérables.

Les influx afférents constituent une base sur laquelle l'individu construit sa réalité. La privation par relaxation profonde de stimuli suffisants pour maintenir l'épreuve de la réalité peut provoquer certaines décompensations psychotiques.

EN MÉDECINE PSYCHOSOMATIQUE

La détente peut être utilisée seule ou combinée à d'autres traitements dans les affections qui touchent:

1. le système urogénital, en particulier en regard des difficultés sexuelles: vaginisme, éjaculation précoce, dysfonction érective reliée à l'anxiété;

2. système cardio-vasculaire: troubles du rythme cardiaque, hypertension essentielle et vasopathies telles que la maladie de Raynaud; dans ce dernier cas, le deuxième exercice du training autogène, à savoir l'induction de la vasodilation périphérique, serait particulièrement utile;

3. le système gastro-intestinal: côlon spasmodique, ulcère gastroduodénal, colite ulcéreuse;

4. certaines allergies au niveau dermatologique et respiratoire: urticaire, eczéma, asthme.

34.5   CONTRE-INDICATIONS

Dans la psychose et la prépsychose, on doit veiller à ce que l'apport extéroceptif soit suffisant pour garder le malade en contact avec la réalité. L'isolement sensoriel vient parfois provoquer des associations qui amènent des prises de conscience douloureuses et aboutit à des décompensations.

Les conséquences physiologiques de la réponse parasympathique doivent également être analysées en regard de certaines maladies: par exemple, la gastrite où le cinquième exercice de Luthe (mon plexus solaire est chaud) aurait entraîné une augmentation du flot sanguin dans la paroi gastrique et une hyperacidité néfaste.

BIBLIOGRAPHIE

1- ALARCIA, J., PINARD, G. "Le bégaiement". *Un. Méd. Canada.* 1975, 104, 897-903.

2- BENSON, H., BEARY, J.F., CAROL, M.P. "The relaxation Response". *Psychiatry.* 1974, 37, 37-46.

3- GLUECK, B.C., STROEBEL, D.F. "Biofeedback and Meditation in the Treatment of Psychiatric Illness". *Comprehen. Psychiatry.* 1975, 16, 4, 303-321.

4- HESS, W.R. *Organization of the Diencephalon.* New York: Grune & Stratton, 1957.

5- JACOBSON, E. *Progressive Relaxation.* University of Chicago Press, 1938.

6- SCHULTZ, J.H., LUTHE, W. *Autogenic Therapy.* New York: Grune & Stratton, 1969.

7- WALLACE, R.K. "Physiological Effects of Transcendental Meditation". *Science.* 1970, 167, 1751-1754.

CHAPITRE 35

LA THÉRAPIE COMPORTEMENTALE

Gilbert Pinard

35.1 DÉFINITION

Selon Eysenck, la thérapie comportementale est une tentative pour modifier le comportement et les émotions d'une façon bénéfique grâce à l'emploi des théories de l'apprentissage. Nous pourrions ajouter qu'elle a pour but la modification des interactions entre la personne et son environnement afin de réaliser des changements appréciables et démontrables objectivement, plutôt que d'analyser les conflits inconscients qui visent le développement de la personnalité par l'insight (5).

Pour les tenants de ces théories, la psychopathologie est vue comme un ensemble d'habitudes ou des réponses indésirables acquises par un apprentissage défectueux. L'approche "behavioriste" s'intéresse au symptôme, à la manifestation ouverte, à la production d'un comportement dans sa perspective contemporaine plutôt qu'historique.

35.2 HISTORIQUE

Quatre foyers d'origine importants ont contribué au développement de ces techniques thérapeutiques.

L'École russe de Pavlov et Bechterev est responsable de l'élaboration du concept de **conditionnement classique.** Selon cette théorie, un stimulus qui auparavant était incapable d'évoquer une certaine réponse acquiert cette capacité par apprentissage. Dans ce schéma, un stimulus "x" (cloche) "pairé" à la vue de nourriture (stimulus inconditionné) déclenche une réponse naturelle dite inconditionnée (salivation). Après apprentissage, la cloche seule (stimulus conditionné) déclenchera la réponse. Dans les faits, souvent la réponse naturelle est légèrement modifiée et on parle donc de réponse conditionnée. De même Pavlov a noté que des stimuli semblables provoquaient aussi cette réponse conditionnée et a nommé ce phénomène: généralisation (13).

Ces auteurs ne se sont pas limités aux expériences chez l'animal car déjà en 1928, Bechterev publiait les résultats de traitements de perversions sexuelles. Plus tard, Pavlov lui-même, décrit l'utilisation de ces méthodes pour le traitement de la névrose obsessionnelle et de l'hystérie.

Le deuxième courant en importance est sud-africain et présente Joseph Wolpe comme tête d'affiche dans les années 50. Avec Arnold Lazarus, il a basé son traitement sur un principe d'antagonisme entre une peur spécifique et un état de détente induite volontairement. Le principe **d'inhibition réciproque** avait déjà été décrit par Sherrington. Mais les applications pratiques et cliniques sont de Wolpe et de ses collaborateurs. Cette appellation parfois considérée équivalente au contre-conditionnement, se réfère à des procédures qui renforcent des réponses de rechange aux stimuli auxquels étaient attachées auparavant des réponses inadaptées.

L'école américaine, particulièrement au niveau théorique, est représentée par Clark Hull qui a décrit de façon rigoureuse différents paradigmes pour analyser le comportement: le potentiel de réaction (habitude), la poussée ou pulsion d'une réponse (drive) et l'inhibition, c'est-à-dire l'ensemble des forces qui cherchent à diminuer l'apparition d'une réponse. Il faut attendre B.F. Skinner en 1954 cependant, pour voir une contribution clinique originale avec la description du **conditionnement opérant** (10). C'est dans un hôpital psychiatrique du Massachusetts qu'il décrivit cette approche qui perçoit les conséquences des performances volontaires (opérantes) comme causes déterminantes des comportements subséquents. Les événements qui augmentent la probabilité de réapparition d'un comportement sont dits renforcements positifs (récompense), ceux qui la diminuent, renforcements négatifs (punition).

Finalement, la quatrième source est retrouvée en Angleterre avec Eysenck au Maudsley Hospital de Londres. Ce mouvement prend naissance plutôt dans une contestation des méthodes classiques de traitement, et Eysenck publie une démonstration "scientifique" des résultats médiocres des psychothérapies conventionnelles. Par contre, avec l'arrivée de Rachman, Marks et d'autres, des méthodes de traitement telles que **l'immersion** sont décrites. La notion d'expérimentation empirique est particulièrement développée dans cette école.

35.3 ÉVALUATION COMPORTEMENTALE

A l'histoire psychiatrique classique, il faut ajouter une description comportementale rigoureuse et objective avant d'entreprendre toute thérapie comportementale. Cette évaluation nous permet de savoir **quoi** modifier avant de décrire **comment**. Le comportement inadapté est vu comme une variable dépendante, et la tâche du thérapeute est de décider quelle variable indépendante il choisira de manipuler afin de changer ce comportement. Notons que l'unité d'observation est constituée par la réponse d'un individu à son environnement plutôt qu'une conception intrapsychique de ce qu'il est, d'où la nécessité de la description détaillée des comportements et des situations qui aboutissent au malaise. Le thérapeute "behavioriste" doit donc étudier les variables suivantes:

- Variables antécédentes: Les circonstances qui précèdent la réponse inadaptée, qui provoquent la réaction pathologique. Il faut analyser les stimuli de l'environnement qui sont discriminants et qui aboutissent au symptôme.

- Variables organismiques: Les changements dans l'état physiologique et cognitif qui influencent la réponse, c'est-à-dire ce que le sujet ressent dans la situation spécifique et à quoi cela est associé au point de vue intellectuel (3).

- Variables reliées à la réponse même: La description du comportement lui-même, sa durée, sa fréquence, son intensité, la capacité de l'individu de résister à la pulsion de l'accomplir, sa perception de l'inadaptation. Dans cette étape, il faut clarifier le type même de la réponse et déterminer s'il s'agit d'un "opérant" qui favorise la réapparition même de la réponse inadaptée en la renforçant ou d'un "répondant" simple, c'est-à-dire qui influence peu sa répétition. Un exemple d'un opérant se retrouve dans le comportement chahuteur d'un enfant qui se voit "récompensé" par l'attention que lui procure cette conduite.

- Les conséquences de la réponse, c'est-à-dire les résultats liés au comportement.

Afin de comprendre, donnons l'exemple d'un schéma d'évaluation: *un homme d'affaires, pendant une période financière difficile (variable antécédente) se voit octroyer un contrat de construction difficile à compléter. Il devient anxieux et a des palpitations (variables organismiques) pendant la journée et ceci est éventuellement associé au séjour dans un ascenseur (variables liées à la réponse). L'évitement des ascenseurs lui procure un soulagement immédiat (conséquence).* Cette évaluation, lors d'une recherche de précision, devrait être quantitative et si possible le résultat d'une observation directe. L'utilisation d'échelle psychométrique pour l'établissement des lignes de base est souhaitable et permettra par la suite un point de comparaison pour juger les résultats thérapeutiques.

35.4 TECHNIQUES ET APPLICATIONS

35.4.1 Désensibilisation systématique (12)

Joseph Wolpe a décrit le premier le principe fondamental de la désensibilisation systématique comme suit: le lien entre un stimulus anxiogène et l'anxiété sera affaibli dans la mesure où une réponse antagoniste à l'anxiété peut être produite en présence du stimulus qui provoque cette anxiété. Si la vue d'un chat est combinée avec un état de détente, l'anxiété ressentie habituellement sera "inhibée" par la présence de la relaxation.

Pour cet auteur, les peurs sont le produit d'un conditionnement "pavlovien" antérieur dans lequel l'objet phobique a été "pairé" avec une expérience subjective traumatique provoquant l'anxiété. Ce conditionnement peut être contré par l'extinction. Le patient se représente mentalement l'objet phobique de façon répétitive mais sans pour autant ressentir le renforcement anxieux.

La technique de base peut être divisée en trois étapes:

a) Entraînement à la relaxation. Wolpe a utilisé plutôt la méthode de relaxation de Jacobson. Cependant, vous avez vu au chapitre 34 que le training autogène ou d'autres méthodes peuvent également induire un état de détente. L'utilisation de médicament (Briétal) ou de rétroaction biologique par électromyographie a également été décrite (voir chapitre 36).

b) Construction d'une hiérarchie des peurs par le patient lui-même, et de la chronologie de l'apparition de chaque phobie. Cette liste peut être constituée d'une description détaillée progressive de toute situation anxiogène telle que relation sexuelle, comportement d'affirmation de soi, etc.

c) Confrontation progressive en imagination, pendant un état de détente, avec chaque peur selon la hiérarchie.

Donc, selon cette procédure, on induit d'abord un état de relaxation que le sujet a déjà appris et on lui demande, en état de détente, d'imaginer la situation qui provoque la peur. On progresse dans la hiérarchie tant que le sujet ne signale pas que son anxiété devient importante auquel cas nous revenons à l'imagination d'une peur déjà bien tolérée. La technique consiste par la suite à la répétition de ce processus jusqu'à la réussite de la progression à travers toute la hiérarchie. Par exemple, pour un individu donné, nous commencerons par la peur des souris, continuerons par la peur des ascenseurs (d'abord avec d'autres personnes, puis seul), progresserons jusqu'à la peur des hauteurs. Cette dernière peut également être subdivisée en quelques étapes de la plus facile à la pire; peur de circuler sur une route escarpée, peur de regarder en bas d'une fenêtre, peur de marcher sur un toit, etc.

Il existe plusieurs variantes de cette technique dont la plus répandue est sans conteste la désensibiliation in vivo, c'est-à-dire l'exposition progressive selon une hiérarchie des phobies dans la situation réelle. Cette technique est en général accompagnée du modelage du comportement désiré par le thérapeute. Certains auteurs préconisent maintenant la désensibilisation sans détente étant donné l'échec de plusieurs chercheurs à démontrer le rôle de la relaxation dans cette technique (7).

Il est parfois ardu pour le patient d'obtenir une image claire de la situation phobique en imagination, rendant ainsi la désensibilisation plus difficile.

Indications

Cette méthode a été utilisée bien sûr pour la phobie mais également pour les compulsions, l'insomnie, les troubles sexuels tels que le vaginisme.

35.4.2   Immersion ou *flooding*

Cette technique a été décrite par Marks, Stampfl et Kirschner (6-11). Il s'agit de l'exposition rapide, progressive, au stimulus phobique. Cette approche s'appuie sur le fait qu'un individu qui ne peut fuir la situation angoissante voit éventuellement son anxiété soulagée tout en restant en présence du stimulus phobique. Or, l'individu avait auparavant toujours vécu ce soulagement avec la fuite. Il s'agit donc d'un nouvel apprentissage, car l'évitement était la réponse antérieure, inadaptée.

En pratique, il s'agit lors d'une séance qui peut durer plusieurs heures, d'exposer le patient de façon progressive et rapide au stimulus phobique (chat, métro, foule, etc) jusqu'à diminution de sa réponse anxieuse. L'anxiété qui au début est massive, devient tolérable après un certain temps. Il est important de ne jamais laisser le malade fuir ou éviter la situation sans que l'anxiété ait diminué, car la réduction de celle-ci secondaire à la fuite renforcerait le comportement phobique, le soulagement étant une conséquence "récompensante". Il est souvent utile de répéter une ou deux fois ces séances afin de s'assurer du réapprentissage soit dans les quelques semaines qui ont suivi le traitement, ou de préférence après quelques mois.

Reliée à cette technique d'immersion massive, la prévention de la réponse est utilisée chez les obsessionnels. En somme, il s'agit de placer le sujet dans la situation où ordinairement il répète ses compulsions (lavage de mains ou autre rituel) et de l'en empêcher. Malgré une augmentation considérable de l'anxiété, l'individu se rend compte qu'éventuellement, l'angoisse diminuera en dépit de l'impossibilité d'accomplir son geste compulsif (4).

Il existe dans ces deux techniques un certain risque de panique incontrôlable et il est important pour le thérapeute de bien jauger la capacité du malade à subir ce traitement et de supporter les progrès de celui-ci par des renforcements sociaux gratifiants. Le modelage vient souvent aider le malade à imiter le comportement qu'il a constaté chez le thérapeute. Ceci a pour effet de démystifier le comportement phobique ou obsessionnel.

35.4.3 Modelage et jeu de rôle (2)

Ces techniques s'apparentent au psychodrame de Moreno et ont été décrites par plusieurs auteurs. Il s'agit en somme de démontrer au sujet le comportement que l'on désire voir apparaître avant que celui-ci ne le tente lui-même. L'identification au thérapeute vient faciliter le succès de cette méthode.

Dans le jeu de rôle, le patient met en scène dans le cabinet de consultation des situations sociales difficiles qu'il se sent incapable de vivre en réalité. Il s'agit pour le thérapeute de faire inventorier les réponses adéquates qu'il voudrait voir apparaître, et de faire répéter le malade dans une situation moins anxiogène avant de le confronter in vivo.

35.4.4 Pratique négative *(Massed Practice)* (13)

Cette technique s'apparente à l'intention paradoxale de Frankl ou la prescription du symptôme de Haley. Il s'agit de demander au sujet de répéter le geste ou le comportement inadapté jusqu'à son extinction. Cette méthode a été particulièrement utilisée chez les tiqueurs à qui on demande de répéter le tic jusqu'à diminution considérable de la fréquence. Dans les faits, cependant, certains auteurs ont rapporté qu'après quelques temps, les fréquences ont tendance à réaugmenter.

35.4.5   Méthodes aversives

Le rôle de la punition dans le conditionnement contribue à soulever des controverses à propos de la thérapie comportementale, et l'utilisation de l'aversion, malgré des démonstrations scientifiques d'efficacité, demeure sujet à controverse tant au niveau éthique que légal.

Principe

Selon le conditionnement classique:

A) L'association d'un stimulus aversif à un comportement indésirable, ou

B) la suppression d'un stimulus positif, antérieurement associé au comportement inadapté, constitue un réflexe conditionné et mène à l'extinction de ce comportement.

Une autre explication voudrait que la punition amène non pas une extinction du comportement indésirable mais plutôt sa suppression par la peur.

Une variété de stimuli aversifs ont été utilisés: drogues, chocs électriques, imagination. Dans le premier cas, des produits tels que l'apomorphine ou l'émétine, sont administrés, associés au comportement indésirable ou à sa représentation (projection d'images). Par exemple, un alcoolique voit une bouteille de boisson et reçoit de l'émétine, les nausées et vomissements constituent un stimulus aversif puissant qui devient conditionné à la vue de l'alcool (7).

De petits appareils donnant des chocs électriques de bas voltage, ont également été employés. Nous avons nous-mêmes utilisé cette technique pour traiter un fétichiste masochiste. Le patient s'auto-administrait un choc chaque fois qu'il ressentait, sur commande, une stimulation sexuelle en imaginant une relation masochiste et en manipulant un objet fétiche. Le malade a rapidement rapporté une incapacité d'imaginer ces situations et ne plus ressentir de plaisir à la manipulation des objets (8).

L'association d'une image désagréable au comportement indésirable ou à sa représentation psychique a pour but de diminuer l'apparition de ce comportement (1). Cette technique (covert sensitization) a été utilisée lorsqu'il est difficile de reproduire les comportements au cabinet du consultant, ou lorsque le sujet est réfractaire à l'utilisation de stimuli aversifs physiques. Dans des cas de compulsion tel l'impulsion de vérifier le poêle, on demande au sujet de penser à une scène qui induit des nausées à chaque fois qu'il a cette impulsion. De même, dans certains cas de perversion on associe par exemple chez un pédophile le goût de vomir à l'image d'un jeune enfant. Le stimulus aversif "pairé" avec l'objet vient diminuer le désir.

En général, on considère l'efficacité des méthodes aversives moins grandes que les méthodes utilisant le renforcement positif. Il est souvent nécessaire de répéter des séances de rappel pour venir renforcer le nouvel apprentissage. Peut-être trouvons-nous là la preuve de l'hypothèse de suppression plutôt que d'extinction des réponses. De plus, nous devons insister sur la nécessité de la complète coopération du sujet qui, après un consentement éclairé par écrit, doit collaborer à une méthode culturellement moins acceptable que les autres moyens de modifications du comportement.

35.4.6   Techniques opérantes basées sur les théories de B.F. Skinner (10)

Le principe à la base de ce groupe de traitement est le suivant: toute modification des conséquences d'un événement influence la tendance d'un organisme à le répéter. Le stimulus devient donc le changement produit dans l'environnement par un comportement d'un individu. Par exemple, un enfant autistique émet un son de façon spontanée et se voit récompenser par un bonbon. Ce stimulus vient augmenter la probabilité de réapparition du son. Par la suite, un façonnage (shaping) peut conduire à l'émission de sons plus complexes, la parole.

Une des difficultés d'un tel système consiste à inventorier les récompenses personnelles à chaque individu. Dans la proposition de Ayllon (1), une économie de jetons est mise sur pied et la pièce permet à chaque individu de "s'acheter" les récompenses que lui-même considère souhaitables. Le personnel dresse une liste, particulière à chaque individu, des comportements que l'on veut voir apparaître ou disparaître. Une valeur en jetons est donnée à chacun de ces comportements et le sujet est payé à la fin de chaque période de temps. Cette période doit être plus courte au début du traitement afin que le malade perçoive l'association de la récompense avec le comportement désiré.

Les indications principales de ce type de traitement se retrouvent dans les salles de psychotiques chroniques et de débiles mentaux où le personnel non professionnel constitue la ressource thérapeutique principale. Des programmes complets de motivation, de socialisation, ont été mis sur pied et se sont avérés également efficaces pour le contrôle de l'agressivité. Des manifestations d'indépendance et d'initiative encouragées ont augmenté avec le renforcement.

Certains malades cependant ne démontrent aucune propension à comprendre ou accepter un tel modèle de récompense et ne semblent pas touchés par un paradigme opérant. Les renforcements sociaux tels que les félicitations, les remerciements, sont éventuellement substitués aux jetons à la fin du traitement, et viennent remplacer une gratification qui repose sur des principes que le malade ne retrouvera pas nécessairement reproduits de façon intégrale dans la société.

35.4.7 Affirmation de soi ou thérapie d'assertion

L'assertion est l'expression appropriée au niveau comportemental et émotionnel de sentiments tels que la colère, l'affection. L'individu peut aussi apprendre à réclamer ses droits de façon adéquate. Certains interprètent la thérapie par affirmation de soi dans une perspective pavlovienne; l'inhibition serait un comportement appris face à un stimulus qui a provoqué une excitation affective (9).

L'entraînement aux habiletés sociales ou à l'assertion, repose sur la répétition, le modelage et le "feed-back" social positif. Ce dernier repose sur la notion de renforcement social contingent à la réussite, et s'effectue d'abord au cabinet de consultation puis dans la vie réelle. Le sujet apprend de nouveaux comportements par des jeux de rôle, par confrontation systématique à des situations anxiogènes selon un inventaire où l'on retrouve une augmentation graduelle des difficultés. Par exemple, un sujet commence par pratiquer au **cabinet** à demander une information par téléphone, puis à exiger une réponse d'une réceptionniste, insiste pour que le responsable de son travail le reçoive, finalement pratique même la discussion qui s'ensuivra. Par la suite, par étape, l'individu sera confronté dans la **réalité** avec ses comportements. Il ne procédera à l'étape suivante qu'après réussite des étapes antérieures.

Ce traitement est préconisé pour certains malades craintifs, soumis, inhibés dans les situations sociales.

Il est possible que le principe d'apprentissage soit semblable à la désensibilisation systématique et que l'exposition progressive de l'individu à des situations anxiogènes contribue à l'extinction de cette angoisse.

35.5 CONCLUSION

Les méthodes de thérapies comportementales, comme toutes autres méthodes de traitement, présentent des avantages et des désavantages.

Elles sont particulièrement indiquées chez les patients qui présentent un symptôme névrotique plus ou moins isolé avec un fonctionnement existentiel peu hypothéqué. Elles sont aussi indiquées chez certains grands malades psychotiques ou débiles qui peuvent être encouragés à présenter de nouveaux comportements sociaux souhaités, ou encore à en abandonner d'autres jugés inadaptés. Ceci ne semble toutefois pas changer le processus psychobiologique de la psychose.

Il est important de souligner que contrairement à ce qui est parfois affirmé, il n'y a pas plus de substitution de symptômes dans ces thérapies que dans toutes les autres formes. De plus, il faut souligner que le patient doit être éclairé sur la nature de ces thérapies et donner son consentement.

L'aspect quantitatif et objectif déjà souligné a abouti à une position où la dimension intrapsychique est parfois négligée volontairement par certains behavioristes. Ceux-ci nient complètement l'existence d'une telle structure, mais d'autres n'en tiennent simplement pas compte parce que non mesurable. De même, quoique la majorité des promoteurs de ces théories ne le soulignent pas, ces thérapies bénéficient, comme toutes autres, de la relation thérapeutique importante, même si elle ne fait pas l'objet d'une analyse.

Finalement, le but de ce chapitre n'était pas de couvrir toutes les méthodes comportementales, mais d'en décrire un échantillon représentatif. Il ne faudrait donc pas se surprendre que certaines techniques n'aient pas été discutées.

BIBLIOGRAPHIE

1- AYLLON, T., AZRIN, N. *Token Economy: Motivation System for Therapy and Reha bilitation.* New Jersey: Prentice Hall, 1968.

2- CORSINI, R. *Role playing in Psychotherapy.* Chicago: Aldine Press, 1966.

3- GOLDFRIED, M.R., DAVISON, G.C. *Clinical Behavior Therapy.* New York: Holt Rinehart and Winston, 1976.

4- LADOUCEUR, R., BOUCHARD, M.A., GRANGER, L. *Principes et applications des thérapies behavoriales.* Montréal: Edisem, 1977.

5- LAMONTAGNE, Y., LAMONTAGNE, C. *La théorie comportementale en psychiatrie.* Montréal: Beauchemin, 1975.

6- MARKS, I.M. "Perspective on Flooding". *Seminars Psychiat.* 1972, 9, 129-138.

7- O'BRIEN, G.T., BORKONEC, T.D. "The Role of Relaxation in Systematic Desinsitization". *J. Behav. Ther. and Exper. Psychiatr.* 1977, 8, 359-364.

8- PINARD, G., LAMONTAGNE, Y. "Electrical Aversion, Aversion Relief, Sexual Retraining in Treatment of Fetichism with Masochism". *J. Behav. Ther. and Exper. Psychiat.* 1976, 7, 71-74.

9- SALTER, A. *Conditioned Reflex Therapy.* 2e édition. New York: Capricorn, 1961.

10- SKINNER, B.F. *The Behavior of Organisms.* New York: Appleton, 1958.

11- STAMPFL, T.G., LEVIS, D.J. "Essentials of Implosive Therapy". *J. Abnormal Psychol.* 1967, 72, 496-503.

12- WOLPE, J. *Psychotherapy by Reciprocal Inhibition.* Stanford University Press, 1958.

13- YATES, A.J. *Behavior Therapy.* New York: John Wiley & Sons, 1970.

CHAPITRE 36

LA RÉTROACTION BIOLOGIQUE

Gilbert Pinard

36.1 DÉFINITION

Le cybernéticien Weiner fut le premier à employer le terme "feed-back", le définissant: méthode pour contrôler un système en l'informant des résultats d'une performance passée. Mais il faut attendre plusieurs années avant de reconnaître la possibilité de soutirer des informations des processus **physiologiques,** grâce à la détection par un appareil technique. Le bio-feed-back, que nous traduisons par **rétroaction biologique**, a d'abord commencé par l'électromyographie utilisée pour accélérer la réinnervation chez les paralytiques. Mais c'est surtout Miller, au début des années 60, qui a ouvert la porte des possibilités thérapeutiques de la rétroaction par des études sur le rat curarisé (8). Il a démontré qu'à l'aide du conditionnement opérant, il était possible d'entraîner des rats à modifier toute une gamme de réponses neuro-végétatives à partir du rythme cardiaque jusqu'au péristaltisme. Donc, la rétroaction biologique, c'est l'emploi de toute instrumentation visant à renseigner un sujet sur les processus physiologiques médiés par le système nerveux afin qu'un individu apprenne **activement** à contrôler ces phénomènes physiologiques de façon consciente (**autorégulation biologique**).

L'instrumentation de base pour toutes les rétroactions biologiques est en général la même:

1. la détection d'un signal physiologique par un appareil approprié, par exemple l'électromyogramme pour le tonus musculaire, un thermomètre pour la température de la peau, un électrocardiogramme pour le rythme cardiaque;

2. l'amplification de ce signal;

3. la démonstration au sujet par un signal souvent multisensoriel de sa performance.

Les signaux visuels utilisés sont en général:

a) numériques: des cadrans indiquent la température, les microvolts d'activité musculaire ou la pression artérielle;

b) des signaux qualitatifs: par exemple des lumières qui passent du vert au jaune, ou rouge, dépendant de la réussite ou de l'échec du contrôle de la mesure physiologique.

En plus, ils sont couplés souvent à des signaux sonores qui changent d'intensité et d'amplitude dépendant de l'activité physiologique.

Les principes d'apprentissage sont ceux du conditionnement opérant, c'est-à-dire que la réponse physiologique aura tendance à se reproduire dans la mesure où elle est renforcée par des résultats positifs ou souhaités. La récompense pour le sujet est évidemment la constatation de son contrôle du paramètre physiologique. Par la suite, il y a généralisation de ce contrôle à des périodes où il n'y a pas de mesure objective du paramètre.

Plusieurs auteurs, dont Gary Schwartz de Harvard, ont souligné que, contrairement à la détente obtenue par les multiples méthodes décrites plus haut, les réponses dues à la rétroaction biologique sont spécifiques au paramètre étudié. Il n'y aurait donc pas de généralisation comme dans la réponse de relaxation. Les chercheurs ont réussi par exemple à dissocier le rythme cardiaque de la tension artérielle, faisant augmenter le rythme cardiaque tout en faisant baisser la tension artérielle. Cependant, en général lorsque nous couplons rétroaction biologique du tonus musculaire et de la température périphérique, nous obtenons chez la majorité des patients une réponse de détente qui se généralise.

36.2 ÉLECTROMYOGRAMME

Les premières études de rétroaction biologique ont été faites à l'aide de l'électromyographie chez des patients souffrant de symptômes secondaires à une causalgie, paralysie de Bell, section partielle de nerf, etc. Le patient, à l'aide d'un électromyogramme, réentraîne ses groupes musculaires en prenant connaissance du résultat de sa performance. Dans la littérature, les résultats ont toujours été très encourageants au niveau de ce type de réadaptation.

Stoyva et Budzynski (3) ont par la suite décrit l'utilisation de ce type de rétroaction, à l'aide de l'EMG du muscle frontal, dans la céphalée de tension. Depuis leurs études, ce traitement fait maintenant partie de l'arsenal thérapeutique, et le traitement suggéré comprend deux sessions d'apprentissage de 30 minutes par semaine pendant huit semaines. Le patient est assis confortablement dans une pièce sombre, on lui fixe des électrodes sur le front. Après enregistrement du niveau de base de l'activité musculaire, le signal sonore et visuel est expliqué et on demande au sujet de tenter de diminuer l'intensité lumineuse et sonore de la rétroaction. Le sujet explore de lui-même les mécanismes mentaux et physiques qui aboutissent à la diminution des signaux donc à la détente. Le seuil de ces signaux étant réglables, la difficulté de l'épreuve est augmentée au fur et à mesure que la performance s'améliore. Ces patients ayant rapporté un état de détente générale, Raskin et d'autres auteurs ont tenté d'utiliser ce traitement pour l'anxiété ''flottante'' (9). Malgré ces premières publications encourageantes, d'autres auteurs tels que Lavallée, Lamontagne et Pinard, ont été incapables de démontrer un avantage marqué lors du traitement de ce type de maladie (7).

L'utilisation de l'électromyographie en rétroaction pour induire la relaxation associée à la désensibilisation systématique, a permis une accélération du processus d'apprentissage et la constatation objective des niveaux de détente par le thérapeute.

36.3 SYSTÈME CARDIO-VASCULAIRE

Plusieurs types de travaux ont été entrepris sur les paramètres suivants: le rythme cardiaque avec l'électrocardiogramme, la tension artérielle avec le pléthysmographe, la vasodilation périphérique avec le thermomètre.

Au niveau du rythme cardiaque, le groupe de Engel a publié de nombreuses études sur différents troubles du rythme cardiaque, tels que les contractions ventriculaires prématurées, la tachycardie supraventriculaire et la tachycardie paroxystique, le syndrome de Wolff-Parkinson-White. Les sujets ont un appareil qui amplifie l'électrocardiogramme et leur démontre par un signal sonore qu'ils peuvent contrôler leur rythme cardiaque. Par la suite, ils peuvent, à l'aide d'un appareil portatif, recevoir un signal dans un petit écouteur à l'oreille chaque fois qu'une arythmie est signalée. Le sujet apprend donc, non seulement à ralentir son rythme cardiaque en cas de tachycardie, mais à contrôler l'apparition d'extrasystole (4).

L'utilisation du thermomètre et du pléthysmographe ont permis de constater la vasodilatation périphérique. Dans le premier cas, un thermistor est placé sur le doigt et on demande au patient de réchauffer son extrémité. L'application de cette méthode dans certains syndromes tels que la maladie de Raynaud semble s'imposer automatiquement. Cependant une découverte fortuite par Sargent (10) a permis une expérimentation plus poussée de cette technique dans la migraine. Le réchauffement périphérique semble diminuer la fréquence et l'intensité des crises. Nos propres études cependant ont démontré que cette technique ne bénéficie qu'à un petit nombre de migraineux, et il est difficile de dissocier l'effet de détente d'un effet spécifique au niveau de la vasodilatation (2). Aucune étude comparative sérieuse n'est actuellement publiée. La pléthysmographie périphérique a également été utilisée dans des maladies vasoconstrictives. Il s'agit tout simplement d'une autre modalité qui renseigne sur l'état de flot sanguin.

36.4 L'ÉLECTRO-ENCÉPHALOGRAMME

Plusieurs auteurs dont Green (1) de la clinique Menninger, ont rapporté que leurs sujets pouvaient apprendre à contrôler l'électro-encéphalogramme, en particulier l'apparition des ondes alpha à la suite de 10 à 15 sessions d'entraînement. Les sujets rapportent invariablement un état de tranquillité et de détente pendant les périodes alpha (8 à 13 Hertz). Il est difficile d'établir des corrélations spécifiques entre la fréquence de l'électro-encéphalogramme et l'état émotionnel du sujet. Cependant, les yogi, lors des états de relaxation profonde, ont une densité alpha et thêta beaucoup plus grande que normale, sans être toutefois dans un état compatible avec le sommeil. La littérature actuelle semble considérer que l'électromyographie offre plus de facilités que l'électro-encéphalogramme pour apprendre à se détendre. Cependant, l'utilisation de l'EEG est particulièrement utile dans l'apprentissage de rythme favorisant le sommeil normal chez les insomniaques. Stoyva encourage maintenant ses patients à produire de plus en plus d'ondes thêta au moment du sommeil.

36.5   LA RÉPONSE GALVANIQUE DE LA PEAU (GSR)

En 1960, Kimmel et Hill (6) ont démontré la possibilité de conditionner la GSR avec un instrument. Par la suite, un état de détente a été associé à une hausse de conduction galvanique de la peau. On n'a qu'à se rappeler que la majorité des détecteurs de mensonges se basent en partie sur le fait que la résistance de la peau est abaissée lors de l'anxiété.

Certaines études, dont celles de Glueck (5), ont comparé la GSR avec la méditation dans le traitement de l'anxiété. Selon ces auteurs, la méditation semble un moyen plus facile et moins onéreux dans le traitement non spécifique de l'anxiété rencontrée dans divers états psychiatriques.

Quoi qu'il en soit, il existe encore beaucoup de travaux visant à démontrer des corrélations entre l'abaissement de l'anxiété, l'augmentation de la résistance au niveau de la peau, et des améliorations dans plusieurs types de maladies telles que la tendinite, certains types d'arthrite, l'ulcère duodénal, et autres maladies dites psychosomatiques.

36.6   AUTRES APPLICATIONS

On peut imaginer la rétroaction de toute modalité, soit autonome, soit volontaire, et son amplification afin de faire prendre conscience au patient de l'intensité de ce mécanisme physiologique.

Par exemple, la rétroaction de la tension des muscles du sphincter anal chez les patients incontinents facilite un réapprentissage du contrôle de la défécation. De même, les pathologies telles que le reflux oesophagien ont été améliorées par la rétroaction.

En conclusion, nous pouvons apercevoir la possibilité de contrôle d'une multitude de modalités par l'apprentissage en rétroaction biologique. Nous sommes limités actuellement par la disponibilité d'appareils susceptibles de donner des informations physiologiques. Par contre, il ne faudrait pas croire à la démonstration scientifique de toutes ces méthodes. Les études contrôlées sont rares dans la littérature et nous retrouvons plutôt des études de cas individuels ou de groupes simples.

Une impression se dégage, à savoir que le contrôle d'un paramètre qui est affecté directement par une pathologie, semble résulter en une amélioration de façon plus marquée que si la performance vise la maîtrise d'un symptôme secondaire tel que l'anxiété. L'efficacité par exemple du réchauffement des mains dans la maladie de Raynaud, la rééducation musculaire chez certains paralysés, semblent plus facile à démontrer que l'amélioration chez les arthritiques anxieux. Cependant, il ne faudrait pas prendre ces critiques comme négatives mais plutôt comme un encouragement à voir apparaître une littérature scientifique mieux documentée et des recherches objectives comparatives mieux étayées sur des périodes de postcure qui renseignent sur le devenir à long terme de ces malades.

BIBLIOGRAPHIE

1- BLANCHARD, E.B., YOUNG, L.D. "Clinical Applications of Biofeedback Training". *Arch. Gen. Psychiat.* 1974, 30, 573-589.

2- BOISVERT, D., PINARD, G. "Le traitement de la migraine par rétroaction biologique thermique". *Lyon Médical.* 1977, 238, 20, 499-503.

3- BUDZYNSKI, T.H., STOYVA, I.M., ALDER, C.S. "Feedback induced Relaxation: Application to Tension Headache". *J. Behav. Ther. and Exper. Psychiat.* 1970, 1, 205-211.

4- ENGEL, B.T., MELMON, L. "Operant conditioning of Heart Rate in Patients with Arrythmias". *Conditioned Reflex.* 1968, 3, 130.

5- GLUECK, B.C., STROEBLER, C.F. "Biofeedback and Meditation in the Treatment of Psychiatric Illness". *Comprehen. Psychiat.* 1975, 16, 4, 303-321.

6- KIMMEL, E., HILL, R. "Operant Conditioning of the GSR". *Psychol. Reports.* 1960, 7, 555-562.

7- LAVALLEE, Y.L., LAMONTAGNE, Y., PINARD, G., ANNABLE, L., TETREAULT, L. "Effects on EMG Feedback diazépam and their Combination on Chronic Anxiety". *Psychom. Research.* 1977, 21, 67-71.

8- MILLER, N.E. *Current Status of Physiological Psychology.* Monterey, Cal: Singh. D., Morgan C.T. (Eds), Brooks/Cole, 1972.

9- RASKIN, M., JOHNSON, G., RONDESTVEDT, J.W. "Chronic Anxiety treated by Feedback induced Muscle Relaxation". *Arch. Gen. Psychiatry.* 1973, 28, 263-267.

10- SARGENT, J.D., GREEN, E.E., WALTERS, E.D. "Psychosomatic self Regulation of Migraine Headaches". *Seminars in Psychiat.* 1973, 5, 415-428.

11- WOLPE, J. *Psychotherapy by Reciprocal Inhibition.* Stanford University Press, 1958.

12- YATES, A.J. *Behavior Therapy.* New York: John Wiley & Sons, 1970.

CHAPITRE 37

L'HYPNOTHÉRAPIE

Denis Lepage

37.1 HISTOIRES

Hypnotisme: le mot évoque déjà des images de sorcellerie et de vagues notions de mystère... lointaines images... lointaine magie... En fait, l'hypnose remonte aux époques les plus anciennes. Les sorciers des tribus primitives, les oracles grecs, les fakirs hindous, et d'autres, semblent bien avoir utilisé l'hypnose sous différentes formes (probablement sans s'en rendre compte) et avoir obtenu, grâce à leurs diverses approches, des effets indiscutables.

Ces origines si lointaines remontant aux couches "magiques" de l'humanité, l'utilisation de l'hypnose, au cours des siècles, par différents "sorciers" - tel Mesmer (1734-1815) organisant des sessions de groupe où il "magnétisait" les gens en les touchant avec une tige de verre et prônait sa conception du "fluide universel" -, son utilisation, de nos jours, pour fins de démonstrations spectaculaires où l'hypnotiseur projette un air de "mystérieux": tout cela contribue évidemment à faire de l'hypnose une pratique dont les médecins ont tendance à se méfier. Le processus, pour ne pas dire le procédé, semble entrer en contradiction avec les principes "scientifiques" de notre époque, et l'utilisation de telles techniques est aisément vue comme un mouvement allant à l'encontre de l'évolution technologique poursuivie jusqu'ici par la société occidentale et sa médecine.

37.1.1 Ce que l'hypnose n'est pas: les mythes les plus courants

Dans le milieu médical comme ailleurs, on est généralement porté à entretenir sur l'hypnose des conceptions erronées. La liste de ces croyances est longue, et nous nous contenterons d'en citer quelques-unes.

Une première veut que l'hypnose soit un état de sommeil. Évidemment, le mot lui-même, provenant de la racine grecque pour "sommeil", invite à une telle conception. Le fait que le sujet garde souvent les yeux fermés durant la transe, et que le clinicien emploie souvent lui-même le mot sommeil, voilà d'autres facteurs encourageant cette opinion. En fait (nous y reviendrons), il semble bien qu'un état de transe hypnotique n'ait rien à voir avec le sommeil, et que l'individu se trouve éveillé et dans un état de concentration accrue. Une autre croyance répandue veut que seules les personnes plus ou moins malades ou faibles soient hypnotisables: le débat était déjà engagé entre Charcot et Bernheim. Il semble plutôt que la plupart des gens normaux soient hypnotisables et qu'au contraire une personne perturbée le soit beaucoup moins.

La notion selon laquelle la disparition rapide d'un symptôme névrotique (v.g. effectuée sous hypnose) est nécessairement suivie de l'apparition d'un symptôme de substitution, a déjà été fort répandue dans la profession médicale et psychiatrique. Elle est simplement démentie par les faits. L'utilisation des techniques behaviorales, centrées sur le symptôme à faire disparaître, n'a tout simplement pas conduit, dans la majorité des cas, à une telle substitution. Il en est de même de l'hypnose, qui n'est pas une thérapie en soi, mais une sorte d'adjuvant pouvant être utilisé dans divers contextes thérapeutiques.

Un hypnotiseur, croit-on souvent, est un être spécial, bizarre, un peu "charismatique". Cela est inexact. Évidemment, il est indéniable que les attentes du patient et la confiance qu'il porte au thérapeute soient des ingrédients importants facilitant l'apparition du phénomène, mais le simple fait d'être médecin, donc de jouir d'un statut et d'une compétence reconnus, suffit amplement à attiser cette confiance, d'autant plus que la technique hypnotique n'est utilisée qu'avec le consentement, sinon le désir, du patient.

Contrairement à une autre croyance répandue, une transe hypnotique ne signifie pas une abdication de la volonté du patient ni un contrôle absolu de la part de l'hypnotiseur tout-puissant. Le patient reste en tout temps capable de prendre ses décisions. Il est toutefois possible de concevoir un hypnotiseur sans scrupule utilisant la relation qu'il a avec le patient pour provoquer chez lui des comportements répréhensibles, mais ce, au même titre qu'un psychothérapeute utilisant le pouvoir que le patient lui donne. Il en est de même pour les techniques de propagande et de publicité qui peuvent exercer une influence de ce genre. Il s'agit donc d'une question d'éthique qui n'a rien à voir avec la technique hypnotique elle-même.

37.2 HISTOIRE

Il est vrai que l'hypnose a été utilisée sous différentes formes et sous différents noms à des époques reculées, et que ces techniques ont été utilisées avec succès. Ceci toutefois ne fait pas de l'hypnose un procédé sans valeur, ou même sans fondement scientifique. La "couche magique" n'est pas morte et la "sorcellerie" continue de contaminer la relation médecin-patient: on n'a qu'à penser à l'effet placebo... La psychanalyse a d'ailleurs suggéré son explication de tels phénomènes, en reconnaissant la "logique" de l'irrationnel. On peut penser ici à des concepts tels que le transfert. Jerome Frank, dans un livre passionnant, montre clairement comment le médecin ou le thérapeute moderne est le "prolongement", dans un contexte plus évolué et plus scientifique, du guérisseur et du sorcier primitifs.

L'hypnose a donc été de tout temps utilisée par des thérapeutes sérieux qui s'en servaient pour obtenir des cures. On pensera à Liébault et à Bernheim, contemporains de Charcot et de Freud, qui considéraient l'hypnose comme une fonction normale et qui ont décrit les concepts de suggestion et suggestibilité. Freud lui-même s'est servi de la technique, pour l'abandonner ensuite pour diverses raisons actuellement mises en doute par certains auteurs. De plus en plus l'hypnose est utilisée. Les associations médicales britannique et américaine l'ont déjà acceptée comme un outil thérapeutique, et ont même recommandé d'inclure dans le programme de médecine des cours sur ces techniques.

37.2.1 Ce qu'est l'hypnose

Il est difficile de décrire avec certitude et en termes objectifs, une transe hypnotique, car il s'agit d'une expérience toute subjective. Les auteurs s'entendent cependant pour parler d'une altération au niveau de la faculté d'attention. Nous savons tous que notre attention peut être diffuse, dirigée vers l'ensemble des stimuli qui arrivent jusqu'à nous, ou au contraire focalisée, concentrée sur un sujet précis. En état de transe, le sujet retirerait son attention des perceptions extérieures et pourrait se concentrer avec beaucoup d'acuité sur les phénomènes intérieurs. Spiegel propose l'analogie avec notre système visuel, suggérant que notre vision centrale, maculaire, claire et détaillée, serait à la vision périphérique et diffuse ce que l'attention focalisée, concentrée, est à l'attention diffuse, périphérique.

37.2.2 Phénomènes "hypnotiques" de tous les jours

Ce type d'altération de la conscience caractéristique de l'hypnose surviendrait, sans induction formelle, dans notre vie quotidienne sans que nous le réalisions.

Par exemple, la simple rêverie diurne ("être dans la lune") n'implique-t-elle pas une concentration sur des phénomènes intérieurs au détriment de l'attention portée au monde qui nous entoure?

La concentration intense, par exemple sur un film qui nous captive, n'implique-t-elle pas une sorte de "sommeil" face au monde environnant? Lorsque absorbés par un film, nous oublions la salle où nous sommes, nous nous projetons dans le milieu dépeint devant nous, nous n'entendons pas le voisin croquer son pop-corn... Certaines personnes ont même besoin de quelques instants pour se réorienter, une fois le film terminé.

Les cures miraculeuses, observées dans certains sanctuaires, peuvent s'expliquer par les anticipations du patient et sont vraisemblablement sous-tendues par des mécanismes semblables à ceux qui agissent dans l'hypnose.

Certains états de fugue et autres états dissociatifs impliquent également des phénomènes analogues.

Ainsi l'induction hypnotique proprement dite (c'est-à-dire un état de transe amené délibérément au moyen d'une technique précise dans un contexte "officiel") serait une "cérémonie" qui faciliterait simplement l'apparition d'un état de conscience particulier, chez un individu qui en possède et en a toujours possédé la capacité. Notons ici que plusieurs hypnotiseurs enseignent à leurs patients des techniques d'autohypnose, de façon à leur permettre de continuer chez eux les exercices thérapeutiques prescrits en se mettant eux-mêmes en état de transe.

37.3 APPLICATIONS THÉRAPEUTIQUES

Ainsi conçue, l'hypnose n'est pas en soi un traitement. En état d'hypnose, le patient est simplement plus réceptif, plus attentif à des suggestions, plus susceptible de mobiliser ses énergies pour utiliser une stratégie thérapeutique, quelle qu'elle soit. Il s'agit donc d'un état facilitateur, qui peut accélérer un processus de traitement. Les principes psychothérapeutiques, quelle que soit la technique utilisée, restent les mêmes. Ils continuent de présider à l'utilisation qu'on fera de cette capacité du patient, ils continuent à guider le thérapeute dans la formulation des suggestions qu'il fera au patient. Par exemple Spiegel, lorsqu'il utilise l'hypnose pour aider les gens à cesser de fumer, insiste beaucoup sur la nécessité de formuler les suggestions, de façon à éviter que le patient n'engage un combat contre lui-même. Plus le patient se défend de fumer, dit-il, plus l'idée de fumer prend de force dans son esprit. Ceci est un principe thérapeutique qui n'a rien à voir avec l'hypnose proprement dite.

Il faut considérer aussi que le simple fait d'entrer en transe hypnotique produit une relaxation remarquable, qui, en soi, facilite un certain recul face au problème, rend les défenses contre l'anxiété moins nécessaires, permet au patient de jeter un coup d'oeil plus neuf sur ses difficultés, et de prendre des mesures appropriées.

37.4 INDICATIONS

L'état de relaxation, la suggestibilité accrue, la diminution des défenses, de même que la relation sécurisante qui caractérisent la situation hypnotique en font un outil thérapeutique fort utile. Ainsi plusieurs conditions médicales, neurologiques, orthopédiques, peuvent être améliorées par hypnothérapie surtout lorsque les éléments de stress et d'anxiété jouent un rôle dans l'aggravation de la condition. On peut aussi s'en servir pour accroître la motivation du patient ou diminuer ses résistances face au niveau, par exemple, d'un travail de réhabilitation.

L'hypnose est utile dans le contrôle de symptômes tels que la consommation excessive de cigarettes, les troubles de l'alimentation (obésité), l'anxiété, les troubles de concentration, l'insomnie, les phobies, le contrôle de la douleur.

Au niveau des réactions de conversion, l'hypnose est utile tant au niveau du diagnostic différentiel que du traitement proprement dit.

En ce qui concerne le contrôle de la douleur, mentionnons son utilisation en obstétrique et en chirurgie mineure (dentaire), les suggestions hypnotiques pouvant rendre l'agent anesthésique inutile ou du moins diminuer les doses nécessaires.

A l'intérieur d'un processus de psychothérapie, l'hypnose peut être utilisée pour faciliter l'émergence de matériel important, contrôler l'anxiété rendant la verbalisation difficile, retrouver certains éléments passés d'importance.

Ces quelques exemples donnent une idée des indications possibles de l'hypnose, de même que des différentes approches utilisées.

37.5 TECHNIQUES D'INDUCTION

Les techniques d'induction de l'hypnose sont nombreuses, les unes plus "autoritaires", les autres plus "permissives". Il s'agit de trouver celle qui est la mieux adaptée aux personnalités dans le contexte d'une relation médecin-malade qui s'appuie sur une dose suffisante d'assurance de la part du premier, alliée à la confiance et aux expectatives appropriées de la part du second.

A titre d'exemple on peut citer la technique de Spiegel. Le patient est préalablement instruit de la nature de l'hypnose, avec insistance sur le fait qu'il ne s'agit pas de sommeil, que l'hypnotiseur ne fera que guider le patient en utilisant une capacité que celui-ci possède déjà, et que la collaboration du patient est indispensable, l'hypnotiseur étant incapable d'induire la transe contre son gré. Cet auteur propose une procédure d'évaluation systématique de la capacité hypnotique, à l'aide d'une grille permettant de classer le patient le long d'une gradation de un à cinq, reflétant une capacité de plus en plus grande. Voyons comment l'induction proprement dite s'amorce:

> Installez-vous le plus confortablement possible, posez vos bras sur les accoudoirs du fauteuil. Regardez vers moi, et tout en laissant votre tête dans cette position, regardez vers vos sourcils, maintenant vers le sommet de votre tête. Tout en continuant à regarder vers le haut, fermez lentement vos paupières. Très bien. Maintenez vos paupières fermées et continuez à regarder vers le haut. Prenez une grande inspiration, gardez-la. Expirez, relâchez vos yeux et laissez votre corps flotter. Concentrez-vous sur une sensation de flottement de votre corps...

Tout au cours de la procédure, la voix est douce mais assurée.

37.6 CONCLUSION

L'hypnose demeure toujours une modalité thérapeutique valable en psychiatrie et en médecine. Si les techniques d'induction de l'hypnose sont relativement faciles, il n'en demeure pas moins que son application devrait être judicieuse et prudente.

BIBLIOGRAPHIE

FRANK, J.D. *Persuasion and Healing. A Comparison Study of Psychotherapy.* Baltimore and London: John Hopkins University Press, 1973.

KROGER, S. *Clinical and Experimental Hypnosis in Medicine Dentistry, ans Psychology.* Philadelphie: J. Linpincott Co., Toronto (2e édition), 1977.

SPIEGEL, H. "Termination of Smoking by a Single Treatment". *Archives of Environmental Health.* June 1970, 20, 736-742.

SPIEGEL, H., SPIEGEL, D. *Trance and Treatment. Clinical uses of Hypnosis.* New York: Basic Books Inc. Publ., 1978.

WOLBERG, L.R. "Hypnotherapy". *American Handbook of Psychiatry.* 2e édition. 1975, Chap. 12, 235-253.

CHAPITRE 38

LA PSYCHIATRIE COMMUNAUTAIRE

Georges Aird et Arthur Amyot

38.1 INTRODUCTION

Conçu pour un précis québécois de psychiatrie, ce chapitre se veut avant tout québécois. De langue française et en sol nord-américain, les Québécois ont subi, dans plusieurs domaines de leurs activités, des influences françaises et américaines.

La psychiatrie québécoise est jeune; la psychiatrie communautaire du Québec l'est encore plus. Au cours des années 60, plusieurs psychiatres québécois ont poursuivi une partie de leur formation en France ou aux Etats-Unis, parfois même dans ces deux pays, et ont rapporté un savoir théorique et une expérience clinique qui ont permis à la psychiatrie communautaire de se développer au Québec.

Avant de décrire l'expérience québécoise et de mettre en lumière son originalité, nous procédons à un bref exposé du développement de la psychiatrie communautaire en France et aux Etats-Unis; aussi, la psychiatrie communautaire au Québec est-elle amenée dans une perspective historique avant d'être soumise à un regard critique qui tente de percevoir quel est son devenir.

Le vocabulaire de la psychiatrie communautaire est souvent imprécis, l'extension des concepts étant telle que souvent leur compréhension devient floue; les concepts de base se recoupent, ils n'ont pas toujours le même sens d'un pays à l'autre. C'est pourquoi nous proposons initialement quelques définitions utiles à l'intelligence du texte: psychiatrie, santé mentale, psychiatrie sociale, psychiatrie de secteur et psychiatrie communautaire.

La **psychiatrie** est à la fois un savoir médical et un art. Elle fait partie des connaissances que l'on enseigne aux étudiants en médecine, elle constitue également une spécialité médicale que l'on acquiert au long d'études bien définies, consécutives aux études médicales. En tant que savoir médical, la psychiatrie cherche à connaître les causes des maladies mentales, leur distribution dans la population, leurs manifestations ainsi que leurs conséquences biologiques, psychologiques et sociales. L'art, ou praxis, fait intervenir, en plus des connaissances théoriques, les qualités personnelles du psychiatre et les habitudes acquises au long de son apprentissage, dans le but de traiter les maladies mentales et d'améliorer la santé mentale d'une population donnée.

Lorsque nous tentons de définir la **santé mentale,** nous quittons le champ de la médecine pour déboucher dans un domaine plus vaste. "La santé humaine, physique et mentale, est à inventer" déclare Monique Bégin à l'époque où elle était ministre de la Santé nationale et du Bien-être social du Canada. La santé mentale est avant tout un idéal individuel, fonction des motivations conscientes et des désirs profonds, les conditions de santé mentale d'un individu pouvant être très différentes de celles de son voisin. On imagine mal, d'ailleurs, ce que serait une société où l'Etat définirait la santé mentale. Ni la structure sociale, ni l'hérédité la plus favorable ne sont des garanties de longue vie et de bonne santé mentale.

Pour Freud, la santé mentale équivaut à la capacité d'aimer et de travailler; aimer, c'est-à-dire s'aimer soi-même, aimer les autres, aimer la vie; travailler: créer, produire, donner sa mesure. Ajoutons que la santé mentale implique aussi la créativité, la tolérance, le respect des valeurs des autres et enfin, la sagesse.

Nous approchons de notre propos lorsque nous parlons de **psychiatrie sociale.** Ce vocable est utilisé par plusieurs pour désigner la psychiatrie communautaire. Mentionnons cependant que, si l'on y regarde de plus près, l'expression psychiatrie sociale a un sens plus général que celle de psychiatrie communautaire. En effet, la psychiatrie communautaire met l'accent sur l'aspect pratique de la distribution des soins à l'échelle de la communauté, ainsi que sur l'évaluation des programmes en vue d'en arriver à mieux définir les services à offrir; la psychiatrie sociale, par ailleurs, se préoccupe plus de la théorie et de la recherche que de la pratique.

La psychiatrie sociale serait ainsi le mariage des disciplines sociales avec la psychiatrie, c'est-à-dire une façon de voir la psychiatrie à travers les points de vue de la sociologie, de l'anthropologie, de l'épidémiologie et de l'écologie.

Maxwell Jones, un des premiers auteurs à parler de psychiatrie sociale, la définit de façon succincte comme un vaste concept qui inclut tous les facteurs sociaux, biologiques, éducatifs, philosophiques, qui peuvent influencer la pratique psychiatrique dans le sens de la prévention de la maladie mentale, et d'un meilleur équilibre social.

Le concept de **psychiatrie de secteur** se rapproche de celui de psychiatrie communautaire. Débordant de beaucoup le banal découpage territorial avec lequel on tend généralement à la confondre, la psychiatrie de secteur implique un transfert du centre d'activités principales du psychiatre et des autres professionnels de l'équipe de l'hôpital vers la population dont ils ont la charge.

Pour Lucien Bonnafé (1946), la psychiatrie de secteur constitue le point d'arrivée de l'opération "désaliénation" de la psychiatrie. Nous le citons: "Le psychiatre de secteur est celui qui, par un travail extensif dans les organes de la société qui ne sont pas sous sa responsabilité propre, contribue à réduire l'intolérance de la société à l'égard "du mauvais objet" qu'elle contient."

Au Québec, l'expression psychiatrie de secteur désigne surtout un modèle administratif, dans la mesure où tous les services psychiatriques sont "sectorisés", ce qui n'est pas le cas pour les autres services médicaux ou chirurgicaux. Si, à la stricte sectorisation des services, s'ajoutent des intérêts pour l'intervention de crise, la prévention, la consultation, la participation de la population à l'organisation des soins, on parle alors de psychiatrie communautaire.

Nous en arrivons donc à la **psychiatrie communautaire,** que l'on peut décrire en quelques mots en affirmant qu'elle se définit en réaction à la psychiatrie asilaire et que ses intérêts concernent surtout le psychotique. Elle se veut en premier lieu un mode d'organisation des soins qui suscitera une vision nouvelle du traitement du malade mental.

La psychiatrie communautaire se propose d'assurer la continuité de la relation avec le malade. Elle veut mettre un terme aux nombreuses ruptures thérapeutiques provoquées ou subies par le malade psychotique.

Cette continuité des soins, cette relation d'aide au psychotique est une entreprise exigeante, souvent épuisante, en raison de la lourdeur et de la chronicité de la psychose. C'est l'équipe thérapeutique pluridisciplinaire qui rend cette entreprise viable, positive, et fructueuse. "L'équipe permet de diluer le transfert du psychotique" (Racamier).

Par le biais de la sectorisation, la psychiatrie communautaire donne à la population l'assurance que tous les malades recevront les soins psychiatriques appropriés à leur état et d'une façon continue.

Comme autres caractéristiques de la psychiatrie communautaire, mentionnons la brièveté des hospitalisations, la disponibilité des professionnels, l'absence de liste d'attente, les interventions rapides auprès du malade, à domicile si nécessaire, et les politiques de prévention.

38.2 PHILOSOPHIE DE SOINS

Nous avons brièvement défini la psychiatrie communautaire, et nous nous proposons de décrire son développement en France, aux Etats-Unis et au Québec. Entre ces deux étapes, l'intelligence du texte nous amène à prolonger quelque peu notre définition et à décrire la philosophie de soins qui soustend la psychiatrie communautaire.

A l'encontre de l'image qu'elle peut avoir projeté au cours de son développement, la psychiatrie communautaire ne constitue pas une nouvelle théorie dans le champ de la psychiatrie. Elle est une nouvelle pratique, une nouvelle façon de considérer les rôles respectifs du thérapeute et du malade mental. Le thérapeute a quitté le milieu asilaire, il s'est rapproché de la communauté où vit le malade. Ce dernier n'est plus traité uniquement en fonction de ses symptômes, mais en tant qu'individu appartenant à une famille, à un entourage, à un milieu de travail. La rencontre du thérapeute et du malade prend différentes formes selon le lieu où elle se produit et les personnes qui y participent.

Nous verrons plus loin que, parallèlement aux influences des disciplines sociologiques et anthropologiques, la psychiatrie communautaire doit beaucoup au mouvement psychanalytique. Il est pertinent de remarquer ici que plusieurs de ses pionniers, tant en France qu'aux Etats-Unis, sont des psychanalystes. La "psychanalyse sans divan", dont parle Racamier, s'intéresse au rôle joué par l'inconscient dans les relations entre le malade, son entourage, et l'équipe de soignants; elle s'intéresse aussi aux forces du moi, et cherche, à travers une gamme étendue d'interventions, à choisir celle qui les respecte le mieux.

Selon Leopold Bellak, l'avènement de la psychiatrie communautaire constitue la troisième grande révolution de la psychiatrie, après l'Age de la raison (Darwin, les Encyclopédistes), et la révolution psychanalytique. La psychiatrie communautaire constitue selon lui une synthèse des deux phases du développement de la psychiatrie: elle se préoccupe en premier lieu du bien-être du malade, préoccupation que l'on retrouvait dans les asiles du 19e siècle, et elle s'inspire beaucoup de l'apport de la psychanalyse dans le domaine de la psychopathologie et du traitement de la maladie mentale.

La psychose est essentiellement une rupture qui se manifeste autant à l'intérieur de l'individu que dans ses rapports avec les autres. La psychiatrie asilaire a, d'une certaine façon, accentué cette rupture en coupant le malade mental de la société et en l'isolant dans le monde aliénant de la folie. La psychiatrie communautaire tente d'éviter cette rupture en préservant le plus possible les liens entre le psychotique et son milieu, et en l'amenant à créer une relation de confiance avec une équipe de soignants.

Ce travail n'est pas facile, le traitement de la psychose, surtout de la schizophrénie, constitue une tâche souvent épuisante et peu gratifiante.

Le psychotique contrôle mal des réactions de méfiance et des instincts sadiques qui amènent à plus ou moins brève échéance la destruction de tous les liens. Le travail en équipe permet aux membres de se supporter les uns les autres, permet également aux diverses professions de la santé mentale d'utiliser leur spécialité.

La chronicité constitue une autre caractéristique de la psychose. Les interventions ponctuelles que l'on pratique dans la plupart des autres domaines de la médecine ne conviennent pas au psychotique, qui, le plus souvent, traîne sa maladie toute sa vie. Si, comme le dit Philippe Paumelle, la sectorisation est un prérequis à la continuité des soins et au travail d'équipe, elle est aussi un moyen de faire face à la chronicité de la maladie mentale en adaptant un certain nombre de soignants à une population identifiée, et en faisant en sorte que ces soignants soient suffisamment nombreux pour répondre aux besoins des malades psychotiques qui font partie de cette population.

La psychose est une maladie chronique qui se manifeste sous forme d'accès aigus, récurrents, au cours desquels le malade présente à certains moments une symptomatologie flamboyante, à d'autres, de la régression, de la désorganisation de la personnalité. Il est important de répondre à de telles crises de façon rapide, la crise étant un moment privilégié d'intervention. Ceci implique que les soignants soient disponibles et qu'ils puissent offrir au malade un choix varié d'interventions: prise en charge ambulatoire, hospitalisation, utilisation d'un centre de jour, hébergement dans un établissement approprié, etc.

38.3 DÉVELOPPEMENT DE LA PSYCHIATRIE COMMUNAUTAIRE EN FRANCE

La véritable révolution psychiatrique en France s'amorce au lendemain de la Deuxième Guerre mondiale. Durant l'occupation, beaucoup de malades mentaux sont morts d'inanition dans les asiles, et les psychiatres français qui ont assisté impuissants à ce drame ont résolu de sortir la psychiatrie de l'asile.

Selon Jean Ayme, les participants des journées psychiatriques nationales de 1945 et de 1947 parviennent à dégager avec netteté les lignes de force de ce qui sera plus tard la "politique de secteur" et la "psychiatrie communautaire". On retient particulièrement le principe de "l'unité et de l'indivisibilité de la prévention, de la cure et de la postcure psychiatrique". On affirme également la nécessité de la prise en charge du malade par une même équipe au cours des diverses étapes de son traitement et de sa réadaptation.

Dès lors, deux grands mouvements s'amorcent parmi les psychiatres français: les uns optent pour la transformation de l'hôpital psychiatrique en un instrument moderne de soins, axé sur des techniques relationnelles; les autres préconisent le développement d'une psychiatrie publique **hors de l'hôpital,** pour mettre à la disposition d'une population identifiée une gamme différenciée d'institutions.

Les précurseurs de la psychiatrie communautaire, G. Daumezon, L. Bonnafé, P. Koechlin et F. Tosquelles ont tous contribué à transformer l'asile, à le désaliéner. Pour ces auteurs, la désaliénation du malade mental ne peut s'amorcer que par celle des thérapeutes et des lieux de traitement qui étaient presque exclusivement des asiles.

François Tosquelles est certainement l'un des théoriciens de la psychiatrie institutionnelle qui a le plus contribué à transformer l'asile en un lieu de soins axés sur les techniques relationnelles. Il a également instauré une véritable politique de secteur dans la Lozère, avec une équipe solidement implantée au sein de la population. Georges Daumezon appartient aussi à ce mouvement: il préconise un changement radical du mode de vie des malades dans les hôpitaux psychiatriques ainsi que l'étoffement des équipes.

Pour d'autres psychiatres il n'y a rien à attendre de l'asile, qui phagocyte ceux-là mêmes qui veulent le transformer. C'est ce qui amène Philippe Paumelle à instaurer dans le treizième arrondissement à Paris un dispositif complet de soins psychiatriques hors de l'asile, aménagé en fonction du malade et de son milieu, c'est-à-dire sa famille, son quartier.

Dans le cadre de la seconde orientation, mentionnons, outre l'expérience du treizième arrondissement, la mise sur pied d'autres dispositifs de soins psychiatriques sectorisés: à Bassens (P. Lambert), à Villejuif (Le Guillant), à Rouen et dans la Seine (Mignot et Bonnafé). Henri Duchêsne a contribué au développement des consultations d'hygiène mentale, et P. Sivadon crée à Ville-Evrard, à partir de son service hospitalier, le premier foyer de postcure.

A Lyon, en 1970, Jacques Hochmann propose d'aborder la psycho-pathologie psychiatrique dans la perspective des sociopathies. Selon lui, le psychiatre offre de traiter la déviance, "constituée du réseau relationnel qui unit le criminel, la violence et la société..., le fou, sa famille et le quartier...".

"C'est l'ensemble souffrant tout entier qu'il s'agit de comprendre, de traiter." Citons une dernière phrase qui peut résumer la pensée de Hochmann à cette époque: "Celui-là est devenu schizophrène parce qu'il était utile à un lieu de réseau relationnel où sa psychose schizophrénique était nécessaire à l'équilibre du réseau". Hochmann propose d'agir sur le groupe plutôt que sur l'individu.

En 1974 cependant, Hochmann modifie cette orientation quelque peu radicale, axée sur le réseau du malade: il se rapproche du psychotique en tant qu'individu, et propose de créer l'équipe de soignants en fonction du psychotique, cette équipe "éclatée" étant par définition mobile, fluide, et pouvant se modifier selon les besoins de chaque malade. Hochmann instaure à Lyon des dispositifs de soins dans les secteurs de Villeurbanne, de Bron, de Vaulx-en-Velin et de Meyzieux; les équipes de secteur travaillent de façon originale, elles manifestent beaucoup de mobilité, de disponibilité, de souplesse.

Présentement en France, la psychiatrie de secteur demeure un phénomène plutôt isolé, une grande partie des soins psychiatriques étant dispensés selon un modèle plus traditionnel. Plusieurs équipes de secteur continuent de miser sur l'asile lorsque les malades deviennent trop lourds. Les expériences de psychiatrie de secteur continuent d'être intéressantes et vivifiantes, il ne semble pas cependant que le modèle se répandra bientôt à l'ensemble des soins psychiatriques, malgré le fait qu'une législation ait étendu la sectorisation psychiatrique à l'ensemble du territoire français.

38.4 LA PSYCHIATRIE COMMUNAUTAIRE AUX ETATS-UNIS

Si certains voient la venue de la psychiatrie communautaire comme une révolution, d'autres la considèrent plutôt comme l'évolution d'un phénomène dont les sources remontent au tournant du siècle.

Le concept de santé mentale communautaire doit beaucoup, aux Etats-Unis, à celui de santé publique, que l'on retrouve dès le milieu du 19ᵉ siècle. Ce mouvement de santé publique a en effet réussi à endiguer des fléaux publics, telles la fièvre jaune, la tuberculose et certaines formes d'anémie.

Adolf Meyer a, comme on le sait, beaucoup influencé la psychiatrie américaine. Dès 1906, on trouve dans ses écrits les notions de postcure et de prophylaxie. Meyer déclare qu'il est nécessaire de créer des districts d'hygiène mentale communautaire dans lesquels des professionnels en santé mentale assureraient une certaine forme de coordination entre les écoles, les services récréatifs, le clergé, les forces de police et les agences sociales, dans le but de prévenir les maladies mentales et de stimuler la santé mentale de la population.

En 1908, Clifford Beers, qui avait fait des séjours dans les hôpitaux psychiatriques du Connecticut, écrit un livre choc: ''A mind that found itself'', où il fait part de son expérience de malade ainsi que de ses échanges avec certains leaders du milieu de la santé mentale. Beers reconnaît que les asiles ne sont qu'un symptôme de l'ignorance et de la négligence de la population vis-à-vis de la maladie mentale. Il fondera quelques années plus tard la Société d'hygiène mentale du Connecticut.

De 1920 à 1930, on voit se développer de façon rapide le mouvement des centres de ''guidance'' infantile. La philosophie de base de ces centres est la suivante: les problèmes des enfants peuvent être guéris plus rapidement que ceux des adultes, et le traitement des problèmes des enfants suffit à prévenir la maladie dans l'ensemble d'une population.

L'opinion publique américaine s'intéresse de plus en plus à la prévention de la maladie mentale à cette époque, et l'on voit également se développer des cliniques d'hygiène mentale sur une base expérimentale. Il est intéressant de noter que ces cliniques mettent l'accent sur le travail pluridisciplinaire. En 1925, 400 de ces *mental health clinics* sont en activité.

Si le développement des services subit, dans les années '30, les contrecoups de la crise économique, avec les problèmes sociaux qu'elle a engendrés (chômage, pauvreté, incertitude quant à l'avenir), il faut mentionner que, sur le plan théorique, la psychiatrie subit à cette époque l'influence de l'anthropologie. C'est dans une perspective nettement psychiatrique que Margaret Mead a écrit ''The coming of age in Samoa''.

Durant les années 40, de nouvelles lois sur la santé mentale sont votées au Canada et aux Etats-Unis. La psychiatrie américaine sort de la Deuxième Guerre mondiale dans un climat d'euphorie, étant parvenue à juguler un problème très coûteux pour l'économie militaire, la névrose de combat. Toutes les maladies psychiatriques ne sont que "réactions", et sont susceptibles d'être "guéries".

Il faut mentionner l'arrivée des drogues psychotropes durant les années 50, et les retombées importantes de l'utilisation de ces médicaments. Les asiles changent peu à peu leur image; les malades commencent à sortir des asiles.

Au cours des années 50 également, le mouvement de la psychologie du moi se développe et précise, dans une optique psychanalytique, les fonctions du moi ainsi que les principaux domaines dans lesquels elles se manifestent: la capacité de réagir à un stress, de résoudre des problèmes, de s'ajuster à la réalité. Erickson développe le concept de crise, d'où découle le modèle thérapeutique d'intervention en période de crise.

En 1955, le gouvernement américain crée la Commission conjointe sur la maladie mentale et la santé mentale, dont le rapport paraîtra en 1961. Les conclusions de ce document, "Action for mental health", découlent d'un postulat selon lequel le malade mental ne reçoit pas de soins adéquats parce qu'il est inconsciemment rejeté par sa famille, par ses voisins et par les professionnels.

Ce rapport déclenche au sein de l'opinion publique une remise en question complète de l'état de la psychiatrie américaine. Il démontre de quelle façon la plupart des psychiatres américains limitent leurs activités à la pratique en cabinet, les hôpitaux publics (*state hospitals*) ayant beaucoup de difficulté à recruter du personnel compétent; la pratique publique est de deux à trois fois moins rémunérée que la pratique en cabinet, et la population qu'elle vise est perçue comme moins gratifiante. On propose donc la création de cliniques communautaires qui verraient à traiter d'abord les populations défavorisées, celles qui ont le plus souffert d'un manque de soins psychiatriques.

Cette politique reçoit un coup d'envoi en 1963, lors d'un discours du président Kennedy au Congrès américain. Durant cette même année, le Congrès vote la loi sur les Centres de santé mentale communautaire. Des fonds fédéraux importants sont mis à la disposition des administrations régionales dans le but de développer un programme national de santé mentale dont les objectifs sont de prévenir, traiter, contrôler la maladie mentale, et aussi d'améliorer la santé mentale de la population en s'inspirant des techniques de la santé publique.

Divers types de cliniques de santé mentale communautaire verront le jour. On s'accorde cependant à reconnaître qu'elles doivent toutes offrir à la population 5 services de base: des services d'hospitalisation, des services d'ambulance, des services d'urgence, des centres de jour (hospitalisation partielle) ainsi que des services de consultation et d'éducation auprès de la communauté. On met l'accent sur la continuité des soins, ce qui signifie que les professionnels et les malades doivent pouvoir se déplacer facilement d'un service à un autre et que la communication entre les divers services doit aussi se faire sans obstacle. Les traitements offerts aux malades sont essentiellement la psychothérapie (le plus souvent d'orientation analytique), la thérapie de milieu et la pharmacothérapie.

La notion de territoire (catchment area) est également importante. Le territoire, c'est la communauté, que l'on identifie en fonction de critères souvent plus artificiels en milieu urbain qu'en milieu rural. Les populations urbaines sont en effet plus hétérogènes que les populations rurales. Ces territoires doivent comprendre une population d'au moins 75,000 et d'au plus 200,000 personnes. La prévention constitue un autre des intérêts fondamentaux de la psychiatrie communautaire, selon ses trois modalités: primaire, secondaire et tertiaire. Ces concepts ont été développés surtout par Gerald Caplan. La prévention primaire, selon lui, est constituée de toutes les interventions qui s'attaquent aux facteurs susceptibles de causer ou de favoriser la maladie mentale. La prévention secondaire consiste à intervenir rapidement dès que la maladie se manifeste, afin d'en limiter les ravages. Quant à la prévention tertiaire, elle vise à éviter ou à retarder le plus possible la récidive de la maladie. Enfin, les *Community Mental Health Centers* s'intéressent à la recherche, à l'évaluation des programmes de soins, et à la participation de la population.

En 1967, 256 de ces centres reçoivent des fonds fédéraux totalisant 130 millions de dollars. Les services offerts s'adressent à une population de 41 millions de personnes réparties dans 48 états américains. Cette même année, le président Johnson fait voter un amendement qui permet la création de nouveaux centres de santé mentale communautaire.

Le mouvement de la psychiatrie communautaire a créé des attentes au sein de la population américaine, très sensibilisée au problème de la psychiatrie depuis le début des années '60, ainsi que nous l'avons déjà mentionné.

On a cru que la psychiatrie communautaire ferait disparaître la psychiatrie asilaire, certains états américains, la Californie par exemple, s'étant lancés dans des projets draconiens d'abolition des asiles. Une autre promesse, plus audacieuse quoique moins explicite, laissait entrevoir la disparition de la maladie mentale tout court.

Les *Community Mental Health Centers* ont connu une croissance trop rapide, ils n'ont évidemment pas fait de miracle, ils n'ont pas répondu aux attentes euphoriques du début. Ils ont coûté cher et leur implantation, à même des fonds fédéraux, n'a pas toujours été bien perçue dans des états et des localités souvent jaloux de leur autonomie. A certains endroits, l'implantation des centres de santé mentale communautaire a mis en veilleuse des services sociaux et médicaux qui existaient déjà; lors de l'échec des centres de santé mentale, car il y a eu des échecs, certaines populations se sont trouvées plus démunies qu'avant l'arrivée des fonds fédéraux.

La psychiatrie communautaire a aussi amené une très grande dispersion des activités des professionnels en santé mentale, dans des domaines de plus en plus éloignés de leur compétence spécifique. Au sommet de l'euphorie, des professionnels ont jugé bon de s'impliquer dans presque tous les domaines de la vie américaine, jusqu'en politique internationale.

Présentement, la psychiatrie communautaire aux Etats-Unis vit une époque plus réaliste. Comme dans presque tous les pays, on a freiné la croissance des fonds publics attribués à la santé, ce qui invite les responsables des programmes de soins, en santé mentale comme ailleurs, à être plus critiques et à mieux évaluer l'efficacité de leurs programmes. Les psychiatres ont maintenant tendance à revenir au modèle médical, dont il s'étaient éloignés d'une façon parfois spectaculaire, et tous les autres professionnels de la santé mentale en viennent aussi à mieux valoriser leur identité professionnelle. D'autres événements ont incité la population et les professionnels à adopter une attitude plus réaliste face à la maladie mentale: des procès célèbres, intentés par des malades mentaux internés, ont permis de mieux cerner la notion du droit de l'individu à un traitement psychiatrique adéquat; les législations et les procédures concernant les hospitalisations non volontaires ont été révisées.

Le problème de l'institutionnalisation des malades dans les hôpitaux psychiatriques demeure crucial aux Etats-Unis. Certains états américains ont cru pouvoir abolir les asiles, et ont dû par la suite faire marche arrière. Ralph Nader, le défenseur des droits des consommateurs américains, a démontré que, dans certains secteurs où un hôpital psychiatrique et une équipe de psychiatrie communautaire existaient côte à côte, les admissions à l'hôpital psychiatrique n'ont diminué ni de façon absolue, ni de façon relative. La "désinstitutionnalisation" des malades psychiatriques apparaît comme un mythe aux yeux de plusieurs psychiatres américains. Enfin, récemment, le magazine à grand tirage "Time" publiait un article sur "la dépression de la psychiatrie"; les conclusions de cet article peuvent se résumer ainsi: la psychanalyse est une faillite, la psychiatrie communautaire est une faillite, l'avenir de la psychiatrie réside dans les découvertes à venir dans le domaine des médiateurs chimiques du système nerveux central, découvertes qui mettront à la disposition des psychiatres de nouveaux médicaments.

38.5 LES GRANDES ÉTAPES DU DÉVELOPPEMENT DE LA PSYCHIATRIE COMMUNAUTAIRE AU QUÉBEC

Avant l'ouverture du premier asile de Beauport en 1845, on connaît assez peu le sort qui était réservé aux fous depuis l'établissement d'une colonie française sur les rives du Saint-Laurent. Il semble bien que la petite société québécoise avait développé une certaine tolérance à l'égard du malade mental: on vivait avec le fou, un peu comme on tolère aujourd'hui le délinquant, le drogué et le pervers.

38.5.1 La période de la psychiatrie asilaire, de 1845 à 1960

Comme partout en Occident, la psychiatrie au Québec se développe pendant plus d'un siècle au sein des asiles. L'asile de Beauport devient l'Hôpital Saint-Michel-Archange de Québec, et héberge en 1949, 6,000 malades, dont le trop plein se déverse dans des asiles périphériques plus petits, à Saint-Ferdinand d'Halifax, à Baie Saint-Paul, à Gaspé. Le grand asile de Montréal, Saint-Jean-de-Dieu, voit le jour quelque 30 années après l'asile de Beauport, et héberge lui aussi, au début des années 60, 6,000 malades. Montréal compte aussi un asile anglophone, l'Hôpital protestant de Verdun. A la fin des années 50 se construisent trois nouveaux asiles: l'Hôpital Saint-Charles à Joliette, l'Hôpital des Laurentides à l'Annonciation et le Mont-Providence à Montréal, asile que l'on destine aux enfants.

Il est utile de noter ici que beaucoup de ces hôpitaux ont changé de nom au cours des dix dernières années, dans le cadre d'efforts visant à modifier leur vocation ainsi que leur image auprès de la population; l'Hôpital Saint-Michel-Archange est devenu l'Hôpital Robert-Giffard, Saint-Jean-de-Dieu s'appelle maintenant l'Hôpital Louis-H. Lafontaine, le Mont-Providence et l'Hôpital protestant de Verdun sont maintenant connus respectivement sous les noms de Hôpital Rivière-des-Prairies et Hôpital Douglas.

Les trois hôpitaux psychiatriques des années 50 (Joliette, Sherbrooke, l'Annonciation) ont été construits dans des régions défavorisées afin d'aider économiquement ces régions.

Cette longue période d'un siècle, celle de la psychiatrie asilaire, est caractérisée essentiellement par **l'hébergement** de malades mentaux. On leur procure un gîte, de la nourriture, des vêtements; on les occupe, on les amuse, on les enterre, mais **on ne les traite pas.** C'est d'ailleurs ce qui explique le gigantisme ainsi que la multiplication de ces établissements.

Les asiles protègent la société des fous, avec l'accord des psychiatres. Chacun de ces grands asiles est dirigé par un surintendant, que la loi investit d'énormes pouvoirs: il interne les malades, et lui seul peut les libérer de cet internement.

Il faudra attendre un siècle avant que naisse un mouvement de fond qui viendra révolutionner la perception qu'a la société du malade mental et la pratique psychiatrique elle-même. En 1950, la découverte du Largactil par Laborit, Delay et Deniker, et l'introduction de ce médicament en Amérique par Heinz Lehmann, de Montréal, modifie la vie dans les asiles. On arrive maintenant à traiter de façon plus simple, plus rapide et plus efficace les grandes agitations, les états maniaques et les paniques, que l'on contrôlait jusque-là par des moyens physiques: camisole de force, chambre d'isolement, "donjon", etc. La venue du Largactil amorce vraiment une nouvelle époque.

38.5.2 La révolution psychiatrique au Québec, de 1960 à 1970

L'année 1960 amorce au Québec un grand déblocage collectif qui se manifeste par des réformes en profondeur dans tous les grands secteurs d'activité: la vie politique, l'information, l'éducation, la santé, le monde du travail, etc.

Dans le monde de la psychiatrie, un événement majeur permet d'étaler au grand jour la situation faite aux malades mentaux dans les asiles. Jean-Charles Pagé, un ex-malade psychiatrique, écrit en 1961 ''Les fous crient au secours''; son témoignage dénonce l'asile et connaît un succès de librairie remarquable pour l'époque: 30,000 exemplaires. Ce document, éloquent en lui-même, prend encore plus d'importance du fait qu'il est postfacé par Camille Laurin, alors directeur du Département de psychiatrie à la Faculté de médecine de l'Université de Montréal. "Le remède à l'encombrement (des hôpitaux psychiatriques) n'est donc pas l'augmentation du nombre des lits, qui ne ferait que perpétuer et aggraver les maux que l'on déplore. La véritable solution réside dans l'instauration d'un système nouveau, qui redonne au malade sa dignité et la chance d'être traité comme il se doit", écrit le docteur Laurin.

Les propos de Jean-Charles Pagé et de Camille Laurin émeuvent l'opinion publique, et, quelques mois plus tard, le gouvernement du Québec crée la Commission d'étude des hôpitaux psychiatriques. Les trois enquêteurs, Dominique Bédard, Denis Lazure et Charles Roberts, déposent en 1962 leurs principales recommandations. Ces recommandations vont modifier en profondeur l'avenir de la psychiatrie au Québec, et poser les fondements de ce qui deviendra la psychiatrie communautaire.

Ils recommandent:

a) l'arrêt des travaux de construction du dernier asile, à Sherbrooke;

b) l'ouverture de services de psychiatrie dans les hôpitaux généraux;

c) l'élaboration d'une politique de recrutement des travailleurs de la santé (psychiatres, psychologues, travailleurs sociaux, infirmières psychiatriques, ergothérapeutes);

d) la régionalisation des services psychiatriques;

e) la création d'une division autonome au ministère de la Santé: la Division des services psychiatriques.

Il s'agit d'un projet d'envergure: on le confie au docteur Dominique Bédard, qui dirigera la Division des services psychiatriques jusqu'en 1971. Pour permettre la réalisation des recommandations de la commission d'enquête, le gouvernement débloque des crédits importants.

Dès 1955, quelques services de psychiatrie avaient vu le jour au sein d'hôpitaux généraux, avec le support de crédits en provenance d'Ottawa. Le docteur Bédard permet à cette opération de prendre de l'envergure, et de nombreux services de psychiatrie se créent, surtout en dehors des grands centres que sont Montréal et Québec. Sorel, Valleyfield, St-Hyacinthe, pour ne nommer que quelques villes, profitent de ce développement.

Les grands hôpitaux psychiatriques se réorganisent, ils ouvrent les portes à la population et invitent les professionnels de la santé à sortir de l'enceinte de l'asile et à travailler dans la communauté. On assiste à une telle ouverture à l'Annonciation, à Joliette, à Montréal et à Québec.

Enfin, au sein des deux Facultés de médecine francophones de Montréal et de Québec, les Départements de psychiatrie connaissent eux aussi un essor important, et l'enseignement de la psychiatrie se développe et s'organise dans les hôpitaux universitaires. Cet essor est particulièrement remarquable à l'Institut Albert-Prévost de Montréal, un petit hôpital psychiatrique d'environ 125 lits, qui devient un des hauts lieux de l'enseignement de la psychiatrie au Québec. En 1979, on constate que près de la moitié des psychiatres québécois ont acquis une partie de leur formation à l'Institut Albert-Prévost.

Dans les régions plus éloignées, où la densité de la population est faible, les services psychiatriques sont assurés par le biais d'équipes volantes pluridisciplinaires qui quittent les grands centres de Montréal et de Québec pour procurer, quelques jours par mois, soit des services cliniques à des populations identifiées, ou, de préférence, des services de consultation auprès des professionnels qui travaillent sur place (médecins-omnipraticiens, travailleurs sociaux, infirmières). L'Abitibi, la Gaspésie et la Côte-Nord bénéficient de cette solution véritablement québécoise. Dans certains milieux, la venue des équipes volantes stimule la création de services psychiatriques sur place. A Malartic par exemple, un petit hôpital de 50 lits est transformé en hôpital psychiatrique; à Rouyn et à Amos, deux hôpitaux généraux développent des services en psychiatrie. On assiste en Abitibi à la création de six équipes de secteur, malgré la difficulté de recruter des psychiatres dans cette région.

En dépit de ces efforts, les disparités régionales persistent au Québec. A l'arrivée du docteur Bédard à la direction des Services psychiatriques, seulement deux psychiatres travaillaient en dehors des villes de Montréal et de Québec. A son départ, près de 10 ans plus tard, il y en avait quatre-vingt-dix. Certaines régions demeurent cependant dépourvues, et, de façon générale, les psychiatres des régions périphériques ont tendance à revenir rapidement vers les grands centres.

38.5.3 Période de crise: de 1971 à 1977

Même si, en une décennie, la psychiatrie québécoise effectue un rattrapage incroyable et se fait quelque peu connaître sur le plan international, elle connaît à nouveau une période de crise sous le ministre Claude Castonguay dont les projets de refonte des services de santé s'avèrent désastreux pour la psychiatrie. Avant d'accéder au poste de ministre de la Santé, Claude Castonguay avait présidé une importante commission d'enquête sur l'ensemble des services de santé. Le rapport de cette commission louangeait l'organisation des services psychiatriques et soulignait entre autres l'approche globale du malade mental, le travail d'équipe des professionnels de la santé mentale, et la politique de régionalisation et de sectorisation des services psychiatriques. Cependant, dès qu'il est nommé ministre, Claude Castonguay abolit la Division des services psychiatriques, et transforme le ministère de la Santé en ministère des Affaires sociales, y adjoignant tous les programmes de services sociaux et d'assistance sociale. La psychiatrie est désormais fondue et perdue dans ce grand ensemble. Ce qui est qualifié de "normalisation" par le Ministre est vécu par le milieu psychiatrique comme un recul important. Le directeur de la Division des services psychiatriques, le docteur Bédard, avait un pouvoir décisionnel et un droit de gestion direct sur l'ensemble des budgets attribués aux services psychiatriques. Ces droits et ces pouvoirs disparaissent.   Les psychiatres se retrouvent avec leur seul pouvoir de persuasion, qui, la plupart du temps, ne fait pas le poids contre le puissant "lobby" médico-chirurgical.

En 1973, le gouvernement du Québec semble soucieux de redonner aux services psychiatriques une certaine représentation au sein du ministère des Affaires sociales, et il crée le Service aux malades mentaux, dirigé par Réal Lajoie, psychiatre.   La mandat du docteur Lajoie est mal défini, il n'a aucun pouvoir sur les budgets et peu d'influence sur la direction du ministère.   Malgré ses efforts, il ne peut enrayer l'hémorragie des services psychiatriques qui se désorganisent dans plusieurs régions de la province.   Les quatre-vingt-dix psychiatres que le docteur Bédard avait convaincu d'aller travailler en dehors des grands centres ne sont plus que cinquante quelques années plus tard.

Cette époque connaît cependant une réalisation majeure: il s'agit de la mise en place et de la reconnaissance par tous les intéressés de la grille des secteurs psychiatriques dans l'île de Montréal.   Ces secteurs existaient plus ou moins officieusement depuis une dizaine d'années: certaines limites étaient floues, et l'administration des hôpitaux faisait mine d'ignorer l'existence de ces secteurs.   En 1975, le docteur Gilles Lortie, coordonnateur des Services psychiatriques de la région de Montréal, parvient à mettre tout le monde d'accord sur une carte des services psychiatriques, et réussit, dans un second temps, à faire reconnaître cette sectorisation par chacun des conseils d'administration des hôpitaux concernés.

Dans l'ensemble cependant, les services psychiatriques se désorganisent de 1971 à 1977.   En 1969, une crise majeure amène la disparition du Service de psychiatrie à l'Hôpital Saint-Luc de Montréal.   L'Hôpital Jean-Talon et l'Hôpital Général de Verdun, tous deux dans la région de Montréal, connaîtront le même sort au cours des deux années suivantes.   En 1971, presque tous les psychiatres quittent l'Hôpital psychiatrique des Laurentides à l'Annonciation.   Cette équipe avait pourtant développé dans l'immense territoire attribué à cet hôpital un dispositif de soins extrêmement intéressant: 5 cliniques externes avaient été mises en place dans autant de petites villes ou villages, et le psychiatre responsable de chacune de ces cliniques dirigeait aussi l'unité de soins de l'hôpital psychiatrique où ses malades étaient admis.   En 1972, c'est l'hôpital psychiatrique Saint-Charles de Joliette qui connaît un sort semblable.   La ville de Trois-Rivières connaît une crise importante en 1975, alors que les trois psychiatres de cette ville menacent de démissionner.   A Valleyfield, tout près de Montréal, la situation est extrêmement lourde pour les quelques psychiatres en place qui doivent répondre aux besoins d'une population de 180,000 personnes, n'ayant que 12 lits à leur disposition.

Des situations semblables sont vécues à Saint-Jérôme, à l'Hôpital Fleury de Montréal, et un peu partout en province.   Le ministère des Affaires sociales et tout le réseau des Services de santé connaissent d'importants développements au cours de cette période; il semble cependant que les malades mentaux soient oubliés, tant au niveau du ministère qu'au sein des hôpitaux généraux.

Claude Castonguay est remplacé par Claude Forget à la tête du ministère des Affaires sociales, et ce dernier adresse à la psychiatrie la critique la plus violente qu'elle ait connue durant cette période. Il attaque le concept de la sectorisation des soins en psychiatrie, comme si elle représentait une entrave aux libertés individuelles. Il met en doute l'utilité du travail pluridisciplinaire, qui est selon lui peu efficace et peu scientifique. Il fait disparaître le Service aux malades mentaux ainsi que l'équipe qui dirigeait ce service; il abolit également un dispositif administratif qui assurait la protection des budgets de la psychiatrie dans les hôpitaux généraux. Désormais, le budget de la psychiatrie est perdu dans le budget global de l'hôpital. Il s'agit, encore une fois, d'un recul important.

Mentionnons enfin que, à partir de 1970, un certain nombre de médecins québécois quittent la province pour se diriger vers l'Ontario et les Etats-Unis, parce qu'ils acceptent mal la venue du Régime de l'assurance-maladie. Certains de ces médecins sont des psychiatres, et c'est surtout le milieu anglophone de Montréal qui subit ces pertes.

Malgré ces déboires, la psychiatrie communautaire fait son chemin et les équipes de secteur se développent un peu partout au Québec. La continuité des soins demeure le grand objectif lors des réorganisations de services. Au nom de cet objectif, on fait disparaître les énormes cliniques externes de psychiatrie des grands hôpitaux généraux, pour les remplacer par des cliniques plus petites, souvent situées hors de l'hôpital et confiées à des équipes pluridisciplinaires. On fait d'énormes efforts en vue de faire disparaître les listes d'attente.

Le travail en équipe connaît des débuts difficiles. Il est souvent question du leadership des équipes, de la place du psychiatre au sein de l'équipe, de la spécificité de chaque professionnel. Au fil des ans cependant, beaucoup de ces équipes atteignent un niveau de fonctionnement plus harmonieux, mieux intégré et la notion d'équipe est moins contestée. De telles équipes se développent même dans des régions où les psychiatres sont absents ou très peu présents. L'équipe de secteur devient vraiment l'épine dorsale du dispositif de soins psychiatriques, partout où il existe. Ces équipes sont souvent constituées de jeunes professionnels dynamiques et stimulants, dont plusieurs ont bénéficié durant leur formation, de bourses mises à leur disposition par la Division des services psychiatriques du docteur Dominique Bédard.

38.5.4 L'originalité de la psychiatrie communautaire au Québec

Rares sont les pays qui, à l'instar du Québec, se sont dotés d'une politique de soins et santé mentale pour l'ensemble de leur territoire, et qui ont réussi, en moins de 20 ans, à réaliser une opération d'une telle envergure. Depuis 1960, la psychiatrie québécoise a connu et continue de connaître un dynamisme remarquable.

En tant que spécialité médicale, la psychiatrie a fait des bonds importants. Jusqu'en 1960, elle était en quelque sorte le parent pauvre de la médecine: les psychiatres étaient peu nombreux, mal rémunérés et isolés au plan scientifique et universitaire. Ils travaillaient souvent dans des conditions difficiles. Présentement, le milieu psychiatrique est ouvert, stimulant, à l'écoute des grands courants de pensée de la psychologie et de la sociologie. Il n'en a pas perdu pour autant son identité médicale.

Le recrutement des psychiatres a connu une croissance importante en 15 ans. Leur nombre a augmenté de 600% durant cette période. Il en va de même de tous les professionnels de la santé mentale: psychologues, travailleurs sociaux, ergothérapeutes, infirmières, ces professionnels étant même mieux distribués encore que les psychiatres à travers les diverses régions du Québec.

Le Québec a produit et produit encore d'excellents cliniciens dans toutes ces disciplines. Les équipes de soignants ont une pratique avant tout concrète, qui cherche à s'adapter le mieux possible aux besoins du malade et de son entourage. Les fondements théoriques dont s'inspire cette pratique sont surtout psychodynamiques et psychanalytiques. De plus en plus cependant, les théories de la communication et les théories behavioristes sont utilisées par les professionnels.

La famille traditionnelle d'origine française au Québec ressemble beaucoup à la famille juive traditionnelle. L'Hôpital juif de Montréal possède depuis plusieurs années un excellent centre de formation dans le domaine des thérapies familiales; plusieurs professionnels francophones ont profité de cette formation et ont enrichi les équipes où ils travaillent de cette expérience additionnelle.

Les Etats-Unis ont connu, comme nous l'avons vu plus haut, un engouement marqué pour la prévention primaire en santé mentale, au point que, pendant plusieurs années, la psychiatrie communautaire s'est identifiée presque complètement à ce mode d'intervention. A son paroxysme, cette vision des choses a conduit les professionnels à négliger le soin aux malades pour investir toutes leurs énergies dans des activités qui devaient permettre d'enrayer la maladie mentale avant même qu'elle ne se manifeste.

Il y avait peut-être là une peur inconsciente du psychotique, et un fantasme omnipuissant à l'effet que les professionnels en santé mentale pouvaient régler tous les maux de la société. Ces tendances se sont moins manifestées au Québec, même si, parallèlement au travail clinique, la plupart des professionnels continuent de valoriser divers types d'intervention, de consultation, d'enseignement, de collaboration avec d'autres ressources au sein de la communauté.

Après plus de 10 ans d'existence, la psychiatrie communautaire au Québec croit toujours à la valeur des interventions rapides en période de crise, au mérite des visites à domicile, à l'importance de la continuité des soins dans le traitement des malades, à l'intérêt des hospitalisations brèves, à la suppression

des listes d'attente dans les cliniques externes et au bien-fondé du travail en é-
quipe auprès du malade et de son entourage immédiat.

Le modèle s'est assoupli et relativisé au cours des ans. Nous reconnaissons tous qu'aucun type d'intervention ne permet de guérir les grandes psychoses schizophréniques ou d'en diminuer l'incidence au sein de la population. Les
équipes se fixent de plus en plus des objectifs réalistes, évitent de se laisser écraser
sous le poids de la psychose, et tentent d'acquérir "le dur désir de durer".

Depuis 1976, les professionnels de la santé mentale oeuvrant dans le domaine public se réunissent tous les ans en un Colloque sur la santé mentale communautaire. Cette initiative de l'Hôpital Saint-Luc de Montréal s'est répétée les
années subséquentes à l'Hôpital Louis-H. Lafontaine de Montréal, à l'Hôpital Robert-Giffard de Québec, et au Centre hospitalier universitaire de l'Université de
Sherbrooke. Le premier colloque a donné naissance à la revue "Santé mentale
au Québec" qui se veut un témoin de la pratique psychiatrique quotidienne, et
qui connaît une assez grande diffusion dans les milieux psychiatriques.

Plutôt que d'être imposé d'en haut, comme aux Etats-Unis, le modèle de
psychiatrie communautaire s'est développé au Québec à partir de la base, c'est-
à-dire des praticiens. La Commission d'enquête Bédard-Lazure-Roberts lui a
donné un bon coup d'envoi, comme nous l'avons vu plus haut; cependant, elle
s'est heurtée par la suite à beaucoup d'incompréhension de la part des divers
ministres qui se sont succédé , au point qu'elle ne se serait probablement pas
maintenue en place si les professionnels de la base ne l'avaient pas voulu ainsi.

Il faut aussi noter que la psychiatrie communautaire au Québec ne s'est
pas développée contre les asiles, mais bien en collaboration avec ceux-ci. Depuis plusieurs années, les grands hôpitaux psychiatriques ont aussi leur propre
secteur de prise en charge; ils tentent de consacrer le plus gros de leurs efforts
aux besoins de cette clientèle, et de diminuer progressivement leur rôle traditionnel d'hébergement de malades chroniques. L'Hôpital Robert-Giffard de Québec
a même développé un réseau vraiment original et unique au Québec de ressources variées d'hébergement et de réadaptation au travail, afin de répondre
aux besoins de divers types de malades.

Enfin, un dernier fait témoigne de la vitalité de la psychiatrie québécoise:
alors qu'à une époque, presque tous les psychiatres devaient s'expatrier à un
moment quelconque de leur formation, la plupart choisissent maintenant de
poursuivre la totalité de leur formation au Québec, et très peu d'entre eux vont à
l'étranger.

38.6 QUELLES SONT LES PERSPECTIVES D'AVENIR DE LA PSY-
CHIATRIE COMMUNAUTAIRE?

Il est difficile de répondre à cette question. Il est bien évident cependant
que le principal défi de la psychiatrie communautaire réside présentement dans
la qualité de la vie des malades psychotiques. Le système de soins actuel est

peut-être plus souple, plus mobile, moins chronicisant, mais il met également énormément de pression sur la société et sur les familles. Il laisse un grand nombre de "fous" en liberté et il ne se préoccupe pas toujours assez de la qualité de vie des psychotiques chroniques qui passent leurs journées à errer dans les gares, les centres commerciaux, les quartiers de magasins, quand ils ne demeurent pas terrés dans une chambre souvent sordide.

Il est urgent de créer des établissements spécialisés d'hébergement pour malades mentaux chroniques, ces établissements devant être aussi nombreux que variés afin de procurer à chaque malade le milieu de vie le plus approprié. Pour les malades possédant un certain degré d'autonomie sociale, ces établissements s'appellent familles d'accueil ou appartements communautaires; pour ceux dont la capacité de s'adapter en société est faible, ce sont des centres d'accueil, des foyers thérapeutiques, des communes thérapeutiques. Ces établissements existent tous, dans le réseau des Affaires sociales ou à l'état expérimental. Ils sont cependant insuffisants en nombre et difficiles d'accès.

Si de telles ressources ne se développent pas rapidement, il y a un fort risque que l'opinion publique ne réclame, à cor et à cri, que l'on recrée des asiles et que l'on y réintroduise les psychotiques de façon prolongée.

La psychiatrie communautaire a connu et connaît encore des crises et des difficultés. On a vu cependant que c'est une psychiatrie vivante et dynamique qui continue de rechercher des modalités réalistes d'évolution. Il est indispensable que des politiques sociales viennent épauler le travail que font quotidiennement des centaines de praticiens en santé mentale.

BIBLIOGRAPHIE

AIRD, G. "La psychiatrie de secteur à l'hôpital général". *Santé mentale au Québec.* 1976, septembre, 1(1).

AIRD, G. "Quelques réflexions sur l'état actuel des services en santé mentale dans la région de Montréal". *Santé mentale au Québec.* 1978, novembre, 2(3).

AMYOT, A. et LAVOIE, J.G. "La psychiatrie communautaire: la continuité des soins". *L'Union médicale du Canada.* 1976, décembre, 105,1831-1837.

AYME, J. "La psychiatrie de service public". *L'Encyclopédie médico-chirurgicale.* Section 37958 A10. 1971, 3e trimestre.

BEDARD, D. "Historique de la psychiatrie de secteur québécoise". *Santé mentale au Québec.* 1976, septembre, 1(1).

BEDARD, D., LAZURE, D. & ROBERTS, C.A. *Rapport de la Commission d'étude des hôpitaux psychiatriques.* Editeur officiel du Québec, 1962.

BEGIN, M. "L'individu et la santé: le point de vue du sociologue". *Santé mentale au Canada.* 1978, décembre, 4(26).

BELANGER, M. *Rapport du groupe de travail sur la distribution des services en santé mentale dans la région de Québec, et particulièrement sur l'orientation de l'hôpital Saint-Michel-Archange.* Editeur officiel du Québec, mars 1973.

BELLAK, L. (Ed.) *Handbook of Community Psychiatry.* New York: Grune and Stratton, 1964.

BELLAK, L. & BARTEN, H.H. (Ed.) *Community Mental Health.* New York: Grune and Stratton, 1964.

BINDMAN, A.J. & SPIEGEL, A.D. (Ed.) *Perspective in Community Mental Health.* Chicago: Aldine Publishing Company, 1969.

BORDELEAU, J.M. "Hôpital psychiatrique traditionnel et assistance psychiatrique moderne". *Laval Médical.* 1970, juin, 6(41).

CAPLAN, G. *An Approach to Community Mental Health.* New York: Grune and Stratton, 1966.

GRUENBERG, E.M. "Evaluating the Effectiveness of Community Mental Health Services". *Proceedings of a Round Table at the Sixtieth Anniversary Conference, the Milbank Memorial Fund.* 1969, avril, 5-7.

HUME, P.B. "General Principles of Community Psychiatry". *American Handbook of Psychiatry.* New York: Basic Books inc., 1959, (3), chap. 31.

JONES, M. "Community Psychiatry". *Modern Perspectives in World Psychiatry.* New York: Brunner-Mazel, 1971, chap. 25.

LALONDE, M. *Nouvelle perspective de la santé des Canadiens.* Editeur de la Reine, avril 1974.

PAGE, J.C. *Les fous crient au secours.* Montréal: Les Editions de l'Homme, 1961.

RACAMIER, P.C. *Le psychanalyste sans divan.* Paris: Payot, 1970.

"La psychiatrie au Québec". *L'Information psychiatrique.* 1967, avril, (4).

"Action for Mental Health". *Report of the Joint Commission on Mental Illness and Health.* New York: Science Editions, J. Willey and Sons, 1961.

CHAPITRE 39

PSYCHIATRIE LÉGALE

Frédéric Grunberg et Gaston-B. Gravel

39.1 LÉGISLATION RÉGLEMENTANT L'ASSISTANCE PSYCHIATRIQUE

Dans la plupart des sociétés modernes, l'assistance psychiatrique aux malades mentaux est réglementée par le législateur qui veille à faciliter l'accès aux soins psychiatriques. Tout en protégeant les libertés individuelles contre les abus du pouvoir administratif de la psychiatrie, le législateur s'applique à protéger le malade mental contre l'exploitation par l'entourage et par la société lorsque ce patient est incapable de gérer ses affaires.

Au Canada, la législation réglementant l'assistance psychiatrique est de compétence provinciale, par conséquent chaque province a ses propres statuts.

39.1.1 Législation réglementant l'assistance psychiatrique au Québec

Depuis 1972, il n'y a plus d'hôpitaux psychiatriques proprement dits dans la province de Québec. Les malades souffrant de désordres mentaux peuvent être hospitalisés dans un centre hospitalier, soit en cure libre ou en cure fermée.

39.1.1.1 Hospitalisation du malade psychiatrique

Hospitalisation en cure libre

La **loi des Services de santé et des services sociaux** de la province de Québec s'applique aux soins donnés aux malades mentaux comme à tout autre malade souffrant d'une maladie physique.

Procédure d'admission

Un médecin adresse une demande d'admission à un centre hospitalier en inscrivant le nom du malade, le diagnostic de la maladie ainsi que le degré d'urgence que représente l'admission. Le choix du centre hospitalier n'est imposé par aucune loi ou règlement et le malade a le libre choix de son médecin traitant. Il est évident qu'en pratique le libre choix du centre hospitalier et du médecin traitant est relatif à certaines politiques administratives telles que la sectorisation des soins psychiatriques et l'organisation interne des différents centres hospitaliers de la province. Habituellement, lorsque la pathologie psychiatrique est importante, le malade est référé à un médecin spécialiste en psychiatrie qui peut hospitaliser le malade dans le centre hospitalier où il est membre du Conseil des médecins et dentistes.

En cours d'hospitalisation

Certains traitements nécessitent le consentement éclairé du malade. Le malade psychiatrique est libre de le donner ou de le refuser tant que son état mental ne lui enlève pas la capacité d'appréhender ou de juger cette question.

Dans les cas douteux, un psychiatre **doit** examiner le malade et faire parvenir au directeur des Services professionnels de l'établissement un certificat attestant la capacité ou l'incapacité du malade d'administrer sa personne et ses biens. Si le malade est reconnu **incapable**, il sera placé sous curatelle selon les procédures décrites à la page 883. Le curateur donnera alors le consentement à la place du malade, et non pas un membre de la famille, à moins que ce dernier ne soit nommé curateur privé.

Terminaison de l'hospitalisation

Le malade peut quitter l'hôpital en suivant les procédures habituelles. Si la maladie est de nature grave et le malade est reconnu **incapable** de signer un refus de traitement, on ne peut le maintenir contre son gré à l'hôpital à moins de le placer en cure fermée.

Hospitalisation en cure fermée

La **loi de la Protection du malade mental** prévoit de garder à l'hôpital en cure fermée tout malade dont l'état mental est susceptible de mettre en danger sa santé ou sa sécurité, ou la santé ou la sécurité d'autrui.

Cette Loi prévoit aussi des mécanismes visant à préserver les droits du malade, ce que nous examinerons plus bas.

Admission involontaire

Quand un médecin, ou toute autre personne, prescrit un examen psychiatrique pour un individu manifestant des troubles d'ordre mental mais qui refuse toutefois de se rendre à l'hôpital pour y être examiné, un juge de la Cour provinciale ou de toute autre cour agréée par la loi de la Protection du malade mental peut, sur présentation d'une requête, ordonner au malade de se soumettre à un examen psychiatrique et l'envoyer contre son gré à l'hôpital.

Un examen clinique psychiatrique doit alors être exécuté dans les 24 heures par un psychiatre, si possible détenteur d'un certificat de spécialité en psychiatrie de la Corporation professionnelle des médecins de la province de Québec.

A la suite de cet examen, s'il juge que le malade présente suffisamment de **danger** pour sa santé ou la sécurité d'autrui, le psychiatre doit signer un rapport écrit attestant la nécessité d'une cure fermée. Le malade est alors hospitalisé et, dans les 96 heures qui suivent son admission, il doit être examiné par un deuxième psychiatre qui pourra lui aussi conclure à la nécessité d'une cure fermée. Si ce dernier réfute la nécessité de la cure fermée, le malade doit être hospitalisé en **cure libre** ou obtenir son congé selon les procédures habituelles du centre hospitalier.

Si les deux (2) examens cliniques psychiatriques confirment la nécessité de la cure fermée, l'établissement doit prendre les mesures appropriées afin d'assurer la bonne garde du malade. Si le malade s'oppose à la cure fermée, l'établissement doit faire parvenir à un juge de la Cour provinciale, ou de toute autre cour agréée par la Loi, les deux (2) rapports d'examens psychiatriques ainsi qu'une requête pour une ordonnance obligeant le malade à se soumettre à la cure fermée. La requête doit être sollicitée par une personne qui a connaissance courante du cas; généralement le directeur des Services professionnels de l'établissement hospitalier est le requérant.

C'est uniquement à la suite de cette ordonnance que l'établissement peut continuer de garder le malade contre son gré, afin d'assurer sa protection et celle d'autrui.

Terminaison de la cure fermée

La cure fermée, faisant suite aux deux rapports d'examens psychiatriques et à l'ordonnance du juge, permet la détention du patient dans l'établissement hospitalier pour une période maximale de vingt et un (21) jours. S'il est nécessaire de maintenir une cure fermée au-delà de ce délai, un nouvel examen psychiatrique, valable pour une période maximale de trois (3) mois, est obligatoire. Par la suite, un troisième examen psychiatrique pourra maintenir le patient en cure fermée pour une période maximale de six (6) mois, renouvelable tous les six (6) mois après un examen psychiatrique.

Droits et recours du malade en cure fermée

Lorsqu'un malade est insatisfait des décisions prises à son sujet en vertu de la loi de la Protection du malade mental, il peut en appeler à la Commission des affaires sociales* par une demande écrite.

La commission délègue alors un avocat et deux psychiatres à l'hôpital pour y entendre le malade, ainsi que toute autre personne qui pourrait éclairer la cause. S'il le désire, le malade peut alors être assisté d'un avocat.

La Commission des affaires sociales peut maintenir ou annuler la cure

---

* La Commission des affaires sociales est un organisme mis en place par le ministère des Affaires sociales permettant aux citoyens du Québec qui se sentent lésés par des décisions administratives relevant de la Santé et du Bien-Etre social, de faire appel.

fermée décrétée par le juge qui avait émis l'ordonnance en vertu de la loi de la Protection du malade mental. Cette décision est finale et sans appel.

Surveillance de l'application de la loi de la Protection du malade mental

Quand un malade est placé en **cure fermée**, l'établissement est obligé de l'informer de ses droits et recours et le médecin traitant doit, lui aussi, aviser la famille ou la personne responsable du malade des dispositions prises à son sujet, ainsi que des mesures susceptibles de hâter sa guérison.

Un appel à la commission peut être présenté non seulement par le malade, mais aussi par un de ses parents ou alliés qui s'opposerait à la décision de placer le malade en cure fermée.

La Commission des affaires sociales reçoit de la Cour la copie de toutes les ordonnances émises en vertu de la loi de la Protection du malade mental. Elle peut intervenir, enquêter et rendre une décision finale même si la cure fermée n'a pas été contestée par le patient ou sa famille.

Urgences psychiatriques

Lorsqu'un **état de crise** survient chez une personne souffrant de maladie mentale et que l'urgence de l'hospitalisation ne permet pas de suivre les procédures décrites plus haut, le malade peut être conduit au service d'urgence d'un hôpital où tout médecin exerçant dans cet hôpital peut l'admettre provisoirement s'il juge que l'état mental du malade est tel qu'il présente, pour lui ou pour autrui, un **péril grave et immédiat.**

Dans les quarante-huit (48) heures qui suivent, le malade doit cependant faire l'objet d'un **examen clinique psychiatrique** en bonne et due forme, et les procédures de la cure fermée peuvent alors être entreprises si elles sont jugées nécessaires.

Implications cliniques de la cure fermée

Bien que la cure fermée soit une mesure judiciaire diminuant les libertés individuelles du citoyen pour cause de maladie mentale, et permettant son incarcération, elle est assujettie à une décision médicale qui est très rarement contestée par le pouvoir judiciaire. C'est donc une décision d'exception qui engage lourdement la responsabilité morale du médecin, qui ne peut la prendre à la légère.

En pratique, il est très rare qu'un patient, même psychotique, refuse d'accepter l'hospitalisation si le climat et l'alliance thérapeutiques indispensables au traitement sont établis.

Il existe néanmoins des situations où le recours à la cure fermée est inévitable. Il faut retenir que le législateur a mis l'accent sur la notion de "dangerosité" du comportement pour la sécurité et la santé du patient et de l'entourage, sans plus la définir. Récemment, le Comité de santé mentale du Québec s'est penché sur cet aspect de la Loi et a déploré: "Premièrement, la prédiction qu'il sollicite de la part des psychiatres, deuxièmement, l'absence de critères objectifs et reconnus leur permettant d'assurer avec certitude cette prédiction''.

Il serait donc utile pour le clinicien de se rabattre sur des critères cliniques avant d'hospitaliser un patient en cure fermée.

- Il faut s'assurer que ''l'état dangereux'' est associé à un trouble mental. Beaucoup d'individus peuvent exhiber des comportements dangereux, agressifs ou délinquants sans pour cela être nécessairement des malades mentaux. La psychiatrie ne peut se substituer à la police.

- Il faut reconnaître qu'une maladie mentale, même de nature psychotique, ne se traduit pas toujours par un comportement dangereux. Nous connaissons tous des malades psychotiques avec des délires chroniques capables de fonctionner assez bien dans la société sans mettre en danger qui que ce soit.

D'un point de vue pratique, la cure fermée est justifiée s'il est impossible de persuader le patient de se faire hospitaliser en cure libre et si une des conditions suivantes est constatée après examen psychiatrique:

- il existe des présomptions très sérieuses basées sur le discours et le comportement du patient, selon lesquelles la maladie mentale se traduira par un comportement dangereux; par exemple: comportement suicidaire ou comportement de violence contre autrui;

- la maladie mentale a tellement désorganisé la personnalité et le comportement du patient qu'il ne fonctionne plus comme un être humain autonome, capable de pourvoir aux besoins les plus élémentaires de sa personne, mettant ainsi en danger sa santé ou sa sécurité.

L.S. est trouvée un matin endormie très profondément après avoir pris une dose de somnifères dépassant de beaucoup celle qui était prescrite par le médecin. Sa mère, qui la trouvait morose depuis quelque temps, s'inquiète et tente de convaincre son enfant d'aller consulter un psychiatre. L'adolescente s'y refuse, mais continue d'exhiber un comportement dépressif. Quelques jours plus tard, la mère trouve une lettre de la malade qui n'avait pas été adressée. Des allusions au suicide y sont inscrites et la mère prend panique. Elle demande alors à son médecin d'intervenir. Ce dernier demande un examen clinique psychiatrique pour L.S. à l'hôpital où il y a un service de psychiatrie. La patiente refuse d'accéder à la demande du médecin. La mère fait alors une requête en se présentant à la Cour où, avec l'aide du greffier, elle rédige les documents. L'ordonnance du médecin de famille est attachée à sa demande et le juge émet par la suite une ordonnance obligeant la malade à se rendre à un hôpital pour y être examinée. Face à cette obligation formulée par la Cour et sachant qu'une ordonnance de transport sera émise si elle refuse de s'y soumettre, L.S. se rend à l'hôpital pour y rencontrer un psychiatre. Ce dernier constate une dépression accompagnée de ruminations suicidaires graves et juge que

L.S. présente suffisamment de danger pour sa santé et sa sécurité pour recommander la cure fermée. La malade est gardée à l'hôpital malgré son refus jusqu'à ce que le lendemain, un autre psychiatre puisse la rencontrer. Le deuxième psychiatre certifie lui aussi la cure fermée et, une ordonnance est émise par un juge l'obligeant à se soumettre aux décisions médicales. Dix jours plus tard, le traitement a suffisamment amélioré l'état de la malade pour que le médecin la relève de la cure fermée en produisant un nouveau rapport d'examen clinique psychiatrique la plaçant en cure libre. La malade consent alors à rester à l'hôpital pour quelques semaines afin de parfaire son traitement.

***J.C.** a déjà été hospitalisé pour un état de schizophrénie pendant plusieurs années. Il a maintenant 37 ans. Il vit dans un foyer du Service social et reçoit une allocation gouvernementale. Depuis deux semaines il est devenu songeur et refuse de prendre toute médication. On l'entend quelquefois parler à haute voix alors qu'il est seul dans sa chambre qu'il ne quitte que pour prendre ses repas. Il ne communique plus avec les autres pensionnaires et néglige sa personne. Il dérange les autres la nuit par son activité nocturne et il devient une source d'ennuis pour la bonne marche du foyer.*

Le propriétaire réussit à l'amener à l'hôpital de son quartier où il rencontre un omnipraticien qui demande une consultation en psychiatrie. Le psychiatre, après avoir écouté la version de la personne responsable du foyer, examine le malade et lui propose de se faire hospitaliser. Le malade refuse catégoriquement malgré les tentatives que le médecin fait pour le convaincre. L'examen ne relève pas un état mental pouvant mettre en danger la santé ou la sécurité du malade ou la santé ou la sécurité d'autrui.

La loi de la Protection du malade mental ne peut donc s'appliquer dans ce cas et l'établissement ne peut qu'offrir un traitement que le malade est libre d'accepter ou de refuser.

La personne responsable du foyer devra donc avoir recours au Service social qui verra à transférer le malade dans un établissement mieux adapté à l'apragmatisme du client.

39.1.1.2   La capacité du malade psychiatrique à administrer ses biens

Cette préoccupation du législateur est de longue date car on la retrouve dans le Droit romain qui était plus intéressé à la protection des biens du malade mental qu'à sa personne. Sous le règne de Justinien, le législateur avait déjà prévu la nomination d'un *curator* par un magistrat, pour administrer les biens *potestas* d'un *furiosus*.

Actuellement, au Canada, la protection des biens du malade mental est de compétence provinciale. Elle est couverte au Québec par la loi de la Curatelle publique et par le code de Procédures civiles qui permet l'interdiction et la nomination d'un tuteur. Dans ce chapitre, nous n'envisagerons que la mise en curatelle publique.

Procédures de mise sous curatelle

Le chapitre 81 intitulé: "loi de la Curatelle publique" stipule que le **curateur public** est curateur d'office de tout malade mental qui n'est pas pourvu d'un tuteur ou d'un curateur, et dont l'**incapacité** d'administrer ses biens est attestée par un certificat médical. Ce certificat ne peut être délivré que sur la recommandation écrite et motivée d'un **psychiatre** qui a examiné le malade et qui a conclu que ce dernier était **incapable** d'administrer ses biens à cause de son état mental.

Selon l'article 8 de la loi de la Protection du malade mental, le **psychiatre** est **obligé**, lors de tout examen clinique psychiatrique, de faire état de la **capacité** de la personne examinée d'administrer ses biens.

Selon l'article 4 du chapitre 44, cet examen psychiatrique peut être **requis** de tout centre hospitalier au nom de la personne chez qui se manifestent des troubles d'ordre mental par un **médecin** qui a droit, en vertu de la Loi, d'exercer sa profession au Québec.

Si la personne **refuse** de se soumettre à cet examen psychiatrique, tout juge de la Cour provinciale, de la Cour de Bien-Etre social ou des Cours municipales des villes de Montréal, Laval ou Québec ayant juridiction dans la localité où se trouve cette personne, peut lui **ordonner** de se soumettre à cet examen.

L'ordonnance du juge s'obtient sur **requête** sommaire faite par une personne ayant connaissance des faits allégués pour démontrer l'obligation de l'examen.

Dans le cas d'une **requête** visant à obtenir un examen psychiatrique pour évaluer la **capacité** mentale d'administrer les biens, le **certificat médical** ou les faits allégués dans la **requête** doivent démontrer que:

"l'état mental de la personne est susceptible de mettre en danger ses biens ou ceux d'autrui".

Si un tel certificat médical est adressé au **curateur public,** ce dernier peut devenir le requérant et obtenir une ordonnance pour examen clinique psychiatrique tel que stipulé à l'article 7 (A) du chapitre 81.

Lorsque le rapport de l'examen conclut que la personne qui en est l'objet est **incapable** d'administrer ses biens, un **certificat d'incapacité** est remis au **curateur public** sans délai, par le directeur des Services professionnels ou tout autre **médecin** de l'hôpital désigné par le D.S.P.

Si l'examen clinique psychiatrique a été tenu **en dehors** d'un centre hospitalier et si le rapport conclut que la personne en cause est **incapable** d'administrer ses biens, le **psychiatre** doit en faire parvenir un exemplaire à un centre hospitalier afin que le **certificat d'incapacité** puisse être adressé dans les plus brefs délais au **curateur public** par le directeur des Services professionnels.

Procédures pour la levée de la curatelle

Le malade mental incapable d'administrer ses biens demeure sous cura-telle aussi longtemps qu'aucune des conditions suivantes ne se réalise:

- lorsque le directeur des Services professionnels ou un **médecin** autorisé par celui-ci transmet au **curateur public** un **certificat** attestant que le malade mental est en état d'administrer ses biens sur recommandation écrite et motivée d'un **psychiatre** qui l'a examiné;

- lorsque le certificat d'**incapacité** a été **annulé** par un jugement définitif du **tribunal**;

- lorsqu'un jugement nomme un **tuteur** ou un **curateur privé** suite à un conseil judiciaire à l'un des administrés du curateur public;

- lorsque, par suite du **décès** de l'administré, l'**héritier** se présente et éta-blit sa qualité.

Il est donc très important que les modifications de l'état mental pouvant entraîner un changement dans la **capacité** du malade d'administrer ses biens fassent l'objet d'un **nouveau** rapport d'examen psychiatrique. Ainsi le malade ne risque pas d'être **oublié** sous curatelle alors que son état mental lui permettrait l'administration de ses biens.

Le **psychiatre** traitant doit se faire un **devoir** de réviser **périodiquement** la **capacité** d'administrer les biens de chacun de ses malades sous curatelle.

Les deux exemples suivants illustreront les procédures de mise et de le-vée de curatelle selon la loi de la Curatelle publique au Québec.

L.P. est une homme d'âge mûr, traité par un psychiatre en cabinet privé pour un état dépressif sévère. Entre autres symptômes, il mani-feste une perte d'intérêt marquée pour la gestion de son commerce et il entrevoit l'avenir avec une inquiétude totalement inappropriée à la réalité.

Il raconte s'être fait offrir une somme dérisoire pour son commerce et sa maison, et son état mental l'entraîne à considérer sérieusement la vente de ses biens à cet offrant.

Il apparaît évident au médecin que cet homme n'aurait pas la même at-titude vis-à-vis de cette transaction financière s'il était dans un état émo-tionnel normal. Comme ce malade est seul et ne peut facilement se fier à un bon conseiller, le médecin croit qu'il serait prudent de le placer temporairement sous curatelle. Etant détenteur d'un certificat de psy-chiatrie de la province de Québec, il rédige un rapport d'examen psy-chiatrique concluant à l'incapacité de ce malade d'administrer ses biens. Il fait alors immédiatement parvenir copie de ce rapport au di-

recteur des Services professionnels de l'hôpital auquel il est attaché et le directeur des Services professionnels complète, dans les heures qui suivent, un certificat d'incapacité qu'il signe en y joignant le rapport du psychiatre.

Ce certificat d'incapacité est alors adressé au curateur public qui prend les mesures nécessaires pour que les biens du malade soient protégés et bien administrés.

Le médecin traitant avise son malade que cette procédure a pour but de le protéger temporairement contre des décisions financières désastreuses, et l'assure qu'aussitôt que son état mental sera amélioré, il reprendra rapidement la gestion de ses propriétés.

Quelques semaines plus tard, le psychiatre réalise que l'amélioration de l'état dépressif est suffisante pour que le malade puisse prendre des décisions rationnelles. Il fait alors parvenir au directeur des Services professionnels du même hôpital un nouveau rapport d'examen psychiatrique concluant cette fois à la capacité du malade d'administrer ses biens. Sans autre procédure que le rapport de capacité signé par le directeur des Services professionnels et accompagné du dernier rapport d'examen psychiatrique, le curateur public prend les mesures pour redonner l'administration de ses biens au malade qui a été sous sa juridiction pendant environ un mois.

Y.T. est une dame qui est traitée depuis plusieurs années dans un hôpital psychiatrique pour un état de schizophrénie paranoïde. Des traitements ont amélioré son état mental à un point tel qu'elle peut maintenant être traitée sur une base externe et demeurer dans une famille d'accueil.

Comme elle est sous la juridiction du curateur public depuis son admission à l'hôpital, quelques années auparavant, le certificat d'incapacité avait été complété par un médecin différent de celui qui la traite actuellement.

En révisant le dossier au moment du départ de l'hôpital, le médecin traitant note que la malade est sous curatelle publique et décide de réévaluer la capacité mentale d'administrer ses biens de sa malade.

Il conclut alors que la rémission symptomatique de la psychose permet à la malade d'exercer son jugement de façon rationnelle et conclut à la reprise de la capacité de cette malade.

Il complète alors un certificat de capacité sur une formule fournie par l'hôpital et la fait parvenir au directeur des Services professionnels qui l'achemine au curateur public après l'avoir dûment signée à son tour. Quelque temps plus tard, la malade est avisée de l'état de ses biens et en reprend l'administration.

A.C. est un malade d'âge mûr qui présente un état maniaque depuis *quelques jours. Son médecin de famille se rend compte de l'existence de cette pathologie et essaie d'intervenir; cependant, le malade refuse tout traitement et son état mental l'entraîne à dilapider ses biens.*

Le médecin complète alors un certificat médical concluant à la nécessité d'un examen clinique psychiatrique dans le but d'évaluer la capacité d'administrer de son malade. Ce rapport est remis à l'épouse du patient qui complète une requête pour examen clinique psychiatrique en y inscrivant les faits dont elle a connaissance et qui l'amènent à croire que son mari est dans un état mental susceptible de mettre ses biens en danger. Sur la foi de cette requête et d'un affidavit signé par la requérante attestant la véracité des faits allégués, le juge émet une ordonnance d'examen clinique psychiatrique qui est signifiée au malade.

Le malade réalise qu'il devra, bon gré mal gré, se présenter à l'hôpital le plus proche pour se faire examiner par un psychiatre et accepte de se rendre au service d'urgence de l'hôpital le plus proche ayant un département de psychiatrie. Sur présentation de l'ordonnance, un psychiatre est immédiatement appelé à examiner le malade et conclut dans son rapport à l'incapacité d'administrer ses biens.

Ce rapport est acheminé au directeur des Services professionnels de l'hôpital qui complète un certificat d'incapacité pour l'adresser au curateur public.

Quelque temps plus tard, l'état du malade ne s'améliorant pas, l'épouse désire obtenir de la curatelle l'administration des biens de son mari. Elle consulte alors un notaire qui entreprend les procédures d'interdiction.

Lorsque le juge prononce l'interdiction du malade et nomme l'épouse curatrice des biens, le curateur public en est informé et cède l'administration des biens du malade à la curatrice nommée par la cour.

Après quelques mois de traitement, le malade retrouve sa capacité mentale d'administrer ses biens et demande d'être relevé de son interdiction. Le psychiatre traitant complète un examen clinique psychiatrique et conclut à la capacité mentale d'administrer ses biens. Cependant, dans ce cas, cet examen psychiatrique n'est pas suffisant pour redonner automatiquement l'administration des biens au malade. Le notaire ou un avocat doit alors entreprendre les démarches judiciaires requises pour la levée de l'interdiction. Si les conclusions de ce dernier examen psychiatrique et d'autres témoignages sont suffisants, le juge peut alors relever le malade de son interdiction et lui redonner l'administration de ses biens.

Consentement aux traitements

Il faut aussi retenir qu'au Québec, le curateur, qu'il soit public ou privé, en plus de ses fonctions d'administrer les biens du patient certifié incapable, assume aussi la responsabilité de consentir au traitement. La cure fermée, par elle-même, n'autorise pas à administrer un traitement à un patient qui refuse de s'y soumettre. Sauf urgence, le patient doit consentir à son traitement à moins qu'il ne soit déclaré incapable et que le traitement soit autorisé par le curateur public ou privé. Nous reviendrons plus loin sur ce point lorsque nous examinerons la responsabilité civile du médecin en pratique psychiatrique.

39.1.2 Législation réglementant l'assistance psychiatrique dans les autres provinces canadiennes

39.1.2.1 Hospitalisation du malade psychiatrique

Dans la plupart des provinces anglophones du Canada, la législation réglementant l'assistance psychiatrique s'est inspirée de la législation britannique (British Mental Health Act 1959). Cette législation est hors de la juridiction du gouvernement fédéral.

A quelques variantes près, le législateur a prévu deux modes d'hospitalisation dans les établissements psychiatriques (*psychiatric facilities*): une hospitalisation simple (*informal admission*) et une hospitalisation involontaire (*formal admission*).

Hospitalisation simple (*informal admission*)

Elle se fait avec un minimum de formalités et correspondrait à la cure libre au Québec. A toute fin pratique, dans ce mode d'hospitalisation, il suffit que le malade fasse la demande et qu'un médecin de l'établissement psychiatrique consente à l'hospitaliser. Si le malade n'est pas en mesure de faire la demande ou de donner un consentement éclairé (démence, psychose aiguë, etc.) mais toutefois ne proteste pas contre son hospitalisation, un de ses proches parents (*nearest relative*) peut faire la demande pour lui.

Sous cette forme d'hospitalisation, le malade peut demander son congé à tout moment et celui-ci doit lui être accordé sans délai, à moins de changer son hospitalisation simple en hospitalisation involontaire.

Hospitalisation involontaire (*formal admission*)

Elle correspond à la cure fermée au Québec. Dans l'esprit de la loi, l'hospitalisation involontaire se fait sur la base d'un certificat médical émis indépendamment par deux médecins qui certifient, après examen psychiatrique, que l'hospitalisation est nécessaire pour la protection ou le bien-être du malade, ou pour la protection d'autrui.

Sous cette procédure, la détention du malade dans un établissement psychiatrique ne peut pas dépasser un temps limite (de deux à quatre semaines, suivant les provinces) et doit être renouvelée pour une période d'un mois, trois mois, six mois et une année au maximum.

Dans toutes les provinces canadiennes, le législateur a prévu une procédure pour permettre au malade, soumis à une hospitalisation involontaire, de contester cette hospitalisation auprès d'une commission de révision semblable à la Commission des affaires sociales du Québec. Cette commission (*review pa-*

nel) a le pouvoir d'ordonner la mise en liberté de tout malade psychiatrique hospitalisé contre son gré et qui n'est pas détenu sous ordonnance judiciaire pour délit pénal.

Le malade qui refuse l'examen psychiatrique

Dans la plupart des provinces canadiennes, le législateur permet à tout citoyen de faire une requête auprès d'un juge (*information on oath*) pour imposer l'examen psychiatrique à un malade qui le refuse. Le juge ou le magistrat peut ordonner cet examen s'il estime qu'il y a suffisamment d'indices laissant croire que l'intimé souffre d'une maladie mentale.

39.1.2.2   La capacité du malade psychiatrique d'administrer ses biens

Nulle part au Canada, l'hospitalisation même involontaire dans un établissement psychiatrique n'entraîne ipso facto la mise sous curatelle. Cette dernière ne peut s'ordonner que si les autorités médicales de l'établissement hospitalisant le malade certifient que ce dernier est inapte à administrer ses biens. Comme au Québec, toutes les provinces canadiennes ont un curateur public (*administrator of the estates of the mentally incompetent*) qui administre les biens des malades certifiés incompétents et qui n'ont pas de curateur privé.

Il faut aussi ajouter que le Code civil de chaque province prévoit des procédures judiciaires pour placer un malade sous curatelle sans avoir recours à une hospitalisation psychiatrique.

39.1.3   Législation réglementant l'assistance psychiatrique aux Etats-Unis

L'assistance psychiatrique aux Etats-Unis est de la compétence des Etats qui, pour la plupart, gèrent directement des hôpitaux psychiatriques (*State Mental Hospitals*). Le gouvernement fédéral n'a de juridiction que dans le district de Columbia et gère l'hôpital Sainte-Elisabeth à Washington D.C.

39.1.3.1   Hospitalisation du malade psychiatrique

Cette question est encore largement débattue et contestée aux Etats-Unis où le mouvement antipsychiatrique, animé par Thomas Szasz a mis en cause la psychiatrie hospitalière. En règle générale, dans le domaine de l'hospitalisation des malades psychiatriques, le législateur aux Etats-Unis a imposé plus de limite au pouvoir médical qu'au Québec ainsi que dans le reste du Canada. Aussi, l'intervention judiciaire a bien plus de prééminence, avec accent sur le "due process", même si le malade n'est pas impliqué dans des comportements délictuels. Aux Etats-Unis, la législation d'assistance psychiatrique prévoit des modalités beaucoup plus précises et détaillées qu'au Québec et dans le reste du Canada.

Hospitalisation simple (*informal admission*)

Elle correspond à la cure libre, c'est-à-dire que l'hospitalisation se fait avec un minimum de formalités. Toutefois, plusieurs états tels que celui de

New York exigent que le malade qui est hospitalisé soit en mesure de donner un consentement éclairé. Un malade incapable ne peut pas être admis sous cette modalité, même s'il ne proteste pas contre son hospitalisation.

Par ailleurs, le malade peut demander son congé à n'importe quel moment et les autorités hospitalières doivent le lui accorder sans formalité ni délai.

Hospitalisation volontaire (*voluntary admission*)

Sous cette forme d'hospitalisation, le malade doit faire sa demande par écrit et doit être capable d'exécuter cette formalité. Par surcroît, le malade s'engage à donner un préavis par écrit de 48 à 72 heures s'il demande son congé. Si les autorités hospitalières ne sont pas prêtes à accéder à sa demande de congé, elles doivent faire une requête auprès des tribunaux pour continuer son hospitalisation en cure fermée qui doit alors être ordonnée par un juge qui a entendu la cause.

Hospitalisation involontaire (*involuntary admission*)

Dans la plupart des états, l'hospitalisation involontaire se fait sur la base de l'examen psychiatrique. Après une décision célèbre de la Cour suprême des Etats-Unis (Donaldson vs O'Connor) les législateurs américains mettent l'accent de plus en plus sur la "dangerosité" plutôt que sur le "bien-être" du malade mental pour justifier l'hospitalisation involontaire. Aussi, l'intervention du judiciaire est beaucoup plus omniprésente aux Etats-Unis qu'au Québec et au Canada. Dans plusieurs états, un système de parrainage légal (*advocacy*) a été organisé pour surveiller de très près les applications de lois se rapportant à l'hospitalisation des malades mentaux. Par exemple, à New York, le *Mental Health Information Service*, une branche de la Cour d'appel new-yorkaise, emploie des avocats qui ont la fonction de réviser sur place **toutes** les hospitalisations dans les établissements psychiatriques. Ils ont aussi l'autorité de contester, par des requêtes judiciaires, toute hospitalisation qui ne leur paraît pas conforme à la loi. C'est par leur entremise que le patient qui se sent lésé par son hospitalisation peut obtenir sa mise en liberté après que l'avocat du *Mental Health Information Service* a plaidé sa cause auprès des tribunaux.

39.1.3.2 La capacité du malade psychiatrique d'administrer ses biens

Dans la plupart des juridictions américaines où plusieurs états ont adopté *The Draft Act Governing the Hospitalization of the Mentally Ill,* l'hospitalisation du malade psychiatrique n'entraîne pas automatiquement l'incapacité d'administrer ses biens. Généralement c'est à l'initiative de la famille par le truchement des tribunaux qu'un tuteur (*guardian or committee*) est nommé pour administrer les biens du malade, après que la Cour a entendu les témoignages de psychiatres experts.

39.2   LA PSYCHIATRIE ET LE DROIT PÉNAL

L'administration de la justice, dans la plupart des sociétés modernes, s'appuie sur la psychiatrie pour établir la responsabilité criminelle des prévenus affectés par la maladie mentale. Elle s'appuie aussi sur la psychiatrie pour évaluer et prédire le degré de "l'état dangereux" du criminel lorsque sa responsabilité a été mise en cause par la maladie mentale.

La notion du "libre arbitre", une notion de morale, est sous-jacente à la notion de responsabilité criminelle dans presque toutes les jurisprudences. Au Québec, le Droit criminel, à l'encontre du Droit civil, est de compétence fédérale et il est codifié par le Code criminel du Canada. Ainsi donc la notion de responsabilité criminelle a ses racines dans le Droit coutumier anglais (*Common Law*) qui inspire la jurisprudence du Canada, des Etats-Unis et de la plupart des pays du Commonwealth où la notion de *mens rea* (l'intention coupable) est centrale. Quant à la notion d'irresponsabilité criminelle pour cause d'aliénation mentale, elle remonte au fameux procès de McNaughten en Angleterre en 1843.

En effet, dans cette fameuse affaire, Daniel McNaughten, ressortissant écossais, se sentait persécuté par le gouvernement conservateur, au pouvoir à l'époque au Royaume-Uni. Il décida donc de se défendre en supprimant le premier ministre, Sir Robert Peel, à la sortie de sa résidence. En fait, il réussit à abattre Edward Drummond, un secrétaire qui sortait du 10 Downing Street, à Londres, que McNaughten avait pris pour le Premier ministre. A son procès, le jury l'acquitta pour cause d'aliénation mentale et il passa le restant de ses jours dans un hôpital psychiatrique. Cet acquittement créa beaucoup de remous à l'époque et la Reine Victoria, qui venait d'échapper elle-même à une tentative d'assassinat par un individu, acquitté pour raison d'aliénation mentale, ordonna à la Chambre des lords de clarifier la notion de responsabilité criminelle par rapport à l'aliénation mentale. Cette clarification a abouti aux "Règles de McNaughten", règles qui sont à la base de l'article 16 du Code criminel du Canada. Nous les examinerons plus bas.

Une autre notion importante qui vient de la jurisprudence anglo-saxonne a pour effet qu'au Québec la justice est aussi rendue sous le **système contradictoire.** Dans ce système, le psychiatre fait son expertise le plus souvent à la demande des avocats de la défense ou de la poursuite plutôt qu'à la demande de la Cour, où les magistrats sont beaucoup moins actifs dans l'instruction et le déroulement du procès que les juges dans le système inquisitorial des jurisprudences européennes. Il n'existe d'ailleurs pas dans les juridictions du Droit coutumier, l'équivalent du juge d'instruction. En général, dans la procédure du Code criminel canadien, l'état mental du prévenu peut être soulevé au moment de l'arrestation, pendant l'inculpation, pendant l'instruction du procès, au moment du procès et au moment de la sentence.

39.2.1 Diversion du judiciaire au psychiatrique

Au moment de l'arrestation, surtout s'il ne s'agit pas d'un délit sérieux, les autorités policières et le magistrat, devant qui comparaît le prévenu, peuvent le remettre d'emblée entre les mains d'un service de psychiatrie sans retenir d'accusation contre lui. Dans cette diversion du judiciaire au psychiatrique, le psychiatre n'est soumis à aucune obligation judiciaire ou policière et doit établir son évaluation psychiatrique dans le contexte de la loi de la Protection du malade mental. Il n'a pas à rendre compte, ni par écrit ni oralement, aux autorités policières et judiciaires, de sa conduite envers le patient qui lui a été amené par la police, et il n'est certainement pas sous obligation de l'hospitaliser s'il n'y a pas d'indications cliniques. Il est aussi tenu par le secret professionnel.

Il peut arriver quelquefois qu'un magistrat suspende ou ajourne la procédure criminelle, à condition que l'inculpé se soumette de plein gré à un traitement psychiatrique. Là non plus, le psychiatre n'a aucun compte à rendre aux autorités judiciaires et il n'intervient pas dans cet accord préalable entre l'accusé et la justice.

Une fois que la procédure criminelle est mise en branle par l'inculpation du prévenu, l'article 465 du Code criminel du Canada autorise la Cour à remettre entre les mains des autorités psychiatriques un prévenu pour observation (465-1, 465-12).

En fait, il s'agit d'un mandat de Cour ordonnant, à toute fin pratique, l'hospitalisation pour observation du prévenu pour une période ne dépassant pas trente jours. Le psychiatre qui a la charge d'un tel patient dans un centre hospitalier doit retenir que la relation médecin-malade est hors de son contexte habituel et il doit en informer le patient. L'établissement est sous obligation légale de le détenir jusqu'à ce que le psychiatre ait complété son évaluation et remis un rapport psychiatrique à la Cour. Le psychiatre est aussi sous l'obligation morale d'informer le patient qu'il n'est pas tenu par le secret professionnel, et lui recommander de consulter et suivre les conseils d'un avocat avant de se soumettre à l'examen psychiatrique et risquer de faire des révélations qui pourraient être préjudiciables à sa cause.

Dans cette instance, le psychiatre n'est pas contraint de traiter le patient et devrait même éviter de le faire contre le gré du patient, à moins que le comportement de ce dernier soit désorganisé au point de mettre en danger sa sécurité ou la sécurité des autres patients ainsi que celle du personnel dans l'unité des soins. En tout cas, si pour ces raisons le traitement pharmacologique doit être imposé, il serait bon d'informer et d'obtenir l'accord de l'avocat du prévenu. Il faut aussi retenir qu'il n'est pas nécessaire d'exiger une hospitalisation de trente jours si l'évaluation et le rapport psychiatrique peuvent être complétés en moins de temps.

Dans son rapport psychiatrique, le psychiatre devra se prononcer sur l'aptitude de l'accusé à subir son procès. Il s'agit évidemment de prévenus inculpés d'accusations sérieuses et non pas d'individus, pour la plupart malades psychiatriques chroniques, ramassés par la police et inculpés de tapage et de vagabondage.

39.2.2 L'aptitude de l'accusé à subir son procès

Le Droit coutumier exige que l'accusé d'un délit criminel soit présent en corps et en esprit à son procès. La mise en accusation, le procès et la condamnation par contumace sont étrangers à la jurisprudence relevant du droit coutumier anglais. L'accusé doit être présent pour confronter ses accusateurs et participer à sa propre défense en collaboration avec son avocat. Dans ce contexte, il est reconnu que la maladie mentale peut rendre un accusé ''absent en esprit'' de son procès: premièrement s'il est incapable de comprendre les accusations qui sont portées contre lui, deuxièmement s'il est incapable de saisir et de suivre la procédure judiciaire dans laquelle il est impliqué, et troisièmement s'il est incapable de communiquer d'une manière intelligible avec son avocat.

L'article 543 du Code criminel canadien permet aux trois parties du procès (la défense, la poursuite et la Cour) de soulever la question de l'aptitude de l'accusé à subir son procès à n'importe quel moment, de l'inculpation au verdict. Généralement, cette question est soulevée assez tôt, le plus souvent à la demande de la défense ou de la Cour.

39.2.2.1 L'expertise psychiatrique dans la détermination de l'aptitude de l'accusé à subir son procès

Tout d'abord, il faut retenir que cette détermination en dernier ressort n'est pas faite par le psychiatre expert mais par le jury sous instruction du juge, ou par le juge s'il n'y a pas de jury. Le psychiatre, en fait, n'agit que comme expert et il n'émet qu'une opinion sur la base de son examen psychiatrique.

Du point de vue clinique, le diagnostic incontestable d'une maladie mentale, même prouvé, tel qu'une psychose, ne rend pas l'accusé *ipso facto* inapte à subir son procès. Un accusé peut, par exemple, souffrir de délires et même d'hallucinations et cependant comprendre les accusations portées contre lui, ainsi que suivre la procédure judiciaire et collaborer avec son avocat.

La question de l'aptitude de l'accusé à subir son procès n'est pas liée nécessairement au délit qui est porté en accusation. Un individu peut être parfaitement normal au moment de son arrestation et de son inculpation et développer, par la suite, une psychose aiguë le rendant inapte à subir son procès. Il ne faut donc pas confondre la détermination de l'aptitude de l'accusé à subir son procès avec la défense d'aliénation mentale (article 16), qui est en rapport direct avec l'état mental de l'accusé au moment du délit et que nous examinerons plus bas. D'un point de vue pratique, dans son examen psychiatrique, le psychiatre expert devra évaluer, quel que soit son diagnostic, les questions suivantes se rapportant à l'accusé:

- Comprend-il les accusations portées contre lui?

- Saisit-il les conséquences s'il était trouvé coupable?

- Comprend-il la signification du serment et les conséquences du parjure?

- Est-il en mesure de saisir l'objet du procès et de suivre la procédure, au moins dans ses grandes lignes?

- Reconnaît-il les différents protagonistes du procès (juge, jury, avocat de la couronne, avocat de la défense)?

- Est-il au courant des diverses options qui lui sont offertes après avoir consulté son avocat (option: plaider coupable ou non coupable), ainsi que les conséquences de ces diverses options?

- Peut-il communiquer et collaborer d'une manière rationnelle avec son avocat?

En fait, l'expertise psychiatrique, qui permet au jury et au juge de déterminer si l'accusé est apte ou inapte à subir son procès, est une évaluation surtout cognitive qui permet de déterminer si l'accusé est présent "en corps et en esprit" à son procès. Pour le psychiatre qui fait l'expertise, il ne s'agit pas d'évaluer si l'accusé a la connaissance d'un licencié en droit, mais s'il est suffisamment en contact avec la réalité pour saisir et comprendre la situation dans laquelle il se trouve vis-à-vis de la justice.

39.2.2.2 Disposition de l'accusé trouvé inapte à subir son procès

Si l'accusé est jugé inapte à subir son procès pour raison d'aliénation mentale, il est généralement envoyé dans un centre hospitalier psychiatrique par mandat du lieutenant-gouverneur de la province. Evidemment, la procédure judiciaire sera suspendue jusqu'à ce que l'état mental de l'accusé s'améliore au point de le rendre apte à subir son procès.

Cet aspect de la Loi laisse beaucoup à désirer, car il permet en fait une incarcération indéfinie d'un individu qui n'a même pas été jugé coupable d'un délit dont il est accusé.

Il est vrai que le Code criminel et toutes les juridictions provinciales prévoient la formation de comités de révision qui repassent, au moins une fois par année, tous les cas d'individus détenus dans les établissements psychiatriques sous mandat du lieutenant-gouverneur. Il faut retenir cependant que ces comités de révision n'ont pas de pouvoir exécutif similaire à celui de la Commission des affaires sociales dans le cas de la loi de la Protection du malade mental. Il revient alors au ministère de la Justice, donc au pouvoir politique, de décider en dernier lieu de la prolongation de la détention ou de la libération de l'individu.

La Commission de réforme de droit du Canada s'est penchée sur cette question et a recommandé, entre autres, que le pouvoir qui a été délégué au lieutenant-gouverneur soit exercé par le judiciaire, c'est-à-dire par le juge au procès ou par le magistrat qui préside à l'enquête préliminaire: "Personne n'est mieux placé pour décider quelle mesure adopter à l'égard de l'accusé jugé inapte à subir son procès. Après une audition complète sur cette question, le juge ou le magistrat a eu accès à un rapport médical complet et à des témoignages psychiatriques (ou dans la procédure que nous recommandons, il a eu au moins l'occasion de le faire). Il peut également faire appel à sa propre expérience, ayant observé l'accusé à l'enquête ou au procès. Cette solution présente également l'avantage d'être publique, judiciaire et susceptible d'appel."

Plus loin, cette même commission recommande une limitation dans le temps de la détention d'un individu trouvé inapte à subir son procès pour "une période de temps qui correspond approximativement à la durée de la sentence à laquelle, suivant l'avis du juge, l'accusé aurait été condamné si son procès avait eu lieu et l'accusé trouvé coupable... Si l'accusé est encore si gravement malade qu'on devrait l'enfermer, on pourrait le détenir sous le régime de la loi provinciale applicable".

Malheureusement, à ce jour, ces recommandations n'ont pas encore été adoptées et le psychiatre qui fait l'expertise devra être conscient des conséquences qu'un verdict d'inaptitude à subir son procès aura pour l'accusé. Légalement, au Québec et au Canada, un tel verdict permet l'incarcération indéfinie d'un individu qui n'a pas été jugé coupable d'un délit dont il est accusé. Aux Etats-Unis, le poète Ezra Pound*, après avoir été jugé inapte à subir son procès, a été détenu pendant dix-sept ans à l'hôpital Sainte-Elisabeth de Washington sans jamais avoir été jugé coupable du crime dont il était accusé.

Aujourd'hui, dans toutes les juridictions des Etats-Unis, après la décision de la Cour suprême dans Jackson vs Indiana, la période de détention dans un établissement psychiatrique d'un prévenu trouvé inapte à subir son procès est limitée dans le temps. Si cette limite est dépassée, toutes les poursuites criminelles tombent et la détention de l'individu dans un établissement psychiatrique peut se poursuivre uniquement dans le contexte de la procédure civile, c'est-à-dire l'équivalent à la loi de la Protection du malade mental. Sur ce point, la législation américaine est bien plus avancée que la législation canadienne.

39.2.3 La défense d'aliénation mentale

La défense d'aliénation mentale au Québec et dans le reste du Canada est régie par l'article 16 du Code criminel qui s'inspire directement des Règles de McNaughten:

---

* Ezra Pound fut accusé de trahison à la fin de la Deuxième Guerre mondiale pour avoir collaboré avec l'Italie fasciste et participé à des émissions de la radio italienne dirigées contre les alliés.

"1.- Nul ne doit être déclaré coupable d'une infraction à l'égard d'un acte ou d'une omission de sa part alors qu'il était aliéné.

2.-Aux fins du présent Article, une personne est aliénée lorsqu'elle est dans un état d'imbécillité naturelle ou atteinte de maladie mentale à un point qui la rend incapable de juger la nature et la qualité d'un acte ou d'une omission, ou de savoir qu'un acte ou une omission est mauvais.

3.- Une personne qui a des hallucinations sur un point particulier, mais qui est saine d'esprit à d'autres égards, ne doit pas être acquittée pour le motif d'aliénation mentale, à moins que les hallucinations ne lui aient fait croire à l'existence d'un état de choses qui, s'il eût existé, aurait justifié ou excusé son acte ou son omission.

4.- Jusqu'à preuve du contraire, chacun est présumé être et avoir été sain d'esprit. (1953-54, c. 51, art. 16)."

Il faut retenir, d'un point de vue procédural, que la défense d'aliénation mentale est invoquée beaucoup moins souvent que l'aptitude de l'accusé à subir son procès, et qu'elle ne peut être invoquée que par la défense qui doit en faire la preuve. En effet, si tout accusé est présumé innocent jusqu'à preuve du contraire, tout accusé est présumé sain d'esprit jusqu'à preuve du contraire.

39.2.3.1 L'expertise psychiatrique dans la défense d'aliénation mentale

Il arrive souvent, dans ce cas, qu'un psychiatre soit retenu par la défense et qu'un autre soit retenu par la poursuite, donnant quelquefois en spectacle une "joute de psychiatres" qui, pour certains, apporte du discrédit à la profession. Comme toute expertise légale, dans un système de justice contradictoire, nous ne trouvons rien de répréhensible à ce que des psychiatres se trouvent des deux côtés de la barrière quand leur expertise se fait avec rigueur et bonne foi. Personne n'oblige d'ailleurs le psychiatre à s'impliquer dans le procès mais, s'il le fait, il doit avoir la conviction que son expertise est dans l'intérêt de la partie qui a retenu ses services. Il ne doit pas perdre de vue que l'objectif de son expertise est, en dernier ressort, d'assister le juge et le jury à rendre un verdict juste. Il est donc essentiel que le psychiatre qui fait une expertise se familiarise avec l'article 16 du Code criminel, car l'aliénation mentale, telle que définie dans le Code, est une notion légale et non pas clinique. Nous examinerons plus bas les quatre volets les plus importants.

Imbécillité naturelle

Ce terme se traduit, à toutes fins utiles, par la notion d'arriération mentale qui est congénitale ou acquise pendant l'enfance en distinction de la "maladie mentale" acquise généralement à l'âge adulte. Il est évident que l'arriération mentale par elle-même ne rend pas un individu incapable d'apprécier la nature ou la qualité de son comportement ou de faire un jugement moral lui permettant de distinguer le bien du mal. En fait, l'arriération mentale doit être très profonde et il est rare qu'un tel individu plaide l'aliénation mentale car, généralement, il est le plus souvent trouvé inapte à subir son procès.

Maladie mentale

En général, pour la plupart des psychiatres impliqués dans une expertise, le terme maladie mentale signifie psychose, qu'elle soit fonctionnelle ou organique. Il est bien rare qu'un trouble névrotique soit considéré comme maladie mentale dans le contexte de l'article 16 de la Loi. Le problème est plus ambigu avec le diagnostic de trouble de la personnalité ou psychopathie, mais il est exceptionnel de nos jours qu'un tel diagnostic rende irresponsable un prévenu.

Incapacité de juger la nature et la qualité d'un acte ou d'une omission

Ici, il faut reconnaître que cette partie de la définition de l'aliénation mentale commence à prêter à beaucoup d'ambiguïtés. Il est en effet très rare qu'un individu, même atteint de psychose grave, ne puisse apprécier la nature et la qualité de son comportement. Sur le plan clinique, le psychiatre expert devrait s'appuyer sur le degré de désorganisation de la personnalité et du comportement qu'il a pu identifier chez l'accusé au moment du délit, pour répondre à cet aspect de la question. Il est évident que si, au moment du délit, l'accusé était dans un état d'excitation catatonique ou de fureur épileptique, la question serait relativement facile à répondre. Cependant, la plupart des cas ne sont pas aussi bien tranchés et le psychiatre, qui témoigne sur cet aspect de la question, peut s'attendre à être attaqué par la partie adverse.

Connaissance qu'un acte ou une omission est mauvais

Il n'y a pas de doute que cet aspect des Règles de McNaughten est généralement débattu en Cour: ''L'accusé atteint d'aliénation mentale au moment de son délit était-il incapable d'apprécier l'immoralité de son action d'après les normes morales de la société ambiante?'' ou ''L'accusé atteint d'aliénation mentale au moment de son délit était-il incapable d'apprécier l'illégalité de son acte?'' C'est en ces termes que la question est finalement posée au jury, question très ambiguë en effet, que le psychiatre expert doit s'attendre à trouver dans les feux croisés de la défense et de la poursuite.

Les hallucinations * sur un point particulier

Cet aspect de l'article 16 est en conflit flagrant avec toutes les notions cliniques de la psychiatrie. Un individu ne peut pas être délirant et halluciné

---

*   Ce terme a été mal traduit dans le Code criminel. Le texte original anglais mentionne ''delusion'', qui veut dire délire et non pas hallucination. Il est surprenant que le législateur n'ait pas trouvé bon de corriger cette erreur, à ce jour.

sans être psychotique, et le psychiatre n'a pas à se faire complice de cet aspect absurde de la loi sur le plan clinique des Règles de McNaughten. D'ailleurs, il y a plus de vingt ans, la Commission royale sur la loi de l'Aliénation mentale recommandait que la section 3 de l'article 16 soit abolie.

39.2.3.2 Le psychiatre qui témoigne en Cour en tant qu'expert

Le psychiatre qui accepte de témoigner en Cour* en tant qu'expert ne peut le faire à la légère. Ses services seront généralement retenus par l'avocat de la défense ou de la poursuite, et le psychiatre doit se préparer à consacrer une bonne partie de son temps à cette activité. Il est donc utile de s'entendre à l'avance sur la question des honoraires qui peuvent être forfaitaires ou horaires. Les honoraires horaires ont l'avantage de ne pas pénaliser le psychiatre pour les lenteurs inhérentes au processus judiciaire. Avant de comparaître, le psychiatre doit entretenir d'étroites relations avec l'avocat du client qui a retenu ses services.

Une fois l'examen psychiatrique complété, les résultats seront communiqués à l'avocat, généralement par écrit. Si ce dernier décide que le psychiatre témoignera en tant qu'expert, il est essentiel pour le psychiatre d'insister pour qu'une rencontre ait lieu avec l'avocat avant de se préparer et de témoigner en Cour. Il ne faut pas perdre de vue que c'est l'avocat et non le psychiatre qui dirige la stratégie et la tactique de la plaidoirie, et c'est à lui de décider à l'avance de l'utilité du témoignage de l'expert psychiatre pour la partie qu'il représente. Il doit donc établir à l'avance les limites du témoignage du psychiatre, et il est bon que ce dernier se prépare à l'avance aux questions que lui posera l'avocat. Il est aussi utile que l'avocat prépare le psychiatre aux questions que pourrait lui poser la partie adverse durant le contre-interrogatoire. Il est évident que l'avocat ne peut et ne doit pas influencer le contenu du témoignage du psychiatre, mais il faut qu'il le connaisse avant que ce dernier témoigne en Cour, pour éviter toute surprise et situation embarrassante.

Au moment du témoignage en Cour, le psychiatre doit se préparer au décorum et à la solennité de la Cour*. Après s'être identifié et avoir prêté serment, le témoignage commencera par l'interrogatoire de l'avocat de la partie qui a retenu ses services. Ce dernier commencera par demander au psychiatre des questions sur sa formation professionnelle, sa pratique et sa notoriété pour établir auprès des jurés et du juge son expertise. Le psychiatre devra répondre à ces questions sans fatuité, mais aussi sans fausse modestie. L'examen portera ensuite sur l'examen psychiatrique de l'accusé. Le psychiatre devra répondre à ces questions à haute voix, en des termes clairs et précis, pour

---

* Le psychiatre peut être obligé de témoigner en Cour par subpoena en tant que témoin ordinaire. Nous examinerons cette question plus loin.

* Les normes d'apparence extérieure et d'habillement sont, de nos jours encore, beaucoup plus exigeantes et conservatrices en Cour qu'en milieu hospitalier et universitaire.

être entendu et compris par le juge et les jurés. Il devra éviter autant que possible d'employer des termes techniques.

L'interrogatoire est généralement suivi par le contre-interrogatoire de la partie adverse. Ici, le contexte est plus ou moins hostile et le psychiatre doit s'attendre à ce que son témoignage soit contesté et quelquefois discrédité. Généralement, le contre-interrogatoire se fera dans une atmosphère courtoise mais si le psychiatre se sent quelque peu brusqué, il peut s'attendre à ce que l'avocat de la partie qui a retenu ses services, ou quelquefois le juge, vienne à sa rescousse. Ce n'est pas au psychiatre à s'engager dans une polémique avec l'avocat de la partie adverse. Le psychiatre qui abhorre la contradiction en public ferait bien de s'abstenir d'offrir ses services en tant qu'expert. Le psychiatre expert témoignera sur les faits qu'il a observés, mais aussi sur ses interprétations des faits. L'expert qui témoigne n'a pas à faire la preuve de ses assertions comme un témoin ordinaire qui ne témoigne que sur les faits. En tout cas, le psychiatre qui témoigne en tant qu'expert ne devra jamais perdre de vue que le pouvoir décisionnel n'est pas entre ses mains mais dans les mains du jury et du juge.

39.2.4   Les interventions psychiatriques pré ou postsententielles

Il arrive que la justice demande au psychiatre de faire des recommandations sur un prévenu qui n'a pas été acquitté pour cause d'aliénation mentale, mais qui est perçu comme souffrant d'un désordre psychiatrique ou d'un trouble du comportement. La justice fait aussi souvent appel à la psychiatrie concernant la "dangerosité" d'un prévenu au cas où il serait remis en liberté.

Le psychiatre faisant des recommandations pré ou postsententielles doit prendre en considération l'état mental du prévenu, son diagnostic, pronostic et indication thérapeutique.

Si le prévenu est atteint de psychose, la tâche du psychiatre est relativement facile et il ne sera pas difficile de convaincre les autorités judiciaires et pénales que le prévenu doit être hospitalisé dans un établissement psychiatrique plutôt qu'incarcéré dans un établissement pénitencier, du moins pendant la phase active de la maladie. La tâche du psychiatre se complique évidemment lorsqu'il s'agit d'un prévenu souffrant de troubles de la personnalité (psychopathie, personnalité antisociale). Ici, la psychiatrie comme la justice fait face au grand dilemme de la criminalité vue comme maladie ou transgression morale. Il faut reconnaître qu'à l'état actuel de nos connaissances, aussi bien en psychiatrie qu'en criminologie, la problématique du psychopathe est beaucoup plus teintée d'idéologie que de science et le psychiatre appelé à faire des recommandations pré ou postsententielles devrait être conscient de ses limites.

Les mêmes réserves s'appliquent à la détermination psychiatrique de l'état dangereux ou de "dangerosité" d'un prévenu. Des études récentes, surtout aux Etats-Unis, ont démontré d'une manière convaincante que les psychiatres n'ont pour le moment aucune compétence spéciale objective pour prédire la "dangerosité" à moyen et long terme d'un individu atteint de maladie mentale. Il nous semble donc que les psychiatres devraient être très circonspects sur ce point et ne devraient pas se prêter à la justice sous le couvert d'une expertise qui n'existe point.

39.3 LA PSYCHIATRIE ET LA RESPONSABILITÉ MÉDICALE

Le problème de la responsabilité civile en pratique psychiatrique s'inscrit dans le cadre de la responsabilité médicale en général.

Les tribunaux du Québec ont longtemps refusé de juger l'acte professionnel du médecin. Par la suite, ils n'ont retenu la responsabilité du médecin que si le défendeur était coupable d'une faute lourde, "grossière", "inexcusable". Actuellement, comme nous le faisait remarquer Paul-A. Crépeau: "Les tribunaux appliquent désormais à la responsabilité médicale et hospitalière le droit commun de la responsabilité civile; ils n'hésitent plus à apprécier la conduite d'un praticien ou d'une infirmière offrant leurs services soit à titre personnel, soit au nom d'un établissement hospitalier et, répudiant la théorie de la faute lourde, exigent selon l'heureuse formule de la Cour de cassation "des soins prudents, attentifs et consciencieux et, réserve faite de circonstances exceptionnelles, conformes aux données acquises de la science". De plus, les tribunaux québécois ont admis que la responsabilité du médecin découle en général de la violation d'un contrat, le plus souvent tacite, de soins professionnels et que la violation d'un tel contrat est susceptible d'entraîner une responsabilité de même nature également contractuelle fondée sur l'article 1065 du Code civil.

Selon Crépeau, le contrat médical qui débute dès qu'un malade est pris en charge par un médecin impose à ce dernier quatre obligations:

— l'obligation de renseigner le malade;

— l'obligation au secret professionnel;

— l'obligation de donner des soins;

— l'obligation de donner des soins compétents, attentifs et consciencieux.

39.3.1 L'obligation de renseigner le malade

En règle générale, en psychiatrie comme partout ailleurs en pratique médicale et chirurgicale, le malade a le droit d'être renseigné sur son mal et a le droit de donner son consentement ou de refuser tout traitement proposé par son médecin. Toutefois, il y a dérogation à cette obligation, si le malade n'est pas en mesure de donner son consentement à cause de son état mental.

Sur le plan pratique, il est bon de distinguer les situations où le tableau clinique du malade demande une intervention d'urgence des situations où le médecin a le temps de recourir à des procédures judiciaires avant d'entreprendre le traitement.

Dans un cas d'urgence, lorsque le comportement du malade met en danger d'une manière évidente et immédiate la sécurité et le bien-être de sa personne ou d'autrui, le médecin n'a pas à se préoccuper d'obtenir le consentement de son patient avant d'ordonner des mesures de contention chimique ou mécanique ou toute autre intervention susceptible de faire face à la situation d'urgence. Autrement, lorsqu'il n'y a pas de danger immédiat et le patient est jugé incapable, il est essentiel d'obtenir l'autorisation du curateur privé ou public avant d'administrer un traitement refusé par le patient. Le tableau suivant, extrait du rapport du Comité de la santé mentale du Québec de juin 1978, présente un schéma analytique de la problématique légale entourant le consentement au traitement d'une personne.

TABLEAU 39.1:   Schéma analytique de la problématique légale entourant le consentement au traitement d'une personne *

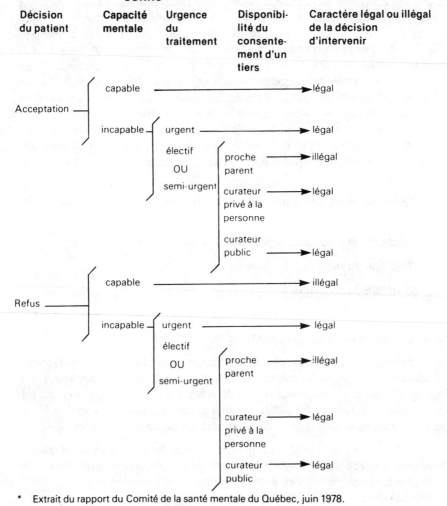

Décision du patient	Capacité mentale	Urgence du traitement	Disponibilité du consentement d'un tiers	Caractère légal ou illégal de la décision d'intervenir
Acceptation	capable			légal
	incapable	urgent		légal
		électif OU semi-urgent	proche parent	illégal
			curateur privé à la personne	légal
			curateur public	légal
Refus	capable			illégal
	incapable	urgent		légal
		électif OU semi-urgent	proche parent	illégal
			curateur privé à la personne	légal
			curateur public	légal

*   Extrait du rapport du Comité de la santé mentale du Québec, juin 1978.

Il est évident qu'en pratique clinique quotidienne, il faut éviter de sombrer dans un légalisme paralysant quand le patient n'est pas vraiment en mesure de donner un consentement éclairé mais ne refuse pas le traitement "ordinaire"; situation fréquente en psychogériatrie, avec les débiles mentaux et les psychoses chroniques.

Par contre, il est bon que le médecin prenne des précautions légales avant d'entreprendre des interventions thérapeutiques "extraordinaires" (e.g. électrochocs, chirurgie) si le patient ne peut donner un consentement au traitement du fait de son incapacité mentale.

39.3.2 L'obligation au secret professionnel

L'obligation pour le médecin de respecter le secret professionnel remonte au serment d'Hippocrate. Au Québec deux textes législatifs régissent ce secret: l'article 60, paragraphe 2 de la Loi médicale et l'article 308 du code de Procédure civile, paragraphe 2.

Article 60, paragraphe 2:

"Un médecin ne peut être contraint de déclarer ce qui lui a été révélé en raison de son caractère professionnel."

Article 308, paragraphe 2:

"De même ne peuvent être contraints [de déclarer] ce qui leur a été révélé confidentiellement en raison de leur état ou profession.

Les avocats, les notaires, les **médecins** *et les dentistes à moins, dans tous les cas, qu'ils n'y aient été autorisés expressément ou implicitement par ceux qui leur ont fait ces confidences."*

Sur le plan pratique, il est évident que le psychiatre prend davantage connaissance des recoins les plus intimes de son malade.

L'obligation au secret professionnel doit donc s'envisager en situation extra-judiciaire et en situation judiciaire.

39.3.2.1 Situation extra-judiciaire

Pour le psychiatre en situation extra-judiciaire, l'obligation au secret professionnel est pratiquement absolue à moins qu'il n'en soit délié par le malade lui-même. En effet, la simple révélation que le patient reçoit des soins psychiatriques peut lui être préjudiciable. Aussi, le psychiatre doit user de beaucoup de discrétion même vis-à-vis des proches du patient tels que: famille, amis, employeurs, etc. En tout cas, dans le doute, il vaut mieux pécher par un excès de zèle et se rabattre derrière le secret professionnel. Il faut particulièrement se méfier d'une certaine presse qui est toujours à l'affût du sensationnel surtout lorsque le patient est une personne en vue.

39.3.2.2 Situation judiciaire

Devant la loi, il faut faire une distinction entre le droit pénal et le droit civil.

En matière pénale, qui s'inspire du Common Law, le médecin ne jouit d'aucune protection vis-à-vis du secret professionnel. S'il est appelé à témoigner en Cour par subpoena dans une affaire criminelle, aucun recours légal ne lui permet de se dérober à cette obligation. Il faut retenir que dans cette procédure, le médecin témoigne en tant que citoyen et non pas en tant qu'expert. En conséquence, il n'est obligé que de rapporter des faits dont il a connaissance et n'a pas à exprimer ses opinions surtout si elles sont préjudiciables à son malade.

En matière civile, la législation québécoise accorde toutes les protections au médecin qui est lié par le secret professionnel. Devant un subpoena dans un procès relevant du Code civil, il doit informer le juge qu'il ne peut témoigner en vue du secret professionnel qui le lie à son malade. Il est assez fréquent de nos jours, où les causes de séparation, de divorce et de garde d'enfant sont entendues par les tribunaux, que la santé mentale d'un des conjoints soit invoquée par la partie adverse. Le médecin ne doit **en aucun cas** témoigner sans l'autorisation de son patient et si ce dernier l'autorise, il est bon que le médecin consulte au préalable l'avocat du patient qui pourra évaluer si le contenu du témoignage risque d'être préjudiciable à la cause de son patient.

39.3.3 L'obligation de donner des soins

L'obligation de donner des soins exige que le médecin suive son malade et ne puisse l'abandonner à moins que le patient ne soit pris en charge par un autre médecin. Cette obligation légale ne présente aucun problème en psychiatrie de cabinet, surtout en situation psychothérapeutique. La relation contractuelle et le libre choix entre médecin et malade sont très clairs. Ce dernier peut toujours interrompre le traitement, ce qui délie le médecin de l'obligation de donner des soins. Si toutefois le médecin décide d'interrompre le traitement, il ne peut pas abandonner son malade sans motif valable car, comme nous le fait remarquer Crépeau: ''Ce médecin qui perçoit chez son malade une absence de confiance, peut lui signifier sa volonté de cesser de lui prodiguer des soins, mais même dans ce cas, le médecin ne saurait abandonner son malade d'une manière intempestive et, en cas de danger ou de traitement continu, sans pourvoir à son remplacement ou, tout au moins, sans s'être enquis de la possibilité pour le malade de consulter un confrère''.

L'obligation de donner des soins et de suivre le malade est un peu moins claire pour le psychiatre travaillant en établissement. Il est évident qu'en psychiatrie publique, surtout dans un système sectorisé, le principe du libre choix du malade et du médecin est presque inexistant. Le patient s'adresse à un établissement et n'a aucun choix quant au médecin qui le prend en charge. Il arrive même que la prise en charge médicale passe entre les mains de plusieurs médecins (urgence, unités de soins, clinique externe) et que dans le contexte de l'équipe multidisciplinaire, d'autres professionnels de la santé soient impliqués dans le traitement.

Il n'existe pas de jurisprudence très précise à ce sujet, mais il est évident que le psychiatre aussi bien que l'établissement psychiatrique devront s'assurer que tout malade soit pris en charge par un médecin traitant jusqu'au moment où on lui aura accordé son congé médical sur une base clinique et non pas administrative. Aussi, pensons-nous, jusqu'à preuve du contraire, que la prise en charge du patient psychiatrique (inscrit ou admis dans un établissement) par un professionnel de la santé mentale non-médecin n'absout pas le psychiatre traitant de sa responsabilité civile.

39.3.4 L'obligation de donner des soins attentifs, compétents et consciencieux

Cette dernière obligation du médecin se réfère à la jurisprudence française dans l'arrêt célèbre de la Cour de cassation du 20 mai 1936.

Dans ce contexte, il ne suffit pas au médecin de faire de son mieux en donnant ses soins à son malade, mais de donner les soins les plus conformes aux données actuelles de la science. Cette dernière obligation met en relief toute la nécessité de l'enseignement continu pour le médecin, et l'obligation de se tenir constamment au courant des progrès de sa spécialité.

Ayant passé en revue la responsabilité civile du psychiatre dans le contexte de la responsabilité médicale en général, quels sont les risques de poursuite pour le praticien de la psychiatrie? Il est évident que dans l'état actuel de la psychiatrie, les poursuites sont rares. Les statistiques américaines rapportées par Ralph Slovenko montrent un taux annuel de 1,5 poursuites pour 100 psychiatres comparé à un taux de une poursuite pour quatre omnipraticiens. Toujours dans un contexte américain, Ralph Slovenko passe en revue les différentes causes de poursuites contre des psychiatres.

39.3.4.1 Diagnostic erroné

Très peu de médecins se feront poursuivre pour avoir manqué un diagnostic psychiatrique.

Par contre, des psychiatres se sont fait poursuivre pour avoir diagnostiqué sans faire un bilan médical adéquat, un trouble fonctionnel hystérique ou psychosomatique chez des malades qui se sont avérés atteints de maladie organique.

39.3.4.2 Internement abusif et sans justification

Slovenko rapporte plusieurs poursuites intentées contre des psychiatres pour internement abusif ou sans justification. Par contre, fait surprenant, il n'existe aucun cas où un psychiatre s'est fait poursuivre pour ne pas avoir interné un patient qui aurait dû l'être. De même, il n'existe aucun précédent dans la jurisprudence canadienne ou québécoise à cet effet.

39.3.4.3 Le droit au traitement

Aux Etats-Unis, les années 70 ont été caractérisées par de nombreuses poursuites en recours collectif contre des établissements psychiatriques et des psychiatres accusés de ne pas avoir traité adéquatement des patients qui étaient hospitalisés. Tous ces litiges ont débuté sous la doctrine du "right to treatment" dont les premiers grands procès ont été revus par Grunberg. A ce jour, ni au Québec ni dans le reste du Canada, de tels recours n'ont eu lieu.

39.3.4.4 Le suicide

La plupart des poursuites dans les cas de suicide sont dirigées contre des psychiatres et des établissements hospitaliers qui ont négligé les précautions nécessaires ainsi qu'une surveillance adéquate lorsque le malade hospitalisé présentait un risque suicidaire manifeste. Autrement, il n'existe aucun cas, aussi bien en jurisprudence québécoise canadienne qu'américaine, où un psychiatre a été trouvé coupable de ne pas avoir détecté des tendances suicidaires chez un patient qui se serait éventuellement suicidé.

39.3.4.5 Traitement par électrochoc

La plupart des poursuites intentées contre des psychiatres et des établissements hospitaliers sont centrées sur des problèmes d'indication thérapeutique. Néanmoins au Québec, une poursuite a été intentée contre un psychiatre et un établissement hospitalier pour traitement par électrochocs itératifs: *Dr Morrow V., Royal Victoria Hospital and the estates of the late Dr Cameron and or the legal heirs.*

39.3.4.6 Négligence ou incompétence en psychothérapie

Il n'existe pas de cas où un psychothérapeute, aussi bien aux Etats-Unis qu'au Québec et qu'au Canada, ait été trouvé coupable de négligence en psychothérapie. Néanmoins, dans un contexte de psychothérapie, des poursuites ont été intentées avec gain de cause par des femmes contre des psychiatres de sexe masculin avec qui elles avaient eu des relations sexuelles au cours de la psychothérapie. Il est intéressant de noter que dans la plupart des cas, les poursuites avaient été intentées au moment où le psychiatre mettait fin à ses relations aussi bien psychothérapeutiques que sexuelles avec sa patiente. Il est inutile de rappeler la règle élémentaire qu'il y a incompatibilité entre une relation psychothérapeutique et sociale et que tout psychiatre engagé en psychothérapie doit éviter toute relation extra-thérapeutique avec son patient. Il est aussi inutile d'insister sur le fait que des relations sexuelles entre médecin et malade portent atteinte aux règles les plus élémentaires de l'éthique et de la déontologie de la profession.

39.4 CONCLUSION

En conclusion, le psychiatre face au droit est le plus impliqué des praticiens de la médecine, car la psychiatrie, comme le droit, s'adresse en tant que discipline au comportement humain. Dans ce chapitre, nous n'avons certainement pas couvert tous les aspects de cette implication de la psychiatrie dans la jurisprudence.

Le dialogue entre psychiatre et juriste n'est pas toujours facile car tous les deux n'envisagent pas toujours le comportement humain dans les mêmes perspectives.

Le psychiatre engagé dans le processus juridique ne devra jamais perdre de vue qu'il agit toujours en tant que médecin, dans les limites des connaissances des sciences médicales. Il ne devra non plus jamais perdre de vue que l'objet premier du psychiatre est de porter secours aux malades en prise avec la maladie mentale qui, quelquefois, enlève à l'individu la liberté d'agir en tant qu'être humain autonome. C'est la restauration de cette liberté humaine et individuelle, et non pas le conformisme à un ordre social et collectif, qui demeure l'objet privilégié de la psychiatrie.

BIBLIOGRAPHIE

BERNARDOT, A. "La responsabilité Médicale". *Revue de Droit de l'Université de Sherbrooke.* 1973.

CREPEAU, C.A. "La responsabilité Civile Médicale et Hospitalière. Evolution récente du droit québécois". *Futura Santé.* Montréal: Intermonde (Ed.), 1968, 2.

GRUNBERG, F. "Les grandes contestations juridiques de l'anti-psychiatrie aux Etats-Unis". *Union Médicale du Canada.* 1976, 105, 935-961.

INFORMATION CANADA. *Désordre mental dans le processus pénal.* Ottawa: La Commission de la Réforme du Droit au Canada, 1976.

LINDMAN, F.T., McINTYRE Jr, D.H. *The mentallyDisabled and the Law.* The University of Chicago Press, 1961.

POITEVIN SAINTONGE, L. *Code criminel Chap. C34 et Lois connexes.* Montréal: Wilson & Lafleur ltée, S.R.C., 1970.

POITEVIN SAINTONGE, L. *Code de procédure civile de la province de Québec.* Montréal: Wilson & Lafleur ltée.

SCHIFFER, M.A. *Mental disorder and the criminal trial process.* Canada: Butterworth & Co. Ltd, 1978.

SLOVENKO, R. *Psychiatry and Law.* Boston: Little Brown & Co., 1973.

WEST, D.J., WALK, A. *Daniel McNaughton. His trial and the aftermath.* London: Gaskell Books, 1977.

La loi de la Commission des affaires sociales. 1974, Chap. 40.

La loi de la Curatelle publique. 1971, Chap. 81.

La loi de la Protection du malade mental. 1972, Chap. 44.

La loi de la Protection du malade mental. Montréal, juin 1968 (considérations du Comité de santé mentale du Québec).

La loi des Services de santé et des Services sociaux. 1972, Chap. 48.

INDEX

NOTES

NOTES

NOTES

NOTES

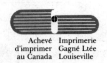

Achevé   Imprimerie
d'imprimer Gagné Ltée
au Canada Louiseville